Autoren

Heinzler, Max	Dipl.-Ing. (FH), Studiendirektor	Wangen i. Allgäu
Kilgus, Roland	Dipl.-Gwl., Oberstudiendirektor	Metzingen
Näher, Friedrich	Dipl.-Ing. (FH), Oberstudiendirektor	Balingen
Paetzold, Heinz	Dipl.-Ing. (FH), Gewerbeschulrat	Mühlacker
Röhrer, Werner	Dipl.-Ing. (FH), Dipl.-Gewerbelehrer	Balingen
Schilling, Karl	Studiendirektor	Augsburg
Stephan, Andreas	Dipl.-Ing. (FH), Gewerbeschulrat	Kressbronn

Lektorat und Leitung des Arbeitskreises:
Ulrich Fischer, Ing. (grad.), Studiendirektor, Reutlingen

Bildbearbeitung:
Zeichenbüro des Verlages Europa-Lehrmittel, Leinfelden-Echterdingen

Das vorliegende Buch wurde auf der **Grundlage der neuen amtlichen Rechtschreibregeln** erstellt.

Dem Tabellenbuch wurden die neuesten Ausgaben der Normblätter und sonstiger Regelwerke zugrunde gelegt. Verbindlich sind jedoch nur die Normblätter mit dem neuesten Ausgabedatum des DIN (Deutsches Institut für Normung e.V.) selbst. Sie können durch die Beuth Verlag GmbH, Burggrafenstr. 6, 10787 Berlin, bezogen werden.

41. Auflage 1999
Druck 7
Alle Drucke dieser Auflage sind im Unterricht nebeneinander einsetzbar, da sie bis auf die korrigierten Druckfehler und kleine Normänderungen unverändert sind.

ISBN 3-8085-1721-2   mit Formelsammlung

ISBN 3-8085-1671-2   ohne Formelsammlung

© 1999 by Verlag Europa-Lehrmittel, Nourney, Vollmer GmbH & Co., 42781 Haan-Gruiten
http://www.europa-lehrmittel.de

Satz: PrintOut Druckgestaltungs-GmbH, Castrop-Rauxel
Druck: J. P. Bachem, 51063 Köln

Die Neubearbeitung des Tabellenbuches Metall zur 41. Auflage erfolgte, um die bisherigen Inhalte auf den neuesten Stand zu bringen, neue Themen aufzunehmen und das Buch noch benutzerfreundlicher zu gestalten.

Zielgruppen

Das Tabellenbuch Metall wird vor allem in der Berufsausbildung verwendet. Da jedoch die ausführlich behandelten Themen die wichtigsten Bereiche des Maschinenbaues abdecken, arbeiten auch Meister- und Technikerschüler sowie Studenten der Fachhochschulen und Hochschulen gerne mit diesem Nachschlagewerk. Auch in den Konstruktions- und Fertigungsabteilungen der Firmen wird das Tabellenbuch Metall oft benutzt.

Aufbau und Konzeption

Die sieben Hauptkapitel

M	Mathematik	**N**	Normteile
P	Technische Physik	**F**	Fertigungstechnik
K	Technische Kommunikation	**A**	Automatisierungs- und
W	Werkstofftechnik		Informationstechnik

fassen jeweils die Inhalte eines Bereiches zusammen. Manche Themen sind jedoch dort angesiedelt, wo sie bei der praktischen Anwendung gesucht werden, z. B. die Kühlschmierstoffe und die Schneidstoffe bei der spanenden Fertigung und nicht bei den Werkstoffen. Die Tabellen enthalten möglichst viele der lieferbaren Sorten, Abmessungen oder Richtwerte. Manchmal fehlte dazu aber der Platz. Hier kann oft die Ausgabe des Tabellenbuches auf CD-ROM („CD-Datenbank Metalltechnik") weiterhelfen.

Die Übersichtlichkeit der einzelnen Seiten wird durch eine klare Gliederung und die farbliche Gestaltung gewährleistet. Das Normenverzeichnis am Ende des Tabellenbuches enthält jetzt auch die Kurztitel der zitierten Normen. Die durch DIN ISO-, DIN EN- und DIN EN ISO-Normen ersetzten DIN-Normen werden auch in der 41. Auflage weiterhin zusätzlich angeführt, damit der Benutzer des Buches über die alten Normen zu den neuen findet.

Hinweise

Bei den Formeln wird nach wie vor auf die Angabe von Einheiten verzichtet, weil oft mehrere Einheiten möglich sind und die Beispiele zur Formel die richtige Verwendung der Einheiten zeigen. Nur in den Fällen, bei denen der Leser eine Hilfestellung braucht, z. B. bei der Berechnung von Kolbenkräften, werden Einheiten vorgeschlagen. In den oft parallel benutzten „Formeln Metall", welche die Formeln des Tabellenbuches enthalten, sind dagegen die Einheiten angeführt.

Bei allen Normteilen, Maschinenelementen, Werkstoffen und bei Kurzangaben in Zeichnungen ist ein Bezeichnungsbeispiel angegeben, das durch einen Pfeil ⇨ gekennzeichnet ist. Außerdem wird bei vielen Normteilgruppen, z. B. bei den Schrauben, der allgemeine Aufbau der Bezeichnung am Anfang des betreffenden Kapitels vorgestellt.

Trotz der umfangreichen Neubearbeitung blieb der Charakter des Tabellenbuches erhalten: kompetent, aktuell, übersichtlich und grafisch ansprechend. Die Notwendigkeit einiger Abschnitte wird umstritten bleiben. Manche Leser werden neben dem Taschenrechner die Zahlentabellen am Anfang des Buches oder Drehzahldiagramme benutzen, während andere sie für überflüssig halten. Der Verlag und die Autoren bitten aber alle Benutzer, uns ihre Kritik mitzuteilen. Diese Anregungen sind für uns immer ein zusätzlicher Anlass, das Tabellenbuch Metall weiter zu verbessern und so zu gestalten, dass es den Anforderungen unserer Leser möglichst gerecht wird.

Im Sommer 1999   Die Verfasser

Inhaltsverzeichnis

M   Mathematik 7

P   Technische Physik 31

K   Technische Kommunikation 55

W   Werkstofftechnik 111

Inhaltsverzeichnis

N Normteile   187

F Fertigungstechnik   243

A Automatisierungs- und Informationstechnik   315

Normenverzeichnis   367

Sachwortverzeichnis   374

Normung und zitierte Regelwerke

Grundgedanken und Normbegriffe   vgl. DIN 820 (1995-01)

Normung ist eine planmäßig durchgeführte Vereinheitlichung von materiellen und nichtmateriellen Gegenständen, wie z.B. Bauteilen, Berechnungsverfahren, Prozessabläufen und Dienstleistungen zum Nutzen der Allgemeinheit.

Normbegriff	Beispiel	Erklärung
Norm	DIN 7157	Eine Norm ist das veröffentlichte Ergebnis der Normungsarbeit, z.B. die Auswahl bestimmter Passungen in DIN 7157.
Teil	DIN 30910-2	Der Teil einer Norm steht im Zusammenhang zu anderen Teilen mit gleicher Hauptnummer. DIN 30910-2 beschreibt z.B. Sinterwerkstoffe für Filter, während die Teile 3 und 4 Sinterwerkstoffe für Lager und Formteile beschreiben.
Beiblatt	DIN EN ISO 8402 Bbl 1	Ein Beiblatt enthält Informationen zu einer Norm, jedoch keine zusätzlichen Festlegungen. Das Beiblatt DIN EN ISO 8402 Bbl 1 enthält z.B. Anmerkungen zu den in DIN EN ISO 8402 festgelegten Begriffen des Qualitätsmanagements.
Entwurf	E DIN EN 10277-1	Ein Norm-Entwurf ist das vorläufig abgeschlossene Ergebnis einer Normungsarbeit, das in der Fassung der vorgesehenen Norm der Öffentlichkeit zur Stellungnahme vorgelegt wird. E DIN EN 10277-1 ist z.B. ein Normentwurf für technische Lieferbedingungen von Blankstahlerzeugnissen.
Ausgabedatum	DIN ISO 2768 (1991-06)	Zeitpunkt des Erscheinens, welcher im DIN-Anzeiger veröffentlicht wird und mit dem die Norm Gültigkeit bekommt. Die DIN ISO 2768, welche Allgemeintoleranzen festlegt, ist z.B. seit Juni 1991 gültig.

Normen, Regelwerke (Auswahl)

Art	Kurzzeichen	Erklärung	Zweck / Inhalte
Internationale Normen (ISO-Normen)	ISO	International Organisation for Standardization, Genf (O und S werden in der Abkürzung vertauscht)	Internationalen Austausch von Gütern und Dienstleistungen sowie die Zusammenarbeit auf wissenschaftlichem, technischem und ökonomischem Gebiet erleichtern.
Europäische Normen (EN-Normen)	EN	Europäische Normungsorganisation CEN (Comunite Europeen de Normalisation), Brüssel	Technische Harmonisierung und damit verbundener Abbau von Handelshemmnissen zur Förderung des Binnenmarktes und des Zusammenwachsens von Europa.
Deutsche Normen (DIN-Normen)	DIN	Deutsches Institut für Normung e.V., Berlin	Die nationale Normungsarbeit dient der Rationalisierung, der Qualitätssicherung, der Sicherheit, dem Umweltschutz und der Verständigung in Wirtschaft, Technik, Wissenschaft, Verwaltung und Öffentlichkeit.
	DIN EN	Europäische Norm, deren deutsche Fassung den Status einer deutschen Norm erhalten hat	
	DIN ISO	Deutsche Norm, in die eine Internationale Norm unverändert übernommen wurde	
	DIN EN ISO	Europäische Norm, in die eine Internationale Norm unverändert übernommen wurde und deren Deutsche Fassung den Status einer Deutschen Norm erhalten hat	
	DIN VDE	Druckschrift des VDE, die den Status einer Deutschen Norm erhalten hat	
VDI-Richtlinien	VDI	Verein Deutscher Ingenieure e.V., Düsseldorf	Diese Richtlinien geben den aktuellen Stand der Technik zu bestimmten Themenbereichen wieder und enthalten z.B. konkrete Handlungsanleitungen zur Durchführung von Berechnungen oder zur Gestaltung von Prozessen im Maschinenbau bzw. in der Elektrotechnik.
VDE-Druckschriften	VDE	Verband Deutscher Elektrotechniker e.V., Frankfurt am Main	
DGQ-Schriften	DGQ	Deutsche Gesellschaft für Qualität e.V., Frankfurt am Main	Empfehlungen für den Bereich der Qualitätstechnik
REFA-Blätter	REFA	Verband für Arbeitsstudien REFA e.V., Darmstadt	Empfehlungen für den Bereich der Fertigung und Arbeitsplanung

$$\frac{3}{5} \cdot \frac{2}{7} = \frac{6}{35}$$

$$1 \, \text{kW} \cdot \text{h} = 3,6 \cdot 10^6 \, \text{W} \cdot \text{s}$$

M

Quadratwurzel, Kubikwurzel, Kreisfläche, Faktoren

$n = d$	$\sqrt{n}$	$\sqrt[3]{n}$	$\dfrac{\pi \cdot d^2}{4}$	Faktoren von n	$n = d$	$\sqrt{n}$	$\sqrt[3]{n}$	$\dfrac{\pi \cdot d^2}{4}$	Faktoren von n
1	1,000 0	1,000 0	0,7854	–	51	7,141 4	3,708 4	2 042,82	$3 \cdot 17$
2	1,414 2	1,259 9	3,1416	Primzahl	52	7,211 1	3,732 5	2 123,72	$2^2 \cdot 13$
3	1,732 1	1,442 2	7,0686	Primzahl	53	7,280 1	3,756 3	2 206,18	Primzahl
4	2,000 0	1,587 4	12,5664	2^2	54	7,348 5	3,779 8	2 290,22	$2 \cdot 3^3$
5	2,236 1	1,710 0	19,6350	Primzahl	55	7,416 2	3,803 0	2 375,83	$5 \cdot 11$
6	2,449 5	1,817 1	28,2743	$2 \cdot 3$	56	7,483 3	3,825 9	2 463,01	$2^3 \cdot 7$
7	2,645 8	1,912 9	38,4845	Primzahl	57	7,549 8	3,848 5	2 551,76	$3 \cdot 19$
8	2,828 4	2,000 0	50,2655	2^3	58	7,615 8	3,870 9	2 642,08	$2 \cdot 29$
9	3,000 0	2,080 1	63,6173	3^2	59	7,681 1	3,893 0	2 733,97	Primzahl
10	3,162 3	2,154 4	78,5398	$2 \cdot 5$	**60**	7,746 0	3,914 9	2 827,43	$2^2 \cdot 3 \cdot 5$
11	3,316 6	2,224 0	95,0332	Primzahl	61	7,810 2	3,936 5	2 922,47	Primzahl
12	3,464 1	2,289 4	113,097	$2^2 \cdot 3$	62	7,874 0	3,957 9	3 019,07	$2 \cdot 31$
13	3,605 6	2,351 3	132,732	Primzahl	63	7,937 3	3,979 1	3 117,25	$3^2 \cdot 7$
14	3,741 7	2,410 1	153,938	$2 \cdot 7$	64	8,000 0	4,000 0	3 216,99	2^6
15	3,873 0	2,466 2	176,715	$3 \cdot 5$	65	8,062 3	4,020 7	3 318,31	$5 \cdot 13$
16	4,000 0	2,519 8	201,062	2^4	66	8,124 0	4,041 2	3 421,19	$2 \cdot 3 \cdot 11$
17	4,123 1	2,571 3	226,980	Primzahl	67	8,185 4	4,061 5	3 525,65	Primzahl
18	4,242 6	2,620 7	254,469	$2 \cdot 3^2$	68	8,246 2	4,081 7	3 631,68	$2^2 \cdot 17$
19	4,358 9	2,668 4	283,529	Primzahl	69	8,306 6	4,101 6	3 739,28	$3 \cdot 23$
20	4,472 1	2,714 4	314,159	$2^2 \cdot 5$	**70**	8,366 6	4,121 3	3 848,45	$2 \cdot 5 \cdot 7$
21	4,582 6	2,758 9	346,361	$3 \cdot 7$	71	8,426 1	4,140 8	3 959,19	Primzahl
22	4,690 4	2,802 0	380,133	$2 \cdot 11$	72	8,485 3	4,160 2	4 071,50	$2^3 \cdot 3^2$
23	4,795 8	2,843 9	415,476	Primzahl	73	8,544 0	4,179 3	4 185,39	Primzahl
24	4,899 0	2,884 5	452,389	$2^3 \cdot 3$	74	8,602 3	4,198 3	4 300,84	$2 \cdot 37$
25	5,000 0	2,924 0	490,874	5^2	75	8,660 3	4,217 2	4 417,86	$3 \cdot 5^2$
26	5,099 0	2,962 5	530,929	$2 \cdot 13$	76	8,717 8	4,235 8	4 536,46	$2^2 \cdot 19$
27	5,196 2	3,000 0	572,555	3^3	77	8,775 0	4,254 3	4 656,63	$7 \cdot 11$
28	5,291 5	3,036 6	615,752	$2^2 \cdot 7$	78	8,831 8	4,272 7	4 778,36	$2 \cdot 3 \cdot 13$
29	5,385 2	3,072 3	660,520	Primzahl	79	8,888 2	4,290 8	4 901,67	Primzahl
30	5,477 2	3,107 2	706,858	$2 \cdot 3 \cdot 5$	**80**	8,944 3	4,308 9	5 026,55	$2^4 \cdot 5$
31	5,567 8	3,141 4	754,768	Primzahl	81	9,000 0	4,326 7	5 153,00	3^4
32	5,656 9	3,174 8	804,248	2^5	82	9,055 4	4,344 5	5 281,02	$2 \cdot 41$
33	5,744 6	3,207 5	855,299	$3 \cdot 11$	83	9,110 4	4,362 1	5 410,61	Primzahl
34	5,831 0	3,239 6	907,920	$2 \cdot 17$	84	9,165 2	4,379 5	5 541,77	$2^2 \cdot 3 \cdot 7$
35	5,916 1	3,271 1	962,113	$5 \cdot 7$	85	9,219 5	4,396 8	5 674,50	$5 \cdot 17$
36	6,000 0	3,301 9	1017,88	$2^2 \cdot 3^2$	86	9,273 6	4,414 0	5 808,80	$2 \cdot 43$
37	6,082 8	3,332 2	1075,21	Primzahl	87	9,327 4	4,431 0	5 944,68	$3 \cdot 29$
38	6,164 4	3,362 0	1134,11	$2 \cdot 19$	88	9,380 8	4,448 0	6 082,12	$2^3 \cdot 11$
39	6,245 0	3,391 2	1194,59	$3 \cdot 13$	89	9,434 0	4,464 7	6 221,14	Primzahl
40	6,324 6	3,420 0	1256,64	$2^3 \cdot 5$	**90**	9,486 8	4,481 4	6 361,73	$2 \cdot 3^2 \cdot 5$
41	6,403 1	3,448 2	1320,25	Primzahl	91	9,539 4	4,497 9	6 503,88	$7 \cdot 13$
42	6,480 7	3,476 0	1385,44	$2 \cdot 3 \cdot 7$	92	9,591 7	4,514 4	6 647,61	$2^2 \cdot 23$
43	6,557 4	3,503 4	1452,20	Primzahl	93	9,643 7	4,530 7	6 792,91	$3 \cdot 31$
44	6,633 2	3,530 3	1520,53	$2^2 \cdot 11$	94	9,695 4	4,546 8	6 939,78	$2 \cdot 47$
45	6,708 2	3,556 9	1590,43	$3^2 \cdot 5$	95	9,746 8	4,562 9	7 088,22	$5 \cdot 19$
46	6,782 3	3,583 0	1661,90	$2 \cdot 23$	96	9,798 0	4,578 9	7 238,23	$2^5 \cdot 3$
47	6,855 7	3,608 8	1734,94	Primzahl	97	9,848 9	4,594 7	7 389,81	Primzahl
48	6,928 2	3,634 2	1809,56	$2^4 \cdot 3$	98	9,899 5	4,610 4	7 542,96	$2 \cdot 7^2$
49	7,000 0	3,659 3	1885,74	7^2	99	9,949 9	4,626 1	7 697,69	$3^2 \cdot 11$
50	7,071 1	3,684 0	1963,50	$2 \cdot 5^2$	**100**	10,000 0	4,641 6	7 853,98	$2^2 \cdot 5^2$

Quadratwurzel, Kubikwurzel, Kreisfläche, Faktoren

$n = d$	$\sqrt{n}$	$\sqrt[3]{n}$	$\dfrac{\pi \cdot d^2}{4}$	Faktoren von n	$n = d$	$\sqrt{n}$	$\sqrt[3]{n}$	$\dfrac{\pi \cdot d^2}{4}$	Faktoren von n
101	10,049 9	4,657 0	8 011,85	Primzahl	151	12,288 2	5,325 1	17 907,9	Primzahl
102	10,099 5	4,672 3	8 171,28	$2 \cdot 3 \cdot 17$	152	12,328 8	5,336 8	18 145,8	$2^3 \cdot 19$
103	10,148 9	4,687 5	8 332,29	Primzahl	153	12,369 3	5,348 5	18 385,4	$3^2 \cdot 17$
104	10,198 0	4,702 7	8 494,87	$2^3 \cdot 13$	154	12,409 7	5,360 1	18 626,5	$2 \cdot 7 \cdot 11$
105	10,247 0	4,717 1	8 659,01	$3 \cdot 5 \cdot 7$	155	12,449 9	5,371 7	18 869,2	$5 \cdot 31$
106	10,295 6	4,732 6	8 824,73	$2 \cdot 53$	156	12,490 0	5,383 2	19 113,4	$2^2 \cdot 3 \cdot 13$
107	10,344 1	4,747 5	8 992,02	Primzahl	157	12,530 0	5,394 7	19 359,3	Primzahl
108	10,392 3	4,762 2	9 160,88	$2^2 \cdot 3^3$	158	12,569 8	5,406 1	19 606,7	$2 \cdot 79$
109	10,440 3	4,776 9	9 331,32	Primzahl	159	12,609 5	5,417 5	19 855,7	$3 \cdot 53$
110	10,488 1	4,791 3	9 503,32	$2 \cdot 5 \cdot 11$	160	12,649 1	5,428 8	20 106,2	$2^5 \cdot 5$
111	10,535 7	4,805 9	9 676,89	$3 \cdot 37$	161	12,688 6	5,440 1	20 358,3	$7 \cdot 23$
112	10,583 0	4,820 3	9 852,03	$2^4 \cdot 7$	162	12,727 9	5,451 4	20 612,0	$2 \cdot 3^4$
113	10,630 1	4,834 6	10 028,7	Primzahl	163	12,767 1	5,462 6	20 867,2	Primzahl
114	10,677 1	4,848 8	10 207,0	$2 \cdot 3 \cdot 19$	164	12,806 2	5,473 7	21 124,1	$2^2 \cdot 41$
115	10,723 8	4,862 9	10 386,9	$5 \cdot 23$	165	12,845 2	5,484 8	21 382,5	$3 \cdot 5 \cdot 11$
116	10,770 3	4,877 0	10 568,3	$2^2 \cdot 29$	166	12,884 1	5,495 9	21 642,4	$2 \cdot 83$
117	10,816 7	4,891 0	10 751,3	$3^2 \cdot 13$	167	12,922 8	5,506 9	21 904,0	Primzahl
118	10,862 8	4,904 9	10 935,9	$2 \cdot 59$	168	12,961 5	5,517 8	22 167,1	$2^3 \cdot 3 \cdot 7$
119	10,908 7	4,918 7	11 122,0	$7 \cdot 17$	169	13,000 0	5,528 8	22 431,8	13^2
120	10,954 5	4,932 4	11 309,7	$2^3 \cdot 3 \cdot 5$	170	13,038 4	5,539 7	22 698,0	$2 \cdot 5 \cdot 17$
121	11,000 0	4,946 1	11 499,0	11^2	171	13,076 7	5,550 5	22 965,8	$3^2 \cdot 19$
122	11,045 4	4,959 7	11 689,9	$2 \cdot 61$	172	13,114 9	5,561 3	23 235,2	$2^2 \cdot 43$
123	11,090 5	4,973 2	11 882,3	$3 \cdot 41$	173	13,152 9	5,572 1	23 506,2	Primzahl
124	11,135 5	4,986 6	12 076,3	$2^2 \cdot 31$	174	13,190 9	5,582 8	23 778,7	$2 \cdot 3 \cdot 29$
125	11,180 3	5,000 0	12 271,8	5^3	175	13,228 8	5,593 4	24 052,8	$5^2 \cdot 7$
126	11,225 0	5,013 3	12 469,0	$2 \cdot 3^2 \cdot 7$	176	13,266 5	5,604 1	24 328,5	$2^4 \cdot 11$
127	11,269 4	5,026 5	12 667,7	Primzahl	177	13,304 1	5,614 7	24 605,7	$3 \cdot 59$
128	11,313 7	5,039 7	12 868,0	2^7	178	13,341 7	5,625 2	24 884,6	$2 \cdot 89$
129	11,357 8	5,052 8	13 069,8	$3 \cdot 43$	179	13,379 1	5,635 7	25 164,9	Primzahl
130	11,401 8	5,065 8	13 273,2	$2 \cdot 5 \cdot 13$	180	13,416 4	5,646 2	25 446,9	$2^2 \cdot 3^2 \cdot 5$
131	11,445 5	5,078 8	13 478,2	Primzahl	181	13,453 6	5,656 7	25 730,4	Primzahl
132	11,489 1	5,091 6	13 684,8	$2^2 \cdot 3 \cdot 11$	182	13,490 7	5,667 1	26 015,5	$2 \cdot 7 \cdot 13$
133	11,532 6	5,104 5	13 892,9	$7 \cdot 19$	183	13,527 7	5,677 4	26 302,2	$3 \cdot 61$
134	11,575 8	5,117 2	14 102,6	$2 \cdot 67$	184	13,564 7	5,687 7	26 590,4	$2^3 \cdot 23$
135	11,619 0	5,129 9	14 313,9	$3^3 \cdot 5$	185	13,601 5	5,698 0	26 880,3	$5 \cdot 37$
136	11,661 9	5,142 6	14 526,7	$2^3 \cdot 17$	186	13,638 2	5,708 3	27 171,6	$2 \cdot 3 \cdot 31$
137	11,704 7	5,155 1	14 741,1	Primzahl	187	13,674 8	5,718 5	27 464,6	$11 \cdot 17$
138	11,747 3	5,167 6	14 957,1	$2 \cdot 3 \cdot 23$	188	13,711 3	5,728 7	27 759,1	$2^2 \cdot 47$
139	11,789 8	5,180 1	15 174,7	Primzahl	189	13,747 7	5,738 8	28 055,2	$3^3 \cdot 7$
140	11,832 2	5,192 5	15 393,8	$2^2 \cdot 5 \cdot 7$	190	13,784 0	5,748 9	28 352,9	$2 \cdot 5 \cdot 19$
141	11,874 3	5,204 8	15 614,5	$3 \cdot 47$	191	13,820 3	5,759 0	28 652,1	Primzahl
142	11,916 4	5,217 1	15 836,8	$2 \cdot 71$	192	13,856 4	5,769 0	28 952,9	$2^6 \cdot 3$
143	11,958 3	5,229 3	16 060,6	$11 \cdot 13$	193	13,892 4	5,779 0	29 255,3	Primzahl
144	12,000 0	5,241 5	16 286,0	$2^4 \cdot 3^2$	194	13,928 4	5,789 0	29 559,2	$2 \cdot 97$
145	12,041 6	5,253 6	16 513,0	$5 \cdot 29$	195	13,964 2	5,798 9	29 864,8	$3 \cdot 5 \cdot 13$
146	12,083 0	5,265 6	16 741,5	$2 \cdot 73$	196	14,000 0	5,808 8	30 171,9	$2^2 \cdot 7^2$
147	12,124 4	5,277 6	16 971,7	$3 \cdot 7^2$	197	14,035 7	5,818 6	30 480,5	Primzahl
148	12,165 5	5,289 6	17 203,4	$2^2 \cdot 37$	198	14,071 2	5,828 5	30 790,7	$2 \cdot 3^2 \cdot 11$
149	12,206 6	5,301 5	17 436,6	Primzahl	199	14,106 7	5,838 3	31 102,6	Primzahl
150	12,247 4	5,313 3	17 671,5	$2 \cdot 3 \cdot 5^2$	200	14,142 1	5,848 0	31 415,9	$2^3 \cdot 5^2$

M

Winkelfunktionen

Winkelfunktionen im rechtwinkligen Dreieck

Bezeichnungen im rechtwinkligen Dreieck	Bezeichnung der Seitenverhältnisse		Anwendung für ∢ α	für ∢ β
c Hypotenuse, a Gegenkathete von α, b Ankathete von α	**Sinus**	$= \dfrac{\text{Gegenkathete}}{\text{Hypotenuse}}$	$\sin \alpha = \dfrac{a}{c}$	$\sin \beta = \dfrac{b}{c}$
	Cosinus	$= \dfrac{\text{Ankathete}}{\text{Hypotenuse}}$	$\cos \alpha = \dfrac{b}{c}$	$\cos \beta = \dfrac{a}{c}$
c Hypotenuse, a Ankathete von β, b Gegenkathete von β	**Tangens**	$= \dfrac{\text{Gegenkathete}}{\text{Ankathete}}$	$\tan \alpha = \dfrac{a}{b}$	$\tan \beta = \dfrac{b}{a}$
	Cotangens	$= \dfrac{\text{Ankathete}}{\text{Gegenkathete}}$	$\cot \alpha = \dfrac{b}{a}$	$\cot \beta = \dfrac{a}{b}$

Verlauf der Winkelfunktionen am Einheitskreis

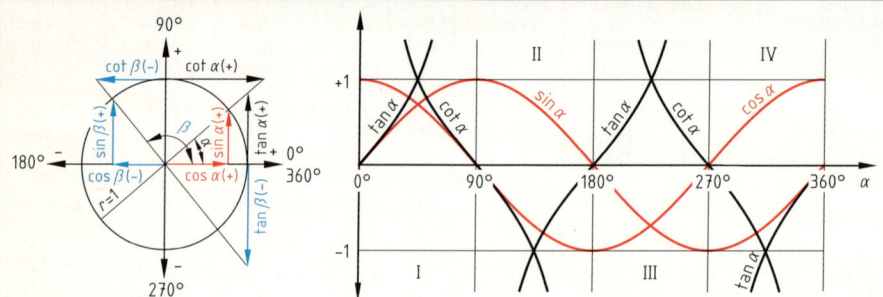

Die Funktionswerte für Winkel über 90° können so ermittelt werden, dass sie den Funktionswerten für Winkel unter 90° entsprechen und ihr Vorzeichen anhand des Einheitskreises bestimmt wird. Sie können auch Winkeltabellen entnommen werden.

Beispiele: sin 120° = sin (180° – 120°) = sin 60°; tan 320° = – tan (360° – 320°) = – tan 40°

Funktionswerte für ausgewählte Winkel

	0°	30°	45°	60°	90°	180°	270°	360°
sin	0	$\dfrac{1}{2} = 0{,}5000$	$\dfrac{1}{2} \cdot \sqrt{2} = 0{,}7071$	$\dfrac{1}{2} \cdot \sqrt{3} = 0{,}8660$	1	0	– 1	0
cos	1	$\dfrac{1}{2} \cdot \sqrt{3} = 0{,}8660$	$\dfrac{1}{2} \cdot \sqrt{2} = 0{,}7071$	$\dfrac{1}{2} = 0{,}5000$	0	– 1	0	1
tan	0	$\dfrac{1}{3} \cdot \sqrt{3} = 0{,}5774$	1	$\sqrt{3} = 1{,}7321$	∞	0	∞	0
cot	∞	$\sqrt{3} = 1{,}7321$	1	$\dfrac{1}{3} \cdot \sqrt{3} = 0{,}5771$	0	∞	0	–∞

Steigung geneigter Strecken

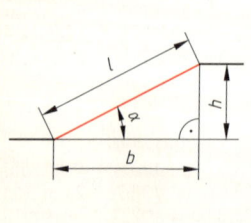

h Höhenunterschied
b Basis
l Länge der geneigten Strecke
α Steigungswinkel
x Steigung in %

Beispiel:
$b = 400$ m; $h = 24$ m; $x = ?$; $\alpha = ?$

$$x = \frac{24 \text{ m} \cdot 100 \text{ \%}}{400 \text{ m}} = 6 \text{ \%}$$

$$\tan \alpha = \frac{24 \text{ m}}{400 \text{ m}} = 0{,}06; \quad \alpha \approx \textbf{3,4°}$$

Steigung

$$x = \frac{h \cdot 100 \text{ \%}}{b}$$

Steigungswinkel

$$\tan \alpha = \frac{h}{b}$$

Länge der geneigten Strecke

$$l = \sqrt{h^2 + b^2} \qquad l = \frac{h}{\sin \alpha}$$

Winkelfunktionen, Winkel, Strahlensatz

M

Beziehungen zwischen den Funktionen eines Winkels

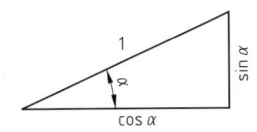

$\sin^2 \alpha + \cos^2 \alpha = 1$	$\tan \alpha \cdot \cot \alpha = 1$
$\tan \alpha = \dfrac{\sin \alpha}{\cos \alpha}$	$\cot \alpha = \dfrac{\cos \alpha}{\sin \alpha}$

Winkelfunktionen im schiefwinkligen Dreieck

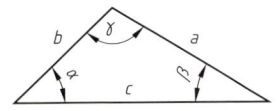

	Sinussatz	Cosinussatz
	$a : b : c = \sin \alpha : \sin \beta : \sin \gamma$	$a^2 = b^2 + c^2 - 2 \cdot b \cdot c \cdot \cos \alpha$
	$\dfrac{a}{\sin \alpha} = \dfrac{b}{\sin \beta} = \dfrac{c}{\sin \gamma}$	$b^2 = a^2 + c^2 - 2 \cdot a \cdot c \cdot \cos \beta$
		$c^2 = a^2 + b^2 - 2 \cdot a \cdot b \cdot \cos \gamma$

Anwendung von Sinus- und Cosinussatz

Seitenberechnung	Winkelberechnung		Flächenberechnung
$a = \dfrac{b \cdot \sin \alpha}{\sin \beta} = \dfrac{c \cdot \sin \alpha}{\sin \gamma}$	$\sin \alpha = \dfrac{a \cdot \sin \beta}{b} = \dfrac{a \cdot \sin \gamma}{c}$	$\cos \alpha = \dfrac{b^2 + c^2 - a^2}{2 \cdot b \cdot c}$	$A = \dfrac{a \cdot b \cdot \sin \gamma}{2}$
$b = \dfrac{a \cdot \sin \beta}{\sin \alpha} = \dfrac{c \cdot \sin \beta}{\sin \gamma}$	$\sin \beta = \dfrac{b \cdot \sin \alpha}{a} = \dfrac{b \cdot \sin \gamma}{c}$	$\cos \beta = \dfrac{a^2 + c^2 - b^2}{2 \cdot a \cdot c}$	$A = \dfrac{b \cdot c \cdot \sin \alpha}{2}$
$c = \dfrac{a \cdot \sin \gamma}{\sin \alpha} = \dfrac{b \cdot \sin \gamma}{\sin \beta}$	$\sin \gamma = \dfrac{c \cdot \sin \alpha}{a} = \dfrac{c \cdot \sin \beta}{b}$	$\cos \gamma = \dfrac{a^2 + b^2 - c^2}{2 \cdot a \cdot b}$	$A = \dfrac{a \cdot c \cdot \sin \beta}{2}$

Winkelarten

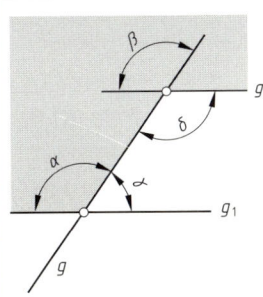

Werden zwei Parallelen g_1 und g_2 durch eine Gerade g geschnitten, so bestehen für die dabei gebildeten Winkel geometrische Zusammenhänge.

Stufenwinkel sind gleich groß. $\quad \alpha = \beta$

Scheitelwinkel sind gleich groß. $\quad \beta = \delta$

Wechselwinkel sind gleich groß. $\quad \alpha = \delta$

Nebenwinkel ergänzen sich zu 180°. $\quad \alpha + \gamma = 180°$

Winkelsumme im Dreieck

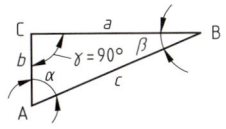

In jedem Dreieck ist die Summe der Innenwinkel gleich 180°. $\quad \alpha + \beta + \gamma = 180°$

Im rechtwinkligen Dreieck ist $\gamma = 90°$, die Winkel α und β ergänzen sich zu 90°. $\quad \alpha + \beta = 90°$

Strahlensatz

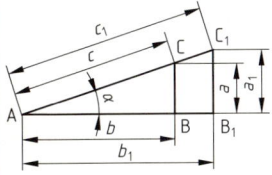

Werden zwei vom Punkt A ausgehende Strahlen von zwei Parallelen BC und B_1C_1 geschnitten, bilden die Abschnitte der Parallelen und die zugehörigen Strahlenabschnitte gleiche Verhältnisse.

$$\dfrac{a}{a_1} = \dfrac{b}{b_1} = \dfrac{c}{c_1}$$

$$\dfrac{a}{b} = \dfrac{a_1}{b_1} \qquad \dfrac{b}{c} = \dfrac{b_1}{c_1}$$

M

Mathematische Grundlagen

Bruchrechnung

Regel	Zahlenbeispiel	Algebraisches Beispiel
Gleichnamige Brüche werden addiert oder subtrahiert, indem man die Zähler addiert oder subtrahiert und die Nenner unverändert lässt.	$\dfrac{5}{8} + \dfrac{2}{8} - \dfrac{1}{8} = \dfrac{5+2-1}{8}$ $= \dfrac{6}{8} = \dfrac{3}{4}$	$\dfrac{5}{a} - \dfrac{3}{a} + \dfrac{7}{a} = \dfrac{5-3+7}{a}$ $= \dfrac{9}{a}$
Bei **ungleichnamigen Brüchen** muss zuerst der Hauptnenner gebildet werden, um sie addieren bzw. subtrahieren zu können. Der Hauptnenner ist der kleinste gemeinsame Nenner, in dem die Nenner aller Brüche ganzzählig enthalten sind. Die Brüche werden durch Erweitern auf den Hauptnenner gebracht.	$\dfrac{1}{2} + \dfrac{2}{3} - \dfrac{3}{4} =$ Hauptnenner = 12 $= \dfrac{1 \cdot 6}{2 \cdot 6} + \dfrac{2 \cdot 4}{3 \cdot 4} - \dfrac{3 \cdot 3}{4 \cdot 3}$ $= \dfrac{6}{12} + \dfrac{8}{12} - \dfrac{9}{12}$ $= \dfrac{6+8-9}{12} = \dfrac{5}{12}$	$\dfrac{a}{b} + \dfrac{c}{d} =$ Hauptnenner = $b \cdot d$ $= \dfrac{a \cdot d}{b \cdot d} + \dfrac{c \cdot b}{b \cdot d}$ $= \dfrac{a \cdot d + c \cdot b}{b \cdot d}$
Ein Bruch wird mit einem anderen Bruch multipliziert, indem man Zähler mit Zähler und Nenner mit Nenner multipliziert.	$\dfrac{3}{5} \cdot \dfrac{2}{7} = \dfrac{3 \cdot 2}{5 \cdot 7} = \dfrac{6}{35}$	$\dfrac{a}{b} \cdot \dfrac{c}{d} = \dfrac{a \cdot c}{b \cdot d}$
Ein Bruch wird durch einen anderen Bruch dividiert, indem man den Dividenden (Bruch im Zähler) mit dem Kehrwert des Divisors (Bruch im Nenner) multipliziert.	$\dfrac{3}{4} : \dfrac{3}{5} = \dfrac{\frac{3}{4}}{\frac{3}{5}} = \dfrac{3 \cdot 5}{4 \cdot 3}$ $= \dfrac{5}{4} = 1\dfrac{1}{4}$	$\dfrac{a}{b} : \dfrac{c}{d} = \dfrac{\frac{a}{b}}{\frac{c}{d}} = \dfrac{a \cdot d}{b \cdot c}$

Vorzeichenregeln

Haben zwei Faktoren **gleiche** Vorzeichen, so wird das Produkt **positiv**.	$2 \cdot 5 = 10$ $(-2) \cdot (-5) = 10$	$a \cdot x = ax$ $(-a) \cdot (-x) = ax$
Haben zwei Faktoren **unterschiedliche** Vorzeichen, so wird das Produkt **negativ**.	$3 \cdot (-8) = -24$ $(-3) \cdot 8 = -24$	$a \cdot (-x) = -ax$ $(-a) \cdot x = -ax$
Haben Zähler und Nenner bzw. Dividend und Divisor **gleiche** Vorzeichen, so ist der Bruch bzw. der Quotient **positiv**.	$\dfrac{15}{3} = 15 : 3 = 5$ $\dfrac{-15}{-3} = (-15) : (-3) = 5$	$\dfrac{a}{b} = \dfrac{a}{b}$ $\dfrac{-a}{-b} = \dfrac{a}{b}$
Haben Zähler und Nenner bzw. Dividend und Divisor **unterschiedliche** Vorzeichen, so ist der Bruch bzw. der Quotient **negativ**.	$\dfrac{15}{-3} = 15 : (-3) = -5$ $\dfrac{-15}{3} = (-15) : 3 = -5$	$\dfrac{a}{-b} = -\dfrac{a}{b}$ $\dfrac{-a}{b} = -\dfrac{a}{b}$
Punktrechnungen ($\cdot$ und :) müssen **vor Strichrechnungen** (+ und −) ausgeführt werden.	$8 \cdot 4 - 18 \cdot 3 = 32 - 54$ $= -22$ $\dfrac{16}{4} + \dfrac{20}{5} - \dfrac{18}{3} = 4 + 4 - 6$ $= 2$	$4a \cdot b - c \cdot 3d$ $= 4ab - 3cd$

Klammerrechnung

Klammern, vor denen ein Pluszeichen steht, können weggelassen werden. Die Vorzeichen der Glieder bleiben dann unverändert.	$16 + (9 - 5)$ $= 16 + 9 - 5$ $= 20$	$a + (b - c)$ $= a + b - c$
Klammern, vor denen ein Minuszeichen steht, können nur aufgelöst (weggelassen) werden, wenn alle Summanden (Glieder in der Klammer) entgegengesetzte Vorzeichen erhalten.	$16 - (9 - 5)$ $= 16 - 9 + 5$ $= 12$	$a - (b - c)$ $= a - b + c$

Klammerrechnung

Regel	Zahlenbeispiel	Algebraisches Beispiel
Ein Klammerausdruck wird mit einem Faktor multipliziert, indem man jedes Glied der Klammer mit dem Faktor multipliziert.	$7 \cdot (4 + 5)$ $= 7 \cdot 4 + 7 \cdot 5 = 63$	$a \cdot (b + c)$ $= ab + ac$
Ein Klammerausdruck wird mit einem Klammerausdruck multipliziert, indem man jedes Glied der einen Klammer mit jedem Glied der anderen Klammer multipliziert.	$(3 + 5) \cdot (10 - 7)$ $= 3 \cdot 10 + 3 \cdot (-7) + 5 \cdot 10 + 5 \cdot (-7)$ $= 30 - 21 + 50 - 35 = 24$	$(a + b) \cdot (c - d)$ $= ac - ad + bc - bd$
Das Quadrieren von Summen wird durch Anwendung der **Binomischen Formeln** vereinfacht. Gleiches gilt für die Multiplikation von $(a + b) \cdot (a - b)$.	$\begin{aligned}(4 + 5)^2 &= 4^2 + 4 \cdot 5 + 4 \cdot 5 + 5^2 \\ &= 16 + 20 + 20 + 25 = 81\end{aligned}$ $\begin{aligned}(7 - 2)^2 &= 7^2 - 7 \cdot 2 - 7 \cdot 2 + 2^2 \\ &= 49 - 14 - 14 + 4 = 25\end{aligned}$ $\begin{aligned}(4 + 3) \cdot (4 - 3) &= 4^2 - 4 \cdot 3 + 4 \cdot 3 - 3^2 \\ &= 16 - 9 = 7\end{aligned}$	$\begin{aligned}(a + b)^2 &= a^2 + ab + ab + b^2 \\ &= a^2 + 2ab + b^2\end{aligned}$ $\begin{aligned}(a - b)^2 &= a^2 - ab - ab + b^2 \\ &= a^2 - 2ab + b^2\end{aligned}$ $\begin{aligned}(a + b) \cdot (a - b) &= a^2 - ab + ab - b^2 \\ &= a^2 - b^2\end{aligned}$
Ein Klammerausdruck wird durch einen Wert (Zahl, Buchstabe, Klammerausdruck) dividiert, indem man jedes Glied in der Klammer durch diesen Wert dividiert.	$(16 - 4) : 4$ $= 16 : 4 - 4 : 4$ $= 4 - 1 = 3$	$(a + b) : c = a : c + b : c$ $\dfrac{a - b}{b} = \dfrac{a}{b} - 1$
Ein Bruchstrich fasst Ausdrücke in gleicher Weise zusammen wie eine Klammer.	$\dfrac{3 + 4}{2} = (3 + 4) : 2$	$\dfrac{a + b}{2} \cdot h = (a + b) \cdot \dfrac{h}{2}$
Bei gemischten Punkt- und Strichrechnungen mit Klammerausdrücken müssen zuerst die Klammern aufgelöst und danach die Punkt- und dann die Strichrechnung ausgeführt werden.	$8 \cdot (3 - 2) + 4 \cdot (16 - 5)$ $= 8 \cdot 1 + 4 \cdot 11$ $= 8 + 44 = 52$	$a \cdot (3x - 5x) - b \cdot (12y - 2y)$ $= a \cdot (-2x) - b \cdot 10y$ $= -2ax - 10by$

Potenzieren

Regel	Zahlenbeispiel	Algebraisches Beispiel
Potenzen mit gleicher Basis werden multipliziert, indem man die Exponenten addiert und die Basis beibehält.	$\begin{aligned}3^2 \cdot 3^3 &= 3 \cdot 3 \cdot 3 \cdot 3 \cdot 3 \\ &= 3^5\end{aligned}$ oder $3^2 \cdot 3^3 = 3^{(2+3)} = 3^5$	$\begin{aligned}x^4 \cdot x^2 &= x \cdot x \cdot x \cdot x \cdot x \cdot x \\ &= x^6\end{aligned}$ oder $x^4 \cdot x^2 = x^{(4+2)} = x^6$
Potenzen mit gleicher Basis werden dividiert, indem man ihre Exponenten subtrahiert und die Basis beibehält.	$\dfrac{4^3}{4^2} = \dfrac{4 \cdot 4 \cdot 4}{4 \cdot 4} = 4$ oder $4^3 : 4^2 = 4^{(3-2)} = 4^1 = 4$	$\dfrac{m^2}{m^3} = \dfrac{m \cdot m}{m \cdot m \cdot m} = \dfrac{1}{m} = m^{-1}$ oder $m^2 : m^3 = m^{(2-3)} = m^{-1}$
Werden Potenzen mit einem Faktor multipliziert, so muss zuerst die Potenz berechnet werden. Potenzrechnung geht vor Punktrechnung.	$\begin{aligned}6 \cdot 10^3 &= 6 \cdot 1000 \\ &= 6000\end{aligned}$ $7 \cdot 10^{-2} = 7 \cdot \dfrac{1}{100} = 0{,}07$	$a \cdot 10^2 = a \cdot 100 = 100a$ $b \cdot 10^{-1} = b \cdot \dfrac{1}{10} = 0{,}1b$
Jede Potenz mit dem Exponenten Null hat den Wert 1.	$\dfrac{10^4}{10^4} = 10^{(4-4)} = 10^0 = 1$	$(m + n)^0 = 1$

Mathematische Grundlagen

Radizieren

Regel	Zahlenbeispiel	Algebraisches Beispiel
Ist der Radikand ein Produkt, so kann die Wurzel entweder aus dem Produkt oder aus jedem einzelnen Faktor gezogen werden.	$\sqrt{9 \cdot 16} = \sqrt{144} = 12$ oder $\sqrt{9 \cdot 16} = \sqrt{9} \cdot \sqrt{16} = 3 \cdot 4 = 12$	$\sqrt[3]{a \cdot b} = \sqrt[3]{a} \cdot \sqrt[3]{b}$
Ist der Radikand eine Summe oder eine Differenz, so kann nur aus dem Ergebnis die Wurzel gezogen werden.	$\sqrt{9 + 16} = \sqrt{25} = 5$ $\sqrt{5^2 - 4^2} = \sqrt{25 - 16} = \sqrt{9} = 3$	$\sqrt[3]{a - b} = \sqrt[3]{(a - b)}$
Eine Wurzel kann als Potenz geschrieben werden.	$\sqrt[3]{27} = 27^{\frac{1}{3}} = 3^{3 \cdot \frac{1}{3}} = 3^{\frac{3}{3}} = 3^1 = 3$	$\sqrt{a} = a^{\frac{1}{2}}$
Wurzeln mit gleicher Basis und gleichem Wurzelexponenten können addiert oder subtrahiert werden.	$3 \cdot \sqrt[3]{64} + 4 \cdot \sqrt[3]{64}$ $= 7 \cdot \sqrt[3]{64} = 7 \cdot 4 = 28$ $4 \cdot \sqrt{36} - 2 \cdot \sqrt{36}$ $= 2 \cdot \sqrt{36} = 2 \cdot 6 = 12$	$a \cdot \sqrt[3]{y} + b \cdot \sqrt[3]{y} = (a + b) \cdot \sqrt[3]{y}$ $a \cdot \sqrt{x} - b \cdot \sqrt{x} = (a - b) \cdot \sqrt{x}$
Wurzeln mit gleichem Wurzelexponenten werden multipliziert oder dividiert, indem man das Produkt bzw. den Quotienten der Radikanden radiziert.	$\sqrt{4} \cdot \sqrt{49} = \sqrt{4 \cdot 49} = \sqrt{196} = 14$ $\sqrt{36} : \sqrt{4} = \sqrt{\frac{36}{4}} = \sqrt{9} = 3$	$\sqrt[n]{x} \cdot \sqrt[n]{y} = \sqrt[n]{x \cdot y}$ $\sqrt[m]{a} : \sqrt[m]{b} = \sqrt[m]{\frac{a}{b}}$
Eine Wurzel wird radiziert, indem man den Radikanden mit dem Produkt der Wurzelexponenten radiziert.	$\sqrt{\sqrt[3]{64}} = \sqrt[2 \cdot 3]{64} = \sqrt[6]{64} = 2$	$\sqrt[m]{\sqrt[n]{x}} = \sqrt[m \cdot n]{x}$

Umformen von Gleichungen

Durch **Addition** der gleichen Zahl auf beiden Seiten steht die gesuchte Zahl allein auf der linken Seite.	$\begin{aligned} y - 5 &= 9 \\ y - 5 + 5 &= 9 + 5 \\ y &= 14 \end{aligned}$	$\begin{aligned} y - c &= d \\ y - c + c &= d + c \\ y &= d + c \end{aligned}$
Durch **Subtraktion** der gleichen Zahl auf beiden Seiten steht die gesuchte Zahl allein auf der linken Seite.	$\begin{aligned} x + 7 &= 18 \\ x + 7 - 7 &= 18 - 7 \\ x &= 11 \end{aligned}$	$\begin{aligned} x + a &= b \\ x + a - a &= b - a \\ x &= b - a \end{aligned}$
Durch **Division** der gleichen Zahl auf beiden Seiten steht die gesuchte Zahl allein auf der linken Seite.	$\begin{aligned} 6 \cdot x &= 23 \\ \frac{6 \cdot x}{6} &= \frac{23}{6} \\ x &= \frac{23}{6} = 3\frac{5}{6} \end{aligned}$	$\begin{aligned} a \cdot x &= b \\ \frac{a \cdot x}{a} &= \frac{b}{a} \\ x &= \frac{b}{a} \end{aligned}$
Durch **Multiplikation** der gleichen Zahl auf beiden Seiten steht die gesuchte Zahl allein auf der linken Seite.	$\begin{aligned} \frac{y}{3} &= 7 \\ \frac{y \cdot 3}{3} &= 7 \cdot 3 \\ y &= 21 \end{aligned}$	$\begin{aligned} \frac{y}{c} &= d \\ \frac{y \cdot c}{c} &= d \cdot c \\ y &= d \cdot c \end{aligned}$
Durch **Potenzieren** auf beiden Seiten steht die gesuchte Zahl allein auf der linken Seite.	$\begin{aligned} \sqrt{x} &= 4 \\ (\sqrt{x})^2 &= 4^2 \\ x &= 16 \end{aligned}$	$\begin{aligned} \sqrt{x} &= a + b \\ (\sqrt{x})^2 &= (a + b)^2 \\ x &= a^2 + 2ab + b^2 \end{aligned}$
Durch **Radizieren** auf beiden Seiten steht die gesuchte Zahl allein auf der linken Seite.	$\begin{aligned} x^2 &= 36 \\ \sqrt{x^2} &= \sqrt{36} \\ x &= \pm 6 \end{aligned}$	$\begin{aligned} x^2 &= a + b \\ \sqrt{x^2} &= \sqrt{a + b} \\ x &= \pm \sqrt{a + b} \end{aligned}$

Mathematische Grundlagen

Logarithmen

Regel	Zahlenbeispiel	Algebraisches Beispiel
Der Logarithmus eines Produktes ist gleich der Summe der Logarithmen aus den einzelnen Faktoren.	$\lg (4 \cdot 3) = \lg 3 + \lg 4$ $= 0{,}47712 + 0{,}60206$ $= 1{,}07918$	$\lg (a \cdot b) = \lg a + \lg b$
Der Logarithmus eines Bruches ist gleich dem Logarithmus des Zählers minus dem Logarithmus des Nenners.	$\lg \dfrac{20}{4} = \lg 20 - \lg 4$ $= 1{,}30103 - 0{,}60206$ $= 0{,}69897$	$\lg \dfrac{a}{b} = \lg a - \lg b$
Der Logarithmus einer Potenz ist das Produkt aus dem Exponenten und dem Logarithmus der Basis.	$\lg 4^3 = 3 \cdot \lg 4$ $= 3 \cdot 0{,}60206$ $= 1{,}80618$	$\lg a^n = n \cdot \lg a$

Zehnerpotenzen

Werte über 1 können übersichtlich als Vielfaches von Zehnerpotenzen mit **positiven** Exponenten dargestellt werden. Werte unter 1 können als Vielfaches von Zehnerpotenzen mit **negativen** Exponenten dargestellt werden.

Wert	0,001	0,01	0,1	1	10	100	1 000	10 000	100 000	1 000 000
Zehnerpotenz	10^{-3}	10^{-2}	10^{-1}	10^0	10^1	10^2	10^3	10^4	10^5	10^6

Beispiele: Unwandlung von Zahlen in Produkte mit Zehnerpotenzen:

$4300 = 4{,}3 \cdot 1\,000 = 4{,}3 \cdot 10^3$; $14\,638 = 1{,}4638 \cdot 10\,000 = 1{,}4638 \cdot 10^4$; $0{,}07 = \dfrac{7}{100} = 7 \cdot 10^{-2}$

Prozentrechnung

Der **Prozentsatz** gibt an, wie viel Prozent gerechnet werden sollen.
Der **Grundwert** ist der Wert, von dem die Prozente zu rechnen sind.
Der **Prozentwert** ist der Betrag, den die Prozente des Grundwertes ergeben.

P_s Prozentsatz, Prozent P_w Prozentwert G_w Grundwert

Beispiel: Workstückrohling 250 kg (Grundwert); Abbrand 2 % (Prozentsatz)
Abbrand in kg = ? (Prozentwert)

$$P_w = \frac{G_w \cdot P_s}{100\ \%} = \frac{250\ \text{kg} \cdot 2\ \%}{100\ \%} = \textbf{5 kg}$$

Prozentwert

$$P_w = \frac{G_w \cdot P_s}{100\ \%}$$

Prozentsatz

$$P_s = \frac{P_w}{G_w} \cdot 100\ \%$$

Zinsrechnung

K_0 Anfangskapital Z Zinsen t Laufzeit in Tagen, Verzinsungszeit
K_t Endkapital p Zinssatz pro Jahr

1. Beispiel: $K_0 = 2800{,}00\ \text{DM}$; $p = 6\ \frac{\%}{a}$; $t = \frac{1}{2}\,a$; $Z = ?$

$$Z = \frac{2800{,}00\ \text{DM} \cdot 6\frac{\%}{a} \cdot 0{,}5\ a}{100\ \%} = \textbf{84,00 DM}$$

2. Beispiel: $K_0 = 4800{,}00\ \text{DM}$; $p = 5{,}1\ \frac{\%}{a}$; $t = 50\ d$; $Z = ?$

$$Z = \frac{4800{,}00\ \text{DM} \cdot 5{,}1\frac{\%}{a} \cdot 50\ d}{100\ \% \cdot 360\ \frac{d}{a}} = \textbf{34,00 DM}$$

Zins

$$Z = \frac{K_0 \cdot p \cdot t}{100\ \% \cdot 360}$$

1 Zinsjahr (1a) = 360 Tage (360 d)
360 d = 12 Monate
1 Zinsmonat = 30 Tage

Zinseszinsrechnung bei Einmalzahlung

K_0 Anfangskapital Z Zinsen n Laufzeit in Jahren
K_n Endkapital p Zinssatz pro Jahr q Aufzinsungsfaktor

Beispiel: $K_0 = 8000{,}00\ \text{DM}$; $n = 7$ Jahre; $p = 6{,}5\ \%$; $K_n = ?$

$$q = 1 + \frac{6{,}5\ \%}{100\ \%} = 1{,}065$$

$$K_n = K_0 \cdot q^n = 8000{,}00\ \text{DM} \cdot 1{,}065^7 = 8000{,}00\ \text{DM} \cdot 1{,}553986$$
$$= \textbf{12431,89 DM}$$

Endkapital

$$K_n = K_0 \cdot q^n$$

Aufzinsungsfaktor

$$q = 1 + \frac{p}{100\ \%}$$

Schlussrechnung

Dreisatz für direkt proportionale Verhältnisse

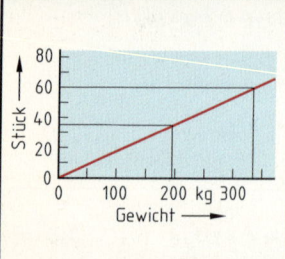

Beispiel: 60 Rohrkrümmer wiegen 330 kg. Wie groß ist das Gewicht von 35 Rohrkrümmern?

1. Satz: | Behauptung | 60 Rohrkrümmer wiegen 330 kg

2. Satz: | Berechnung der Einheit: Durch Dividieren |

1 Rohrkrümmer wiegt $\dfrac{330 \text{ kg}}{60}$

3. Satz: | Berechnung der Mehrheit: Durch Multiplizieren |

35 Rohrkrümmer wiegen $\dfrac{330 \text{ kg} \cdot 35}{60} = \mathbf{192{,}5 \text{ kg}}$

Dreisatz für indirekt proportionale Verhältnisse

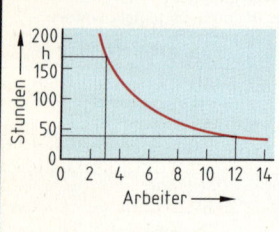

Beispiel: 3 Arbeiter benötigen für einen Auftrag 170 Stunden. Wie viel Stunden benötigen 12 Arbeiter für den gleichen Auftrag?

1. Satz: | Behauptung | 3 Arbeiter benötigen 170 Stunden

2. Satz: | Berechnung der Einheit: Durch Multiplizieren |

1 Arbeiter benötigt $3 \cdot 170$ h

3. Satz: | Berechnung der Mehrheit: Durch Dividieren |

12 Arbeiter benötigen $\dfrac{3 \cdot 170 \text{ h}}{12} = \mathbf{42{,}5 \text{ h}}$

Dreisatz mit mehrgliedrigen Verhältnissen

Beispiel:

660 Werkstücke werden durch 5 Maschinen in 24 Tagen hergestellt. In welcher Zeit können 312 Werkstücke gleicher Art von 9 Maschinen angefertigt werden?

1. Dreisatz: 5 Maschinen fertigen 660 Werkstücke in 24 Tagen

1 Maschine fertigt 660 Werkstücke in $24 \cdot 5$ Tagen

9 Maschinen fertigen 660 Werkstücke in $\dfrac{24 \cdot 5}{9}$ Tagen

2. Dreisatz: 9 Maschinen fertigen 660 Werkstücke in $\dfrac{24 \cdot 5}{9}$ Tagen

9 Maschinen fertigen 1 Werkstück in $\dfrac{24 \cdot 5}{9 \cdot 660}$ Tagen

9 Maschinen fertigen 312 Werkstücke in $\dfrac{24 \cdot 5 \cdot 312}{9 \cdot 660} = \mathbf{6{,}3 \text{ Tagen}}$

Mischungsrechnung

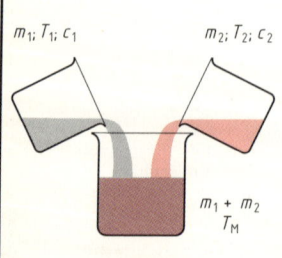

$m_1; T_1; c_1$ $m_2; T_2; c_2$

$m_1 + m_2$
T_M

m_1, m_2 Teilmassen
T_1, T_2 Temperaturen der Teilmassen in K
c_1, c_2 spez. Wärmekapazitäten[1] der Teilmassen
T_M Temperatur der Mischung

Temperatur der Mischung

$$T_M = \frac{c_1 \cdot m_1 \cdot T_1 + c_2 \cdot m_2 \cdot T_2}{c_1 \cdot m_1 + c_2 \cdot m_2}$$

Beispiel:

Ein Stahlbehälter mit $m_1 = 6$ kg und $T_1 = 293$ K wird mit $m_2 = 24$ l Wasser vom $T_2 = 318$ K vollständig gefüllt. Welche Temperatur T_M stellt sich ein?

$$T_M = \frac{c_1 \cdot m_1 \cdot T_1 + c_2 \cdot m_2 \cdot T_2}{c_1 \cdot m_1 + c_2 \cdot m_2}$$

$$= \frac{0{,}49 \, \frac{\text{kJ}}{\text{kg} \cdot \text{K}} \cdot 6 \text{ kg} \cdot 293 \text{ K} + 4{,}18 \, \frac{\text{kJ}}{\text{kg} \cdot \text{K}} \cdot 24 \text{ kg} \cdot 318 \text{ K}}{0{,}49 \, \frac{\text{kJ}}{\text{kg} \cdot \text{K}} \cdot 6 \text{ kg} + 4{,}18 \, \frac{\text{kJ}}{\text{kg} \cdot \text{K}} \cdot 24 \text{ kg}} = \mathbf{317{,}29 \text{ K} = 44{,}29 \,°C}$$

[1] spez. Wärmekapazität Seite 112 und Seite 113

Formelzeichen, mathematische Zeichen

M

Formelzeichen

vgl. DIN 1304-1 (1994-03)

Formel-zeichen	Bedeutung	Formel-zeichen	Bedeutung	Formel-zeichen	Bedeutung
Länge, Fläche, Volumen, Winkel		**Mechanik**		**Wärme**	
l	Länge	m	Masse	T, Θ	thermodynamische Temperatur
b	Breite	m'	längenbezogene Masse	$\Delta T, \Delta t,$	Temperaturdifferenz
h	Höhe, Tiefe	m''	flächenbezogene Masse	$\Delta \vartheta$	
r, R	Radius, Halbmesser	ϱ	Dichte, volumenbezogene Masse	t, ϑ	Celsius-Temperatur
d, D	Durchmesser	J	Trägheitsmoment,	α, α_l	Längenausdehnungs-koeffizient
s	Weglänge, Kurvenlänge		Massenmoment 2. Grades	α_V, γ	Volumenausdehnungs-koeffizient
λ	Wellenlänge	F	Kraft		
A, S	Fläche, Querschnittsfläche	F_G, G	Gewichtskraft	Q	Wärme, Wärmemenge
V	Volumen	M	Drehmoment	λ	Wärmeleitfähigkeit
α, β, γ	ebener Winkel	T	Torsionsmoment	α	Wärmeübergangs-koeffizient
Ω	Raumwinkel	M_b	Biegemoment		
Zeit		p	Druck	k	Wärmedurchgangs-koeffizient
t	Zeit, Dauer	p_{abs}	absoluter Druck		
T	Periodendauer	p_{amb}	Atmosphärendruck	$\Phi, \dot{Q}$	Wärmestrom
f, ν	Frequenz	p_e	Überdruck	a	Temperaturleitfähigkeit
n	Drehzahl	σ	Normalspannung	C	Wärmekapazität
ω	Winkelgeschwindigkeit	τ	Schubspannung	c	spez. Wärmekapazität
v, u	Geschwindigkeit	A	Bruchdehnung[2]	H_u	spezifischer Heizwert
a	Beschleunigung	ε	Dehnung, relative Längenänderung	**Elektrizität**	
g	örtliche Fallbeschleunigung	E	Elastizitätsmodul	Q	Ladung, Elektrizitätsmenge
α	Winkelbeschleunigung	G	Schubmodul	U	Spannung
$Q, \dot{V}$	Volumenstrom	μ, f	Reibungszahl	C	Kapazität
Akustik		W	Widerstandsmoment	ε	Permittivität
		I	Flächenmoment 2. Grades	I	Stromstärke
p	Schalldruck	W, E	Arbeit, Energie	L	Induktivität
dB(A)	Schallpegel[1]	W_p, E_p	potenzielle Energie	μ	Permeabilität
c	Schallgeschwindigkeit	W_k, E_k	kinetische Energie	R	Widerstand
L_p	Schalldruckpegel	P	Leistung	ϱ	spezifischer Widerstand
ϱ	Schallreflexionsgrad	η	Wirkungsgrad	$\gamma, \varkappa$	elektrische Leitfähigkeit
α	Schallabsorptionsgrad	**Licht, elektromagnet. Strahlung**		X	Blindwiderstand
R	Schalldämm-Maß	E_v	Beleuchtungsstärke	Z	Scheinwiderstand
L_N	Lautstärkepegel	f	Brennweite	φ	Phasenverschiebungs-winkel
		n	Brechzahl		
		I_e	Strahlstärke	N	Windungszahl
		Q_e, W	Strahlungsenergie		

[1] nicht in DIN 1304; siehe Seite 314   [2] nicht in DIN 1304; siehe Seite 175

Mathematische Zeichen

vgl. DIN 1302 (1999-12)

Math. Zeichen	Sprechweise	Math. Zeichen	Sprechweise	Math. Zeichen	Sprechweise
$\approx$	ungefähr gleich, rund, etwa	$\sqrt{}$	Quadratwurzel aus	ln	natürlicher Logarithmus
$\hat{=}$	entspricht	$\sqrt[n]{}$	n-te Wurzel aus	log	Logarithmus (allgemein)
$\ldots$	und so weiter bis	$\lvert x \rvert$	Betrag von x	lg	dekadischer Logarithmus
$=$	gleich	∞	unendlich	sin	Sinus
$\ne$	ungleich	Arc z	Arcus z, Bogenmaß z	cos	Cosinus
$=_{def}$	ist definitionsgemäß gleich	Arc sin	Arcus sinus	tan	Tangens
$<$	kleiner als			cot	Cotangens
$\le$	kleiner oder gleich	$\perp$	senkrecht auf		
$>$	größer als	$\parallel$	ist parallel zu	%	Prozent, vom Hundert
$\ge$	größer oder gleich	$\uparrow\uparrow$	gleichsinnig parallel	‰	Promille, vom Tausend
$+$	plus	$\downarrow\downarrow$	gegensinnig parallel	(), [], {}	runde, eckige, geschweifte Klammer auf und zu
$-$	minus	$\sphericalangle$	Winkel		
$\times, \cdot$	mal, multipliziert mit	$\triangle$	Dreieck	$\overline{AB}$	Strecke AB
$-, /, :$	durch, geteilt durch, zu	$\odot$	Kreis	$\overset{\frown}{AB}$	Bogen AB
Σ	Summe	$\cong$	kongruent zu	a', a''	a Strich, a zwei Strich
$\sim$	proportional	Δx	Delta x (Differenz zweier Werte)	a_1, a_2	a eins, a zwei
π	pi (Kreiszahl = 3,14159...)				
a^x	a hoch x				

M

Einheiten im Messwesen

vgl. DIN 1301-1 (1993-12), -2 (1978-02), -3 (1979-10)

Die Einheiten im Messwesen sind im Internationalen Einheitensystem (SI = **S**ysteme **I**nternational) festgelegt. Es baut auf den sieben *Basiseinheiten* (Grundeinheiten) auf, von denen weitere Einheiten abgeleitet sind.

Basisgrößen und Basiseinheiten

Basisgröße	Länge	Masse	Zeit	Elektrische Stromstärke	Thermo-dynamische Temperatur	Stoffmenge	Lichtstärke
Basiseinheit	Meter	Kilogramm	Sekunde	Ampere	Kelvin	Mol	Candela
Einheitenzeichen	m	kg	s	A	K	mol	cd

Kohärente (abgeleitete) Einheiten	Das sind Einheiten, die aus den Basiseinheiten des SI-Systems (m, kg, s, A, K, mol, cd) mit dem Zahlenfaktor 1 gebildet werden. Dazu gehören auch Potenzen und Potenzprodukte. **Beispiele:** $1\,N = 1\,\dfrac{kg \cdot m}{s^2}$; $1\,Hz = \dfrac{1}{s}$; $1\,W = 1\,\dfrac{J}{s}$
Nicht-kohärente Einheiten	Das sind Einheiten, die durch einen anderen Zahlenfaktor als 1 an die Einheiten des SI-Systems angeschlossen sind. **Beispiele:** 1 h = 3600 s; 1 Kt = 0,2 g

Vorsätze zur Bezeichnung von dezimalen Vielfachen der Einheiten

Vorsatz	Piko	Nano	Mikro	Milli	Zenti	Dezi	Deka	Hekto	Kilo	Mega	Giga	Tera
Vorsatzzeichen	p	n	µ	m	c	d	da	h	k	M	G	T
Faktor	10^{-12}	10^{-9}	10^{-6}	10^{-3}	10^{-2}	10^{-1}	10^1	10^2	10^3	10^6	10^9	10^{12}

Größen und Einheiten

Größe	Formel-zeichen	Einheit Name	Einheit Zeichen	Beziehung	Bemerkung

Länge, Fläche, Volumen, Winkel

Größe	Formel-zeichen	Name	Zeichen	Beziehung	Bemerkung
Länge	l	Meter	m	1 m = 10 dm = 100 cm = 1000 mm 1 mm = 1000 µm 1 km = 1000 m	1 inch = 1 Zoll = 25,4 mm In der Luft- und Seefahrt gilt: 1 internationale Seemeile = 1852 m
Fläche	A, S	Quadratmeter Ar Hektar	m^2 a ha	$1\,m^2$ = 10 000 cm^2 = 1 000 000 mm^2 1 a = 100 m^2 1 ha = 100 a = 10 000 m^2 100 ha = 1 km^2	Zeichen S nur für Querschnittsflächen Ar und Hektar nur für Flächen von Grundstücken
Volumen	V	Kubikmeter Liter	m^3 l, L	$1\,m^3$ = 1000 dm^3 = 1 000 000 cm^3 1l = 1 L = 1 dm^3 = = 10 dl = 0,001 m^3 1 ml = 1 cm^3	Meist für Flüssigkeiten und Gase
ebener Winkel (Winkel)	$\alpha, \beta, \gamma...$	Radiant Grad Minute Sekunde	rad ° ' ''	1 rad = 1 m/m = 57,2957...° = 180°/π 1° = $\dfrac{\pi}{180}$ rad = 60' 1' = 1°/60 = 60'' 1'' = 1'/60 = 1°/3600	1 rad ist der Winkel, der aus einem um den Scheitelpunkt geschlagenen Kreis mit 1 m Radius einen Bogen von 1 m Länge schneidet. Bei techn. Berechnungen z.B. nicht α = 33° 17' 27,6'', sondern besser α = 33,291° verwenden.
Raumwinkel	Ω	Steradiant	sr	1 sr = 1 m^2/m^2	

Zeit

Größe	Formel-zeichen	Name	Zeichen	Beziehung	Bemerkung
Zeit, Zeitspanne, Dauer	t	Sekunde Minute Stunde Tag Jahr	s min h d a	1 min = 60 s 1 h = 60 min = 3600 s 1 d = 24 h	3 h bedeutet eine Zeitspanne (3 Std.) 3^h bedeutet einen Zeitpunkt (3 Uhr). Werden Zeitpunkte in gemischter Form, z.B. $3^h24^m10^s$ geschrieben, so kann das Zeichen min auf m verkürzt werden.
Frequenz	f, ν	Hertz	Hz	1 Hz = 1/s	1 Hz ≙ 1 Schwingung in 1 Sekunde

Einheiten im Messwesen vgl. DIN 1301-1 (1993-12), -2 (1978-02), -3 (1979-10)

19

M

Größen und Einheiten (Fortsetzung)

Größe	Formel-zeichen	Einheit Name	Einheit Zeichen	Beziehung	Bemerkung
Zeit					
Drehzahl (Umdrehungs-frequenz)	n	1 durch Sekunde	1/s	1/s = 60/min = 60 min^{-1}	
		1 durch Minute	1/min	1/min = 1 min^{-1} = $\dfrac{1}{60\ \text{s}}$	
Geschwin-digkeit	v	Meter durch Sekunde	m/s	1 m/s = 60 m/min = 3,6 km/h	Geschwindigkeit bei der Seefahrt in Knoten (kn).
		Meter durch Minute	m/min	1 m/min = $\dfrac{1\ \text{m}}{60\ \text{s}}$	1 kn = 1,852 km/h
		Kilometer durch Stunde	km/h	1 km/h = $\dfrac{1\ \text{m}}{3,6\ \text{s}}$	Mile per hour = 1 mile/h = 1 mph 1 mph = 1,60934 km/h
Winkelge-schwindigkeit	ω	1 durch Sekunde Radiant durch Sekunde	1/s rad/s		
Beschleuni-gung	a, g	Meter durch Sekunde hoch zwei	m/s^2	1 m/s^2 = $\dfrac{1\ \text{m/s}}{1\ \text{s}}$	Formelzeichen g nur für Fallbe-schleunigung. g = 9,81 m/s^2 ≈ 10 m/s^2
Mechanik					
Masse	m	**Kilogramm** Gramm	kg g	1 kg = 1000 g 1 g = 1000 mg	Gewicht im Sinne eines Wäge-ergebnisses oder eines Wägestückes ist eine Größe von der Art der Masse (Einheit kg).
		Megagramm Tonne	Mg t	1 t = 1000 kg = 1 Mg 0,2 g = 1 Kt	Masse für Edelsteine in Karat (Kt)
längen-bezogene Masse	m'	Kilogramm durch Meter	kg/m	1 kg/m = 1 g/mm	Die längenbezogene Masse wird z.B. zur Berechnung der Masse (Gewicht) von Stabwerkstoffen, Profilen und Rohren verwendet.
flächen-bezogene Masse	m''	Kilogramm durch Meter hoch zwei	kg/m^2	1 kg/m^2 = 0,1 g/cm^2	Die flächenbezogene Masse wird z.B. zur Berechnung der Masse von Blechen verwendet.
Dichte	ϱ	Kilogramm durch Meter hoch drei	kg/m^3	1000 kg/m^3 = 1 t/m^3 = 1 kg/dm^3 = 1 g/cm^3 = 1 g/ml = 1 mg/mm^3	Die Dichte ist eine vom Ort unab-hängige Größe.
Trägheits-moment, Massenmoment 2. Grades	J	Kilogramm mal Meter hoch zwei	kg · m^2		früher: Massenträgheitsmoment
Kraft Gewichtskraft	F F_G, G	Newton	N	1 N = 1 $\dfrac{\text{kg} \cdot \text{m}}{\text{s}^2}$ = 1 $\dfrac{\text{J}}{\text{m}}$ 1 MN = 10^3 kN = 1 000 000 N	Die Kraft 1 N bewirkt bei der Masse 1 kg in 1 s eine Geschwindigkeits-änderung von 1 m/s.
Drehmoment Biegemoment Torsionsmoment	M M_b T	Newton mal Meter	N · m		
Impuls	p	Kilogramm mal Meter durch Sekunde	kg · m/s	1 kg · m/s = 1 N · s	
Druck mechanische Spannung	p σ, τ	Pascal Newton durch Meter hoch zwei	Pa N/m^2	1 Pa = 1 N/m^2 = 0,01 mbar 1 bar = 100 000 N/m^2 = 10 N/cm^2 = 10^5 Pa 1 mbar = 1 hPa 1 N/mm^2 = 10 bar = 1 MN/m^2 = 1 MPa 1 daN/cm^2 = 0,1 N/mm^2	Unter Druck versteht man die Kraft je Flächeneinheit. Für Überdruck wird das Formelzeichen p_e verwen-det (DIN 1314). 1 bar = 14,5 psi (pounds per square inch = Pfund pro Quadrat-inch)

Einheiten im Messwesen

vgl. DIN 1301-1 (1993-12), -2 (1978-02), -3 (1979-10)

Größen und Einheiten (Fortsetzung)

Größe	Formel-zeichen	Einheit Name	Einheit Zeichen	Beziehung	Bemerkung
Mechanik					
Flächenmoment 2. Grades	I	Meter hoch vier Zentimeter hoch vier	m^4 cm^4	$1\ m^4 = 100\ 000\ 000\ cm^4$	früher: Flächenträgheitsmoment
Energie, Arbeit Wärmemenge	E, W	Joule	J	$1\ J = 1\ N \cdot m = 1\ W \cdot s$ $= 1\ kg \cdot m^2/s^2$	Joule für jede Energieart, kW · h bevorzugt für elektrische Energie.
Leistung Wärmestrom	P Φ	Watt	W	$1\ W = 1\ J/s = 1\ N \cdot m/s$ $= 1\ V \cdot A = 1\ m^2 \cdot kg/s^3$	
Elektrizität und Magnetismus					
Elektrische Stromstärke	I	**Ampere**	A		
Elektr. Spannung	U	Volt	V	$1\ V = 1\ W/1\ A = 1\ J/C$	
Elektr. Widerstand	R	Ohm	Ω	$1\ \Omega = 1\ V/1\ A$	
Elektr. Leitwert	G	Siemens	S	$1\ S = 1\ A/1\ V = 1/\Omega$	
Spezifischer Widerstand	ϱ	Ohm mal Meter	$\Omega \cdot m$	$10^{-6}\ \Omega \cdot m = 1\ \Omega \cdot mm^2/m$	$\varrho = \dfrac{1}{\varkappa}$ in $\dfrac{\Omega \cdot mm^2}{m}$
Leitfähigkeit	$\gamma, \varkappa$	Siemens durch Meter	S/m		$\varkappa = \dfrac{1}{\varrho}$ in $\dfrac{m}{\Omega \cdot mm^2}$
Frequenz	f	Hertz	Hz	$1\ Hz = 1/s;\ 1000\ Hz = 1\ kHz$	
Elektr. Arbeit	W	Joule	J	$1\ J = 1\ W \cdot s = 1\ N \cdot m$ $1\ kW \cdot h = 3,6\ MJ$ $1\ W \cdot h = 3,6\ kJ$	
Phasen-verschiebungs-winkel	φ	–	–		Winkel zwischen Strom und Spannung bei induktiver oder kapazitiver Belastung.
Elektr. Feldstärke Elektr. Ladung Elektr. Kapazität Induktivität	E Q C L	Volt durch Meter Coulomb Farad Henry	V/m C F H	$1\ C = 1\ A \cdot 1\ s;\ 1\ A \cdot h = 3,6\ kC$ $1\ F = 1\ C/V$ $1\ H = 1\ V \cdot s/A$	
Leistung Wirkleistung	P	Watt	W	$1\ W = 1\ J/s = 1\ N \cdot m/s$ $= 1\ V \cdot A$	In der elektrischen Energietechnik: Scheinleistung S in V · A
Thermodynamik und Wärmeübertragung					
Thermo-dynamische Temperatur	T, Θ	**Kelvin**	K	$0\ K = -273\ °C$	Kelvin (K) und Grad Celsius (°C) werden für Temperatur und Temperaturdifferenzen verwendet. $t = T - T_0;\ T_0 = 273,15\ K$ Grad Fahrenheit (°F): 1,8 °F = 1 °C
Celsius-Temperatur	t, ϑ	Grad Celsius	°C	$0\ °C = 273\ K$	
Wärmemenge	Q	Joule	J	$1\ J = 1\ W \cdot s = 1\ N \cdot m$ $1\ kW \cdot h = 3600000\ J = 3,6\ MJ$	$1\ kcal \hat{=} 4,1868\ kJ$
Spezifischer Heizwert	H_u	Joule durch Kilogramm Joule durch Meter hoch drei	J/kg J/m³	$1\ MJ/kg = 1\ 000\ 000\ J/kg$	Freiwerdende Wärmeenergie je kg Brennstoff abzüglich der Verdampfungswärme des in den Abgasen enthaltenen Wasserdampfes.
Molekularphysik, Licht und Kernphysik					
Stoffmenge (Teilchenmenge)	n	**Mol**	mol	1 mol entspricht $\approx 6 \cdot 10^{23}$ Teilchen	1 mol Sauerstoff (O_2) wiegt 32 g, relative Molekülmasse $M_r = 32$.
Lichtstärke	I_v	**Candela**	cd		
Aktivität	A	Becquerel	Bq	$1\ Bq = 1/s$	Aktivität einer radioaktiven Substanz.

M

Lehrsatz des Pythagoras

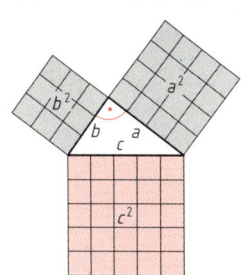

Im **rechtwinkligen Dreieck** ist das Hypotenusenquadrat flächengleich der Summe der beiden Kathetenquadrate.

a Kathete
b Kathete
c Hypotenuse

Hypotenusenquadrat

$$c^2 = a^2 + b^2$$

1. Beispiel:

$c = 35$ mm; $a = 21$ mm; $b = ?$

$b = \sqrt{c^2 - a^2} = \sqrt{(35\text{ mm})^2 - (21\text{ mm})^2} = \textbf{28 mm}$

Hypotenuse

$$c = \sqrt{a^2 + b^2}$$

2. Beispiel:

$a = 9$ mm; $b = 12$ mm; $c = ?$

$c = \sqrt{a^2 + b^2} = \sqrt{(9\text{ mm})^2 + (12\text{ mm})^2} = \textbf{15 mm}$

Katheten

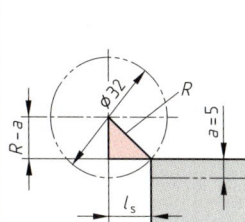

3. Beispiel:

Fräserdurchmesser $d = 32$ mm; $a = 5$ mm; $l_s = ?$

$c^2 = a^2 + b^2$

$R^2 = l_s^2 + (R - a)^2$

$l_s = \sqrt{R^2 - (R - a)^2} = \sqrt{16^2\text{ mm}^2 - (16 - 5)^2\text{ mm}^2}$
$= \textbf{11,62 mm}$

$$a = \sqrt{c^2 - b^2}$$

$$b = \sqrt{c^2 - a^2}$$

Lehrsatz des Euklid (Kathetensatz)

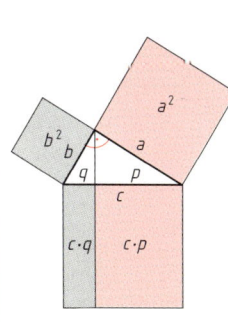

Das Quadrat über einer Kathete ist flächengleich einem Rechteck aus der Hypotenuse und dem anliegenden Hypotenusenabschnitt.

a, b Kathete
c Hypotenuse
p, q Hypotenusenabschnitt

Kathetenquadrat

$$b^2 = c \cdot q$$

Beispiel:

Ein Rechteck mit $c = 6$ cm und $p = 3$ cm soll in ein flächengleiches Quadrat verwandelt werden.

Wie groß ist die Quadratseite a?

$a^2 = c \cdot p$

$a = \sqrt{c \cdot p} = \sqrt{6\text{ cm} \cdot 3\text{ cm}} = \textbf{4,24 cm}$

Kathetenquadrat

$$a^2 = c \cdot p$$

Höhensatz

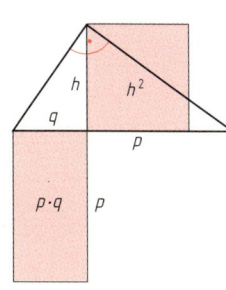

Das Quadrat über der Höhe h ist flächengleich dem Rechteck aus den Hypotenusenabschnitten p und q.

h Höhe
p, q Hypotenusenabschnitt

Höhenquadrat

$$h^2 = p \cdot q$$

Beispiel:

Rechtwinkliges Dreieck

$p = 6$ cm; $q = 2$ cm; $h = ?$

$h^2 = p \cdot q$

$h = \sqrt{p \cdot q} = \sqrt{6\text{ cm} \cdot 2\text{ cm}} = \sqrt{12\text{ cm}^2} = \textbf{3,46 cm}$

Längen

M

Gestreckte Längen (siehe auch Seite 294 und Seite 295)

Kreisringausschnitt

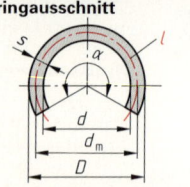

Zusammengesetzte Länge

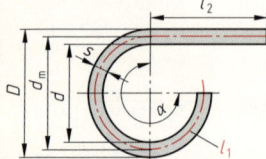

D	Außendurchmesser
d	Innendurchmesser
d_m	mittlerer Durchmesser
s	Dicke
l	gestreckte Länge
l_1, l_2	Teillängen
L	zusammengesetzte Länge

Beispiel: Zusammengesetzte Länge (Bild links)
$D = 360$ mm; $s = 5$ mm; $\alpha = 270°$; $l_2 = 70$ mm;
$d_m = ?$; $L = ?$

$d_m = D - s = 360$ mm $- 5$ mm $= \textbf{355 mm}$

$L = l_1 + l_2 = \dfrac{\pi \cdot d_m \cdot \alpha}{360°} + l_2$

$= \dfrac{\pi \cdot 355 \text{ mm} \cdot 270°}{360°} + 70 \text{ mm} = \textbf{906,45 mm}$

Gestreckte Länge beim Kreisring

$$l = \pi \cdot d_m$$

Gestreckte Länge beim Kreisringausschnitt

$$l = \frac{\pi \cdot d_m \cdot \alpha}{360°}$$

Mittlerer Durchmesser

$$d_m = D - s$$

$$d_m = d + s$$

Zusammengesetzte Längen

$$L = l_1 + l_2 + ...$$

Rohlänge von Schmiede- und Pressstücken

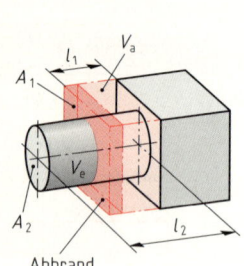

Abbrand

Beim Umformen ohne Abbrand ist das Volumen des Rohteiles gleich dem Volumen des Fertigteiles. Tritt Abbrand oder eine Gratbildung auf, so wird dies durch einen Zuschlag zum Volumen des Fertigteiles berücksichtigt.

V_a	Volumen des Rohteiles
V_e	Volumen des Fertigteiles
q	Zuschlagsfaktor für Abbrand oder Gratverluste
A_1	Querschnittsfläche des Rohteiles
A_2	Querschnittsfläche des Fertigteiles
l_1	Ausgangslänge der Zugabe
l_2	Länge des angeschmiedeten Teiles

Beispiel:
An einem Flachstahl 50 x 30 mm wird ein zylindrischer Zapfen mit $d = 24$ mm und $l_2 = 60$ mm abgesetzt. Der Verlust durch Abbrand beträgt 10 %. Wie groß ist die Ausgangslänge l_1 der Schmiedezugabe?

$V_a = V_e \cdot (1 + q)$

$A_1 \cdot l_1 = A_2 \cdot l_2 \cdot (1 + q)$

$l_1 = \dfrac{A_2 \cdot l_2 \cdot (1 + q)}{A_1} = \dfrac{\pi \cdot (24 \text{ mm})^2 \cdot 60 \text{ mm} \cdot (1 + 0,1)}{4 \cdot 50 \text{ mm} \cdot 30 \text{ mm}} = \textbf{20 mm}$

Volumen ohne Abbrand

$$V_a = V_e$$

Volumen mit Abbrand

$$V_a = V_e + q \cdot V_e$$

$$V_a = V_e \cdot (1 + q)$$

$$A_1 \cdot l_1 = A_2 \cdot l_2 \cdot (1 + q)$$

Teilung von Längen

Randabstand ≠ Teilung

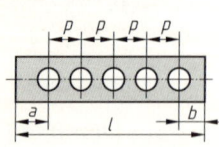

l	Gesamtlänge	n	Anzahl der Bohrungen, Sägeschnitte, ...
p	Teilung	a, b	Randabstand

Beispiel: $l = 1950$ mm; $a = 100$ mm; $b = 50$ mm; $n = 25$ Bohrungen; $p = ?$

$p = \dfrac{l - (a + b)}{n - 1} = \dfrac{1950 \text{ mm} - 150 \text{ mm}}{25 - 1} = \textbf{75 mm}$

Teilung

$$p = \frac{l - (a + b)}{n - 1}$$

Randabstand = Teilung

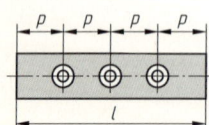

l	Gesamtlänge	n	Anzahl der Bohrungen, Sägeschnitte, ...
p	Teilung	z	Anzahl der Teile

Beispiel:
$l = 2$ m; $n = 24$ Bohrungen; $p = ?$

$p = \dfrac{l}{n + 1} = \dfrac{2000 \text{ mm}}{24 + 1} = \textbf{80 mm}$

Teilung

$$p = \frac{l}{n + 1}$$

Anzahl der Teile

$$z = n + 1$$

M

Quadrat

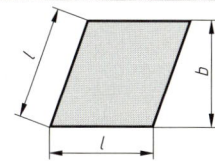

A Fläche	e Eckenmaß
l Seitenlänge	

Beispiel:

l = 14 mm; A = ?; e = ?

A = l^2 = (14 mm)^2 = **196 mm²**

e = $\sqrt{2} \cdot l$ = $\sqrt{2} \cdot 14$ mm = **19,8 mm**

Fläche

$$A = l^2$$

Eckenmaß

$$e = \sqrt{2} \cdot l$$

Rhombus (Raute)

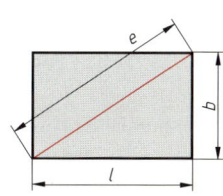

A Fläche	b Breite
l Seitenlänge	

Beispiel:

l = 9 mm; b = 8,5 mm; A = ?

A = $l \cdot b$ = 9 mm · 8,5 mm = **76,5 mm²**

Fläche

$$A = l \cdot b$$

Rechteck

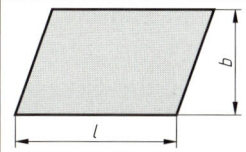

A Fläche	b Breite
l Länge	e Eckenmaß

Beispiel:

l = 12 mm; b = 11 mm; A = ?; e = ?

A = $l \cdot b$ = 12 mm · 11 mm = **132 mm²**

e = $\sqrt{l^2 + b^2}$ = $\sqrt{(12 \text{ mm})^2 + (11 \text{ mm})^2}$ = $\sqrt{265 \text{ mm}^2}$

= **16,28 mm**

Fläche

$$A = l \cdot b$$

Eckenmaß

$$e = \sqrt{l^2 + b^2}$$

Rhomboid (Parallelogramm)

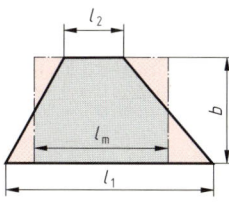

A Fläche	b Breite
l Länge	

Beispiel:

l = 36 mm; b = 15 mm; A = ?

A = $l \cdot b$ = 36 mm · 15 mm = **540 mm²**

Fläche

$$A = l \cdot b$$

Trapez

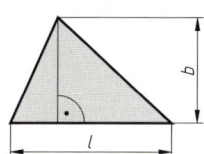

A Fläche	l_m mittlere Länge
l_1 große Länge	b Breite
l_2 kleine Länge	

Beispiel:

l_1 = 23 mm; l_2 = 20 mm; b = 17 mm; A = ?

A = $\dfrac{l_1 + l_2}{2} \cdot b$ = $\dfrac{23 \text{ mm} + 20 \text{ mm}}{2} \cdot 17$ mm

= **365,5 mm²**

Fläche

$$A = \frac{l_1 + l_2}{2} \cdot b$$

Mittlere Länge

$$l_m = \frac{l_1 + l_2}{2}$$

Dreieck

A Fläche	b Breite
l Seitenlänge	

Beispiel:

l_1 = 62 mm; b = 29 mm; A = ?

A = $\dfrac{l \cdot b}{2}$ = $\dfrac{62 \text{ mm} \cdot 29 \text{ mm}}{2}$ = **899 mm²**

Fläche

$$A = \frac{l \cdot b}{2}$$

Flächen

Gleichseitiges Dreieck

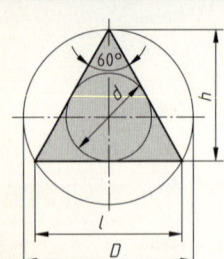

A	Fläche	h	Höhe
d	Inkreisdurchmesser	D	Umkreisdurchmesser
l	Seitenlänge		

Beispiel:

$l = 42$ mm; $A = ?$; $h = ?$

$$A = \frac{1}{4} \cdot \sqrt{3} \cdot l^2 = \frac{1}{4} \cdot \sqrt{3} \cdot (42\ \text{mm})^2$$

$$= 763{,}9\ \text{mm}^2$$

Umkreisdurchmesser
$$D = \frac{2}{3} \cdot \sqrt{3} \cdot l = 2 \cdot d$$

Fläche
$$A = \frac{1}{4} \cdot \sqrt{3} \cdot l^2$$

Inkreisdurchmesser
$$d = \frac{1}{3} \cdot \sqrt{3} \cdot l = \frac{D}{2}$$

Dreieckshöhe
$$h = \frac{1}{2} \cdot \sqrt{3} \cdot l$$

Regelmäßiges Vieleck

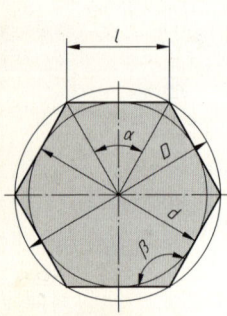

A	Fläche
l	Seitenlänge
D	Umkreisdurchmesser
d	Inkreisdurchmesser
n	Eckenzahl
α	Mittelpunktswinkel
β	Eckenwinkel

Inkreisdurchmesser
$$d = \sqrt{D^2 - l^2}$$

Vielecksfläche
$$A = \frac{n \cdot l \cdot d}{4}$$

Umkreisdurchmesser
$$D = \sqrt{d^2 + l^2}$$

Seitenlänge
$$l = D \cdot \sin\left(\frac{180°}{n}\right)$$

Beispiel:

Sechseck mit $D = 80$ mm; $l = ?$; $d = ?$; $A = ?$

$$l = D \cdot \sin\left(\frac{180°}{n}\right) = 80\ \text{mm} \cdot \sin\left(\frac{180°}{6}\right) = \mathbf{40\ mm}$$

$$d = \sqrt{D^2 - l^2} = \sqrt{6400\ \text{mm}^2 - 1600\ \text{mm}^2} = \mathbf{69{,}282\ mm}$$

$$A = \frac{n \cdot l \cdot d}{4} = \frac{6 \cdot 40\ \text{mm} \cdot 69{,}282\ \text{mm}}{4} = \mathbf{4156{,}92\ mm^2}$$

Mittelpunktswinkel
$$\alpha = \frac{360°}{n}$$

Eckenwinkel
$$\beta = 180° - \alpha$$

0,5973

Berechnung regelmäßiger Vielecke mit Hilfe von Tabellenwerten

Ecken-zahl n	Fläche A ≈			Umkreis-durchmesser D ≈		Inkreis-durchmesser d ≈		Seitenlänge l ≈	
3	$0{,}325 \cdot D^2$	$1{,}299 \cdot d^2$	$0{,}433 \cdot l^2$	$1{,}154 \cdot l$	$2{,}000 \cdot d$	$0{,}578 \cdot l$	$0{,}500 \cdot D$	$0{,}867 \cdot D$	$1{,}732 \cdot d$
4	$0{,}500 \cdot D^2$	$1{,}000 \cdot d^2$	$1{,}000 \cdot l^2$	$1{,}414 \cdot l$	$1{,}414 \cdot d$	$1{,}000 \cdot l$	$0{,}707 \cdot D$	$0{,}707 \cdot D$	$1{,}000 \cdot d$
5	$0{,}595 \cdot D^2$	$0{,}908 \cdot d^2$	$1{,}721 \cdot l^2$	$1{,}702 \cdot l$	$1{,}236 \cdot d$	$1{,}376 \cdot l$	$0{,}809 \cdot D$	$0{,}588 \cdot D$	$0{,}727 \cdot d$
6	$0{,}649 \cdot D^2$	$0{,}866 \cdot d^2$	$2{,}598 \cdot l^2$	$2{,}000 \cdot l$	$1{,}155 \cdot d$	$1{,}732 \cdot l$	$0{,}866 \cdot D$	$0{,}500 \cdot D$	$0{,}577 \cdot d$
8	$0{,}707 \cdot D^2$	$0{,}829 \cdot d^2$	$4{,}828 \cdot l^2$	$2{,}614 \cdot l$	$1{,}082 \cdot d$	$2{,}414 \cdot l$	$0{,}924 \cdot D$	$0{,}383 \cdot D$	$0{,}414 \cdot d$
10	$0{,}735 \cdot D^2$	$0{,}812 \cdot d^2$	$7{,}694 \cdot l^2$	$3{,}236 \cdot l$	$1{,}052 \cdot d$	$3{,}078 \cdot l$	$0{,}951 \cdot D$	$0{,}309 \cdot D$	$0{,}325 \cdot d$
12	$0{,}750 \cdot D^2$	$0{,}804 \cdot d^2$	$11{,}196 \cdot l^2$	$3{,}864 \cdot l$	$1{,}035 \cdot d$	$3{,}732 \cdot l$	$0{,}966 \cdot D$	$0{,}259 \cdot D$	$0{,}268 \cdot d$

Beispiel: Achteck mit $l = 20$ mm $A = ?$; $D = ?$

$A \approx 4{,}828 \cdot l^2 = 4{,}828 \cdot (20\ \text{mm})^2 = \mathbf{1931{,}2\ mm^2}$; $D \approx 2{,}614 \cdot l = 2{,}614 \cdot 20\ \text{mm} = \mathbf{52{,}28\ mm}$ 213

Kreis

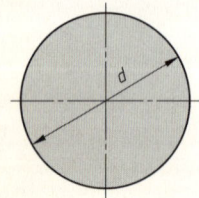

A	Fläche	U	Umfang
d	Durchmesser		

16,537
65,729

Beispiel:

$d = 60$ mm; $A = ?$; $U = ?$

$$A = \frac{\pi \cdot d^2}{4} = \frac{\pi \cdot (60\ \text{mm})^2}{4} = \mathbf{2827\ mm^2}$$

$$U = \pi \cdot d = \pi \cdot 60\ \text{mm} = \mathbf{188{,}5\ mm}$$

Fläche
$$A = \frac{\pi \cdot d^2}{4}$$

Umfang
$$U = \pi \cdot d$$

M

Kreisausschnitt

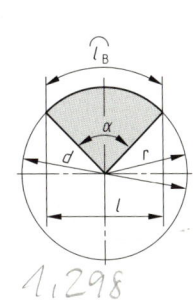

A	Fläche	l	Sehnenlänge
d	Durchmesser	r	Radius
l_B	Bogenlänge	α	Mittelpunktswinkel

Beispiel:

d = 48 mm; α = 110°; l_B = ?; A = ?

$$l_B = \frac{\pi \cdot r \cdot \alpha}{180°} = \frac{\pi \cdot 24\ \text{mm} \cdot 110°}{180°} = \mathbf{46{,}1\ mm}$$

$$A = \frac{l_B \cdot r}{2} = \frac{46{,}1\ \text{mm} \cdot 24\ \text{mm}}{2} = \mathbf{553\ mm^2}$$

Fläche

$$A = \frac{\pi \cdot d^2}{4} \cdot \frac{\alpha}{360°}$$

$$A = \frac{l_B \cdot r}{2}$$

Sehnenlänge

$$l = 2 \cdot r \cdot \sin \frac{\alpha}{2}$$

Bogenlänge

$$l_B = \frac{\pi \cdot r \cdot \alpha}{180°}$$

Kreisabschnitt

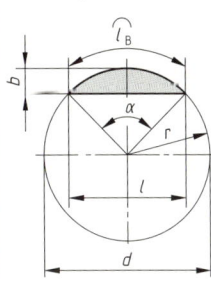

A	Fläche	b	Breite
d	Durchmesser	r	Radius
l_B	Bogenlänge	α	Mittelpunkts-
l	Sehnenlänge		winkel

Beispiel:

b = 15,1 mm; l = 52 mm; l_B = 62,83 mm;
r = ?; A = ?

$$r = \frac{b}{2} + \frac{l^2}{8 \cdot b}$$

$$= \frac{15{,}1\ \text{mm}}{2} + \frac{(52\ \text{mm})^2}{8 \cdot 15{,}1\ \text{mm}}$$

$$= 29{,}93\ \text{mm} \approx \mathbf{30\ mm}$$

$$A = \frac{l_B \cdot r - l \cdot (r - b)}{2}$$

$$= \frac{(62{,}83 \cdot 30)\ \text{mm}^2 - 52 \cdot (30 - 15{,}1)\ \text{mm}^2}{2}$$

$$= \mathbf{555{,}1\ mm^2}$$

Fläche

$$A = \frac{\pi \cdot d^2}{4} \cdot \frac{\alpha}{360°} - \frac{l \cdot (r - b)}{2}$$

$$A = \frac{l_B \cdot r - l \cdot (r - b)}{2}$$

Sehnenlänge

$$l = 2 \cdot r \cdot \sin \frac{\alpha}{2}$$

$$l = 2 \cdot \sqrt{b \cdot (2 \cdot r - b)}$$

Breite

$$b = \frac{l}{2} \cdot \tan \frac{\alpha}{4}$$

$$b = r - \sqrt{r^2 - \frac{l^2}{4}}$$

Bogenlänge

$$l_B = \frac{\pi \cdot r \cdot \alpha}{180°}$$

Radius

$$r = \frac{b}{2} + \frac{l^2}{8 \cdot b}$$

Kreisring

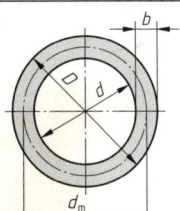

A	Fläche	d_m	mittlerer
D	Außendurchmesser		Durchmesser
d	Innendurchmesser	b	Breite

Beispiel:

D = 160 mm; d = 125 mm; A = ?

$$A = \frac{\pi}{4} \cdot (D^2 - d^2)$$

$$= \frac{\pi}{4} \cdot (160^2\ \text{mm}^2 - 125^2\ \text{mm}^2) = \mathbf{7\,834\ mm^2}$$

Fläche

$$A = \pi \cdot d_m \cdot b$$

$$A = \frac{\pi}{4} \cdot (D^2 - d^2)$$

Flächen, Volumen, Oberflächen

M

Kreisringausschnitt

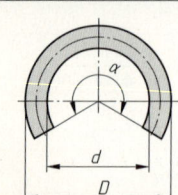

| A | Fläche | α | Mittelpunktswinkel |
| D | Außendurchmesser | d | Innendurchmesser |

Beispiel:

$D = 120$ mm; $d = 80$ mm; $\alpha = 110°$; $A = ?$

$A = \dfrac{\pi \cdot \alpha}{4 \cdot 360°} \cdot (D^2 - d^2)$

$\quad = \dfrac{\pi \cdot 110°}{4 \cdot 360°} \cdot (120^2 \text{ mm}^2 - 80^2 \text{ mm}^2) = \textbf{1 920 mm}^2$

Fläche

$$A = \frac{\pi \cdot \alpha}{4 \cdot 360°} \cdot (D^2 - d^2)$$

Ellipse

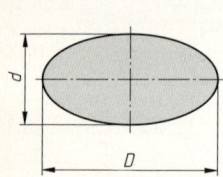

| A | Fläche | d | Breite |
| D | Länge | U | Umfang |

Beispiel:

$D = 65$ mm; $d = 20$ mm; $A = ?$

$A = \dfrac{\pi \cdot D \cdot d}{4}$

$\quad = \dfrac{\pi \cdot 65 \text{ mm} \cdot 20 \text{ mm}}{4} = \textbf{1 021 mm}^2$

Fläche

$$A = \frac{\pi \cdot D \cdot d}{4}$$

Umfang

$$U \approx \frac{\pi}{2} \cdot (D + d)$$

Zusammengesetzte Flächen

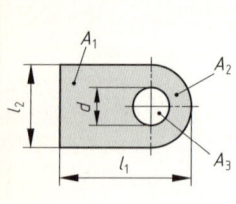

A	Gesamtfläche
A_1, A_2, A_3	Teilflächen
$l_1, l_2, \dots$	Längen
d	Durchmesser

Beispiel:

$l_1 = 60$ mm; $l_2 = 30$ mm; $d = 15$ mm; $A = ?$

$A_1 = \left(l_1 - \dfrac{l_2}{2}\right) \cdot l_2 = 45 \text{ mm} \cdot 30 \text{ mm} = 1350 \text{ mm}^2$

$A_2 = \dfrac{1}{2} \cdot \dfrac{\pi \cdot l_2^2}{4} = \dfrac{\pi \cdot 30^2 \text{ mm}^2}{8} = 353{,}4 \text{ mm}^2$

$A_3 = \dfrac{\pi \cdot d^2}{4} = \dfrac{\pi \cdot 15^2 \text{ mm}^2}{4} = 176{,}7 \text{ mm}^2$

$A = A_1 + A_2 - A_3 = (1350 + 353{,}4 - 176{,}7) \text{ mm}^2$

$\quad = \textbf{1526,7 mm}^2$

Gesamtfläche

$$A = A_1 + A_2 - A_3$$

Volumen, Oberfläche

Würfel

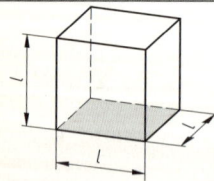

| V | Volumen | l | Seitenlänge |
| A_O | Oberfläche | | |

Beispiel:

$l = 20$ mm; $V = ?$; $A_O = ?$

$V = l^3 = (20 \text{ mm})^3 = \textbf{8 000 mm}^3$

$A_O = 6 \cdot l^2 = 6 \cdot (20 \text{ mm})^2 = \textbf{2 400 mm}^2$

Volumen

$$V = l^3$$

Oberfläche

$$A_O = 6 \cdot l^2$$

Vierkantprisma

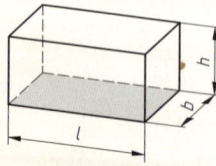

V	Volumen	h	Höhe
A_O	Oberfläche	b	Breite
l	Seitenlänge		

Beispiel:

$l = 6$ cm; $b = 3$ cm; $h = 2$ cm; $V = ?$

$V = l \cdot b \cdot h = 6 \text{ cm} \cdot 3 \text{ cm} \cdot 2 \text{ cm} = \textbf{36 cm}^3$

Volumen

$$V = l \cdot b \cdot h$$

Oberfläche

$$A_O = 2 \cdot (l \cdot b + l \cdot h + b \cdot h)$$

Volumen, Oberfläche

M

Zylinder

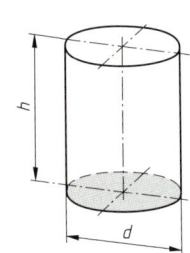

V Volumen	d Durchmesser
A_O Oberfläche	h Höhe
A_M Mantelfläche	

Beispiel:
$d = 14$ mm; $h = 25$ mm; $V = ?$

$V = \dfrac{\pi \cdot d^2}{4} \cdot h$

$= \dfrac{\pi \cdot (14\ \text{mm})^2}{4} \cdot 25\ \text{mm}$

$= 3\ 848\ \text{mm}^3$

Volumen

$$V = \frac{\pi \cdot d^2}{4} \cdot h$$

Oberfläche

$$A_O = \pi \cdot d \cdot h + 2 \cdot \frac{\pi \cdot d^2}{4}$$

Mantelfläche

$$A_M = \pi \cdot d \cdot h$$

Hohlzylinder

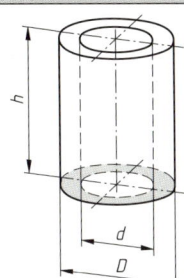

V Volumen	D, d Durchmesser
A_O Oberfläche	h Höhe

Beispiel:
$D = 42$ mm; $d = 20$ mm;
$h = 80$ mm; $V = ?$

$V = \dfrac{\pi \cdot h}{4} \cdot (D^2 - d^2)$

$= \dfrac{\pi \cdot 80\ \text{mm}}{4} \cdot (42^2\ \text{mm}^2 - 20^2\ \text{mm}^2)$

$= 85\ 703\ \text{mm}^3$

Volumen

$$V = \frac{\pi \cdot h}{4} \cdot (D^2 - d^2)$$

Oberfläche

$$A_O = \pi \cdot (D + d) \cdot \left[\frac{1}{2} \cdot (D - d) + h\right]$$

Pyramide

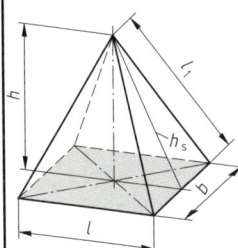

V Volumen	l Seitenlänge
h Höhe	l_1 Kantenlänge
h_s Mantelhöhe	b Breite

Beispiel:
$l = 16$ mm; $b = 21$ mm; $h = 45$ mm; $V = ?$

$V = \dfrac{l \cdot b \cdot h}{3} = \dfrac{16\ \text{mm} \cdot 21\ \text{mm} \cdot 45\ \text{mm}}{3}$

$= 5\ 040\ \text{mm}^3$

Volumen

$$V = \frac{l \cdot b \cdot h}{3}$$

Kantenlänge

$$l_1 = \sqrt{h_s^2 + \frac{b^2}{4}}$$

Mantelhöhe

$$h_s = \sqrt{h^2 + \frac{l^2}{4}}$$

Kegel

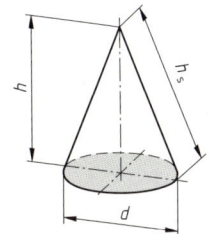

V Volumen	h Höhe
A_M Mantelfläche	h_s Mantelhöhe
d Durchmesser	

Beispiel:
$d = 52$ mm; $h = 110$ mm; $V = ?$

$V = \dfrac{\pi \cdot d^2}{4} \cdot \dfrac{h}{3}$

$= \dfrac{\pi \cdot (52\ \text{mm})^2}{4} \cdot \dfrac{110\ \text{mm}}{3}$

$= 77\ 870\ \text{mm}^3$

Volumen

$$V = \frac{\pi \cdot d^2}{4} \cdot \frac{h}{3}$$

Mantelfläche

$$A_M = \frac{\pi \cdot d \cdot h_s}{2}$$

Mantelhöhe

$$h_s = \sqrt{\frac{d^2}{4} + h^2}$$

Volumen, Oberfläche

M

Pyramidenstumpf

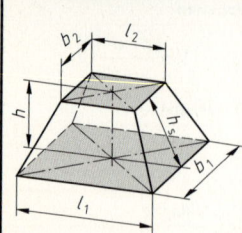

V	Volumen	h Höhe	b_1, b_2 Breiten
A_1	Grundfläche	h_s Mantelhöhe	
A_2	Deckfläche	l_1, l_2 Seitenlängen	

Beispiel:
$l_1 = 40$ mm; $l_2 = 22$ mm; $b_1 = 28$ mm;
$b_2 = 15$ mm; $h = 50$ mm; $A_1 = 1120$ mm^2;
$A_2 = 330$ mm^2; $V = ?$

$$V = \frac{h}{3} \cdot (A_1 + A_2 + \sqrt{A_1 \cdot A_2})$$

$$= \frac{50 \text{ mm}}{3} \cdot (1120 + 330 + \sqrt{1120 \cdot 330}) \text{ mm}^2$$

$$= \textbf{34 299 mm}^3$$

Volumen

$$V = \frac{h}{3} \cdot (A_1 + A_2 + \sqrt{A_1 \cdot A_2})$$

Mantelhöhe

$$h_s = \sqrt{h^2 + \left(\frac{l_1 - l_2}{2}\right)^2}$$

Kegelstumpf

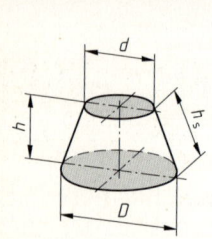

V	Volumen	d kleiner
A_M	Mantelfläche	Durchmesser
D	großer	h Höhe
	Durchmesser	h_s Mantelhöhe

Beispiel:
$D = 100$ mm; $d = 62$ mm; $h = 80$ mm;
$V = ?$

$$V = \frac{\pi \cdot h}{12} \cdot (D^2 + d^2 + D \cdot d)$$

$$= \frac{\pi \cdot 80 \text{ mm}}{12} \cdot (100^2 + 62^2 + 100 \cdot 62) \text{ mm}^2$$

$$= \textbf{419 800 mm}^3$$

Volumen

$$V = \frac{\pi \cdot h}{12} \cdot (D^2 + d^2 + D \cdot d)$$

Mantelfläche

$$A_M = \frac{\pi \cdot h_s}{2} \cdot (D + d)$$

Mantelhöhe

$$h_s = \sqrt{h^2 + \left(\frac{D - d}{2}\right)^2}$$

Kugel

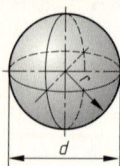

V	Volumen	d Kugeldurch-
A_O	Oberfläche	messer

Beispiel:
$d = 9$ mm; $V = ?$

$$V = \frac{\pi \cdot d^3}{6} = \frac{\pi \cdot (9 \text{ mm})^3}{6} = \textbf{382 mm}^3$$

Volumen

$$V = \frac{\pi \cdot d^3}{6}$$

Oberfläche

$$A_O = \pi \cdot d^2$$

Kugelabschnitt

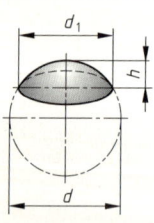

V	Volumen	d Kugeldurchmesser
A_M	Mantelfläche	d_1 kleiner Durchmesser
A_O	Oberfläche	h Höhe

Beispiel:
$d = 8$ mm; $h = 6$ mm; $V = ?$

$$V = \pi \cdot h^2 \cdot \left(\frac{d}{2} - \frac{h}{3}\right)$$

$$= \pi \cdot 6^2 \text{ mm}^2 \cdot \left(\frac{8 \text{ mm}}{2} - \frac{6 \text{ mm}}{3}\right)$$

$$= \textbf{226 mm}^3$$

Volumen

$$V = \pi \cdot h^2 \cdot \left(\frac{d}{2} - \frac{h}{3}\right)$$

Oberfläche

$$A_O = \pi \cdot h \cdot (2 \cdot d - h)$$

Mantelfläche

$$A_M = \pi \cdot d \cdot h$$

Kugelausschnitt

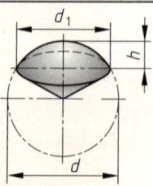

V	Volumen	d Kugeldurchmesser
A_M	Mantelfläche	d_1 kleiner Durchmesser
A_O	Oberfläche	h Höhe

Beispiel:
$d = 36$ mm; $h = 15$ mm; $V = ?$

$$V = \frac{\pi \cdot d^2 \cdot h}{6} = \frac{\pi \cdot (36 \text{ mm})^2 \cdot 15 \text{ mm}}{6}$$

$$= \textbf{10 179 mm}^3$$

Volumen

$$V = \frac{\pi \cdot d^2 \cdot h}{6}$$

Oberfläche

$$A_O = \frac{\pi \cdot d}{4} \cdot (4 \cdot h + d_1)$$

86.130974 / 32.899669

Volumen, Masse

Volumen zusammengesetzter Körper

Beispiel

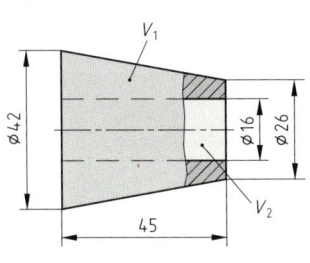

Zusammengesetzte Körper werden zur Berechnung ihres Volumens in Teilkörper zerlegt.

V Gesamtvolumen
V_1, V_2, V_3 ... Teilvolumen

Beispiel:
Kegelhülse; $V = ?$

$V_1 = \dfrac{\pi \cdot h}{12} \cdot (D^2 + d^2 + D \cdot d)$

$\quad = \dfrac{\pi \cdot 45\ \text{mm}}{12} \cdot (45^2 + 26^2 + 42 \cdot 26)\ \text{mm}^2$

$\quad = 41\,610\ \text{mm}^3$

$V_2 = \dfrac{\pi \cdot d^2}{4} \cdot h = \dfrac{\pi \cdot 16^2\ \text{mm}^2}{4} \cdot 45\ \text{mm} = 9\,048\ \text{mm}^3$

$V = V_1 - V_2 = 41\,610\ \text{mm}^3 - 9\,048\ \text{mm}^3$

$\quad = \mathbf{32\,562\ mm^3}$

Gesamtvolumen

$$V = V_1 + V_2 + ... - V_3 - V_4$$

Berechnung der Masse

Masse, allgemein

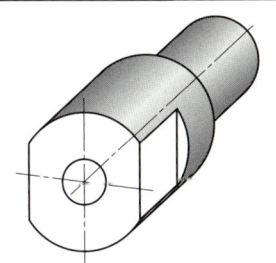

Die Masse eines Körpers wird aus seinem Volumen und seiner Dichte berechnet.
m Masse ϱ Dichte
V Volumen

Beispiel:
Werkstück aus Aluminium;
$V = 6,4\ \text{dm}^3$; $\varrho = 2,7\ \text{kg/dm}^3$; $m = ?$

$m = V \cdot \varrho = 6,4\ \text{dm}^3 \cdot 2,7\ \dfrac{\text{kg}}{\text{dm}^3}$

$\quad = \mathbf{17,28\ kg}$

Masse

$$m = V \cdot \varrho$$

$1000\ \text{kg/m}^3 = 1\ \text{kg/dm}^3$
$1\ \text{kg/dm}^3 = 1\ \text{g/cm}^3$

Bei festen und flüssigen Stoffen wird die Dichte meist in kg/dm³, bei gasförmigen Stoffen in kg/m³ angegeben (Seite 112 und Seite 113).

Längenbezogene Masse[1]

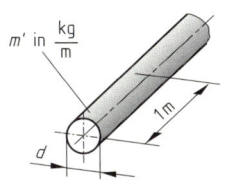

m Masse l Länge
m' längenbezogene Masse

Beispiel:
Rundstahl mit $d = 14\ \text{mm}$
$m' = 1,21\ \text{kg/m}$; $l = 3,86\ \text{m}$; $m = ?$

$m = m' \cdot l = 1,21\ \dfrac{\text{kg}}{\text{m}} \cdot 3,86\ \text{m}$

$\quad = \mathbf{4,67\ kg}$

Längenbezogene Masse

$$m = m' \cdot l$$

Flächenbezogene Masse[1]

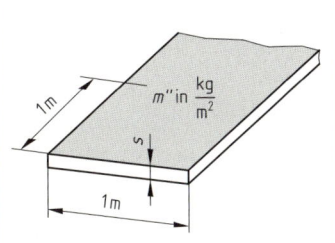

m Masse A Fläche
m'' flächenbezogene Masse

Beispiel:
Stahlblech
$s = 1,5\ \text{mm}$; $m'' = 11,8\ \text{kg/m}^2$;
$A = 7,5\ \text{m}^2$; $m = ?$

$m = m'' \cdot A = 11,8\ \dfrac{\text{kg}}{\text{m}^2} \cdot 7,5\ \text{m}^2$

$\quad = \mathbf{88,5\ kg}$

Flächenbezogene Masse

$$m = m'' \cdot A$$

[1] Die Masse von Halbzeugen wird häufig mit Hilfe von Tabellen berechnet, welche die längenbezogene Masse m' für 1 m bei Profilstählen, Rohren, Drähten oder die flächenbezogene Masse m'' für 1 m², z.B. bei Blechen oder Belägen, enthalten (Seiten 137, 141...146, 148).

M

M

Linienschwerpunkt

Strecke

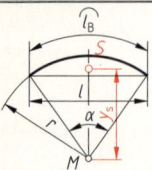

$$x_s = \frac{l}{2}$$

Kreisbogen

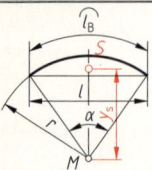

$$y_s = \frac{r \cdot l}{l_B}$$

$$y_s = \frac{l \cdot 180°}{\pi \cdot \alpha}$$

Halbkreisbogen

$$y_s = \frac{2 \cdot r}{\pi} = 0,6366 \cdot r$$

Viertelkreisbogen

$$y_s = \frac{\sqrt{2} \cdot 2 \cdot r}{\pi} = 0,9003 \cdot r$$

Sechstelkreisbogen

$$y_s = \frac{3 \cdot r}{\pi} = 0,9549 \cdot r$$

Zusammengesetzter Linienzug

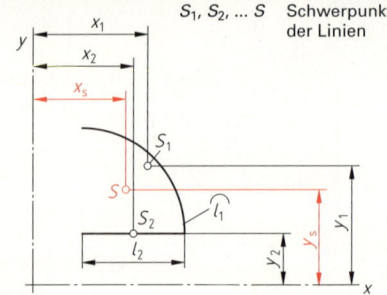

$S_1, S_2, ... S$ Schwerpunkte der Linien

Beispiel:
2 Einzellinien

$$x_s = \frac{l_1 \cdot x_1 + l_2 \cdot x_2}{l_1 + l_2}$$

$$y_s = \frac{l_1 \cdot y_1 + l_2 \cdot y_2}{l_1 + l_2}$$

Flächenschwerpunkt

Dreieck

$$y_s = \frac{b}{3}$$

Rechteck

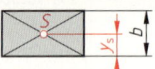

$$y_s = \frac{b}{2}$$

Trapez

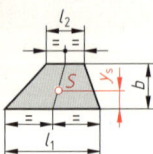

$$y_s = \frac{b}{3} \cdot \frac{l_1 + 2 \cdot l_2}{l_1 + l_2}$$

Kreisabschnitt

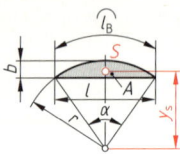

$$y_s = \frac{l^3}{12 \cdot A}$$

Kreisausschnitt

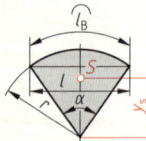

$$y_s = \frac{2 \cdot r \cdot l}{3 \cdot l_B}$$

Halbkreisfläche

$$y_s = \frac{4 \cdot r}{3 \cdot \pi} = 0,4244 \cdot r$$

Viertelkreisfläche

$$y_s = \frac{\sqrt{2} \cdot 4 \cdot r}{3 \cdot \pi} = 0,6002 \cdot r$$

Sechstelkreisfläche

$$y_s = \frac{2 \cdot r}{\pi} = 0,6366 \cdot r$$

Zusammengesetzte Fläche

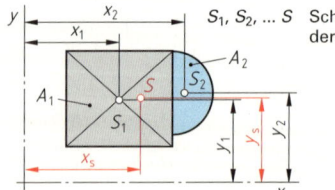

$S_1, S_2, ... S$ Schwerpunkte der Flächen

Beispiel:
2 Teilflächen

$$x_s = \frac{A_1 \cdot x_1 + A_2 \cdot x_2}{A_1 + A_2}$$

$$y_s = \frac{A_1 \cdot y_1 + A_2 \cdot y_2}{A_1 + A_2}$$

P Technische Physik

P

Mechanik　　　　　　　　　　　　　　　　　32

Festigkeitslehre　　　　　　　　　　　　　　　　40

Wärmetechnik　　　　　　　　　　　　　　　　　48

Elektrotechnik　　　　　　　　　　　　　　　　　50

Chemie　　　　　　　　　　　　　　　　　　　　53

$$3\,Fe + C = Fe_3C$$

Kräfte

P

Zusammensetzung und Zerlegung von Kräften

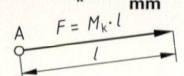

Für die folgenden Beispiele gewählt: $M_k = 10 \frac{N}{mm}$

$F = M_k \cdot l$

F_1, F_2	Teilkräfte	l	Pfeillänge
F_r	Resultierende	M_k	Kräftemaßstab

Darstellen von Kräften
Kräfte werden durch Pfeile dargestellt.
Die Länge l des Pfeils entspricht der Größe der Kraft F.

Pfeillänge

$$l = \frac{F}{M_k}$$

Addieren von Kräften gleicher Wirkungslinie
Beispiel:
$F_1 = 80\ N$; $F_2 = 160\ N$; $F_r = ?$
$F_r = F_1 + F_2 = 80\ N + 160\ N = \textbf{240 N}$

Summe

$$F_r = F_1 + F_2$$

Subtrahieren von Kräften gleicher Wirkungslinie
Beispiel:
$F_1 = 240\ N$; $F_2 = 90\ N$; $F_r = ?$
$F_r = F_1 - F_2 = 240\ N - 90\ N = \textbf{150 N}$

Differenz

$$F_r = F_1 - F_2$$

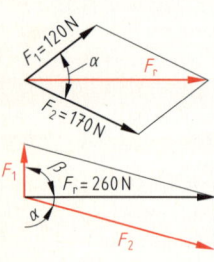

Zusammensetzen von Teilkräften
Beispiel:
$F_1 = 120\ N$; $F_2 = 170\ N$; $\alpha = 60°$; $F_r = ?$
Gemessen: $l = 25\ mm$
$F_r = l \cdot M_k = 25\ mm \cdot 10 \frac{N}{mm} = \textbf{250 N}$

Zerlegen einer Kraft in Teilkräfte
Beispiel:
$F_r = 260\ N$; $\alpha = 15°$; $\beta = 90°$; $F_1 = ?$; $F_2 = ?$
Gemessen: $l_1 = 7\ mm$; $l_2 = 27\ mm$
$F_1 = l_1 \cdot M_k = 7\ mm \cdot 10 \frac{N}{mm} = \textbf{70 N}$

$F_2 = l_2 \cdot M_k = 27\ mm \cdot 10 \frac{N}{mm} = \textbf{270 N}$

Kräfte bei Beschleunigung und Verzögerung

Für die Beschleunigung und die Verzögerung von Massen ist eine Kraft erforderlich.

F	Beschleunigungskraft	a	Beschleunigung
m	Masse		

Beispiel:
$m = 50\ kg$; $a = 3 \frac{m}{s^2}$; $F = ?$

$F = m \cdot a = 50\ kg \cdot 3 \frac{m}{s^2} = 150\ kg \cdot \frac{m}{s^2} = \textbf{150 N}$

Beschleunigungskraft

$$F = m \cdot a$$

Gewichtskraft

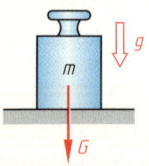

Die Erdanziehung bewirkt bei Massen eine Gewichtskraft.

F_G, G	Gewichtskraft	g	Fallbeschleunigung
m	Masse		

Beispiel:
Stahlträger, $m = 1200\ kg$; $G = ?$
$G = m \cdot g = 1200\ kg \cdot 9,81 \frac{m}{s^2} = \textbf{11 772 N}$

Gewichtskraft

$$G = m \cdot g$$

$g = 9,81 \frac{m}{s^2} \approx 10 \frac{m}{s^2}$

Federkraft (Hooke'sches Gesetz)

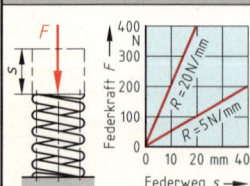

Innerhalb des elastischen Bereiches sind Kraft und zugehörige Längenänderung einer Feder proportional.

F	Federkraft	s	Federweg
R	Federrate		

Beispiel:
Druckfeder, $R = 8\ N/mm$; $s = 12\ mm$; $F = ?$
$F = R \cdot s = 8 \frac{N}{mm} \cdot 12\ mm = \textbf{96 N}$

Federkraft

$$F = R \cdot s$$

Gleichförmige geradlinige Bewegung

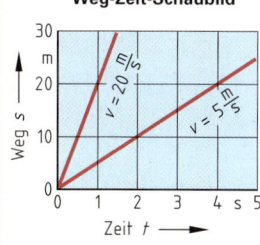

Weg-Zeit-Schaubild

v Geschwindigkeit
t Zeit
s Weg

Beispiel:

$v = 48$ km/h; $s = 12$ m; $t = ?$

Umrechnung: $48 \dfrac{km}{h} = \dfrac{48\,000\ m}{3600\ s} = 13,33 \dfrac{m}{s}$

$t = \dfrac{s}{v} = \dfrac{12\ m}{13,33 \dfrac{m}{s}} = \mathbf{0,9\ s}$

Geschwindigkeit

$$v = \frac{s}{t}$$

$1 \dfrac{m}{s} = 60 \dfrac{m}{min}$

$1 \dfrac{km}{h} = 16,667 \dfrac{m}{min}$

$\qquad\quad = 0,2778 \dfrac{m}{s}$

P

Gleichförmig beschleunigte Bewegung

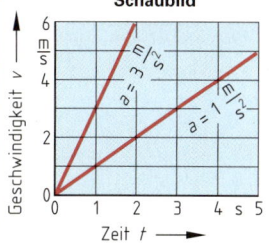

Geschwindigkeit-Zeit-Schaubild

Weg-Zeit-Schaubild

Die Zunahme der Geschwindigkeit in 1 Sekunde heißt **Beschleunigung**, die Abnahme **Verzögerung**. Der freie Fall ist eine gleichförmig beschleunigte Bewegung, bei der die Fallbeschleunigung g wirksam ist.

v Endgeschwindigkeit bei Beschleunigung,
    Anfangsgeschwindigkeit bei Verzögerung
s Weg t Zeit
a Beschleunigung g Fallbeschleunigung

1. Beispiel:
Fallhammer, $s = 3$ m; $v = ?$

$a = g = 9,81 \dfrac{m}{s^2}$

$v = \sqrt{2 \cdot a \cdot s} = \sqrt{2 \cdot 9,81\ m/s^2 \cdot 3\ m} = \mathbf{7,7 \dfrac{m}{s}}$

2. Beispiel:
Kraftfahrzeug, $v = 80$ km/h; $a = 7$ m/s²;
Bremsweg $s = ?$

Umrechnung: $v = 80 \dfrac{km}{h} = \dfrac{80\,000\ m}{3600\ s} = 22,22 \dfrac{m}{s}$

$v = \sqrt{2 \cdot a \cdot s}$

$s = \dfrac{v^2}{2 \cdot a} = \dfrac{(22,22\ m/s)^2}{2 \cdot 7\ m/s^2} = \mathbf{35,3\ m}$

Bei Beschleunigung aus dem Stand oder bei Verzögerung bis zum Stand gilt:

End- oder Anfangsgeschwindigkeit

$$v = a \cdot t$$

$$v = \sqrt{2 \cdot a \cdot s}$$

Beschleunigungsweg

$$s = \frac{1}{2} \cdot v \cdot t$$

$$s = \frac{1}{2} \cdot a \cdot t^2$$

$g = 9,81 \dfrac{m}{s^2} \approx 10 \dfrac{m}{s^2}$

Kreisförmige Bewegung

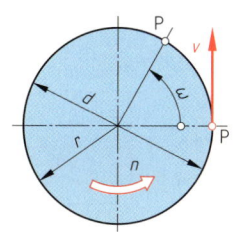

v Umfangsgeschwindigkeit, n Drehzahl
    Schnittgeschwindigkeit r Radius
ω Winkelgeschwindigkeit d Durchmesser

Beispiel:

Riemenscheibe, $d = 250$ mm; $n = 1400$ min⁻¹;
$v = ?$; $\omega = ?$

Umrechnung: $n = 1400\ min^{-1} = \dfrac{1400}{60\ s} = 23,33\ s^{-1}$

$v = \pi \cdot d \cdot n = \pi \cdot 0,25\ m \cdot 23,33\ s^{-1} = \mathbf{18,3 \dfrac{m}{s}}$

$\omega = 2 \cdot \pi \cdot n = 2 \cdot \pi \cdot 23,33\ s^{-1} = \mathbf{146,6\ s^{-1}}$

Schnittgeschwindigkeit bei kreisförmiger Schnittbewegung Seite 260.

Umfangsgeschwindigkeit

$$v = \pi \cdot d \cdot n$$

$$v = \omega \cdot r$$

Winkelgeschwindigkeit

$$\omega = 2 \cdot \pi \cdot n$$

$\dfrac{1}{min} = 1\ min^{-1} = \dfrac{1}{60\ s}$

Drehmoment und Hebel

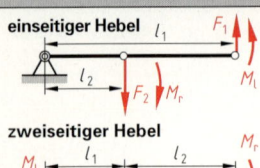

einseitiger Hebel l_1 F_1

l_2 F_2 M_r M_l

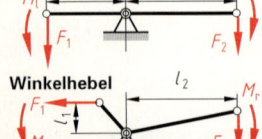

zweiseitiger Hebel M_r

l_1 l_2

M_l F_1 F_2

Winkelhebel l_2 M_r

F_1 l_1

M_l F_2

Die **wirksame Hebellänge** ist der rechtwinklige Abstand zwischen Drehpunkt und Wirkungslinie der Kraft. Bei scheibenförmigen drehbaren Teilen entspricht die Hebellänge dem Radius r.

M Drehmoment F Kraft
l wirksame Hebellänge
ΣM_l Summe aller linksdrehenden Momente
ΣM_r Summe aller rechtsdrehenden Momente

Beispiel:

Winkelhebel, $F_1 = 30$ N; $l_1 = 0{,}15$ m; $l_2 = 0{,}45$ m; $F_2 = ?$

$$F_2 = \frac{F_1 \cdot l_1}{l_2} = \frac{30 \text{ N} \cdot 0{,}15 \text{ m}}{0{,}45 \text{ m}} = \textbf{10 N}$$

Drehmoment

$$M = F \cdot l$$

Hebelgesetz

$$\Sigma M_l = \Sigma M_r$$

Hebelgesetz bei nur 2 Kräften

$$F_1 \cdot l_1 = F_2 \cdot l_2$$

Auflagerkräfte

Beispiel für Auflagerkraft l

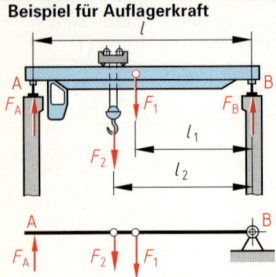

A   B
F_A F_1 F_B

l_1

F_2

l_2

A   B
F_A F_2 F_1

Zur Berechnung der Auflagerkräfte nimmt man einen Auflagerpunkt als Drehpunkt an.

F_A, F_B Auflagerkräfte l, l_1, l_2 wirksame
F_1, F_2 Kräfte   Hebellängen

Beispiel:

Laufkran, $F_1 = 40$ kN; $F_2 = 15$ kN; $l_1 = 6$ m; $l_2 = 8$ m; $l = 12$ m; $F_A = ?$

$$F_A = \frac{F_1 \cdot l_1 + F_2 \cdot l_2}{l} = \frac{40 \text{ kN} \cdot 6 \text{ m} + 15 \text{ kN} \cdot 8 \text{ m}}{12 \text{ m}} = \textbf{30 kN}$$

Auflagerkraft in A

$$F_A = \frac{F_1 \cdot l_1 + F_2 \cdot l_2 \dots}{l}$$

$$F_A + F_B = F_1 + F_2 \dots$$

Drehmoment bei Zahnradtrieben

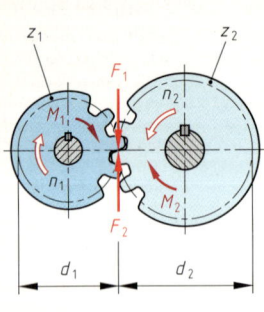

z_1 z_2
F_1
M_1 n_2
n_1
M_2
F_2
d_1 d_2

Der Hebelarm bei Zahnrädern entspricht dem halben Teilkreisdurchmesser d. Sind die Zähnezahlen zweier ineinandergreifender Zahnräder verschieden, ergeben sich unterschiedliche Drehmomente.

Treibendes Rad   **Getriebenes Rad**

F_1 Zahnkraft F_2 Zahnkraft
M_1 Drehmoment M_2 Drehmoment
d_1 Teilkreisdurchmesser d_2 Teilkreisdurchmesser
z_1 Zähnezahl z_2 Zähnezahl
n_1 Drehzahl n_2 Drehzahl
                   i Übersetzungsverhältnis

Beispiel:

Getriebe, $i = 12$; $M_1 = 60$ N·m; $M_2 = ?$

$M_2 = i \cdot M_1 = 12 \cdot 60$ N·m = **720 N·m**

Drehmoment

$$M_1 = \frac{F_1 \cdot d_1}{2}$$

$$M_2 = \frac{F_2 \cdot d_2}{2}$$

$$M_2 = i \cdot M_1$$

$$\frac{M_2}{M_1} = \frac{z_2}{z_1}$$

$$\frac{M_2}{M_1} = \frac{n_1}{n_2}$$

Fliehkraft

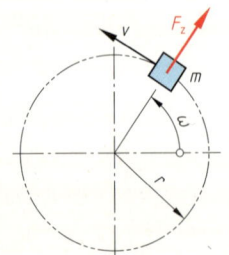

v F_z
m
ε
r

Die **Fliehkraft** F_z entsteht, wenn eine Masse auf einer gekrümmten Bahn, z.B. einem Kreis, bewegt wird.

F_z Fliehkraft ω Winkelgeschwindigkeit
m Masse v Umfangsgeschwindigkeit
r Radius

Beispiel:

Turbinenschaufel, $m = 160$ g; $v = 80$ m/s; $d = 400$ mm; $F_z = ?$

$$F_z = \frac{m \cdot v^2}{r} = \frac{0{,}16 \text{ kg} \cdot (80 \text{ m/s})^2}{0{,}2 \text{ m}} = 5120 \, \frac{\text{kg} \cdot \text{m}}{\text{s}^2} = \textbf{5120 N}$$

Fliehkraft

$$F_z = m \cdot r \cdot \omega^2$$

$$F_z = \frac{m \cdot v^2}{r}$$

Mechanische Arbeit, Hubarbeit und Reibungsarbeit

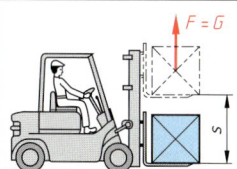

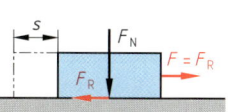

Arbeit wird verrichtet, wenn eine Kraft längs eines Weges wirkt.

F	Kraft in Wegrichtung	W	Arbeit
F_G, G	Gewichtskraft	s	Kraftweg
F_N	Normalkraft	s, h	Hubhöhe
μ	Reibungszahl		

1. Beispiel:
$F = 300$ N; $s = 4$ m; $W = ?$
$W = F \cdot s = 300$ N $\cdot$ 4 m $= 1200$ N$\cdot$m = **1200 J**

2. Beispiel:
Reibungsarbeit, $F_N = 0,8$ kN; $s = 1,2$ m; $\mu = 0,4$;
$W = ?$
$W = \mu \cdot F_N \cdot s = 0,4 \cdot 800$ N $\cdot$ 1,2 m $= 384$ N$\cdot$m = **384 J**

Arbeit

$$W = F \cdot s$$

Hubarbeit

$$W = G \cdot h$$

Reibungsarbeit

$$W = \mu \cdot F_N \cdot s$$

1 J $= 1$ N $\cdot$ 1 m
$= 1$ W$\cdot$s $= 1 \dfrac{\text{kg} \cdot \text{m}^2}{\text{s}^2}$

1 kW$\cdot$h $= 3,6$ MJ

Potenzielle Energie

Lageenergie   Federenergie

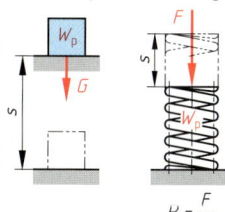

Potenzielle Energie ist gespeicherte Arbeit (Lageenergie, Federenergie, Druckenergie).

E_p, W_p	potenzielle Energie	R	Federrate
F_G, G	Gewichtskraft	s, h	Weg, Hub- oder
F	Kraft		Fallhöhe, Federweg

Beispiel:
Fallhammer, $m = 30$ kg; $s = 2,6$ m; $W_p = ?$

$W_p = G \cdot s = 30$ kg $\cdot$ 9,81 $\dfrac{\text{m}}{\text{s}^2} \cdot 2,6$ m = **765 J**

Lageenergie

$$W_p = F \cdot s$$

Energie der Feder

$$W_p = \frac{R \cdot s^2}{2}$$

$R = \dfrac{F}{s}$

Kinetische Energie

geradlinige Bewegung

Drehbewegung (Rotation)

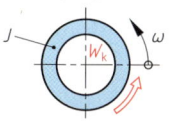

Kinetische Energie ist Energie der Bewegung.

E_k, W_k	kinetische Energie	v	Geschwindigkeit
ω	Winkelgeschwindigkeit	m	Masse
J	Massenträgheitsmoment		

Beispiel:
Fallhammer, $m = 30$ kg; $s = 2,6$ m; $W_k = ?$
$v = \sqrt{2 \cdot g \cdot s} = \sqrt{2 \cdot 9,81 \text{ m/s}^2 \cdot 2,6 \text{ m}} = 7,14$ m/s

$W_k = \dfrac{m \cdot v^2}{2} = \dfrac{30 \text{ kg} \cdot (7,14 \text{ m/s})^2}{2} = $ **765 J**

Massenträgheitsmomente Seite 46

Kinetische Energie bei geradliniger Bewegung

$$W_k = \frac{m \cdot v^2}{2}$$

Kinetische Energie bei Drehbewegung

$$W_k = \frac{J \cdot \omega^2}{2}$$

Goldene Regel der Mechanik

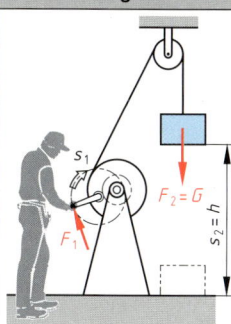

Bleibt die Reibung unberücksichtigt, so ist die aufgewendete Arbeit gleich der abgegebenen Arbeit.

W_1	aufgewendete Arbeit	W_2	abgegebene Arbeit
F_1	aufgewendete Kraft	F_2	abgegebene Kraft
s_1	Weg der Kraft F_1	s_2	Weg der Kraft F_2
F_G, G	Gewichtskraft	η	Wirkungsgrad
h	Hubhöhe		

Beispiel:
Hubeinrichtung, $G = 5$ kN; $h = 2$ m; $F = 300$ N; $s = ?$

$s = \dfrac{G \cdot h}{F} = \dfrac{5000 \text{ N} \cdot 2 \text{ m}}{300 \text{ N}} = $ **33,3 m**

Goldene Regel der Mechanik

$$W_1 = W_2$$

$$F_1 \cdot s_1 = F_2 \cdot s_2$$

$$F_1 \cdot s_1 = G \cdot h$$

Bei Berücksichtigung der Reibung

$$W_1 = \frac{W_2}{\eta}$$

P

Anwendungsbeispiele der goldenen Regel der Mechanik

P

Feste Rolle[1]

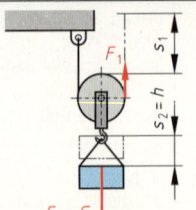

$$F_1 = G$$

$$s_1 = h$$

$$W_2 = G \cdot h$$

Lose Rolle[1]

$$F_1 = \frac{G}{2}$$

$$s_1 = 2 \cdot h$$

$$W_2 = G \cdot h$$

Flaschenzug[1]

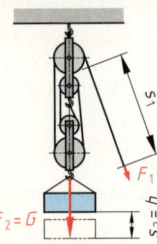

n Anzahl der tragenden Seilstränge, Rollenzahl

$$F_1 = \frac{G}{n}$$

$$s_1 = n \cdot h$$

$$W_2 = G \cdot h$$

Schiefe Ebene[1]

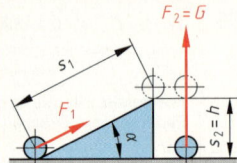

α Neigungswinkel

$$F_1 \cdot s_1 = G \cdot h$$

$$F_1 = G \cdot \sin \alpha$$

$$W_2 = G \cdot h$$

Keil[1]

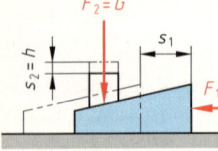

β Neigungswinkel
$\tan \beta$ Neigung

$$F_1 \cdot s_1 = F_2 \cdot h$$

$$F_2 = \frac{F_1}{\tan \beta}$$

$$s_2 = s_1 \cdot \tan \beta$$

$$W_2 = F_2 \cdot h$$

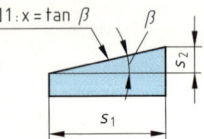

$1 : x = \tan \beta$

Schraube[1]

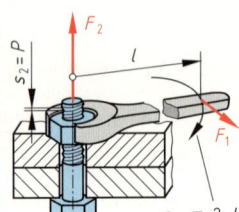

P Gewindesteigung
l Hebellänge

Für 1 volle Umdrehung

$$F_1 \cdot 2 \cdot \pi \cdot l = F_2 \cdot P$$

$$s_1 = 2 \cdot \pi \cdot l$$

$$W_1 = F_1 \cdot 2 \cdot \pi \cdot l$$

$$W_2 = F_2 \cdot P$$

Seilwinde[1]

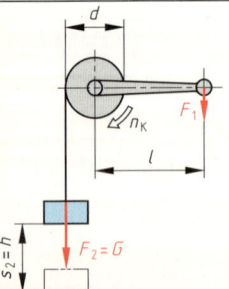

l Kurbellänge
d Trommeldurchmesser
n_K Zahl der Kurbelumdrehungen

$$F_1 \cdot l = \frac{G \cdot d}{2}$$

$$h = \pi \cdot d \cdot n_k$$

$$W_2 = G \cdot h$$

Räderwinde[1]

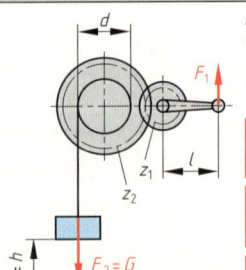

l Kurbellänge
d Trommeldurchmesser
i Übersetzungsverhältnis

$$F_1 \cdot l \cdot i = \frac{G \cdot d}{2}$$

$$i = \frac{z_2}{z_1}$$

$$W_2 = G \cdot h$$

---

[1] Die Formeln gelten für den gedachten reibungsfreien Zustand. Bei diesem ist die aufgewendete Arbeit W_1 gleich der abgegebenen Arbeit W_2.

Leistung bei geradliniger Bewegung

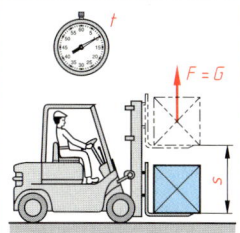

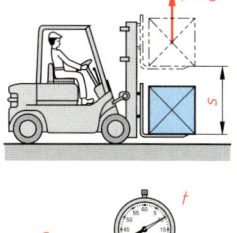

Leistung ist die Arbeit in der Zeiteinheit.

P	Leistung	s	Weg in Kraftrichtung
W	Arbeit	t	Zeit
v	Geschwindigkeit		

1. Beispiel:
Gabelstapler, $F = 15$ kN; $v = 25$ m/min; $P = ?$

$$P = F \cdot v = 15\,000 \text{ N} \cdot \frac{25 \text{ m}}{60 \text{ s}} = 6250 \frac{\text{N} \cdot \text{m}}{\text{s}} = 6250 \text{ W} = \textbf{6,25 kW}$$

2. Beispiel:
Kran hebt Werkzeugmaschine, $m = 1,2$ t; $s = 2,5$ m;
$t = 4,5$ s; $P = ?$

$F_G = m \cdot g = 1200$ kg $\cdot$ 9,81 m/s^2 = 11 772 N

$$P = \frac{F_G \cdot s}{t} = \frac{11\,772 \text{ N} \cdot 2,5 \text{ m}}{4,5 \text{ s}} = 6540 \text{ W} = \textbf{6,5 kW}$$

Schnittleistung bei Werkzeugmaschinen Seite 275, hydraulische Leistung Seite 340.

Leistung

$$P = \frac{W}{t}$$

$$P = \frac{F \cdot s}{t}$$

$$P = F \cdot v$$

$$1 \text{ W} = 1 \frac{\text{J}}{\text{s}}$$

$$= 1 \frac{\text{N} \cdot \text{m}}{\text{s}}$$

1 kW = 1,36 PS

P

Leistung bei kreisförmiger Bewegung

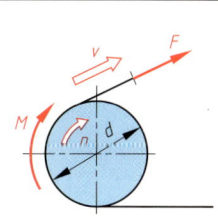

P	Leistung	s	Weg in Kraftrichtung
M	Drehmoment	t	Zeit
F	Umfangskraft	n	Drehzahl
v	Geschwindigkeit	ω	Winkelgeschwindigkeit

Beispiel:
Riementrieb, $F = 1,2$ kN; $d = 200$ mm; $n = 2800$/min; $P = ?$

$$\begin{aligned} P &= F \cdot \pi \cdot d \cdot n \\ &= 1,2 \text{ kN} \cdot \pi \cdot 0,2 \text{ m} \cdot \frac{2800}{60 \text{ s}} = 35,2 \frac{\text{kN} \cdot \text{m}}{\text{s}} = \textbf{35,2 kW} \end{aligned}$$

Leistung

$$P = F \cdot v$$

$$P = F \cdot \pi \cdot d \cdot n$$

$$P = M \cdot 2 \cdot \pi \cdot n$$

$$P = M \cdot \omega$$

Wirkungsgrad

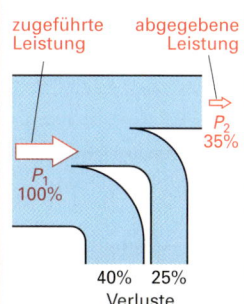

zugeführte Leistung
abgegebene Leistung

P_2 35%

P_1 100%

40% 25%
Verluste

Unter dem Wirkungsgrad versteht man das Verhältnis von abgegebener Leistung oder Arbeit zu zugeführter Leistung oder Arbeit.

P_1	zugeführte Leistung	P_2	abgegebene Leistung
W_1	zugeführte Arbeit	W_2	abgegebene Arbeit
η	Gesamtwirkungsgrad	η_1, η_2	Teilwirkungsgrade

Beispiel:
Getriebe, $P_1 = 4$ kW; $P_2 = 3$ kW; $\eta_1 = 92$ %; $\eta = ?$; $\eta_2 = ?$

$$\eta = \frac{P_2}{P_1} = \frac{3 \text{ kW}}{4 \text{ kW}} = \textbf{0,75}$$

$$\eta_2 = \frac{\eta}{\eta_1} = \frac{0,75}{0,92} = \textbf{0,82}$$

Wirkungsgrad

$$\eta = \frac{P_2}{P_1}$$

$$\eta = \frac{W_2}{W_1}$$

Gesamtwirkungsgrad

$$\eta = \eta_1 \cdot \eta_2 \cdot \eta_3 \ldots$$

Wirkungsgrade η (Richtwerte in %)

Braunkohlekraftwerk	32	Otto-Motor	27	Bewegungsgewinde	30
Steinkohlekraftwerk	41	Kfz-Dieselmotor (Teillast)	24	Zahnradgetriebe	97
Erdgaskraftwerk	50	Kfz-Dieselmotor (Volllast)	40	Schneckentrieb $i = 40$	65
Gasturbine	38	Großdieselmotor (Teillast)	33	Reibradgetriebe	80
Dampfturbine (Hochdruck)	45	Großdieselmotor (Volllast)	55	Kettentrieb	90
Wasserturbine	85	Drehstrom-Motor	85	Breitkeilriemengetriebe	85
Kraft-Wärmekopplung	75	Werkzeugmaschine	75	Hydrogetriebe	75

Reibung, Auftrieb

Reibungskraft

Haftreibung, Gleitreibung

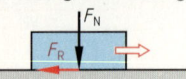

Haftreibung, Gleitreibung

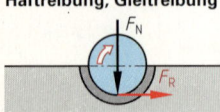

Rollreibung

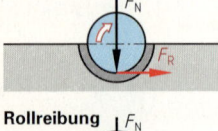

F_N Normalkraft	f Rollreibungszahl
F_R Reibungskraft	r Radius
μ Reibungszahl	

Die in Wälzlagern auftretende Reibung wird meist vereinfacht wie die Gleitreibung mit der Reibungszahl $\mu = 0{,}001$ bis $0{,}003$ berechnet.

1. Beispiel:
Gleitlager, $F_N = 100$ N; $\mu = 0{,}03$; $F_R = ?$

$F_R = \mu \cdot F_N = 0{,}03 \cdot 1000\ \text{N} = \mathbf{30\ N}$

2. Beispiel:
Kranrad auf Stahlschiene, $F_N = 45$ kN; $d = 320$ mm; $f = 0{,}5$ mm; $F_R = ?$

$F_R = \dfrac{f \cdot F_N}{r} = \dfrac{0{,}5\ \text{mm} \cdot 45\,000\ \text{N}}{160\ \text{mm}} = \mathbf{140{,}6\ N}$

Reibungskraft bei Haft- und Gleitreibung

$$F_R = \mu \cdot F_N$$

Reibungskraft bei Rollreibung

$$F_R = \frac{f \cdot F_N}{r}$$

Reibungszahlen (Richtwerte)

Werkstoffpaarung	Haftreibungszahl μ		Gleitreibungszahl μ		Rollreibungszahl f mm	
	trocken	geschmiert	trocken	geschmiert		
Stahl auf Gusseisen	0,2	0,15	0,18	0,1...0,08		
Stahl auf Stahl	0,2	0,1	0,15	0,1...0,05		
Stahl auf Cu-Sn-Legierung	0,2	0,1	0,1	0,06...0,03	Stahl auf	0,5
Stahl auf Pb-Sn-Legierung	0,15	0,1	0,1	0,05...0,03	Stahl, weich	
Stahl auf Polyamid	0,3	0,15	0,3	0,12...0,05		
Stahl auf Polytetrafluorethylen	0,04	0,04	0,04	0,04	Stahl auf	0,01
Stahl auf Eis	0,03	–	0,015	–	Stahl, hart	
Stahl auf Reibbelag	0,6	0,3	0,55	0,3...0,2		
Stahl auf Holz	0,55	0,1	0,35	0,05	Autoreifen	4,5
Gusseisen auf Cu-Sn-Legierung	0,28	0,16	0,21	0,2...0,1	auf Asphalt	
Treibriemen auf Gusseisen	0,5	–	–	–		
Wälzlager	–	–	–	0,003...0,001		

Reibungsmoment und Reibungsleistung in Lagern

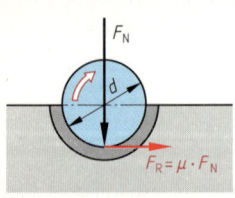

M Reibungsmoment	μ Reibungszahl
F_N Normalkraft	d Durchmesser
P Reibungsleistung	n Drehzahl

Beispiel:
Stahlwelle in Cu-Sn-Gleitlager, $\mu = 0{,}05$; $F_N = 6$ kN; $d = 160$ mm; $M = ?$

$M = \dfrac{\mu \cdot F_N \cdot d}{2} = \dfrac{0{,}05 \cdot 6000\ \text{N} \cdot 0{,}16\ \text{m}}{2} = \mathbf{24\ N \cdot m}$

Reibungsmoment

$$M = \frac{\mu \cdot F_N \cdot d}{2}$$

Reibungsleistung

$$P = \mu \cdot F_N \cdot \pi \cdot d \cdot n$$

Auftrieb in Flüssigkeiten

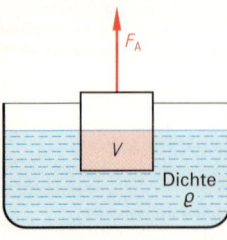

F_A Auftriebskraft	V Eintauchvolumen
ϱ Dichte der Flüssigkeit	g Fallbeschleunigung

Beispiel:
Gießkern in flüssigem Gusseisen, $V = 2{,}5$ dm³; $\varrho = 7{,}3$ kg/dm³; $F_A = ?$

$F_A = g \cdot \varrho \cdot V = 9{,}81\ \dfrac{\text{m}}{\text{s}^2} \cdot 7{,}3\ \dfrac{\text{kg}}{\text{dm}^3} \cdot 2{,}5\ \text{dm}^3$

$= 179\ \dfrac{\text{kg} \cdot \text{m}}{\text{s}^2} = \mathbf{179\ N}$

Auftriebskraft

$$F_A = g \cdot \varrho \cdot V$$

$g = 9{,}81\ \dfrac{\text{m}}{\text{s}^2} \approx 10\ \dfrac{\text{m}}{\text{s}^2}$

Hydraulikberechnung Seite 339, Dichtewerte Seite 112.

Druck

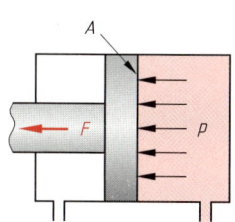

p Druck	A Fläche
F Kraft	

Beispiel:

$F = 2\ \text{MN}$; Kolben-$\varnothing\ d = 400\ \text{mm}$; $p = ?$

$$p = \frac{F}{A} = \frac{2\,000\,000\ \text{N}}{\dfrac{\pi \cdot (40\ \text{cm})^2}{4}} = 1591\ \frac{\text{N}}{\text{cm}^2} = \textbf{159,1 bar}$$

Berechnungen zur Hydraulik und Pneumatik:
Seite 339

Druck

$$p = \frac{F}{A}$$

Druckeinheiten

$1\ \text{Pa} = 1\ \dfrac{\text{N}}{\text{m}^2} = 10^{-5}\ \text{bar}$

$1\ \text{bar} = 10\ \dfrac{\text{N}}{\text{cm}^2} = 0{,}1\ \dfrac{\text{N}}{\text{mm}^2}$

$1\ \text{mbar} = 100\ \text{Pa} = 1\ \text{hPa}$

P

Überdruck, Luftdruck, absoluter Druck

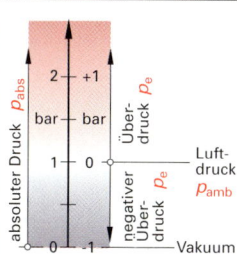

p_e	Überdruck
p_{amb}	Luftdruck
p_{abs}	absoluter Druck

Der Überdruck ist
positiv, wenn $p_{abs} > p_{amb}$ ist und
negativ, wenn $p_{abs} < p_{amb}$ ist (Unterdruck)

Beispiel:

Autoreifen, $p_e = 2{,}2\ \text{bar}$; $p_{amb} = 1\ \text{bar}$; $p_{abs} = ?$

$p_{abs} = p_e + p_{amb} = 2{,}2\ \text{bar} + 1\ \text{bar} = \textbf{3,2 bar}$

Überdruck

$$p_e = p_{abs} - p_{amb}$$

$p_{amb} = 1{,}013\ \text{bar} \approx 1\ \text{bar}$

Hydrostatischer Druck

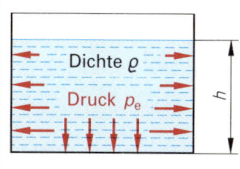

p_e	hydrostatischer Druck
ϱ	Dichte der Flüssigkeit
h	Flüssigkeitstiefe
g	Fallbeschleunigung

Beispiel:

Welcher Druck herrscht in 10 m Wassertiefe?

$p_e = g \cdot \varrho \cdot h = 9{,}81\ \dfrac{\text{m}}{\text{s}^2} \cdot 1000\ \dfrac{\text{kg}}{\text{m}^3} \cdot 10\ \text{m}$

$= 98\,100\ \dfrac{\text{kg}}{\text{m} \cdot \text{s}^2} = 98\,100\ \text{Pa} \approx \textbf{1 bar}$

Hydrostatischer Druck

$$p_e = g \cdot \varrho \cdot h$$

$1\ \text{bar} \approx 10\ \text{m Wassersäule}$

$g = 9{,}81\ \dfrac{\text{m}}{\text{s}^2} \approx 10\ \dfrac{\text{m}}{\text{s}^2}$

Dichtewerte Seite 112

Zustandsänderung bei Gasen

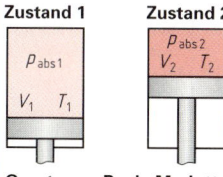

Verdichtung

Zustand 1   **Zustand 2**

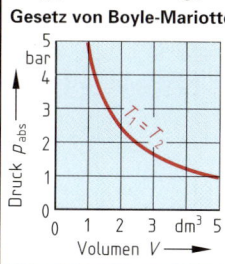

Gesetz von Boyle-Mariotte

Zustand 1		Zustand 2	
p_{abs1}	absoluter Druck	p_{abs2}	absoluter Druck
V_1	Volumen	V_2	Volumen
T_1	absolute Temperatur	T_2	absolute Temperatur

Beispiel:

Ein Kompressor saugt $V_1 = 30\ \text{m}^3$ Luft mit
$p_{abs1} = 1\ \text{bar}$ und $t_1 = 15\ ^\circ\text{C}$ an und verdichtet
sie auf $V_2 = 3{,}5\ \text{m}^3$ und $t_2 = 150\ ^\circ\text{C}$.
Welcher Druck p_{abs2} herrscht?

$$p_{abs2} = \frac{p_{abs1} \cdot V_1 \cdot T_2}{T_1 \cdot V_2}$$

$$= \frac{1\ \text{bar} \cdot 30\ \text{m}^3 \cdot 423\ \text{K}}{288\ \text{K} \cdot 3{,}5\ \text{m}^3} = \textbf{12,6 bar}$$

Unter dem Normalvolumen V_n versteht man
das Volumen, das ein Gas bei einem Druck
$p_{abs} = 1{,}013\ \text{bar}$ und einer Temperatur $T = 273\ \text{K}$
einnimmt.

Allgemeine Gasgleichung

$$\frac{p_{abs1} \cdot V_1}{T_1} = \frac{p_{abs2} \cdot V_2}{T_2}$$

Sonderfälle:
bei konstanter Temperatur

$$p_{abs1} \cdot V_1 = p_{abs2} \cdot V_2$$

bei konstantem Volumen

$$\frac{p_{abs1}}{T_1} = \frac{p_{abs2}}{T_2}$$

bei konstantem Druck

$$\frac{V_1}{T_1} = \frac{V_2}{T_2}$$

Festigkeitslehre

Belastungsfälle

statische Belastung ruhend	dynamische Belastung		allgemein (schwingend)
	schwellend	wechselnd	

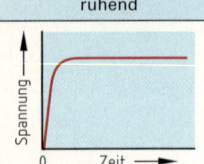

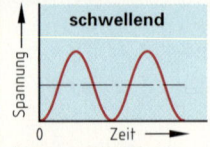

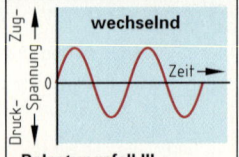

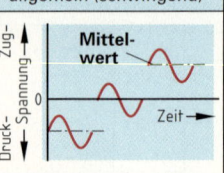

Belastungsfall I
Größe und Richtung der Belastung sind gleichbleibend.

Belastungsfall II
Die Belastung steigt auf einen Höchstwert an und geht auf Null zurück.

Belastungsfall III
Die Belastung wechselt zwischen einem positiven und einem gleich großen negativen Höchstwert.

Die Belastung schwingt um einen beliebigen Mittelwert.

Beanspruchungsarten und Festigkeitswerte

Beanspruchungsart	Spannung	Werkstoffkennwerte			Maßgebende Grenzspannung σ_{lim} für Belastungsfall		
		Festigkeit	Grenzwert gegen plastische Formänderung	Formänderung	I	II	III
Zug	Zug-spannung σ_z	Zug-festigkeit R_m	Streckgrenze R_e 0,2%-Dehngrenze $R_{p0,2}$	Dehnung ε Bruchdehnung A	Werkstoff zäh (Stahl) R_e $R_{p0,2}$ · spröd (Gusseisen) R_m	Zug-Schwellfestigkeit $\sigma_{z\,Sch}$	Zug-Wechselfestigkeit $\sigma_{z\,W}$
Druck	Druck-spannung σ_d	Druck-festigkeit $\sigma_{d\,B}$	Quetschgrenze $\sigma_{d\,F}$ 0,2%-Stauchgrenze $\sigma_{d\,0,2}$	Stauchung ε_d Bruchstauchung $\varepsilon_{d\,B}$	Werkstoff zäh (Stahl) $\sigma_{d\,F}$ $\sigma_{d\,0,2}$ · spröd (Gusseisen) $\sigma_{d\,B}$	Druck-Schwellfestigkeit $\sigma_{d\,Sch}$	Druck-Wechselfestigkeit $\sigma_{d\,W}$
Abscherung	Scher-spannung τ_a	Scher-festigkeit $\tau_{a\,B}$	–	–	Scher-festigkeit $\tau_{a\,B}$	–	–
Biegung	Biege-spannung σ_b	Biege-festigkeit $\sigma_{b\,B}$	Biege-grenze $\sigma_{b\,F}$	Durch-biegung f	Biege-grenze $\sigma_{b\,F}$	Biege-Schwellfestigkeit $\sigma_{b\,Sch}$	Biege-Wechselfestigkeit $\sigma_{b\,W}$
Verdrehung (Torsion)	Torsions-spannung τ_t	Torsions-festigkeit $\tau_{t\,B}$	Verdreh-grenze $\tau_{t\,F}$	Verdreh-winkel φ	Verdreh-grenze $\tau_{t\,F}$	Torsions-Schwellfestigkeit $\tau_{t\,Sch}$	Torsions-Wechselfestigkeit $\tau_{t\,W}$
Knickung	Knick-spannung σ_k	Knick-festigkeit $\sigma_{k\,B}$			Knick-festigkeit $\sigma_{k\,B}$	–	–

P

Zulässige Spannung

Aus Sicherheitsgründen dürfen Bauteile nur mit einem Teil der zur bleibenden Verformung oder zum Bruch führenden Grenzspannung σ_{lim} belastet werden.

für Bauteile ohne Kerbwirkung

σ_{lim} Grenzspannung je nach Belastungsfall und Beanspruchungsart (Seite 40)

σ_{zul} zulässige Spannung
v Sicherheitszahl

zulässige Spannung

Beispiel:

Wie groß ist die zulässige Zugspannung $\sigma_{z\,zul}$ für eine Sechskantschraube ISO 4017 – M12 x 50 – 10.9, wenn bei statischer Belastung 2fache Sicherheit gefordert wird?

$$\sigma_{zul} = \frac{\sigma_{lim}}{v}$$

$$\sigma_{lim} = R_e = 1000\ \frac{N}{mm^2} \cdot 0{,}9 = 900\ \frac{N}{mm^2}$$

$$\sigma_{z\,zul} = \frac{\sigma_{lim}}{v} = \frac{900\ N/mm^2}{2} = 450\ \frac{N}{mm^2}$$

Festigkeitswerte für Schrauben Seite 194

Sicherheitszahlen v für den Maschinenbau

Werkstoffart	Zähe Werkstoffe, z.B. Stahl			Spröde Werkstoffe, z.B. Gusseisen		
Belastungsfall	I	II	III	I	II	III
Sicherheitszahl v	1,2...1,5	1,8...2,4	3...4	2...4	3...5	5...6

Festigkeitswerte für Stahl, Stahlguss und Kugelgraphitguss[1]

Beanspruchungsart	Zug, Druck			Abscherung	Biegung			Verdrehung		
Belastungsfall	I	II	III	I	I	II	III	I	II	III
Grenz-spannung σ_{lim}	$R_e,\ R_{p0,2}$ $\sigma_{dF},\ \sigma_{d0,2}$	$\sigma_{z\,Sch}$ $\sigma_{d\,Sch}$	$\sigma_{z\,W}$ $\sigma_{d\,W}$	$\tau_{a\,B}$[2]	$\sigma_{b\,F}$	$\sigma_{b\,Sch}$	$\sigma_{b\,W}$	$\tau_{t\,F}$	$\tau_{t\,Sch}$	$\tau_{t\,W}$
Werkstoff[3]	Grenzspannung σ_{lim} in N/mm²									
S235	235	235	150	235	330	290	170	140	140	120
S275	275	275	180	275	380	350	200	160	160	140
E295	295	295	210	295	410	410	240	170	170	150
E335	335	335	250	335	470	470	280	190	190	160
E360	365	365	300	360	510	510	330	210	210	190
C15	440	440	330	440	610	610	370	250	250	210
17Cr3	510	510	390	510	710	670	390	290	290	220
16MnCr5	635	635	430	635	890	740	440	360	360	270
20MnCr5	735	735	480	735	1030	920	540	420	420	310
17CrNiMo	835	835	550	835	1170	1040	610	470	470	350
C22E	340	340	220	340	490	410	240	245	245	165
C45E	490	490	280	490	700	520	310	350	350	210
C60E	580	580	325	580	800	600	350	400	480	240
46Cr2	650	630	370	650	910	670	390	455	455	270
41Cr4	800	710	410	720	1120	750	440	560	510	330
50CrMo4	900	760	450	800	1260	820	480	630	560	330
30CrNiMo8	1050	870	510	1000	1470	930	550	735	640	375
GS-38	200	200	160	200	260	260	150	115	115	90
GS-45	230	230	185	230	300	300	180	135	135	105
GS-52	260	260	210	260	340	340	210	150	150	120
GS-60	300	300	240	300	390	390	240	175	175	140
EN-GJS-400	250	240	140	250	350	345	220	200	195	115
EN-GJS-500	300	270	155	300	420	380	240	240	225	130
EN-GJS-600	360	330	190	360	500	470	270	290	275	160
EN-GJS-700	400	355	205	400	560	520	300	320	305	175

[1] Die Werte wurden ermittelt mit zylindrischen Proben von $d \le 16$ mm und polierter Oberfläche. Sie gelten für: Baustähle im normalgeglühten Zustand; Einsatzstähle für die Kernfestigkeit nach Einsatzhärtung und Rückfeinung; Vergütungsstähle im vergüteten Zustand. Die Grenzspannungen bei Druck (σ_{dB}, σ_{dF}, $\sigma_{d0,2}$) entsprechen bei zähen Werkstoffen den zugehörigen Werten bei Zug (R_m, R_e, $R_{p0,2}$).
Die Druckfestigkeit für Gusseisen mit Lamellengraphit ist $\sigma_{dB} \approx 4 \cdot R_m$.
Für den Stahlhochbau sind die Werte nach DIN 18 800 zu verwenden.

[2] Berechnet aus $0{,}8 \cdot R_m$ oder R_e oder $R_{p\,0,2}$ (jeweils kleinerer Wert).

[3] Bisherige Werkstoffbezeichnungen Seite 123...135.

P

P

Beanspruchung auf Zug

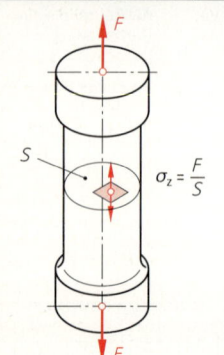

$$\sigma_z = \frac{F}{S}$$

Die im Zugversuch ermittelten Werkstoffkennwerte gelten für statische Beanspruchung (Belastungsfall I).

σ_z	Zugspannung	R_e	Streckgrenze
F	Zugkraft	R_m	Zugfestigkeit
S	Querschnittsfläche	v	Sicherheitszahl
$\sigma_{z\,zul}$	zulässige Zugspannung	F_{zul}	zulässige Zugkraft

Beispiel:

Rundstahl, F_{zul} = 8,4 kN;
$\sigma_{z\,zul}$ = 80 N/mm²; d = ?

$$S = \frac{F_{zul}}{\sigma_{z\,zul}} = \frac{8400\ N}{80\ N/mm^2} = 105\ mm^2$$

d = **12 mm** (nach Tabelle Seite 8)

Festigkeitswerte Seiten 128 bis 133

Zugspannung

$$\sigma_z = \frac{F}{S}$$

zulässige Zugspannung

für Stahl
$$\sigma_{z\,zul} = \frac{R_e}{v}$$

für Gusseisen
$$\sigma_{z\,zul} = \frac{R_m}{v}$$

zulässige Zugkraft

$$F_{zul} = \sigma_{z\,zul} \cdot S$$

Beanspruchung auf Druck

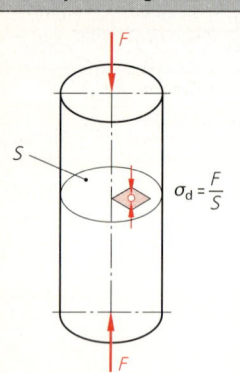

$$\sigma_d = \frac{F}{S}$$

Die im Druckversuch ermittelten Werte gelten für statische Beanspruchung (Belastungsfall I).

σ_{dF}	Quetschgrenze	F	Druckkraft
σ_d	Druckspannung	F_{zul}	zulässige Druckkraft
$\sigma_{d\,zul}$	zulässige Druckspannung	S	Querschnittsfläche
v	Sicherheitszahl	R_m	Zugfestigkeit

Beispiel:

Gestell aus EN-GJL-300; S = 2800 mm²;
v = 2,5; F_{zul} = ?

$$F_{zul} \approx \frac{4 \cdot R_m}{v} \cdot S = \frac{4 \cdot 300\ N/mm^2}{2,5} \cdot 2800\ mm^2$$

$$= 1\ 344\ 000\ N \approx \textbf{1,3 MN}$$

Festigkeitswerte Seite 41.

Druckspannung

$$\sigma_d = \frac{F}{S}$$

zulässige Druckspannung

für Stahl
$$\sigma_{d\,zul} = \frac{\sigma_{dF}}{v}$$

für Gusseisen
$$\sigma_{d\,zul} \approx \frac{4 \cdot R_m}{v}$$

zulässige Druckkraft

$$F_{zul} = \sigma_{d\,zul} \cdot S$$

Beanspruchung auf Flächenpressung (Lochleibung)

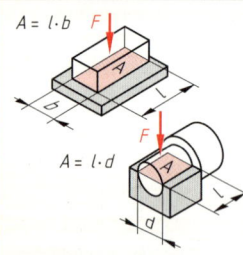

$A = l \cdot b$

$A = l \cdot d$

F	Kraft	A	Berührungsfläche
p	Flächenpressung		(projizierte Fläche)

Beispiel:

Zwei Bleche mit je 8 mm Dicke werden mit einem Bolzen DIN 1445-10h11 x 16 x 30 verbunden. Wie groß ist die übertragbare Kraft bei einer zulässigen Flächenpressung von 280 N/mm²?

$$F = p \cdot A = 280\ \frac{N}{mm^2} \cdot 8\ mm \cdot 10\ mm$$

$$= \textbf{22 400 N}$$

Flächenpressung

$$p = \frac{F}{A}$$

Zulässige Flächenpressung p_{zul} in N/mm² für ruhende Bauteile

S235	E295	E360	GS-45	EN-GJL-150	EN-GJL-300	EN-GJS-400	EN AW-AlCuMg2
140...160	210...240	240...280	120...160	160...200	300...400	200...250	100...160

Für den Stahlhochbau und den Kranbau gelten die Vorschriften nach DIN 18 800 und DIN 15 018.

Zulässige Flächenpressung (Lagerdruck) p_{zul} in N/mm² für Gleitlager bei ausreichender Schmierung

Belastungsfall	SnSb12Cu6Pb	PbSb14Sn9CuAs	G-CuSn12Pb2	G-CuSn10P	EN-GJL-250	PA66	Hgw2082
statisch I	19...30	15...25	30...50	30...50	10...20	14...19	19...30
dynamisch II, III	15	12,5	25	25	5	7	15

Beanspruchung auf Abscherung

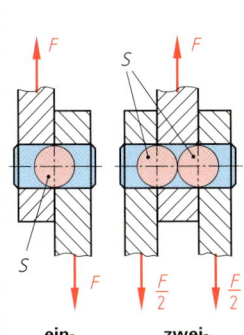

| ein-schnittig | zwei-schnittig |

τ_a Scherspannung F_{zul} zulässige Scherkraft
$\tau_{a\,zul}$ zul. Scherspannung S Querschnittsfläche
$\tau_{a\,B}$ Scherfestigkeit ν Sicherheitszahl
R_e Streckgrenze R_m Zugfestigkeit

Beispiel:

Zylinderstift $\varnothing$ 6 mm, einschnittig beansprucht,
R_e = 295 N/mm²; ν = 2; F_{zul} = ?

$$\tau_{a\,zul} = \frac{R_e}{\nu} = \frac{295\ \text{N/mm}^2}{2} = 148\ \frac{\text{N}}{\text{mm}^2}$$

S = 28,3 mm² (nach Tabelle Seite 8)

$$\mathbf{F_{zul}} = S \cdot \tau_{a\,zul} = 28,3\ \text{mm}^2 \cdot 148\ \frac{\text{N}}{\text{mm}^2} = \mathbf{4188\ N}$$

Festigkeitswerte Seite 41

Scherspannung

$$\tau_a = \frac{F}{S}$$

zulässige Scherspannung

$$\tau_{a\,zul} = \frac{R_e}{\nu}$$

zulässige Scherkraft

$$F_{zul} = S \cdot \tau_{a\,zul}$$

Scherfestigkeit für zähe Metalle, z.B. Stahl

$$\tau_{a\,B} \approx 0,8 \cdot R_m$$

Schneiden von Werkstoffen

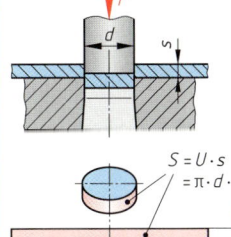

$S = U \cdot s$
$\quad = \pi \cdot d \cdot s$

$U = \pi \cdot d$

$\tau_{a\,B\,max}$ max. Scherfestigkeit S Scherfläche
$R_{m\,max}$ max. Zugfestigkeit F Schneidkraft

Beispiel:

Lochen eines 3 mm dicken Bleches aus S235JR;
d = 16 mm; F = ?

$R_{m\,max}$ = 470 N/mm² (Tabelle Seite 128)
$\tau_{a\,B\,max} \approx 0,8 \cdot R_{m\,max} = 0,8 \cdot 470\ \text{N/mm}^2 = 376\ \text{N/mm}^2$
$S = \pi \cdot d \cdot s = \pi \cdot 16\ \text{mm} \cdot 3\ \text{mm} = 150,8\ \text{mm}^2$
$\mathbf{F} = S \cdot \tau_{a\,B\,max} = 150,8\ \text{mm}^2 \cdot 376\ \text{N/mm}^2 = 56\,701\ \text{N}$
$\quad = \mathbf{56,7\ kN}$

Festigkeitswerte Seite 41

maximale Scherfestigkeit

$$\tau_{a\,B\,max} \approx 0,8 \cdot R_{m\,max}$$

Schneidkraft

$$F = S \cdot \tau_{a\,B\,max}$$

Beanspruchung auf Knickung (nach Euler)

Belastungsfall und freie Knicklänge (nach Euler)

Belastungsfall

I   II   III   IV

freie Knicklänge

$l_k = 2 \cdot l$ $l_k = l$ $l_k = 0,7 \cdot l$ $l_k = 0,5 \cdot l$

$F_{k\,zul}$ zulässige Knickkraft E Elastizitätsmodul
l Länge I Flächenmoment
l_k freie Knicklänge   2. Grades
ν Sicherheitszahl

Beispiel:

Träger IPB200, l = 3,5 m; beidseitig eingespannt;
ν = 12; $F_{k\,zul}$ = ?

$$F_{k\,zul} = \frac{\pi^2 \cdot E \cdot I}{l_k^2 \cdot \nu} = \frac{\pi^2 \cdot 21 \cdot 10^6\ \frac{\text{N}}{\text{cm}^2} \cdot 2000\ \text{cm}^4}{(0,5 \cdot 350\ \text{cm})^2 \cdot 12}$$

$\quad = 1,13 \cdot 10^6\ \text{N} = \mathbf{1,13\ MN}$

Flächenmomente 2. Grades Seiten 46 und 141...146.
Für den Stahlhochbau sind nach DIN 18800 und
DIN 4114 besondere Berechnungsverfahren vorge-
schrieben.

zulässige Knickkraft

$$F_{k\,zul} = \frac{\pi^2 \cdot E \cdot I}{l_k^2 \cdot \nu}$$

Die Formel gilt nur für schlanke Bauteile und innerhalb des elastischen Bereichs der Werkstoffe.

Elastizitätsmodul E in kN/mm² bei 20 °C

Stahl	EN-GJL-150	EN-GJL-300	EN-GJS-400	GS-38	EN-GJMW-350-4	CuZn40	Al-Leg.	Ti-Leg.
196...216	80...90	110...140	170...185	210	170	80...100	60...80	112...130

P

Beanspruchung auf Biegung

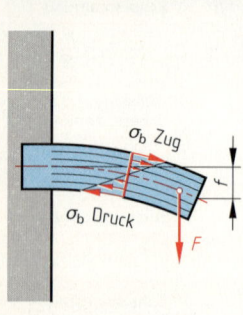

Bei Beanspruchung auf Biegung treten im Bauteil Zug- und Druckspannungen auf. Die maximale Spannung in der Randzone des Bauteils wird berechnet; sie darf die zulässige Biegespannung nicht überschreiten.

σ_b Biegespannung F Biegekraft
M_b Biegemoment f Durchbiegung
W axiales Widerstandsmoment

Biegespannung

$$\sigma_b = \frac{M_b}{W}$$

Beispiel:

Träger IPE-240, $W = 324 \text{ cm}^3$; einseitig eingespannt; Einzelkraft $F = 25$ kN; $l = 2{,}6$ m; $\sigma_b = ?$

$$\sigma_b = \frac{M_b}{W} = \frac{F \cdot l}{W} = \frac{25\,000 \text{ N} \cdot 260 \text{ cm}}{324 \text{ cm}^3}$$

$$= 20\,061 \ \frac{\text{N}}{\text{cm}^2} = \mathbf{200 \ \frac{\text{N}}{\text{mm}^2}}$$

Biegebelastungsfälle von Bauteilen

Träger mit einer Einzelkraft belastet	Träger mit gleichmäßig verteilter Belastung

einseitig eingespannt

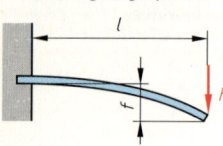
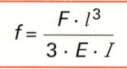

$$M_b = F \cdot l$$

$$f = \frac{F \cdot l^3}{3 \cdot E \cdot I}$$

einseitig eingespannt

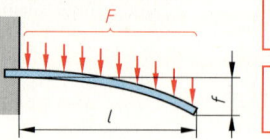
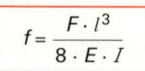

$$M_b = \frac{F \cdot l}{2}$$

$$f = \frac{F \cdot l^3}{8 \cdot E \cdot I}$$

auf zwei Stützen

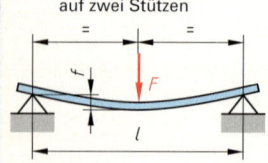
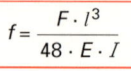

$$M_b = \frac{F \cdot l}{4}$$

$$f = \frac{F \cdot l^3}{48 \cdot E \cdot I}$$

auf zwei Stützen

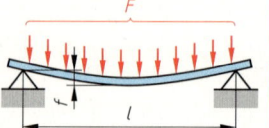

$$M_b = \frac{F \cdot l}{8}$$

$$f = \frac{5 \cdot F \cdot l^3}{384 \cdot E \cdot I}$$

doppelseitig eingespannt

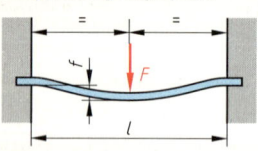

$$M_b = \frac{F \cdot l}{8}$$

$$f = \frac{F \cdot l^3}{192 \cdot E \cdot I}$$

doppelseitig eingespannt

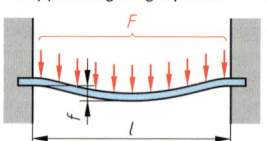

$$M_b = \frac{F \cdot l}{12}$$

$$f = \frac{F \cdot l^3}{384 \cdot E \cdot I}$$

E Elastizitätsmodul; Werte Seite 43 I Flächenmoment 2. Grades; Formeln Seite 46; Werte Seite 141...146

Beanspruchung auf Verdrehung (Torsion)

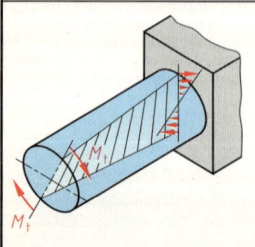

M_t Torsionsmoment τ_t Torsionsspannung
W_p polares Widerstandsmoment

Beispiel:

Welle, $d = 32$ mm; $\tau_t = 65 \text{ N/mm}^2$; $M_t = ?$

$$W_p = \frac{\pi \cdot d^3}{16} = \frac{\pi \cdot (32 \text{ mm})^3}{16} = 6434 \text{ mm}^3$$

$$M_t = \tau_t \cdot W_p = 65 \ \frac{\text{N}}{\text{mm}^2} \cdot 6434 \text{ mm}^3$$

$$= 418\,210 \text{ N} \cdot \text{mm} \approx \mathbf{418{,}2 \text{ N} \cdot \text{m}}$$

Torsionsspannung

$$\tau_t = \frac{M_t}{W_p}$$

Festigkeitswerte Seite 41; polare Widerstandsmomente Seiten 46 und 141...146.

P

Kerbwirkung

Spannungsverteilung bei Zugbeanspruchung

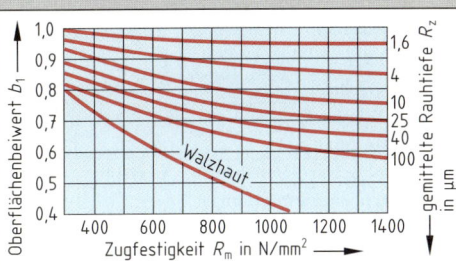

im ungekerbten Bauteil

F

σ_n

S

σ_n

σ_{max}

F

im gekerbten Bauteil

Zur Bestimmung der zulässigen Spannung ist bei dynamischer Belastung die Wirkung von Kerben (z.B. Einstiche, Nuten) zu berücksichtigen. Für die Grenzspannung σ_{lim} ist die nach Belastungsfall und Beanspruchungsart maßgebende Grenzspannung, z.B. σ_{bW} oder τ_{tSch}, einzusetzen.

σ_n	Nennspannung	ν	Sicherheitszahl
σ_{max}	maximale Spannung im Kerbengrund	β_k	Kerbwirkungszahl
σ_{zul}	zulässige Spannung	b_1	Oberflächenbeiwert[1]
σ_{lim}	Grenzspannung des ungekerbten Querschnitts	b_2	Größenbeiwert[1]
		F	Kraft
		S	Querschnitt

Beispiel:

Eine Welle aus E295 mit Einstich für Sicherungsring wird schwellend auf Biegung beansprucht; $d = 37{,}5$ mm; $R_z = 63$ µm; $\sigma_{zul} = ?$

Tabellenwerte (unten und Seite 41): $b_1 = 0{,}78$; $b_2 = 0{,}85$; $\beta_k = 3$; $\sigma_{bSch} = 410$ N/mm²; $\nu = 2$

$$\sigma_{zul} = \frac{\sigma_{lim} \cdot b_1 \cdot b_2}{\beta_k \cdot \nu} = \frac{410 \text{ N/mm}^2 \cdot 0{,}78 \cdot 0{,}85}{3 \cdot 2} = \mathbf{45{,}3} \ \frac{\text{N}}{\text{mm}^2}$$

[1] Diagramme unten

Nennspannung

$$\sigma_n = \frac{F}{S}$$

maximale Spannung

$$\sigma_{max} = \beta_k \cdot \sigma_n$$

zulässige Spannung

$$\sigma_{zul} = \frac{\sigma_{lim} \cdot b_1 \cdot b_2}{\beta_k \cdot \nu}$$

Richtwerte für Kerbwirkungszahl β_k für Stahl

Form der Kerbe	Werkstoff	Kerbwirkungszahl β_k bei Beanspruchung auf	
		Biegung	Verdrehung
Welle mit Absatz	S185...E335	1,5...2,0	1,3...1,8
Welle mit Rundkerbe	S185...E335	1,5...2,2	1,3...1,8
Welle mit Einstich für Sicherungsring	S185...E335	2,5...3,0	2,5...3,0
Passfedernut in Welle	S185...E335	1,8...1,9	1,5...1,6
	C45E+QT	1,9...2,1	1,6...1,7
	50CrMo4+QT	2,1...2,3	1,7...1,8
Scheibenfedernut in Welle	S185...E335	2,0...3,0	2,0...3,0
Vielkeilwelle	S185...E335	–	1,6...1,8
Welle an Übergangsstelle zu festsitzender Nabe	S185...E335	2,0	1,5
Welle oder Achse mit Querbohrung	S185...E335	1,4...1,7	1,4...1,7
Flachstab mit Bohrung	S185...E335	1,3...1,5	Zugbelastung: 1,6...1,8

Oberflächenbeiwert b_1 und Größenbeiwert b_2 für Stahl

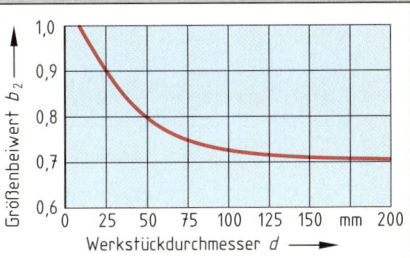

P

Flächenmomente, Widerstandsmomente und Massenträgheitsmomente[1]

Form des Querschnitts	Biegung und Knickung		Verdrehung (Torsion)	Massenträgheitsmoment J
	Flächenmoment 2. Grades I	axiales Widerstandsmoment W	polares Widerstandsmoment W_p	
(Kreis, d)	$I = \dfrac{\pi \cdot d^4}{64}$	$W = \dfrac{\pi \cdot d^3}{32}$	$W_p = \dfrac{\pi \cdot d^3}{16}$	$J = \dfrac{m \cdot d^2}{8}$
(Kreisring, d, D)	$I = \dfrac{\pi \cdot (D^4 - d^4)}{64}$	$W = \dfrac{\pi \cdot (D^4 - d^4)}{32 \cdot D}$	$W_p = \dfrac{\pi \cdot (D^4 - d^4)}{16 \cdot D}$	$J = \dfrac{m \cdot (D^2 + d^2)}{8}$
(Quadrat, h)	$I_x = I_z = \dfrac{h^4}{12}$	$W_x = \dfrac{h^3}{6}$ $\quad$ $W_z = \dfrac{\sqrt{2} \cdot h^3}{12}$	$W_p = 0{,}208 \cdot h^3$	$J = \dfrac{m \cdot h^2}{6}$
(Sechseck, s, d)	$I_x = I_y = \dfrac{5 \cdot \sqrt{3} \cdot s^4}{144}$ $\quad$ $I_x = I_y = \dfrac{5 \cdot \sqrt{3} \cdot d^4}{256}$	$W_x = \dfrac{5 \cdot s^3}{48} = \dfrac{5 \cdot \sqrt{3} \cdot d^3}{128}$ $\quad$ $W_y = \dfrac{5 \cdot s^3}{24 \cdot \sqrt{3}} = \dfrac{5 \cdot d^3}{64}$	$W_p = 0{,}188 \cdot s^3$ $\quad$ $W_p = 0{,}123 \cdot d^3$	–
(Rechteck, b, h)	$I_x = \dfrac{b \cdot h^3}{12}$ $\quad$ $I_y = \dfrac{h \cdot b^3}{12}$	$W_x = \dfrac{b \cdot h^2}{6}$ $\quad$ $W_y = \dfrac{h \cdot b^2}{6}$	–	–
(Hohlrechteck, b, h, B, H, t)	$I_x = \dfrac{B \cdot H^3 - b \cdot h^3}{12}$ $\quad$ $I_y = \dfrac{H \cdot B^3 - h \cdot b^3}{12}$	$W_x = \dfrac{B \cdot H^3 - b \cdot h^3}{6 \cdot H}$ $\quad$ $W_y = \dfrac{H \cdot B^3 - h \cdot b^3}{6 \cdot B}$	$W_p = \dfrac{t \cdot (H + h) \cdot (B + b)}{2}$	–

[1] Flächenmomente 2. Grades und axiale Widerstandsmomente für Profile Seiten 141 bis 148.

Steiner'scher Verschiebesatz

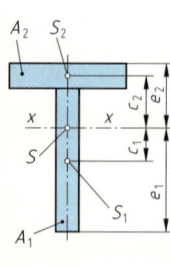

Mit dem Steiner'schen Verschiebesatz können Flächen- und Widerstandsmomente weiterer Querschnitte ermittelt werden.

S $\quad$ Flächenschwerpunkte $\qquad$ A $\quad$ Flächen
I $\quad$ Flächenmomente 2. Grades $\qquad$ c $\quad$ Abstände der Schwerpunkte
W $\quad$ axiale Widerstandsmomente $\qquad$ e $\quad$ Randfaserabstände

Teil-Flächenmomente

$$I_1 = I_{A1} + A_1 \cdot c_1^2$$

Lösungsschritte zur Berechnung der Widerstandsmomente		
Nr.	Größen	Erläuterung
1	A_1 A_2	Teil-Querschnittsflächen berechnen
2	e_1 e_2	Randfaserabstände für S (Formeln Seite 30)
3	c_1 c_2	Abstände der Schwerpunkte ermitteln
4	I_{A1} I_{A2}	Flächenmomente der Einzelflächen (Formeln oben)
5	I_1 I_2	Teil-Flächenmomente berechnen (Formel rechts)
6	I_x	Gesamt-Flächenmoment berechnen (Formel rechts)
7	W_x	Axiales Widerstandsmoment (Formel rechts)

Gesamt-Flächenmoment

$$I = I_1 + I_2 \ldots$$

Widerstandsmoment

$$W_x = \dfrac{I}{e_1}$$

Vergleich verschiedener Querschnittsformen

P

Querschnitt		längenbezogene Masse		Widerstands- oder Flächenmomente bei Beanspruchungsart							
				Biegung				Knickung		Verdrehung	
Form	Norm-bezeichnung	m'		W_x		W_y		I_{min}		W_p	
		kg/m	Faktor[1]	cm³	Faktor[1]	cm³	Faktor[1]	cm⁴	Faktor[1]	cm³	Faktor[1]
Rund DIN 1013- Ø 100		61,7	1,00	98	1,00	98	1,00	491	1,00	196	1,00
Vierkant DIN 1013- Vkt 100		78,5	1,27	167	1,70	167	1,70	833	1,70	208	1,06
Rohr DIN 2448- 114,3 x 6,3		16,8	0,27	55	0,56	55	0,56	313	0,64	110	0,56
Hohlprofil DIN 59410- 100 x 100 x 6,3		18,3	0,30	67,8	0,69	67,8	0,69	339	0,69	110	0,56
Hohlprofil DIN 59410- 120 x 60 x 6,3		16,1	0,26	59	0,60	38,6	0,39	116	0,24	77	0,39
Flach DIN 1017- Fl100 x 50		39,3	0,64	83	0,85	41,7	0,43	104	0,21	–	–
T-Profil DIN EN 10055- T100		16,4	0,27	24,6	0,25	17,7	0,18	88,3	0,18	–	–
U-Profil DIN 1026- U100		10,6	0,17	41,2	0,42	8,5	0,08	29,3	0,06	–	–
I-Profil DIN 1025- I 100		8,3	0,13	34,2	0,35	4,9	0,05	12,2	0,02	–	–
I-Profil DIN 1025- I PB100		20,4	0,33	89,9	0,92	33,5	0,34	167	0,34	–	–

[1] Faktor, bezogen auf Rundstahl DIN 1013-100 (Querschnitt Nr. 1)

Wärmetechnik

Temperatur

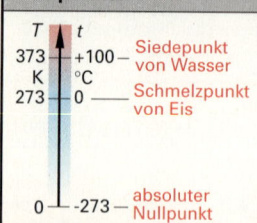

T	t	
373 K	+100 °C	Siedepunkt von Wasser
273	0	Schmelzpunkt von Eis
0	-273	absoluter Nullpunkt

Temperaturen werden in **Kelvin** (K) oder in **Grad Celsius** (°C) gemessen. Die Kelvinskale geht von der tiefstmöglichen Temperatur, dem absoluten Nullpunkt, aus, die Celsiusskale vom Schmelzpunkt des Eises.

T Temperatur in K (thermodynamische Temperatur)

t, ϑ Temperatur in °C

Beispiel:
$t = 20\ °C;\ T = ?$
$T = t + 273 = (20 + 273)\ K = \textbf{293 K}$

Temperatur in Kelvin

$$T = t + 273$$

P

Längenänderung

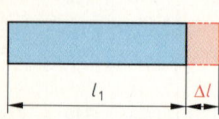

l_1 Δl

α_l Längenausdehnungskoeffizient

Δl Längenänderung

l_1 Anfangslänge

$\Delta t, \Delta \vartheta$ Temperaturänderung

Beispiel:
Stahlplatte, $l_1 = 120$ mm; $\alpha_l = 0{,}000\ 012\ \dfrac{1}{°C}$
$\Delta t = 800\ °C;\ \Delta l = ?$
$\Delta l = \alpha_l \cdot l_1 \cdot \Delta t$
$\quad = 0{,}000\ 012\ \dfrac{1}{°C} \cdot 120\ \text{mm} \cdot 800\ °C = \textbf{1,15 mm}$

Längenausdehnungskoeffizienten Seiten 112 und 113

Längenänderung

$$\Delta l = \alpha_l \cdot l_1 \cdot \Delta t$$

Volumenänderung

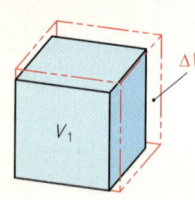

ΔV

V_1

α_V Volumenausdehnungskoeffizient

ΔV Volumenänderung

V_1 Anfangsvolumen

$\Delta t, \Delta \vartheta$ Temperaturänderung

Beispiel:
Benzin, $V_1 = 60$ l; $\alpha_V = 0{,}001\ \dfrac{1}{°C}$; $\Delta t = 32\ °C$; $\Delta V = ?$

$\Delta V = \alpha_V \cdot V_1 \cdot \Delta t = 0{,}001\ \dfrac{1}{°C} \cdot 60\ \text{l} \cdot 32\ °C = \textbf{1,9 l}$

Volumenausdehnungskoeffizienten Seite 112, Volumenausdehnung (Zustandsänderung) der Gase Seite 39

Volumenänderung

$$\Delta V = \alpha_V \cdot V_1 \cdot \Delta t$$

Für feste Stoffe
$\alpha_V = 3 \cdot \alpha_l$

Schwindung

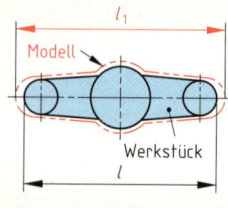

l_1

Modell

Werkstück

l

S Schwindmaß in %

l Werkstücklänge

l_1 Modelllänge

Beispiel:
Al-Gussteil, $l = 680$ mm; $S = 1{,}2$ %; $l_1 = ?$

$l_1 = \dfrac{l \cdot 100\ \%}{100\ \% - S} = \dfrac{680\ \text{mm} \cdot 100\ \%}{100\ \% - 1{,}2\ \%}$

$\quad = \textbf{688,2 mm}$

Schwindmaße Seite 121

Modelllänge

$$l_1 = \dfrac{l \cdot 100\ \%}{100\ \% - S}$$

Wärmemenge bei Temperaturänderung

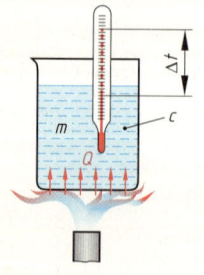

Δt

m c

Q

Die **spezifische Wärmekapazität c** gibt an, wie viel Wärme nötig ist, um 1 kg eines Stoffes um 1 °C zu erwärmen. Bei Abkühlung wird die gleiche Wärmemenge wieder frei.

c spez. Wärmekapazität

Q Wärmemenge

$\Delta t, \Delta \vartheta$ Temperaturänderung

m Masse

Beispiel:
Stahlwelle, $m = 2$ kg; $c = 0{,}48\ \dfrac{kJ}{kg \cdot °C}$;
$\Delta t = 800\ °C;\ Q = ?$
$Q = c \cdot m \cdot \Delta t = 0{,}48\ \dfrac{kJ}{kg \cdot °C} \cdot 2\ \text{kg} \cdot 800\ °C$
$\quad = \textbf{768 kJ}$

Spezifische Wärmekapazitäten Seiten 112 und 113

Wärmemenge

$$Q = c \cdot m \cdot \Delta t$$

$1\ \text{kJ} = \dfrac{1\ \text{kW} \cdot \text{h}}{3600}$

$1\ \text{kW} \cdot \text{h} = 3{,}6\ \text{MJ}$

Wärme beim Schmelzen und Verdampfen

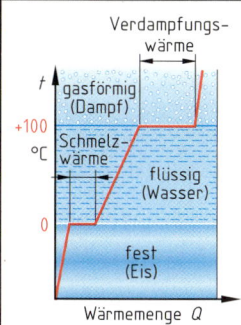

Stoffe nehmen beim Schmelzen und Verdampfen Wärme auf, ohne dass dabei die Temperatur steigt.

Q Schmelzwärme, Verdampfungswärme

q spez. Schmelzwärme

r spezifische Verdampfungswärme

m Masse

Beispiel:
Kupfer, $m = 6{,}5$ kg; $q = 213 \frac{kJ}{kg}$; $Q = ?$

$Q = q \cdot m = 213 \frac{kJ}{kg} \cdot 6{,}5 \text{ kg} = 1\,384{,}5 \text{ kJ} \approx \textbf{1,4 MJ}$

Spezifische Schmelz- und Verdampfungswärmen
Seiten 112 und 113

Schmelzwärme

$$Q = q \cdot m$$

Verdampfungswärme

$$Q = r \cdot m$$

P

Wärmestrom

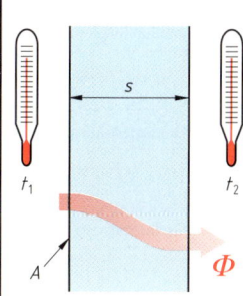

Der **Wärmestrom** Φ verläuft innerhalb eines Stoffes stets von der höheren zur niedrigeren Temperatur.

Die **Wärmedurchgangszahl** k berücksichtigt neben der Wärmeleitfähigkeit eines Bauteils die Wärmeübergangswiderstände an den Grenzflächen der Bauteile.

Φ Wärmestrom

λ Wärmeleitfähigkeit

k Wärmedurchgangszahl

Δt Temperaturdifferenz

s Bauteildicke

A Fläche des Bauteils

Beispiel:
Warmeschutzglas, $k = 1{,}9 \frac{W}{m^2 \cdot °C}$; $A = 2{,}8 \text{ m}^2$
$\Delta t = 32\,°C$; $\Phi = ?$
$\Phi = k \cdot A \cdot \Delta t = 1{,}9 \frac{W}{m^2 \cdot °C} \cdot 2{,}8 \text{ m}^2 \cdot 32\,°C = \textbf{170 W}$

Wärmeleitfähigkeitswerte λ Seiten 112 und 113,
Wärmedurchgangszahlen k unten auf dieser Seite

Wärmestrom bei Wärmeleitung

$$\Phi = \frac{\lambda \cdot A \cdot \Delta t}{s}$$

Wärmestrom bei Wärmedurchgang

$$\Phi = k \cdot A \cdot \Delta t$$

Wärme durch Verbrennung

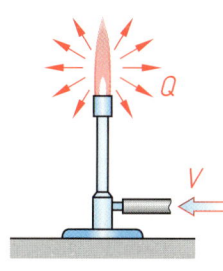

Unter dem **spezifischen Heizwert** H_u **(H)** eines Stoffes versteht man die bei der vollständigen Verbrennung von 1 kg oder 1 m^3 des Stoffes frei werdende Wärmemenge.

Q Verbrennungswärme

H_u, H spezifischer Heizwert

m Masse fester und flüssiger Brennstoffe

V Volumen von Brenngasen

Beispiel:
Erdgas, $V = 3{,}8 \text{ m}^3$; $H_u = 35 \frac{MJ}{m^3}$; $Q = ?$

$Q = H_u \cdot V = 35 \frac{MJ}{m^3} \cdot 3{,}8 \text{ m}^3 = \textbf{133 MJ}$

Verbrennungswärme fester und flüssiger Stoffe

$$Q = H_u \cdot m$$

Verbrennungswärme von Gasen

$$Q = H_u \cdot V$$

Spezifische Heizwerte H_u (H) für Brennstoffe						Wärmedurchgangszahlen k für Baustoffe und Bauteile		
Feste Brennstoffe	H_u MJ/kg	Flüssige Brennstoffe	H_u MJ/kg	Gasförmige Brennstoffe	H_u MJ/m^3	Bauelemente	s mm	$k \frac{W}{m^2 \cdot °C}$
Holz	15...17	Spiritus	27	Gichtgas	3...4	Außentüre, Stahl	50	5,8
Biomasse (trocken)	14...18	Benzol	40	Erdgas	34...36	Verbundfenster	12	2,5
Braunkohle	16...20	Benzin	43	Acetylen	57	Ziegelmauer	365	1,1
Koks	30	Diesel	41...43	Propan	93	Geschossdecke	125	3,2
Steinkohle	30...34	Heizöl	40...43	Butan	123	Wärmedämmplatte	80	0,39

Elektrotechnik

Elektrische Größen und Einheiten

Größe		Einheit	
Name	Zeichen	Name	Zeichen
Elektrische Spannung	U	Volt	V
Elektrische Stromstärke	I	Ampere	A
Elektrischer Widerstand	R	Ohm	Ω
Elektrische Leistung	P	Watt	W

$$1\,\Omega = \frac{1\,\text{V}}{1\,\text{A}}$$

$$1\,\text{W} = 1\,\text{V} \cdot 1\,\text{A}$$

Ohm'sches Gesetz

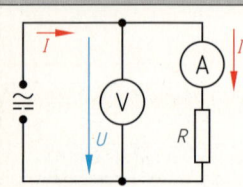

U Spannung in V
I Stromstärke in A
R Widerstand in Ω

Beispiel:
$R = 88\,\Omega$; $U = 230\,\text{V}$; $I = ?$

$I = \dfrac{U}{R} = \dfrac{230\,\text{V}}{88\,\Omega} = \textbf{2,6 A}$

Stromstärke

$$I = \frac{U}{R}$$

Reihenschaltung von Widerständen

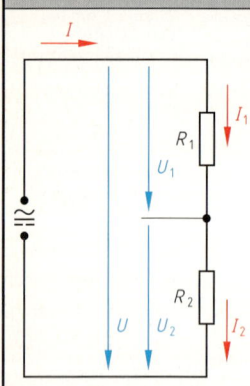

R Gesamtwiderstand, Ersatzwiderstand
I Gesamtstrom
U Gesamtspannung
R_1, R_2 Einzelwiderstände
I_1, I_2 Teilströme
U_1, U_2 Teilspannungen

Beispiel:
$R_1 = 10\,\Omega$; $R_2 = 20\,\Omega$; $U = 12\,\text{V}$; $R = ?$; $I = ?$;
$U_1 = ?$; $U_2 = ?$

$R = R_1 + R_2 = 10\,\Omega + 20\,\Omega = \textbf{30}\,\boldsymbol{\Omega}$

$I \quad = \dfrac{U}{R} = \dfrac{12\,\text{V}}{30\,\Omega} = \textbf{0,4 A}$

$U_1 = R_1 \cdot I = 10\,\Omega \cdot 0,4\,\text{A} = \textbf{4 V}$
$U_2 = R_2 \cdot I = 20\,\Omega \cdot 0,4\,\text{A} = \textbf{8 V}$

Gesamtwiderstand
$$R = R_1 + R_2 + \dots$$

Gesamtspannung
$$U = U_1 + U_2 + \dots$$

Gesamtstrom
$$I = I_1 = I_2 = \dots$$

Teilspannungen
$$\frac{U_1}{U_2} = \frac{R_1}{R_2}$$

Parallelschaltung von Widerständen

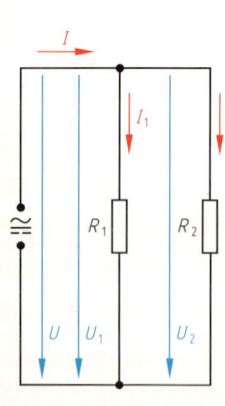

R Gesamtwiderstand, Ersatzwiderstand
I Gesamtstrom
U Gesamtspannung
R_1, R_2 Einzelwiderstände
I_1, I_2 Teilströme
U_1, U_2 Teilspannungen

Beispiel:
$R_1 = 15\,\Omega$; $R_2 = 30\,\Omega$; $U = 12\,\text{V}$; $R = ?$; $I = ?$; $I_1 = ?$; $I_2 = ?$

$R = \dfrac{R_1 \cdot R_2}{R_1 + R_2} = \dfrac{15\,\Omega \cdot 30\,\Omega}{15\,\Omega + 30\,\Omega} = \textbf{10}\,\boldsymbol{\Omega}$

$I \quad = \dfrac{U}{R} = \dfrac{12\,\text{V}}{10\,\Omega} = \textbf{1,2 A}$

$I_1 = \dfrac{U_1}{R_1} = \dfrac{12\,\text{V}}{15\,\Omega} = \textbf{0,8 A}$

$I_2 = \dfrac{U_2}{R_2} = \dfrac{12\,\text{V}}{30\,\Omega} = \textbf{0,4 A}$

Gesamtwiderstand
$$\frac{1}{R} = \frac{1}{R_1} + \frac{1}{R_2} + \dots$$

$$R = \frac{R_1 \cdot R_2}{R_1 + R_2}$$

Gesamtspannung
$$U = U_1 = U_2 = \dots$$

Gesamtstrom
$$I = I_1 + I_2 + \dots$$

Teilströme
$$\frac{I_1}{I_2} = \frac{R_2}{R_1}$$

P

Elektrotechnik

Leiterwiderstand

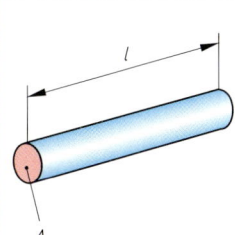

R Widerstand	A Leiterquerschnitt
ϱ spezifischer elektrischer Widerstand	l Leiterlänge

Beispiel:
Kupferdraht, $l = 100$ m;
$A = 1{,}5$ mm²; $\varrho = 0{,}0179 \, \dfrac{\Omega \cdot mm^2}{m}$; $R = ?$

$$R = \frac{\varrho \cdot l}{A} = \frac{0{,}0179 \, \dfrac{\Omega \cdot mm^2}{m} \cdot 100 \, m}{1{,}5 \, mm^2} = \mathbf{1{,}19 \, \Omega}$$

Spezifische elektrische Widerstände Seiten 112 und 113

Widerstand

$$R = \frac{\varrho \cdot l}{A}$$

P

Elektrische Leistung bei Gleichstrom und induktionsfreiem Wechsel- oder Drehstrom

Gleich- oder Wechselstrom

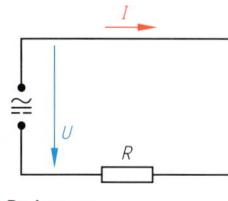

Drehstrom

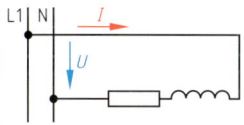

P elektrische Leistung
U Spannung (Leiterspannung)
I Stromstärke
R Widerstand

1. Beispiel:
Glühlampe, $U = 6$ V; $I = 5$ A; $P = ?$; $R = ?$
$P = U \cdot I = 6 \, V \cdot 5 \, A = \mathbf{30 \, W}$
$R = \dfrac{U}{I} = \dfrac{6 \, V}{5 \, A} = \mathbf{1{,}2 \, \Omega}$

2. Beispiel:
Glühofen, Drehstrom, $U = 400$ V; $P = 12$ kW; $I = ?$
$I = \dfrac{P}{\sqrt{3} \cdot U} = \dfrac{12\,000 \, W}{\sqrt{3} \cdot 400 \, V} = \mathbf{17{,}3 \, A}$

Berechnung der Stern-Dreieckschaltung Seite 52

Leistung bei Gleich- oder Wechselstrom

$$P = U \cdot I$$

$$P = I^2 \cdot R$$

$$P = \frac{U^2}{R}$$

Leistung bei Drehstrom

$$P = \sqrt{3} \cdot U \cdot I$$

Elektrische Leistung bei Wechsel- und Drehstrom mit induktivem Lastanteil

Wechselstrom

Drehstrom

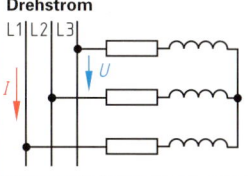

P Wirkleistung
U Spannung (Leiterspannung)
I Stromstärke
$\cos\varphi$ Leistungsfaktor

Beispiel:
Drehstrommotor, $U = 400$ V; $I = 2$ A;
$\cos\varphi = 0{,}85$; $P = ?$
$P = \sqrt{3} \cdot U \cdot I \cdot \cos\varphi = \sqrt{3} \cdot 400 \, V \cdot 2 \, A \cdot 0{,}85$
$= 1\,178 \, W \approx \mathbf{1{,}2 \, kW}$

Berechnung der Stern-Dreieckschaltung Seite 52

Wirkleistung bei Wechselstrom

$$P = U \cdot I \cdot \cos\varphi$$

Wirkleistung bei Drehstrom

$$P = \sqrt{3} \cdot U \cdot I \cdot \cos\varphi$$

Elektrische Arbeit

W elektrische Arbeit
P elektrische Leistung
t Zeit (Einschaltdauer)

Beispiel:
Kochplatte, $P = 1{,}8$ kW; $t = 3$ h;
$W = ?$ in kW · h und MJ
$W = P \cdot t = 1{,}8 \, kW \cdot 3 \, h = \mathbf{5{,}4 \, kW \cdot h = 19{,}44 \, MJ}$

Elektrische Arbeit

$$W = P \cdot t$$

1 kW · h = 3,6 MJ
= 3 600 000 W · s

Elektrotechnik

P

Transformator

Eingangs- seite (Primärspule)	Ausgangs- seite (Sekundär- spule)

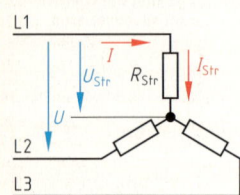

N_1, N_2 Windungszahlen I_1, I_2 Stromstärken
U_1, U_2 Spannungen

Beispiel:
$N_1 = 2875$; $N_2 = 100$; $U_1 = 230$ V; $I_1 = 0,25$ A; $U_2 = ?$
$I_2 = ?$

$$U_2 = \frac{U_1 \cdot N_2}{N_1} = \frac{230 \text{ V} \cdot 100}{2875} = \textbf{8 V}$$

$$I_2 = \frac{I_1 \cdot N_1}{N_2} = \frac{0,25 \text{ A} \cdot 2875}{100} = \textbf{7,2 A}$$

Spannungen

$$\boxed{\frac{U_1}{U_2} = \frac{N_1}{N_2}}$$

Stromstärken

$$\boxed{\frac{I_1}{I_2} = \frac{N_2}{N_1}}$$

Stern-Dreieckschaltung beim Dreiphasen-Wechselstrom (Drehstrom)

Sternschaltung Y
$U_\text{Str} = 230$ V

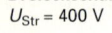

Dreieckschaltung △
$U_\text{Str} = 400$ V

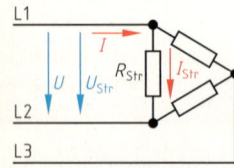

I	Leiterstrom
U	Leiterspannung
I_Str	Strangstrom
U_Str	Strangspannung
R_Str	Strangwiderstand
$\sqrt{3}$	Verkettungsfaktor
P	Wirkleistung
$\cos\varphi$	Leistungsfaktor bei induktivem Lastanteil

Beispiel:
Glühofen, $R_\text{Str} = 22\ \Omega$; $U = 400$ V;
$P = ?$ bei Dreieckschaltung

$I_\text{Str} = \dfrac{U_\text{Str}}{R_\text{Str}} = \dfrac{400 \text{ V}}{22\ \Omega} = 18,2$ A

$I = \sqrt{3} \cdot I_\text{Str} = \sqrt{3} \cdot 18,2$ A $= 31,5$ A

$P = \sqrt{3} \cdot U \cdot I = \sqrt{3} \cdot 400$ V $\cdot 31,5$ A
$= 21\,824$ W $= \textbf{21,8 kW}$

Sternschaltung Y
Leiterstrom

$$\boxed{I = I_\text{Str}}$$

Leiterspannung

$$\boxed{U = \sqrt{3} \cdot U_\text{Str}}$$

Dreieckschaltung △
Leiterstrom

$$\boxed{I = \sqrt{3} \cdot I_\text{Str}}$$

Leiterspannung

$$\boxed{U = U_\text{Str}}$$

Stern- oder Dreieckschaltung
Strangstrom

$$\boxed{I_\text{Str} = \frac{U_\text{Str}}{R_\text{Str}}}$$

Leistung

$$\boxed{P = \sqrt{3} \cdot U \cdot I}$$

$$\boxed{P = \sqrt{3} \cdot U \cdot I \cdot \cos\varphi}$$

Stern-Dreieckschaltung eines Drehstrommotors

Stern-Dreieckschaltung mit Schützen

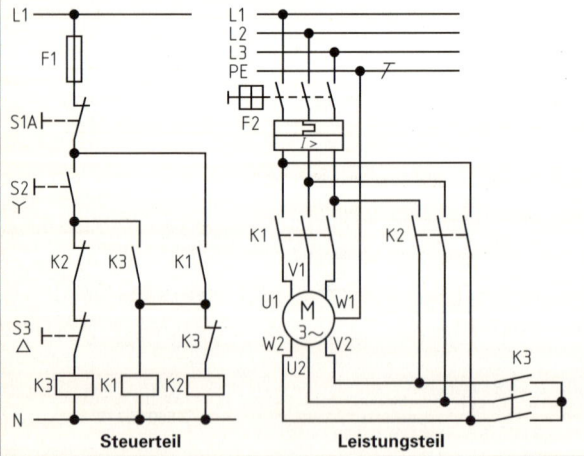

Steuerteil   **Leistungsteil**

K1	Schütz für Netzanschluss
K2	Schütz für Dreieckschaltung
K3	Schütz für Sternschaltung
S1A	Taster aus
S2	Taster für Sternschaltung
S3	Taster für Dreieckschaltung
F1	Sicherung des Steuerteils
F2	Motorschutzschalter

Motoranschluss bei fester
Verdrahtung

Sternschaltung   Dreieckschaltung

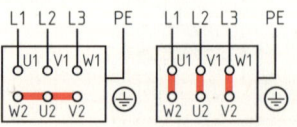

Periodisches System der Elemente

Kurz-zeichen	Element	Periode[1]	Gruppe[2]	Z[3]	relative Atommasse[4]	Art[5]	Kurz-zeichen	Element	Periode[1]	Gruppe[2]	Z[3]	relative Atommasse[4]	Art[5]
H	Wasserstoff	1	I	1	1,000	G	Rh	Rhodium		VIIIa	45	102,905	EM
He	Helium	1	VIII	2	4,002	EG	Pd	Palladium		VIIIa	46	106,400	EM
							Ag	Silber		Ib	47	107,868	EM
Li	Lithium		I	3	6,941	M	Cd	Cadmium		IIb	48	112,400	M
Be	Beryllium		II	4	9,012	M	In	Indium	5	III	49	114,820	M
B	Bor		III	5	10,811	N	Sn	Zinn		IV	50	118,69	M
C	Kohlenstoff	2	IV	6	12,011	N	Sb	Antimon		V	51	121,75	M
N	Stickstoff		V	7	14,000	G	Te	Tellur		VI	52	127,600	M
O	Sauerstoff		VI	8	15,999	G	I	Iod (Jod)		VII	53	126,905	N
F	Fluor		VII	9	18,998	G	Xe	Xenon		VIII	54	131,300	EG
Ne	Neon		VIII	10	20,179	EG							
							Cs	Caesium		I	55	132,905	M
Na	Natrium		I	11	22,989	M	Ba	Barium		II	56	137,340	M
Mg	Magnesium		II	12	24,305	M	–	Lanthanoide		IIIa	57..71	–	M
Al	Aluminium		III	13	26,981	M	Hf	Hafnium		IVa	72	178,490	M
Si	Silicium	3	IV	14	28,086	N	Ta	Tantal		Va	73	180,948	M
P	Phosphor		V	15	30,974	N	W	Wolfram		VIa	74	183,850	M
S	Schwefel		VI	16	32,064	N	Re	Rhenium		VIIa	75	186,200	M
Cl	Chlor		VII	17	35,453	G	Os	Osmium		VIIIa	76	190,200	EM
Ar	Argon		VIII	18	39,948	EG	Ir	Iridium	6	VIIIa	77	192,200	EM
							Pt	Platin		VIIIa	78	195,090	EM
K	Kalium		I	19	39,102	M	Au	Gold		Ib	79	196,967	EM
Ca	Calcium		II	20	40,080	M	Hg	Quecksilber		IIb	80	200,590	M
Sc	Scandium		IIIa	21	44,956	M	Tl	Thallium		III	81	204,370	M
Ti	Titan		IVa	22	47,900	M	Pb	Blei		IV	82	207,200	M
V	Vanadium		Va	23	50,942	M	Bi	Bismut		V	83	208,981	M
Cr	Chrom		VIa	24	51,996	M	Po	Polonium		VI	84	(209)	M
Mn	Mangan		VIIa	25	54,938	M	At	Astat		VII	85	(210)	M
Fe	Eisen		VIIIa	26	55,847	M	Rn	Radon		VIII	86	(222)	EG
Co	Cobalt		VIIIa	27	58,933	M							
Ni	Nickel	4	VIIIa	28	58,710	M	Fr	Francium		I	87	(223)	M
Cu	Kupfer		Ib	29	63,546	M	Ra	Radium		II	88	(226)	M
Zn	Zink		IIb	30	65,370	M	Ac	Actinium		IIIa	89	(227)	M
Ga	Gallium		III	31	69,720	M	Th	Thorium		IIIa	90	(232)	M
Ge	Germanium		IV	32	72,590	M	Pa	Protactinium		IIIa	91	(231)	M
As	Arsen		V	33	74,922	N	U	Uran		IIIa	92	(238)	M
Se	Selen		VI	34	78,960	M	Np	Neptunium		IIIa	93	(237)	TU
Br	Brom		VII	35	79,904	N	Pu	Plutonium		IIIa	94	(244)	TU
Kr	Krypton		VIII	36	83,800	EG	Am	Americium	7	IIIa	95	(243)	TU
							Cm	Curium		IIIa	96	(247)	TU
Rb	Rubidium		I	37	85,468	M	Bk	Berkelium		IIIa	97	(251)	TU
Sr	Strontium		II	38	87,620	M	Cf	Californium		IIIa	98	(252)	TU
Y	Yttrium		IIIa	39	88,905	M	E	Einsteinium		IIIa	99	(252)	TU
Zr	Zirconium	5	IVa	40	91,220	M	Fm	Fermium		IIIa	100	(257)	TU
Nb	Niob		Va	41	92,906	M	Mv	Mendelevium		IIIa	101	(258)	TU
Mo	Molybdän		VIa	42	95,940	M	No	Nobelium		IIIa	102	(259)	TU
Tc	Technetium		VIIa	43	(98)	M	Lr	Lawrentium		IIIa	103	(260)	TU
Ru	Ruthenium		VIIIa	44	101,070	EM	Ku	Kurchatorium		IVa	104	(261)	TU

[1] Periode = Zahl der Elektronenschalen
[2] Ordnungsgruppe im periodischen System; Elemente der gleichen Gruppe haben ähnliche Eigenschaften
[3] Ordnungszahl im periodischen System (Kernladungszahl $\triangle$ Protonenzahl)
[4] Im Verhältnis zu 1/12 der Masse des häufigsten Kohlenstoffatoms; Werte in Klammern: zerfällt radioaktiv
[5] M = Metall; N = Nichtmetall; G = Gas; EG = Edelgas; EM = Edelmetall; TU = künstliches Transuran

pH-Wert

Art der wässerigen Lösung	zunehmend sauer							neu-tral				zunehmend basisch			
pH-Wert	0	1	2	3	4	5	6	7	8	9	10	11	12	13	14
Konzentration H^+ in g/l	10^0	10^{-1}	10^{-2}	10^{-3}	10^{-4}	10^{-5}	10^{-6}	10^{-7}	10^{-8}	10^{-9}	10^{-10}	10^{-11}	10^{-12}	10^{-13}	10^{-14}

P

Chemie

Wichtige Chemikalien der Metalltechnik

Technische Bezeichnung	Chemische Bezeichnung	Formel	Eigenschaften	Verwendung
Aceton	Aceton, Propanon	$(CH_3)_2CO$	farblose, brennbare, leicht verdunstende Flüssigkeit	Lösungsmittel für Farben, Acetylen und Kunststoffe
Acetylen	Acetylen, Äthin	C_2H_2	reaktionsfreudiges, farbloses Gas, hoch explosiv	Brenngas beim Schweißen, Ausgangsstoff für Kunststoffe
Borax	Natrium-tetraborat	$Na_2B_4O_7$	weißes Kristallpulver, Schmelze löst Metalloxide	Flussmittel beim Hartlöten, zur Wasserenthärtung, Glasrohstoff
Chlorkalk	Calcium-hypochlorit	$CaCl\,(ClO)$	weißes Pulver, spaltet Sauerstoff und hypochlorige Säure ab	als Bleich- und Desinfektionsmittel, Entgiftung von Bädern
Kochsalz	Natriumchlorid	$NaCl$	farbloses, kristallines Salz, leicht wasserlöslich	Würzmittel, für Kältemischungen, zur Chlorgewinnung
Kohlensäure	Kohlendioxid	CO_2	wasserlösliches, unbrennbares Gas, erstarrt bei $-78\ ^\circ C$	Schutzgas beim MAG-Schweißen, Kohlensäureschnee als Kältemittel
Korund	Aluminiumoxid	Al_2O_3	sehr harte, farblose Kristalle, Schmelzpunkt 2050 °C	Schleif- und Poliermittel, oxidkeramische Werkstoffe
Kupfervitriol	Kupfersulfat	$CuSO_4$	blaue, wasserlösliche Kristalle, mäßig giftig	galvanische Bäder, Schädlingsbekämpfung, zum Anreißen
Mennige Bleimennige	Blei(II,IV)oxid	Pb_3O_4	rotes Pulver hoher Dichte, stark giftig	Bestandteil von Rostschutzfarben, Glasherstellung
Salmiakgeist	Ammonium-hydroxid	NH_4OH	farblose, stechend riechende Flüssigkeit, schwache Lauge	Reinigungsmittel (Fettlöser), Neutralisation von Säuren
Salpeter	Natrium- oder Kaliumnitrat	$NaNO_3$ KNO_3	farblose, leicht schmelzbare Kristalle (337 °C)	Salzbäder, Oxidationsmittel, Sprengstoffe, Düngemittel
Salpetersäure	Salpetersäure	HNO_3	sehr starke Säure, löst Metalle (außer Edelmetalle) auf	Ätzen und Beizen von Metallen, Herstellung von Chemikalien
Salzsäure	Chlorwasser-stoff	HCl	farblose, stechend riechende, starke Säure	Ätzen und Beizen von Metallen, Herstellung von Chemikalien
Schwefelsäure	Schwefelsäure	H_2SO_4	farblose, ölige, geruchlose Flüssigkeit, starke Säure	Beizen von Metallen, galvanische Bäder, Akkumulatoren
Soda	Natrium-carbonat	Na_2CO_3	farblose Kristalle, leicht wasserlöslich, basische Wirkung	Entfettungs- und Reinigungsbäder, Wasserenthärtung
Spiritus	Äthylalkohol, vergällt	C_2H_5OH	farblose, leicht brennbare Flüssigkeit, Siedepunkt 78 °C	Lösungsmittel, Reinigungsmittel, für Heizzwecke, Treibstoffzusatz
Tetra	Tetrachlor-kohlenstoff	CCl_4	farblose, nicht brennbare Flüssigkeit, gesundheitsschädlich	Lösungsmittel für Fette, Öle und Farben
Tri	Trichloräthylen	$CHCl=CCl_2$	nicht brennbare, leicht verdunstende Flüssigkeit, giftig	Lösungsmittel für Öle, Fette, Harze, Reinigungsmittel
Zyankali	Kaliumcyanid	KCN	sehr stark giftiges Salz der Blausäure	Salzbäder zum Carbonitrieren, galvanische Bäder

Häufig vorkommende Molekülgruppen

Molekülgruppe Bezeichnung	Formel	Erläuterung	Beispiel Bezeichnung	Formel
Carbid	$\equiv C$	Kohlenstoffverbindungen; teilweise sehr hart	Siliciumcarbid	SiC
Carbonat	$=CO_3$	Verbindungen der Kohlensäure; spalten bei Wärmeeinwirkung CO_2 ab	Calciumcarbonat	$CaCO_3$
Chlorid	$-Cl$	Salze der Salzsäure; in Wasser meist leicht löslich	Natriumchlorid	$NaCl$
Hydroxid	$-OH$	Hydroxide entstehen aus Metalloxiden und Wasser; sie reagieren basisch	Calciumhydroxid	$Ca(OH)_2$
Nitrat	$-NO_3$	Salze der Salpetersäure; in Wasser meist leicht löslich	Kaliumnitrat	KNO_3
Nitrid	$\equiv N$	Stickstoffverbindungen; teilweise sehr hart	Siliciumnitrid	SiN
Oxid	$=O$	Sauerstoffverbindungen; häufigste Verbindungsgruppe der Erde	Aluminiumoxid	Al_2O_3
Sulfat	$=SO_4$	Salze der Schwefelsäure; in Wasser meist leicht löslich	Kupfersulfat	$CuSO_4$
Sulfid	$=S$	Schwefelverbindungen; wichtige Erze, Spanbrecher in Automatenstählen	Eisen(II)sulfid	FeS

P

Geometrische Grundkonstruktionen

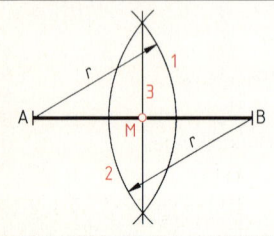

Ziehen einer Parallelen

Gegeben: Gerade g und Punkt P
1. Zeichendreieck 1 an g anlegen.
2. Zeichendreieck 2 an das Dreieck 1 anlegen.
3. Zeichendreieck 1 bis Punkt P verschieben und gesuchte Parallele g′ ziehen.

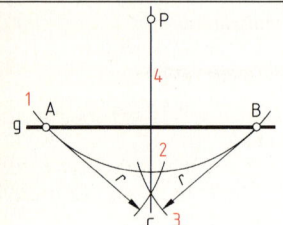

Halbieren einer Strecke

Gegeben: Strecke $\overline{AB}$
1. Kreisbogen 1 mit Radius r um A; $r > \frac{1}{2}\,\overline{AB}$.
2. Kreisbogen 2 mit gleichem Radius r um B.
3. Die Verbindungslinie der Kreisschnittpunkte ist die Mittelsenkrechte bzw. die Halbierende der Strecke $\overline{AB}$.

K

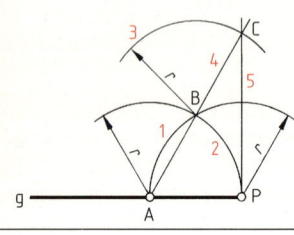

Fällen eines Lotes

Gegeben: Gerade g und Punkt P
1. Beliebiger Kreisbogen 1 um P ergibt Schnittpunkte A und B.
2. Kreisbogen 2 mit Radius r um A; $r > \frac{1}{2}\,\overline{AB}$.
3. Kreisbogen 3 mit gleichem Radius r um B (Schnittpunkt C).
4. Die Verbindungslinie des Schnittpunktes C mit P ist das gesuchte Lot.

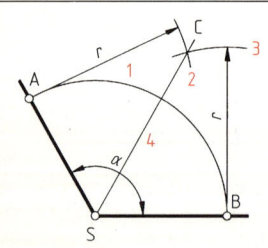

Errichten einer Senkrechten im Punkt P

Gegeben: Gerade g und Punkt P
1. Beliebiger Kreisbogen 1 um Punkt P ergibt Schnittpunkt A.
2. Kreisbogen 2 mit Radius $r = \overline{AP}$ um Punkt A ergibt Schnittpunkt B.
3. Kreisbogen 3 mit gleichem Radius r um B.
4. A mit B verbinden und Gerade verlängern (Schnittpunkt C).
5. Punkt C mit Punkt P verbinden.

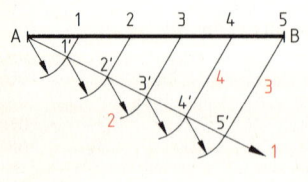

Halbieren eines Winkels

Gegeben: Winkel α
1. Beliebiger Kreisbogen 1 um S ergibt Schnittpunkte A und B.
2. Kreisbogen 2 mit Radius r um A; $r > \frac{1}{2}\,\overline{AB}$.
3. Kreisbogen 3 mit gleichem Radius r um B ergibt Schnittpunkt C.
4. Die Verbindungslinie des Schnittpunktes C mit S ist die gesuchte Winkelhalbierende.

Teilen einer Strecke

Gegeben: Strecke $\overline{AB}$ soll in 5 gleiche Teile geteilt werden.
1. Strahl von A unter beliebigem Winkel.
2. Auf dem Strahl von A aus mit dem Zirkel 5 beliebige, aber gleichgroße Teile abtragen.
3. Endpunkt 5′ mit B verbinden.
4. Parallelen zu $\overline{5'\,B}$ durch die anderen Teilpunkte ziehen.

Rundung am Winkel

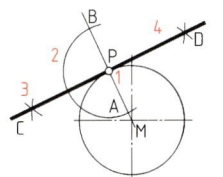

Gegeben: Winkel ASB und Radius r.
1. Parallelen zu $\overline{AS}$ und $\overline{BS}$ im Abstand r ziehen. Ihr Schnittpunkt M ist der gesuchte Rundungsmittelpunkt.
2. Die Schnittpunkte der Lote von M mit den Schenkeln $\overline{AS}$ und $\overline{BS}$ sind die Übergangspunkte C und D.

Tangente durch Kreispunkt P

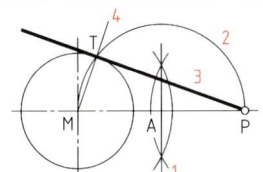

Gegeben: Kreis und Punkt P
1. Verbindungslinie $\overline{MP}$ ziehen und verlängern.
2. Kreis um P ergibt Schnittpunkte A und B.
3. Kreisbögen um A und B mit gleichem Radius ergeben Schnittpunkte C und D.
4. Verbindungslinie CD ist Senkrechte zu $\overline{PM}$.

Tangente von einem Punkt P an den Kreis

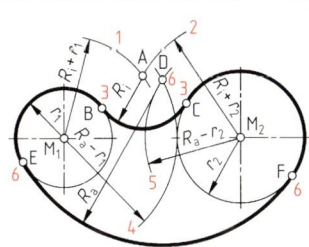

K

Gegeben: Kreis und Punkt P
1. $\overline{MP}$ halbieren. A ist Mittelpunkt.
2. Kreis um A mit Radius $r = \overline{AM}$. T ist Tangentenpunkt.
3. T mit P verbinden.
4. MT ist senkrecht zu PT.

Verbindung zweier Kreise durch Kreisbögen

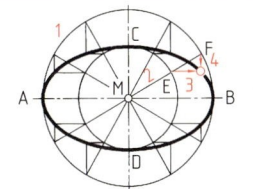

Gegeben: Kreis 1 und Kreis 2; Rundungen R_i und R_a
1. Kreis um M_1 mit Radius $R_i + r_1$.
2. Kreis um M_2 mit Radius $R_i + r_2$ ergibt mit 1 den Schnittpunkt A.
3. A mit M_1 und M_2 verbunden ergibt die Berührungspunkte B und C für den Innenradius R_i.
4. Kreis um M_1 mit Radius $R_a - r_1$.
5. Kreis um M_2 mit Radius $R_a - r_2$ ergibt mit 4 den Schnittpunkt D.
6. D mit M_1 und M_2 verbunden und verlängert ergibt die Berührungspunkte E und F für den Außenradius R_a.

Ellipsenkonstruktion aus zwei Kreisen

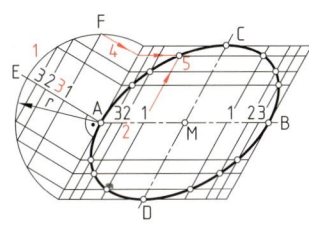

Gegeben: Achsen $\overline{AB}$ und $\overline{CD}$
1. Zwei Kreise um M mit den Durchmessern $\overline{AB}$ und $\overline{CD}$.
2. Durch M mehrere Strahlen ziehen, die die beiden Kreise schneiden (E, F).
3. Parallelen zu den beiden Hauptachsen $\overline{AB}$ und $\overline{CD}$ durch E und F ziehen. Schnittpunkte sind Ellipsenpunkte.

Ellipsenkonstruktion in einem Parallelogramm

Gegeben: Parallelogramm mit den Achsen $\overline{AB}$ und $\overline{CD}$
1. Halbkreis mit Radius $r = \overline{MC}$ um A ergibt E.
2. $\overline{AM}$ (bzw. $\overline{BM}$) halbieren, vierteln und achteln ergibt Punkte 1, 2 und 3. Durch diese Punkte Parallelen zur Achse $\overline{CD}$ ziehen.
3. $\overline{EA}$ halbieren, vierteln und achteln ergibt die Punkte 1, 2 und 3 auf der Achse $\overline{AE}$. Parallelen durch diese Punkte zur Achse $\overline{CD}$ ergeben Schnittpunkte F am Kreisbogen.
4. Durch Schnittpunkte F Parallelen zu $\overline{AE}$ bis zur Halbkreisachse, von dort Parallelen zur Achse $\overline{AB}$ ziehen.
5. Parallelenschnittpunkte entsprechender Zahlen sind Ellipsenpunkte.

K

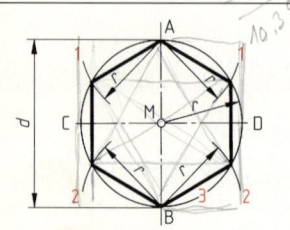

Regelmäßiges Vieleck im Kreis (z.B. Fünfeck)

Gegeben: Kreis mit Durchmesser d

1. $\overline{AB}$ in 5 gleiche Teile teilen (vgl. Seite 56).
2. Kreisbogen mit Radius $r = \overline{AB}$ um A ziehen.
3. C und D mit 1, 3 ... (sämtlichen ungeraden Zahlen) verbinden. Die Schnittpunkte mit dem Kreis ergeben das gesuchte Fünfeck.

   Bei **Vielecken** mit **gerader Eckenzahl** sind C und D mit 2, 4, 6 usw. (sämtlichen geraden Zahlen) zu verbinden.

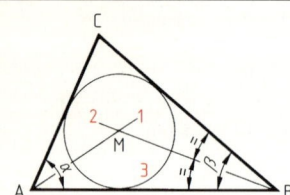

Sechseck, Zwölfeck im Umkreis

Gegeben: Kreis mit Durchmesser d

1. Kreisbögen mit Radius $r = \dfrac{d}{2}$ um A.
2. Kreisbögen mit Radius r um B.
3. Verbindungslinien ergeben Sechseck.

   Für Zwölfeck sind die Zwischenpunkte festzulegen. Einstich in C und D.

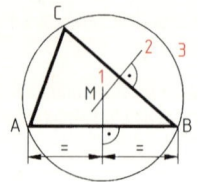

Inkreis eines Dreiecks

Gegeben: Dreieck

1. Winkel α halbieren.
2. Winkel β halbieren (Schnittpunkt M).
3. Inkreis um M.

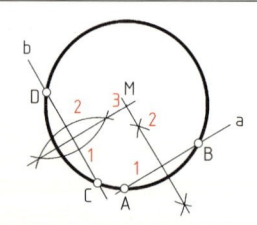

Umkreis eines Dreiecks

Gegeben: Dreieck

1. Mittelsenkrechte auf der Strecke $\overline{AB}$ errichten.
2. Mittelsenkrechte auf der Strecke $\overline{BC}$ errichten (Schnittpunkt M).
3. Umkreis um M.

Bestimmung des Kreismittelpunktes

Gegeben: Kreis

1. Beliebige Gerade a schneidet den Kreis in A und B.
2. Gerade b (möglichst senkrecht zur Geraden a) schneidet den Kreis in C und D.
3. Mittelsenkrechte auf den Sehnen $\overline{AB}$ und $\overline{CD}$ errichten.
4. Schnittpunkt der Mittelsenkrechten ist Kreismittelpunkt M.

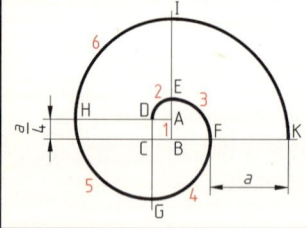

Spirale (Näherungskonstruktion mit dem Zirkel)

Gegeben: Steigung a

1. Quadrat $ABCD$ mit $a/4$ zeichnen.
2. Viertelkreis mit Radius AD um A ergibt E.
3. Viertelkreis mit Radius BE um B ergibt F.
4. Viertelkreis mit Radius CF um C ergibt G.
5. Viertelkreis mit Radius DG um D ergibt H.
6. Viertelkreis mit Radius AH um A ergibt I (usw.).

Zykloide

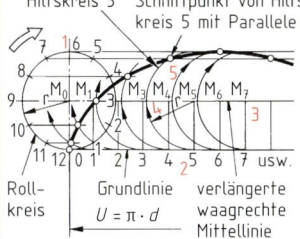

Hilfskreis 5   Schnittpunkt von Hilfskreis 5 mit Parallele 5

Rollkreis   Grundlinie   verlängerte
$U = \pi \cdot d$ waagrechte
Mittellinie

Gegeben: Rollkreis mit Radius r

1. Rollkreis in beliebig viele, aber gleich große Teile einteilen, z.B. 12.
2. Grundlinie ($\hat{=}$ Umfang des Rollkreises $= \pi \cdot d$) in gleich große Teile einteilen, hier ebenfalls 12.
3. Senkrechte Linien in den Teilpunkten 1...12 auf der Grundlinie ergeben mit der verlängerten waagrechten Mittellinie des Rollkreises die Mittelpunkte $M_1...M_{12}$.
4. Um die Mittelpunkte $M_1...M_{12}$ Hilfskreise mit Radius r ziehen.
5. Die Schnittpunkte dieser Hilfskreise mit den Parallelen durch die Rollkreispunkte mit der gleichen Nummerierung ergeben die Zykloidenpunkte.

Evolvente

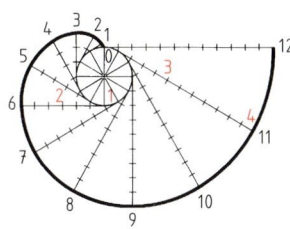

Gegeben: Kreis

1. Kreis in beliebig viele, aber gleich große Teile einteilen, z.B. 12.
2. In den Teilpunkten Tangenten an den Kreis ziehen.
3. Vom Berührungspunkt aus auf jeder Tangente die Länge des abgewickelten Kreisumfanges abtragen.
4. Die Kurve durch die Endpunkte ergibt die Evolvente.

Parabel

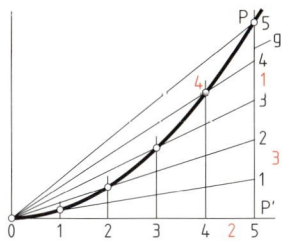

Gegeben: Rechtwinklige Parabelachsen und Parabelpunkt P

1. Parallele g zur senkrechten Achse durch Punkt P ergibt P'
2. Abstand $0P'$ auf der waagrechten Achse in beliebig viele Teile (z.B. 5) einteilen und Parallele zur senkrechten Achse ziehen.
3. Abstand PP' in gleich viele Teile einteilen und mit 0 verbinden.
4. Schnittpunkte der Linien mit gleichen Zahlen ergeben weitere Parabelpunkte.

Hyperbel

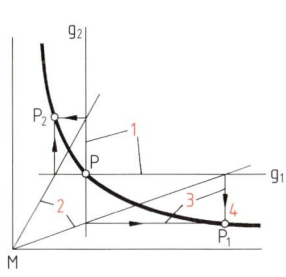

Gegeben: Rechtwinklige Asymptoten durch M und Hyperbelpunkt P

1. Parallelen g_1 und g_2 zu den Asymptoten durch Hyperbelpunkt P ziehen.
2. Von M aus beliebige Strahlen ziehen.
3. Durch die Schnittpunkte der Strahlen mit g_1 und g_2 Parallelen zu den Asymptoten ziehen.
4. Schnittpunkte der Parallelen (P_1, P_2 ...) sind Hyperbelpunkte.

Schraubenlinie (Wendel)

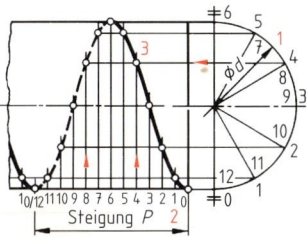

Steigung P

Gegeben: Halbkreis mit Durchmesser d und Steigung P

1. Halbkreis in z.B. 6 gleiche Teile teilen.
2. Die Steigung P in die doppelte Anzahl, z.B. 12, gleicher Strecken unterteilen.
3. Gleiche Zahlen waagrechter und senkrechter Linien zum Schnitt bringen. Die Schnittpunkte ergeben Punkte der Schraubenlinie.

K

Beschriftung, Schriftzeichen   vgl. DIN 6776-1 (1976-04) und DIN EN ISO 3098-0 (1998-04)

Die Beschriftung von technischen Zeichnungen kann nach Schriftform A (Engschrift) oder nach Schriftform B erfolgen. Beide Formen dürfen senkrecht (V = vertikal) oder um 15° nach rechts geneigt (S) ausgeführt werden. In Deutschland sind die Zeichen a anstelle von ɑ und 7 anstelle von 7 zu bevorzugen.

Schriftform B, V (vertikal)

ABCDEFGHIJKLMNOPQRSTUVWXYZ

aɑbcdefghijklmnopqrsßtuvwxyz□

1234567890 I V X [(!?.;'‒–=+±×·:√ % &)]⌀

Schriftform B, S (schräg)

ABCDEFGHIJ abcdefghij 1234567890 ⌀ □

K

Schriftform A, V (vertikal)   **Schriftform A, S (schräg)**

ABCD efghijk 123456 ⌀□   *ABCD efghijk 123456 ⌀□*

Maße   vgl. DIN EN ISO 3098-0 (1998-04)

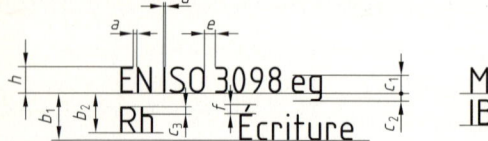

b_1 bei diakritischen[1] Zeichen
b_2 ohne diakritische Zeichen
b_3 bei Großbuchstaben und Zahlen

[1] diakritisch = zur weiteren Unterscheidung, insbesondere von Buchstaben, dienend

Nennmaße (Schrifthöhe h bzw. Höhe der Großbuchstaben) in mm	1,8	2,5	3,5	5	7	10	14	20

Verhältnis der Maße zur Schrifthöhe h vgl. DIN EN ISO 3098-0 (1998-04)

Schriftform	a	b_1	b_2	b_3	c_1	c_2	c_3	d	e	f
A	$\frac{2}{14}\cdot h$	$\frac{25}{14}\cdot h$	$\frac{21}{14}\cdot h$	$\frac{17}{14}\cdot h$	$\frac{10}{14}\cdot h$	$\frac{4}{14}\cdot h$	$\frac{4}{14}\cdot h$	$\frac{1}{14}\cdot h$	$\frac{6}{14}\cdot h$	$\frac{5}{14}\cdot h$
B	$\frac{2}{10}\cdot h$	$\frac{19}{10}\cdot h$	$\frac{15}{10}\cdot h$	$\frac{13}{10}\cdot h$	$\frac{7}{10}\cdot h$	$\frac{3}{10}\cdot h$	$\frac{3}{10}\cdot h$	$\frac{1}{10}\cdot h$	$\frac{6}{10}\cdot h$	$\frac{4}{10}\cdot h$

Griechisches Alphabet

A	α	Alpha	Z	ζ	Zeta	Λ	λ	Lambda	Π	π	Pi
B	β	Beta	H	η	Eta	M	μ	Mü	P	ϱ	Rho
Γ	γ	Gamma	Θ	ϑ	Theta	N	ν	Nü	Σ	σ	Sigma
Δ	δ	Delta	I	ι	Jota	Ξ	ξ	Ksi	T	τ	Tau
E	ε	Epsilon	K	$\varkappa$	Kappa	O	o	Omikron	Y	υ	Ypsilon

Φ	φ	(ph) Phi
X	χ	Chi
Ψ	ψ	Psi
Ω	ω	Omega

Römische Ziffern

I = 1	II = 2	III = 3	IV = 4	V = 5	VI = 6	VII = 7	VIII = 8	IX = 9
X = 10	XX = 20	XXX = 30	XL = 40	L = 50	LX = 60	LXX = 70	LXXX = 80	XC = 90
C = 100	CC = 200	CCC = 300	CD = 400	D = 500	DC = 600	DCC = 700	DCCC = 800	CM = 900
M = 1000	MM = 2000	Beispiele: MXMVIII = 1998		MIM = 1999		MMI = 2001		

Normzahlen, Rundungshalbmesser, Maßstäbe

Normzahlen und Normzahlreihen — vgl. DIN 323-1 (1974-08)

R 5	R 10	R 20	R 40	R 5	R 10	R 20	R 40
1,00	1,00	1,00	1,00	4,00	4,00	4,00	4,00
			1,06				4,25
		1,12	1,12			4,50	4,50
			1,18				4,75
	1,25	1,25	1,25		5,00	5,00	5,00
			1,32				5,30
		1,40	1,40			5,60	5,60
			1,50				6,00
1,60	1,60	1,60	1,60	6,30	6,30	6,30	6,30
			1,70				6,70
		1,80	1,80			7,10	7,10
			1,90				7,50
	2,00	2,00	2,00		8,00	8,00	8,00
			2,12				8,50
		2,24	2,24			9,00	9,00
			2,36				9,50
2,50	2,50	2,50	2,50	10,00	10,00	10,00	10,00
			2,65				
		2,80	2,80				
			3,00				
	3,15	3,15	3,15				
			3,35				
		3,55	3,55				
			3,75				

Berechnung des Stufensprungs q

Reihe	Größe des Stufensprungs (vgl. S. 261)
R 5	$q_5 = \sqrt[5]{10} \approx 1,6$
R 10	$q_{10} = \sqrt[10]{10} \approx 1,25$
R 20	$q_{20} = \sqrt[20]{10} \approx 1,12$
R 40	$q_{40} = \sqrt[40]{10} \approx 1,06$

Normzahlen (Normmaße) sollen bei der Bemaßung von Werkstücken verwendet werden. Dadurch lassen sich Kosten für Werkzeuge und Messzeuge einsparen. Die Reihen R 5 bis R 40 sind nach dem Stufensprung berechnet. Reihe 5 (R 5) ist R 10, diese R 20 und diese R 40 vorzuziehen.

Die Zahlen jeder Reihe können mit 10, 100, 1000 usw. multipliziert oder durch 10, 100, 1000 usw. dividiert werden.

Rundungshalbmesser — vgl. DIN 250 (1972-07)

			0,2			0,3		**0,4**		0,5		**0,6**		0,8	
1		1,2		**1,6**		2		**2,5**	3		**4**		5		**6**	8
10		12		**16**	18	20	22	**25**	28	**32**	36	**40**	45	**50**	56	**63**	70	**80**	90
100	110	**125**	140	**160**	180	**200**	Die fett gedruckten Tabellenwerte sind zu bevorzugen.								

Maßstäbe — vgl. DIN ISO 5455 (1979-12)

Natürlicher Maßstab	Verkleinerungsmaßstäbe				Vergrößerungsmaßstäbe		
1 : 1	1 : 2	1 : 20	1 : 200	1 : 2000	2 : 1	5 : 1	10 : 1
	1 : 5	1 : 50	1 : 500	1 : 5000	20 : 1	50 : 1	
	1 : 10	1 : 100	1 : 1000	1 : 10000			

Für besondere Anwendungen können die angegebenen Vergrößerungs- und Verkleinerungsmaßstäbe durch Multiplizieren mit ganzzahligen Vielfachen von 10 erweitert werden.

K

K

Linien

Linienarten	vgl. DIN ISO 128-20 (1997-12) und DIN 15-2 (1984-06)

Nr.	Grundart-Darstellung/Benennung	Beispiele für die Anwendung[1]
01	Volllinie Freihandlinie (Variation der Grundart)	• sichtbare Kanten und Umrisse • Hauptdarstellungen in Diagrammen und Flussbildern • Gewindespitzen und Grenze der nutzbaren Gewindelänge • Systemlinien (Stahlbau) • Oberflächenstrukturen (z.B. Rändel) • Maß- und Maßhilfslinien • Umrahmungen von Prüfmaßen und Einzelheiten • Maßlinienbegrenzungen • Schraffur- und Hinweislinien • Kennzeichnung sich wiederholender Einzelheiten, z.B. Fußkreise bei Verzahnungen • Umrisse am Ort eingeklappter Schnitte • Gewindegrund • Faser- und Walzrichtungen • kurze Mittellinien • Lagerichtung von Schichtungen (z.B. Trafoblech) • Biegelinien und Lichtkanten • Diagonalkreuz zur Kennzeichnung ebener Flächen • Projektions- und Rasterlinien • Begrenzung von abgebrochenen oder unterbrochen dargestellten Ansichten und Schnitten, wenn die Begrenzung keine Mittellinie ist
02	Strichlinie	• verdeckte Kanten • verdeckte Umrisse
03	Strich-Abstandslinie	(bisher in DIN ISO 128 keine Anwendung vorgesehen)
04	Strich-Punktlinie (langer Strich)	• Kennzeichnung der Schnittebene • Kennzeichnung geforderter Behandlung (z.B. Wärmebehandlung) • Mittellinien und Symmetrielinien • Kennzeichnung von Behandlungszuständen (z.B. Einhärtungstiefen) • Teilkreise bei Verzahnungen • Lochkreise • Trajektorien
05	Strich-Zweipunktlinie (langer Strich)	• Umrisse von angrenzenden Teilen oder wahlweisen Ausführungen • Teile, die vor der Schnittebene liegen • Grenzstellungen von beweglichen Teilen • Fertigformen in Rohteilen • Umrahmungen von besonderen Feldern/Bereichen (z.B. zur Kennzeichnung von Teilen) • Schwerlinien • Umrisse (ursprüngliche) vor der Verformung
06	Strich-Dreipunktlinie (langer Strich)	(bisher in DIN ISO 128 keine Anwendung vorgesehen)
07	Punktlinie	(bisher in DIN ISO 128 keine Anwendung vorgesehen)
08	Strich-Strichlinie	(bisher in DIN ISO 128 keine Anwendung vorgesehen)
09	Strich-Zweistrichlinie	(bisher in DIN ISO 128 keine Anwendung vorgesehen)
10	Strich-Punktlinie	(bisher in DIN ISO 128 keine Anwendung vorgesehen)
11	Zweistrich-Punktlinie	(bisher in DIN ISO 128 keine Anwendung vorgesehen)
12	Strich-Zweipunktlinie	(bisher in DIN ISO 128 keine Anwendung vorgesehen)
13	Zweistrich-Zweipunktlinie	(bisher in DIN ISO 128 keine Anwendung vorgesehen)
14	Strich-Dreipunktlinie	(bisher in DIN ISO 128 keine Anwendung vorgesehen)
15	Zweistrich-Dreipunktlinie	(bisher in DIN ISO 128 keine Anwendung vorgesehen)

[1] Rot gerasterte Beispiele werden mit breiten Linien, blau gerasterte Beispiele mit schmalen Linien gezeichnet (Seite 63)

Linienbreiten
vgl. DIN ISO 128-20 (1997-12)

Alle Linien-Grundarten (Seite 62) können in den Breiten sehr breit, breit und schmal dargestellt werden. Das Verhältnis der Breiten von sehr breiten, breiten und schmalen Linien beträgt 4 : 2 : 1.

Die Breite der Linienarten ist in Abhängigkeit von der Art und der Größe der Zeichnung zu wählen.

Die Linienbreiten für Maß- und Textangaben sowie für grafische Sinnbilder betragen $\sqrt{2}$ · Linienbreite für schmale Linien.

Die Linienbreiten sind im Verhältnis $1 : \sqrt{2}$ ($\approx$ 1 : 1,4) gestuft.

Linienbreiten d (mm)	0,13	0,18	0,25	0,35	0,5	0,7	1	1,4	2

Längen von Linienelementen
vgl. DIN ISO 128-20 (1997-12)

Linienelement	Linienart-Nr.	Länge	Linienelement	Linienart-Nr.	Länge
Lange Striche	04 bis 06 und 08 und 09	24 · d	Lücken	02 und 04 bis 15	3 · d
Kurze Striche	02, 03 und 10 bis 15	12 · d	Abstände	03	18 · d
Punkte	04 bis 07 und 10 bis 15	≤ 0,5 · d	Beispiel: Linienart Nr. 04	24 d 3 d 0,5 d 3 d	

Beispiele für Linien in technischen Zeichnungen
vgl. DIN 15-2 (1984-06) und DIN ISO 128-20 (1997-12)

K

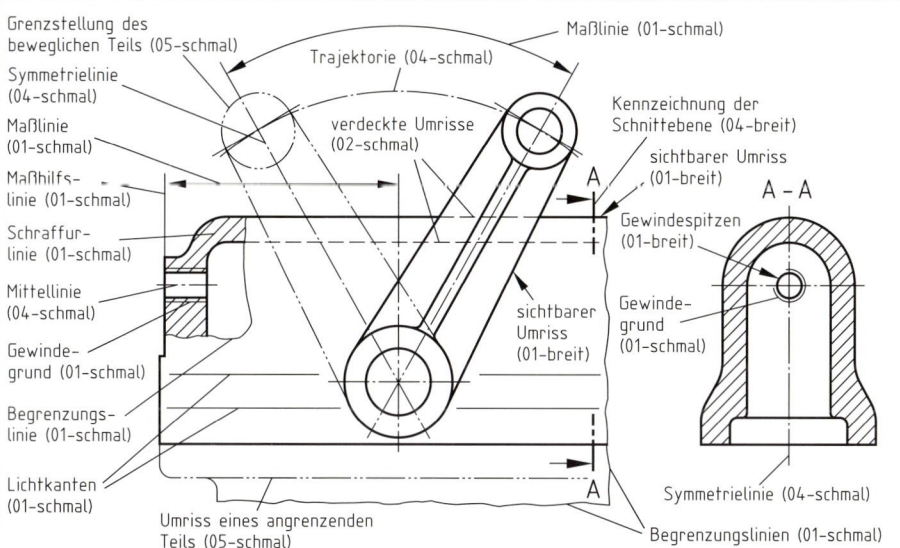

Grenzstellung des beweglichen Teils (05-schmal)

Trajektorie (04-schmal)

Maßlinie (01-schmal)

Symmetrielinie (04-schmal)

Maßlinie (01-schmal)

verdeckte Umrisse (02-schmal)

Kennzeichnung der Schnittebene (04-breit)

Maßhilfslinie (01-schmal)

sichtbarer Umriss (01-breit)

A – A

Schraffurlinie (01-schmal)

Gewindespitzen (01-breit)

Mittellinie (04-schmal)

sichtbarer Umriss (01-breit)

Gewindegrund (01-schmal)

Gewindegrund (01-schmal)

Begrenzungslinie (01-schmal)

Lichtkanten (01-schmal)

Symmetrielinie (04-schmal)

Umriss eines angrenzenden Teils (05-schmal)

Begrenzungslinien (01-schmal)

Projektionsmethoden
vgl. DIN ISO 5456-2 (1998-04)

Projektionsmethode 1

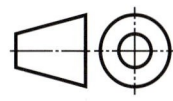

Dieses Sinnbild wird im Schriftfeld der Zeichnung angegeben, wenn nach der **Projektionsmethode 1** gezeichnet wird. In Deutschland und in den meisten europäischen Ländern wird diese Projektionsart angewandt.

Projektionsmethode 3

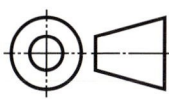

Dieses Sinnbild wird im Schriftfeld der Zeichnung angegeben, wenn nach der **Projektionsmethode 3** gezeichnet wird. In vielen englischsprachigen Staaten, z.B. den USA, wird die Projektionsmethode 3 angewandt.

Sinnbild für Projektionsmethode 1

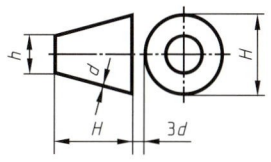

h   Schrifthöhe in mm (Seite 60)
H   2 mal Schrifthöhe
d   0,1 mal Schrifthöhe

Axonometrische Darstellungen vgl. DIN ISO 5456-3 (1998-04)

K

Isometrische Projektion

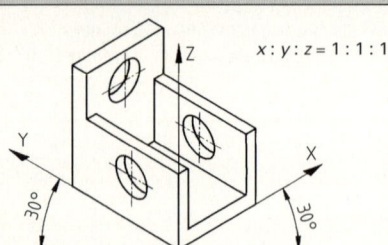

$x : y : z = 1 : 1 : 1$

Kreise erscheinen in allen drei Ansichten als Ellipsen.

Näherungskonstruktion der Ellipse:
1. Rhombus halbieren (Schnittpunkte M_1, M_2 und N).
2. Verbindungslinien von M_1 nach 1 und von M_2 nach 2 ziehen (Schnittpunkte 3 und 4).
3. Kreisbögen mit Radius R um 1 und 2 und mit Radius r um 3 und 4.

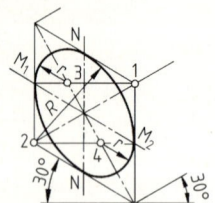

Dimetrische Projektion

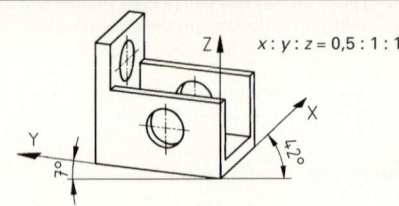

$x : y : z = 0,5 : 1 : 1$

Ellipsen können in der Vorderansicht angenähert als Kreise gezeichnet werden.

Konstruktion der Ellipsen in Seitenansicht und Draufsicht:
1. Hilfskreis mit Radius $r = d/2$ zeichnen.
2. Höhe d in beliebige Anzahl gleicher Strecken teilen und Felder (1...3) zeichnen.
3. Hilfskreis-Durchmesser in gleiche Felderzahl teilen.
4. Aus Hilfskreis Streckenlängen a, b usw. in Rhombus übertragen.

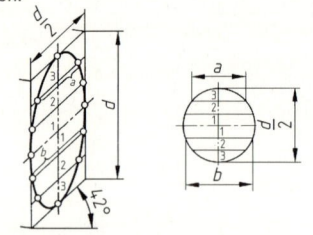

Kavalier-Projektion

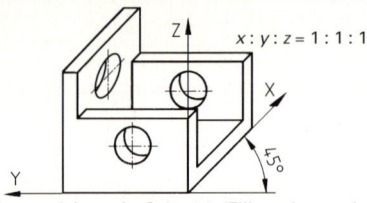

$x : y : z = 1 : 1 : 1$

Ellipsenkonstruktion wie Seite 57 (Ellipsenkonstruktion in einem Parallelogramm).

Kabinett-Projektion

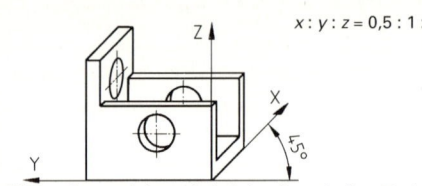

$x : y : z = 0,5 : 1 : 1$

Ellipsenkonstruktion wie bei der dimetrischen Projektion (oben).

Begriffe im Zeichnungswesen vgl. DIN 199-1 (1984-05)

Begriff	Definition und Erklärung
Skizze	Eine Skizze ist eine nicht unbedingt maßstäbliche, vorwiegend freihändig erstellte Zeichnung.
Gesamt-Zeichnung	Alle Zeichnungen, die eine Anlage, ein Bauwerk, eine Maschine oder ein Gerät in zusammengebautem Zustand oder auch als Explosionsdarstellung zeigen, bezeichnet man als Gesamt-Zeichnungen.
Gruppen-Zeichnung	Eine Gruppen-Zeichnung ist eine maßstäbliche technische Zeichnung, die die räumliche Lage und die Form der zu einer Gruppe zusammengefassten Teile darstellt.
Teilzeichnung	In einer Teilzeichnung werden die Einzelteile mit allen für die Fertigung erforderlichen Angaben (z.B. Maße) dargestellt.
Sammelzeichnung	Sammelzeichnungen enthalten mehrere Teile einer Gruppe ohne Berücksichtigung ihrer räumlichen Lage zueinander.

Projektionsmethoden

vgl. DIN ISO 5456-2 (1998-04)

In technischen Zeichnungen wird bevorzugt diejenige Ansicht als Vorderansicht (Hauptansicht) gewählt, die hinsichtlich der Form und der Abmessungen des Werkstücks die meisten Informationen liefert. Dies ist meist die Ansicht, die das Werkstück in der Fertigungslage (z.B. Teilzeichnungen von Drehteilen), in der Funktionslage oder in der Zusammenbaulage (Gesamtzeichnungen) zeigt.

Wenn außer der Vorderansicht weitere Ansichten erforderlich sind, ist Folgendes zu beachten:

- Die Anzahl der Ansichten und Schnitte muss darauf begrenzt werden, das Werkstück vollständig und unzweideutig darzustellen.
- Unnötige Wiederholungen von Einzelheiten sind zu vermeiden.

Die relative Lage weiterer Ansichten zur Vorderansicht hängt von der gewählten Projektionsmethode ab. Bei Zeichnungen, die nach den Projektionsmethoden 1 oder 3 erstellt werden, muss das Sinnbild der Projektionsmethode im Schriftfeld der Zeichnung angegeben werden.

Projektionsmethode 1

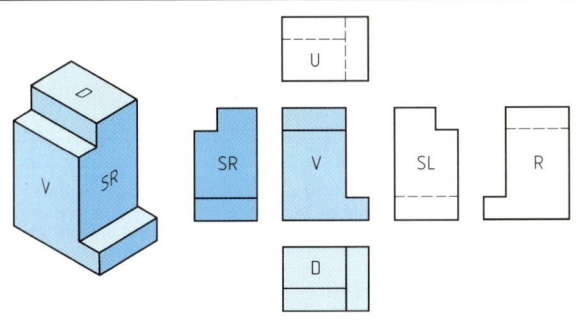

Bezogen auf die Vorderansicht V liegen:

D	Draufsicht	unterhalb von V
SL	Seitenansicht von links	rechts von V
SR	Seitenansicht von rechts	links von V
U	Untersicht	oberhalb von V
R	Rückansicht	links oder rechts von V

Sinnbild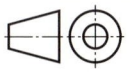

Projektionsmethode 3

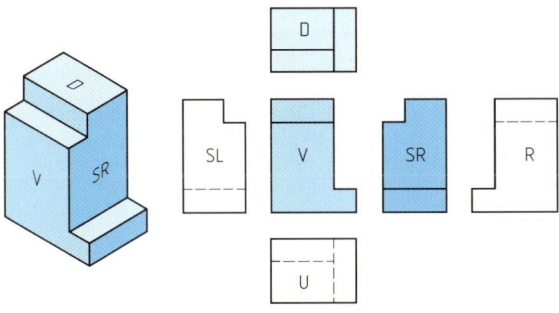

Bezogen auf die Vorderansicht V liegen:

D	Draufsicht	oberhalb von V
SL	Seitenansicht von links	links von V
SR	Seitenansicht von rechts	rechts von V
U	Untersicht	unterhalb von V
R	Rückansicht	links oder rechts von V

Sinnbild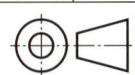

Pfeilmethode

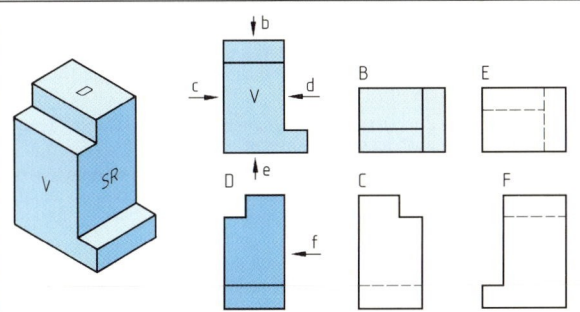

Mit Ausnahme der Vorderansicht wird jede erforderliche Ansicht durch Buchstaben gekennzeichnet. Mit Kleinbuchstaben gekennzeichnete Pfeile geben in der Vorderansicht die Betrachtungsrichtung an. Die zugehörigen Ansichten werden auf der linken Seite oberhalb der Ansichten mit den entsprechenden Großbuchstaben gekennzeichnet. Die Ansichten dürfen bei der Pfeilmethode unabhängig von der Vorderansicht angeordnet werden.

K

Ansichten

K

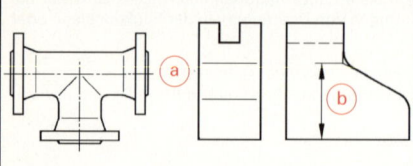

Lichtkanten

(a) Lichtkanten, d.h. Kanten an gerundeten Übergängen, werden durch schmale Volllinien dargestellt. Sie sind an der Stelle zu zeichnen, an der bei scharfkantigem Übergang die (Umlauf-)Kante wäre. Lichtkanten dürfen die Umrisslinien nicht berühren.

(b) Der Ort der Linien für die Lichtkanten ergibt sich aus den Schnittpunkten der verlängerten Umrisslinien in der zugehörigen Ansicht. Auf diese Schnittpunkte werden auch die Maße nach DIN 406 bezogen.

Symmetrische Formen

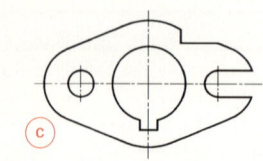

(c) Symmetrische Werkstücke werden durch eine Symmetrielinie gekennzeichnet. Symmetrielinien verwendet man auch dann, wenn eine symmetrische Grundform einseitig in Einzelheiten verändert oder durch eine geometrische Grundform (z.B. Nut) unterbrochen ist.

Besondere Ansichten

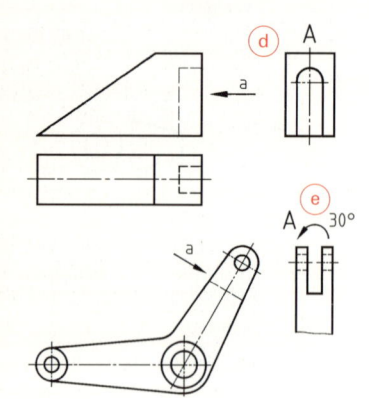

Muss von der üblichen Darstellung (Projektionsmethode 1 oder 3) abgewichen werden, wird die Pfeilmethode angewandt (Seite 65). Diese Methode ist immer dann anzuwenden, wenn man ungünstige Projektionen und damit verbundene Verkürzungen vermeiden möchte oder wenn eine zugehörige Ansicht nicht in der richtigen Lage angeordnet werden kann.

(d) Eine zugehörige Ansicht wird in der durch den Pfeil gekennzeichneten Richtung und durch einen Großbuchstaben dargestellt.

(e) Kann ein Werkstück aus Platzgründen nicht in der Pfeilrichtung projektionsgerecht dargestellt werden, so ist neben dem Buchstaben, der die zugehörige Ansicht kennzeichnet, ein Sinnbild für die Drehung in der entsprechenden Richtung anzufügen. Der Drehwinkel kann dann zusätzlich angegeben werden.

Teilansichten

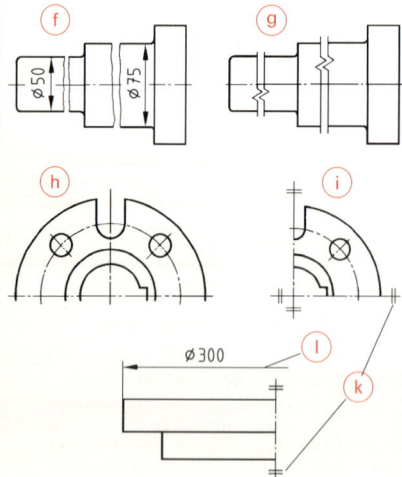

(f) Flache oder runde Werkstücke dürfen abgebrochen oder unterbrochen dargestellt werden, wenn sie damit eindeutig und vollständig bestimmt sind. Die Bruchkante wird als Freihandlinie ausgeführt.

(g) Bei CAD-Zeichnungen können die Bruchkanten als schmale Zickzacklinien ausgeführt werden.

(h) Bei symmetrischen Werkstücken wird oft nur die halbe Ansicht gezeichnet. Die sichtbaren Umrisse (Kanten) werden über die Mittellinie hinausgezogen (Ausnahme: (k)).

(i) Zur Darstellung symmetrischer Werkstücke genügt auch eine Viertelansicht.

(k) Enden Umrisslinien oder Kanten von symmetrischen Werkstücken direkt an der Mittellinie, so muss die Mittellinie durch zwei kurze parallele Volllinien gekennzeichnet werden.

(l) Werden Ansichten und Schnitte nur bis zur Mittellinie gezeichnet, müssen die Maßlinien etwas über die Mittellinie hinaus gezeichnet werden.

Besondere Darstellungen, vereinfachte Darstellungen   vgl. DIN 6-1 (1986-12)

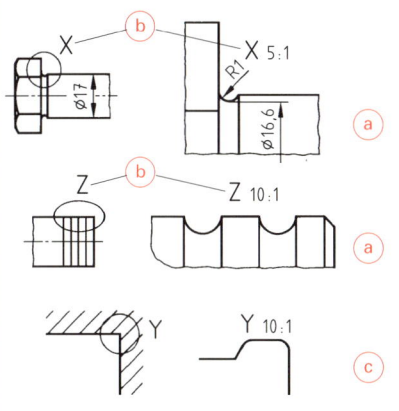

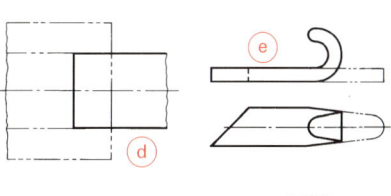

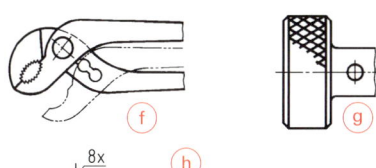

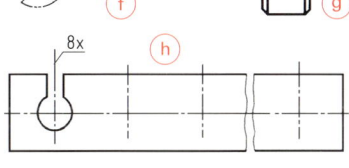

Einzelheiten

Teilbereiche eines Werkstückes, die sich in der Gesamtdarstellung nicht deutlich darstellen, bemaßen oder kennzeichnen lassen, werden als Einzelheiten gesondert gezeichnet. Die genaue Form der Einzelheit darf dann in der Gesamtdarstellung entfallen.

(a) Der Bereich, der als Einzelheit gezeichnet wird, wird in der Gesamtdarstellung mit einer schmalen Volllinie eingerahmt.

(b) Der eingerahmte Bereich und die entsprechende Einzelheit werden durch gleiche Großbuchstaben (letzte Buchstaben des Alphabets) gekennzeichnet. Die Buchstaben sind mindestens 1,4-mal so hoch wie die Maßzahlen. Bei Einzelheiten, die vergrößert werden, ist der Vergrößerungsmaßstab hinter dem Kennbuchstaben anzugeben.

(c) Herausgezeichnete Einzelheiten dürfen ohne Bruchlinie, bei Schnitten ohne Schraffur dargestellt werden. Die Darstellung von Umlaufkanten ist nicht erforderlich.

K

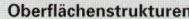

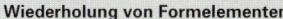

Angrenzende Teile

(d) Umrisse von angrenzenden Teilen werden mit schmalen Strich-Zweipunktlinien gezeichnet. Das angrenzende Teil darf das Hauptteil nicht verdecken. Geschnittene angrenzende Teile werden nicht schraffiert.

Ursprüngliche Formen

(e) Die ursprüngliche Form eines Werkstückes wird durch schmale Strich-Zweipunktlinien dargestellt.

Grenzstellungen

(f) Grenzstellungen von beweglichen Teilen werden durch schmale Strich-Zweipunktlinien dargestellt.

Oberflächenstrukturen

(g) Oberflächenstrukturen, z.B. Rändel (Seite 87), werden durch breite Volllinien dargestellt. Vorzugsweise soll die Struktur nur teilweise gezeichnet werden.

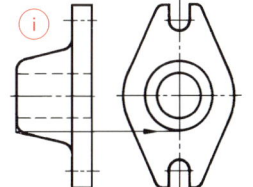

Wiederholung von Formelementen

(h) Formelemente eines Werkstückes, die sich wiederholen, müssen nur einmal dargestellt werden. Die Anzahl der sich wiederholenden Formelemente (Teilungen) muss angegeben werden.

Geringe Neigungen

(i) Geringe Neigungen, z.B. an Schrägen, müssen in der Projektion nicht dargestellt werden. Es wird dann nur **die** Kante durch eine breite Volllinie gezeichnet, die der Projektion des kleineren Maßes entspricht.

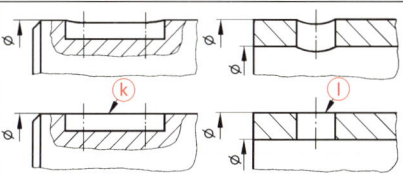

Durchdringungen

(k) Bei der Durchdringung von Werkstücken, z.B. bei Nuten, kann auf die Darstellung gering versetzter Durchdringungskurven verzichtet werden.

(l) Bei der Durchdringung von Bohrungen, deren Durchmesser sich wesentlich unterscheiden, kann auf flach verlaufende Durchdringungskurven verzichtet werden.

Schnittdarstellungen

vgl. DIN 6-2 (1986-12)

Werkstück in Ansicht

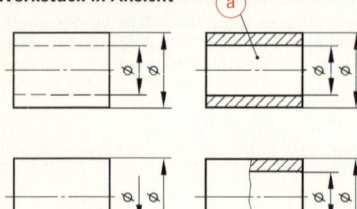

Schnittarten

Nach Umfang und Lage des Schnittes unterscheidet man:

(a) **Vollschnitt**: Hier denkt man sich die vordere Werkstück-hälfte herausgeschnitten; es wird nur die hintere Hälfte gezeichnet.

(b) **Halbschnitt**: Hier denkt man sich ein Viertel des Werk-stückes herausgeschnitten.

(c) **Teilschnitt**: Hier sieht man nur einen Teil des Werkstückes im Schnitt. Zum Teilschnitt gehören auch der **Ausbruch** und der **Teilausschnitt**.

Schraffur

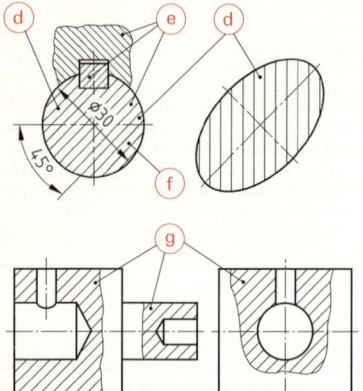

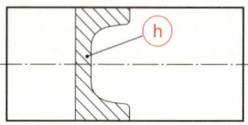

(d) Bei der Schraffur sind parallele schmale Volllinien unter 45° zur Achse (Mittellinie) oder zu den Hauptumrissen (Körperkanten) zu zeichnen. Für Maßzahlen, Beschriftung und Oberflächenangaben ist die Schraffur zu unterbre-chen.

(e) Aneinandergrenzende Werkstücke erhalten entgegenge-setzt gerichtete oder verschieden weite Schraffuren.

(f) Der Schraffurlinienabstand ist umso größer, je größer die Schnittfläche ist.

(g) Alle Schnittflächen desselben Teiles werden in allen Ansichten in gleicher Art (gleiche Richtung und gleicher Abstand) schraffiert.

Schnittflächen

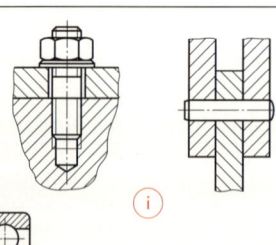

(h) Schnittflächen können innerhalb des Bildes in die Zei-chenebene geklappt werden und sind in schmalen Voll-linien darzustellen.

Teile, die nicht geschnitten werden

(i) Damit ein Schnitt deutlicher wird, werden bestimmte Bereiche, auch wenn sie in der Schnittebene liegen, unge-schnitten dargestellt. Dazu zählen alle Einzelteile in einer Gesamt- oder Gruppenzeichnung, die in ihrer Längsrich-tung dargestellt sind und keine Hohlräume aufweisen, z.B. Wellen, Stifte, Schrauben. Außerdem werden die-jenigen Bereiche eines Einzelteiles nicht geschnitten, die sich als massive Körper von der Grundform des Werk-stückes abheben sollen, z.B. Speichen, Stege, Rippen.

Schnittdarstellungen

vgl. DIN 6-2 (1986-12)

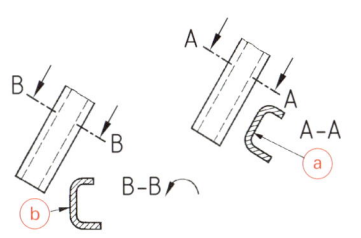

Schnittlage

Ist die Lage einer Schnittebene eindeutig, so wird sie nicht besonders angegeben.

(a) Der Schnitt eines Werkstücks kann an beliebiger Stelle angeordnet werden, jedoch möglichst in projektionsgerechter Lage.

(b) Wird der Schnitt in einer anderen Lage dargestellt, so ist das Sinnbild für die Drehung (in der entsprechenden Richtung) anzugeben. Der Drehwinkel kann zusätzlich angegeben werden.

Kennzeichnung des Schnittverlaufs

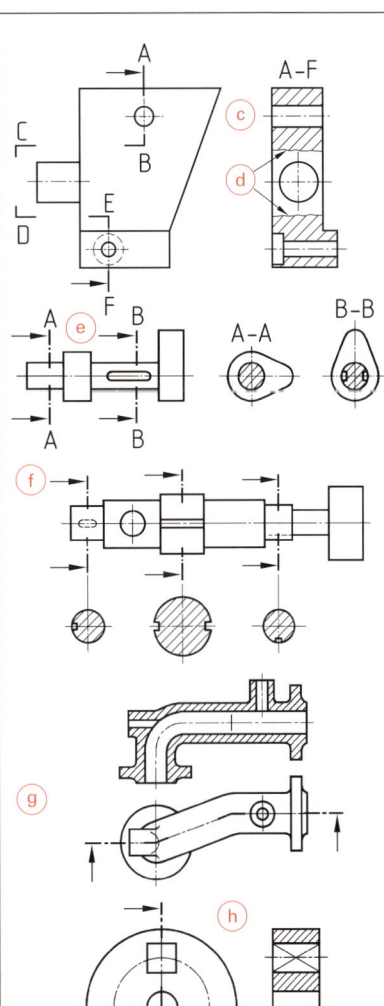

Ist der Schnittverlauf nicht ohne weiteres ersichtlich, so ist er durch breite Strichpunktlinien zu kennzeichnen. Die Blickrichtung auf den Schnitt wird durch Pfeile angedeutet. Die Pfeile sind 1,5-mal so lang wie die Maßpfeile. Buchstaben sind nur erforderlich, wenn die Übersicht dadurch verbessert wird. Die Bezeichnung durch gleiche Großbuchstaben, z.B. A – A, ist zu bevorzugen.

(c) Bei abgeknicktem Schnittverlauf werden, wenn erforderlich, auch die Knickstellen mit Großbuchstaben gekennzeichnet. Die Großbuchstaben stehen am Anfang, an den Knickstellen und am Ende der Schnittlinien sowie über der entsprechenden Schnittdarstellung.

(d) Wenn eine Schnittfläche in eine Ansicht übergeht, wird die Grenze zwischen beiden durch eine Bruchlinie dargestellt.

(e) Werden von einem Werkstück mehrere Schnitte (Profilschnitte) in gleicher Projektionslage dargestellt, muss ihre Zuordnung stets gekennzeichnet werden. Umrisse und Kanten hinter den Schnittebenen sind nur dann darzustellen, wenn sie zur Verdeutlichung des Dargestellten beitragen.

(f) Bei mehreren Schnittebenen durch längliche Werkstücke, z.B. Wellen, dürfen die Schnitte (Profilschnitte) auch direkt unterhalb ihrer zugehörigen Schnittebene angeordnet werden. Eine Kennzeichnung durch Großbuchstaben ist nicht erforderlich.

Umrisse hinter einer Schnittebene dürfen entfallen.

(g) Liegt der Schnittverlauf in zwei parallelen und in einer dazu schräg liegenden Ebene, wird die schräg liegende Fläche verkürzt, d.h. als Projektion dargestellt.

(h) Stehen zwei Schnittebenen in einem Winkel zueinander, wird der Schnitt gezeichnet, als lägen die Schnittflächen in einer Ebene, d.h. die Ebene des einen Schnittes wird in die Ebene des anderen geklappt.

K

Schnittdarstellungen

K

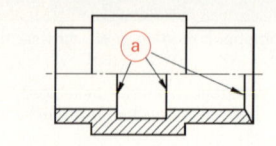

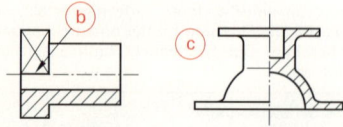

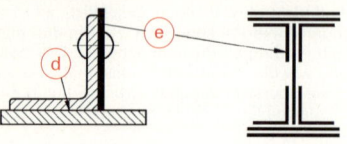

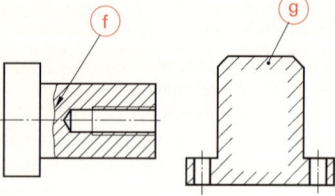

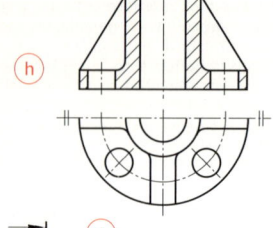

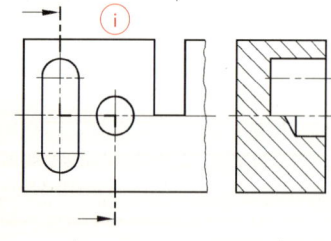

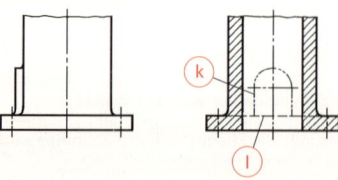

Zeichnerische Hinweise

(a) Umlaufkanten, die durch den Schnitt sichtbar geworden sind, werden eingezeichnet. Verdeckte Kanten sind im Schnitt nur dann zu zeichnen, wenn sie zum Verständnis der Darstellung unbedingt erforderlich sind.

(b) Fällt bei einem Schnitt eine Körperkante auf die Mittellinie, ist sie wie bei den Ansichten darzustellen.

(c) Vorzugsweise werden bei Halbschnitten die im Schnitt dargestellten Hälften bei waagerechter Mittellinie unterhalb, bei senkrechter Mittellinie rechts von dieser angeordnet.

(d) Trennfugen sind als Kanten zu zeichnen.

(e) Schmale Schnittflächen dürfen voll geschwärzt werden. Stoßen geschwärzte Schnittflächen aneinander, so sind sie mit einem Mindestabstand von 0,5 mm darzustellen.

(f) Teilschnitte (z.B. Ausbrüche) werden beim manuellen Zeichnen durch Freihandlinien begrenzt. Freihandlinien dürfen nicht mit Körperkanten zusammenfallen.

(g) Bei großen Schnittflächen kann die Schraffur auf die Randzone beschränkt bleiben.

(h) Löcher (Bohrungen, Gewinde) auf einem Lochkreis werden, auch wenn sie nicht in der Schnittebene liegen, auf dem Lochkreis in die Schnittebene hereingedreht.

(i) Werden parallel versetzte Schnittebenen durch eine gemeinsame Mittellinie begrenzt, sind die Schraffurlinien an dieser Mittellinie versetzt zu zeichnen.

(k) Sollen Einzelheiten dargestellt werden, die vor der Schnittebene liegen, geschieht dies durch schmale Strich-Zweipunktlinien.

(l) Verdeckte Kanten werden in Schnittzeichnungen nur dann dargestellt, wenn dies zur eindeutigen Bestimmung erforderlich ist. Sie werden mit schmalen Strichlinien gezeichnet.

Schraffuren

vgl. DIN 201 (1990-05)

Flächen, die besonders hervorgehoben werden sollen, z.B. Schnittflächen oder Flächen, bei denen der Stoff des gezeichneten Teiles charakterisiert werden soll, werden schraffiert.

Schnittflächen werden im Allgemeinen ohne Rücksicht auf den Werkstoff mit der Grundschraffur gekennzeichnet.

Der Stoff eines gezeichneten Teiles kann mit einer Schraffur, die aus verschiedenen Linienarten besteht, gekennzeichnet werden.

Grundschraffur (ohne Berücksichtigung des Stoffes)

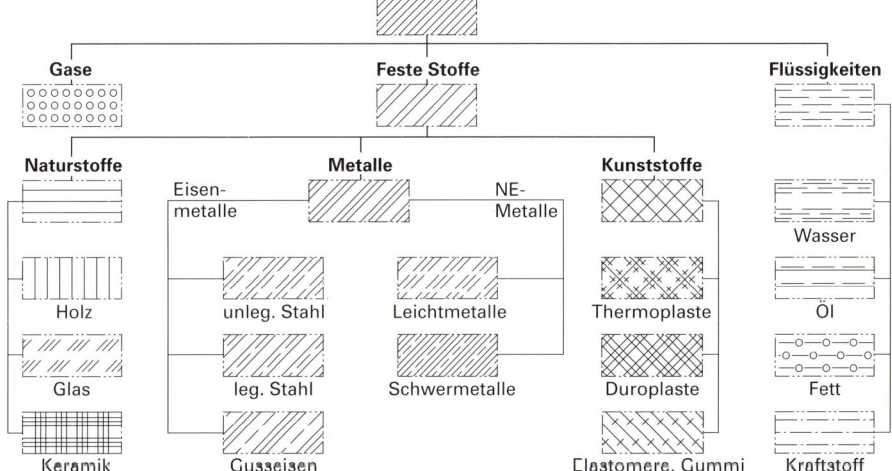

Gase · Feste Stoffe · Flüssigkeiten

Naturstoffe · Metalle · Kunststoffe

Eisenmetalle · NE-Metalle

Holz · unleg. Stahl · Leichtmetalle · Thermoplaste · Wasser

Glas · leg. Stahl · Schwermetalle · Duroplaste · Öl

Keramik · Gusseisen · Elastomere, Gummi · Kraftstoff · Fett

K

Systeme der Maßeintragung

vgl. DIN 406-10 (1992-12)

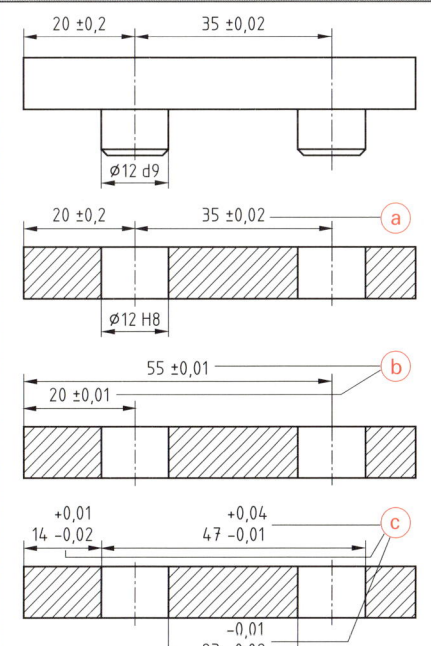

20 ±0,2   35 ±0,02

Ø12 d9

20 ±0,2   35 ±0,02   (a)

Ø12 H8

55 ±0,01   (b)

20 ±0,01

$14 \begin{smallmatrix} +0,01 \\ -0,02 \end{smallmatrix}$ $47 \begin{smallmatrix} +0,04 \\ -0,01 \end{smallmatrix}$ (c)

$23 \begin{smallmatrix} -0,01 \\ -0,02 \end{smallmatrix}$

In einer Zeichnung dürfen mehrere Systeme der Maßeintragung verwendet werden.

Für jede Art der Maßeintragung müssen die Größe und die Lage der Toleranzen so bestimmt werden, dass die Funktion der Bauteile gewährleistet ist.

Funktionsbezogene Maßeintragung

(a) Maßauswahl, Maßeintragung und Tolerierung der Maße erfolgen ausschließlich im Hinblick auf das Zusammenwirken des Werkstücks mit anderen Bauteilen. Die Fertigungs- und Prüfbedingungen werden bei dieser Maßeintragung nicht berücksichtigt.

Fertigungsbezogene Maßeintragung

(b) Die für die Fertigung benötigten Maße werden aus den Maßen der funktionsbezogenen Maßeintragung berechnet. Die Maße müssen dabei fertigungsgerecht toleriert werden.

Die Maßeintragung berücksichtigt das anzuwendende Fertigungsverfahren.

Prüfbezogene Maßeintragung

(c) Eine prüfbezogene Maßeintragung ermöglicht die Prüfung der Werkstücke ohne Maß- und Toleranzumrechnungen. Maße und Toleranzen werden entsprechend der vorgesehenen Prüfung in die Zeichnung eingetragen.

Maßlinien, Maßhilfslinien, Maßzahlen, Hinweislinien　vgl. DIN 406-11 (1992-12) und DIN ISO 128-22 (1999-11)

K

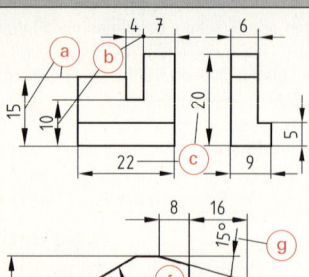

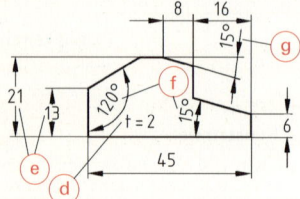

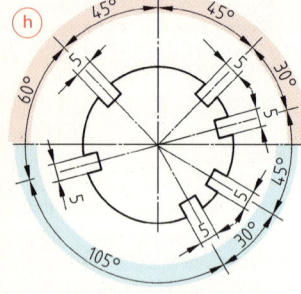

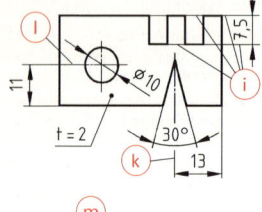

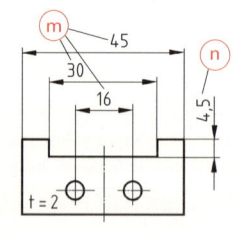

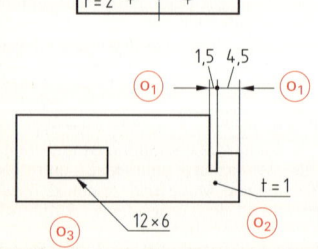

ⓐ **Maßlinien und Maßhilfslinien** sind schmale Vollinien. Die Maßlinien sollen mindestens 10 mm von den Körperkanten entfernt liegen und untereinander mindestens 7 mm Abstand haben. Bei Längenmaßen werden die Maßlinien parallel zu der zu bemaßenden Länge eingetragen. Maßlinien sollen sich untereinander und mit anderen Linien so wenig wie möglich schneiden.

ⓑ Als **Maßlinienbegrenzung** werden im Regelfall geschwärzte Maßpfeile verwendet. Bei Platzmangel werden diese mit geschwärzten Punkten kombiniert. Die Pfeile besitzen einen Schenkelwinkel von 15° und eine Länge von 10 x Maßlinienbreite, die Punkte einen Durchmesser von 5 x Maßlinienbreite. Der Punkt darf auch als Kreis gleichen Durchmessers gezeichnet werden.

ⓒ **Maßzahlen** sind in Normschrift nach DIN 6776 mit einer Mindestgröße von 3,5 mm über der Maßlinie einzutragen. Im Regelfall sollen sie von unten oder von rechts lesbar sein, wenn die Zeichnung in ihrer Leselage (Leserichtung des Schriftfeldes) gehalten wird.

ⓓ Die **Werkstoffdicke** darf bei flächigen Werkstücken mit dem Buchstaben t eingetragen werden.

ⓔ In Ausnahmefällen dürfen alle **Maßzahlen in der Leselage** des Schriftfeldes eingetragen werden. In diesem Falle werden nichthorizontale Maßlinien zum Maßeintrag unterbrochen.

ⓕ **Maßlinien für Winkel- und Bogenmaße** werden als Kreisbogen um den Scheitelpunkt des Winkels oder den Mittelpunkt des Bogens eingetragen.

ⓖ **Winkelmaße bis 30°** dürfen mit geraden Maßlinien senkrecht zur Winkelhalbierenden eingetragen werden. Bei Eintragung der Maßzahlen in Leselage darf die Maßlinie zum Maßeintrag unterbrochen werden.

ⓗ **Maßzahlen für Winkelmaße** sind im Regelfall tangential so einzutragen, dass sie oberhalb der waagrechten Mittellinie mit ihrem Fuß, unterhalb mit ihrem Kopf zum Scheitelpunkt des Winkels zeigen. Sinngemäß erfolgt der Eintrag von Maßen, wenn die Maßlinien nicht waagrecht oder nicht senkrecht zur Leselage gezeichnet sind.

ⓘ Innerhalb einer Ansicht dürfen **Maßhilfslinien** zur Bemaßung auseinanderliegender gleicher Formelemente **durchgezogen** werden. Maßhilfslinien dürfen nicht zwischen zwei Ansichten durchgezogen und nicht parallel zu Schraffurlinien eingetragen werden.

ⓚ **Maßhilfslinien** dürfen **unterbrochen** werden, wenn ihr weiterer Verlauf eindeutig erkennbar ist.

ⓛ **Mittellinien** dürfen **als Maßhilfslinien** verwendet werden. Außerhalb der Umrisse symmetrischer Formelemente werden sie mit schmalen Vollinien verlängert.

ⓜ Bei mehreren parallelen oder konzentrischen Maßlinien werden die **Maßzahlen versetzt** eingetragen.

ⓝ Bei **Platzmangel** darf die Maßzahl an einer Hinweislinie oder über der Verlängerung der Maßlinie eingetragen werden.

ⓞ **Hinweislinien** ordnen Zeichnungseinträge, z.B. Maßzahlen, eindeutig zu. Sie enden

ⓞ₁ ohne Begrenzung, wenn sie auf Linien (keine Körperkanten) zeigen,

ⓞ₂ mit einem Punkt, wenn sie auf eine Fläche zeigen,

ⓞ₃ mit einem Pfeil, wenn sie auf eine Körperkante oder Umrisslinie zeigen.

Quadrat, Schlüsselweite, Rechteck, Durchmesser, Radius, Kugel, Fasen vgl. DIN 406-11 (1992-12)

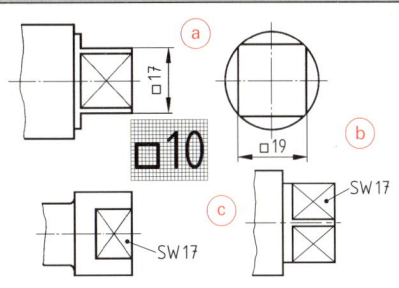

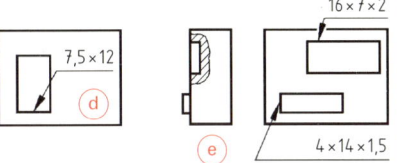

Quadrat

(a) Bei quadratischen Formelementen wird das Sinnbild ☐ vor die Maßzahl gesetzt. Die Größe des Sinnbilds entspricht der Größe der Kleinbuchstaben.

(b) Quadratische Formen sollen vorzugsweise in der Ansicht bemaßt werden, in der ihre Form erkennbar ist.

Schlüsselweite

(c) Bei Schlüsselweiten werden die Großbuchstaben SW vor die Maßzahl gesetzt, wenn der Abstand der Schlüsselflächen in der Darstellung nicht bemaßt werden kann.

Rechteck

(d) Die Seitenlängen rechteckiger Formelemente dürfen auf einer abgewinkelten Hinweislinie angegeben werden. Dabei muss das Maß der Seitenlänge, an der die Hinweislinie endet, an erster Stelle stehen.

(e) Falls eine zweite Ansicht oder ein Schnitt vorhanden ist, darf auf der Hinweislinie nach den Seitenlängen auch die Tiefe bzw. die Dicke der Rechteckfläche eingetragen werden.

Durchmesser

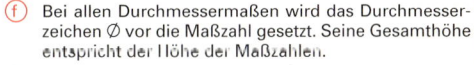

(f) Bei allen Durchmessermaßen wird das Durchmesserzeichen $\varnothing$ vor die Maßzahl gesetzt. Seine Gesamthöhe entspricht der Höhe der Maßzahlen.

(g) Bei Platzmangel dürfen die Durchmessermaße von außen an die Formelemente gesetzt werden.

Radius

(h) Bei Radien wird der Großbuchstabe R vor die Maßzahl gesetzt. Die Maßlinien sind vom Radiusmittelpunkt oder aus dessen Richtung zu zeichnen. Sie erhalten nur einen Maßpfeil am Kreisbogen.

(i) Die Maßlinien mehrerer Radien gleicher Größe dürfen zusammengefasst werden.

Kugel

(k) Maßzahlen für kugelige Formelemente werden mit dem Großbuchstaben S gekennzeichnet, der vor das Durchmesserzeichen oder vor den Großbuchstaben R gesetzt wird.

Fasen

(l) Fasen von 45° oder Senkungen von 90° können unter Angabe des Winkels und der Fasenbreite vereinfacht bemaßt werden.

(m) Bei Fasen mit einem von 45° abweichenden Winkel sind der Winkel und die Fasenbreite bzw. der Winkel und ein Fasendurchmesser mit Maßlinien und Maßhilfslinien einzutragen.

(n) Die Maße von 45°-Fasen dürfen bei dargestellten und nicht dargestellten Fasen mit Hilfe einer Hinweislinie eingetragen werden.

K

Maßeintragung in Zeichnungen

Verjüngung, Neigung, Bogenmaße, Nuten · vgl. DIN 406-11 (1992-12)

K

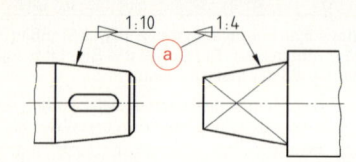

Verjüngung

(a) Vor der Maßzahl der Verjüngung (als Verhältnis oder in Prozent) wird das Sinnbild ▷ angegeben, das vorzugsweise mit einer abgeknickten Hinweislinie und einem Pfeil mit einer Umrisslinie oder Kante der Verjüngung verbunden wird. Die Richtung des Sinnbilds muss mit der Richtung der Verjüngung übereinstimmen.

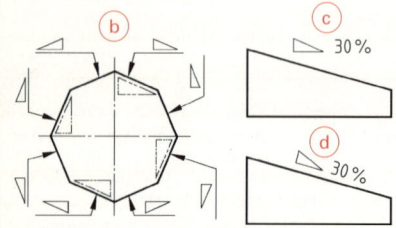

Neigung

(b) Vor der Maßzahl der Neigung (als Verhältnis oder in Prozent) wird das Sinnbild ◣ angegeben, das im Regelfall mit einer abgeknickten Hinweislinie und einem Pfeil mit der geneigten Fläche verbunden wird. Das Sinnbild zeigt die Form des Teiles an der Stelle der Neigung.

(c) Das Sinnbild für die Neigung darf auch ohne Hinweislinie in waagerechter Richtung eingetragen werden.

(d) Außerdem darf das Sinnbild für die Neigung parallel zur Linie der geneigten Fläche eingetragen werden.

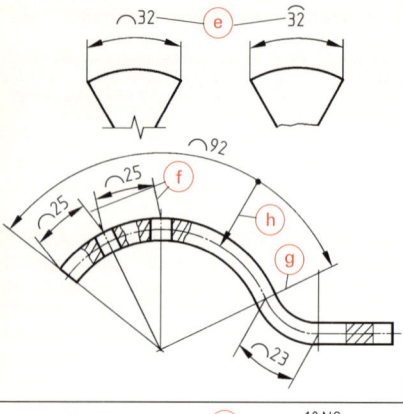

Bogenmaße

(e) Bogenmaße werden mit dem Sinnbild ⌒ vor der Maßzahl gekennzeichnet. Bei manueller Zeichnungserstellung kann der Bogen mit einem ähnlichen Sinnbild über der Maßzahl gekennzeichnet werden. Die Maßlinie wird immer als Kreislinie um den Bogenmittelpunkt gezeichnet.

(f) Bei Zentriwinkeln bis 90° werden die Maßhilfslinien parallel zur Winkelhalbierenden gezeichnet. Jedes Bogenmaß wird mit eigenen Maßhilfslinien eingetragen.

(g) Bei Zentriwinkeln über 90° werden die Maßhilfslinien in Richtung Bogenmittelpunkt gezeichnet.

(h) Bei nicht eindeutigem Bezug ist die Verbindung zwischen der Bogenlänge und der Maßzahl durch eine Linie mit Pfeil auf der Bogenlinie und Punkt bzw. Kreis auf der Maßlinie zu kennzeichnen.

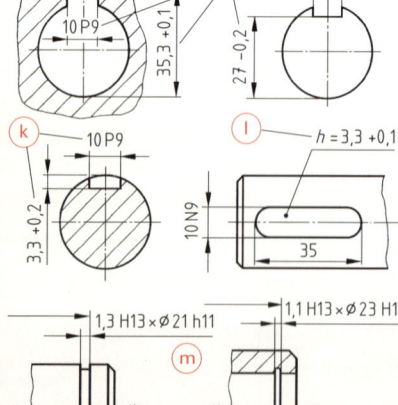

Nuten

(i) Bei durchgehenden oder auf einer Seite offenen Wellennuten und bei Nuten in Bohrungen werden die Nutbreite und das Stichmaß angegeben.

(k) Bei geschlossenen Wellennuten werden die Nutbreite und die Nuttiefe bemaßt.

(l) Bei Nuten, die nur in der Draufsicht dargestellt sind, darf die Nuttiefe vereinfacht mit dem Buchstaben h oder in Kombination mit der Nutbreite angegeben werden.

(m) Nuten für Sicherungsringe dürfen vereinfacht bemaßt werden.

Nutenmaße für
- Keile Seite 220
- Passfedern Seite 221
- Sicherungsringe Seite 240

Gewinde, Teilungen

vgl. DIN 406-11 (1992-12) und DIN ISO 6410-1 (1993-12)

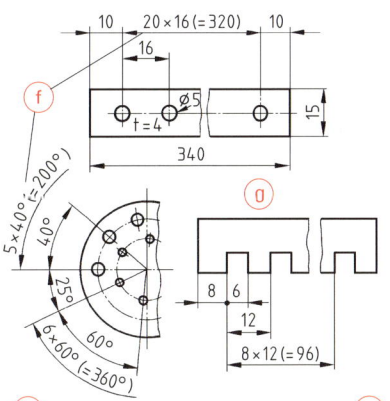

Gewinde

(a) Für **genormte Gewinde** werden Kurzbezeichnungen verwendet, die sich immer auf den Nenndurchmesser (Gewindeaußendurchmesser) beziehen.

(b) **Linksgewinde** werden mit LH gekennzeichnet. Befinden sich an einem Werkstück mit Linksgewinden auch Rechtsgewinde, so werden diese mit RH gekennzeichnet.

(c) Bei **mehrgängigen Gewinden** werden hinter dem Nenndurchmesser die Gewindesteigung und die Teilung P eingetragen.

(d) **Längenangaben** beziehen sich auf die nutzbare Gewindelänge. Die Tiefe des Grundloches wird im Regelfall nicht bemaßt.

(e) **Fasen** für Außen- und Innengewinde werden nur dann bemaßt, wenn ihr Durchmesser nicht dem Gewindekern- bzw. dem Gewindeaußendurchmesser entspricht.

Teilungen

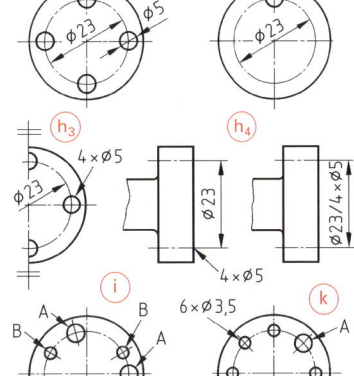

(f) **Teilungen gleicher Formelemente**, die untereinander dieselben Abstände oder Winkel aufweisen, werden vereinfacht bemaßt. Dabei werden Anzahl und Abstand der Elemente und zusätzlich in Klammern die Gesamtlänge bzw. der Gesamtwinkel angegeben.

(g) **Teilungen für rechteckige Löcher**, Nuten oder Ähnliches werden im Regelfall von Kante zu Kante bemaßt.

(h) **Gleiche Formelemente, die zusammengehören und sich wiederholen**, dürfen

(h₁) vollständig in Anzahl und Form

(h₂) nur einmal vollständig

(h₃) in Halb- und Vierteldarstellung

(h₄) als Mittellinien oder Achsenkreuze

und verkürzt ((f) und (g)) dargestellt werden. Der Maßeintrag erfolgt wie in den Bildern (f)...(h).

(i) **Unterschiedliche Formelemente, die sich wiederholen,** können mit Großbuchstaben gekennzeichnet werden. Die Bedeutung der Buchstaben wird in der Nähe der Darstellung erklärt.

(k) Bei einer überwiegenden Anzahl von gleichen und wenigen abweichenden Formelementen dürfen die direkte Maßeintragung und die Eintragung mit Hilfe von Großbuchstaben kombiniert werden.

K

Toleranzen

vgl. DIN 406-12 (1992-12)

K

Toleranzen

(a) Für **Maße ohne Toleranzangaben** gelten die Allgemeintoleranzen (DIN ISO 2768 oder DIN 7168, Seite 105).

(b) **Abmaße oder Toleranzklasse** werden hinter dem Nennmaß angegeben. Die Schriftgröße für Abmaße und Toleranzklasse entspricht im Regelfall der Schriftgröße der Nennmaße. Sie darf auch eine Stufe kleiner, jedoch nicht kleiner als 2,5 mm eingetragen werden. Abmaße werden in derselben Einheit angegeben wie Nennmaße.

(c) Bei **zwei Abmaßen für dasselbe Nennmaß** muss für beide Abmaße dieselbe Anzahl von Dezimalstellen eingetragen werden. Hiervon ausgenommen ist das Abmaß Null. Dieses darf mit der Ziffer 0 angegeben, kann aber auch weggelassen werden. Das obere Abmaß steht über dem unteren Abmaß.

(d) Sind **oberes und unteres Abmaß gleich groß**, so ist deren Wert nur einmal hinter dem Zeichen ± anzugeben.

(e) **Nennmaß und Abmaße** dürfen auch in derselben Zeile eingetragen werden. Durch Schrägstriche werden dabei oberes und unteres Abmaß getrennt.

(f) **Grenzmaße** dürfen als Höchst- und Mindestmaß übereinander angegeben werden. Das Höchstmaß wird dabei immer über dem Mindestmaß eingetragen.

(g) Bei Bedarf können die **Werte der Abmaße** oder die Grenzmaße übereinander hinter dem Toleranzkurzzeichen angegeben oder in einer Tabelle aufgelistet werden.

(h) Werden für **zwei gefügt dargestellte Teile** Toleranzen eingetragen, so wird das Kurzzeichen der Toleranzklasse für das Innenmaß (Bohrung) vor oder über dem Kurzzeichen der Toleranzklasse für das Außenmaß (Welle) eingetragen.

(i) Wenn es notwendig ist, dürfen bei gefügt dargestellten Teilen die **Werte der Abmaße in Klammern** hinter dem Toleranzkurzzeichen oder in einer Tabelle angegeben werden.

(k) **Toleranzen für Winkelmaße** werden wie die Toleranzen für Längenmaße, jedoch mit Angabe der Einheiten des Winkelnennmaßes und der Abmaße, eingetragen.

Wenn das Winkelnennmaß oder die Winkelabmaße in Winkelminuten eingetragen werden, muss vor die Winkelangabe 0° gesetzt werden. Beim Eintrag von Winkelnenn- oder Winkelabmaßen in Winkelsekunden wird vor die Winkelangabe 0° 0' gesetzt.

(l) Der **Hinweis auf Allgemeintoleranzen** für Längen- und Winkelmaße (Seite 105) erfolgt im Schriftfeld oder in der Nähe der Einzelteilzeichnung. Er enthält neben der Normblatt-Nummer die anzuwendende Toleranzklasse.

Wenn Allgemeintoleranzen gleichzeitig für Längen- **und** für Form- und Lagemaße gelten sollen, wird dieser Zeichnungseintrag durch eine Toleranzklasse für Form- und Lagetoleranzen ergänzt.

Beispiel: ISO 2768-mK.

Allgemeintoleranzen für 90°-Winkel werden in diesem Falle nicht durch DIN ISO 2768-1, sondern durch die Allgemeintoleranzen für Form und Lage (DIN ISO 2768-2) festgelegt (Seite 105).

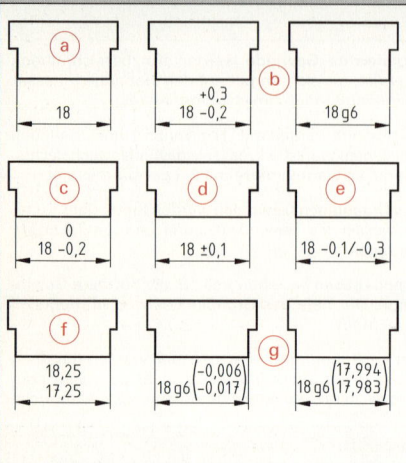

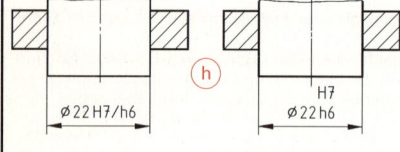

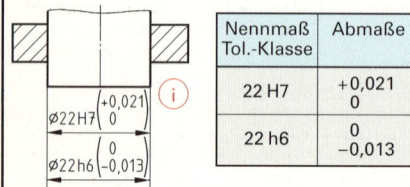

Nennmaß Tol.-Klasse	Abmaße
22 H7	+0,021 0
22 h6	0 −0,013

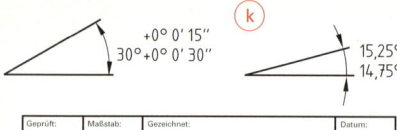

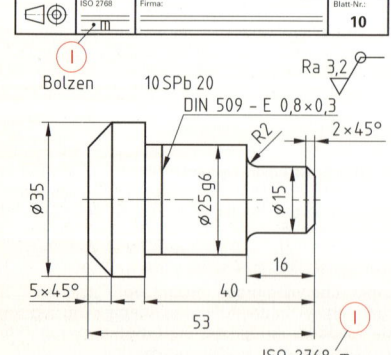

Maße vgl. DIN 406-10 (1992-12)

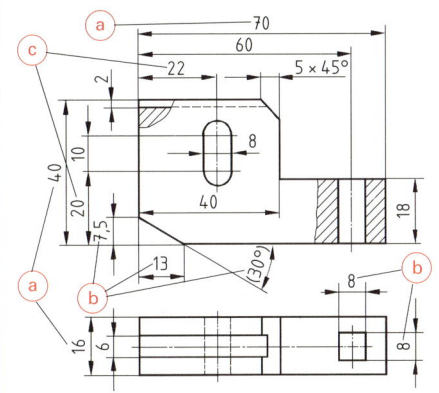

Arten von Maßen

(a) **Grundmaße** geben Gesamtlänge, Gesamtbreite und Gesamthöhe eines Werkstückes an. Grundsätzlich wird jedes Maß nur einmal eingetragen. Das Ansetzen von Maß- und Maßhilfslinien an verdeckte Kanten soll vermieden werden.

(b) **Formmaße** geben die Form von Absätzen, Nuten usw. an. Sind mehrere Ansichten gezeichnet, so werden die Maße dort eingetragen, wo das Formelement am besten erkennbar ist.

(c) **Lagemaße** legen die Lage von Bohrungen, Nuten, Langlöchern usw. fest. Symmetrielinien von Formelementen, die in der Werkstückmitte liegen, werden nicht bemaßt.

Spezielle Maße

K

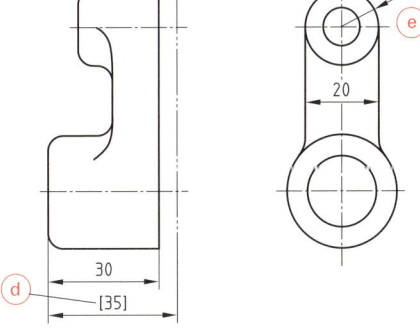

(d) **Rohmaße** sind Maße, die sich auf den Rohzustand von Werkstücken beziehen.

Rohmaße werden durch eckige Klammern gekennzeichnet.

(e) **Hilfsmaße** sind Maße, die für die geometrische Bestimmung eines Werkstückes nicht erforderlich sind. Sie dienen zur zusätzlichen Information und werden ohne Toleranzen eingetragen.

Hilfsmaße werden durch runde Klammern gekennzeichnet. Sie unterliegen nicht der Prüfung.

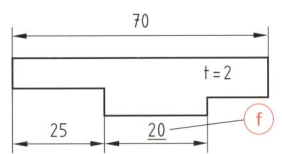

(f) **Maße von nicht maßstäblich gekennzeichneten Formelementen**, z.B. bei Änderungszeichnungen, werden unterstrichen.

Diese Kennzeichnung ist bei rechnerunterstützt angefertigten Zeichnungen nicht zulässig.

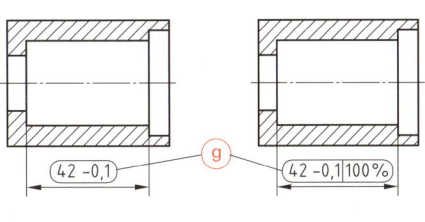

(g) **Prüfmaße** sind Maße, die bei der Festlegung des Prüfumfanges bzw. der Prüfschärfe besonders beachtet und bei Abnahme gegebenenfalls 100 % geprüft werden.

Prüfmaße werden durch seitlich abgerundete Rahmen gekennzeichnet.

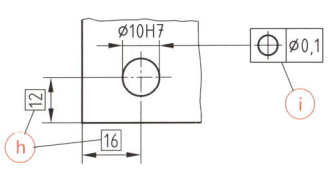

(h) **Theoretisch genaue Maße** sind Maße zur Angabe der geometrisch idealen (theoretisch genauen) Lage oder Form eines Formelementes. Solche Maße werden mit einem rechtwinkligen Rahmen gekennzeichnet und ohne Toleranzen eingetragen.

(i) Die zulässige Abweichung des Formelementes von der idealen Lage wird z.B. durch die Angabe einer Positionstoleranz festgelegt.

Parallelbemaßung, Steigende Bemaßung, Koordinatenbemaßung — vgl. DIN 406-11 (1992-12)

K

Parallelbemaßung

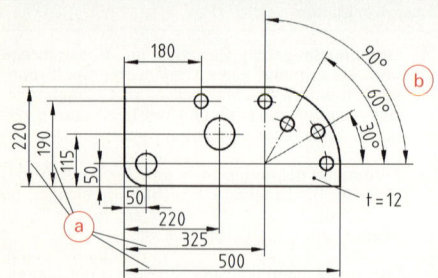

(a) Bei der Parallelbemaßung werden die Maßlinien parallel in einer Richtung bzw. in zwei oder drei der senkrecht zueinander verlaufenden Richtungen eingetragen.

(b) Winkelmaße erhalten konzentrisch zueinander verlaufende Maßlinien.

Steigende Bemaßung

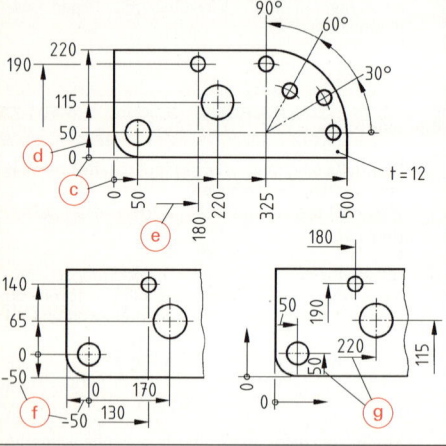

(c) Der Ursprung für den Eintrag der steigenden Bemaßung wird mit einem kleinen Kreis angegeben, dessen Durchmesser 8 x Maßlinienbreite entspricht.

(d) Vom Ursprung aus wird in jeder der drei möglichen Richtungen nur eine Maßlinie eingetragen.

(e) Bei Platzmangel dürfen zwei oder mehrere Maßlinien in einer Richtung eingetragen werden.

(f) Maße, die vom Ursprung in der Gegenrichtung eingetragen werden, müssen mit einem Minuszeichen vor der Maßzahl gekennzeichnet werden. Die Maßzahlen dürfen auch in Leserichtung über der zugehörigen Maßlinie eingetragen werden.

(g) Die Bemaßung kann auch mit abgebrochenen Maßlinien eingetragen werden.

Koordinatenbemaßung

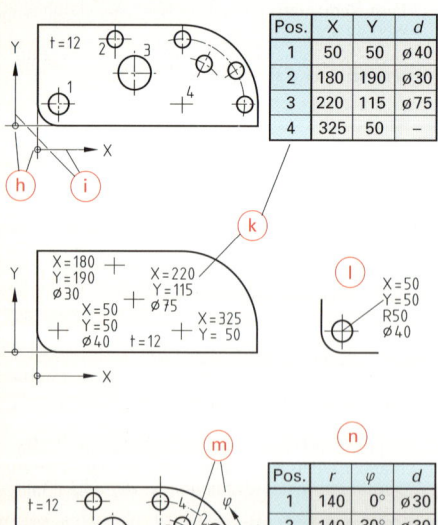

Pos.	X	Y	d
1	50	50	ø40
2	180	190	ø30
3	220	115	ø75
4	325	50	–

Pos.	r	φ	d
1	140	0°	ø30
2	140	30°	ø30
3	100	60°	ø30
4	140	90°	ø30

(h) Der Ursprung jeder Koordinatenbemaßung wird mit einem kleinen Kreis angegeben, dessen Durchmesser 8 x Maßlinienbreite entspricht.

(i) **Kartesische Koordinaten** werden, ausgehend vom Ursprung, durch Längenmaße in den senkrecht zueinander verlaufenden Richtungen festgelegt. Maß- und Maßhilfslinien werden nicht gezeichnet.

(k) Die Koordinatenwerte werden in Tabellen eingetragen oder direkt in der Nähe der Koordinatenpunkte angegeben.

Der Koordinatenursprung kann an beliebiger Stelle der Darstellung liegen. Ergeben sich durch die Ursprungslage positive und negative Achsenrichtungen, so werden in negativer Richtung verlaufende Maße mit einem Minuszeichen gekennzeichnet.

(l) Maße von Formelementen dürfen mit Koordinatenmaßen kombiniert werden. Bei hoher Darstellungsdichte darf der Koordinatenpunkt durch eine Hinweislinie mit den Maßen verbunden werden.

(m) **Polarkoordinaten** werden durch einen Radius und einen Winkel festgelegt und, ausgehend von der Polarachse, entgegen dem Uhrzeigersinn angegeben.

(n) Die Koordinatenwerte werden in Tabellen eingetragen.

Koordinatenbemaßung, Kombinierte Bemaßung
vgl. DIN 406-11 (1992-12)

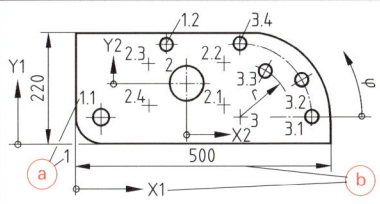

Koordinatenbemaßung (Fortsetzung)

(a) Einem Koordinaten-Hauptsystem dürfen Nebensysteme zugeordnet werden. Die Ursprünge der Koordinatensysteme und die einzelnen Positionen werden fortlaufend mit arabischen Ziffern bezeichnet. Die einzelnen Positionsnummern erhalten die Nummer des Koordinatensystems und, getrennt durch einen Punkt, eine fortlaufende Zählnummer.

Kombinierte Bemaßung

(b) Parallelbemaßung, Steigende Bemaßung und Koordinatenbemaßung dürfen miteinander kombiniert werden.

Koordi-	Pos.	Maße in mm				
natenur-		Koordinaten				
sprung		X1 X2	Y1 Y2	r	φ	d
1	1	0	0			–
1	1.1	50	50			ø 40 H7
1	1.2	180	190			ø 30
1	2	220	115			ø 75 H7
1	3	325	50			–
2	2.1	145	– 40			M16
2	2.2	145	40			M16
2	2.3	–145	40			M16
2	2.4	–145	– 40			M16
3	3.1			140	0°	ø 30
3	3.2			140	30°	ø 30
3	3.3			100	60°	ø 30
3	3.4			140	90°	ø 30

K

Zeichnungsvereinfachung
vgl. DIN ISO 6410-3 (1993-12) und DIN 30-1 (E1982-04 zurückgezogen)

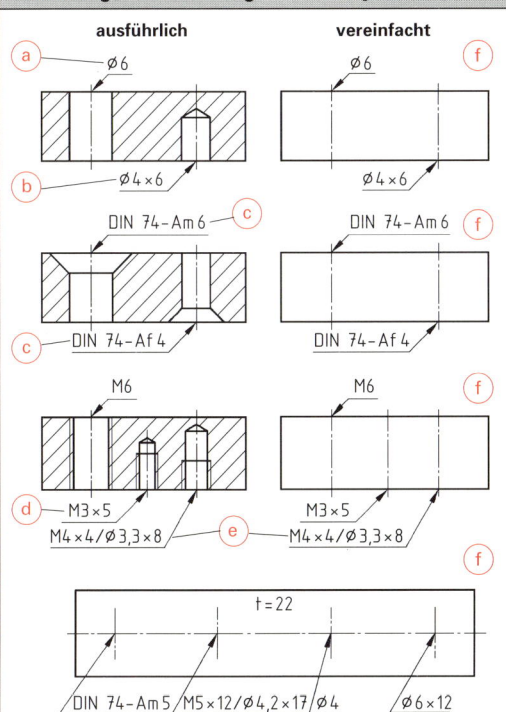

ausführlich **vereinfacht**

(a) Bei **Durchgangsbohrungen** werden Durchmesserzeichen und Bohrungsdurchmesser auf eine Hinweislinie gesetzt, die auf die Mittellinie der Bohrung weist und mit einem Pfeil endet.

(b) Bei der **Bemaßung von Grundlochbohrungen** gibt die erste Zahl den Bohrungsdurchmesser, die zweite Zahl die Bohrungstiefe an.

(c) **Senkungen** für Senkschrauben und Senk-Blechschrauben dürfen durch genormte Kurzzeichen bemaßt werden.

(d) Bei **Gewinden** darf hinter der Gewindeart und dem Gewindenenndurchmesser die Gewindelänge angegeben werden.

(e) Wenn zusätzlich die **Kernlochbohrung** bemaßt werden soll, werden Durchmesser und Tiefe dieser Bohrung hinter dem Gewindenenndurchmesser und der Gewindelänge angegeben.

(f) Die Darstellung von Bohrungen, von Senkungen für Senkschrauben und Senk-Blechschrauben und von Gewinden kann durch **Mittellinien und Achsenkreuze** ersetzt werden. Die Bemaßung erfolgt wie bei der ausführlichen Darstellung ((a) ... (e)).

Zeichenblätter

Papier-Endformate vgl. DIN 476-1 (1991-02) und DIN EN ISO 5457 (1999-07)

Endformat	A0	A1	A2	A3	A4	A5	A6
Abmessungen der Endformate (mm)	841 x 1189	594 x 841	420 x 594	297 x 420	210 x 297	148 x 210	105 x 148
Abmessungen der Zeichenfläche (mm)	821 x 1159	574 x 811	400 x 564	277 x 390	180 x 277	–	–

Für abhängige Papiergrößen (z.B. Briefhüllen) gelten die Zusatzreihen B und C.
Reihe B ≈ 1,19 x Reihe A;   Reihe C ≈ 1,09 x Reihe A.

Die Seiten der Zeichenblätter verhalten sich wie 1 : $\sqrt{2}$ (= 1 : 1,414).
Vordrucke für Zeichnungen sind in DIN EN ISO 5457 (1999-07) genormt.

Faltung auf DIN-Format A4 vgl. DIN 824 (1981-03)

K

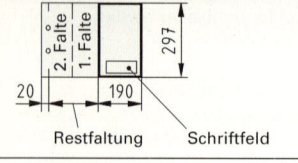

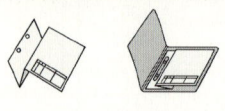

A3 297 x 420

1. Falte: Rechten Streifen (190 mm breit) nach rückwärts einschlagen.

2. Falte: Restblatt so falten, dass die Kante der 1. Falte vom linken Blattrand einen Abstand von 20 mm hat.

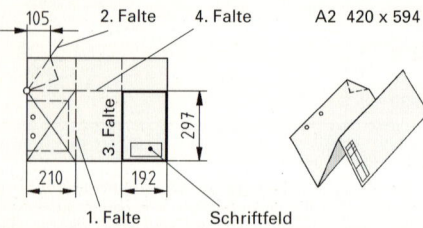

A2 420 x 594

1. Falte: Linken Streifen (210 mm breit) nach rechts einschlagen.

2. Falte: Dreieck in 297 mm Höhe bei 105 mm Breite nach links umlegen.

3. Falte: Rechten Streifen (192 mm breit) nach rückwärts einschlagen.

4. Falte: Faltpaket in 297 mm Höhe nach rückwärts einschlagen.

Grundschriftfeld für Zeichnungen vgl. DIN 6771-1 (1970-12)

(Verwendungsbereich)	(Zul. Abw.)	(Oberfläche)	Maßstab 1,5a x 20b	(Gewicht) 1,5a x 14b
4a x 21b	4a x 10b	4a x 7b	(Werkstoff, Halbzeug) (Rohteil-Nr.) (Modell- oder Gesenk-Nr.) 2,5a x 34b	
a x 3b a x 3b	a x 4b a x 6b	a x 7b		

Datum / Name
Bearb. / Gepr. / Norm
a x 10b / a x 5b

(Benennung) 5a x 34b

(Firma des Zeichnungs-erstellers) 3a x 17b
(Zeichnungsnummer) 3a x 29b
Blatt a x 5b Bl.

Zust. / Änderung / Datum / Name / (Urspr.)
(Ers.f.:) a x 17b   (Ers.d.:) a x 17b

A4 bis A0

Schriftfeldgröße
182,88 x 54,99

Rastermaße	
a	b
4,23	2,54
Höhe in mm	Breite in mm

Stückliste (Form A) vgl. DIN 6771-2 (1987-02)

1	2	3	4 19b x a	5	6
Pos.	Menge	Ein-heit	Benennung	Sachnummer/Norm-Kurzbezeichnung	Bemerkung
4b	5b	4b	19b	3a x 29b	14b

28 x 2a

(Verwendungsbereich) | (Zul. Abw.) | (Oberfläche) | Maßstab | (Gewicht)

Datum / Name

Die Stückliste Form A (DIN-Format A4 hoch) besteht aus dem Grundschriftfeld und einem darüber angeordneten Stücklistenfeld (a = 4,23 mm; b = 2,54 mm).

Darstellung von Zahnrädern

vgl. DIN ISO 2203 (1976-06)

Stirnrad	Kegelrad	Schneckenrad

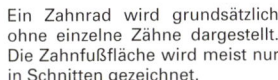 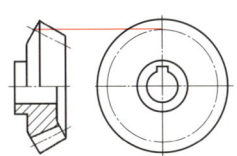 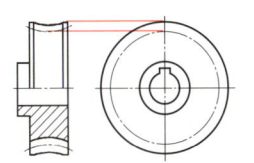

Ein Zahnrad wird grundsätzlich ohne einzelne Zähne dargestellt. Die Zahnfußfläche wird meist nur in Schnitten gezeichnet.	Bei der Darstellung senkrecht zur Achse des Kegelrades ist die Bezugsfläche durch den Teilkreis am Rückenkegel anzugeben.	Bei der Darstellung senkrecht zur Achse des Schneckenrades ist die Bezugsfläche durch den Mittenkreis anzugeben.

Stirnrad mit außenliegendem Gegenrad	Stirnrad mit innenliegendem Gegenrad

links-steigend

rechts-steigend

Stirnrad mit Zahnstange	Kegelradpaar (Achsenwinkel 90°)

Schnecke und Schneckenrad	Kettenräder	Zahnriemen

K

Vereinfachte Darstellung von Wälzlagern

Darstellung von Wälzlagern
vgl. DIN ISO 8826-1 (1990-12) und DIN ISO 8826-2 (1995-10)

Allgemeine vereinfachte Darstellung			Detaillierte vereinfachte Darstellung	
Darstellung	Abbildung	Erläuterung	Element	Erläuterung, Verwendung
		Für allgemeine Zwecke wird ein Wälzlager durch ein Quadrat oder Rechteck und ein freistehendes, aufrechtes Kreuz dargestellt.		Lange, gerade Linie; zur Darstellung der Achse des Wälzelements bei Lagern ohne Einstellmöglichkeit
				Lange gebogene Linie; zur Darstellung der Achse des Wälzelements bei Lagern mit Einstellmöglichkeit (Pendellager)
		Falls erforderlich, kann das Wälzlager durch die Umrisse und ein freistehendes, aufrechtes Kreuz dargestellt werden.		Kurze gerade Linie; zur Darstellung der Lage und Anzahl der Reihen von Wälzelementen
				Kreis; zur Darstellung von Wälzelementen (Kugel, Rolle, Nadel), die rechtwinklig zu ihrer Achse gezeichnet sind

Beispiele für die detaillierte vereinfachte Darstellung von Wälzlagern

einreihige Wälzlager			zweireihige Wälzlager		
Darstellung	Abbildung	Bezeichnung	Darstellung	Abbildung	Bezeichnung
		Radial-Rillenkugellager, Zylinderrollenlager			Radial-Rillenkugellager, Zylinderrollenlager
		Radial-Pendelrollenlager (Tonnenlager)			Pendelkugellager, Radial-Pendelrollenlager
		Schrägkugellager, Kegelrollenlager			Schrägkugellager
		Nadellager, Nadelkranz			Nadellager, Nadelkranz
		Axial-Rillenkugellager, Axial-Rollenlager			Axial-Rillenkugellager, zweiseitig wirkend
		Axial-Pendelrollenlager			Axial-Rillenkugellager mit kugeligen Gehäusescheiben, zweiseitig wirkend

Kombinierte Lager			Darstellung rechtwinklig zur Wälzkörperachse	
		Kombiniertes Radial-Nadellager mit Schrägkugellager		Wälzlager mit beliebiger Wälzkörperform (Kugeln, Rollen, Nadeln)
		Kombiniertes Axial-Kugellager mit Radial-Nadellager		

K

Darstellung von Dichtungen und Wälzlagern

Vereinfachte Darstellung von Dichtungen
vgl. DIN ISO 9222 (1990-12)

Allgemeine vereinfachte Darstellung			Detaillierte vereinfachte Darstellung	
Darstellung	Abbildung	Erläuterung	Element	Erläuterung, Verwendung
		Für allgemeine Zwecke wird eine Dichtung durch ein Quadrat oder Rechteck und ein freistehendes, diagonales Kreuz dargestellt. Die Dichtrichtung kann durch einen Pfeil angegeben werden.		Lange Linie parallel zur Dichtfläche; für das fest sitzende (statische) Dichtelement.
				Lange diagonale Linie; für das dynamische Dichtelement; z.B. die Dichtlippe. Die Dichtrichtung kann durch einen Pfeil angegeben werden.
				Kurze diagonale Linie; für Staublippen, Abstreifringe.
		Falls erforderlich, kann die Dichtung durch die Umrisse und ein freistehendes, diagonales Kreuz dargestellt werden.		Kurze Linie, die zur Mitte des Sinnbilds zeigt; für den statischen Teil von U- und V-Ringen, Packungen.
				Kurze Linie, die zur Mitte des Sinnbilds zeigt; für Dichtlippen von U- und V-Ringen, Packungen.
				T und U; für berührungsfreie Dichtungen.

Beispiele für die detaillierte vereinfachte Darstellung von Dichtungen

Wellendichtringe und Kolbenstangendichtungen				Profildichtungen, Packungssätze, Labyrinthdichtungen			
		Verwendung für					
Darstellung	Abbildung	Drehbewegung	geradlinige Bewegung	Darstellung	Abbildung	Darstellung	Abbildung
		Wellendichtring ohne Staublippe	Stangendichtung ohne Abstreifer				
		Wellendichtring mit Staublippe	Stangendichtung mit Abstreifer				
		Wellendichtring, doppeltwirkend	Stangendichtung, doppeltwirkend				

Beispiele für die vereinfachte Darstellung von Dichtungen und Wälzlagern

Allgemeine vereinfachte Darstellung

Detaillierte vereinfachte Darstellungen

Abbildung

Rillenkugellager und Radial-Wellendichtring mit Staublippe

Abbildungen

Zweireihiges Rillenkugellager und Radial-Wellendichtring

Packungssatz

K

Butzen an Drehteilen, Werkstückkanten

Butzen an Drehteilen
vgl. DIN 6785 (1991-11)

Butzen-maße	Bedeutung/ Beispiel	Zeichnungs-eintrag	Butzen-maße	Größtdurchmesser des Fertigteils in mm							
				bis 3	über 3 bis 5	über 5 bis 8	über 8 bis 12	über 12 bis 18	über 18 bis 26	über 26 bis 40	über 40 bis 60
	Werkstück-butzen nicht höher als eingetrage-ner Mitten-rauwert		d_{2max} in mm	0,3	0,5	0,8	1,0	1,5	2,0	2,5	3,5
			l_{max} in mm	0,2	0,3	0,5	0,6	0,9	1,2	2,0	3,0

Werkstückkanten
vgl. DIN 6784 (1982-02)

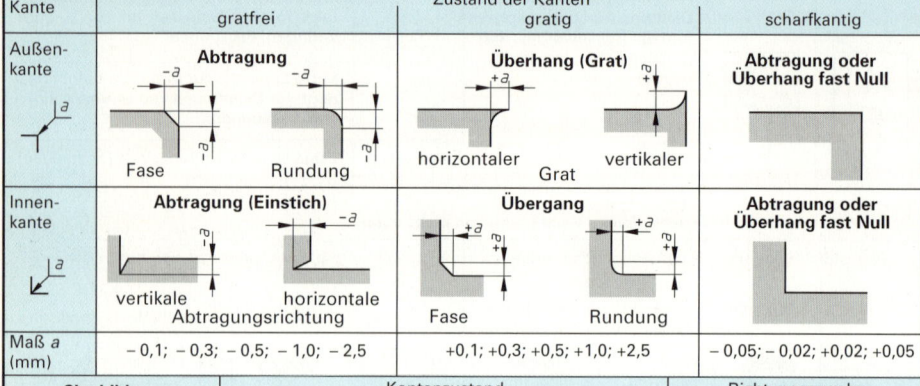

Kante	Zustand der Kanten			
	gratfrei	gratig		scharfkantig
Außen-kante	**Abtragung** — Fase / Rundung	**Überhang (Grat)** — horizontaler Grat / vertikaler Grat		**Abtragung oder Überhang fast Null**
Innen-kante	**Abtragung (Einstich)** — vertikale / horizontale Abtragungsrichtung	**Übergang** — Fase / Rundung		**Abtragung oder Überhang fast Null**
Maß a (mm)	− 0,1; − 0,3; − 0,5; − 1,0; − 2,5	+0,1; +0,3; +0,5; +1,0; +2,5		− 0,05; − 0,02; +0,02; +0,05

Sinnbild zur Kennzeichnung von Werkstückkanten	Maß-eintrag	Kantenzustand				Richtungsangabe	
		Außenkante		Innenkante			
		Bedeutung	Beispiel	Bedeutung	Beispiel	Maßeintrag am Sinnbild	Grat- oder Abtra-gungsrichtung
1,4 h / >1,5 h / 0,1 h / 45° / h Schrifthöhe	+ a	gratig	+0,5	Übergang	+0,5	a	beliebig
	− a	gratfrei	−0,5	Abtragung	−0,5	a	horizontal
	± a	gratig oder gratfrei	±0,05	Übergang oder Abtragung	±0,05	a	vertikal

Beispiel für die Kennzeichnung von Werkstückkanten

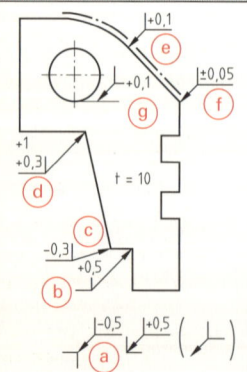

(a) Die Sammelangabe gilt für alle Kanten, für die kein Kantenzustand einge-tragen ist. Andere Kantenzustände desselben Teils werden in Klammern gesetzt oder durch das Grundsinnbild angedeutet.

(b) Innenkante mit Abtragung bis 0,5 mm. Abtragungsrichtung vertikal.

(c) Außenkante gratfrei bis 0,3 mm. Abtragungsrichtung beliebig.

(d) Innenkante mit Übergang im Bereich von 0,3 mm bis 1 mm. Übergangs-form beliebig.

(e) Kantenzustand im Bereich der breiten Strichpunktlinie gratig bis 0,1 mm; Gratrichtung beliebig.

(f) Außenkante wahlweise gratig bis 0,05 mm oder gratfrei bis 0,05 mm; Formen beliebig.

(g) Außenkante gratig bis 0,1 mm; Gratrichtung horizontal.
Bei Werkstücken, die nur in einer Ansicht dargestellt sind, gilt der Eintrag im Allgemeinen auch für alle hinter der sichtbaren Kante liegenden ver-deckten Kanten ((e) und (g)).

K

Gewindeausläufe für Metrische ISO-Gewinde vgl. DIN 76-1 (1983-12)

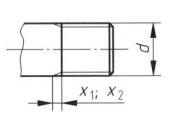

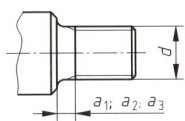

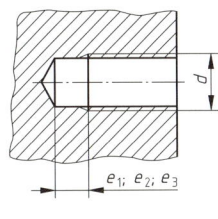

Gewinde-steigung[1] P	ISO-Regel-gewinde d	Gewinde-auslauf[2] x_1 max.	a_1 max.	e_1	Gewinde-steigung[1] P	ISO-Regel-gewinde d	Gewinde-auslauf[2] x_1 max.	a_1 max.	e_1
0,2	–	0,5	0,6	1,3	1,25	M8	3,2	3,8	6,2
0,25	M1	0,6	0,8	1,5	1,5	M10	3,8	4,5	7,3
0,3	–	0,8	0,9	1,8	1,75	M12	4,3	5,3	8,3
0,35	M1,6	0,9	1,1	2,1	2	M16	5	6	9,3
0,4	M2	1	1,2	2,3	2,5	M20	6,3	7,5	11
0,45	M2,5	1,1	1,4	2,6	3	M24	7,5	9	13
0,5	M3	1,3	1,5	2,8	3,5	M30	9	11	15
0,6	–	1,5	1,8	3,4	4	M36	10	12	17
0,7	M4	1,8	2,1	3,8	4,5	M42	11	14	18
0,75	–	1,9	2,3	4	5	M48	13	15	21
0,8	M5	2	2,4	4,2	5,5	M56	14	17	22
1	M6	2,5	3	5,1	6	M64	15	18	24

[1] Für Feingewinde sind die Maße des Gewindeauslaufs nach der Steigung P zu wählen.

[2] Regelfall; gilt immer dann, wenn keine anderen Angaben gemacht sind.
Ist aus technischen Gründen ein kurzer Gewindeauslauf erforderlich, so gilt:
$x_2 \approx 0{,}5 \cdot x_1$; $a_2 \approx 0{,}67 \cdot a_1$; $e_2 \approx 0{,}37 \cdot e_1$
Ist aus technischen Gründen ein langer Gewindeauslauf erforderlich, so gilt:
$a_3 \approx 1{,}3 \cdot a_1$; $e_3 \approx 1{,}5 \cdot e_1$

K

Gewindefreistiche für Metrische ISO-Gewinde vgl. DIN 76-1 (1983-12)

Außengewinde
Form A und Form B

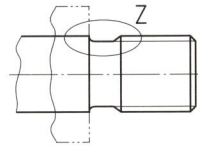

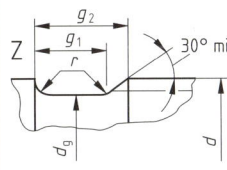

Innengewinde
Form C und Form D

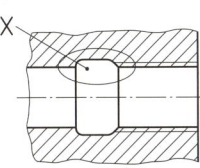

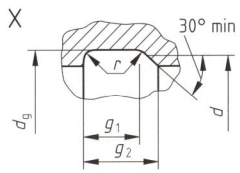

Gewinde-steigung[1] P	ISO-Regel-gewinde d	r	Außengewinde Form A[2] d_g h13	g_1 min.	g_2 max.	Form B[3] g_1 min.	g_2 max.	Innengewinde Form C[2] d_g H13	g_1 min.	g_2 max.	Form D[3] g_1 min.	g_2 max.
0,2	–	0,1	$d-0{,}3$	0,5	0,7	0,3	0,5	$d+0{,}1$	0,8	1,2	0,5	0,9
0,25	M1	0,1	$d-0{,}4$	0,6	0,9	0,3	0,6	$d+0{,}1$	1	1,4	0,6	1
0,3	–	0,2	$d-0{,}5$	0,6	1,1	0,3	0,8	$d+0{,}1$	1,2	1,6	0,8	1,3
0,35	M1,6	0,2	$d-0{,}6$	0,7	1,2	0,4	0,9	$d+0{,}2$	1,4	1,9	0,9	1,4
0,4	M2	0,2	$d-0{,}7$	0,8	1,4	0,5	1	$d+0{,}2$	1,6	2,2	1	1,6
0,45	M2,5	0,2	$d-0{,}7$	1	1,6	0,5	1,1	$d+0{,}2$	1,8	2,4	1,1	1,7
0,5	M3	0,2	$d-0{,}8$	1,1	1,8	0,5	1,3	$d+0{,}3$	2	2,7	1,3	2
0,6	–	0,4	$d-1$	1,2	2,1	0,6	1,5	$d+0{,}3$	2,4	3,3	1,5	2,4
0,7	M4	0,4	$d-1{,}1$	1,5	2,5	0,8	1,8	$d+0{,}3$	2,8	3,8	1,8	2,8
0,75	–	0,4	$d-1{,}2$	1,6	2,6	0,9	1,9	$d+0{,}3$	3	4	1,9	2,9
0,8	M5	0,4	$d-1{,}3$	1,7	2,8	0,9	2	$d+0{,}3$	3,2	4,2	2	3
1	M6	0,6	$d-1{,}6$	2,1	3,5	1,1	2,5	$d+0{,}5$	4	5,2	2,5	3,7
1,25	M8	0,6	$d-2$	2,7	4,4	1,5	3,2	$d+0{,}5$	5	6,7	3,2	4,9
1,5	M10	0,8	$d-2{,}3$	3,2	5,2	1,8	3,8	$d+0{,}5$	6	7,8	3,8	5,6
1,75	M12	1	$d-2{,}6$	3,9	6,1	2,1	4,3	$d+0{,}5$	7	9,1	4,3	6,4
2	M16	1	$d-3$	4,5	7	2,5	5	$d+0{,}5$	8	10	5	7,3
2,5	M20	1,2	$d-3{,}6$	5,6	8,7	3,2	6,3	$d+0{,}5$	10	13	6,3	9,3
3	M24	1,6	$d-4{,}4$	6,7	11	3,7	7,5	$d+0{,}5$	12	15	7,5	11
3,5	M30	1,6	$d-5$	7,7	12	4,7	9	$d+0{,}5$	14	18	9	13
4	M36	2	$d-5{,}7$	9	14	5	10	$d+0{,}5$	16	20	10	14
4,5	M42	2	$d-6{,}4$	11	16	5,5	11	$d+0{,}5$	18	23	11	16
5	M48	2,5	$d-7$	12	18	6,5	13	$d+0{,}5$	20	26	13	19
5,5	M56	3,2	$d-7{,}7$	13	19	7,5	14	$d+0{,}5$	22	28	14	20
6	M64	3,2	$d-8{,}3$	14	21	8	15	$d+0{,}5$	24	30	15	21

⟹ **DIN 76-C**: Gewindefreistich Form C

[1] Für Feingewinde sind die Maße des Gewindefreistichs nach der Steigung P zu wählen.

[2] Regelfall; gilt immer dann, wenn keine anderen Angaben gemacht sind.

[3] Nur für Fälle, bei denen aus technischen Gründen ein kurzer Gewindefreistich erforderlich ist.

Darstellung von Gewinden, Schraubenverbindungen und Zentrierbohrungen

Darstellung von Gewinden
vgl. DIN ISO 6410-1 (1993-12)

Muttergewinde

e_1 nach DIN 76-1. Der Gewindeauslauf wird im Regelfall nicht gezeichnet

Bolzengewinde

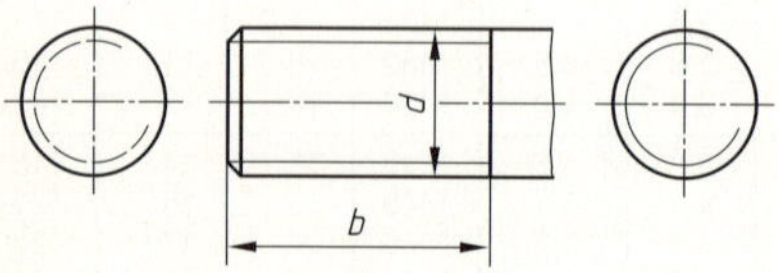

Bolzen in Muttergewinde

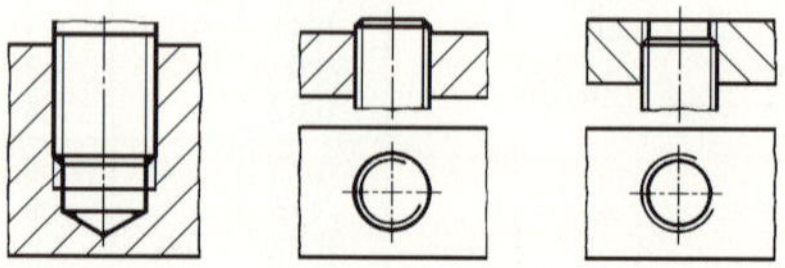

Gewindefreistich

bildlich

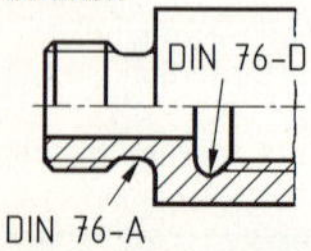

sinnbildlich

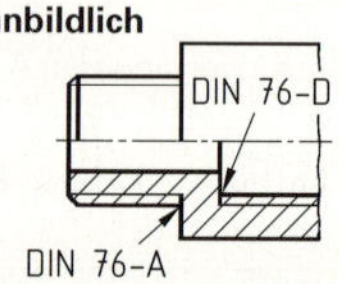

DIN 76-D

DIN 76-A

Rohrgewinde und Rohrverschraubung

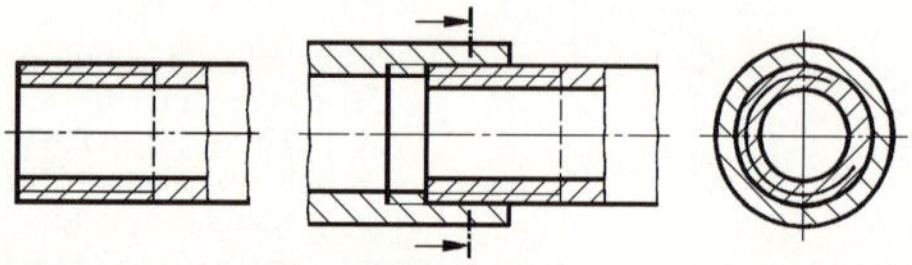

Darstellung von Schraubenverbindungen

Sechskantschraubenverbindung

ausführlich

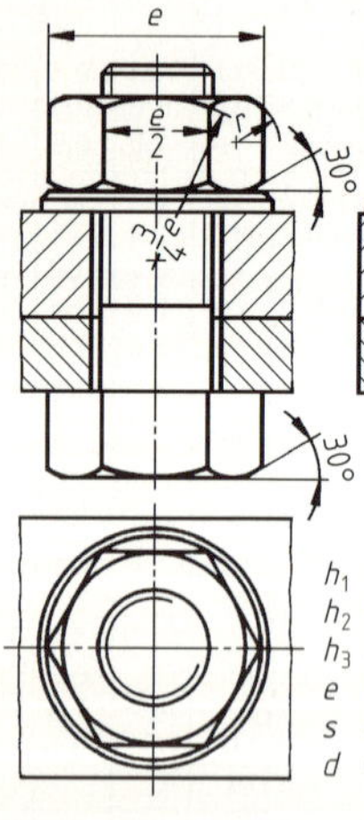

vereinfacht

Kopfschrauben-verbindung

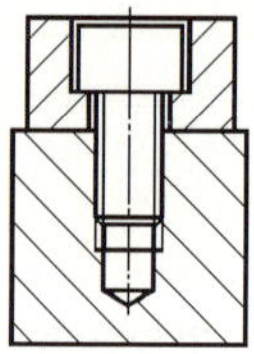

Stiftschrauben-verbindung

h_1 Schraubenkopfhöhe
h_2 Mutternhöhe
h_3 Scheibenhöhe
e Eckenmaß
s Schlüsselweite
d Gewinde-Nenn-ø

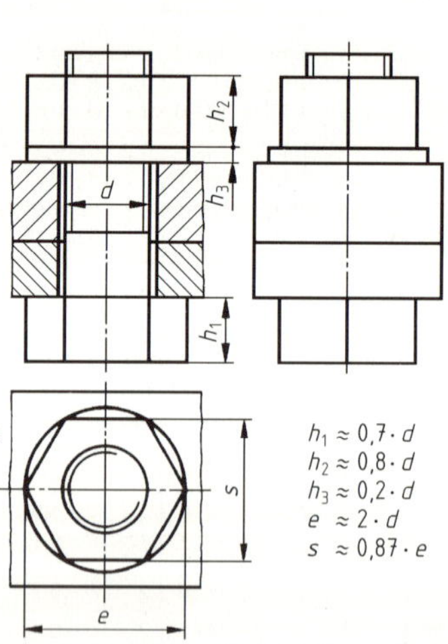

$h_1 \approx 0{,}7 \cdot d$
$h_2 \approx 0{,}8 \cdot d$
$h_3 \approx 0{,}2 \cdot d$
$e \approx 2 \cdot d$
$s \approx 0{,}87 \cdot e$

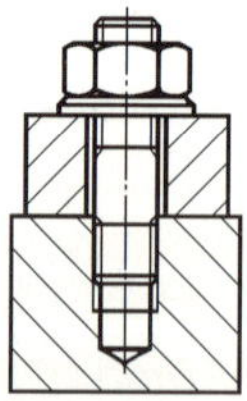

Zeichnungsangabe bei Zentrierbohrungen
vgl. DIN ISO 6411 (1997-11)

Zentrierbohrung **ist** am Fertigteil erforderlich	Zentrierbohrung **darf** am Fertigteil vorhanden sein	Zentrierbohrung **darf** am Fertigteil **nicht** vorhanden sein
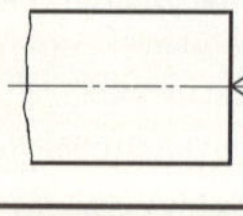 ISO 6411-A4/8,5	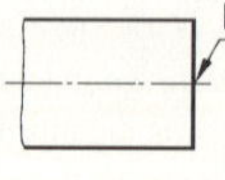 ISO 6411-A4/8,5	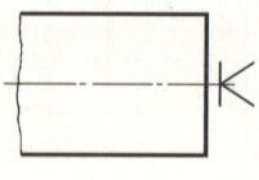 ISO 6411-A4/8,5

Zentrierbohrungen

vgl. DIN 332-1 (1986-04) und DIN 332-2 (1983-05)

Form A

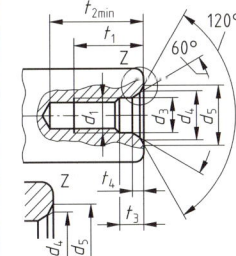

Form R

t_{min} a = Abstech-maß a

Form B

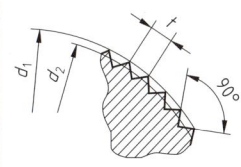

Form DS

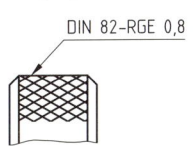

Form		Nennmaße										
	d_1	1	1,25	1,6	2	2,5	3,15	4	5	6,3	8	10
	d_2	2,12	2,65	3,35	4,25	5,3	6,7	8,5	10,6	13,2	17	21,2
A	t_{min}	1,9	2,3	2,9	3,7	4,6	5,9	7,4	9,2	11,5	14,8	18,4
	a	3	4	5	6	7	9	11	14	18	22	28
R	t_{min}	1,9	2,3	2,9	3,7	4,6	5,8	7,4	9,2	11,4	14,7	18,3
	a	3	4	5	6	7	9	11	14	18	22	28
	r	3,15	4	5	6,3	8	10	12,5	16	20	25	31,5
B	t_{min}	2,2	2,7	3,4	4,3	5,4	6,8	8,6	10,8	12,9	16,4	20,4
	a	3,5	4,5	5,5	6,6	8,3	10	12,7	15,6	20	25	31
	b	0,3	0,4	0,5	0,6	0,8	0,9	1,2	1,6	1,4	1,6	2
	d_3	3,15	4	5	6,3	8	10	12,5	16	18	22,4	28

Form		Nennmaße									
	d_1	M3	M4	M5	M6	M8	M10	M12	M16	M20	M24	–
DS	d_3	3,2	4,3	5,3	6,4	8,4	10,5	13	17	21	25	–
	d_4	5,3	6,7	8,1	8,6	12,2	14,9	18,1	23	28,4	34,2	–
	d_5	5,8	7,4	8,8	10,5	13,2	16,3	19,8	25,3	31,3	38	–
	t_1	9	10	12,5	16	19	22	28	36	42	50	–
	t_{2min}	12	14	17	21	25	30	37	45	53	63	–
	t_3	2,6	3,2	4	5	6	7,5	9,5	12	15	18	–
	t_4	1,8	2,1	2,4	2,8	3,3	3,8	4,4	5,2	6,4	8	–

Form	
A:	mit geraden Laufflächen, ohne Schutzsenkung
R:	mit gewölbten Laufflächen, ohne Schutzsenkung
B:	mit geraden Laufflächen und kegelförmiger Schutzsenkung
DS:	mit geraden Laufflächen, Schutzsenkung und Gewinde

⇨ **Zentrierbohrung DIN 332 - A4 x 8,5:** Form A, d_1 = 4 mm; d_2 = 8,5 mm
Zentrierbohrung DIN 332 - DS M6: Form DS, d_1 = M6

Rändel

vgl. DIN 82 (1973-01)

d_1 Nenndurchmesser
d_2 Ausgangsdurchmesser
t Teilung

Eintragung in Zeichnungen

DIN 82-RGE 0,8

Kurz-zeichen	Darstellung	Benennung	Spitzen-form	Ausgangs-durchmesser d_2
RAA		Rändel mit achsparallelen Riefen	–	$d_2 = d_1 - 0{,}5 \cdot t$
RBR		Rechtsrändel	–	$d_2 = d_1 - 0{,}5 \cdot t$
RBL		Linksrändel	–	$d_2 = d_1 - 0{,}5 \cdot t$
RGE		Links-Rechts-rändel	erhöht	$d_2 = d_1 - 0{,}67 \cdot t$
RGV			vertieft	$d_2 = d_1 - 0{,}33 \cdot t$
RKE		Kreuzrändel	erhöht	$d_2 = d_1 - 0{,}67 \cdot t$
RKV			vertieft	$d_2 = d_1 - 0{,}33 \cdot t$

Genormte Teilungen t: 0,5; 0,6; 0,8; 1,0; 1,2; 1,6 mm

⇨ **Rändel DIN 82-RGE 0,8:** Links-Rechtsrändel, Spitzen erhöht, t = 0,8 mm

K

Freistiche

Freistiche

vgl. DIN 509 (1998-06)

Form E	Form F	Form G	Form H
für weiterzubearbeitende Zylinderfläche	für weiterzubearbeitende Plan- und Zylinderfläche	für kleinen Übergang	für stärker gerundeten Übergang

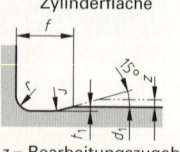
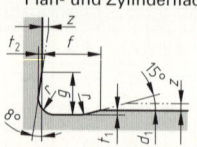
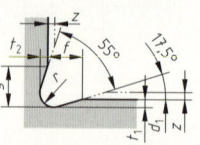
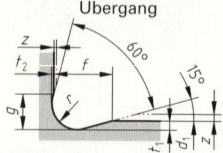

z = Bearbeitungszugabe

⇒ **Freistich DIN 509 – E 0,8 x 0,3:** Form E, Radius $r = 0,8$ mm, Einstechtiefe $t_1 = 0,3$ mm

Freistichmaße

Form	$r^{1)} \pm 0,1$ Reihe 1	$r^{1)} \pm 0,1$ Reihe 2	$t_1 + 0,1$	$f + 0,2$	g	$t_2 + 0,05$	Zuordnung zum Durchmesser $d_1{}^{2)}$ für Werkstücke mit üblicher Beanspruchung	Zuordnung zum Durchmesser $d_1{}^{2)}$ für Werkstücke mit erhöhter Wechselfestigkeit
E und F	–	0,2	0,1	1	(0,9)	0,1	> 1... 3	–
	0,4	–	0,2	2	(1,1)		> 3...18	
G	0,4	–	0,2	1	(1,2)	0,2	> 3...18	–
E und F	–	0,6	0,2	2	(1,4)	0,1	>10...18	–
	0,8	–	0,3	2,5	(2,1) (2,4)	0,2	>18...80	
H	0,8	–	0,3	2	(1,1)	0,05	>18...80	–
E und F	1,2	1	0,2	2,5	(1,8)	0,1	–	>18... 50
			0,4	4	(3,2)	0,3	> 80	
		–	0,2	2,5	(2)	0,1	–	>18... 50
			0,4	4	(3,4)	0,3	> 80	
H	1,2		0,3	2,5	(1,5)	0,05	–	>18... 50
E und F	1,6	–	0,3	4	(3,1)	0,2	–	>50... 80
	2,5		0,4	5	(4,8)	0,3		>80...125
	4		0,5	7	(6,4)			>125

1) Freistiche mit Radien der Reihe 1 nach DIN 250 (Rundungshalbmesser) sind zu bevorzugen.
2) Die Zuordnung zum Durchmesserbereich gilt nicht bei kurzen Ansätzen und dünnwandigen Teilen. Bei Werkstücken mit unterschiedlichen Durchmessern kann es zweckmäßig sein, die Freistiche bei allen Durchmessern in gleicher Form und Größe auszuführen.

Auswirkungen der Bearbeitungszugabe z auf die Maße e_1 und e_2 bei den Formen E...H (Maße in mm)

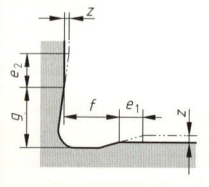

z	E und F e_1	E und F e_2	G $e_1; e_2$	H e_1	H e_2	z	E und F e_1	E und F e_2	G $e_1; e_2$	H e_1	H e_2
0,1	0,37	0,71	0,32	0,45	0,37	0,5	1,87	3,56	1,59	2,26	1,87
0,15	0,56	1,07	0,48	0,68	0,56	0,6	2,24	4,27	1,9	2,71	2,24
0,2	0,75	1,42	0,63	0,9	0,75	0,7	2,61	4,98	2,22	3,16	2,61
0,25	0,93	1,78	0,79	1,13	0,93	0,8	2,99	5,69	2,54	3,61	2,99
0,3	1,12	2,14	0,95	1,35	1,12	0,9	3,36	6,40	2,85	4,06	3,36
0,4	1,49	2,85	1,27	1,8	1,49	1,0	3,73	7,12	3,17	4,51	3,73

Senkung am Gegenstück – Maß a für die Freistichformen E und F (Maße in mm)

Freistich $r \times t_1$	a_{min} Form E	a_{min} Form F	Freistich $r \times t_1$	a_{min} Form E	a_{min} Form F
0,2 x 0,1	0,2	0	1,0 x 0,4	1,2	0
0,4 x 0,2	0,4	0	1,2 x 0,2	2,0	0,5
0,6 x 0,2	0,8	0,2	1,2 x 0,4	1,6	0
0,6 x 0,3	0,6	0	1,6 x 0,3	2,6	1,1
0,8 x 0,3	1,0	0	2,5 x 0,4	4,0	1,7
1,0 x 0,2	1,6	0,8	4,0 x 0,5	7,0	4,0

$d_2 = d_1 + a$

K

Zeichnungsangabe bei Freistichen — vgl. DIN 509 (1998-06)

In Zeichnungen werden Freistiche meist vereinfacht mit der Bezeichnung dargestellt. Sie können jedoch auch vollständig gezeichnet und bemaßt werden.

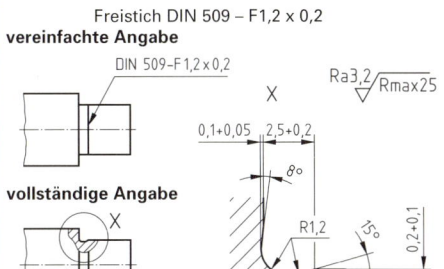

Freistich DIN 509 – F 1,2 x 0,2
vereinfachte Angabe

vollständige Angabe

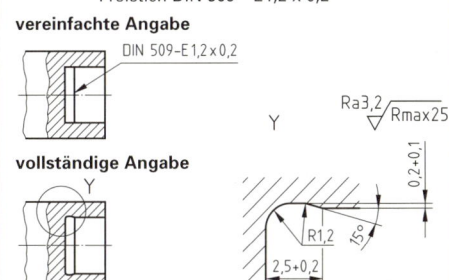

Freistich DIN 509 – E 1,2 x 0,2
vereinfachte Angabe

vollständige Angabe

Lage der Sinnbilder für Schweißen und Löten in Zeichnungen — vgl. DIN EN 22 553 (1997-03)

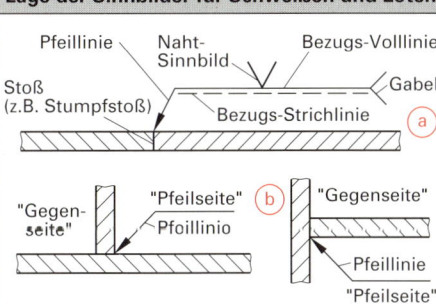

Pfeillinie — Naht-Sinnbild — Bezugs-Volllinie
Gabel
Stoß (z.B. Stumpfstoß)
Bezugs-Strichlinie
(a)

"Gegenseite" — "Pfeilseite" (b) "Gegenseite"
Pfeillinie
Pfeillinie
"Pfeilseite"

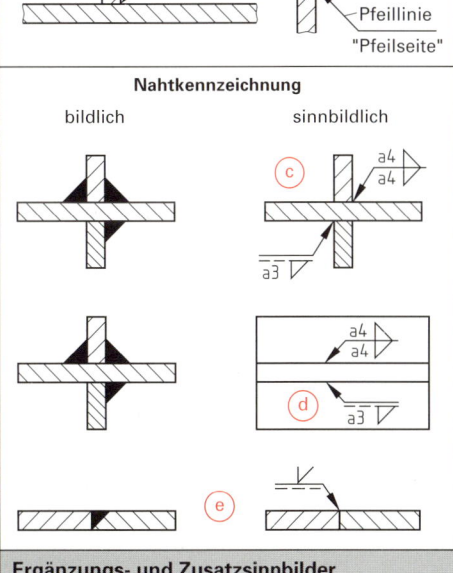

Nahtkennzeichnung

bildlich   sinnbildlich

(c)   a4 / a4   a3

(d)   a4 / a4   a3

(e)

(a) Die Bezugs-Strichlinie kann oberhalb oder unterhalb der Bezugs-Volllinie angeordnet werden. Bei Nähten, die beidseitig hergestellt werden (z.B. Doppel-V-Naht), entfällt die Bezugs-Strichlinie.

Die Breite der Linien für das Sinnbild und die Beschriftung soll der Linienbreite für den Maßeintrag entsprechen.

Bei Bedarf können in der Gabel zusätzliche Angaben in folgender Reihenfolge gemacht werden:
1. Verfahren   3. Schweißposition
2. Bewertungsgruppe   4. Schweißzusatzwerkstoff

(b) Diejenige Seite des Stoßes, auf die die Pfeillinie hinweist, heißt „Pfeilseite", die **demselben Stoß** gegenüberliegende Seite „Gegenseite".

(c) Das Nahtsinnbild muss senkrecht **auf** der Bezugs-Volllinie oder der Bezugs-Strichlinie stehen. Es kann oberhalb oder unterhalb der Bezugslinien angeordnet werden.

Anordnung des Nahtsinnbilds	
Lage des Nahtsinnbilds	Lage der Naht (Nahtoberfläche)
Bezugs-Volllinie	„Pfeilseite"
Bezugs-Strichlinie	„Gegenseite"

Zur Vermeidung von Unklarheiten wird empfohlen, das Sinnbild möglichst auf die Bezugs-Volllinie zu setzen.

(d) Zur Kennzeichnung einer Naht in Ansichten senkrecht zu den Nahtquerschnitten muss das Sinnbild bei Bedarf auf die Bezugs-Strichlinie gesetzt werden.

(e) Für im Schnitt oder in Ansicht von vorn dargestellte Nähte ist das Sinnbild so anzuordnen, dass der Nahtquerschnitt mit der Stellung des Sinnbildes übereinstimmt.

Ergänzungs- und Zusatzsinnbilder — vgl. DIN EN 22 553 (1997-03)

ringsum verlaufende Naht		Nahtoberfläche: hohl (konkav)	
Baustellennaht (Naht wird auf der Baustelle gefertigt)		Nahtoberfläche: flach (eben)	
		Nahtoberfläche: gewölbt (konvex)	

Sinnbilder für Schweißen und Löten

Darstellung in Zeichnungen (Grundsinnbilder)

vgl. DIN EN 22 553 (1997-03)

K

Erklärung Sinnbild	Darstellung bildlich	Darstellung sinnbildlich	Erklärung Sinnbild	Darstellung bildlich	Darstellung sinnbildlich
Bördelnaht	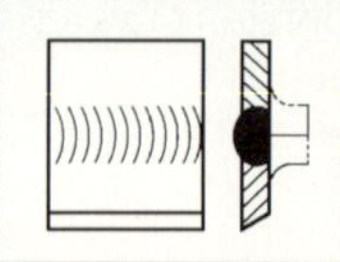	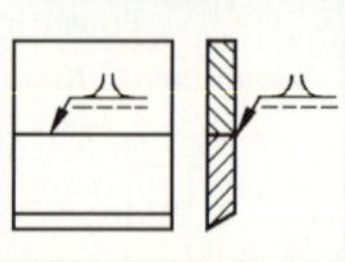	HV-Naht	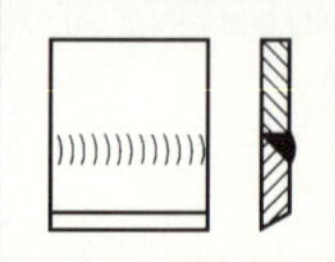	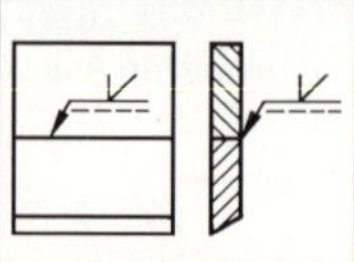
I-Naht			Y-Naht		
beidseitig (rundum) geschweißt	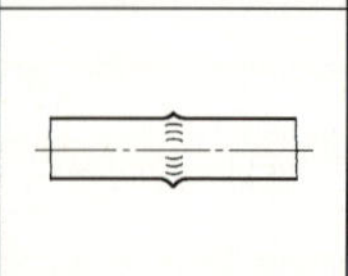	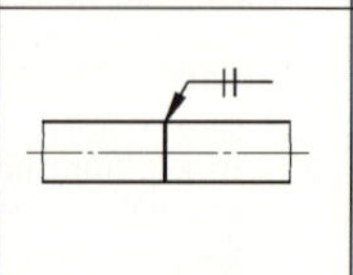	HY-Naht	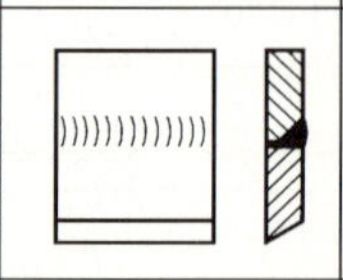	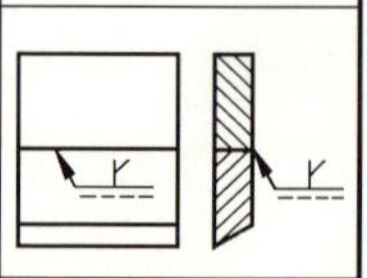
V-Naht	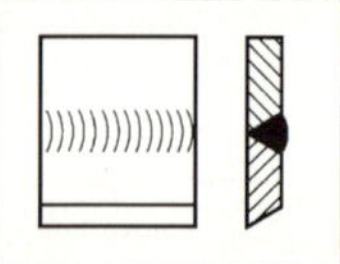	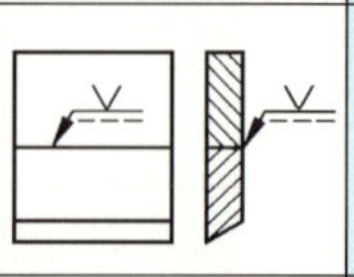	U-Naht	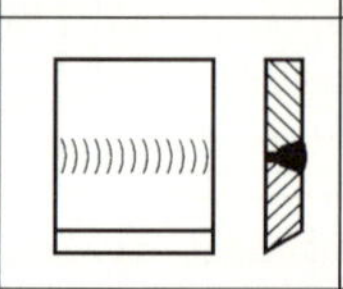	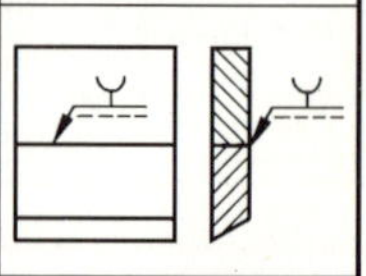
	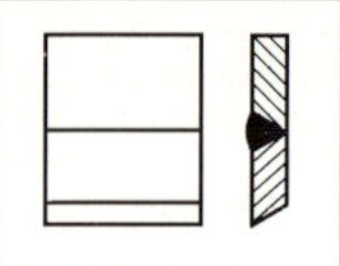	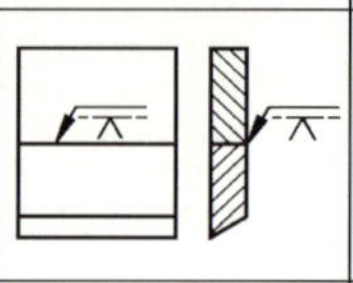	HU-Naht	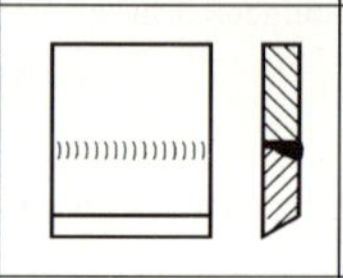	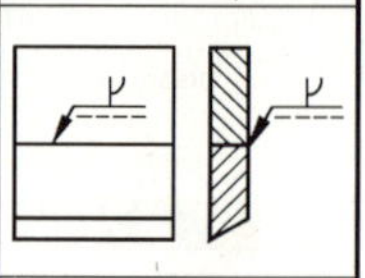
ringsum verlaufend	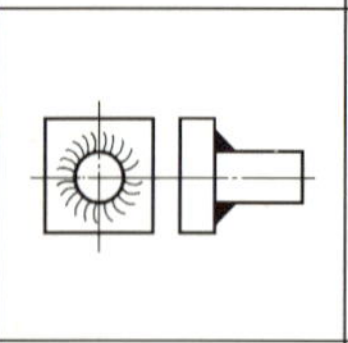	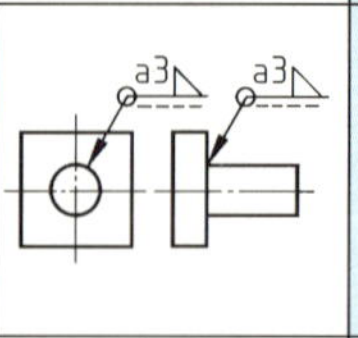	Punktnaht	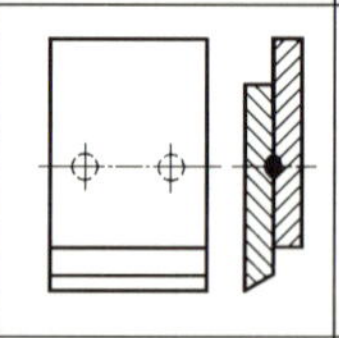	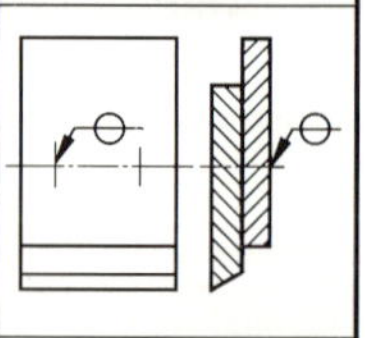
Kehlnaht	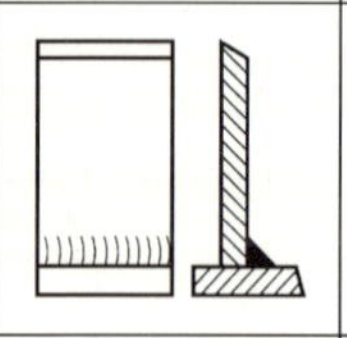	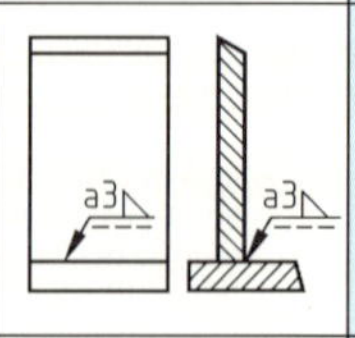	Liniennaht	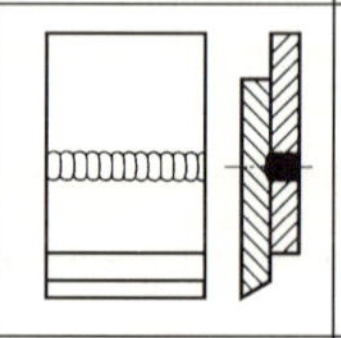	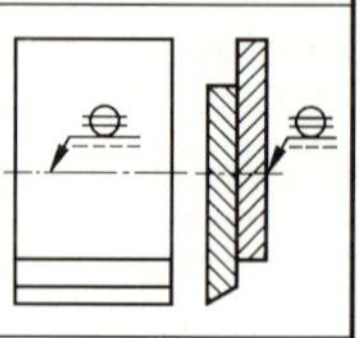
Baustellen-naht mit 3 mm Naht-dicke			Flächennaht		

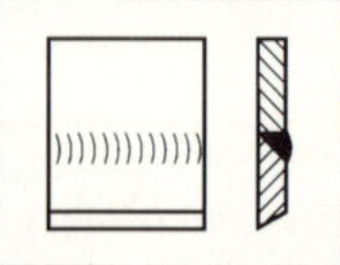

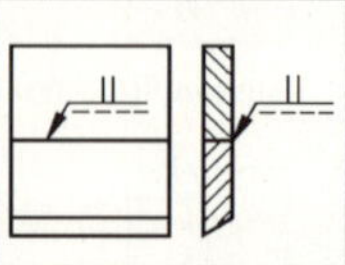

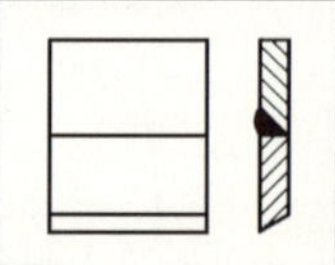

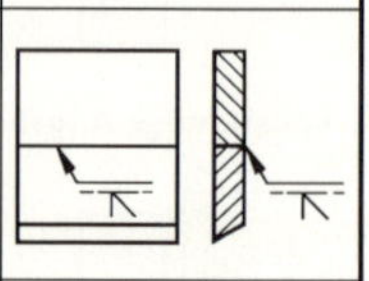

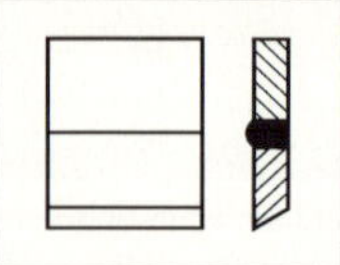

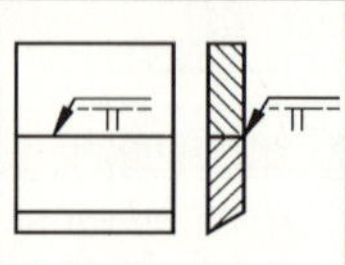

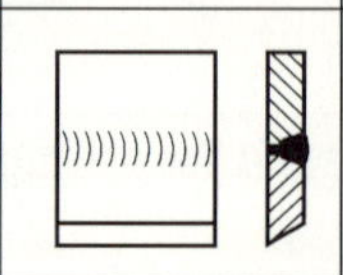

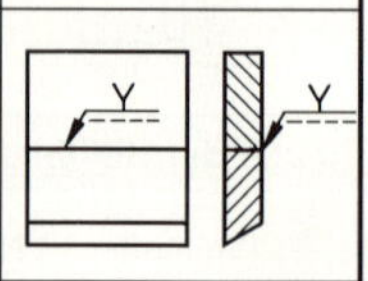

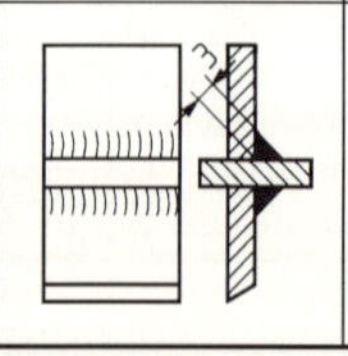

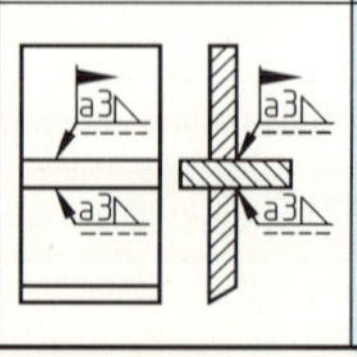

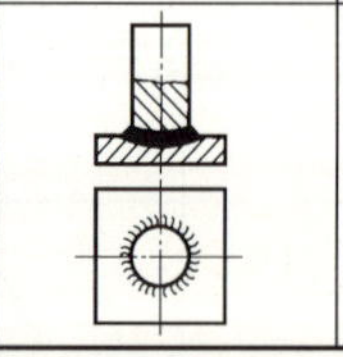

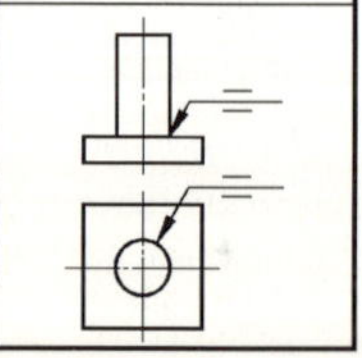

Schweißen und Löten, Darstellung von Keilwellen, Kerbverzahnungen und Federn

K

Darstellung in Zeichnungen (Kombination von Grundsinnbildern)   vgl. DIN EN 22 553 (1997-03)

Erklärung Sinnbild	Darstellung bildlich	Darstellung sinnbildlich	Erklärung Sinnbild	Darstellung bildlich	Darstellung sinnbildlich
V-Naht mit Gegenlage			Doppel-U-Naht		
Doppel-V-Naht (X-Naht)			Doppel-Kehlnaht		

Schweißen und Löten (Bemaßungsbeispiele)   vgl. DIN EN 22 553 (1997-03)

bildlich   **sinnbildlich**

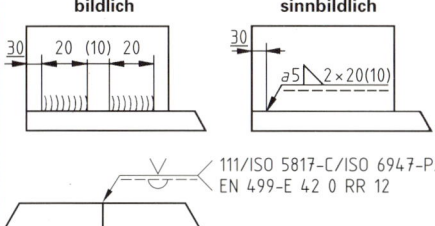

30 20 (10) 20

a5 2×20(10)

111/ISO 5817-C/ISO 6947-PA/ EN 499-E 42 0 RR 12

Unterbrochene Kehlnaht; Nahtdicke a = 5 mm (entspricht Schenkeldicke z = 7 mm); 2 Einzelnähte mit je 20 mm Länge; Nahtabstand = 10 mm; Vormaß = 30 mm

Durchgeschweißte V-Naht mit Gegenlage; hergestellt durch Lichtbogenhandschweißen (Kennzahl 111 nach DIN EN 24 063); geforderte Bewertungsgruppe C nach ISO 5817; Wannenposition PA nach ISO 6947; verwendete Stabelektroden E 42 0 RR 12 nach DIN EN 499.

Darstellung von Keilwellen und Kerbverzahnungen   vgl. DIN ISO 6413 (1990-03)

	Welle	Nabe	Verbindung
Keilwellen oder Keilnaben mit geraden Flanken. Symbol:			
Zahnwellen oder Zahnnaben mit Evolventenflanken oder Kerbverzahnungen. Symbol:			

⇒ **Keilwelle ISO 14-6 x 26 f7 x 30:** Keilwellenprofil mit geraden Flanken nach ISO 14, Keilzahl N = 6, Innendurchmesser d = 26f7, Außendurchmesser D = 30 (Seite 222)

Darstellung von Federn   vgl. DIN ISO 2162-1 (1994-08)

Benennung	Darstellung Ansicht	Schnitt	Sinnbild	Benennung	Darstellung Ansicht	Schnitt	Sinnbild
Zylindrische Schrauben-Druckfeder aus Draht mit rundem Querschnitt				Zylindrische Schrauben-Zugfeder aus Draht mit rundem Querschnitt			
Zylindrische Schrauben-Drehfeder aus Draht mit rundem Querschnitt				Tellerfederpaket (Teller wechselsinnig geschichtet)			

Zeichnungen im Metallbau

vgl. DIN ISO 5845-1 (1997-04)

Vereinfachte Darstellung für den Metallbau

Darstellung in der Zeichenebene parallel zur Achse der Verbindungselemente

Loch	ohne Senkung	Loch Senkung auf einer Seite	Senkung auf beiden Seiten	Schraube mit Lageangabe der Mutter
in der Werkstatt gebohrt				—
auf der Baustelle gebohrt				—
Schraube oder Niet				
in der Werkstatt eingebaut				
auf der Baustelle eingebaut				
Loch auf der Baustelle gebohrt und Schraube oder Niet auf der Baustelle eingebaut				

Darstellung in der Zeichenebene senkrecht zur Achse der Verbindungselemente

Loch	ohne Senkung	Loch Senkung auf der Vorderseite	Senkung auf der Rückseite	Senkung auf beiden Seiten
in der Werkstatt gebohrt und eingebaut				
in der Werkstatt gebohrt und auf der Baustelle eingebaut				
auf der Baustelle gebohrt und eingebaut				

Bemaßungs- und Bezeichnungsbeispiele

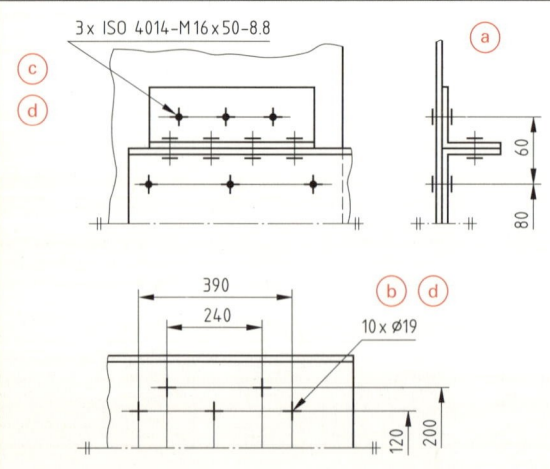

3 x ISO 4014–M16 x 50–8.8

(c)
(d)
(a)
60
80
390
240
(b) (d)
10 x Ø19
120
200

(a) Maßhilfslinien müssen von den Sinnbildern für Schrauben, Niete und Löcher getrennt werden.

(b) Der Durchmesser der Löcher muss auf einer Hinweislinie angegeben werden.

(c) Die Bezeichnung von Schrauben und Nieten wird nach der internationalen Norm auf einer Hinweislinie angegeben.

(d) Bei einer Gruppe gleicher Verbindungselemente wird die Bezeichnung nur an einem äußeren Element angegeben. Die Anzahl der Elemente wird vor der Bezeichnung eingetragen.

K

Angaben wärmebehandelter Teile in Zeichnungen   vgl. DIN 6773 (1996-12)

Aufbau der Wärmebehandlungsangaben

Wortangabe(n) für Werkstoffzustand	Messbare Größen des Werkstoffzustandes			Mögliche Ergänzungen
zum Beispiel: Vergütet Gehärtet Gehärtet und angelassen Geglüht	Härte-wert	HRC HV HB	Rockwellhärte Vickershärte Brinellhärte	**Messstellen:** Eintragung und Bemaßung in der Zeichnung mit Sinnbild (⊥)
	Härte-tiefe	Eht Nht Rht	Einsatzhärtungstiefe Nitrierhärtetiefe Einhärtungstiefe	**Wärmebehandlungsbild:** Vereinfachte, meist verkleinerte Darstellung des Bauteils in der Nähe des Schriftfeldes
	At VS		Aufkohlungstiefe Verbindungsschichtdicke	**Mindestzugfestigkeit oder Gefügezustand:** Wenn Prüfung an einem mitbehandelten Teil möglich ist
	Alle Angaben erfolgen mit Plus-Toleranzen			

Kennzeichnung der Oberflächenbereiche in Zeichnungen

Bereich muss wärmebehandelt werden

Bereich darf wärmebehandelt werden

ohne Kennzeichnung Bereich darf nicht oder muss bei Angabe ganz behandelt werden

K

Wärmebehandlungsangaben in Zeichnungen (Beispiele)

Verfahren	Wärmebehandlung des ganzen Teiles		Wärmebehandlung örtlich begrenzt
	gleiche Anforderung	unterschiedliche Anforderung	
Vergüten, Härten, Härten und Anlassen	Vergütet 350 + 50 HB 2,5/187,5	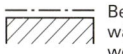 Gehärtet und angelassen 58 + 4 HRC ①: 40 + 5 HRC	— · — Gehärtet und ganzes Teil angelassen 60 + 3 HRC
Nitrieren, Einsatzhärten	Nitriert ≥ 900 HV10 Nht = 0,3 + 0,1	Einsatzgehärtet und angelassen ①: 55 + 4 HRC Eht = 0,8 + 0,4 ②: 60 + 4 HRC Eht = 1,2 + 0,5	— · — Einsatzgehärtet und angelassen 700 + 100 HV10 Eht = 1,2 + 0,5
Randschichthärten	— · — Randschichtgehärtet 620 + 120 HV50 Rht500 = 0,8 + 0,8	— · — Randschichtgehärtet und ganzes Teil angelassen ①: 54 + 6 HRC ②: ≤35 HRC	— · — Randschichtgehärtet und angelassen 61 + 4 HRC Rht600 = 0,8 + 0,8

Härtungstiefen und Toleranzen in mm

Einsatzhärtungstiefe *Eht*	0,05+0,03	0,1+0,1	0,3+0,2	0,5+0,3	0,8+0,4	1,2+0,5	1,6+0,6
Nitrierhärtetiefe *Nht*	0,5+0,02	0,1+0,05	0,15+0,02	0,2+0,1	0,25+0,1	0,3+0,1	0,35+0,15
Induktionshärtetiefe *Rht*	0,2+0,2	0,4+0,4	0,6+0,6	0,8+0,8	1,0+1,0	1,3+1,1	1,6+1,3
Laser/Elektronenstrahlhärtetiefe *Rht*	0,2+0,1	0,4+0,2	0,6+0,3	0,8+0,4	1,0+0,5	1,3+0,6	1,6+0,8

Regelgrenzhärten in den angegebenen Härtungstiefen

Einsatzhärtungstiefe *Eht*	550 HV 1
Nitrierhärtetiefe *Nht*	Kernhärte + 50 HV 0,5
Einhärtungstiefe *Rht*	0,8 · Oberflächenmindesthärte, gerechnet in HV

Gestaltabweichungen und Rauheitskenngrößen

Gestaltabweichungen vgl. DIN 4760 (1982-06)

Gestaltabweichungen sind die Abweichungen der Ist-Oberfläche (messtechnisch erfassbare Oberfläche) von der geometrisch idealen Oberfläche, deren Nennform durch die Zeichnung definiert ist.

Ordnung: Gestaltabweichung (Profilschnitt überhöht dargestellt)	Beispiele	Mögliche Entstehungsursachen
1. Ordnung: Formabweichung	Geradheits-, Rundheits-abweichung	Durchbiegungen des Werkstückes oder der Maschine bei der Herstellung des Teiles, Fehler oder Verschleiß in den Führungen der Werkzeugmaschine
2. Ordnung: Welligkeit	Wellen	Schwingungen der Maschine, Lauf- oder Formabweichungen eines Fräsers bei der Herstellung des Teiles
3. Ordnung: Rauheit	Rillen	Form der Werkzeugschneide, Vorschub oder Zustellung des Werkzeuges bei der Herstellung des Teiles
4. Ordnung: Rauheit	Riefen, Schuppen, Kuppen	Vorgang der Spanbildung (z.B. Reißspan), Oberflächenverformung durch Strahlen bei der Herstellung des Teiles
5. und 6. Ordnung: Rauheit Nicht mehr als einfacher Profilschnitt darstellbar	Gefüge-struktur, Gitteraufbau	Kristallisationsvorgänge, Gefügeänderungen durch Schweißen oder Warmumformungen, Veränderungen durch chemische Einwirkungen, z.B. Korrosion, Beizen

K

Oberflächenprofile und Kenngrößen vgl. DIN 4762 (1989-01), DIN 4768 (1990-05), DIN 4771 (1977-04)

Oberflächenprofil	Kenngrößen	Erläuterungen
Primärprofil (Istprofil; P-Profil)	**Profiltiefe P_t**	Das **Primärprofil** ist das ungefilterte Profil, das sich aus einem Tastschnitt von der Werkstückoberfläche in einer vorgegebenen Ebene ergibt. Die **Profiltiefe P_t** ist der Abstand zwischen zwei parallelen Begrenzungslinien, die das erfasste Primärprofil innerhalb der Messstrecke l_m kleinstmöglich einschließen.
Welligkeitsprofil (W-Profil)	**Wellentiefe W_t**	Das **Welligkeitsprofil** entsteht durch Tiefpassfilterung, d.h. durch Unterdrücken der kurzwelligen Profilanteile. Die **Wellentiefe W_t** ist der Abstand zwischen zwei parallelen Begrenzungslinien bzw. Äquidistanten, die das erfasste Wellenprofil innerhalb der Messstrecke l_m kleinstmöglich einschließen.
Rauheitsprofil (R-Profil)	**Rautiefe R_t**	Das **Rauheitsprofil** entsteht durch Hochpassfilterung, d.h. durch Unterdrücken der langwelligen Profilanteile. Die **Rautiefe R_t** ist der Abstand zwischen zwei parallelen Begrenzungslinien bzw. Äquidistanten, die das erfasste Rauheitsprofil innerhalb der Messstrecke l_m kleinstmöglich einschließen.
	maximale Rautiefe R_{max}	Die **maximale Rautiefe R_{max}** ist die größte der auf der Gesamtmessstrecke l_m vorkommenden Einzelrautiefen Z_i.
	gemittelte Rautiefe R_z	Die **gemittelte Rautiefe R_z** ist das arithmetische Mittel aus den Einzelrautiefen Z_i fünf aneinander grenzender Einzelmessstrecken l_e gleicher Länge.
	arithmetischer Mittenrauwert R_a	Der **arithmetische Mittenrauwert R_a** ist der arithmetische Mittelwert der absoluten Werte der Profilabweichungen innerhalb der Messstrecke l_m.
	maximale Profilkuppenhöhe R_p	Die **maximale Profilkuppenhöhe (Glättungstiefe) R_p** ist der Abstand des höchsten Profilpunktes von der mittleren Linie m innerhalb der Messstrecke.
	Profiltraganteil t_p	Der **Profiltraganteil t_p** ist die tragende Länge des Profils in einer vorgegebenen Schnitttiefe in %.
	mittlere Linie (Bezugslinie) m	Die **mittlere Linie (Bezugslinie) m** schneidet das ertastete Profil derart, dass sich Flächen der Profilerhebungen mit den Flächen der Profilvertiefungen ausgleichen.

Z_i Einzelrautiefe
l_m Messstrecke
l_e Einzelmessstrecke

Empfohlene Zuordnung von Rauheitswerten zu ISO-Toleranzgraden[1]

Nennmaßbereich über ... bis mm	Empfohlene Werte für R_z und R_a μm	ISO-Toleranzgrad						
		5	6	7	8	9	10	11
1...6	R_z	2,5	4	6,3	6,3	10	16	25
	R_a	0,4	0,8	0,8	1,6	1,6	3,2	6,3
6...10	R_z	2,5	4	6,3	10	16	25	40
	R_a	0,4	0,8	0,8	1,6	3,2	6,3	12,5
10...18	R_z	4	4	6,3	10	16	25	40
	R_a	0,8	0,8	0,8	1,6	3,2	6,3	12,5
18...80	R_z	4	6,3	10	16	16	40	63
	R_a	0,8	0,8	1,6	3,2	3,2	6,3	12,5
80...250	R_z	6,3	10	16	25	25	40	63
	R_a	0,8	1,6	1,6	3,2	3,2	6,3	12,5
250...500	R_z	6,3	10	16	25	40	63	100
	R_a	0,8	1,6	1,6	3,2	6,3	12,5	25

[1] Beim Fügen von Werkstücken oder unter Belastung kann sich die Rautiefe der Oberflächen durch Glättung verringern. Damit trotzdem die vorgeschriebenen Passungen vorhanden sind, darf, abhängig vom Toleranzgrad, eine bestimmte Rautiefe nicht überschritten werden.

K

Erreichbare Rauheit von Oberflächen[1]   vgl. DIN 4766-1 (1981-03)

			R_z in μm bei Fertigungsart			R_a in μm bei Fertigungsart		
Fertigungsverfahren			genau min.	üblich von...bis	grob max.	genau min.	üblich von...bis	grob max.
Urformen	Gießen:	Druckguss	4	10...100	160	–	0,8...30	–
		Kokillenguss	10	25...160	250	–	3,2...50	–
		Sandformguss	25	63...250	1000	–	12,5...50	–
	Sintern:	Sinterglatt	–	2,5...10	–	–	0,4...1,6	–
		Kalibrierglatt	–	1,6...7	–	–	0,3...0,8	–
Umformen	Fließpressen		4	25...100	400	0,8	3,2...12,5	25
	Gesenkformen		10	63...400	1000	0,8	2,5...12,5	25
	Strangpressen		4	25...100	400	0,8	3,2...12,5	25
	Tiefziehen von Blechen		0,4	4...10	16	0,2	1...3,2	6,3
	Walzen:	Glattwalzen	0,1	0,5...6,3	10	0,025	0,06...1,6	2
Trennen	Abtragen:	Drahterodieren	0,8	2,8...10	16	0,1	0,4...1	3,2
		Senkerodieren	1,5	5...10	31	0,2	0,45	6,3
	Zerteilen:	Autogenes Brennschneiden	16	40...100	1000	3,2	8...16	50
		Laserstrahlschneiden	–	10...100	–	–	1...10	–
		Plasmaschneiden	–	6...280	–	–	1...10	–
		Scherschneiden	–	10...63	–	–	1,6...12,5	–
		Wasserstrahlschneiden	4	16...100	400	1,6	6,3...25	50
	Spanen:	Bohren: ins Volle bohren	16	40...160	250	1,6	6,3...12,5	25
		Aufbohren	0,1	2,5...25	40	0,05	0,4...3,2	12,5
		Senken	6,3	10...25	40	0,8	1,6...6,3	12,5
		Reiben	0,4	4...10	25	0,2	0,8...2	6,3
		Drehen: Längsdrehen	1	4...63	250	0,2	0,8...12,5	50
		Plandrehen	2,5	10...63	250	0,4	1,6...12,5	50
		Fräsen: Umfangs-, Stirnfräsen	1,6	10...63	160	0,4	1,6...12,5	25
		Honen: Kurzhubhonen	0,04	0,1...1	2,5	0,006	0,02...0,17	0,34
		Langhubhonen	0,04	1...11	15	0,006	0,13...0,65	1,6
		Läppen	0,04	0,25...1,6	10	0,006	0,025...0,2	0,21
		Polierläppen	–	0,04...0,25	0,4	–	0,005...0,035	0,05
		Schleifen	0,1	1,6...4	25	0,012	0,2...0,8	6,3

[1] Rauheitswerte, sofern sie nicht in DIN 4766-1 enthalten sind, nach Angaben der Industrie

Oberflächenangaben

Angabe der Oberflächenbeschaffenheit vgl. DIN ISO 1302 (1993-12)

Sinnbild	Erklärung
	Grundsinnbild. Alleinstehend bedeutet es „Oberfläche, die behandelt wird".
	Sinnbild für eine materialabtrennende Bearbeitung. Das Sinnbild enthält keine Anforderung an die Rauheit.
	Sinnbild für eine Oberfläche, die ohne materialabtrennende Bearbeitung hergestellt werden muss oder im Anlieferungszustand zu belassen ist.
	Sinnbild zum Eintrag einer besonderen Oberflächenangabe. Wenn alle Oberflächen des Werkstücks dieselbe Oberflächenbeschaffenheit aufweisen sollen, wird das Sinnbild mit einem Kreis ergänzt.
	Lage der einzelnen Angaben zur Oberflächenbeschaffenheit am Sinnbild: a Rauheitswert R_a in µm hinter dem Kurzzeichen Ra, oder andere Rauheitswerte mit den zugehörigen Kurzzeichen, z.B. R_z. Der angegebene Rauheitswert a ist der Höchstwert, den die gekennzeichnete Oberfläche aufweisen darf. b Fertigungsverfahren, Behandlung, Überzug oder andere Anforderungen c Welligkeit in µm hinter dem Kurzzeichen Wt oder Bezugsstrecke in mm d Rillenrichtung e Bearbeitungszugabe in mm f andere Rauheitswerte außer R_a, z.B. R_z in µm hinter dem Kurzzeichen Rz
Ra25 /	Die geforderte Oberflächenbeschaffenheit darf mit jedem Fertigungsverfahren hergestellt werden. Im Beispiel beträgt der höchstzulässige R_a-Wert 25 µm.
Ra12,5 /	Die geforderte Oberflächenbeschaffenheit muss durch eine materialabtrennende Bearbeitung hergestellt werden. Im Beispiel darf der R_a-Höchstwert 12,5 µm nicht überschreiten.
Ra6,3 /	Die geforderte Oberflächenbeschaffenheit darf nicht materialabtrennend, ansonsten aber mit jedem beliebigen Fertigungsverfahren hergestellt werden. Im Beispiel beträgt der R_a-Höchstwert 6,3 µm.
Ra1,6 Ra0,8 /	Muss die Rauheit innerhalb bestimmter Grenzen liegen, so werden über dem Sinnbild die Grenzwerte eingetragen. Im Beispiel beträgt der Höchstwert der Oberflächenrauheit R_a = 1,6 µm und der Mindestwert R_a = 0,8 µm.

Sinnbilder für die Rillenrichtung

Darstellung der Rillenrichtung							
Sinnbild	=	⊥	X	M	C	R	P
Rillenrichtung ist/hat ...	parallel zur Projektionsebene	senkrecht zur Projektionsebene	gekreuzt in 2 schrägen Richtungen	viele Richtungen	annähernd zentrisch zum Mittelpunkt	annähernd radial zum Mittelpunkt	nichtrillige Oberfläche, ungerichtet oder muldig

Größen der Sinnbilder

	Schrifthöhe h in mm						
	2,5	3,5	5	7	10	14	20
d	0,25	0,35	0,5	0,7	1,0	1,4	2,0
H_1	3,5	5	7	10	14	20	28
H_2	8	11	15	21	30	42	60

K

Anordnung der Sinnbilder in Zeichnungen

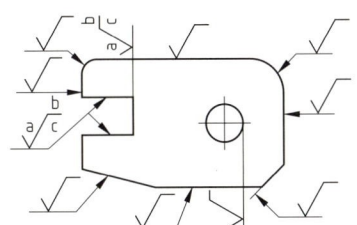

Die Sinnbilder sind so einzutragen, dass die Angaben von unten oder von rechts lesbar sind. Falls notwendig, werden Sinnbild und Oberfläche mit einer Hinweislinie verbunden, die mit einem Pfeil endet.

Wird nur der Rauheitswert bei a, z.B. Ra, angegeben, so darf das Sinnbild in jeder Lage eingetragen werden. Die Angaben müssen von unten oder von rechts lesbar sein.

Beispiele für den Zeichnungseintrag

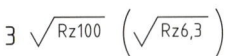

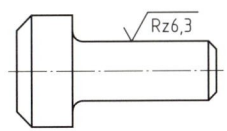

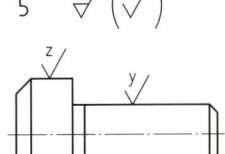

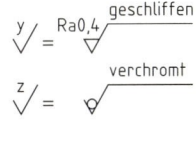

Bei gleichen Anforderungen an die Mehrzahl der Oberflächen steht das Sinnbild in der Nähe der Positionsnummer. Die Ausnahmen werden in Klammern gesetzt.

Vereinfacht können Oberflächenangaben durch ein Grundsinnbild mit einem Kennbuchstaben eingetragen werden. Die Bedeutung muss erklärt werden.

Mittenrauwert R_a in µm und Rauheitsklasse N

R_a in µm	50	25	12,5	6,3	3,2	1,6	0,8	0,4	0,2	0,1	0,05	0,025
N	N 12	N 11	N 10	N 9	N 8	N 7	N 6	N 5	N 4	N 3	N 2	N 1

Oberflächenangaben

vgl. DIN 3141 (zurückgezogen)

Bedeutung nach DIN 140 (zurückgezogen)	Oberflächenzeichen (zurückgezogen)	R_z (R_t) in µm				R_a in µm			
		R 1	R 2	R 3	R 4	R 1	R 2	R 3	R 4
Rohe Oberfläche durch sorgfältige spanlose Herstellung		beliebig				wahlweise: roh			
geschruppt Riefen fühlbar und mit bloßem Auge sichtbar		160	100	63	25	25	12,5	6,3	3,2
geschlichtet Riefen mit bloßem Auge noch sichtbar		40	25	16	10	6,3	3,2	1,6	0,8
feingeschlichtet Riefen mit bloßem Auge nicht mehr sichtbar		16	6,3	4	2,5	1,6	0,8	0,4	0,2
feinstgeschlichtet Riefen mit bloßem Auge nicht mehr sichtbar		–	1	1	0,4	–	0,1	0,1	0,025

ISO-System für Grenzmaße und Passungen

Begriffe

vgl. DIN ISO 286-1 (1990-11)

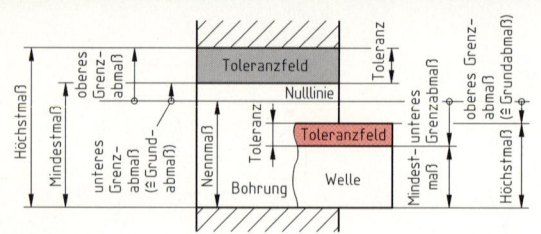
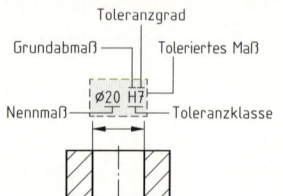

K

Begriff	Erklärung	Begriff	Erklärung
Grenzabmaße Oberes Unteres	Höchstmaß minus Nennmaß Mindestmaß minus Nennmaß	**Passung**	Beziehung aus der Differenz der Ist-maße von Bohrung und Welle nach dem Fügen
Grenzmaße Höchstmaß Mindestmaß	Größtes zugelassenes Werkstückmaß Kleinstes zugelassenes Werkstückmaß	**Toleranz**	Differenz zwischen Höchst- und Min-destmaß bzw. Differenz zwischen oberem und unterem Abmaß
Grundabmaß	Abstand zwischen Nulllinie und demjenigen Grenzabmaß, das am nächsten bei der Nulllinie liegt	**Toleranzfeld**	Bei grafischer Darstellung von Tole-ranzen das Feld zwischen Höchst- und Mindestmaß
Grundtoleranz	Die einem Grundtoleranzgrad, z.B. IT7, und einem Nennmaßbereich, z.B. 30...50, zugeordnete Toleranz	**Toleranzgrad**	Zahl des Grundtoleranzgrades
Grund-toleranzgrad	Eine Gruppe von Toleranzen, die dem gleichen Genauigkeitsniveau, z.B. IT7, zugeordnet werden	**Toleranzklasse**	Benennung für eine Kombination eines Grundabmaßes mit einem Toleranzgrad, z.B. H7
Istmaß	Gemessenes Werkstückmaß	**Toleriertes Maß**	Nennmaß mit Grenzabmaßen, z.B. 30 ± 0,1, oder Nennmaß mit Toleranz-klasse, z.B. 20 H7
Nennmaß	Maß, auf das sich die Abmaße beziehen		

Grenzmaße, Abmaße und Toleranzen

vgl. DIN ISO 286-1 (1990-11)

Bohrungen

N Nennmaß ES oberes Abmaß Bohrung
G_{oB} Höchstmaß Bohrung EI unteres Abmaß Bohrung
G_{uB} Mindestmaß Bohrung T_B Toleranz Bohrung

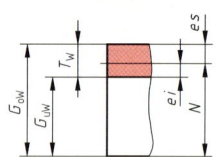

$$G_{oB} = N + ES$$
$$G_{uB} = N + EI$$
$$T_B = ES - EI$$
$$T_B = G_{oB} - G_{uB}$$

Wellen

N Nennmaß es oberes Abmaß Welle
G_{oW} Höchstmaß Welle ei unteres Abmaß Welle
G_{uW} Mindestmaß Welle T_W Toleranz Welle

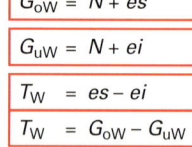

$$G_{oW} = N + es$$
$$G_{uW} = N + ei$$
$$T_W = es - ei$$
$$T_W = G_{oW} - G_{uW}$$

Passungen

vgl. DIN ISO 286-1 (1990-11)

Spielpassung

P_{SH} Höchstspiel
P_{SM} Mindestspiel

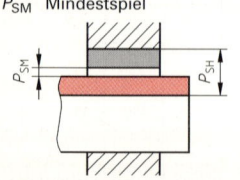

Übergangspassung

P_{SH} Höchstspiel
$P_{ÜH}$ Höchstübermaß

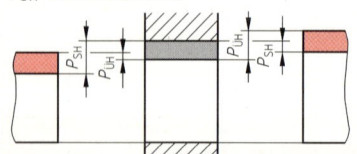

Übermaßpassung

$P_{ÜH}$ Höchstübermaß
$P_{ÜM}$ Mindestübermaß

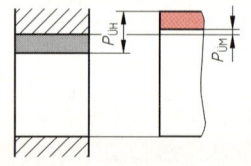

$$P_{SM} = G_{uB} - G_{oW}$$
$$P_{SH} = G_{oB} - G_{uW}$$
$$P_{ÜH} = G_{uB} - G_{oW}$$
$$P_{ÜM} = G_{oB} - G_{uW}$$

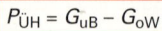

Passungssysteme

vgl. DIN ISO 286-1 (1990-11)

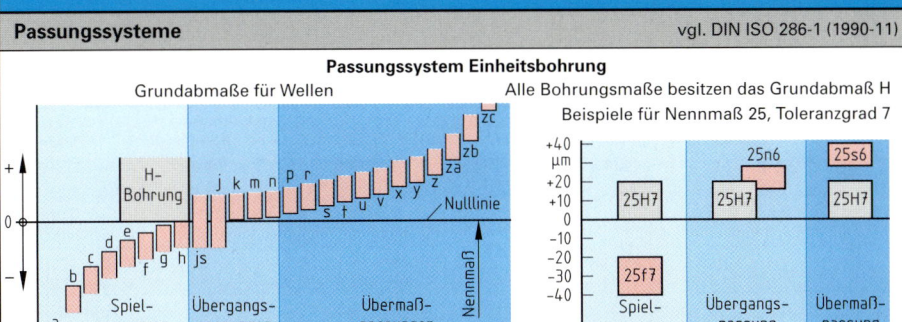

Passungssystem Einheitsbohrung

Grundabmaße für Wellen

Alle Bohrungsmaße besitzen das Grundabmaß H
Beispiele für Nennmaß 25, Toleranzgrad 7

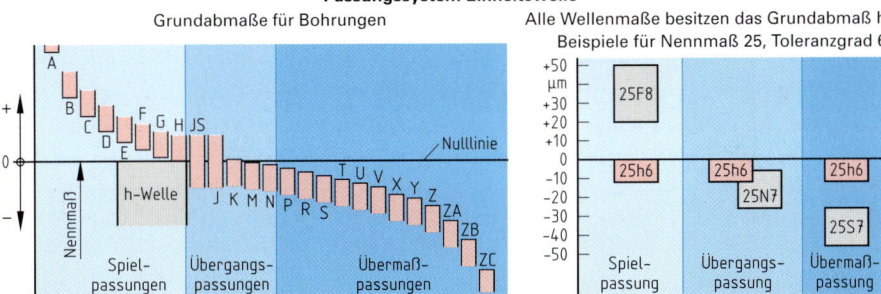

Passungssystem Einheitswelle

Grundabmaße für Bohrungen

Alle Wellenmaße besitzen das Grundabmaß h
Beispiele für Nennmaß 25, Toleranzgrad 6

K

Grundtoleranzen

vgl. DIN ISO 286-1 (1990-11)

Nennmaß-bereich über ... bis mm	Grundtoleranzgrade																	
	IT1	IT2	IT3	IT4	IT5	IT6	IT7	IT8	IT9	IT10	IT11	IT12	IT13	IT14	IT15	IT16	IT17	IT18
	Grundtoleranzen																	
	µm											mm						
... 3	0,8	1,2	2	3	4	6	10	14	25	40	60	0,1	0,14	0,25	0,4	0,6	1	1,4
3... 6	1	1,5	2,5	4	5	8	12	18	30	48	75	0,12	0,18	0,3	0,48	0,75	1,2	1,8
6... 10	1	1,5	2,5	4	6	9	15	22	36	58	90	0,15	0,22	0,36	0,58	0,9	1,5	2,2
10... 18	1,2	2	3	5	8	11	18	27	43	70	110	0,18	0,27	0,43	0,7	1,1	1,8	2,7
18... 30	1,5	2,5	4	6	9	13	21	33	52	84	130	0,21	0,33	0,52	0,84	1,3	2,1	3,3
30... 50	1,5	2,5	4	7	11	16	25	39	62	100	160	0,25	0,39	0,62	1	1,6	2,5	3,9
50... 80	2	3	5	8	13	19	30	46	74	120	190	0,3	0,46	0,74	1,2	1,9	3	4,6
80... 120	2,5	4	6	10	15	22	35	54	87	140	220	0,35	0,54	0,87	1,4	2,2	3,5	5,4
120... 180	3,5	5	8	12	18	25	40	63	100	160	250	0,4	0,63	1	1,6	2,5	4	6,3
180... 250	4,5	7	10	14	20	29	46	72	115	185	290	0,46	0,72	1,15	1,85	2,9	4,6	7,2
250... 315	6	8	12	16	23	32	52	81	130	210	320	0,52	0,81	1,3	2,1	3,2	5,2	8,1
315... 400	7	9	13	18	25	36	57	89	140	230	360	0,57	0,89	1,4	2,3	3,6	5,7	8,9
400... 500	8	10	15	20	27	40	63	97	155	250	400	0,63	0,97	1,55	2,5	4	6,3	9,7
500... 630	9	11	16	22	32	44	70	110	175	280	440	0,7	1,1	1,75	2,8	4,4	7	11
630... 800	10	13	18	25	36	50	80	125	200	320	500	0,8	1,25	2	3,2	5	8	12,5
800...1000	11	15	21	28	40	56	90	140	230	360	560	0,9	1,4	2,3	3,6	5,6	9	14
1000...1250	13	18	24	33	47	66	105	165	260	420	660	1,05	1,65	2,6	4,2	6,6	10,5	16,5
1250...1600	15	21	29	39	55	78	125	195	310	500	780	1,25	1,95	3,1	5	7,8	12,5	19,5
1600...2000	18	25	35	46	65	92	150	230	370	600	920	1,5	2,3	3,7	6	9,2	15	23
2000...2500	22	30	41	55	78	110	175	280	440	700	1100	1,75	2,8	4,4	7	11	17,5	28
2500...3150	26	36	50	68	96	135	210	330	540	860	1350	2,1	3,3	5,4	8,6	13,5	21	33

Die Grenzabmaße der Toleranzgrade für die Grundabmaße h, js, H und JS können aus den Grundtoleranzen abgeleitet werden: **h:** es = 0; ei = – IT **js:** es = + IT/2; ei = – IT/2 **H:** ES = + IT; EI = 0 **JS:** ES = + IT/2; EI = – IT/2

ISO-Passungen

System Einheitsbohrung vgl. DIN ISO 286-2 (1990-11)

Grenzabmaße in µm für Toleranzklassen[1]

für Bohrung H6 — für Wellen, Beim Fügen mit einer H6-Bohrung entsteht eine: Spiel-Passung (h5), Übergangs-Passung (j6, k6, n5), Übermaß-Passung (p5)

für Bohrung H7 — für Wellen, Beim Fügen mit einer H7-Bohrung entsteht eine: Spiel-Passung (f7, g6, h6), Übergangs-Passung (j6, k6, m6, n6), Übermaß-Passung (r6, s6)

Nennmaßbereich über...bis mm	H6	h5	j6	k6	n5	p5	H7	f7	g6	h6	j6	k6	m6	n6	r6	s6
1...3	+6 / 0	0 / −4	+4 / −2	+6 / 0	+8 / +4	+10 / +6	+10 / 0	−6 / −16	−2 / −8	0 / −6	+4 / −2	+6 / 0	+8 / +2	+10 / +4	+16 / +10	+20 / +14
3...6	+8 / 0	0 / −5	+6 / −2	+9 / +1	+13 / +8	+17 / +12	+12 / 0	−10 / −22	−4 / −12	0 / −8	+6 / −2	+9 / +1	+12 / +4	+16 / +8	+23 / +15	+27 / +19
6...10	+9 / 0	0 / −6	+7 / −2	+10 / +1	+16 / +10	+21 / +15	+15 / 0	−13 / −28	−5 / −14	0 / −9	+7 / −2	+10 / +1	+15 / +6	+19 / +10	+28 / +19	+32 / +23
10...14	+11 / 0	0 / −8	+8 / −3	+12 / +1	+20 / +12	+26 / +18	+18 / 0	−16 / −34	−6 / −17	0 / −11	+8 / −3	+12 / +1	+18 / +7	+23 / +12	+34 / +23	+39 / +28
14...18	+11 / 0	0 / −8	+8 / −3	+12 / +1	+20 / +12	+26 / +18	+18 / 0	−16 / −34	−6 / −17	0 / −11	+8 / −3	+12 / +1	+18 / +7	+23 / +12	+34 / +23	+39 / +28
18...24	+13 / 0	0 / −9	+9 / −4	+15 / +2	+24 / +15	+31 / +22	+21 / 0	−20 / −41	−7 / −20	0 / −13	+9 / −4	+15 / +2	+21 / +8	+28 / +15	+41 / +28	+48 / +35
24...30	+13 / 0	0 / −9	+9 / −4	+15 / +2	+24 / +15	+31 / +22	+21 / 0	−20 / −41	−7 / −20	0 / −13	+9 / −4	+15 / +2	+21 / +8	+28 / +15	+41 / +28	+48 / +35
30...40	+16 / 0	0 / −11	+11 / −5	+18 / +2	+28 / +17	+37 / +26	+25 / 0	−25 / −50	−9 / −25	0 / −16	+11 / −5	+18 / +2	+25 / +9	+33 / +17	+50 / +34	+59 / +43
40...50	+16 / 0	0 / −11	+11 / −5	+18 / +2	+28 / +17	+37 / +26	+25 / 0	−25 / −50	−9 / −25	0 / −16	+11 / −5	+18 / +2	+25 / +9	+33 / +17	+50 / +34	+59 / +43
50...65	+19 / 0	0 / −13	+12 / −7	+21 / +2	+33 / +20	+45 / +32	+30 / 0	−30 / −60	−10 / −29	0 / −19	+12 / −7	+21 / +2	+30 / +11	+39 / +20	+60 / +41	+72 / +53
65...80	+19 / 0	0 / −13	+12 / −7	+21 / +2	+33 / +20	+45 / +32	+30 / 0	−30 / −60	−10 / −29	0 / −19	+12 / −7	+21 / +2	+30 / +11	+39 / +20	+62 / +43	+78 / +59
80...100	+22 / 0	0 / −15	+13 / −9	+25 / +3	+38 / +23	+52 / +37	+35 / 0	−36 / −71	−12 / −34	0 / −22	+13 / −9	+25 / +3	+35 / +13	+45 / +23	+73 / +51	+93 / +71
100...120	+22 / 0	0 / −15	+13 / −9	+25 / +3	+38 / +23	+52 / +37	+35 / 0	−36 / −71	−12 / −34	0 / −22	+13 / −9	+25 / +3	+35 / +13	+45 / +23	+76 / +54	+101 / +79
120...140	+25 / 0	0 / −18	+14 / −11	+28 / +3	+45 / +27	+61 / +43	+40 / 0	−43 / −83	−14 / −39	0 / −25	+14 / −11	+28 / +3	+40 / +15	+52 / +27	+88 / +63	+117 / +92
140...160	+25 / 0	0 / −18	+14 / −11	+28 / +3	+45 / +27	+61 / +43	+40 / 0	−43 / −83	−14 / −39	0 / −25	+14 / −11	+28 / +3	+40 / +15	+52 / +27	+90 / +65	+125 / +100
160...180	+25 / 0	0 / −18	+14 / −11	+28 / +3	+45 / +27	+61 / +43	+40 / 0	−43 / −83	−14 / −39	0 / −25	+14 / −11	+28 / +3	+40 / +15	+52 / +27	+93 / +68	+133 / +108
180...200	+29 / 0	0 / −20	+16 / −13	+33 / +4	+51 / +31	+70 / +50	+46 / 0	−50 / −96	−15 / −44	0 / −29	+16 / −13	+33 / +4	+46 / +17	+60 / +31	+106 / +77	+151 / +122
200...225	+29 / 0	0 / −20	+16 / −13	+33 / +4	+51 / +31	+70 / +50	+46 / 0	−50 / −96	−15 / −44	0 / −29	+16 / −13	+33 / +4	+46 / +17	+60 / +31	+109 / +80	+159 / +130
225...250	+29 / 0	0 / −20	+16 / −13	+33 / +4	+51 / +31	+70 / +50	+46 / 0	−50 / −96	−15 / −44	0 / −29	+16 / −13	+33 / +4	+46 / +17	+60 / +31	+113 / +84	+169 / +140
250...280	+32 / 0	0 / −23	+16 / −16	+36 / +4	+57 / +34	+79 / +56	+52 / 0	−56 / −108	−17 / −49	0 / −32	+16 / −16	+36 / +4	+52 / +20	+66 / +34	+126 / +94	+190 / +158
280...315	+32 / 0	0 / −23	+16 / −16	+36 / +4	+57 / +34	+79 / +56	+52 / 0	−56 / −108	−17 / −49	0 / −32	+16 / −16	+36 / +4	+52 / +20	+66 / +34	+130 / +98	+202 / +170
315...355	+36 / 0	0 / −25	+18 / −18	+40 / +4	+62 / +37	+87 / +62	+57 / 0	−62 / −119	−18 / −54	0 / −36	+18 / −18	+40 / +4	+57 / +21	+73 / +37	+144 / +108	+226 / +190
355...400	+36 / 0	0 / −25	+18 / −18	+40 / +4	+62 / +37	+87 / +62	+57 / 0	−62 / −119	−18 / −54	0 / −36	+18 / −18	+40 / +4	+57 / +21	+73 / +37	+150 / +114	+244 / +208
400...450	+40 / 0	0 / −27	+20 / −20	+45 / +5	+67 / +40	+95 / +67	+63 / 0	−68 / −131	−20 / −60	0 / −40	+20 / −20	+45 / +5	+63 / +23	+80 / +40	+166 / +126	+272 / +232
450...500	+40 / 0	0 / −27	+20 / −20	+45 / +5	+67 / +40	+95 / +67	+63 / 0	−68 / −131	−20 / −60	0 / −40	+20 / −20	+45 / +5	+63 / +23	+80 / +40	+172 / +132	+292 / +252

[1] Die **fett** gedruckten Toleranzklassen entsprechen der Reihe 1 in DIN 7157; sie sind bevorzugt zu verwenden.

K

ISO-Passungen

System Einheitsbohrung

vgl. DIN ISO 286-2 (1990-11)

Grenzabmaße in µm für Toleranzklassen[1]

Nennmaß-bereich über...bis mm	für Bohrung H8	für Wellen Beim Fügen mit einer H8-Bohrung entsteht eine Spiel-Passung				für Wellen ... Übermaß-Passung		für Bohrung H11	für Wellen Beim Fügen mit einer H11-Bohrung entsteht eine Spiel-Passung					
	H8	d9	e8	f7	h9	u8[2]	x8[2]	H11	a11	c11	d9	d11	h9	h11
1... 3	+ 14 / 0	− 20 / − 45	− 14 / − 28	− 6 / − 16	0 / − 25	+ 32 / + 18	+ 34 / + 20	+ 60 / 0	− 270 / − 330	− 60 / − 120	− 20 / − 45	− 20 / − 80	0 / − 25	0 / − 60
3... 6	+ 18 / 0	− 30 / − 60	− 20 / − 38	− 10 / − 22	0 / − 30	+ 41 / + 23	+ 46 / + 28	+ 75 / 0	− 270 / − 345	− 70 / − 145	− 30 / − 60	− 30 / − 105	0 / − 30	0 / − 75
6... 10	+ 22 / 0	− 40 / − 76	− 25 / − 47	− 13 / − 28	0 / − 36	+ 50 / + 28	+ 56 / + 34	+ 90 / 0	− 280 / − 370	− 80 / − 170	− 40 / − 76	− 40 / − 130	0 / − 36	0 / − 90
10... 14	+ 27 / 0	− 50 / − 93	− 32 / − 59	− 16 / − 34	0 / − 43	+ 60 / + 33	+ 67 / + 40	+ 110 / 0	− 290 / − 400	− 95 / − 205	− 50 / − 93	− 50 / − 160	0 / − 43	0 / − 110
14... 18						+ 60 / + 33	+ 72 / + 45							
18... 24	+ 33 / 0	− 65 / − 117	− 40 / − 73	− 20 / − 41	0 / − 52	+ 74 / + 41	+ 87 / + 54	+ 130 / 0	− 300 / − 430	− 110 / − 240	− 65 / − 117	− 65 / − 195	0 / − 52	0 / − 130
24... 30						+ 81 / + 48	+ 97 / + 64							
30... 40	+ 39 / 0	− 80 / − 142	− 50 / − 89	− 25 / − 50	0 / − 62	+ 99 / + 60	+ 119 / + 80	+ 160 / 0	− 310 / − 470	− 120 / − 280	− 80 / − 142	− 80 / − 240	0 / − 62	0 / − 160
40... 50						+ 109 / + 70	+ 136 / + 97		− 320 / − 480	− 130 / − 290				
50... 65	+ 46 / 0	− 100 / − 174	− 60 / − 106	− 30 / − 60	0 / − 74	+ 133 / + 87	+ 168 / + 122	+ 190 / 0	− 340 / − 530	− 140 / − 330	− 100 / − 174	− 100 / − 290	0 / − 74	0 / − 190
65... 80						+ 148 / + 102	+ 192 / + 146		− 360 / − 550	− 150 / − 340				
80...100	+ 54 / 0	− 120 / − 207	− 72 / − 126	− 36 / − 71	0 / − 87	+ 178 / + 124	+ 232 / + 178	+ 220 / 0	− 380 / − 600	− 170 / − 390	− 120 / − 207	− 120 / − 340	0 / − 87	0 / − 220
100...120						+ 198 / + 144	+ 264 / + 210		− 410 / − 630	− 180 / − 400				
120...140	+ 63 / 0	− 145 / − 245	− 85 / − 148	− 43 / − 83	0 / − 100	+ 233 / + 170	+ 311 / + 248	+ 250 / 0	− 460 / − 710	− 200 / − 450	− 145 / − 245	− 145 / − 395	0 / − 100	0 / − 250
140...160						+ 253 / + 190	+ 343 / + 280		− 520 / − 770	− 210 / − 460				
160...180						+ 273 / + 210	+ 373 / + 310		− 580 / − 830	− 230 / − 480				
180...200	+ 72 / 0	− 170 / − 285	− 100 / − 172	− 50 / − 96	0 / − 115	+ 308 / + 236	+ 422 / + 350	+ 290 / 0	− 660 / − 950	− 240 / − 530	− 170 / − 285	− 170 / − 460	0 / − 115	0 / − 290
200...225						+ 330 / + 258	+ 457 / + 385		− 740 / − 1030	− 260 / − 550				
225...250						+ 356 / + 284	+ 497 / + 425		− 820 / − 1110	− 280 / − 570				
250...280	+ 81 / 0	− 190 / − 320	− 110 / − 191	− 56 / − 108	0 / − 130	+ 396 / + 315	+ 556 / + 475	+ 320 / 0	− 920 / − 1240	− 300 / − 620	− 190 / − 320	− 190 / − 510	0 / − 130	0 / − 320
280...315						+ 431 / + 350	+ 606 / + 525		− 1050 / − 1370	− 330 / − 650				
315...355	+ 89 / 0	− 210 / − 350	− 125 / − 214	− 62 / − 119	0 / − 140	+ 479 / + 390	+ 679 / + 590	+ 360 / 0	− 1200 / − 1560	− 360 / − 720	− 210 / − 350	− 210 / − 570	0 / − 140	0 / − 360
355...400						+ 524 / + 435	+ 749 / + 660		− 1350 / − 1710	− 400 / − 760				
400...450	+ 97 / 0	− 230 / − 385	− 135 / − 232	− 68 / − 131	0 / − 155	+ 587 / + 490	+ 837 / + 740	+ 400 / 0	− 1500 / − 1900	− 440 / − 840	− 230 / − 385	− 230 / − 630	0 / − 155	0 / − 400
450...500						+ 637 / + 540	+ 917 / + 820		− 1650 / − 2050	− 480 / − 880				

K

[1] Die **fett** gedruckten Toleranzklassen entsprechen der Reihe 1 in DIN 7157; sie sind bevorzugt zu verwenden.
[2] DIN 7157 empfiehlt: Nennmaße bis 24 mm: H8/x8; Nennmaße über 24 mm: H8/u8.

ISO-Passungen

System Einheitswelle vgl. DIN ISO 286-2 (1990-11)

Grenzabmaße in µm für Toleranzklassen[1]

K

Nennmaß-bereich über...bis mm	für Welle h5	für Bohrungen — Beim Fügen mit einer h5-Welle entsteht eine — Spiel-Pass. H6	Übergangs-Passung J6	Übergangs-Passung M6	Übermaß-Passung N6	Übermaß-Passung P6	für Welle h6	für Bohrungen — Beim Fügen mit einer h6-Welle entsteht eine — Spiel-Passung F8	Spiel-Passung G7	Spiel-Passung H7	Übergangs-Passung J7	Übergangs-Passung K7	Übergangs-Passung M7	Übergangs-Passung N7	Übermaß-Passung R7	Übermaß-Passung S7
1... 3	0 / −4	+6 / 0	+2 / −4	−2 / −8	−4 / −10	−6 / −12	0 / −6	+20 / +6	+12 / +2	+10 / 0	+4 / −6	0 / −10	−2 / −12	−4 / −14	−10 / −20	−14 / −24
3... 6	0 / −5	+8 / 0	+5 / −3	−1 / −9	−5 / −13	−9 / −17	0 / −8	+28 / +10	+16 / +4	+12 / 0	+6 / −6	+3 / −9	0 / −12	−4 / −16	−11 / −23	−15 / −27
6... 10	0 / −6	+9 / 0	+5 / −4	−3 / −12	−7 / −16	−12 / −21	0 / −9	+35 / +13	+20 / +5	+15 / 0	+8 / −7	+5 / −10	0 / −15	−4 / −19	−13 / −28	−17 / −32
10... 18	0 / −8	+11 / 0	+6 / −5	−4 / −15	−9 / −20	−15 / −26	0 / −11	+43 / +16	+24 / +6	+18 / 0	+10 / −8	+6 / −12	0 / −18	−5 / −23	−16 / −34	−21 / −39
18... 30	0 / −9	+13 / 0	+8 / −5	−4 / −17	−11 / −24	−18 / −31	0 / −13	+53 / +20	+28 / +7	+21 / 0	+12 / −9	+6 / −15	0 / −21	−7 / −28	−20 / −41	−27 / −48
30... 40	0 / −11	+16 / 0	+10 / −6	−4 / −20	−12 / −28	−21 / −37	0 / −16	+64 / +25	+34 / +9	+25 / 0	+14 / −11	+7 / −18	0 / −25	−8 / −33	−25 / −50	−34 / −59
40... 50	0 / −11	+16 / 0	+10 / −6	−4 / −20	−12 / −28	−21 / −37	0 / −16	+64 / +25	+34 / +9	+25 / 0	+14 / −11	+7 / −18	0 / −25	−8 / −33	−25 / −50	−34 / −59
50... 65	0 / −13	+19 / 0	+13 / −6	−5 / −24	−14 / −33	−26 / −45	0 / −19	+76 / +30	+40 / +10	+30 / 0	+18 / −12	+9 / −21	0 / −30	−9 / −39	−30 / −60	−42 / −72
65... 80	0 / −13	+19 / 0	+13 / −6	−5 / −24	−14 / −33	−26 / −45	0 / −19	+76 / +30	+40 / +10	+30 / 0	+18 / −12	+9 / −21	0 / −30	−9 / −39	−32 / −62	−48 / −78
80... 100	0 / −15	+22 / 0	+16 / −6	−6 / −28	−16 / −38	−30 / −52	0 / −22	+90 / +36	+47 / +12	+35 / 0	+22 / −13	+10 / −25	0 / −35	−10 / −45	−38 / −73	−58 / −93
100...120	0 / −15	+22 / 0	+16 / −6	−6 / −28	−16 / −38	−30 / −52	0 / −22	+90 / +36	+47 / +12	+35 / 0	+22 / −13	+10 / −25	0 / −35	−10 / −45	−41 / −76	−66 / −101
120...140	0 / −18	+25 / 0	+18 / −7	−8 / −33	−20 / −45	−36 / −61	0 / −25	+106 / +43	+54 / +14	+40 / 0	+26 / −14	+12 / −28	0 / −40	−12 / −52	−48 / −88	−77 / −117
140...160	0 / −18	+25 / 0	+18 / −7	−8 / −33	−20 / −45	−36 / −61	0 / −25	+106 / +43	+54 / +14	+40 / 0	+26 / −14	+12 / −28	0 / −40	−12 / −52	−50 / −90	−85 / −125
160...180	0 / −18	+25 / 0	+18 / −7	−8 / −33	−20 / −45	−36 / −61	0 / −25	+106 / +43	+54 / +14	+40 / 0	+26 / −14	+12 / −28	0 / −40	−12 / −52	−53 / −93	−93 / −133
180...200	0 / −20	+29 / 0	+22 / −7	−8 / −37	−22 / −51	−41 / −70	0 / −29	+122 / +50	+61 / +15	+46 / 0	+30 / −16	+13 / −33	0 / −46	−14 / −60	−60 / −106	−105 / −151
200...225	0 / −20	+29 / 0	+22 / −7	−8 / −37	−22 / −51	−41 / −70	0 / −29	+122 / +50	+61 / +15	+46 / 0	+30 / −16	+13 / −33	0 / −46	−14 / −60	−63 / −109	−113 / −159
225...250	0 / −20	+29 / 0	+22 / −7	−8 / −37	−22 / −51	−41 / −70	0 / −29	+122 / +50	+61 / +15	+46 / 0	+30 / −16	+13 / −33	0 / −46	−14 / −60	−67 / −113	−123 / −169
250...280	0 / −23	+32 / 0	+25 / −7	−9 / −41	−25 / −57	−47 / −79	0 / −32	+137 / +56	+69 / +17	+52 / 0	+36 / −16	+16 / −36	0 / −52	−14 / −66	−74 / −126	−138 / −190
280...315	0 / −23	+32 / 0	+25 / −7	−9 / −41	−25 / −57	−47 / −79	0 / −32	+137 / +56	+69 / +17	+52 / 0	+36 / −16	+16 / −36	0 / −52	−14 / −66	−78 / −130	−150 / −202
315...355	0 / −25	+36 / 0	+29 / −7	−10 / −46	−26 / −62	−51 / −87	0 / −36	+151 / +62	+75 / +18	+57 / 0	+39 / −18	+17 / −40	0 / −57	−16 / −73	−87 / −144	−169 / −226
355...400	0 / −25	+36 / 0	+29 / −7	−10 / −46	−26 / −62	−51 / −87	0 / −36	+151 / +62	+75 / +18	+57 / 0	+39 / −18	+17 / −40	0 / −57	−16 / −73	−93 / −150	−187 / −244
400...450	0 / −27	+40 / 0	+33 / −7	−10 / −50	−27 / −67	−55 / −95	0 / −40	+165 / +68	+83 / +20	+63 / 0	+43 / −20	+18 / −45	0 / −63	−17 / −80	−103 / −166	−209 / −272
450...500	0 / −27	+40 / 0	+33 / −7	−10 / −50	−27 / −67	−55 / −95	0 / −40	+165 / +68	+83 / +20	+63 / 0	+43 / −20	+18 / −45	0 / −63	−17 / −80	−109 / −172	−229 / −292

[1] Die **fett** gedruckten Toleranzklassen entsprechen der Reihe 1 in DIN 7157; sie sind bevorzugt zu verwenden.

ISO-Passungen

System Einheitswelle — vgl. DIN ISO 286-2 (1990-11)

Grenzabmaße in µm für Toleranzklassen[1]

Nennmaß-bereich über...bis mm	für Welle **h9**	für Bohrungen Beim Fügen mit einer h9-Welle entsteht eine Spiel-Passung						Übergangs-Passung		für Welle **h11**	für Bohrungen Beim Fügen mit einer h11-Welle entsteht eine Spiel-Passung			
		C11	D10	E9	F8	H8	H11	J9/JS9[2]	P9		A11	C11	D10	H11
1... 3	0 / − 25	+ 120 / + 60	+ 60 / + 20	+ 39 / + 14	+ 20 / + 6	+ 14 / 0	+ 60 / 0	+ 12,5 / − 12,5	− 6 / − 31	0 / − 60	+ 330 / + 270	+ 120 / + 60	+ 60 / + 20	+ 60 / 0
3... 6	0 / − 30	+ 145 / + 70	+ 78 / + 30	+ 50 / + 20	+ 28 / + 10	+ 18 / 0	+ 75 / 0	+ 15 / − 15	− 12 / − 42	0 / − 75	+ 345 / + 270	+ 145 / + 70	+ 78 / + 30	+ 75 / 0
6... 10	0 / − 36	+ 170 / + 80	+ 98 / + 40	+ 61 / + 25	+ 35 / + 13	+ 22 / 0	+ 90 / 0	+ 18 / − 18	− 15 / − 51	0 / − 90	+ 370 / + 280	+ 170 / + 80	+ 98 / + 40	+ 90 / 0
10... 18	0 / − 43	+ 205 / + 95	+ 120 / + 50	+ 75 / + 32	+ 43 / + 16	+ 27 / 0	+ 110 / 0	+ 21,5 / − 21,5	− 18 / − 61	0 / − 110	+ 400 / + 290	+ 205 / + 95	+ 120 / + 50	+ 110 / 0
18... 30	0 / − 52	+ 240 / + 110	+ 149 / + 65	+ 92 / + 40	+ 53 / + 20	+ 33 / 0	+ 130 / 0	+ 26 / − 26	− 22 / − 74	0 / − 130	+ 430 / + 300	+ 240 / + 110	+ 149 / + 65	+ 130 / 0
30... 40	0 / − 62	+ 280 / + 120	+ 180 / + 80	+ 112 / + 50	+ 64 / + 25	+ 39 / 0	+ 160 / 0	+ 31 / − 31	− 26 / − 88	0 / − 160	+ 470 / + 310	+ 280 / + 120	+ 180 / + 80	+ 160 / 0
40... 50		+ 290 / + 130									+ 480 / + 320	+ 290 / + 130		
50... 65	0 / − 74	+ 330 / + 140	+ 220 / + 100	+ 134 / + 60	+ 76 / + 30	+ 46 / 0	+ 190 / 0	+ 37 / − 37	− 32 / − 106	0 / − 190	+ 530 / + 340	+ 330 / + 140	+ 220 / + 100	+ 190 / 0
65... 80		+ 340 / + 150									+ 550 / + 360	+ 340 / + 150		
80...100	0 / − 87	+ 390 / + 170	+ 260 / + 120	+ 159 / + 72	+ 90 / + 36	+ 54 / 0	+ 220 / 0	+ 43,5 / − 43,5	− 37 / − 124	0 / − 220	+ 600 / + 380	+ 390 / + 170	+ 260 / + 120	+ 220 / 0
100...120		+ 400 / + 180									+ 630 / + 410	+ 400 / + 180		
120...140	0 / − 100	+ 450 / + 200	+ 305 / + 145	+ 185 / + 85	+ 106 / + 43	+ 63 / 0	+ 250 / 0	+ 50 / − 50	− 43 / − 143	0 / − 250	+ 710 / + 460	+ 450 / + 200	+ 305 / + 145	+ 250 / 0
140...160		+ 460 / + 210									+ 770 / + 520	+ 460 / + 210		
160...180		+ 480 / + 230									+ 820 / + 580	+ 480 / + 230		
180...200	0 / − 115	+ 530 / + 240	+ 355 / + 170	+ 215 / + 100	+ 122 / + 50	+ 72 / 0	+ 290 / 0	+ 57,5 / − 57,5	− 50 / − 165	0 / − 290	+ 950 / + 660	+ 530 / + 240	+ 355 / + 170	+ 290 / 0
200...225		+ 550 / + 260									+ 1030 / + 740	+ 550 / + 260		
225...250		+ 570 / + 280									+ 1110 / + 820	+ 570 / + 280		
250...280	0 / − 130	+ 620 / + 300	+ 400 / + 190	+ 240 / + 110	+ 137 / + 56	+ 81 / 0	+ 320 / 0	+ 65 / − 65	− 56 / − 186	0 / − 320	+ 1240 / + 920	+ 620 / + 300	+ 400 / + 190	+ 320 / 0
280...315		+ 650 / + 330									+ 1370 / + 1050	+ 650 / + 330		
315...355	0 / − 140	+ 720 / + 360	+ 440 / + 210	+ 265 / + 125	+ 151 / + 62	+ 89 / 0	+ 360 / 0	+ 70 / − 70	− 62 / − 202	0 / − 360	+ 1560 / + 1200	+ 720 / + 360	+ 440 / + 210	+ 360 / 0
355...400		+ 760 / + 400									+ 1710 / + 1350	+ 760 / + 400		
400...450	0 / − 155	+ 840 / + 440	+ 480 / + 230	+ 290 / + 135	+ 165 / + 68	+ 97 / 0	+ 400 / 0	+ 77,5 / − 77,5	− 68 / − 223	0 / − 400	+ 1900 / + 1500	+ 840 / + 440	+ 480 / + 230	+ 400 / 0
450...500		+ 880 / + 480									+ 2050 / + 1650	+ 880 / + 480		

K

[1] Die **fett** gedruckten Toleranzklassen entsprechen der Reihe 1 in DIN 7157; sie sind bevorzugt zu verwenden.
[2] Die Toleranzfelder J9/JS9, J10/JS10 usw. sind jeweils gleich groß und liegen symmetrisch zur Nulllinie.

ISO-Passungen

Grenzabmaße für Normteile

vgl. DIN ISO 286-2 (1990-11)

Grenzabmaße in µm für Toleranzklassen[1]

Nennmaß-bereich über...bis mm	für Bohrungen							für Wellen							
	E6	F7	G6	K6	N8	N9	P8	d10	f6	f9	g5	g7	m5	p6	r7
1... 3	+20 / +14	+16 / +6	+8 / +2	0 / −6	−4 / −18	−4 / −29	−6 / −20	−20 / −60	−6 / −12	−6 / −31	−2 / −6	−2 / −12	+6 / +2	+12 / +6	+20 / +10
3... 6	+28 / +20	+22 / +10	+12 / +4	+2 / −6	−2 / −20	0 / −30	−12 / −30	−30 / −78	−10 / −18	−10 / −40	−4 / −9	−4 / −16	+9 / +4	+20 / +12	+27 / +15
6... 10	+34 / +25	+28 / +13	+14 / +5	+2 / −7	−3 / −25	0 / −36	−15 / −37	−40 / −98	−13 / −22	−13 / −49	−5 / −11	−5 / −20	+12 / +6	+24 / +15	+34 / +19
10... 14 / 14... 18	+43 / +32	+34 / +16	+17 / +6	+2 / −9	−3 / −30	0 / −43	−18 / −45	−50 / −120	−16 / −27	−16 / −59	−6 / −14	−6 / −24	+15 / +7	+29 / +18	+41 / +23
18... 24 / 24... 30	+53 / +40	+41 / +20	+20 / +7	+2 / −11	−3 / −36	0 / −52	−22 / −55	−65 / −149	−20 / −33	−20 / −72	−7 / −16	−7 / −28	+17 / +8	+35 / +22	+49 / +28
30... 40 / 40... 50	+66 / +50	+50 / +25	+25 / +9	+3 / −13	−3 / −42	0 / −62	−26 / −65	−80 / −180	−25 / −41	−25 / −87	−9 / −20	−9 / −34	+20 / +9	+42 / +26	+59 / +34
50... 65 / 65... 80	+79 / +60	+60 / +30	+29 / +10	+4 / −15	−4 / −50	0 / −74	−32 / −78	−100 / −220	−30 / −49	−30 / −104	−10 / −23	−10 / −40	+24 / +11	+51 / +32	50...65: +71 / +41; 65...80: +73 / +43
80...100 / 100...120	+94 / +72	+71 / +36	+34 / +12	+4 / −18	−4 / −58	0 / −87	−37 / −91	−120 / −260	−36 / −58	−36 / −123	−12 / −27	−12 / −47	+28 / +13	+59 / +37	80...100: +86 / +51; 100...120: +89 / +54
120...140 / 140...160 / 160...180	+110 / +85	+83 / +43	+39 / +14	+4 / −21	−4 / −67	0 / −100	−43 / −106	−145 / −305	−43 / −68	−43 / −143	−14 / −32	−14 / −54	+33 / +15	+68 / +43	120...140: +103 / +63; 140...160: +105 / +65; 160...180: +108 / +68
180...200 / 200...225 / 225...250	+129 / +100	+96 / +50	+44 / +15	+5 / −24	−5 / −77	0 / −115	−50 / −122	−170 / −355	−50 / −79	−50 / −165	−15 / −35	−15 / −61	+37 / +17	+79 / +50	180...200: +123 / +77; 200...225: +126 / +80; 225...250: +130 / +84
250...280 / 280...315	+142 / +110	+108 / +56	+49 / +17	+5 / −27	−5 / −86	0 / −130	−56 / −137	−190 / −400	−56 / −88	−56 / −186	−17 / −40	−17 / −69	+43 / −20	+88 / +56	250...280: +146 / +94; 280...315: +150 / +98
315...355 / 355...400	+161 / +125	+119 / +62	+54 / +18	+7 / −29	−5 / −94	0 / −140	−62 / −151	−210 / −440	−62 / −98	−62 / −202	−18 / −43	−18 / −75	+46 / +21	+98 / +62	315...355: +165 / +108; 355...400: +171 / +114
400...450 / 450...500	+175 / +135	+131 / +68	+60 / +20	+8 / −32	−6 / −103	0 / −155	−68 / −165	−230 / −480	−68 / −108	−68 / −223	−20 / −47	−20 / −83	+50 / +23	+108 / +68	400...450: +189 / +126; 450...500: +195 / +132

[1] Auf dieser Seite sind Toleranzklassen von Normteilen abgedruckt, die auf den Seiten 100...103 nicht enthalten sind.

K

Allgemeintoleranzen für Längen- und Winkelmaße[1]   vgl. DIN ISO 2768-1 (1991-06)

Toleranz-klasse	Längenmaße							
	Grenzabmaße in mm für Nennmaßbereiche							
	0,5 bis 3	über 3 bis 6	über 6 bis 30	über 30 bis 120	über 120 bis 400	über 400 bis 1000	über 1000 bis 2000	über 2000 bis 4000
f (fein)	± 0,05	± 0,05	± 0,1	± 0,15	± 0,2	± 0,3	± 0,5	–
m (mittel)	± 0,1	± 0,1	± 0,2	± 0,3	± 0,5	± 0,8	± 1,2	± 2
c (grob)	± 0,2	± 0,3	± 0,5	± 0,8	± 1,2	± 2	± 3	± 4
v (sehr grob)	–	± 0,5	± 1	± 1,5	± 2,5	± 4	± 6	± 8

Toleranz-klasse	Rundungshalbmesser und Fasen			Winkelmaße				
	Grenzabmaße in mm für Nennmaßbereiche			Grenzabmaße in Grad und Minuten für Nennmaßbereiche (kürzerer Schenkel)				
	0,5 bis 3	über 3 bis 6	über 6	bis 10	über 10 bis 50	über 50 bis 120	über 120 bis 400	über 400
f (fein)	± 0,2	± 0,5	± 1	± 1°	± 0° 30′	± 0° 20′	± 0° 10′	± 0° 5′
m (mittel)								
c (grob)	± 0,4	± 1	± 2	± 1° 30′	± 1°	± 0° 30′	± 0° 15′	± 0° 10′
v (sehr grob)				± 3°	± 2°	± 1°	± 0° 30′	± 0° 20′

Allgemeintoleranzen für Form und Lage   vgl. DIN ISO 2768-2 (1991-04)

K

Toleranz-klasse	Toleranzen in mm für															Lauf
	Geradheit und Ebenheit						Rechtwinkligkeit				Symmetrie					
	Nennmaßbereiche in mm						Nennmaßbereiche in mm				Nennmaßbereiche in mm					
	bis 10	über 10 bis 30	über 30 bis 100	über 100 bis 300	über 300 bis 1000	über 1000 bis 3000	bis 100	über 100 bis 300	über 300 bis 1000	über 1000 bis 3000	bis 100	über 100 bis 300	über 300 bis 1000	über 1000 bis 3000		
H	0,02	0,05	0,1	0,2	0,3	0,4	0,2	0,3	0,4	0,5	0,5					0,1
K	0,05	0,1	0,2	0,4	0,6	0,8	0,4	0,6	0,8	1	0,6		0,8	1		0,2
L	0,1	0,2	0,4	0,8	1,2	1,6	0,6	1	1,5	2	0,6	1	1,5	2		0,5

Allgemeintoleranzen für Längen- und Winkelmaße, Form und Lage   vgl. DIN 7168 (1991-04)
– nicht für Neukonstruktionen –

Toleranz-klasse	Längenmaße								
	Grenzabmaße in mm für Nennmaßbereiche								
	0,5 bis 3	über 3 bis 6	über 6 bis 30	über 30 bis 120	über 120 bis 400	über 400 bis 1000	über 1000 bis 2000	über 2000 bis 4000	über 4000 bis 8000
f (fein)	± 0,05	± 0,05	± 0,1	± 0,15	± 0,2	± 0,3	± 0,5	± 0,8	–
m (mittel)	± 0,1	± 0,1	± 0,2	± 0,3	± 0,5	± 0,8	± 1,2	± 2	± 3
g (grob)	± 0,15	± 0,2	± 0,5	± 0,8	± 1,2	± 2	± 3	± 4	± 5
sg (sehr grob)	–	± 0,5	± 1	± 1,5	± 2	± 3	± 4	± 6	± 8

Toleranz-klasse	Rundungshalbmesser und Fasen					Winkelmaße				
	Grenzabmaße in mm für Nennmaßbereich					Grenzabmaße in Grad und Minuten für Nennmaßbereich (kürzerer Schenkel)				
	0,5 bis 3	über 3 bis 6	über 6 bis 30	über 30 bis 120	über 120 bis 400	bis 10	über 10 bis 50	über 50 bis 120	über 120 bis 400	über 400
f (fein)	± 0,2	± 0,5	± 1	± 2	± 4	± 1°	± 30′	± 20′	± 10′	± 5′
m (mittel)										
g (grob)	± 0,2	± 1	± 2	± 4	± 8	± 1° 30′	± 50′	± 25′	± 15′	± 10′
sg (sehr grob)						± 3°	± 2°	± 1°	± 30′	± 20′

Toleranz-klasse	Toleranzen in mm für							Symmetrie	Lauf
	Geradheit und Ebenheit für Nennmaßbereich								
	bis 6	über 6 bis 30	über 30 bis 120	über 120 bis 400	über 400 bis 1000	über 1000 bis 2000	über 2000 bis 4000		
R	0,004	0,01	0,02	0,04	0,07	0,1	–	0,3	0,1
S	0,008	0,02	0,04	0,08	0,15	0,2	0,3	0,5	0,2
T	0,025	0,06	0,12	0,25	0,4	0,6	0,9	1	0,5
U	0,1	0,25	0,5	1	1,5	2,5	3,5	2	1

[1] Allgemeintoleranzen für Gussrohteile aus Gusseisen mit Lamellengraphit Seite 121

Passungsempfehlungen, Passungsauswahl

Passungsempfehlungen

vgl. DIN 7157 (1966-01)

aus Reihe 1	C11/h9, D10/h9, E9/h9, F8/h9, H8/f7, F8/h6, H7/f7, H8/h9, H7/h6, H7/n6, H7/r6, H8/x8 bzw. u8
aus Reihe 2	C11/h11, D10/h11, H8/d9, H8/e8, H7/g6, G7/h6, H11/h9, H7/j6, H7/k6, H7/s6

DIN 7157 empfiehlt im Hinblick auf eine wirtschaftliche Fertigung die Beschränkung auf wenige bewährte Toleranzklassenkombinationen. Von diesen soll nur in Ausnahmefällen, z.B. beim Einbau von Wälzlagern, abgewichen werden. Passungen, die aus Toleranzklassenkombinationen der Reihe 1 entstehen, sollen bevorzugt verwendet werden.

Passungsauswahl

vgl. DIN 7157 (1966-01)

Art	Passungs-System		Passungs-Merkmale	
	Einheitsbohrung[1]	Einheitswelle[1]	Eigenschaften	Anwendungsbeispiele
Spielpassungen	H8/d9	D10/h9	Die Passungen haben großes Spiel.	Distanzbuchsen auf Wellen
Spielpassungen	H8/e8	E9/h9	Die Passungen haben merkliches Spiel. Die Teile sind sehr leicht ineinander beweglich.	Hebellagerungen, Stellringe auf Wellen
Spielpassungen	H8/f7	F8/h9	Die Passungen haben ein kleines Spiel. Die Teile sind leicht ineinander beweglich.	Wellen-Gleitlagerungen
Spielpassungen	H7/g6	G7/h6	Die Passungen haben nur ein geringes Spiel. Die Teile können mit Handkraft ineinander bewegt werden.	Aufnahmebolzen in Bohrungen, Wellen in Gleitlagern, Säulenführungen
Spielpassungen	H8/h9	H8/h9	Die Passungen haben kaum Spiel. Die Teile können mit Handkraft ineinander bewegt werden.	Distanzbuchsen, Stellringe auf Wellen
Spielpassungen	H7/h6	H7/h6	Die Passungen haben ein ganz geringes Spiel. Ein Verschieben der Teile mit Handkraft ist möglich.	Säulenführungen, Führungen an Werkzeugmaschinen, Schneidstempel in Führungsplatten
Übergangspassungen	H7/j6	nicht festgelegt	Die Passung hat eher Spiel als Übermaß, die Passmaße kleine Toleranzen. Ein Verschieben von Hand ist noch möglich.	Zahnräder auf Wellen
Übergangspassungen	H7/n6	nicht festgelegt	Die Passung hat eher Übermaß als Spiel. Zum Fügen ist ein geringer Kraftaufwand erforderlich.	Lagerbuchsen in Gehäusen, Bohrbuchsen und Auflagebolzen in Vorrichtungen
Übermaßpassungen	H7/r6	nicht festgelegt	Die Passung hat ein kleines Übermaß. Die Teile lassen sich mit Kraftaufwand fügen.	Buchsen in Gehäusen
Übermaßpassungen	H7/s6	nicht festgelegt	Die Passung hat ein reichliches Übermaß. Zum Fügen ist ein großer Kraftaufwand erforderlich.	Gleitlagerbuchsen in Gehäusen, Kränze auf Schneckenradkörpern
Übermaßpassungen	H7/u8	nicht festgelegt	Die Passung hat ein großes Übermaß. Die Teile lassen sich nur durch Dehnen oder Schrumpfen fügen.	Schrumpfringe, Räder auf Achsen, Kupplungen auf Wellen
Übermaßpassungen	H7/x8	nicht festgelegt	Die Passung hat ein sehr großes Übermaß. Das Fügen ist nur durch Dehnen oder Schrumpfen möglich.	Schrumpfringe, Räder auf Achsen, Kupplungen auf Wellen

[1] Die **fett** gedruckten Passungen sind Toleranzklassenkombinationen nach DIN 7157, Reihe 1. Sie sind bevorzugt zu verwenden.

K

Toleranzen für den Einbau von Wälzlagern
vgl. DIN 5425-1 (1984-11)

Radiallager

Innenring (Welle)					Außenring (Gehäuse)				
Lastfall	Passung	Belastung	Grundabmaße für Welle bei		Lastfall	Passung	Belastung	Grundabmaße für Gehäuse bei	
			Kugellager	Rollenlager				Kugellager	Rollenlager
Umfangs-last	Übergangs- oder Übermaß- passung erforderlich	niedrig	h, k	k, m	Punktlast	Spiel- passung zulässig	beliebig groß	J, H, G, F	
		mittel	i, k, m	k, m, n, p					
		hoch	m, n	n, p, r					
Punktlast	Spiel- passung zulässig	beliebig groß	j, h, g, f		Umfangs-last	Übergangs- oder Übermaß- passung erforderlich	niedrig	J	K
							mittel	K, M	M, N
							hoch	–	N, P

Axiallager

Belastungsart	Lager-Bauform	Wellenscheibe (Welle)		Gehäusescheibe (Gehäuse)	
		Lastfall	Grundabmaße für Welle	Lastfall	Grundabmaße für Gehäuse
Kombinierte Radial-/Axial-Last	Axial- Schrägkugellager Pendelrollenlager Kegelrollenlager	Umfangs-last	j, k, m	Punkt-last	H, J
		Punkt-last	j	Umfangs-last	K, M
Reine Axiallast	Axial- Kugellager Rollenlager	–	h, j, k	–	H, G, E

Angaben in Zeichnungen bei Form- und Lagetolerierung
vgl. DIN ISO 1101 (1985-03)

Allgemeines	Bezüge	Tolerierte Elemente
Form- und Lagetoleranzen werden nur dann in techni- sche Zeichnungen eingetra- gen, wenn sie aus Gründen der Fertigung, der Funktion oder der Austauschbarkeit der Werkstücke erforderlich sind.	Bezugsbuchstabe — Bezugslinie — Bezugsdreieck — Bezugselement	Bezugsbuchstabe (wenn notwendig) — Toleranzwert — Sinnbild der Toleranzart — Bezugslinie mit Bezugspfeil — toleriertes Element

Toleranzrahmen

Abmessungen

$1/10\,h$

$\parallel$ | $0{,}1$ | A

$2h$ | $4h$ | $2h$

h Schriftgröße (Seite 60)

Sinnbilder für die Toleranzart

nach DIN ISO 7083 (1984-06)

Z.B. — Geradheit
⊕ Position
(Seiten 108 und 109).

Der Bezug ist eine Fläche oder eine Linie	Toleriert ist eine Fläche oder eine Linie
Der Bezug ist die Mittelebene der Nut (B) und die Achse des Durch- messers d_1 (C)	Toleriert ist die Mittel- ebene der Nut (A) und die Achse des Durchmessers d_2 (B)
Der Bezug ist die gemeinsame Achse bzw. Mittellinie der beiden Bohrungen	Toleriert ist die gemeinsame Achse bzw. Mittellinie der beiden Bohrungen

K

Form- und Lagetolerierung

Angaben in Zeichnungen

vgl. DIN ISO 1101 (1985-03)

Tole-ranz-art	Sinnbild und tolerierte Eigenschaft	Zeichnungsangabe	Erklärung	Toleranzzone
Formtoleranzen	Gerad-heit	$-$ $\varnothing\,0,04$	Die tolerierte Achse der Welle muss innerhalb eines Zylinders vom Durch-messer $t = 0,04$ mm liegen.	
	Eben-heit	$\square\ 0,03$	Die tolerierte Fläche muss sich zwischen zwei parallelen Ebenen vom Abstand $t = 0,03$ mm befinden.	
	Rund-heit	$\bigcirc\ 0,08$	In jeder Schnittebene senkrecht zur Achse muss die tolerierte Umfangslinie zwischen zwei konzentrischen Kreisen vom Abstand $t = 0,08$ mm liegen.	
	Zylin-der-form	$0,2$	Die tolerierte Mantelfläche des Zylin-ders muss zwischen zwei koaxialen Zylindern liegen, die einen Abstand von $t = 0,2$ mm haben.	
	Linien-form	$\frown\ 0,06$	Das tolerierte Profil muss sich zwischen zwei Hüll-Linien befinden, deren Ab-stand durch Kreise vom Durchmesser $t = 0,06$ mm begrenzt wird. Die Mittel-punkte dieser Kreise liegen auf der geometrisch idealen Linie.	
	Flächen-form	$\triangle\ 0,3$	Die tolerierte Fläche muss sich zwischen zwei Hüllflächen befinden, deren Ab-stand durch Kugeln vom Durchmesser $t = 0,3$ mm begrenzt wird. Die Kugelmit-telpunkte liegen auf der geometrisch idealen Fläche.	
Lagetoleranzen — Richtungstoleranzen	Paral-lelität	$/\!/\ 0,02$ A — A	Die tolerierte Fläche muss zwischen zwei zur Bezugsebene A parallelen Ebenen liegen, die untereinander einen Abstand von $t = 0,02$ mm besitzen.	
		$/\!/\ 0,02$ A — A	Die tolerierte Achse muss zwischen zwei zur Bezugsebene A parallelen Ebenen liegen, die untereinander einen Abstand von $t = 0,02$ mm besitzen.	
		$/\!/\ \varnothing\,0,03$ A — A	Die tolerierte Achse muss innerhalb eines Zylinders vom Durchmesser $t = 0,03$ mm liegen, der parallel zur Bezugsachse A ist.	
	Recht-wink-ligkeit	$\perp\ 0,03$ A — A	Die tolerierte Fläche muss zwischen zwei zur Bezugsachse A senkrechten Ebenen vom Abstand $t = 0,02$ mm liegen.	
		$\perp\ \varnothing\,0,2$	Die tolerierte Achse des Zylinders muss innerhalb eines zur Bezugsfläche senk-rechten Zylinders vom Durchmesser $t = 0,2$ mm liegen.	

K

Angaben in Zeichnungen

vgl. DIN ISO 1101 (1985-03)

K

Tole-ranz-art	Sinnbild und tolerierte Eigenschaft		Zeichnungsangabe	Erklärung	Toleranzzone
Lagetoleranzen	Richtungstoleranzen	∠ Nei-gung (Wink-ligkeit)	∠ 0,08 A	Die tolerierte Achse muss zwischen zwei parallelen Linien vom Abstand $t = 0{,}08$ mm liegen, die im Winkel von 15° zur Bezugsachse A geneigt sind.	
			∠ 0,2 B	Die tolerierte Neigungsfläche muss zwischen zwei parallelen, zur Bezugsachse B geneigten Ebenen vom Abstand $t = 0{,}2$ mm liegen. Der geometrisch ideale Winkel muss eine Neigung von 60° haben.	
	Ortstoleranzen	⊕ Posi-tion	⊕ ⌀ 0,2	Der tatsächliche Bohrungsmittelpunkt muss in einem Kreis vom Durchmesser $t = 0{,}2$ mm liegen, dessen Mitte mit dem theoretisch genauen Ort des Punktes übereinstimmt.	⌀t
		◎ Konzen-trizität und Koaxi-alität	◎ ⌀ 0,3 A-B B	Die Achse des tolerierten Teiles der Welle muss innerhalb eines zur Bezugsachse A-B koaxialen Zylinders vom Durchmesser $t = 0{,}3$ mm liegen.	⌀t
		≡ Sym-metrie	≡ 0,05 A	Die tolerierte Mittelebene der Nut muss zwischen zwei parallelen Ebenen vom Abstand $t = 0{,}05$ mm liegen, die symmetrisch zur Mittelebene der beiden Außenflächen angeordnet sind.	
	Lauftoleranzen	↗ Rund-lauf	↗ 0,3 A-B B	Bei einer Umdrehung der Welle um die Bezugsachse A-B darf die Rundlaufabweichung in jeder Messebene senkrecht zur Achse $t = 0{,}3$ mm nicht überschreiten.	
		Plan-lauf	↗ 0,3 A	Bei einer Umdrehung der Welle um die Bezugsachse A darf die Planlaufabweichung an jeder beliebigen Messposition $t = 0{,}3$ mm nicht überschreiten.	
	Gesamtlauftoleranzen	↗↗ Rund-lauf	↗↗ 0,3 A-B B	Bei mehrmaliger Drehung um die Bezugsachse A-B **und** bei axialer Verschiebung müssen alle Punkte der Oberfläche innerhalb der Gesamt-Rundlauftoleranz $t = 0{,}3$ mm liegen.	
		Plan-lauf	↗↗ 0,2 A	Bei mehrmaliger Drehung um die Bezugsachse A **und** bei radialer Verschiebung müssen alle Punkte der Oberfläche innerhalb der Gesamt-Planlauftoleranz $t = 0{,}2$ mm liegen.	

Bildzeichen für den Maschinenbau

Bildzeichen für Werkzeugmaschinen
vgl. DIN 24 900-10 (1987-11)

K

Bildzeichen	Bezeichnung	Bildzeichen	Bezeichnung	Bildzeichen	Bezeichnung	Bildzeichen	Bezeichnung
	Allgemeine Betätigungen						
	Vorschub, allgemein		Schneller Vorschub, Eilgang		Einrichten		Positionieren
	Trennen						
	Plandrehen		Drehfutter, Spannfutter		Reiben, allgemein		Planschleifen
	Längsdrehen		Planscheibe		Innenräumen		Innenrundschleifen
	Innendrehen, Ausdrehen		Spindelstock		Fräsen		Außenrundschleifen
	Außendrehen		Gewinde herstellen		Fräsen im Gleichlauf		Läppen
	Spindel		Bohren		Fräsen im Gegenlauf		Innenhonen
	Spindelumdrehung, Spindeldrehzahl		Gewindebohren		Schleifen, allgemein		Außenhonen
	Werkzeughandhabung						
	Drehendes Werkzeug, allgemein		Werkzeug ausstoßen		Werkzeug lösen		Werkzeugmagazin, Kettensystem
	Werkzeug einsetzen		Werkzeug klemmen		Werkzeugmagazin, zentralgeführt		Werkzeug-Wechselarm, einarmig
	Werkstückhandhabung						
	Werkstück		Werkstück einsetzen		Werkstücktransport		Werkstück-Auslaufsperre schließen
	Werkstück-Fertigteil		Werkstück auswerfen		Spannzange		Werkstück-Greifvorrichtung
	Werkstück-Handhabungseinrichtung		Werkstück zentrieren		Material-, Stangenvorschub bis zum Anschlag		Werkstück-Senkrechtförderer
	Werkstückhalter, Werkstückbefestigung		Werkstück-Vereinzelung, Werkstück-Einlaufsperre		Längsspannen		Werkstück weiterschieben

W

Stoffwerte

Gasförmige Stoffe

Stoff	Dichte bei 0 °C und 1,013 bar ϱ kg/m^3	Dichtezahl[1] ϱ/ϱ_L	Schmelztemperatur bei 1,013 bar ϑ °C	Siedetemperatur bei 1,013 bar ϑ °C	Wärmeleitfähigk. bei 20 °C λ W/m · K	Wärmeleitzahl[2] λ/λ_L	Spezifische Wärmekapazität bei 20 °C und 1,013 bar c_p[3] kJ/kg · K	c_V[4] kJ/kg · K
Acetylen (C$_2$H$_2$)	1,17	0,905	− 84	− 82	0,021	0,81	1,64	1,33
Ammoniak (NH$_3$)	0,77	0,596	− 78	− 33	0,024	0,92	2,06	1,56
Butan (C$_4$H$_{10}$)	2,70	2,088	− 135	− 0,5	0,016	0,62	−	−
Frigen (CF$_2$CL$_2$)	5,51	4,261	− 140	− 30	0,010	0,39	−	−
Kohlenoxid (CO)	1,25	0,967	− 205	− 190	0,025	0,96	1,05	0,75
Kohlendioxid (CO$_2$)	1,98	1,531	− 57[5]	− 78	0,016	0,62	0,82	0,63
Luft	1,293	1,0	− 220	− 191	0,026	1,00	1,005	0,716
Methan (CH$_4$)	0,72	0,557	− 183	− 162	0,033	1,27	2,19	1,68
Propan (C$_3$H$_8$)	2,00	1,547	− 190	− 43	0,018	0,69	−	−
Sauerstoff (O$_2$)	1,43	1,106	− 219	− 183	0,026	1,00	0,91	0,65
Stickstoff (N$_2$)	1,25	0,967	− 210	− 196	0,026	1,00	1,04	0,74
Wasserstoff (H$_2$)	0,09	0,07	− 259	− 253	0,180	6,92	14,24	10,10

[1] Dichtezahl = Dichte eines Gases ϱ geteilt durch die Dichte der Luft ϱ_L
[2] Wärmeleitzahl = Wärmeleitfähigkeit λ eines Gases geteilt durch die Wärmeleitfähigkeit λ_L der Luft
[3] bei konst. Druck   [4] bei konst. Volumen   [5] bei 5,3 bar

Flüssige Stoffe

Stoff	Dichte bei 20 °C ϱ kg/dm^3	Zündtemperatur ϑ °C	Gefrier- bzw. Schmelztemperatur bei 1,013 bar ϑ °C	Siedetemperatur bei 1,013 bar ϑ °C	Spezif. Verdampfungswärme[1] r kJ/kg	Wärmeleitfähigkeit bei 20 °C λ W/m · K	Spezif. Wärmekapazität bei 20 °C c kJ/kg · K	Volumenausdehnungskoeffizient α_V 1/°C od. 1/K
Äthyläther(C$_2$H$_5$)$_2$O	0,71	170	− 116	35	377	0,13	2,28	0,001 6
Benzin	0,72...0,75	220	− 30...− 50	25...210	419	0,13	2,02	0,001 1
Dieselkraftstoff	0,81...0,85	220	− 30	150...360	628	0,15	2,05	0,000 96
Heizöl EL	≈ 0,83	220	− 10	> 175	628	0,14	2,07	0,000 96
Maschinenöl	0,91	400	− 20	> 300	−	0,13	2,09	0,000 93
Petroleum	0,76...0,86	550	− 70	> 150	314	0,13	2,16	0,001
Quecksilber (Hg)	13,5	−	− 39	357	285	10	0,14	0,000 18
Spiritus 95 %	0,81	520	− 114	78	854	0,17	2,43	0,001 1
Wasser, destilliert	1,00[2]	−	0	100	2256	0,60	4,18	0,000 18

[1] bei Siedetemperatur und 1,013 bar   [2] bei 4 °C

Feste Stoffe

Stoff	Dichte ϱ kg/dm^3	Schmelztemperatur bei 1,013 bar ϑ °C	Siedetemperatur bei 1,013 bar ϑ °C	Spezif. Schmelzwärme bei 1,013 bar q kJ/kg	Wärmeleitfähigkeit bei 20 °C λ W/m · K	Mittlere spezif. Wärmekapazität bei 0...100 °C c kJ/kg · K	Spezif. Widerstand bei 20 °C ϱ_{20} Ω · mm^2/m	Längenausdehnungskoeffizient zwischen 0...100 °C α_l 1/°C od. 1/K
Aluminium (Al)	2,7	659	2467	356	204	0,94	0,028	0,000 023 8
Antimon (Sb)	6,69	630,5	1637	163	22	0,21	0,39	0,000 010 8
Asbest	2,1...2,8	≈ 1300	−	−	−	0,81	−	−
Beryllium (Be)	1,85	1280	≈ 3000	−	165	1,02	0,04	0,000 012 3
Beton	1,8...2,2	−	−	−	≈ 1	0,88	−	0,000 01
Bismut (Bi)	9,8	271	1560	59	8,1	0,12	1,25	0,000 012 5
Blei (Pb)	11,3	327,4	1751	24,3	34,7	0,13	0,208	0,000 029
Cadmium (Cd)	8,64	321	765	54	91	0,23	0,077	0,000 03
Chrom (Cr)	7,2	1903	2642	134	69	0,46	0,13	0,000 008 4
Cobalt (Co)	8,9	1493	2880	268	69,1	0,43	0,062	0,000 012 7
CuAl-Legierungen	7,4...7,7	1040	2300	−	61	0,44	−	0,000 019 5
CuSn-Legierungen	7,4...8,9	900	2300	−	46	0,38	0,02...0,03	0,000 017 5

Feste Stoffe (Fortsetzung)

Stoff	Dichte ϱ kg/dm³	Schmelztemperatur bei 1,013 bar ϑ °C	Siedetemperatur bei 1,013 bar ϑ °C	Spezif. Schmelzwärme bei 1,013 bar q kJ/kg	Wärmeleitfähigkeit bei 20 °C λ W/m · K	Mittlere spezif. Wärmekapazität bei 0...100 °C c kJ/kg · K	Spezif. Widerstand bei 20 °C ϱ_{20} Ω · mm²/m	Längenausdehnungskoeffizient zwischen 0...100 °C α_l 1/°C od. 1/K
CuZn-Legierungen	8,4...8,7	900...1000	2300	167	105	0,39	0,05...0,07	0,000 018 5
Eis	0,92	0	100	332	2,3	2,09	–	0,000 051
Eisen, rein (Fe)	7,87	1536	3070	276	81	0,47	0,13	0,000 012
Eisenoxid (Rost)	5,1	1570	–	–	0,58 (pulv.)	0,67	–	–
Fette	0,92...0,94	30...175	≈ 300	–	0,21	–	–	–
Gips	2,3	1200	–	–	0,45	1,09	–	–
Glas (Quarzglas)	2,4...2,7	≈ 700	–	–	0,81	0,83	10^{18}	0,000 000 5
Gold (Au)	19,3	1064	2707	67	310	0,13	0,022	0,000 014 2
Graphit (C)	2,24	≈ 3800	≈ 4200	–	168	0,71	–	0,000 007 8
Gusseisen	7,25	1150...1200	2500	125	58	0,50	0,6...1,6	0,000 010 5
Hartmetall (K 20)	14,8	> 2000	≈ 4000	–	81,4	0,80	–	0,000 005
Holz (lufttrocken)	0,20...0,72	–	–	–	0,06...0,17	2,1...2,9	–	≈ 0,000 04[2]
Iridium (Ir)	22,4	2443	> 4350	135	59	0,13	0,053	0,000 006 5
Iod (I)	5,0	113,6	183	62	0,44	0,23	–	–
Kohlenstoff (C)	3,5	3800	–	–	–	0,52	–	0,000 00118
Koks	1,6...1,9	–	–	–	0,18	0,83	–	–
Konstantan	8,89	1260	≈ 2400	–	23	0,41	0,49	0,000 015 2
Kork	0,1...0,3	–	–	–	0,04...0,06	1,7...2,1	–	–
Korund (Al_2O_3)	3,9...4,0	2050	2700	–	12...23	0,96	–	0,000 006 5
Kupfer (Cu)	0,90	1083	≈ 2595	213	384	0,39	0,0179	0,000 016 8
Magnesium (Mg)	1,74	650	1120	195	172	1,04	0,044	0,000 026
Magnesium-Leg.	≈ 1,8	≈ 630	1500	–	46...139	–	–	0,000 024 5
Mangan (Mn)	7,43	1244	2095	251	21	0,48	0,39	0,000 023
Molybdän (Mo)	10,22	2620	4800	287	145	0,26	0,054	0,000 005 2
Natrium (Na)	0,97	97,8	890	113	126	1,3	0,04	0,000 071
Nickel (Ni)	8,91	1455	2730	306	59	0,45	0,095	0,000 013
Niob (Nb)	8,55	2468	≈ 4800	288	53	0,273	0,217	0,000 007 1
Phosphor, gelb (P)	1,82	44	280	21	–	0,80	–	–
Platin (Pt)	21,5	1709	4300	113	70	0,13	0,098	0,000 009
Polystyrol	1,05	–	–	–	0,17	1,3	10^{10}	0,000 07
Porzellan	2,3...2,5	≈ 1600	–	–	1,6[1]	1,2[1]	10^{12}	0,000 004
Quarz, Flint (SiO_2)	2,1...2,5	1480	2230	–	9,9	0,8	–	0,000 008
Schaumgummi	0,06...0,25	–	–	–	0,04...0,06	–	–	–
Schwefel (S)	2,07	113	344,6	49	0,2	0,70	–	–
Selen, rot (Se)	4,4	220	688	83	0,2	0,33	–	–
Silber (Ag)	10,5	961,5	2180	105	407	0,23	0,015	0,000 019 3
Silicium (Si)	2,33	1423	2355	1658	83	0,75	$2,3 \cdot 10^9$	0,000 004 2
Siliciumkarbid (SiC)	2,4	zerfällt über 3000 °C in C und Si			9[3]	1,05[3]	–	–
Stahl unlegiert	7,85	≈ 1500	2500	205	48...58	0,49	0,14...0,18	0,000 011 5
Stahl legiert	7,9	≈ 1500	–	–	14	0,51	0,7	0,000 016
Steinkohle	1,35	–	–	–	–	0,24	1,02	–
Tantal (Ta)	16,6	2996	5400	172	54	0,14	0,124	0,000 006 5
Titan (Ti)	4,5	1670	3280	88	15,5	0,47	0,08	0,000 008 2
Uran (U)	19,1	1133	≈ 3800	356	28	0,12	–	–
Vanadium (V)	6,12	1890	≈ 3380	343	31,4	0,50	0,2	–
Wolfram (W)	19,27	3390	5500	54	130	0,13	0,055	0,000 004 5
Zink (Zn)	7,13	419,5	907	101	113	0,4	0,06	0,000 029
Zinn (Sn)	7,29	231,9	2687	59	65,7	0,24	0,114	0,000 023

[1] bei 800 °C   [2] quer zur Faser   [3] über 1000 °C

W

Bezeichnungssysteme für Stähle

Nummernsystem für Stähle · vgl. DIN EN 10 027-2 (1992-09), Ersatz für DIN 17 007-2

Das Nummernsystem für Stähle nach DIN EN 10 027-2 besteht aus der Werkstoff-Hauptgruppennummer 1 für Stahl, einer zweistelligen Stahlgruppennummer und einer zweistelligen Zählnummer. Eine Erweiterung der Zählnummer auf 4 Stellen ist bei Bedarf vorgesehen. Die Werkstoffnummern für Stähle werden von der Europäischen Stahlregistratur, Düsseldorf, vergeben.

Beispiel: 1 . 00 37(xx)

Werkstoff-Hauptgruppe	Stahlgruppen-Nummer	Zählnummer
1 Stahl	00 Grundstahl	37, bei Bedarf erweiterbar (xx)

Bedeutung der Stahlgruppennummern Stelle 2 und 3

Stahl-gruppen-nummer	Stahlgruppen	Stahl-gruppen-nummer	Stahlgruppen
Grundstähle		**Legierte sonstige Stähle**	
00, 90	Grundstähle	32, 33	Schnellarbeitsstähle (mit Co)
Unlegierte Qualitätsstähle		35	Wälzlagerstähle
01	Allgemeine Baustähle, $R_m < 500$ N/mm²	36...39	Werkstoffe mit besonderen magnetischen oder physikalischen Eigenschaften
02	Sonstige Baustähle, $R_m < 500$ N/mm²	40...45	Nichtrostende Stähle
03	Stähle mit C < 0,12 % oder $R_m < 400$ N/mm²	46	Chemisch beständige und hochwarmfeste Nickellegierungen
04	Stähle mit C ≥ 0,12 % bis < 0,25 % oder $R_m ≥ 400$ N/mm² bis < 500 N/mm²	47...48	Hitzebeständige Stähle
05	Stähle mit C ≥ 0,25 % bis < 0,55 % oder $R_m ≥ 500$ N/mm² bis < 700 N/mm²	49	Hochwarmfeste Werkstoffe
06	Stähle mit C ≥ 0,55 % oder $R_m ≥ 700$ N/mm²	**Legierte Bau-, Maschinenbau- und Behälterstähle[1]**	
07	Stähle mit höherem P- oder S-Gehalt	51	Mn, Si, Cu
Unlegierte Edelstähle		52	Mn-Cu, Mn-V, Si-V, Mn-Si-V
10	Stähle mit besonderen physikalischen Eigenschaften	53	Mn-Ti, Si-Ti
11	Bau-, Maschinenbau- und Behälterstähle mit C < 0,5 %	54	Mo, Nb, Ti, V, W
12	Maschinenbaustähle mit C ≥ 0,5 %	55	Mn < 1,64 %, B, Mn-B
13	Bau-, Maschinenbau- und Behälterstähle mit besonderen Anforderungen	56	Ni
		57...60	Cr-Ni mit bis 3 % Cr
15...18	Werkzeugstähle	62, 63	Ni-Mo, Ni-Mn-V
Legierte Qualitätsstähle		65...67	Cr-Ni-Mo
08	Stähle mit besonderen physikalischen Eigenschaften	68	Cr-Ni-V, Cr-Ni-W, Cr-Ni-V-W
09	Stähle für verschiedene Anwendungsbereiche	69	Cr-Ni außer Klassen 57...68
		70	Cr, Cr-B
Legierte Werkzeugstähle[1]		71	Cr-Si, Cr-Mn, Cr-Mn-B, Cr-Si-Mn
20	Cr	72, 73	Cr-Mo
21	Cr-Si, Cr-Mn, Cr-Mn-Si	75, 76	Cr-V
22	Cr-V, Cr-V-Si, Cr-V-Mn	77	Cr-Mo-V
23	Cr-Mo, Cr-Mo-V, Mo-V	79	Cr-Mn-Mo, Cr-Mn-Mo-V
24	W, Cr-W	80	Cr-Si-Mo, Cr-Si-Mn-Mo, Cr-Si-Mo-V
25	W-V, Cr-W-V	81	Cr-Si-V, Cr-Mn-V, Cr-Si-Mn-V
26	W, außer Klassen 24, 25, 27	82	Cr-Mo-W, Cr-Mo-W-V
27	Ni	84	Cr-Si-Ti, Cr-Mn-Ti, Cr-Si-Mn-Ti
28	Sonstige	85	Nitrierstähle
		88, 89	Hochfeste, schweißgeeignete Stähle

[1] Kennzeichnende Legierungsbestandteile

➡ **1.0143:** Allgemeiner Baustahl (1.01); die Zählnummer 43 verweist auf Werkstoff S275JO mit $R_e = 275$ N/mm² (Seite 128)

Stahl ist ein Werkstoff, dessen Massenanteil an Eisen größer ist als der jedes anderen Elementes und dessen C-Gehalt unter 2 % beträgt.

Stahl
Einteilung

Unlegierte Stähle
Kein Element darf den Grenzgehalt nach Tabelle 1 erreichen

Legierte Stähle
Mindestens ein Element muss den Grenzgehalt nach Tabelle 1 erreichen oder überschreiten

Grundstähle[1]

- nicht für eine Wärmebehandlung bestimmt
- außer Si und Mn sind keine weiteren Legierungselemente vorgesehen
- im unbehandelten oder normalgeglühten Zustand gelten folgende Grenzwerte:

Anforderung	Dicke mm	Grenzwert
Mindestzugfestigkeit	< 16	< 690 N/mm^2
Mindeststreckgrenze	< 16	< 360 N/mm^2
Bruchdehnung	< 16	< 26 %
Kerbschlagenergie	< 16	< 27 J
Kohlenstoffgehalt	–	> 0,10 %
P-Gehalt, S-Gehalt	–	> 0,045 %

Unlegierte Qualitätsstähle

- bei Wärmebehandlung, z.B. Vergüten, Härten, kein gleichmäßiges Ansprechen auf Vergütung oder Oberflächenhärtung gewährleistet
- keine besonderen Anforderungen an den Reinheitsgrad
- verbesserte Anforderungen hinsichtlich Korngröße, Sprödbruchempfindlichkeit, Verformbarkeit gegenüber den Grundstählen

Unlegierte Edelstähle

- höherer Reinheitsgrad gegenüber Qualitätsstählen
- gleichmäßiges Ansprechen auf eine Vergütung oder Oberflächenhärtung
- genaue Einstellung der chemischen Zusammensetzung
- Stähle mit Anforderungen an:
  - die Kerbschlagarbeit im vergüteten Zustand
  - niedrigere Gehalte nichtmetallischer Einschlüsse
  - Höchstgehalte von P und S
  - Mindestwerte für die Kerbschlagarbeit
  - kontrollierter Aushärtung bei Abkühlung aus der Warmformgebungstemperatur

Tabelle 1: Grenzgehalte zur Stahleinteilung

Element	Grenzgehalt in %	Element	Grenzgehalt in %
Al	0,10	Nb	0,06
B	0,0008	Ni	0,30
Bi	0,1	Pb	0,40
Co	0,10	Se	0,10
Cr	0,30	Si	0,50
Cu	0,40	Te	0,10
La	0,05	Ti	0,05
Mn	1,65	V	0,10
Mo	0,08	W	0,10

Legierte Qualitätsstähle

- ähnliche Verwendung wie bei unlegierten Qualitätsstählen
- im Allgemeinen nicht für eine Vergütung oder Oberflächenhärtung bestimmt
- Legierungselemente werden zur Erzielung besonderer Anwendungseigenschaften eingesetzt, z.B. zur Verbesserung der Schweißbarkeit, der Umformbarkeit, der Magnetisierbarkeit, der Kaltumformbarkeit

Legierte Edelstähle

- genaue Einstellung der chemischen Zusammensetzung sowie der Herstellungs- und Prüfbedingungen
- Legierungselemente führen zu gezielten Verarbeitungs- und Gebrauchseigenschaften oft in Kombination miteinander
- Untergruppen:

– nichtrostende Stähle	– Wälzlagerstähle
– warmfeste Stähle	– Stähle für den Stahl-
– Werkzeugstähle	und Maschinenbau
– Schnellarbeitsstähle	mit besonderen
– hitzebeständige Stähle	Anforderungen

W

Bezeichnung nach

oder

Verwendungszweck

Chemischer Zusammensetzung

Bezeichnung nach

Chemischer Zusammensetzung

[1] Im Entwurf für DIN EN 10 020 (1997-08) wurden die Grundstähle gestrichen und den unlegierten Qualitätsstählen zugeordnet.

Stahlnormung für Stähle und Stahlguss

Bezeichnungssystem für Stähle und Stahlguss vgl. DIN EN 10 027-1 (1992-09) und DIN V 17 006-100 (1993-11)

Die Kurznamen für Stähle und Stahlguss werden nach DIN EN 10 027 und DIN V 17 006-100 gebildet. Dieses Bezeichnungssystem ersetzt DIN 17 006 T1...T3 und EURONORM 27.

Die Kurznamen bestehen aus Haupt- und Zusatzsymbolen. Diese werden ohne Zwischenräume aneinandergefügt. Zusatzsymbole für Stahlerzeugnisse sind von den vorhergehenden Symbolen durch ein Pluszeichen (+) getrennt. Falls erforderlich, wird dem Kurznamen der Buchstabe G für Stahlguss vorangestellt.

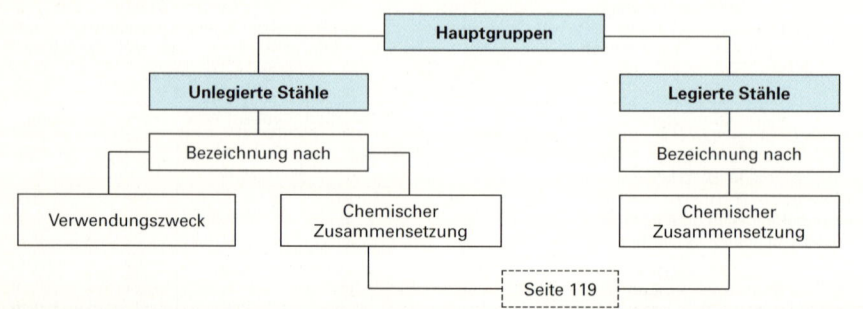

Seite 119

Bezeichnung nach dem Verwendungszweck

Verwendungszweck	Hauptsymbole		Zusatzsymbole für Stähle		Stahl-erzeugnisse
			Gruppe 1	Gruppe 2	
Stähle für den Maschinenbau	E	360		C	
Stähle für den Stahlbau	S	235	J2G3		
Stähle für Druckbehälterbau	P	265	N	H	
Flacherzeugnisse aus höherfesten Stählen	H	420	M		
Flacherzeugnisse zum Kaltumformen	DX	52	D		+ Z
Verpackungsblech und -band	T	660			+ SE
Stähle für Leitungsrohre	L	360	N		
Betonstähle	B	500	H		
Spannstähle	Y	1770	C		
Elektroblech und -band	M	400	– 50A		
Schienenstähle	R	0880	Mn		

Hauptsymbole			Zusatzsymbole für Stähle		Zusatzsymbole für Stahlerzeugnisse
			Gruppe 1	Gruppe 2	
Kennbuchstabe **G** für Stahlguss (wenn erforderlich)	Kennbuchstabe für die Stahlgruppe	Buchstaben, Zahlen, z.B. zur Kennzeichnung von mech. Eigenschaften	Buchstaben, Ziffern, z.B. zur Kennzeichnung der – Kerbschlagarbeit, – Wärmebehandlung, – Verwendung, – Desoxidation	Buchstaben, Ziffern nur in Verbindung mit Gruppe 1 zulässig, z.B. zur Kennzeichnung der Umformbarkeit	Buchstaben, Zahlen, die von den vorhergehenden mit einem Pluszeichen (+) getrennt sind (Seite 118).

Stähle für den Maschinenbau

E	Mindeststreckgrenze R_e in N/mm² für die geringste Erzeugnisdicke	G 1 unberuhigt vergossen G2 beruhigt vergossen G3 vollberuhigt vergossen G4 vollberuhigt vergossen und vorgeschriebener Anlieferungszustand	C mit besonderer Kaltumformbarkeit	nach Tabelle B Seite 118

⇨ **E360C**: Maschinenbaustahl, R_e = 360 N/mm², mit besonderer Kaltumformbarkeit

Bezeichnung nach dem Verwendungszweck (Fortsetzung)

Hauptsymbole		Zusatzsymbole		
Buchstabe	Eigenschaften	Gruppe 1	Gruppe 2	Stahlerzeugnisse

Stähle für den Stahlbau

S	Mindeststreckgrenze R_e in N/mm² für die geringste Erzeugnisdicke	Kerbschlagarbeit in Joule			Prüftemp. in °C	C mit besonderer Kaltumformbarkeit D für Schmelzüberzüge E für Emaillierung F zum Schmieden L für Niedrigtemperaturen M thermomechanisch umgeformt N normalgeglüht oder normalisierend umgeformt O für Offshore (Meerestechnik) Q vergütet S für Schiffsbau T für Rohre W wetterfest	nach Tabellen A, B und C Seite 118
		27 J	40 J	60 J			
		JR	KR	LR	+ 20		
		JO	KO	LO	0		
		J2	K2	L2	– 20		
		J3	K3	L3	– 30		
		J4	K4	L4	– 40		
		J5	K5	L5	– 50		
		J6	K6	L6	– 60		
		G1...G4 siehe Stähle für den Maschinenbau S. 116					

➡ **S235J2G3**: Stahlbaustahl, R_e = 235 N/mm², Kerbschlagarbeit 27 J bei – 20 °C, vollberuhigt vergossen

Stähle für den Druckbehälterbau

P	Mindeststreckgrenze R_e in N/mm² für die geringste Erzeugnisdicke	M thermomechanisch umgeformt N normalgeglüht oder normalisierend umgeformt Q vergütet B Gasflaschen S einfache Druckbehälter	H Einsatzbereich Hochtemperatur L Einsatzbereich Niedrigtemperatur R Einsatzbereich Raumtemperatur X Einsatzbereich Hoch- und Niedrigtemperatur	nach Tabellen B und C Seite 118

➡ **P265NH**: Druckbehälterstahl, R_e = 265 N/mm², normalgeglüht oder normalisierend umgeformt, für Hochtemperaturen geeignet

Kaltgewalzte Flacherzeugnisse aus höherfesten Stählen

H	Mindeststreckgrenze R_e in N/mm²	M thermomechanisch gewalzt und kalt gewalzt B Bake hardening P Phosphor-legiert X Dualphase Y Interstitial free steel (IF Stahl)	D Schmelztauchüberzüge	nach Tabellen B und C Seite 118
HT	Mindestzugfestigkeit R_m in N/mm²			

➡ **H420M**: Kaltgewalztes Flacherzeugnis aus höherfestem Stahl, R_e = 420 N/mm², thermomechanisch und kalt gewalzt

➡ **HT560M+ZE**: Kaltgewalztes Flacherzeugnis aus höherfestem Stahl, R_m = 560 N/mm², thermomechanisch und kalt gewalzt, elektrolytisch verzinkt

Flacherzeugnis zum Kaltumformen

D	zweistellige Kennzahl	D Schmelztauchüberzüge EK für konventionelle Emaillierung ED für direkte Emaillierung T für Rohre chemische Symbole für vorgeschriebene Elemente, z.B. Cu G1...G4 siehe Stähle für den Maschinenbau S. 116	keine Symbole vorgesehen	nach Tabellen B und C Seite 118
DC	kalt gewalzt, zweistellige Kennzahl			
DD	warm gewalzt, zweistellige Kennzahl			
DX	Walzzustand nicht vorgeschrieben, zweistellige Kennzahl			

➡ **DX52D+Z**: Flacherzeugnis zum Kaltumformen, ohne Walzvorschrift, Kennzahl 52, für Schmelztauchüberzüge, feuerverzinkt

➡ **DC02+ZE**: Flacherzeugnis zum Kaltumformen, kalt gewalzt, Kennzahl 02, elektrolytisch verzinkt

W

Stahlnormung für Stähle und Stahlguss

Bezeichnung nach dem Verwendungszweck (Fortsetzung)

Hauptsymbole		Zusatzsymbole		
Buchstabe	Eigenschaften	Gruppe 1	Gruppe 2	Stahlerzeugnisse
Verpackungsblech und -band				
T	Nenndehngrenze $R_{\mathrm{p}\,0,2}$ in N/mm² für doppelt reduzierte Erzeugnisse	keine Symbole vorgesehen	keine Symbole vorgesehen	nach Tabellen B und C unten auf dieser Seite
TH	vorgeschriebener mittlerer Härtewert für einfach reduzierte Erzeugnisse			

⇨ **T660+SE**: Weißblech, doppelt reduziert, $R_{0,2}$ = 660 N/mm², elektrolytisch verzinnt
⇨ **TH52+CE**: Feinstblech, Härtegrad 52, einfach reduziert, elektrolytisch spezialverchromt

Stähle für Leitungsrohre

		Gruppe 1	Gruppe 2	Stahlerzeugnisse
L	Mindeststreckgrenze R_{e} in N/mm² für die geringste Erzeugnisdicke	M thermomechanisch umgeformt N normalgeglüht oder normalisierend umgeformt Q vergütet G1...G4 siehe Stähle für den Maschinenbau S. 116	Anforderungsklassen, falls erforderlich mit einer Ziffer	nach Tabellen A, B und C unten auf dieser Seite

⇨ **L360N**: Stahl für Leitungsrohre, R_{e} = 360 N/mm², normalgeglüht

Betonstähle

		Gruppe 1	Gruppe 2	Stahlerzeugnisse
B	Mindeststreckgrenze R_{e} in N/mm² für die geringste Erzeugnisdicke	N normale Gleichdehnung H hohe Gleichdehnung G1...G4 siehe Stähle für den Maschinenbau S. 116	keine Symbole vorgesehen	nach Tabelle C unten auf dieser Seite

⇨ **B500H**: Betonstahl, R_{e} = 500 N/mm², hohe Gleichdehnung

Zusatzsymbole für Stahlerzeugnisse

Tabelle A: Für besondere Anforderungen

+C Grobkornstahl	+F Feinkornstahl	+H Mit besonderer Härtbarkeit
+Z15 Mindestbrucheinschnürung senkrecht zur Oberfläche 15 %	+Z25 Mindestbrucheinschnürung senkrecht zur Oberfläche 25 %	+Z35 Mindestbrucheinschnürung senkrecht zur Oberfläche 35 %

Tabelle B: Für den Behandlungszustand

+A Weichgeglüht	+HC Warm-Kalt-geformt	+Q Abgeschreckt bzw. gehärtet
+AC Geglüht zur Erzielung kugeliger Karbide	+LC Leicht kalt nachgezogen bzw. leicht nachgewalzt (Skin passed)	+QA Luftgehärtet
+AT Lösungsgeglüht		+QO Ölgehärtet
+C Kaltverfestigt	+M Thermomechanisch gewalzt	+QT Vergütet
+Cnnn Kaltverfestigt auf eine Mindestzugfestigkeit von nnn N/mm²	+N Normalgeglüht	+QW Wassergehärtet
	+NT Normalgeglüht und angelassen	+S Behandelt auf Kaltscherbarkeit
		+ST Lösungsgeglüht
		+T Angelassen
+CR Kaltgewalzt		+U Unbehandelt

Um Verwechslungen mit anderen Symbolen aus den Tabellen A und C zu vermeiden, kann den Zusatzsymbolen für den Behandlungszustand der Buchstabe T vorangestellt werden, z.B. +TA.

Tabelle C: Für die Art des Überzuges

+A Feueraluminiert	+OC Organisch beschichtet (Coilcoating)	+TE Elektrolytisch mit Pb-Sn-Legierung überzogen
+AR Aluminium-walzplattiert		
+AS Mit Al-Si-Legierung überzogen	+S Feuerverzinnt	+Z Feuerverzinkt
+AZ Mit Al-Zn-Legierung überzogen	+SE Elektrolytisch verzinnt	+ZA Mit Zn-Al-Legier. überzogen
+CE Elektrolytisch spezialverchromt	+T Schmelztauchveredelt mit Pb-Sn-Legierung (Terne)	+ZE Elektrolytisch verzinkt
+CU Kupferüberzug		+ZF Diffusionsgeglühte Zn-Überzüge
+IC Anorganische Beschichtung		+ZN Zn-Ni-Überzug

Um Verwechslungen mit anderen Symbolen aus den Tabellen A und B zu vermeiden, kann den Zusatzsymbolen für die Art des Überzugs der Buchstabe S vorangestellt werden, z.B. +SA.

Bezeichnung nach der chemischen Zusammensetzung

Chemische Zusammensetzung		Hauptsymbole	Zusatzsymbole für Stähle Gruppe 1	Stahlerzeugnisse
Unlegierte Stähle mit einem Mn-Gehalt < 1 %, außer Automatenstähle	C	35	E4	+QT
Unlegierte Stähle mit einem Mn-Gehalt > 1 %		28Mn6		
Unlegierte Automatenstähle		9SMn28		
Legierte Stähle mit Gehalten der einzelnen Legierungselemente unter 5 %		31CrMoV5-9		
Legierte Stähle (außer Schnellarbeitsstähle). Der mittlere Gehalt mindestens eines Legierungselementes liegt über 5 %	X	5CrNi18-10		
Schnellarbeitsstähle	HS	2-9-1-8		

Hauptsymbole			Zusatzsymbole für Stähle Gruppe 1	Zusatzsymbole für Stahlerzeugnisse
Kennbuchstabe G für Stahlguss (wenn erforderlich)	Kennbuchstabe für die Stahlgruppe	Buchstaben, Zahlen, z.B. zur Kennzeichnung von – Kohlenstoffgehalt, – Legierungselementen	Buchstaben, Ziffern, z.B. zur Kennzeichnung der – Verwendung	Buchstaben, Zahlen, die von den vorhergehenden Symbolen mit einem Pluszeichen (+) getrennt sind.

Hauptsymbole		Zusatzsymbole		
Buchstabe	Kohlenstoffgehalt	Gruppe 1		Stahlerzeugnisse

C Unlegierte Stähle mit einem Mn-Gehalt < 1 %, außer Automatenstähle

C	Kennzahl für den Kohlenstoffgehalt Kennzahl = 100 x mittlerer C-Gehalt	E vorgeschriebener max. S-Gehalt[1] R vorgeschriebene Bereiche des S-Gehaltes[1] D zum Drahtziehen	C besondere Kaltumformbarkeit S für Federn T für Werkzeuge W für Schweißdraht	nach Tabelle B Seite 118
		G1...G4 siehe Stähle für den Maschinenbau Seite 116		

[1] Steht hinter den Symbolen E und R eine Kennzahl, so gilt: Kennzahl = Schwefelgehalt x 100

⇒ **C35E4+QT**: Unlegierter Stahl, 0,35 % C-Gehalt, maximaler S-Gehalt = 0,04 %, vergütet

Hauptsymbole			Zusatzsymbole
Buchstabe	Kohlenstoffgehalt	Legierungselemente	Stahlerzeugnisse

Unlegierte Stähle mit einem Mn-Gehalt > 1 %, unlegierte Automatenstähle, legierte Stähle (ohne Automatenstähle) mit Gehalten der einzelnen Legierungselemente unter 5 %

–	Kennzahl für den Kohlenstoffgehalt Kennzahl = 100 x mittlerer C-Gehalt	Symbole für die Legierungselemente Kennzahlen für den mittleren Gehalt der Elemente Kennzahl = mittlerer Gehalt x Faktor		nach Tabellen A und B Seite 118
		Element	Faktor	
		Cr, Co, Mn, Ni, Si, W	4	
		Al, Be, Cu, Mo, Nb, Pb, Ta, Ti, V, Zr	10	
		Ce, N, P, S, C	100	
		B	1000	

⇒ **28Mn6**: Unlegierter Stahl, 0,28 % C-Gehalt, 1,5 % Mn-Gehalt

X Legierte Stähle (ohne Schnellarbeitsstähle). Der mittlere Gehalt mindestens eines Legierungselementes liegt über 5 %

X	Kennzahl für den Kohlenstoffgehalt Kennzahl = 100 x mittlerer C-Gehalt	Symbole für die Legierungselemente Kennzahlen, durch Bindestrich getrennt, für den mittleren Gehalt der Elemente	nach Tabellen A und B Seite 118

⇒ **X5CrNi18-10**: Legierter Stahl, 0,05 % C-Gehalt, 18 % Cr-Gehalt, 10 % Ni-Gehalt

HS Schnellarbeitsstähle

HS	–	Zahlen, durch Bindestrich getrennt, geben den prozentualen Gehalt in folgender Reihenfolge an: Wolfram (W) – Molybdän (Mo) – Vanadium (V) – Cobalt (Co)	nach Tabellen A und B Seite 118

⇒ **HS2-9-1-8**: Schnellarbeitsstahl, 2 % W, 9 % Mo, 1 % V, 8 % Co

W

Die nach diesem System und nach EURONORM 27-74 gebildeten Kurznamen wurden meist schon durch neue Kurznamen entsprechend der Systematik von DIN EN 10 027 (Seite 116...119) ersetzt. Die Umstellung wird von den Fachausschüssen für die einzelnen Stahlgruppen, z.B. für die Einsatzstähle, vorgenommen.

Werkstoffgruppe

Kenn-buchstabe	Bedeutung	Beispiel	Kenn-buchstabe	Bedeutung	Beispiel
St	Unlegierter Baustahl	St 37-2	GTS	Schwarzer Temperguss	GTS-55
StE	Baustahl mit Angabe der Streckgrenze	StE 39	GTW	Weißer Temperguss	GTW-35
			GS	Stahlguss	GS-52
GG	Gusseisen mit Lamellengraphit	GG-20	GK	Kokillenguss	GK-AlMg 3
GGG	Gusseisen mit Kugelgraphit	GGG-60	GZ	Schleuderguss (Zentrifugalguss)	GZ-X12Cr 14

Bei St, GG, GS, GTS und GTW erhält man aus der direkt angehängten Zahl durch Multiplikation mit dem Faktor 9,81 die Mindestzugfestigkeit in N/mm², bei StE dagegen die gewährleistete Streckgrenze.

Chemische Zusammensetzung

Unlegierte Stähle

Kenn-buchstabe	Bedeutung	Beispiel	Kenn-buchstabe	Bedeutung	Beispiel
C	Zeichen für Kohlenstoff	C 15	W1	Werkzeugstahl erster Güte	C 105 W1
f	Geeignet für Flamm- und Induktionshärtung	Cf 53	W2	Werkzeugstahl zweiter Güte	C 105 W2
k	Niedriger Phosphor- und Schwefelgehalt	Ck 10	W3	Werkzeugstahl dritter Güte	C 60 W3
m	Gewährleistete Spanne des Schwefelgehaltes	Cm 35	WS	Werkzeugstahl für Sonder-zwecke	C 85 WS
q	Stähle zum Kaltstauchen	Cq 15	D	Stahl für Walzdraht	D 8

Die an den Kennbuchstaben C und D angehängten Zahlen kennzeichnen den Kohlenstoffgehalt in hundertstel Gewichtsprozenten.

Legierte Stähle

W

Die erste Zahl des Kurznamens kennzeichnet den Kohlenstoffgehalt in hundertstel Gewichtsprozent. Der Buchstabe C entfällt dabei. Danach folgen die chemischen Zeichen der wesentlichen Legierungselemente in der Reihenfolge abnehmender Gewichtsprozente sowie die Gewichtsprozente selbst, die mit den folgenden Faktoren multipliziert sind:

Multiplikationsfaktor				
4	10		100	1000
Cr Chrom Ni Nickel Co Cobalt Si Silicium Mn Mangan W Wolfram	Al Aluminium Nb Niob Ti Titan Be Beryllium Pb Blei V Vanadium Cu Kupfer Ta Tantal Zr Zirkon Mo Molybdän		C Kohlenstoff S Schwefel N Stickstoff Ce Cer	B Bor

Bei **Gehalten von mehr als 5 %** eines Legierungsbestandteils entfällt der Multiplikationsfaktor. Zur sicheren Kennzeichnung wird jedoch meist ein X vor den hundertfachen C-Gehalt gesetzt.
Schnellarbeitsstähle werden mit dem Buchstaben S gekennzeichnet, dem in immer gleicher Reihenfolge die Legierungsbestandteile Wolfram, Molybdän, Vanadium und Cobalt in Gewichtsprozenten folgen.

Beispiel	Erläuterung	Beispiel	Erläuterung
16 MnCr 5	Einsatzstahl mit 0,16 % C und 1,25 % Mn, Cr-Anteile	X-12 CrNi 18 8	Korrosionsbeständiger Stahl mit 0,12 % C, 18 % Cr und 8 % Ni
GS-18 CrMo 9 10	Warmfester Stahlguss mit 0,18 % C, 2,2 % Cr und 1,0 % Mo	S 18-1-2-5	Schnellarbeitsstahl mit 18 % W, 1 % Mo, 2 % V und 5 % Co

Kennzeichnung zusätzlicher Merkmale durch Buchstaben

Kennbuchstaben **vor** dem eigentlichen Kurznamen (Angaben zur Herstellung)

Kenn-buchstabe	Bedeutung	Beispiel	Kenn-buchstabe	Bedeutung	Beispiel
A	Alterungsbeständiger Stahl	A 25 CrMo 4	S	Zum Schweißen besonders geeignet	GTW-S 38-12
G	Gusswerkstoff	G-X 12 Cr 14			
P	Zum Gesenkschmieden	PSt 50-2	TT	Für tiefe Temperaturen geeignet	TTStE 32
R	Beruhigter und halbberuhigter Stahl	RSt 37-2	U	Unberuhigter Stahl	USt 37-2
RR	Besonders beruhigter Stahl	RRSt 34.7	WT	Witterungsbeständiger Stahl	WTSt 37-3
Ro	Für geschweißte Rohre	RoSt 37-3	Z	Zum Blankziehen geeignet	ZSt 44-2

Kennbuchstabe **nach** dem eigentlichen Kurznamen (Behandlungszustand)

Kenn	Bedeutung	Beispiel	Kenn	Bedeutung	Beispiel
G	Weichgeglüht	16 MnCr 5 G	SH	Geschält	Ck 45 SH
K	Kaltgezogen	9 SMn 28 K	U	Unbehandelt	St 37.2 U
N	Normalgeglüht	Ck 45 N	V	Vergütet	42 CrMo4V90

Anstrich und Farbkennzeichnung der Modelle   vgl. DIN 1511 (1978-04)

Fläche oder Flächenteil	Stahlguss	Gusseisen mit Kugelgraphit	Gusseisen mit Lamellengraphit	Temperguss	Schwermetallguss	Leichtmetallguss
Grundfarbe für Flächen am Modell und im Kernkasten, die am Gussteil unbearbeitet bleiben	blau	lila	rot	grau	gelb	grün
Am Gussteil zu bearbeitende Flächen	gelbe Striche	gelbe Striche	gelbe Striche	gelbe Striche	rote Striche	gelbe Striche
Sitzstellen loser Modellteile (Ansteckteile) am Modell oder im Kernkasten sowie für Schrauben von losen Teilen	schwarz umrandet					
Stellen für Abschreckplatten und Marken für einzulegende Dorne	rot	rot	blau	rot	blau	blau
Kernmarken	schwarz					

Schwindmaße   vgl. DIN 1511 (1978-04)

Gusswerkstoff	Schwindmaß in %	Gusswerkstoff	Schwindmaß in %
Gusseisen mit Lamellengraphit mit Kugelgraphit, geglüht mit Kugelgraphit, ungeglüht	1,0 0,5 1,2	Aluminium-Gusslegierungen Magnesium-Gusslegierungen CuSn-Gusslegierungen	1,2 1,2 1,5
Stahlguss Weißer Temperguss Schwarzer Temperguss	2,0 1,6 0,5	Cu-Zn-Gusslegierungen Cu-Sn-Zn-Gusslegierungen Feinzink-Gusslegierungen	1,2 1,3 1,3

Allgemeintoleranzen und Bearbeitungszugaben für Gussrohteile aus Gusseisen mit Lamellengraphit   vgl. DIN 1686-1 (1980-10)

W

Abmaße für Längenmaße (Längen, Breiten, Höhen, Mittenabstände, Durchmesser, Rundungen)

Genauigkeitsgrad	bis 18	über 18 bis 30	über 30 bis 50	über 50 bis 80	über 80 bis 120	über 120 bis 180	über 180 bis 250	über 250 bis 315	über 315 bis 400	über 400 bis 500	über 500 bis 630	über 630 bis 800	über 800 bis 1000	über 1000 bis 1250
GTB 20	±4,5	±7,5	±8	±8,5	±9	±10	±11	±11	±12	±13	±14	±15	±16	±18
GTB 19	±4,5	±4,7	±5	±5,5	±6	±6,5	±7	±7,5	±8	±8,5	±9,5	±10	±11	±12
GTB 18	±2,9	±3	±3,2	±3,4	±3,7	±4,1	±4,4	±4,7	±5	±5,5	±6	±6,5	±7	±7,5
GTB 17	±1,8	±1,9	±2	±2,1	±2,3	±2,5	±2,7	±2,9	±3,1	±3,3	±3,5	±3,8	±4,1	±4,4
GTB 16	±1,1	±1,2	±1,3	±1,4	±1,5	±1,6	±1,8	±1,9	±2	±2,1	±2,3	±2,4	±2,6	±2,8
GTB 15	±0,85	±0,95	±1	±1,1	±1,2	±1,3	±1,4	±1,5	±1,6	±1,7	±1,8	±1,9	±2	±2,2

Abmaße für Dickenmaße

Genauigkeitsgrad	bis 6	über 6 bis 10	über 10 bis 18	über 18 bis 30	über 30 bis 50	über 50 bis 80	über 80 bis 120	über 120 bis 180
GTB 20	–	–	–	± 7,5	± 11	± 12	± 13	± 14
GTB 19	–	–	± 4,5	± 7,5	± 8	± 8,5	± 9	± 10
GTB 18	–	± 2,5	± 4,5	± 4,7	± 5	± 5,5	± 6,5	–
GTB 17	± 1,5	± 2,5	± 2,9	± 3	± 3,2	± 3,4	± 3,7	–
GTB 16	± 1,5	± 1,8	± 1,8	± 1,9	± 2	± 2,1	± 2,3	–
GTB 15	± 0,95	± 1	± 1,1	± 1,2	± 1,3	± 1,4	–	–

Bearbeitungszugaben bei Gussstücken bis 1000 kg Gewicht und bis 50 mm Wanddicke

Lage der Fläche in der Gießform	bis 50	über 50 bis 120	über 120 bis 250	über 250 bis 500	über 500 bis 1000	über 1000 bis 2500
	Nennmaßbereich (größtes Außenmaß des Gussrohteiles)					
unten, seitlich	2	2	2,5	2,5	3,5	4
oben	2,5	2,5	3	3	4,5	5

Normung für Gusseisenwerkstoffe

Werkstoffnummern für Gusseisenwerkstoffe

vgl. DIN EN 1560 (1997-08)

Die neuen Werkstoffnummern nach DIN EN müssen aus sieben Positionen bestehen, zwischen den einzelnen Angaben darf kein Zwischenraum sein, z.B. EN-JL1020.

EN Europäische Norm

J Eisen (Iron)

	Bezeichnungspositionen						Gusseisensorte
1	–	2	3	4	5+6	7	
EN	–	J	L	2	04	7	Gusseisen mit Lamellengraphit
EN	–	J	S	1	02	2	Gusseisen mit Kugelgraphit
EN	–	J	M	1	13	0	Temperguss

Graphitstruktur (Buchstabe)	Hauptmerkmal (Ziffer)	Werkstoffkennziffer (2stellige Zahl)	Werkstoffanforderungen (Ziffer)
L Lamellengraphit S Kugelgraphit M Temperkohle V Vermikulargraphit N graphitfrei Y Sonderstruktur	1 Zugfestigkeit 2 Härte 3 Chemische Zusammensetzung	Durch eine Zahl von 00 bis 99 wird der jeweilige Werkstoff in der zugehörigen Werkstoffnorm gekennzeichnet	0 keine besonderen Anforderungen 1 getrennt gegossenes Probestück 2 angegossenes Probestück 3 einem Gussstück entnommenes Probestück 4 Schlagzähigkeit bei Raumtemperatur 5 Schlagzähigkeit bei tiefer Temperatur 6 festgelegte Schweißeignung 7 Rohgussstück 8 wärmebehandeltes Gussstück 9 zusätzliche festgelegte Anforderungen

⇨ **EN-JL1040**: Werkstoffnummer für Gusseisen mit Lamellengraphit (Seite 123).

Kurznamen für Gusseisenwerkstoffe

vgl. DIN EN 1560 (1997-08)

Der Kurzname für einen Gusseisenwerkstoff besteht höchstens aus sechs Teilen, wobei nicht alle Positionen belegt werden müssen, z.B. EN-GJS-HB230.

W

EN Europäische Norm

G Guss
J Eisen (Iron)

	Bezeichnungspositionen						Gusseisensorten
1	–	2	3	4	–	5	6	
EN	–	GJ	L		–	150C		Gusseisen mit Lamellengraphit
EN	–	GJ	L		–	HB155		Gusseisen mit Lamellengraphit
EN	–	GJ	S		–	350-22U		Gusseisen mit Kugelgraphit
EN	–	GJ	S		–	400-18S-RT		Gusseisen mit Kugelgraphit
EN	–	GJ	M	B	–	600-3		Temperguss
EN	–	GJ	M	W	–	360-125	W	Temperguss
EN	–	GJ	N		–	X300CrNiSi9-5-2		Verschleißfestes Gusseisen
EN	–	GJ	L	A	–	XNiCuCr15-6-2		Austenitisches Gusseisen

Graphitstruktur (Buchstabe)	Mikro- oder Makrostruktur (Buchstabe)	Mechanische Eigenschaften oder chemische Zusammensetzung (Zahlen, Buchstaben)		zusätzliche Anforderungen (Buchstabe)
L Lamellengraphit S Kugelgraphit M Temperkohle V Vermikulargraphit N graphitfrei Y Sonderstruktur	A Austenit F Ferrit P Perlit M Martensit L Ledeburit Q abgeschreckt T vergütet B nicht entkohlend geglüht W entkohlend geglüht	**a) Mechanische Eigenschaften** \table		D Rohgussstück H wärmebehandeltes Gussstück W Schweißeignung Z zusätzliche Anforderungen

a) Mechanische Eigenschaften

Beispiel	Erläuterung	
350	Mindestzugfestigkeit in N/mm^2	
350-22	zusätzliche Mindestbruchdehnung in %	
350-22S 350-22U 350-22C	getrennt gegossen angegossen am Gussstück entnommen	Probestückherstellung
350-22LT 350-22RT	Tieftemperatur Raumtemperatur	Prüftemperatur bei Messung der Schlagzähigkeit
HB155	maximale Brinellhärte	
HV230	maximale Vickershärte	
HR350	maximale Rockwellhärte	

b) Chemische Zusammensetzung

Die Angaben orientieren sich an den Stahlbezeichnungen.

⇨ **EN-GJS-350-22S**: Gusseisen mit Kugelgraphit, Mindestzugfestigkeit = 350 N/mm^2 ... (Seiten 123, 124).

Gusseisen mit Lamellengraphit   vgl. DIN EN 1561 (1997-10), Ersatz für DIN 1691

Sorten mit der Zugfestigkeit R_m als kennzeichnende Eigenschaft

Sorte		Bisheriger Kurzname	Werte gemessen an getrennt gegossenen Probestücken		Eigenschaften, Verwendung
Kurzname	Werkstoff-Nr.		Wanddicke mm	Zugfestigkeit R_m N/mm²	
EN-GJL-100	EN-JL1010	GG-10	5 bis 40	100 bis 200	Teile mit hoher Dämpfung und Wärmeleitfähigkeit
EN-GJL-150	EN-JL1020	GG-15	2,5 bis 300	150 bis 250	Teile für höhere Beanspruchung; Hebel, Lagergehäuse
EN-GJL-200	EN-JL1030	GG-20	2,5 bis 300	200 bis 300	
EN-GJL-250	EN-JL1040	GG-25	5 bis 300	250 bis 350	Wärmebeständige und druckdichte Teile
EN-GJL-300	EN-JL1050	GG-30	10 bis 300	300 bis 400	Teile mit hoher Beanspruchung; Lagerschalen, Turbinengehäuse
EN-GJL-350	EN-JL1060	GG-35	10 bis 300	350 bis 450	

⇨ **EN-GJL-100:** Gusseisen mit Lamellengraphit, R_m = 100 N/mm²

Sorten mit der Brinellhärte HB als kennzeichnende Eigenschaft

Sorte		Bisheriger Kurzname	Werte gemessen an getrennt gegossenen Probestücken		Eigenschaften, Verwendung
Kurzname	Werkstoff-Nr.		Wanddicke mm	Brinellhärte HB 30	
EN-GJL-HB155	EN-JL2010	GG-150 HB	40 bis 80	max. 155	Diese Kennzeichnung wird gewählt, wenn Gussstücke z.B. auf Verschleiß beansprucht werden oder mit hoher Schnittgeschwindigkeit bearbeitet werden sollen.
EN-GJL-HB175	EN-JL2020	GG-170 HB	40 bis 80	100 bis 175	
EN-GJL-HB195	EN-JL2030	GG-190 HB	40 bis 80	120 bis 195	
EN-GJL-HB215	EN-JL2040	GG-220 HB	40 bis 80	145 bis 215	
EN-GJL-HB235	EN-JL2050	GG-240 HB	40 bis 80	165 bis 235	
EN-GJL-HB255	EN-JL2060	GG-260 HB	40 bis 80	185 bis 255	

⇨ **EN-GJL-HB215:** Gusseisen mit Lamellengraphit, maximale Brinellhärte = 215 HB

W

Zusammenhang zwischen Mindestwerten der Zugfestigkeit und der Wanddicke von Gussstücken	Zusammenhang zwischen Durchschnittswerten der Brinellhärte und der Wanddicke von Gussstücken	Zusammenhang zwischen Zugfestigkeit und Brinellhärte von Gussstücken

Relative Härte

$$RH = \frac{HB}{100 + 0,44 \cdot R_m}$$

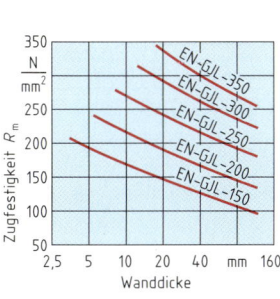

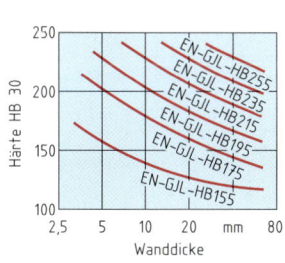

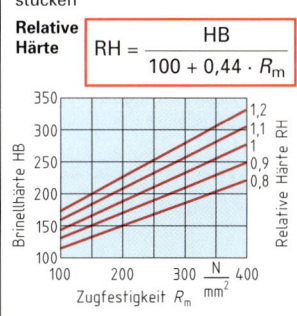

Bainitisches Gusseisen   vgl. DIN EN 1564 (1997-08)

Sorte		Werte gemessen an getrennt gegossenen Probestücken				Eigenschaften, Verwendung
Kurzname	Werkstoff-Nr.	Zugfestigkeit R_m N/mm²	Dehngrenze $R_{p\,0,2}$ N/mm²	Bruchdehnung A %	Brinellhärte HB	
EN-GJS-800-8	EN-JS1100	800	500	8	260 bis 320	Im Vergleich zu den Sorten nach DIN EN 1563 werden durch Wärmebehandlung höhere Festigkeits- und Zähigkeitseigenschaften erreicht.
EN-GJS-1000-5	EN-JS1110	1000	700	5	300 bis 360	
EN-GJS-1200-2	EN-JS1120	1200	850	2	340 bis 440	
EN-GJS-1400-1	EN-JS1130	1400	1100	1	380 bis 480	

⇨ **EN-GJS-1000-5:** Bainitisches Gusseisen, R_m = 1000 N/mm², A = 5 %

Gusseisen

Gusseisen mit Kugelgraphit — vgl. DIN EN 1563 (1997-08), Ersatz für DIN 1693

Einteilung in Abhängigkeit von der Zugfestigkeit

Sorte Kurzname	Werkstoff-Nr.	Bisheriger Kurzname	Wand-dicke t mm	Zug-festigkeit R_m N/mm²	Dehn-grenze $R_{p\,0,2}$ N/mm²	Bruch-dehnung A %	Eigenschaften Verwendung
EN-GJS-350-22-LT	EN-JS1015	GGG-35.3	… 30 >30 … 60 >60 … 200	350 330 320	220 210 200	22 18 15	Gut bearbeitbar, geringe Verschleiß-festigkeit; Gehäuse
EN-GJS-350-22-RT EN-GJS-350-22U	EN-JS1014 EN-JS1010	– –	… 30 >30 … 60 >60 … 200	350 330 320	220 220 210	22 18 15	
EN-GJS-400-18-LT	EN-JS1025	GGG-40.3	… 30 >30 … 60 >60 … 200	400 390 370	240 230 220	18 15 12	
EN-GJS-400-18-RT EN-GJS-400-18	EN-JS1024 EN-JS1020	– –	… 30 >30 … 60 >60 … 200	400 390 370	250 250 240	18 15 12	
EN-GJS-400-15	EN-JS1030	GGG-40	… 30 >30 … 60 >60 … 200	400 390 370	250 250 240	15 14 11	
EN-GJS-450-10	EN-JS1040	–	… 30 >30 … 60 >60 … 200	450 zwischen Hersteller und Käufer zu vereinbaren	310	10	Hauptsächlich für Teile aus Schleuderguss
EN-GJS-500-7	EN-JS1050	GGG-50	… 30 >30 … 60 >60 … 200	500 450 420	320 300 290	7 7 5	Sehr gut bearbeitbar, geringe bis mittlere Verschleißfestigkeit, Festigkeit und Zähigkeit; Fittings, Pressenkörper, Pleuelstangen
EN-GJS-600-3	EN-JS1060	GGG-60	… 30 >30 … 60 >60 … 200	600 600 550	370 360 340	3 2 1	
EN-GJS-700-2	EN-JS1070	GGG-70	… 30 >30 … 60 >60 … 200	700 700 660	420 400 380	2 2 1	
EN-GJS-800-2	EN-JS1080	GGG-80	… 30 >30 … 60 >60 … 200	800 zwischen Hersteller und Käufer zu vereinbaren	480	2	Gute bis sehr gute Oberflächenhärte; Zahnräder, Kurbelwellen, Lenk- und Kupplungsteile, Ketten
EN-GJS-900-2	EN-JS1090	–	… 30 >30 … 60 >60 … 200	900 zwischen Hersteller und Käufer zu vereinbaren	600	2	

➡ **EN-GJS-350-22-LT**: Gusseisen mit Kugelgraphit, R_m = 350 N/mm², A = 22 %, für tiefe Temperaturen

Einteilung in Abhängigkeit von der Härte

Sorte Kurzname	Werkstoff-Nr.	Brinellhärte HB	Zugfestigkeit R_m N/mm²	Dehngrenze $R_{p\,0,2}$ N/mm²	Eigenschaften Verwendung
EN-GJS-HB130 EN-GJS-HB150	EN-JS2010 EN-JS2020	… 160 130 … 175	350 400	220 250	Anforderungen müssen bei der Bestellung zwischen Hersteller und Käufer vereinbart werden.
EN-GJS-HB155 EN-GJS-HB185	EN-JS2030 EN-JS2040	135 … 180 160 … 210	400 450	250 310	
EN-GJS-HB200 EN-GJS-HB230	EN-JS2050 EN-JS2060	170 … 230 190 … 270	500 600	320 370	
EN-GJS-HB265 EN-GJS-HB300[1] EN-GJS-HB330[1]	EN-JS2070 EN-JS2080 EN-JS2090	225 … 305 245 … 335 270 … 360	700 800 900	420 480 600	

➡ **EN-GJS-HB185**: Gusseisen mit Kugelgraphit, Brinellhärte = 185 HB

[1] Nicht für Gussstücke mit großen Wanddicken

Temperguss, Stahlguss

Temperguss
vgl. DIN EN 1562 (1997-06), Ersatz für DIN 1692

Sorte Kurzname	Werkstoff-Nr.	Bisheriger Kurzname	Zugfestigkeit R_m N/mm²	Dehngrenze $R_{p\,0,2}$ N/mm²	Bruchdehnung A %	Brinellhärte HB	Eigenschaften Verwendung
Entkohlend geglühter Temperguss							
EN-GJMW-350-4	EN-JM1010	GTW-35-04	350	–	4	230	Alle Sorten sind gut gießbar und gut spanend bearbeitbar. Werkstücke mit kleiner Wanddicke, z.B. Rohrverbindungsstücke, Hebel, Kettenglieder, Bremstrommeln
EN-GJMW-400-5	EN-JM1030	GTW-40-05	400	220	5	220	
EN-GJMW-450-7	EN-JM1040	GTW-45-07	450	260	7	250	
EN-GJMW-550-4	EN-JM1050	–	550	340	4	250	
EN-GJMW-360-12	EN-JM1020	GTW-S 38-12	360	190	12	200	Zum Schweißen besonders geeignet

⇨ **EN-GJMW-350-4:** Entkohlend geglühter Temperguss, R_m = 350 N/mm², A = 4 %

Sorte Kurzname	Werkstoff-Nr.	Bisheriger Kurzname	Zugfestigkeit R_m N/mm²	Dehngrenze $R_{p\,0,2}$ N/mm²	Bruchdehnung A %	Brinellhärte HB	Eigenschaften Verwendung
Nichtentkohlend geglühter Temperguss							
EN-GJMB-300-6	EN-JM1110	–	300	–	6	...150	hohe Druckdichtheit
EN-GJMB-350-10	EN-JM1130	GTS-35-10	350	200	10	...150	Alle Sorten sind gut gießbar und gut spanend bearbeitbar. Werkstücke mit größerer Wanddicke, z.B. Gehäuse, Kardangabeln, Steuerkolben von Wegeventilen
EN-GJMB-450-6	EN-JM1140	GTS-45-06	450	270	6	150...200	
EN-GJMB-500-5	EN-JM1150	–	500	300	5	165...215	
EN-GJMB-550-4	EN-JM1160	GTS-55-04	550	340	4	180...230	
EN-GJMB-600-3	EN-JM1170	–	600	390	3	195...245	
EN-GJMB-650-2	EN-JM1180	GTS-65-02	650	430	2	210...260	
EN-GJMB-700-2	EN-JM1190	GTS-70-02	700	530	2	240...290	
EN GJMB 800 1	EN JM1200		800	600	1	270...320	

⇨ **EN-GJMB-350-10:** Nichtentkohlend geglühter Temperguss, R_m = 350 N/mm², A = 10 %

Stahlguss für Druckbehälter
vgl. DIN EN 10 213-2 (1996-01), Ersatz für DIN 17 245
Verwendung bei Raumtemperatur und erhöhten Temperaturen

Sorte Kurzname	Werkstoff-Nr.	Bisheriger Kurzname	Zugfestigkeit R_m N/mm²	Dehngrenze $R_{p\,0,2}$ N/mm²	Bruchdehnung A %	Eigenschaften Verwendung
GP240GR	1.0621	–	420...600	240	22	Festigkeitswerte für Normaltemperatur 20 °C, Verwendung bis 600 °C. Hochwarmfeste Pumpengehäuse, Hochdruckgehäuse, Dampfturbinen, Heißdampfarmaturen
GP240GH	1.0619	GS-C 25	420...600	240	22	
GP280GH	1.0625	–	480...640	280	22	
G20Mo5	1.5419	GS-22 Mo 4	440...590	245	22	
G17CrMo5-5	1.7357	GS-17 CrMo 55	490...690	315	20	
G17CrMo-10	1.7379	–	590...740	400	18	
G12MoCrV5-2	1.7720	–	510...660	295	17	
G17CrMoV5-10	1.7706	–	590...780	440	15	
GX15CrMo5	1.7365	–	630...760	420	16	
GX8CrNi12	1.4107	G-X 8 CrNi 12	540...690	355	18	
GX4CrNi13-4	1.4317	–	760...960	550	15	
GX23CrMoV12-1	1.4931	G-X 22 CrMoV 12 1	740...880	540	15	

⇨ **GP240GH+N:** Stahlguss für Druckbehälter, $R_{p\,0,2}$ = 240 N/mm², für hohe Temperaturen geeignet, normalgeglüht

Stahlguss für allgemeine Verwendungszwecke
DIN 1681 (1985-06)

Sorte Kurzname	Werkstoff-Nr.	Zugfestigkeit R_m N/mm²	Dehngrenze $R_{p\,0,2}$ N/mm²	Bruchdehnung A %	C %	Eigenschaften Verwendung
GS-38	1.0420	380	200	25	≈ 0,15	Werkstücke mit mittlerer bis hoher Beanspruchung, z.B. Radsterne und Ventilgehäuse
GS-45	1.0446	450	230	22	≈ 0,25	
GS-52	1.0552	520	260	18	≈ 0,35	
GS-60	1.0558	600	300	15	≈ 0,45	

W

Auswahl von Baustählen nach dem Verwendungszweck

Unlegierte Stähle

Wärmebehandlung nicht vorgesehen, z.B. härten, vergüten

Wärmebehandlung vorgesehen (Seite 127)

Auswahl nach Verwendungszweck

Haupteigenschaften werden beeinflusst durch

Beispiel: Stähle für den Stahl- und Maschinenbau

Mindestanforderungen	Kurznamen	Zusammensetzung			Reinheitsgrad			Desoxidation	Mikrolegiert	
		C in %	Mn in %	Si in %	P_{max} in %	S_{max} in %	N_{max} in %	$D^{1)}$	$L^{2)}$	
• Festigkeit	S185	3)	3)	3)	3)	3)	3)	frei-gestellt	–	Grundstähle
• Festigkeit • Zähigkeit	E295, E335, E360	3)	3)	3)	0,045	0,045	0,009	FN	–	
• Festigkeit • Zähigkeit • bedingte Schweißbarkeit	S235JR S235JRG1	0,17	1,4	–	0,045	0,045	0,009	frei-gestellt FU	–	
• Festigkeit • Zähigkeit • Schweißbarkeit	S235JRG2 S275JR S355JR	0,17 0,21 0,24	1,4 1,5 1,6	– – 0,55	0,045	0,045	0,009	FN	–	Qualitätsstähle
• Festigkeit • höhere Zähigkeit • bessere Schweißbarkeit	S235JO S275JO S355JO	0,17 0,18 0,20	1,4 1,5 1,6	– – 0,55	0,040	0,040	0,009	FN	– ja	
• Festigkeit • höchste Zähigkeit • beste Schweißbarkeit	S235J2G3 S275J2G3 S355J2G3 S355K2G3	0,17 0,18 0,20	1,4 1,5 1,6	– – 0,55	0,035 0,035	0,035 0,035	– –	FF FF	– ja	

Weitere Auswahlgruppen, z.B.:

- kaltgewalzte Flacherzeugnisse aus höherfesten Stählen
- Flacherzeugnisse zum Kaltumformen
- Druckbehälterstähle
- Verpackungsblech und -band
- Stähle für Leitungsrohre
- Betonstähle
- Spannstähle
- Elektroblech

Geforderte Eigenschaften werden nicht erreicht

Auswahl nach chemischer Zusammensetzung Seite 127

1) D Desoxidationsart: FU unberuhigter Stahl FN beruhigter Stahl FF vollberuhigter Stahl mit stickstoffbindenden Elementen

2) L zusätzliche Legierungselemente, auch als Mikrolegierungselemente: Cr, Cu, Mo, Ni, Ti, V, Nb

3) Grenzwerte siehe Grundstähle Seite 115

W

Auswahl von Baustählen nach der chemischen Zusammensetzung

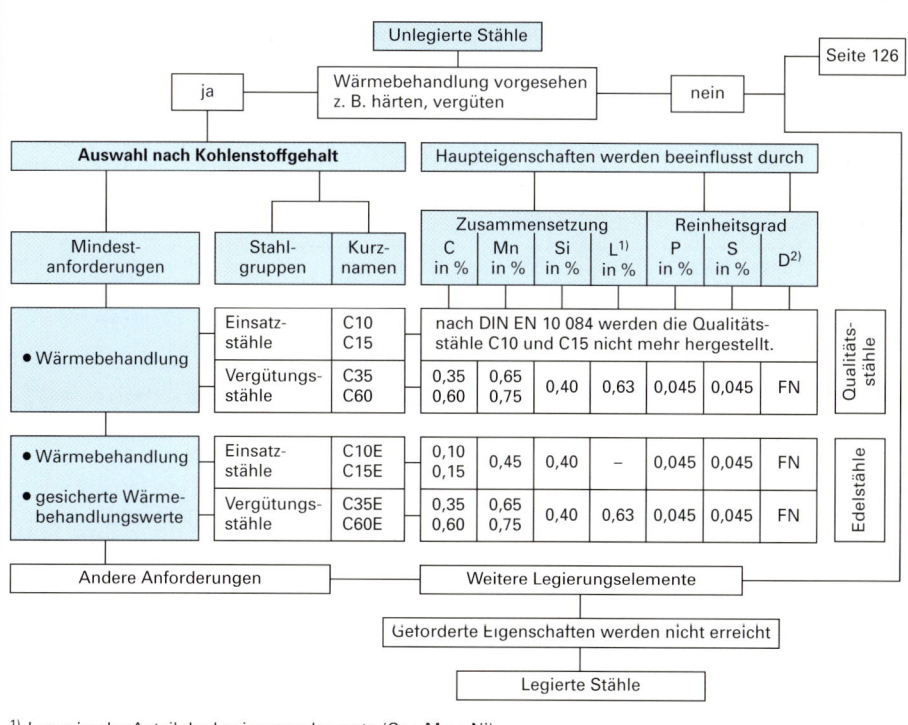

Unlegierte Stähle

Wärmebehandlung vorgesehen z. B. härten, vergüten

ja — nein

Seite 126

Auswahl nach Kohlenstoffgehalt

Haupteigenschaften werden beeinflusst durch

Mindest-anforderungen	Stahl-gruppen	Kurz-namen	Zusammensetzung				Reinheitsgrad			
			C in %	Mn in %	Si in %	L[1] in %	P in %	S in %	D[2]	
• Wärmebehandlung	Einsatz-stähle	C10 C15	nach DIN EN 10 084 werden die Qualitäts-stähle C10 und C15 nicht mehr hergestellt.							Qualitäts-stähle
	Vergütungs-stähle	C35 C60	0,35 0,60	0,65 0,75	0,40	0,63	0,045	0,045	FN	
• Wärmebehandlung • gesicherte Wärme-behandlungswerte	Einsatz-stähle	C10E C15E	0,10 0,15	0,45	0,40	–	0,045	0,045	FN	Edelstähle
	Vergütungs-stähle	C35E C60E	0,35 0,60	0,65 0,75	0,40	0,63	0,045	0,045	FN	

Andere Anforderungen — Weitere Legierungselemente

Geforderte Eigenschaften werden nicht erreicht

Legierte Stähle

[1] L maximaler Anteil der Legierungselemente (Cr + Mo + Ni)
[2] D Desoxidationsart: FN beruhigt vergossen

W

Einfluss der Legierungselemente (Auswahl)

Durch Legierungselemente beeinflusste Eigenschaften	Legierungselemente									
	Cr	Ni	Al	W	V	Mo	Si	Mn	S	P
Zugfestigkeit	●	●	–	●	●	●	●	●	–	●
Streckgrenze	●	●	–	●	●	●	●	●	–	●
Kerbschlagzähigkeit	○	–	○	–	●	●	○	–	○	○
Verschleißfestigkeit	●	○	–	●	●	●	○	○	–	–
Warmumformbarkeit	○	●	○	○	●	●	○	●	○	–
Kaltumformbarkeit	–	–	–	○	–	○	○	○	○	○
Zerspanbarkeit	–	○	–	○	–	○	○	○	●,	●
Korrosionsbeständigkeit	●	–	–	●	●	–	–	–	○	–
Härtetemperatur	●	–	–	●	●	●	●	○	–	–
Härtbarkeit, Vergütbarkeit	●	●	–	●	●	●	●	●	–	–
Nitrierbarkeit	●	–	●	●	●	●	○	–	–	–
Schweißbarkeit	○	○	●	–	●	○	–	○	○	○

● Erhöhung   ○ Verminderung   – ohne nennenswerten Einfluss

Beispiel: Zahnräder, einsatzgehärtet, Rohteile gesenkgeschmiedet, sichere Wärmebehandlung wird verlangt
Gesucht: Geeignete Stähle
Lösung: Wärmebehandlung (Einsatzhärtung) vorgesehen → Einsatzstahl, C ≤ 0,2 %
Die Eigenschaften der unlegierten Qualitäts- und Edelstähle reichen nicht aus → legierte Stähle
Steigerung der Warmumformbarkeit: Mn, V; Steigerung der Härtbarkeit: Cr, Ni
Stahlauswahl: 16MnCr5, 20MnCr5, 15NiCr13 (Seite 130)

Stahl

Unlegierte Baustähle, warmgewalzt

vgl. DIN EN 10 025 (1994-03)

Kurzname	Werkstoffnummer	Bisheriger Kurzname	DO[1]	S[2]	Zugfestigkeit R_m[3] in N/mm²	Streckgrenze R_e in N/mm² für Erzeugnisdicken in mm				Bruchdehnung[4] A in %	Eigenschaften, Verwendung
						≤ 16	> 16 ≤ 40	> 40 ≤ 63	> 63 ≤ 80		
S185	1.0035	St 33	–	GS	290...510	185	175	–	–	18	Untergeordnete Teile, z.B. Geländer
S235JR	1.0037	St 37-2	–	GS	340...470	235	225	–	–	26	
S235JRG1	1.0036	USt 37-2	FU	GS	340...470	235	225	–	–	26	Stähle für gering beanspruchte Teile im Maschinen- und Stahlbau; gut bearbeitbar
S235JRG2	1.0038	RSt 37-2	FN	GS	340...470	235	225	215	215	26	
S235JO	1.0114	St 37-3 U	FN	QS							
S235J2G3	1.0116	St 37-3 N	FF	QS	340...470	235	225	215	215	26	
S235J2G4	1.0117	–	FF	QS							
S275JR	1.0044	St 44-2	FN	GS	410...560	275	265	255	245	22	mäßig beanspruchte Teile, z.B. Achsen, Wellen, Hebel
S275JO	1.0143	St 44-3 U	FN	QS							
S275J2G3	1.0144	St 44-3 N	FF	QS	410...560	275	265	255	245	22	
S275J2G4	1.0145	–	FF	QS							
S355JR	1.0045	–	FN	GS	490...630	355	345	335	325	22	hoch beanspruchte Teile im Stahl-, Kran- und Brückenbau
S355JO	1.0223	St 52-3 U	FN	QS							
S355J2G3	1.0570	St 52-3 N	FF	QS							
S355J2G4	1.0577	–	FF	QS	490...630	355	345	335	325	22	
S355K2G3	1.0595	–	FF	QS							
S355K2G4	1.0596	–	FF	QS							
E295	1.0050	St 50-2	FN	GS	470...610	295	285	275	265	20	Teile mit mittlerer Beanspruchung
E335	1.0060	St 60-2	FN	GS	570...710	335	325	315	305	16	Teile mit höherer Beanspruchung; schwer bearbeitbar, verschleißfest
E360	1.0070	St 70-2	FN	GS	670...830	360	355	345	335	11	

[1] DO Desoxidationsart: FU unberuhigter Stahl; FN beruhigter Stahl; FF vollberuhigter Stahl.

[2] S Stahlart: GS Grundstahl; QS Qualitätsstahl; Eigenschaften der Grund- und Qualitätsstähle Seite 115

[3] Die Werte gelten für Erzeugnisdicken von 3 bis 100 mm.

[4] Die Werte gelten für Längsproben und Erzeugnisdicken von 3 bis 40 mm.

Stahlsorten, Gütegruppen	Lieferzustand für	
	Flacherzeugnisse	Langerzeugnisse
S185, S235JR, S235JO, S275JR, S275JO, S355JR, S355JO	nach Vereinbarung oder nach Wahl des Herstellers	
S235J2G3, S275J2G3, S355J2G3, S355K2G3	normalgeglüht N	nach Vereinbarung
S235J2G4, S275J2G4, S355J2G4, 355K2G4	nach Wahl des Herstellers	
E295, E335, E360	nach Vereinbarung oder nach Wahl des Herstellers	

Schweißbarkeit	Warmumformbarkeit	Kaltumformbarkeit
– Stähle mit folgenden Gütegruppen sind nach allen Verfahren schweißbar: JR – JO – J2G3 – J2G4 – K2G3 – K2G4 ⇒ zunehmende Schweißeignung ⇒ – Beim Stahl S235JR ist die beruhigte Sorte zu bevorzugen.	Die Warmumformbarkeit ist gewährleistet, wenn die Stähle im normalgeglühten oder normalisierend gewalzten Zustand geliefert werden.	Biegen, Kanten und Bördeln für Nenndicken < 20 mm ist möglich, wenn die Kaltumformbarkeit bei der Bestellung vereinbart wird.

W

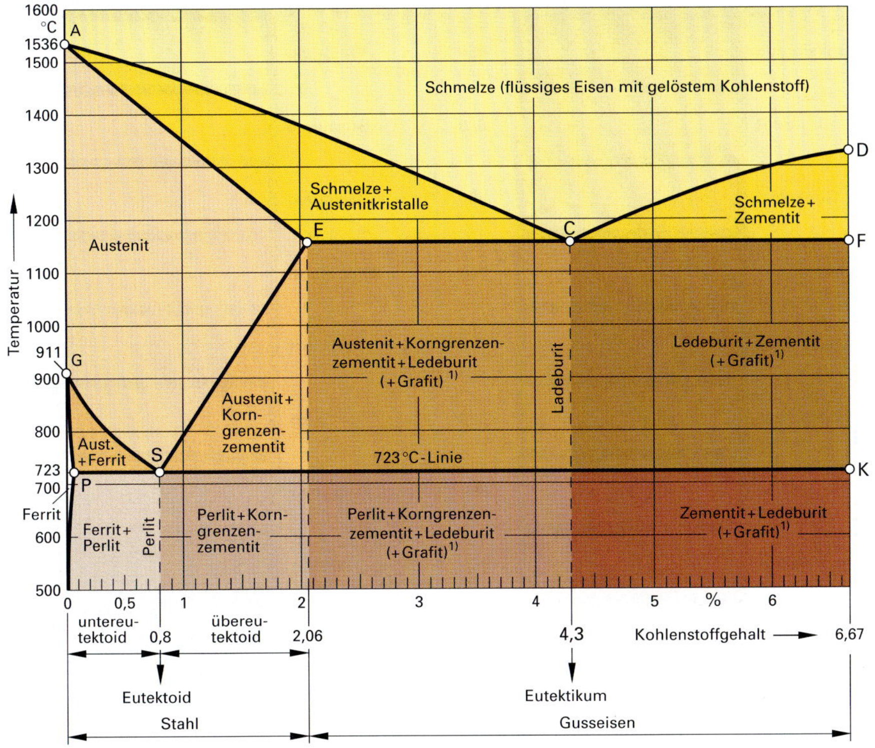

Eisen-Kohlenstoff-Diagramm:

- Temperatur (°C): 1600, 1536, 1500, 1400, 1300, 1200, 911, 1000, 911, 900, 800, 723, 700, Ferrit, 600, 500
- A (1536), D, E, C, F, G (911), S, P, K

Schmelze (flüssiges Eisen mit gelöstem Kohlenstoff)

Schmelze + Austenitkristalle

Schmelze + Zementit

Austenit

Austenit + Korngrenzen- zementit + Ledeburit (+ Grafit)[1]

Ledeburit + Zementit (+ Grafit)[1]

Ledeburit

Austenit + Korn- grenzen- zementit

Aust. + Ferrit

723 °C-Linie

Perlit + Korn- grenzen- zementit

Perlit + Korngrenzen- zementit + Ledeburit (+ Grafit)[1]

Zementit + Ledeburit (+ Grafit)[1]

Ferrit + Perlit

Perlit

Kohlenstoffgehalt:
0, 0,5, 1, 2, 3, 4, 5, %, 6, 6,67

untereu- tektoid, 0,8, übereu- tektoid, 2,06, 4,3, 6,67

Eutektoid — Eutektikum

Stahl — Gusseisen

[1] Bei Eisensorten mit einem C-Gehalt über 2,06 % (Gusseisen) und zusätzlichem Si-Gehalt scheidet sich ein Teil des Kohlenstoffes in Form von Grafit aus.

Wärmebehandlung von Stahl

Gefüge von unlegierten Stählen

Kohlenstoffgehalt und Gefügeausbildung
Ätzung: 3%ige alkoholische Salpetersäure
Vergrößerung ca. 500 : 1

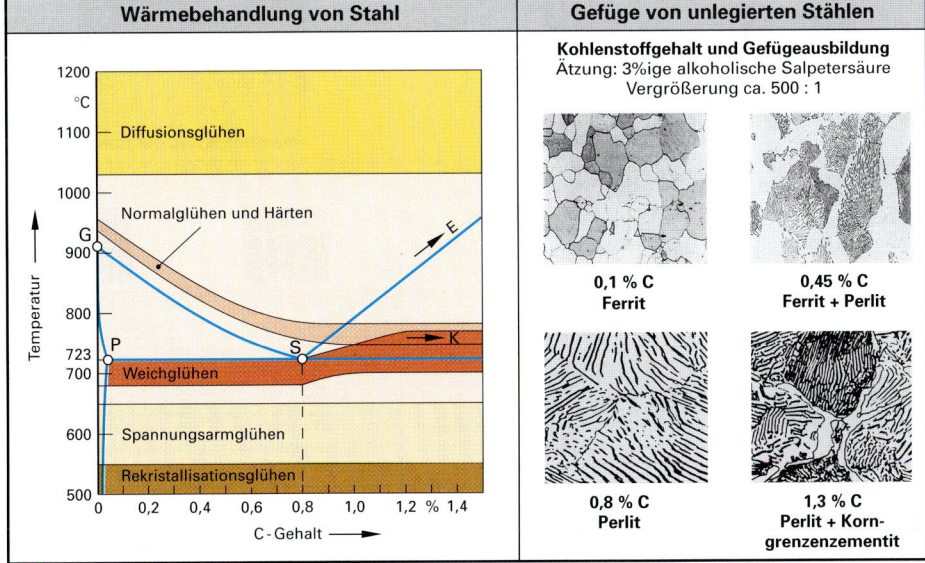

Diffusionsglühen

Normalglühen und Härten

Weichglühen

Spannungsarmglühen

Rekristallisationsglühen

Temperatur (°C): 1200, 1100, 1000, 900 (G), 800, 723 (P, S), 700, 600, 500

C-Gehalt: 0, 0,2, 0,4, 0,6, 0,8, 1,0, 1,2, % 1,4

0,1 % C
Ferrit

0,45 % C
Ferrit + Perlit

0,8 % C
Perlit

1,3 % C
Perlit + Korn- grenzenzementit

128B	Glühfarben	Glüh-temp. °C	Anlassfarben für unlegierten Werkzeugstahl	Anlass-temp. °C
Dunkelbraun		550	Weißgelb	200
Braunrot		630	Strohgelb	220
Dunkelrot		680	Goldgelb	230
Dunkelkirschrot		740	Goldbraun	240
Kirschrot		780	Braunrot	250
Hellkirschrot		810	Rot	260
Hellrot		850	Purpurrot	270
gut Hellrot		900	Violett	280
Gelbrot		950	Dunkelblau	290
Hellgelbrot		1000	Kornblumenblau	300
Gelb		1100	Hellblau	320
Hellgelb		1200	Blaugrau	340
Gelbweiß		>1300	Grau	360

Sicherheitsfarben

vgl. DIN 4844-1 (1980-05)

Farbe	rot	gelb	grün	blau
Bedeutung	Halt, Verbot	Vorsicht! Mögliche Gefahr	Gefahrlosigkeit, Erste Hilfe	Gebotszeichen, Hinweise
Kontrastfarbe	weiß	schwarz	weiß	weiß
Farbe des Bildzeichens	schwarz	schwarz	weiß	weiß
Anwendungs-beispiele (vgl. auch Sicherheits-kennzeich-nung Seite 128 C)	Haltezeichen, Not – Aus, Verbotszeichen, Material zur Feuerbekämpfung	Hinweis auf Gefahren (z.B. Feuer, Explo-sion, Strahlen); Hinweis auf Hinder-nisse (z.B. Schwellen, Gruben)	Kennzeichnung von Rettungswegen und Notausgängen; Erste-Hilfe- und Rettungsstationen	Verpflichtung zum Tragen einer persön-lichen Schutzaus-rüstung. Standort eines Telefons

Sicherheitskennzeichnung am Arbeitsplatz

Verbotszeichen
vgl. VBG 125 (1989-04)[1] und DIN 4844-1 (1980-05)

 Rauchen verboten

 Feuer, offenes Licht und Rauchen verboten

 Für Fußgänger verboten

 Mit Wasser löschen verboten

 Kein Trinkwasser

 Für Flurförderfahrzeuge verboten

 Nichts abstellen oder lagern

 Zutritt für Unbefugte verboten

Warnzeichen
vgl. VBG 125 (1989-04)[1] und DIN 4844-1 (1980-05)

 Warnung vor feuergefährlichen Stoffen

 Warnung vor explosionsgefährlichen Stoffen

 Warnung vor giftigen Stoffen

 Warnung vor ätzenden Stoffen

 Warnung vor radioaktiven Stoffen

 Warnung vor Flurförderfahrzeugen

 Warnung vor schwebender Last

 Warnung vor gefährlicher elektrischer Spannung

 Warnung vor einer Gefahrenstelle

 Warnung vor Laserstrahl

Gebotszeichen
vgl. VBG 125 (1989-04)[1] und DIN 4844-1 (1980-05)

 Augenschutz tragen

 Schutzhelm tragen

 Gehörschutz tragen

 Atemschutz tragen

 Schutzschuhe tragen

 Schutzhandschuhe tragen

Rettungszeichen
vgl. VBG 125 (1989-04)[1] und DIN 4844-1 (1980-05)

 Rettungsweg nach links

 Richtungsangabe für Rettung[2]

 Erste Hilfe

 Notdusche

 Augenspüleinrichtung

Krankentrage

Arzt

  Notausgang[3]

[1] Verzeichnis der Einzel-Unfall-Verhütungsvorschriften der Gewerblichen Berufsgenossenschaften
[2] nur in Verbindung mit weiteren Rettungszeichen anzuwenden   [3] über dem Notausgang anzubringen

Verordnung zum Schutz vor gefährlichen Stoffen

Gefahrstoffverordnung (1997-04)

Kennbuchstabe, Gefahrensymbol, -bezeichnung	Gefährlichkeitsmerkmale von Stoffen	Kennbuchstabe, Gefahrensymbol, -bezeichnung	Gefährlichkeitsmerkmale von Stoffen	Kennbuchstabe, Gefahrensymbol, -bezeichnung	Gefährlichkeitsmerkmale von Stoffen
T+ / Sehr giftig	Führen bei Aufnahme in sehr geringer Menge zum Tode oder können akute oder chronische Gesundheitsschäden verursachen T = Toxic	Xi / Reizend	Können bei Kontakt mit der Haut oder Schleimhaut Entzündungen hervorrufen X = Andreaskreuz i = irritating	F / Leichtentzündlich	Feste Stoffe können durch eine Zündquelle leicht entzündet werden. Flüssige Stoffe, mit Flammpunkt < 21 °C F = Flammable
T / Giftig	Führen bei Aufnahme in geringer Menge zum Tode oder können akute oder chronische Gesundheitsschäden verursachen T = Toxic	E / Explosionsgefährlich	Durch Schlag, Reibung, Feuer oder andere Zündquellen können Stoffe explodieren E = Explosive	N / Umweltgefährlich	Stoffe verändern Wasser, Boden, Luft, Klima, Tiere, Pflanzen u.a. derart, dass dadurch Gefahren für die Umwelt herbeigeführt werden N = Noxious (schädlich)
Xn / Gesundheitsschädlich	Führen bei Aufnahme zum Tode oder können akute oder chronische Gesundheitsschäden verursachen X = Andreaskreuz n = noxious	O / Brandfördernd	Stoffe, die durch Sauerstoff-Abgabe die Brandgefahr und die Heftigkeit eines Brandes beträchtlich erhöhen. O = Oxidizing	T mit R 45 / Krebserzeugend	Stoffe können beim Einatmen, Verschlucken oder bei Aufnahme über die Haut Krebs erregen R 45: kann Krebs erzeugen T = Toxic
C / Ätzend	Lebendes Gewebe kann durch Berührung zerstört werden C = Corrosive	F+ / Hochentzündlich	Flüssige Stoffe mit Flammpunkt < 0 °C u. Siedepunkt < 35 °C; gasförmige Stoffe, die bei Luftkontakt entzündlich sind F = Flammable	T mit R 46 / Erbgut verändernde Stoffe	Stoffe, die auf den Menschen erbgutverändernd wirken R 46: kann vererbbare Schäden verursachen T = Toxic

Sicherheitsschilder für elektrische Anlagen

vgl. DIN 40 008-1 u. 3 (1985-02)

Verbotsschilder

Nicht Schalten

Nicht berühren! Gehäuse steht unter Spannung

Warnschilder

Warnung vor gefährlicher elektrischer Spannung

Warnung vor Gefahren durch elektrische Batterien

Zusatzschilder

Es wird gearbeitet!
Ort:
Entfernen des Schildes nur durch:

Hochspannung Lebensgefahr

Gebotsschilder

Vor dem Öffnen Netzstecker ziehen

Stahl

Vergütungsstähle
vgl. DIN EN 10 083-1 und DIN EN 10 083-2 (1996-10)

Kurzname	Werkstoffnummer	Bisheriger Kurzname	$S^{1)}$	$B^{2)}$	Zugfestigkeit $R_m{}^{3)}$ N/mm²	Streckgrenze R_e in N/mm² für Walzdurchmesser d in mm ≤ 16	> 16 ≤ 40	> 40 ≤ 100	Bruchdehnung A in %	Eigenschaften, Verwendung
Unlegierte Stähle										
C22	1.0402	C 22	QS	+N	410	240	210	210	25	Teile mit geringer Beanspruchung und kleinen Vergütungsdurchmessern; z.B. Schrauben, Bolzen, Achsen, Wellen, Zahnräder
C22E	1.1151	Ck 22	ES	+QT	470...620	340	290	–	22	
C25	1.0406	C 25	QS	+N	440	260	230	230	23	
C25E	1.1158	Ck 25	ES	+QT	500...650	370	320	–	21	
C35	1.0501	C 35	QS	+N	520	300	270	270	19	
C35E	1.1181	Ck 35	ES	+QT	600...750	430	380	320	19	
C45	1.0503	C 45	QS	+N	580	340	305	305	16	
C45E	1.1191	Ck 45	ES	+QT	650...800	490	430	370	16	
C60	1.0601	C 60	QS	+N	670	380	340	340	11	
C60E	1.1221	Ck 60	ES	+QT	800...950	580	520	450	13	
28Mn6	1.1170	28 Mn 6	ES	+N	600	345	310	310	18	
				+QT	700...800	590	490	440	15	
Legierte Stähle										
38Cr2 38CrS2	1.7003 1.7023	38 Cr 2 38 CrS 2	ES	+QT	700...850	550	450	350	15	Teile mit höherer Beanspruchung und größeren Vergütungsdurchmessern; z.B. Getriebewellen, Schnecken, Zahnräder
46Cr2 46CrS2	1.7006 1.7025	46 Cr 2 46 CrS 2	ES	+QT	800...950	650	550	400	14	
34Cr4 34CrS4	1.7033 1.7037	34 Cr 4 34 CrS 4	ES	+QT	800...950	700	590	460	14	
37Cr4 37CrS4	1.7034 1.7038	37 Cr 4 37 CrS 4	ES	+QT	850...1000	750	630	510	13	
41Cr4 41CrS4	1.7035 1.7039	41 Cr 4 41 CrS 4	ES	+QT	900...1100	800	660	560	12	
25CrMo4 25CrMoS4	1.7218 1.7213	25 CrMo 4 25 CrMoS 4	ES	+QT	800...950	700	600	450	14	Teile mit höherer Beanspruchung und größeren Vergütungsdurchmessern; z.B. größere Schmiedeteile, Zahnräder, Wellen
34CrMo4 34CrMoS4	1.7220 1.7226	34 CrMo 4 34 CrMoS 4	ES	+QT	900...1100	800	650	550	12	
42CrMo4 42CrMoS4	1.7225 1.7227	42 CrMo 4 42 CrMoS 4	ES	+QT	1000...1200	900	750	650	11	
50CrMo4	1.7228	50 CrMo 4	ES	+QT	1000...1200	900	780	700	10	
51CrV4	1.8159	51 CrV 4	ES	+QT	1000...1200	900	800	700	10	
36CrNiMo4	1.6511	36 CrNiMo 4	ES	+QT	1000...1200	900	800	700	11	Teile mit höchster Beanspruchung; große Vergütungsdurchmesser
34CrNiMo6	1.6582	34 CrNiMo 6	ES	+QT	1100...1300	1000	900	800	10	
30CrNiMo8	1.6580	30 CrNiMo 8	ES	+QT	1250...1450	1050	1050	900	9	
36NiCrMo16	1.6773	–	ES	+QT	1250...1450	1050	1050	900	9	

[1] S Stahlart: QS Qualitätsstahl, ES Edelstahl
[2] B Behandlungszustand: +N normalgeglüht; +QT vergütet
[3] Die Werte gelten für Walzdurchmesser d von 16 mm bis 40 mm. Bei anderen Durchmessern gelten folgende Richtwerte: Bis 16 mm: Zugfestigkeit R_m = Tabellenwert · 1,1; über 40 mm: Zugfestigkeit R_m = Tabellenwert · 0,9
Wärmebehandlung der Vergütungsstähle Seite 150

W

Stahl

Einsatzstähle (Auswahl) vgl. DIN EN 10 084 (1998-06), Ersatz für DIN 17 210

Stahlsorte		Härtewerte im Lieferzustand[1]		Eigenschaften des Kerns nach der Einsatzhärtung[2]			Eigenschaften, Verwendung
Kurzname	Werk-stoff-nummer	+A HB	+FP HB	Zug-festigkeit R_m N/mm²	Streck-grenze R_e N/mm²	Bruch-dehnung A %	
C10E C15E	1.1121 1.1141	131 143	– –	490… 640 590… 780	295 355	16 14	Teile mit geringer Beanspruchung; Hebel, Zapfen, Bolzen
17Cr3 17CrS3[3]	1.7016 1.7014	174	–	800…1050	450	11	Teile mit höherer Beanspruchung und höherer Kernfestigkeit; Zahnräder, Spindeln, Wellen, Messzeuge
16MnCr5 16MnCrS5[3]	1.7131 1.7139	207	156…207	880…1180	590	11	
20MnCr5 20MnCrS5[3]	1.7147 1.7149	217	170…217	1080…1370	685	8	
20MoCr4 20MoCrS4[3]	1.7321 1.7323	207	156…207	880…1180	590	10	Teile mit höchster Beanspruchung und teilweise größeren Abmessungen; Getriebeteile, Zahnräder, Tellerräder, Kegelräder, Wellen, Bolzen
17CrNi6-6 15NiCr13	1.5918 1.5752	229	175…229	880…1180 1030…1320	635 785	9 10	
20NiCrMo2-2 18CrNiMo13-4	1.6523 1.6587	212 229	161…212 179…229	980…1270 1180…1420	590 785	10 8	

[1] Lieferzustand: +A weichgeglüht; +FP behandelt auf Ferrit-Perlitgefüge und auf Härtespanne.
[2] Die Festigkeitswerte gelten für Proben mit 30 mm Nenndurchmesser.
[3] Stähle mit geregeltem Schwefelgehalt für bessere Zerspanung.
Die Stahlsorten C10E und C15E sind unlegierte Edelstähle, alle anderen Sorten sind legierte Edelstähle.
Wärmebehandlung der Einsatzstähle Seite 149.

W

Automatenstähle vgl. DIN EN 10 087 (1999-01), Ersatz für DIN 1651

Stahlsorte			Für Erzeugnisdicken von 16…40 mm				Eigenschaften, Verwendung
Kurzname	Werk-stoff-nummer	B[1]	Härte HB	Zug-festigkeit R_m N/mm²	Streck-grenze R_e N/mm²	Bruch-dehnung A %	
11SMn30 11SMnPb30	1.0715 1.0718	+U	112…169	380…570	–	–	**Zur Wärmebehandlung nicht geeignet;** Kleinteile mit geringer Beanspruchung; Wellen, Bolzen, Stifte, Schrauben
11SMn37 11SMnPb37	1.0736 1.0737	+U	112…169	380…570	–	–	
10S20 10SPb20	1.0721 1.0722	+U	107…156	360…530	–	–	**Automateneinsatzstähle;** verschleißfeste Kleinteile; Wellen, Bolzen, Stifte
15SMn13	1.0725	+U	128…178	430…600	–	–	
35S20	1.0726	+U	146…195	490…660	–	–	**Direkthärtende Automatenstähle** (Vergütungsstähle); größere Teile mit höherer Beanspruchung; Spindeln, Wellen, Zahnräder
35SPb20	1.0756	+QT	–	600…750	380	16	
38SMn28	1.0760	+U	156…207	530…700	–	–	
38SMnPb28	1.0761	+QT	–	700…850	420	15	
44SMn28	1.0762	+U	187…238	630…800	–	–	
44SMnPb28	1.0763	+QT	–	700…850	420	16	
46S20	1.0727	+U	175…225	590…760	–	–	
46SPb20	1.0757	+QT	–	650…800	430	13	

[1] B Behandlungszustand: +U unbehandelt; +QT vergütet
Alle Automatenstähle sind unlegierte Qualitätsstähle. Die Ergebnisse der Wärmebehandlung bei Automaten-Einsatz- und Automaten-Vergütungsstählen entsprechen den Anforderungen der Qualitätsstähle.
Wärmebehandlung der Automatenstähle Seite 151.

Stähle für Flamm- und Induktionshärtung vgl. DIN 17 212 (1972-08)

Kurzname	Werk-stoff-nummer	weich-geglüht Härte HB	B[1]	Zug-festigkeit R_m N/mm²	Streckgrenze R_e in N/mm² für Erzeugnisdicken in mm ≤ 16	> 16 ≤ 40	> 40 ≤ 100	Bruch-deh-nung A %	Eigenschaften, Verwendung
Cf35	1.1183	183	N	490 ... 640	–	270	270	21	Für Teile mit hoher Kernfestigkeit, guten Zähigkeitseigenschaften und hoher Oberflächenhärte; z.B. Kurbelwellen, Getriebewellen, Nockenwellen, Schneckenwellen, Zahnräder, Bohrstangen
			V	580 ... 730	420	360	320	19	
Cf45	1.1193	207	N	590 ... 740	–	330	330	17	
			V	660 ... 800	480	410	370	16	
Cf53	1.1213	223	N	510 ... 760	–	340	340	16	
			V	690 ... 830	510	430	400	14	
Cf70	1.1249	223	V	740 ... 880	560	480	–	13	
45Cr2	1.7005	207	V	780 ... 930	640	540	440	14	
38Cr4	1.7043	217	V	830 ... 980	740	630	510	13	
42Cr4	1.7045	217	V	880 ...1080	780	670	560	12	
41CrMo4	1.7223	217	V	980 ...1180	880	760	640	11	
49CrMo4	1.7238	235	V	–	–	–	–	–	Einfache, große Teile

[1] B Behandlungszustand: N normalgeglüht; V vergütet   Wärmebehandlung Seite 150

Nitrierstähle vgl. DIN 17 211 (1987-04)

Kurzname	Werk-stoff-nummer	weich-geglüht Härte HB	B[1]	Zug-festigkeit R_m N/mm²	Dehn-grenze $R_{p0,2}$ N/mm²	Bruch-dehnung A %	Eigenschaften, Verwendung
31CrMo12	1.8515	248	V	1000 ...1200	800	11	verschleißbeanspruchte Teile bis 250 mm Dicke
15CrMoV5-9	1.8521	248	V	900 ...1100	750	10	
31CrMoV9	1.8519	248	V	1000 ...1200	800	11	warmfeste Verschleißteile bis 100 mm Dicke
34CrAlMo5	1.8507	248	V	800 ...1000	600	14	warmfeste Verschleißteile bis 500 °C und 80 mm Dicke
34CrAlNi7	1.8550	248	V	850 ...1050	650	12	für besonders große Teile; z.B. Kolbenstangen, Spindeln

[1] B Behandlungszustand: V vergütet.   Wärmebehandlung der Nitrierstähle Seite 151

Schweißgeeignete Feinkornbaustähle vgl. DIN EN 10 113 (1993-04)

Kurzname	Werk-stoff-nummer	Bisheriger Kurzname	L[1]	Zug-festigkeit R_m N/mm²	Streckgrenze R_e in N/mm² für Nenndicken in mm ≤ 16	> 16 ≤ 40	> 40 ≤ 63	Bruch-deh-nung A %	Eigenschaften, Verwendung
Unlegierte Qualitätsstähle									Hohe Zähigkeit, sprödbruch- und alterungsunempfindlich; Schweißkonstruktionen, z.B. Kran-, Brücken-, Fahrzeugbau, Förderanlagen
S275N	1.0490	StE 285	N	370...510	275	265	255	24	
S275M	1.8818	–	M	360...510	275	265	255	24	
S355N	1.0545	StE 355	N	470...630	355	345	335	22	
S355M	1.8823	StE 355 TM	M	450...610	355	345	335	22	
Legierte Edelstähle									
S420N	1.8802	StE 420	N	520...680	420	400	390	19	
S420M	1.8825	StE 420 TM	M	500...660	420	400	390	19	
S460N	1.8901	StE 460	N	550...720	460	440	430	17	
S460M	1.8827	StE 460 TM	M	530...720	460	440	430	17	

[1] L Lieferzustand: N normalgeglüht/normalisierend gewalzt; M thermomechanisch gewalzt

Alle Stähle sind auch mit Mindestwerten für die Kerbschlagarbeit bei niedrigen Temperaturen lieferbar. Sie erhalten in der Bezeichnung die Gütegruppen NL oder ML, z.B. S275NL, S275ML.

W

Stahl

Werkzeugstähle

vgl. DIN 17 350 (1980-10)

Kurzname	Werk-stoff-nummer	Härte HB[1] max.	Härte-temperatur °C	A[2]	Anlass-temperatur °C	Anwendungsbeispiele, Eigenschaften
Kaltarbeitsstähle, unlegiert						
C45W	1.1730	190	allgemein keine Härtung vorgesehen			Ungehärtete Aufbauteile für Werkzeuge, Zangen
C60W	1.1740	207	800...830	Ö	180...300	Aufbauteile für Werkzeuge, Schäfte von Verbundwerkzeugen
C80W1	1.1525	192	780...810	W	180...300	Gesenke mit flachen Gravuren, Meißel, Kaltschlagmatrizen, Messer
C105W1	1.1545	213	770...800	W	180...300	Gewindeschneidwerkzeuge, Fließpresswerkzeuge, Prägewerkzeuge, Endmaße
Kaltarbeitsstähle, legiert						
21MnCr5	1.2162	212	810...840	Ö	150...180	Werkzeuge zur Kunststoffbearbeitung; gut zerspanbar, einsatzhärtbar
40CrMnMo7	1.2311	230	830...870	Ö	500...650	Spritzgießformen mit Härteverzugsproblemen; nitrierbar
60WCrV7	1.2550	229	870...900	Ö	180...300	Schnitte für Stahlblech von 6...15 mm, Abgratmatrizen, Auswerfer, Kaltlochstempel
90MnCrV8	1.2842	229	790...820	Ö	150...250	Schneidplatten, Stempel, Tiefziehwerkzeuge
100Cr6	1.2067	223	790...820	Ö	100...180	Lehren, Dorne, Holzbearbeitungswerkzeuge, Bördelrollen, Ziehdorne, Stempel
115CrV3	1.2210	223	760...810	W	180...250	Gewindebohrer, Auswerfer, Stempel, Senker, Stemmeisen
X19NiCrMo4	1.2764	255	780...810	L	150...180	Lufthärtender Einsatzstahl für Spritzgießformen; hochpolierbar
X36CrMo17	1.2316	285	1000...1040	Ö	650...700	Werkzeuge für die Verarbeitung von chemisch angreifenden Thermoplasten
X42Cr13	1.2083	225	1020...1050	Ö	150...300	Kunststoffpressformen für korrodierend wirkende Kunststoffe, z.B. Aminoplaste
X45NiCrMo4	1.2767	262	840...870	Ö	150...180	Kunststoffpressformen mit hoher Beanspruchung, einsatzhärtbar, verzugsarm
X155CrVMo12-1	1.2379	250	1020...1040	Ö, L	180...250	Bruchempfindliche Schneidwerkzeuge, Fräser, Räumwerkzeuge, Schermesser
X210CrW12	1.2436	255	950...980	L	180...250	Schneidwerkzeuge, Räumwerkzeuge, Presswerkzeuge, Sandstrahldüsen
Warmarbeitsstähle						
56NiCrMoV7	1.2714	248	860...900	L	400...650	Pressstempel für Strangpressen, Gesenke
X38CrMoV5-1	1.2343	229	1000...1040	L	550...650	Druckgießformen für Leichtmetalle, Strangpresswerkzeuge
X32CrMoV3-3	1.2365	229	1010...1050	Ö	500...670	Druckgießformen für Schwermetalle, Strangpresswerkzeuge
X38CrMoV5-3	1.2367	235	1030...1080	Ö, L	600...700	Hochwertige Gesenke, Werkzeuge zur Schraubenherstellung
Schnellarbeitsstähle						
S6-5-2	1.3343	250	1190...1230	Ö, L	540...560	Spiralbohrer, Reibahlen, Fräser
S6-5-2-5	1.3243	270	1210...1250	Ö, L	550...570	Hochbeanspruchte Spiralbohrer, Fräser
S10-4-3-10	1.3207	270	1210...1250	Ö, L	550...570	Drehmeißel für Automatenbearbeitung
S18-1-2-5	1.3255	270	1260...1300	Ö, L	560...580	Hochbeanspruchte Fräser

[1] Anlieferungszustand: geglüht   [2] A Abschreckmittel: W Wasser, Ö Öl, L Luft
Wärmebehandlung der Werkzeugstähle Seite 149

Stahl

Nichtrostende Stähle

vgl. DIN EN 10 088-3 (1995-08)

Stahlsorte Kurzname	Werkstoffnummer	$B^{1)}$	Dicke d mm	Härte HB	Dehngrenze $R_{p0,2}$ N/mm²	Zugfestigkeit R_m N/mm²	Bruchdehnung A %	Eigenschaften, Verwendung
X2CrNi12	1.4003	+A	≤ 100	200	260	450...600	20	**Ferritische Stähle** Kaltumformbar, schlecht zerspanbar, schweißbar; z.B. Beschläge, Verkleidungen, Apparatebau
X6Cr13	1.4000	+A	≤ 25	200	230	400...630	20	
X6Cr17	1.4046	+A	≤ 100	200	240	400...630	20	
X6CrMoS17	1.4105	+A	≤ 100	200	250	430...630	20	
X6CrMo17-1	1.4113	+A	≤ 100	200	280	440...660	16	
X12Cr13	1.4006	+A	–	220	–	≤ 730	–	**Martensitische Stähle** Härtbar, gut zerspanbar, bedingt schweißbar, hohe Festigkeit; z.B. Achsen, Wellen, Schrauben, chirurgische Instrumente, Wälzlager
		+QT	≤ 160	–	450	650...850	15	
X20Cr13	1.4021	+A	–	230	–	≤ 760	–	
		+QT	≤ 160	–	500	700...850	13	
X30Cr13	1.4028	+A	–	245	–	≤ 800	–	
		+QT	≤ 160	–	650	850...1000	13	
X39Cr13	1.4031	+A	–	245	–	≤ 800	–	
X39CrMo17-1	1.4122	+A	–	280	–	≤ 900	–	
		+QT	≤ 60	–	550	750...950	20	
X50CrMoV15	1.4116	+A	–	280	–	≤ 900	–	
X5CrNi18-10	1.4301	+AT	≤ 160	215	190	500...700	45	**Austenitische Stähle** Gut kaltumformbar, gut schweißbar, schwer zerspanbar, z.B. chemische Industrie, Nahrungsmittelindustrie, Fahrzeugbau
X10CrNi18-8	1.4310	+AT	≤ 40	230	195	500...750	40	
X2CrNi18-9	1.4307	+AT	≤ 160	215	175	450...680	45	
X2CrNi19-11	1.4306	+AT	≤ 160	215	180	460...680	45	
X6CrNiTi18-10	1.4541	+AT	≤ 160	215	190	500...700	40	
X2CrNiMo18-15-4	1.4438	+AT	≤ 160	215	220	500...700	40	

$^{1)}$ B Behandlungszustand: +A weichgeglüht, +AT lösungsgeglüht, +QT vergütet
Die Werkstoffkennwerte gelten für Halbzeug, Stäbe, Walzdraht und Profile.

Warmgewalzter Federstahl, vergütbar

vgl. DIN 17 221 (1988-12)

Stahlsorte Kurzname	Werkstoffnummer	Behandlungszustand					Eigenschaften, Verwendung
		warmgewalzt Härte HB	weichgeglüht Härte HB	vergütet			
				Zugfestigkeit R_m N/mm²	Dehngrenze $R_{p0,2}$ N/mm²	Bruchdehnung A %	
38Si7	1.5023	240	217	1180...1370	1030	6	Federringe, Federplatten
54SiCr6	1.7102	270	248	1320...1570	1130	6	Blattfedern, Kegelfedern
60SiCr7	1.7108	310	248	1320...1570	1130	6	Tellerfedern, Schraubenfedern
55Cr3	1.7176	310	248	1320...1720	1175	6	Hochbeanspruchte Schrauben-, Teller- und Blattfedern
50CrV4	1.8159	310	248	1370...1620	1175	6	
51CrMoV4	1.7701	310	248	1370...1670	1175	6	

Die Festigkeitswerte gelten für Proben mit 10 mm Durchmesser
Der Elastizitätsmodul beträgt E = 200 000 N/mm², der Gleitmodul G = 80 000 N/mm².

W

Stahl

Stahldraht für Federn, patentiert gezogen vgl. E DIN EN 10 270-1 (1996-01), Ersatz für DIN 17 223-1

Sortenauswahl

Drahtsorte	Festigkeit	Beanspruchung	Verwendung
SL	niedrig	vorwiegend statisch	
SM	mittel	hauptsächlich statisch, selten dynamisch	Zug-, Druck-, Drehfedern
SH	hoch	hauptsächlich statisch, selten dynamisch	
DM	mittel	dynamisch	Zug-, Druck-, Dreh- und Biegefedern
DH	hoch	statisch hoch oder dynamisch mittel	Zug-, Druck-, Dreh- und Formfedern

Zugfestigkeit, Nenndurchmesser, Oberflächen, E-Modul, Gleitmodul

Drahtsorte	Zugfestigkeit R_m in N/mm² für die Nenndurchmesser d in mm						
	0,5	0,8	1,0	1,5	2,0	2,5	3,0
SL	–	–	1720...1970	1600...1840	1520...1750	1460...1680	1410...1620
SM	–	–	–	–	1760...1970	1690...1890	1630...1830
SH	2480...2740	2310...2560	2230...2470	2090...2310	1980...2200	1900...2110	1840...2040
DM	2200...2470	2050...2300	1980...2200	1850...2080	1760...1970	1690...1890	1630...1830
DH	2480...2740	2310...2560	2230...2470	2090...2310	1980...2200	1900...2110	1840...2040
	3,4	4,0	5,0	6,0	8,0	10,0	15,0
SL	1370...1580	1320...1520	1260...1450	1210...1390	1120...1300	1060...1230	–
SM	1590...1780	1530...1730	1460...1650	1400...1580	1310...1480	1240...1400	1110...1260
SH	1790...1990	1740...1930	1660...1840	1590...1770	1490...1650	1410...1570	1270...1410
DM	1590...1780	1530...1730	1460...1650	1400...1580	1310...1490	1240...1400	1110...1260
DH	1790...1990	1740...1930	1660...1840	1590...1770	1490...1650	1410...1570	1270...1410

Nenn-durch-messer d in mm	0,05 – 0,06 – 0,07 – 0,08 – 0,09 – 0,10 – 0,11 – 0,12 – 0,14 – 0,16 – 0,18 – 0,20 – 0,22 – 0,25 – 0,28 – 0,30 – 0,32 – 0,34 – 0,36 – 0,38 – 0,40 – 0,43 – 0,45 – 0,48 – 0,50 – 0,53 – 0,56 – 0,60 – 0,63 – 0,65 – 0,70 – 0,75 – 0,80 – 0,85 – 0,90 – 0,95 – 1,00 – 1,10 – 1,20 – 1,25 – 1,30 – 1,40 – 1,50 – 1,60 – 1,70 – 1,80 – 1,90 – 2,00 – 2,10 – 2,25 – 2,40 – 2,50 – 2,60 – 2,80 – 3,00 – 3,20 – 3,40 – 3,60 – 3,80 – 4,00 – 4,25 – 4,50 – 4,75 – 5,00 – 5,30 – 5,60 – 6,00 – 6,30 – 6,50 – 7,00 – 7,50 – 8,00 – 8,50 – 9,00 – 9,50 – 10,0 – 10,5 – 11,0 – 12,0 – 13,0 – 14,0 – 15,0 – 16,0 – 17,0 – 18,0 – 19,0 – 20,0

Ober-flächen	Ausführung	ph	cu	Z	ZA	
	Bedeutung	phosphatiert	verkupfert	mit Zinküberzug	mit Zink/Aluminium-Überzug	

Der Elastizitätsmodul beträgt E = 206 000 N/mm², der Gleitmodul G = 81 500 N/mm²

⇨ **Federdraht EN 10270-1 DM-3,4 ph:** Drahtsorte DM, d = 3,4 mm, phosphatierte Oberfläche

Flacherzeugnisse aus Druckbehälterstählen vgl. DIN EN 10 028 (1993-04)
(warmfeste Stähle, unlegiert und legiert)

Stahlsorte		Bisheriger Kurzname	L[1]	Zug-festigkeit R_m N/mm² bei Raumtemperatur	Bruch-dehnung A in %	Streckgrenze R_e in N/mm² bei der Temperatur in °C				Eigenschaften, Verwendung
Kurzname	Werk-stoff-nummer					20	200	300	400	
Unlegierte Qualitätsstähle										
P235GH	1.0345	H I	N	360...480	25	235	170	130	110	Alle Sorten sind schweiß-geeignet; z.B. Druckbe-hälter, Druck-rohrleitungen, Dampfkessel-anlagen
P265GH	1.0425	H II	N	410...530	23	265	195	155	130	
P295GH	1.0481	17 Mn 4	N	460...580	22	295	225	185	155	
P355GH	1.0473	19 Mn 6	N	510...650	21	355	255	215	180	
Legierte Edelstähle										
16Mo3	1.5415	15 Mo 3	N	440...590	24	275	215	170	150	
13CrMo4-5	1.7335	13 CrMo 4 4	N + T	450...600	20	300	230	205	180	
10CrMo9-10	1.7380	10 CrMo 9 10	N + T	480...630	18	310	245	220	200	
11CrMo9-10	1.7383	–	N + T	520...670	18	310	–	235	215	

[1] L Lieferzustand: N normalgeglüht/normalisierend gewalzt; T angelassen

Die Festigkeitswerte gelten für Erzeugnisdicken unter 16 mm.

Stahldraht vgl. DIN EN 10 218-2 (1996-08), Ersatz für DIN 177

Lieferart: In Ringen oder als Stäbe, kaltgezogen, von d = 0,05 mm bis 25 mm.
Der Draht kann sowohl blank ohne Überzug als auch mit metallischen und/oder nichtmetallischen Überzügen geliefert werden. Der metallische Überzug kann als Schlussüberzug oder als gezogener Überzug vorliegen. Bei Drähten, die im Extruder- oder Wirbelsinterverfahren organische Überzüge erhalten, kann der Kerndraht blank oder metallisch, meist verzinkt, überzogen sein.

Werkstoff: DIN 17 223-1: Unlegierte Stähle

Maße, zulässige Abweichungen

Verzinkter Draht[1]				Blanker Draht			
Durchmesser d in mm	Grenz-abmaße	Durchmesser d in mm	Grenz-abmaße	Durchmesser d in mm	Grenz-abmaße	Durchmesser d in mm	Grenz-abmaße
0,20 … < 0,31	± 0,015	3,43 … < 4,94	± 0,060	0,05 … < 0,12	± 0,006	2,78 … < 3,63	± 0,040
0,31 … < 0,55	± 0,020	4,94 … < 6,73	± 0,070	0,12 … < 0,15	± 0,008	3,63 … < 4,60	± 0,045
0,55 … < 0,86	± 0,025	6,73 … < 8,78	± 0,080	0,15 … < 0,23	± 0,010	4,60 … < 5,67	± 0,050
0,86 … < 1,24	± 0,030	8,78 … < 11,12	± 0,090	0,23 … < 0,33	± 0,012	5,67 … < 8,17	± 0,060
1,24 … < 1,69	± 0,035	11,12 … < 13,72	± 0,100	0,33 … < 0,52	± 0,015	8,17 … < 11,12	± 0,070
1,69 … < 2,20	± 0,040	13,72 … < 19,76	± 0,120	0,52 … < 0,91	± 0,020	11,12 … < 14,52	± 0,080
2,20 … < 2,78	± 0,045	19,76 … < 25,00	± 0,140	0,91 … < 1,42	± 0,025	14,52 … < 18,37	± 0,090
2,78 … < 3,43	± 0,050	—	—	1,42 … < 2,05	± 0,030	18,37 … < 22,68	± 0,100
[1] Für dick verzinkten Draht gelten andere Abmaße.				2,05 … < 2,78	± 0,035	22,68 … < 25,00	± 0,120

Walzdraht aus unlegierten Stählen vgl. DIN EN 10 016-2 und -3 (1995-04), Ersatz für DIN 17 140-1

Lieferart: In Ringen mit einem Nennmaß $d \geq 5$ mm, mit glatter Oberfläche.
Der Querschnitt des Walzdrahtes ist rund, vierkant, rechteckig, sechskant, halbrund oder in anderer Form. Der Walzdraht darf keine inneren und/oder äußeren Unvollkommenheiten wie Lunker, Seigerungen, Risse, Überwalzungen, Einwalzungen, Walzgrate und Beschädigungen aufweisen.

Werkstoff: DIN EN 10 016-2: Walzdraht aus unlegiertem Stahl zum Ziehen oder Kaltwalzen, z.B. C4D, C50D, C66D oder C92D.
DIN EN 10 016-3: Walzdraht aus unlegiertem Stahl, unberuhigt, mit niedrigen Gehalten an Kohlenstoff und Silicium, mit hoher Verformbarkeit zum Ziehen oder Kaltwalzen, z.B. C2D1 oder C4D1.

W

Runder Federdraht vgl. DIN 2076 (1984-12)

Lieferart: In Ringen oder auf Spulen von d = 0,07 mm bis 20 mm.

Werkstoff: DIN 17 223-1: Unlegierte Stähle, DIN 17 223-2: ölschlussvergüteter Federstahldraht, DIN 17 224: nichtrostender Federstahldraht sowie DIN 18 682: Kupfer-Knetlegierungen

⇨ **Draht DIN 2076 – CuZn36F70 – 0,20:** Federdraht aus CuZn36F70, d = 0,20 mm

Maße, zulässige Abweichungen

zul. Abmaße für d in mm	0,07 … 0,48 ± 0,015 0,50 … 0,80 ± 0,020 0,85 … 1,40 ± 0,025	1,50 … 3,20 ± 0,035 3,40 … 5,60 ± 0,045 6,00 … 8,50 ± 0,060	9,00 … 10,00 ± 0,07 10,50 … 15,00 ± 0,09 16,00, 17,00 ± 0,12	18,00 … 20,00 ± 0,15 – –
Durch-messer d in mm	0,07 – 0,08 – 0,09 0,10 – 0,11 – 0,12	0,14 – 0,16 – 0,18 0,20 – 0,22 – 0,25	0,28 – 0,30 – 0,32 0,34 – 0,36 – 0,38	0,40 – 0,43 – 0,45 0,50 – 0,53 – 0,56 0,48 – 0,50 – 0,53 0,60 – 0,63 – 0,65
	0,70 – 0,75 – 0,80 0,85 – 0,90 – 0,95	1,00 – 1,05 – 1,10 1,20 – 1,25 – 1,30	1,40 – 1,50 – 1,60 1,70 – 1,80 – 1,90	2,10 – 2,10 – 2,25 2,80 – 3,00 – 3,20 2,40 – 2,50 – 2,60 3,40 – 3,60 – 3,80
	4,00 – 4,25 – 4,25 4,50 – 4,75 – 5,00	5,30 – 5,60 – 6,00 6,30 – 7,00 – 7,50	8,00 – 8,50 – 9,00 9,50 – 10,0 – 10,5	11,0 – 12,0 – 13,0 17,0 – 18,0 – 19,0 14,0 – 15,0 – 16,0 20,0 – –

Runder Federdraht, warmgewalzt vgl. DIN 2077 (1979-02)

Lieferart: In Stäben von d = 7 mm bis 80 mm, in Ringen von d = 7 mm bis 30 mm
Herstelllängen $\geq$ 2 m < 8 m, Festlängen $\geq$ 2 m < 10 m ± 100 mm
Der warmgewalzte runde Federdraht ist zur Herstellung warmgeformter Federn bestimmt.

Werkstoff: DIN 17 221: Warmgewalzte Stähle für vergütbare Stähle ohne die Sorten 38Si7 und 51Si7.

⇨ **Draht DIN 2077 – 50CrV – 12:** Federdraht aus 50CrV4, d = 12 mm

Maße, zulässige Abweichungen in mm

Durch-messer d in mm	Stu-fung von d	Durch-messer d in mm	Stu-fung von d	Durch-messer d in mm	Stu-fung von d	Durch-messer d in mm	Stu-fung von d
7 … 11,5 ± 0,15	0,5	22 … 29,5 ± 0,25	0,5	40 … 50 ± 0,4	2,0	65 ± 0,5	5,0
12 … 21,5 ± 0,2	0,5	30 … 39 ± 0,3	1,0	52 … 60 ± 0,5	2,0	70 … 80 ± 0,01 · d	5,0

Stahlbleche

Kaltgewalztes Band und Blech aus unlegierten Baustählen — vgl. DIN 1623-2 (1986-02)

Stahlsorte Kurzname nach EURONORM	bisher	Werkstoff-nummer	Zug-festigkeit R_m N/mm²	Streck-grenze R_e N/mm²	Bruch-dehnung A %	Eigenschaften, Verwendung
Fe 360 B	St 37-2G	1.0037G				Kaltgewalztes Flachzeug nach
Fe 360 B	USt 37-2G	1.0036G	360...510	215	20	DIN 1623-2 ist in Dicken bis
Fe 360 D1	St 37-3G	1.0116G				3 mm genormt.
Fe 430 D1	St 44-3G	1.0144G	430...580	245	18	Eine uneingeschränkte Schweiß-eignung kann nicht zugesagt
Fe 510 D1	St 52-3G	1.0570G	510...680	325	16	werden.
Fe 490-2	St 50-2G	1.0050G	490...660	295	14	Alle Sorten und Oberflächen
Fe 590-2	St 60-2G	1.0060G	590...770	335	10	sind für das Aufbringen eines
Fe 690-2	St 70-2G	1.0070G	690...900	365	6	Lacküberzuges geeignet.

Kaltgewalztes Band und Blech aus weichen Stählen — vgl. DIN EN 10 130 (1999-02), Ersatz für DIN 1623-1

DC01	St 12	1.0330	270...410	280	28	Kaltgewalzte Flacherzeugnisse
DC03	RRSt 13	1.0347	270...370	240	34	zum Kaltumformen von 0,35 mm bis 3 mm Dicke. Sie sind zum
DC04	St 14	1.0338	270...350	210	38	Schweißen und für das Auf-bringen metallischer Überzüge
DC05	–	1.0312	270...330	180	40	geeignet.
DC06	–	1.0873	270...350	180	38	

Oberflächenart und Oberflächenausführung für Band und Blech

W

	Benennung	Kennzeichen DIN EN 10 130	Kennzeichen bisher	Merkmale der Oberfläche
Oberflächenart	übliche kaltgewalzte Oberfläche	A	03	Fehler, die die Kaltumformung und das Aufbringen von Oberflächenüberzügen nicht beeinträchtigen, sind zulässig.
	beste Oberfläche	B	05	Die bessere Seite muss so gut wie fehler-frei sein.
Oberflächen-ausführung	besonders glatt	b	b	Gleichmäßig blank (glatt). $R_a \le 0,4$ µm
	glatt	g	g	Gleichmäßig blank (glatt). $R_a \le 0,9$ µm
	matt	m	m	Gleichmäßig matt. $R_a > 0,6$ µm $\le 1,9$ µm
	rau	r	r	Aufgeraut. $R_a > 1,6$ µm

⇒ **Blech EN 10 130 – DC04B m:** Blech aus DC04, beste Oberfläche, matte Ausführung.

Feinstblech — vgl. DIN EN 10 205 (1992-01), Ersatz für DIN 1616
Weißblech — vgl. DIN EN 10 203 (1991-08), Ersatz für DIN 1616

Stahlsorte Kurz-zeichen	Werkstoff-nummer	Rockwell-härte HR 30 T_m	$R_{p0,2}$ in N/mm² Nenn-wert	Bereich	Eigenschaften, Verwendung
T 50	1.0371	52 max	–	–	**Feinstblech** ist ein kaltgewalztes Halbzeug in Rollen
T 52	1.0372	52	–	–	aus weichem, unlegiertem Stahl. Einfach gewalztes Feinstblech wird in Nenndicken von 0,17 mm bis
T 57	1.0375	57	–	–	0,49 mm, doppelt reduziertes Feinstblech (DR) in
T 61	1.0377	61	–	–	Nenndicken von 0,14 mm bis 0,29 mm hergestellt.
T 65	1.0378	65	–	–	**Weißblech** ist Feinstblech in Tafeln oder Bändern mit einem beidseitigen gleichen oder ungleichen,
DR 550	1.0373	73	550	480...620	elektrolytisch aufgebrachten Zinnüberzug.
DR 620	1.0374	76	620	550...690	Bevorzugte Werte der Zinnauflage sind 1,0 – 1,5 –
DR 660	1.0376	77	660	590...730	2,0 – 2,8 – 4,0 – 5,0 – 5,6 – 8,4 und 11,2 g/m².

⇒ **Weißblech Tafel EN 10 203 – T61 – E2,8/2,8 – 0,22 x 800 x 900:** Weißblechtafel, Härtegrad T61, Zinn-auflage 2,8 g/m² je Seite, Blechdicke 0,22 mm, Tafelgröße 800 x 900.

Stahlblech, Stahlband

vgl. DIN EN 10 029 (1991-10), Ersatz für DIN 1541
vgl. DIN EN 10 131 (1992-01), Ersatz für DIN 1623-1

Nenn-dicke mm	flächenbez. Masse m'' kg/m²	Nenn-dicke mm	flächenbez. Masse m'' kg/m²	Nenn-dicke mm	flächenbez. Masse m'' kg/m²	Nenn-dicke mm	flächenbez. Masse m'' kg/m²	Nenn-dicke mm	flächenbez. Masse m'' kg/m²	Nenn-dicke mm	flächenbez. Masse m'' kg/m²
0,35	2,75	0,70	5,50	1,2	9,42	3,0	23,55	4,75	37,3	10,0	78,5
0,40	3,14	0,80	6,28	1,5	11,80	3,5	27,4	5,0	39,25	12,0	94,2
0,50	3,92	0,90	7,07	2,0	15,70	4,0	31,4	6,0	47,1	14,0	109,9
0,60	4,71	1,0	7,85	2,5	19,60	4,5	35,4	8,0	62,8	15,0	117,75

Lieferart: In Tafeln und Bändern nach DIN EN 10 131 in Dicken von 0,35 mm bis 3 mm, nach DIN EN 10 029 in Dicken über 3 mm bis 250 mm.

Werkstoff: Unlegierte und legierte Stähle.

⇨ **Band EN 10 131 – 1,20 x 1500 Stahl EN 10 130 – DC 04 Am:** Nenndicke 1,2 mm, Nennbreite 1500 mm, aus DC04, übliche kaltgewalzte Oberfläche, matt (Seite 136).

Kontinuierlich feuerverzinktes Band und Blech aus weichen Stählen zum Kaltumformen

vgl. DIN EN 10 142 (1995-08), Ersatz für DIN 17 162-1

Stahlsorte Kurzname	Werkstoff-Nr.	R_e, $R_{p\,0,2}$ in N/mm²	R_m in N/mm²	A_{80} in % min[1]	Eignung zum Kaltumformen
DX51D+Z DX51D+ZF	1.0226	–	270...500	22	Maschinenfalzgüte
DX52D+Z DX52D+ZF	1.0350	300[2]	270...420	26	Ziehgüte
DX53D+Z DX53D+ZF	1.0355	260	270...380	30	Tiefziehgüte
DX54D+Z DX54D+ZF	1.0306	220	270...350	36	Sondertiefziehgüte

[1] Bei Erzeugnisdicken < 0,7 mm einschließlich Zinnauflage verringern sich die Mindestwerte von A_{80} um 2 Einheiten, z.B. statt 26 % nur 24 %.
[2] Dieser Wert gilt nur für kalt nachgewalzte Erzeugnisse mit den Oberflächenarten B und C.

W

Ausführung des Überzugs		Oberflächenart		Oberflächenbehandlung (Oberflächenschutz)	
N	übliche Zinkblume	A	übliche Oberfläche	C	chemisch passiviert
M	keine Zinkblume	B	verbesserte Oberfläche	O	geölt
R	Zn-Fe-Legierung üblicher Beschaffenheit	C	beste Oberfläche	CO	chemisch passiviert und geölt
				U	unbehandelt

⇨ **Blech EN 10 142 – DX53D+ZF100-R-B-O:** Blech aus Stahl DX53D+ZF, Zink-Auflagegewicht 100 g/m² (zweiseitig), Überzug mit üblicher Beschaffenheit, verbesserte Oberfläche, geölt.

Bleche und Bänder aus NE-Metallen

vgl. DIN 1751 (1973-06), DIN 1783 (1981-04)

Blech-dicke mm	D-Cu	CuZn37	CuAl8	EN AW-Al99,8	MgAl6	Zn97,5	Blech-dicke mm	D-Cu	CuZn37	CuAl8	EN AW-Al99,8	MgAl6	Zn97,5
	Flächenbezogene Masse m'' in kg/m²							Flächenbezogene Masse m'' in kg/m²					
0,2	1,78	1,68	1,54	0,540	–	1,41	1,6	14,2	13,4	12,6	–	–	–
0,25	2,22	2,10	1,92	0,675	–	1,80	1,8	16,0	15,1	13,9	4,86	3,28	12,9
0,3	2,67	2,52	2,31	0,810	0,546	2,15	2	17,8	16,9	15,4	5,40	3,64	14,4
0,4	3,56	3,36	3,08	1,08	0,728	2,87	2,2	19,6	18,5	16,9	–	–	15,8
0,5	4,45	4,20	3,85	1,35	0,910	3,59	2,5	22,2	20,9	19,2	6,75	4,55	18,0
0,6	5,34	5,04	4,62	1,62	1,09	4,31	2,8	25,0	23,6	21,5	–	–	20,1
0,7	6,23	5,88	5,38			5,03	3	26,8	25,3	23,1	8,10	5,46	21,5
0,8	7,12	6,72	6,16	2,16	1,46	5,74	3,2	29,0	27,4	24,6	–	–	–
1	8,90	8,40	7,70	2,70	1,82	7,18	3,5	31,2	29,5	26,9	9,45	6,37	25,1
1,2	10,7	10,1	9,24	3,24	2,18	8,62	4	35,6	33,6	30,4	10,8	7,28	28,7
1,4	12,5	11,8	10,8	–	–	10,1	4,5	40,1	37,8	34,6	–	–	–
1,5	13,4	12,7	11,6	4,05	2,73	10,8	5	44,5	42,0	38,5	13,5	9,10	35,9

Lieferart: In Tafeln und Bändern nach DIN 1751 in Dicken von 0,1 mm bis 5 mm, nach DIN 1783 in Dicken von 0,4 mm bis 15 mm.

Werkstoff: Al-, Cu- und Zn-Legierungen.

⇨ **Blech DIN 1783 – EN AW-Al 99,8 – BL – 1,5:** Blech aus EN AW-Al 99,8, 1,5 mm dick.

Warmgewalzte Stahlprofile

Querschnitt	Bezeichnung, Abmessungen	Norm, Seite	Querschnitt	Bezeichnung, Abmessungen	Norm, Seite
	Rundstahl $d = 8...200$	DIN 1013-1 S. 139		Z-Stahl $h = 30...200$	DIN 1027
	Vierkantstahl $a = 8...120$	DIN 1014-1 S. 139		Gleichschenkliger Winkelstahl $a = 20...200$	DIN 1028 S. 144
	Sechskantstahl $s = 13...103$	DIN 1015		Ungleichschenkliger Winkelstahl $a \times b =$ 30 x 20...200 x 100	DIN 1029 S. 143
	Flachstahl $b \times s = 10 \times 5...150 \times 60$	DIN 1017-1 S. 139		Gleichschenkliger scharfkantiger Winkelstahl $a = 20...50$	DIN 1022 S. 142
	Hohlprofil $a = 40...400$	DIN 59 410 S. 148		Schmale I-Träger I-Reihe $h = 80...600$	DIN 1025-1 S. 146
	Hohlprofil $a \times b =$ 50 x 20...400 x 260	DIN 59 410 S. 148		Mittelbreite I-Träger IPE-Reihe $h = 80...600$	DIN 1025-5 S. 145
	Gleichschenkliger T-Stahl $b = h = 30...140$	DIN EN 10 055 S. 142		Breite I-Träger IPB-Reihe[1] $h = 100...1000$	DIN 1025-2 S. 145
	Gleichschenkliger scharfkantiger T-Stahl $b = h = 20...40$	DIN 59 051 S. 141		Breite I-Träger IPBl-Reihe[1] $h = 100...1000$	DIN 1025-3
	U-Stahl $h = 30...400$	DIN 1026 S. 141		Breite I-Träger IPBv-Reihe[1] $h = 100...1000$	DIN 1025-4

[1] Nach EURONORM 53-62: IPB = HE...B, IPBl = HE...A, IPBv = HE...M

W

Stabstahl

Warmgewalzter Rundstahl
vgl. DIN 1013-1 (1976-11)

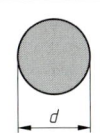

Werkstoff: Alle warmgewalzten Stähle, z.B. Baustahl nach DIN EN 10 025 oder Vergütungsstahl nach DIN EN 10 083

Lieferart:

Durchmesser d in mm	… 70	70 … 120	120 … 200
Herstelllänge L in m	6 … 12	3 … 9	3 … 6

⇨ **Rund 20 DIN 1013 – S235JR:** Warmgewalzter Rundstahl, d = 20 mm aus S235JR
Anstelle **Rund** kann auch die Abkürzung **Rd** oder das Bildzeichen ⌀ gesetzt werden.

Maße und zulässige Abweichungen

d in mm und zulässige Abweichungen	8, 10, 12, 14 (±0,4)	37, 38, 40, 42, 44, 45, 50 (±0,8)	110, 120 (±1,5)
	16, 18, 20, 22, 24, 25 (±0,5)	52, 55, 60, 65, 70, 75, 80 (±1,0)	140, 150, 160 (±2,0)
	27, 28, 30, 31, 32, 35, (±0,6)	90, 100 (±1,3)	180, 200 (±2,5)

Warmgewalzter Vierkantstahl
vgl. DIN 1014-1 (1978-07)

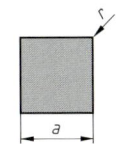

Werkstoff: Alle warmgewalzten Stähle, z.B. Baustahl nach DIN EN 10 025 oder Vergütungsstahl nach DIN EN 10 083

Lieferart:

Seitenlänge a in mm	… 70	70 … 120	120 … 200
Herstelllänge L in m	6 … 12	3 … 9	3 … 6

⇨ **Vierkant 10 DIN 1014 – S235JO:** Warmgewalzter Vierkantstahl, a = 10 mm aus S235JO
Anstelle **Vierkant** kann auch die Abkürzung **4kt** gesetzt werden.

Maße, zulässige Abweichungen und Kantenabrundungen

Seitenlänge a in mm, zul. Abw.	8, 10, 12, 14 (±0,4)		30, 32, 35, (±0,6)		60, 70, 80 (±1,0)	
	16, 18, 20, 22, 25 (±0,5)		40, 50 (±0,8)		100 (±1,3)	

Seitenlänge a in mm	< 12	12 … 20	20 … 30	30 … 50	50 … 100	100 … 120
Zul. Kantenabrundung r in mm	1	1,5	2	2,5	3	4

Warmgewalzter Flachstahl
vgl. DIN 1017-1 (1967-04)

W

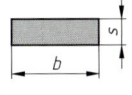

Werkstoff: Stahlsorten nach DIN EN 10 025, DIN EN 10 083, DIN 17 210, DIN 1651
Lieferart: Herstelllänge 3 m bis 12 m
⇨ **Flach 40 x 12 DIN 1017 – S235JR:** Warmgewalzter Flachstahl, b = 40 mm, s = 10 mm, aus S235JO
Anstelle **Flach** kann auch die Abkürzung **Fl** oder das Bildzeichen ▭ gesetzt werden.

Maße und zulässige Abweichungen in mm

Breite b in mm	Dicke s in mm						
	5 (±0,5)	6 (±0,5)	6,5 (±0,5)	7 (±0,5)	8 (±0,5)	9 (±0,5)	10 (±0,5)
b ± 0,75	10 … 35	11 … 35		13 … 35		16 … 30	15 … 35
b ± 1,0		38 … 75		40 … 70		38 … 75	
b ± 1,5		80 … 100		80	80 … 100	90	80 … 100
b ± 2,0	–	–	–	–	110, 120	110	110, 120
b ± 2,5	–	–	–	–	130 … 150	130	130 … 150
Breite b in mm	Dicke s in mm						
	11 (±0,5)	12 (±0,5)	13 (±0,5)	14 (±0,5)	15 (±0,5)	16 (±0,5)	18 (±0,5)
b ± 0,75	16 … 22	20 … 35	19 … 35	22 … 35	20 … 35	25 … 35	26 … 35
b ± 1,0	–	38 … 75		38 … 55		38 … 75	40 … 70
b ± 1,5		80 … 100		100	80, 90, 100		90
b ± 2,0	110	110, 120		110	110, 120		–
b ± 2,5	130, 150	130 … 150		130, 150	130, 140, 150		–
Breite b in mm	Dicke s in mm						
	20 (±0,5)	22 (±1,0)	25 (±1,0)	30 (±1,0)	35 (±1,0)	50 (±1,5)	60 (±1,5)
b ± 0,75	26 … 35	30 … 35	–	–	–	–	–
b ± 1,0	38 … 75	38 … 70	38 … 75	40 … 75	60 … 75	70	–
b ± 1,5	80 … 100	–	80 … 100		–	80 … 100	90, 100
b ± 2,0	110, 120	–	110, 120		–	110, 120	120
b ± 2,5	130 … 150	–	130 … 150		–	130 … 150	150
Nennbreiten b in mm	10 – 11 – 12 – 13 – 14 – 15 – 16 – 17 – 18 – 19 – 20 – 22 – 25 – 26 – 28 – 30 – 32 – 35 38 – 40 – 45 – 50 – 55 – 60 – 65 – 70 – 75 – 80 – 90 – 100 – 110 – 120 – 130 – 140 – 150						

Stabstahl, blank

Flachstahl

vgl. DIN 174 (1969-06)

b	h	b	h	b	h	b	h	b	h	b	h
5	2...3	12	1,6... 8	20	1,6...16	32	2...25	50	2...32	80	5...25
6	2...4	14	1,6... 8	22	2...12	36	2...20	56	3...32	90	5...25
8	1,6...6	16	1,6...10	25	2...20	40	2...32	63	3...40	100	5...25
10	1,6...6	18	1,6...12	28	2...20	45	2...32	70	4...40		

Nenndicken h in mm: 1,6 – 2 – 2,5 – 3 – 4 – 5 – 6 – 8 – 10 – 12 – 16 – 20 – 25 –32 – 40

Polierter Rundstahl

vgl. DIN 175 (1981-10)

	1 mm...13 mm	>13 mm...25 mm	>25 mm...50 mm
übliche Lieferdurchmesser			
übliche Durchmesserstufung	0,5 mm	1 mm	5 mm

Blanker Sechskantstahl
vgl. DIN 176 (1972-02)

		3,2	8	16	32	65
		3,5	9	17	36	70
		4	10	19	38	75
s		4,5	11	21	41	80
		5	12	22	46	85
2		5,5	13	24	50	90
2,5		6	14	27	55	95
3		7	15	30	60	100

Blanker Vierkantstahl
vgl. DIN 178 (1969-06)

		6	14	36
		7	16	40
		8	18	45
a		9	20	50
		10	22	63
4		11	25	70
4,5		12	28	80
5		13	32	100

Blanker Rundstahl
vgl. DIN 668, DIN 670, DIN 671 (1981-10)

		4	8	14	22	30	45	65	120
		4,5	8,5	15	23	32	48	70	125
		5	9	16	24	34	50	75	130
d		5,5	9,5	17	25	35	52	80	140
		6	10	18	26	36	55	85	150
2,5		6,5	11	19	27	38	58	90	160
3		7	12	20	28	40	60	100	180
3,5		7,5	13	21	29	42	63	110	200

Toleranzklassen für Breiten, Dicken, Durchmesser

Erzeugnis	Blanker Flachstahl	Blanker Sechskantstahl	Blanker Vierkantstahl	Blanker Rundstahl			Polierter Rundstahl
Maßnorm	DIN 174	DIN 176	DIN 178	DIN 668	DIN 670	DIN 671	DIN 175
Toleranzklasse	h11 für $h \leq 30$, $b \leq 100$ h12 für $h > 30$	h11 für $s \leq 65$ h12 für $s > 65$	h11 für $a \leq 65$ h12 für $a > 65$	h11	h8	h9	h9

Werkstoffe

vgl. DIN 1651 (1988-04), DIN 1652 (1990-11)

Maßnorm	übliche Lieferwerkstoffe	Profilnorm	übliche Lieferwerkstoffe
DIN 174 DIN 178	vorzugsweise unlegierte Baustähle DIN EN 10025, Einsatzstähle nach DIN 17210, Vergütungsstähle nach DIN EN 10083	DIN 176 DIN 668 DIN 670 DIN 671	vorzugsweise Automatenstähle nach DIN 1651, z.B. 9 SMnPB28-K, unlegierte Baustähle nach DIN EN 10025, Einsatzstähle nach DIN 17210, Vergütungsstähle nach DIN EN 10083, Nichtrostende Stähle nach DIN EN 10088
DIN 175	Werkzeugstahl DIN 17350 (vorzugsweise 115CrV3)		

Lieferzustand

vgl. DIN 1651 (1988-04), DIN 1652 (1990-11)

Kennbuchstabe	Lieferzustand[1]		Kennbuchstabe	Lieferzustand[1]	
K + U[2]	kaltgezogen	und nicht wärmebehandelt	SH + N	geschält	und normalgeglüht
SH + U[2]	geschält		K + V	kaltgezogen	und vergütet
K + S	kaltgezogen	und spannungsarm geglüht	SH + V	geschält	
SH + S	geschält		K + BG	kaltgezogen	und behandelt auf Ferrit-Perlit-Gefüge
K + G	kaltgezogen	und weichgeglüht	SH + BG	geschält	
SH + G	geschält		[1] Der mögliche Lieferzustand hängt vom Werkstoff ab.		
K + N	kaltgezogen	und normalgeglüht	[2] Angabe U für unbehandelt nur bei Automatenstahl üblich.		

Lieferarten

vgl. DIN 1651 (1988-04), DIN 1652 (1990-11)

Längenart	in Maßnorm	Länge		Bestellangabe der Länge
		Bereich	zulässige Abweichung	
Herstelllänge	DIN 174, 176, 178	6000... 8000	beliebig zwischen den Bereichsgrenzen maximal 10 % der Liefermenge dürfen Unterlängen bis zu 50 % der unteren Bereichsgrenze aufweisen	keine
	DIN 175	2000...12000		
	DIN 668, 670, 671	3000...12000		
Lagerlänge	DIN 174, 178	3000... 4000	beliebig zwischen Bereichsgrenzen	Lagerlänge
	DIN 176	3000... 4000	wie bei Herstelllänge	
	DIN 175, 668, 670, 671	3000... 4000 6000... 7000	wie bei Herstelllänge	Lagerlänge und gewünschter Längenbereich
Festlänge	DIN 174, 176, 178	1000...12000	± 100 mm	gewünschte Festlänge
Genaulänge	alle Maßnormen	1000... 4000 4000...12000	±2; ±5; ±10; ±25; ±50; ±75 ±5; ±10; ±25; ±50; ±75	gewünschte Genaulänge und zul. Abweichung

U-Stahl, warmgewalzt

vgl. DIN 1026 (1963-10)

S Querschnittsfläche
I Flächenmoment 2. Grades
W axiales Widerstandsmoment
m' längenbezogene Masse

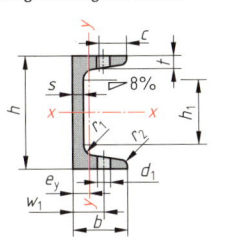

$$r_1 = t \qquad r_2 = \frac{t}{2} \qquad c = \frac{b}{2}$$

Grenzabmaße in mm

Kurzzeichen U	h	Grenzabmaße für Nennmaße		
		b	s	t
30 x 15…65	± 1,5			– 0,5
80…140	± 2,0	± 1,5	± 0,5	
160…200				– 1,0
220…300		± 2,0		
320	± 3,0		± 0,7	– 1,5
350…400		± 2,5		

Flanschunparallelität k		Stegausbiegung f	
Höhe b in mm	k in mm	Höhe h in mm	f in mm
…100	bis 1	bis 100	0,5
100…110	1 % von b	100 bis 200	1,0
		200 bis 400	1,5

Werkstoff: Stahl für den Stahlbau nach DIN EN 10025, z.B. S235JO
Lieferart: Herstelllängen 3 m bis 15 m, Festlängen bis 15 m ± 50 mm
⇒ **U-Profil DIN 1026 – S235JO – U-100:** U-Stahl aus S235JO, h = 100 mm

Kurz-zeichen	Abmessungen in mm					Abstand der y-Achse	Für die Biegeachse				Anreiß-maße	
							x – x		y – y			
U	h	b	s	t	h_1	S cm²	m' kg/m	e_y cm	I_x cm⁴	W_x cm³	I_y cm⁴	W_y cm³	w_1 mm	d_1 mm
30 x 15	30	15	4	4,5	12	2,21	1,74	0,52	2,53	1,69	0,38	0,39	10	4,3
30	30	33	5	7	1	5,44	4,27	1,31	6,39	4,26	5,33	2,68	20	8,4
40 x 20	40	20	5	5,5	18	3,66	2,87	0,67	7,58	3,97	1,14	0,86	11	6,4
40	40	35	5	7	11	6,21	4,87	1,33	14,1	7,05	6,68	3,08	20	8,4
50 x 25	50	25	5	6	25	4,92	3,86	0,81	16,8	6,73	2,49	1,48	16	8,4
50	50	38	5	7	20	7,12	5,59	1,37	26,4	10,6	9,12	3,75	20	11
60	60	30	6	6	35	6,46	5,07	0,91	31,6	10,5	4,51	2,16	18	8,4
65	65	42	5,5	7,5	33	9,03	7,09	1,42	57,5	17,7	14,1	5,07	25	11
80	80	45	6	8	46	11,0	8,64	1,45	106	26,5	19,4	6,36	25	13
100	100	50	6	8,5	64	13,5	10,6	1,55	206	41,2	29,3	8,49	30	13
120	120	55	7	9	82	17,0	13,4	1,60	364	60,7	43,2	11,1	30	17
140	140	60	7	10	97	20,4	16,0	1,75	605	86,4	62,7	14,8	35	17
160	160	65	7,5	10,5	115	24,0	18,8	1,84	925	116	85,3	18,3	35	21
180	180	70	8	11	133	28,0	22,0	1,92	1 350	150	114	22,4	40	21
200	200	75	8,5	11,5	151	32,2	25,3	2,01	1 910	191	148	27,0	40	23
220	220	80	9	12	168	37,4	29,4	2,14	2 690	245	197	33,6	45	23
240	240	85	9,5	13	184	42,3	33,2	2,23	3 600	300	248	39,6	45	25
260	260	90	10	14	200	48,3	37,9	2,36	4 820	371	317	47,7	50	25
280	280	95	10	15	216	53,3	41,8	2,53	6 280	448	399	57,2	50	25
300	300	100	10	16	232	58,8	46,2	2,70	8 030	535	495	67,8	55	28
320	320	100	14	17,5	246	75,8	59,5	2,60	10 870	697	597	80,6	58	28
350	350	100	14	17,5	276	77,3	60,6	2,40	12 840	734	570	75,0	58	28
380	380	102	13,5	16	312	80,4	63,1	2,38	45 760	829	615	78,7	60	28
400	400	110	14	18	324	91,5	71,8	2,65	20 350	1020	846	102	60	28

Gleichschenkliger, scharfkantiger T-Stahl, warmgewalzt

vgl. DIN 59 051 (1981-08)

S Querschnittsfläche
e_x Abstand von der X-Achse
W axiales Widerstandsmoment
m' längenbezogene Masse

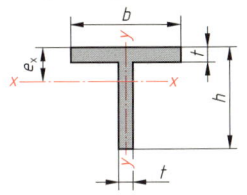

Grenzabmaße und Formtoleranzen in mm
Es gelten die gleichen Werte wie bei L-Stahl DIN 1022 (S. 142)

Werkstoff: Stahl für den Stahlbau nach DIN EN 10025, z.B. S275JR
Lieferart: Herstelllängen ≥ 6 m < 12 m, Festlängen ≥ 6 m < 12 m ± 100 mm
⇒ **T-Profil DIN 59 051 – S275JR – TPS 30:** Scharfkantiger T-Stahl, aus S275JR, h = 30 mm. Anstelle **T-Profil** kann auch **TPS** gesetzt werden.

Kurzzeichen TPS	h = b mm	t mm	S cm²	m' kg/m	e_x cm	W_x cm³	W_y cm³
20	20	3	1,11	0,871	0,61	0,29	0,20
25	25	3,5	1,63	1,28	0,75	0,53	0,37
30	30	4	2,24	1,76	0,90	0,88	0,61
35	35	4,5	2,95	2,31	1,04	1,36	0,93
40	40	5	3,75	2,94	1,18	1,97	1,35

W

Gleichschenkliger T-Stahl, warmgewalzt
vgl. DIN EN 10 055 (1995-12), Ersatz für DIN 1024

S Querschnittsfläche
I Flächenmoment 2. Grades
W axiales Widerstandsmoment
m′ längenbezogene Masse

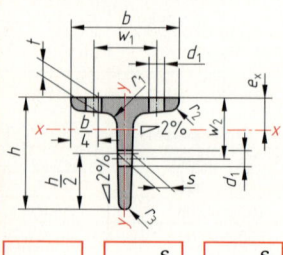

$$r_1 = s \qquad r_2 = \frac{s}{2} \qquad r_3 = \frac{s}{4}$$

Grenzabmaße und Formtoleranzen in mm

Querschnitt			Winkelhaltigkeit		Stegaußermittigkeit	
Nennmaß b in mm	Grenzabmaße für b, h	Grenzabmaße für s	Nennmaß b, h	Grenzab- maß k	Nennmaß b	Grenzab- maß e
≤ 50	±1,0	±0,5	≤ 100	≤ 1	≤ 60	≤ 1
50 ≤ 100	±1,5	±0,75	> 100	≤ 1,5	> 60	≤ 1,5
> 100	±2,0	±1,0	–			

Werkstoff: Stahl für den Stahlbau nach DIN EN 10025, z.B. S235JR
Lieferart: Längen auf Bestellung mit dem üblichen Grenzabmaß von ± 100 mm oder den eingeschränkten Grenzabmaßen ± 50 mm, ± 25 mm, ± 10 mm

➡ **T-Profil EN 10 055 – T50-Stahl – S235JR:** T-Stahl, h = 50 mm, aus S235JR

Kurz- zeichen T	Abmessungen in mm b = h	Abmessungen in mm s = t	S cm²	m′ kg/m	Abstand der x-Achse eₓ cm	Für die Biegeachse x – x Iₓ cm⁴	Für die Biegeachse x – x Wₓ cm³	Für die Biegeachse y – y I_y cm⁴	Für die Biegeachse y – y W_y cm³	Anreißmaße nach DIN 997 w₁ mm	Anreißmaße nach DIN 997 w₂ mm	Anreißmaße nach DIN 997 d₁ mm
30	30	4	2,26	1,77	0,85	1,72	0,80	0,87	0,58	17	17	4,3
35	35	4,5	2,97	2,33	0,99	3,10	1,23	1,04	0,90	19	19	4,3
40	40	5	3,77	2,96	1,12	5,28	1,84	2,58	1,29	21	22	6,4
50	50	6	5,66	4,44	1,39	12,1	3,36	6,06	2,42	30	30	6,4
60	60	7	7,94	6,23	1,66	23,8	5,48	12,2	4,07	34	35	8,4
70	70	8	10,6	8,23	1,94	44,4	8,79	22,1	6,32	38	40	11
80	80	9	13,6	10,7	2,22	73,7	12,8	37,0	9,25	45	45	11
100	100	11	20,9	16,4	2,74	179	24,6	88,3	17,7	60	60	13
120	120	13	29,6	23,2	3,28	366	42,0	179	29,7	70	70	17
140	140	15	39,9	31,3	3,80	660	64,7	330	47,2	80	75	21

Gleichschenkliger, scharfkantiger L-Stahl, warmgewalzt
vgl. DIN 1022 (1963-11)

S Querschnittsfläche
e Abstand der Achsen
W axiales Widerstandsmoment
m′ längenbezogene Masse

Grenzabmaße und Formtoleranzen in mm

Für das Nennmaß a bei L-Stahl, bzw. die Nennmaße $b = h$ bei T-Stahl ist eine Abweichung von ± 1 mm, für das Nennmaß t eine Abweichung von ± 0,5 mm zulässig. Die zulässige Abweichung von der Winkelhaltigkeit und die Stegaußermittigkeit darf höchstens 1 mm betragen.

Wirkstoff: Stahl für den Stahlbau nach DIN EN 10025, z.B. S275JR
Lieferart: Herstelllängen ≥ 3 m < 12 m, Festlängen < 12 m ± 100 mm

➡ **LS 20 x 4 DIN 1022 – S275JR:** Scharfkantiger L-Stahl, a = 20 mm, t = 4 mm, aus S275JR

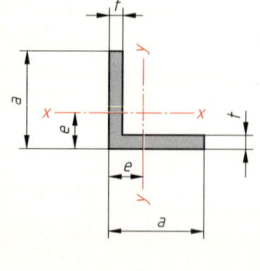

Kurzzeichen LS	a mm	t mm	S cm²	m′ kg/m	e cm	Wₓ = W_y cm³
20 x 3	20	3	1,11	0,871	0,61	0,28
20 x 4	20	4	1,44	1,13	0,64	0,37
25 x 3	25	3	1,41	1,11	0,73	0,47
25 x 4	25	4	1,84	1,44	0,77	0,60
30 x 3	30	3	1,71	1,34	0,86	0,68
30 x 4	30	4	2,24	1,76	0,90	0,88
35 x 4	35	4	2,64	2,07	1,02	1,22
40 x 4	40	4	3,04	2,39	1,15	1,62
40 x 5	40	5	3,75	2,94	1,18	1,97
45 x 5	45	5	4,25	3,34	1,31	2,53
50 x 5	50	5	4,75	3,73	1,43	3,15

W

Ungleichschenkliger Winkelstahl, warmgewalzt   vgl. DIN 1029 (1994-03)

S Querschnittsfläche
I Flächenmoment 2. Grades
W axiales Widerstandsmoment
m' längenbezogene Masse

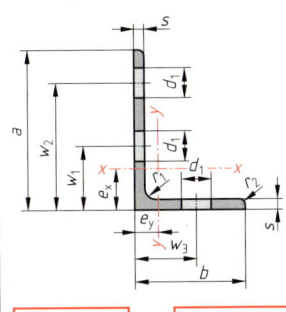

$$r_1 \approx s$$

$$r_2 \approx \frac{s}{2}$$

Grenzabmaße und Grenzabweichungen in mm vgl. DIN EN 10 056-2 (1994-03)

Schenkellängen a und b		Schenkeldicke s		Rechtwinkligkeit für a	
Nennmaß a, b in mm	Grenz-abmaße	Nennmaß s in mm	Grenz-abmaße	Nennmaß a in mm	Grenzab-weichung k
≤ 50	±1,0	≤ 5	±0,50	≤ 100	1,0
50 ≤ 100	±2,0	5 ≤ 10	±0,75	100 ≤ 100	1,5
100 ≤ 150	±3,0	10 ≤ 15	±1,0	150 ≤ 200	2,0
150 ≤ 200	±4,0	>15	±1,2	> 200	3,0

Werkstoff: Unlegierter Baustahl DIN EN 10025, z.B. S235JO

Lieferart: Herstelllängen ≥ 6 m < 12 m, Festlängen ≥ 6 m < 12 m ± 100 mm

➡ **Winkel DIN 1029 – S235JO – 65 x 50 x 5:** Ungleichschenkliger Winkel-stahl aus S235JO, a = 65 mm, b = 50 mm, s = 5 mm

Anstelle **Winkel** kann auch **L** gesetzt werden.

W

Kurz-zeichen L	Abmes-sungen in mm a	b	s	S cm²	m' kg/m	Abstände der Achsen e_x cm	e_y cm	Für die Biegeachse x–x I_x cm⁴	W_x cm³	y–y I_y cm⁴	W_y cm³	Anreißmaße nach DIN 997 w_1 mm	w_2 mm	w_3 mm	d_1 mm
30 x 20 x 3	30	20	3	1,42	1,11	0,99	0,50	1,25	0,62	0,44	0,29	17	–	12	8,4
30 x 20 x 4	30	20	4	1,85	1,45	1,03	0,54	1,59	0,81	0,55	0,38	17	–	12	8,4
40 x 20 x 3	40	20	3	1,72	1,35	1,43	0,44	2,79	1,08	0,47	0,30	22	–	12	11
40 x 20 x 4	40	20	4	2,25	1,77	1,47	0,48	3,59	1,42	0,60	0,39	22	–	12	11
45 x 30 x 4	45	30	4	2,87	2,25	1,48	0,74	5,78	1,91	2,05	0,91	25	–	17	13
45 x 30 x 5	45	30	5	3,53	2,77	1,52	0,78	6,99	2,35	2,47	1,11	25	–	17	13
50 x 30 x 4	50	30	4	3,07	2,41	1,68	0,70	7,71	2,33	2,09	0,91	30	–	17	13
50 x 30 x 5	50	30	5	3,78	2,96	1,73	0,74	9,41	2,88	2,54	1,12	30	–	17	13
50 x 40 x 5	50	40	5	4,27	3,35	1,56	1,07	10,04	3,02	5,89	2,01	30	–	22	13
60 x 30 x 5	60	30	5	4,29	3,37	2,15	0,68	15,6	4,04	2,60	1,12	35	–	17	17
60 x 40 x 5	60	40	5	4,79	3,76	1,96	0,97	17,2	4,25	6,11	2,02	35	–	22	17
60 x 40 x 6	60	40	6	5,68	4,46	2,00	1,01	20,1	5,03	7,12	2,38	35	–	22	17
65 x 50 x 5	65	50	5	5,54	4,35	1,99	1,25	23,1	5,11	11,9	3,18	35	–	30	21
70 x 50 x 6	70	50	6	6,88	5,40	2,24	1,25	33,5	7,04	14,3	3,81	40	–	30	21
75 x 50 x 7	75	50	7	8,3	6,51	2,48	1,25	46,4	9,24	16,5	4,39	40	–	30	23
75 x 55 x 5	75	55	5	6,3	4,95	2,31	1,33	35,5	6,84	16,2	3,89	40	–	30	23
75 x 55 x 7	75	55	7	8,66	6,80	2,40	1,41	47,9	9,39	21,8	5,52	40	–	30	23
80 x 40 x 6	80	40	6	6,89	5,41	2,85	0,88	44,9	8,73	7,59	2,44	45	–	22	23
80 x 40 x 8	80	40	8	9,01	7,07	2,94	0,95	57,6	11,4	9,68	3,18	45	–	22	23
80 x 60 x 7	80	60	7	9,38	7,36	2,51	1,52	59,0	10,7	28,4	6,34	45	–	35	23
80 x 65 x 8	80	65	8	11,0	8,66	2,47	1,73	68,1	12,3	40,1	8,41	45	–	35	23
90 x 60 x 6	90	60	6	8,69	6,82	2,89	1,41	71,7	11,7	25,8	5,61	50	–	35	25
90 x 60 x 8	90	60	8	11,4	8,96	2,97	1,49	925	15,4	33,0	7,31	50	–	35	25
100 x 50 x 6	100	50	6	8,73	6,85	3,49	1,04	89,7	13,8	15,3	3,86	55	–	30	25
100 x 50 x 8	100	50	8	11,5	8,99	3,59	1,13	116	18,0	19,5	5,04	55	–	30	25
100 x 50 x 10	100	50	10	14,1	11,1	3,67	1,20	141	22,2	23,4	6,17	55	–	30	25
100 x 65 x 7	100	65	7	11,2	8,77	3,23	1,51	113	19,6	37,6	7,54	55	–	35	25
100 x 65 x 9	100	65	9	14,2	11,1	3,32	1,59	141	21,0	46,7	9,52	55	–	35	25
100 x 75 x 9	100	75	9	15,1	11,8	3,15	1,91	148	21,5	71,0	12,7	55	–	40	25
120 x 80 x 8	120	80	8	15,5	12,2	3,83	1,87	226	27,6	80,8	13,2	50	80	45	25
120 x 80 x 10	120	80	10	19,1	15,0	3,92	1,95	276	34,1	98,1	16,2	50	80	45	25
120 x 80 x 12	120	80	12	22,7	17,8	4,00	2,03	323	40,4	114	19,1	50	80	45	25
130 x 65 x 8	130	65	8	15,1	11,9	4,56	1,37	263	31,1	44,8	8,72	50	90	35	25
130 x 65 x 10	130	65	10	18,6	14,6	4,65	1,45	321	38,4	54,2	10,7	50	90	35	25

Fortsetzung der Tabelle auf Seite 144

Form- und Stabstahl

Ungleichschenkliger Winkelstahl, warmgewalzt (Fortsetzung) — vgl. DIN 1029 (1994-03)

Kurzzeichen L	Abmessungen in mm a	b	s	S cm²	m' kg/m	e_x cm	e_y cm	I_x cm⁴	W_x cm³	I_y cm⁴	W_y cm³	w_1 mm	w_2 mm	w_3 mm	d_1 mm
150x 75x 9	150	75	9	19,5	15,3	5,28	1,57	455	46,8	78,3	13,2	60	105	40	28
150x 75x11	150	75	11	23,6	18,6	5,37	1,65	545	56,6	93,0	15,9	60	105	40	28
150x100x10	150	100	10	24,2	19,0	4,80	2,34	562	54,1	198	25,8	60	105	55	28
150x100x12	150	100	12	28,7	22,6	4,89	2,42	650	64,2	232	30,6	60	105	55	28
180x 90x10	180	90	10	26,2	20,6	6,28	1,85	880	75,1	151	21,2	60	135	50	28
200x100x10	200	100	10	29,2	23,0	6,93	2,01	1220	93,2	210	26,3	65	150	55	28
200x100x12	200	100	12	34,8	27,3	7,03	2,10	1440	111	247	31,3	65	150	55	28
200x100x14	200	100	14	40,3	31,6	7,12	2,18	1650	128	282	36,1	65	150	55	28

Gleichschenkliger Winkelstahl, warmgewalzt — vgl. DIN 1028 (1994-03)

S Querschnittsfläche
I Flächenmoment 2. Grades
W axiales Widerstandsmoment
m' längenbezogene Masse

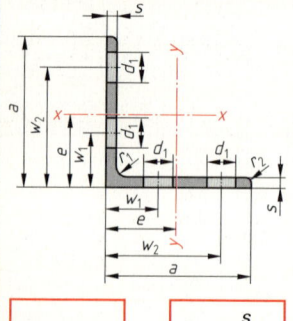

$$r_1 \approx s \qquad r_2 \approx \frac{s}{2}$$

Grenzabmaße und Grenzabweichungen in mm — vgl. DIN EN 10 056-2 (1994-03)

Schenkellänge a Nennmaß a in mm	Grenzabmaße	Schenkeldicke s Nennmaß s in mm	Grenzabmaße	Rechtwinkligkeit für a Nennmaß a in mm	Grenzabweichung k
≤ 50	±1,0	≤ 5	±0,50	≤ 100	1,0
50 ≤ 100	±2,0	5 ≤ 10	±0,75	100 ≤ 100	1,5
100 ≤ 150	±3,0	10 ≤ 15	±1,0	150 ≤ 200	2,0
150 ≤ 200	±4,0	>15	±1,2	> 200	3,0

Werkstoff: Unlegierter Baustahl DIN EN 10 025, z.B. S235JO

Lieferart: Herstelllängen ≥ 6 m < 12 m, Festlängen ≥ 6 m < 12 m ± 100 mm

⇒ **Winkel DIN 1028 – S235JO – 80 x 8:** Gleichschenkliger Winkelstahl aus S235JO, a = 80 mm, s = 8 mm

Anstelle **Winkel** kann auch **L** gesetzt werden.

Kurzzeichen L	Abmessungen a mm	s mm	S cm²	m' kg/m	Abstand der Achsen e cm	$I_x = I_y$ cm⁴	$W_x = W_y$ cm³	w_1 mm	w_2 mm	d_1 mm
20 x 3	20	3	1,12	0,88	0,60	0,39	0,28	12	–	4,3
25 x 3	25	3	1,42	1,12	0,73	0,79	0,45	15	–	6,4
30 x 3	30	3	1,74	1,36	0,84	1,41	0,65	17	–	8,4
35 x 4	35	4	2,67	2,10	1,00	2,96	1,18	18	–	11
40 x 4	40	4	3,08	2,42	1,12	4,38	1,56	22	–	11
45 x 5	45	5	4,30	3,38	1,28	7,83	2,43	25	–	13
50 x 5	50	5	4,80	3,77	1,40	11,0	3,05	30	–	13
60 x 6	60	6	6,91	5,42	1,69	22,8	5,29	35	–	17
70 x 7	70	7	9,40	7,38	1,97	42,4	8,43	40	–	21
80 x 8	80	8	12,3	9,60	2,26	72,3	12,6	45	–	23
90 x 9	90	9	15,5	12,2	2,54	116	18,0	50	–	25
100 x 10	100	10	19,2	15,1	2,82	177	24,7	55	–	25
110 x 10	110	10	21,2	16,6	3,07	239	30,1	45	70	25
120 x 12	120	12	27,5	21,6	3,04	368	42,7	50	80	25
150 x 15	150	15	43,0	33,8	4,25	898	83,5	60	105	28
180 x 18	180	18	61,9	48,6	5,10	1870	145	60	135	28
200 x 20	200	20	76,3	59,9	5,68	2850	199	65	150	28

W

Mittelbreite I-Träger (IPE), mit parallelen Flanschflächen, warmgewalzt   vgl. DIN 1025-5 (1994-03)

S Querschnittsfläche
I Flächenm. 2. Grades
W axiales Widerstands-
   moment
m' längenbezogene Masse

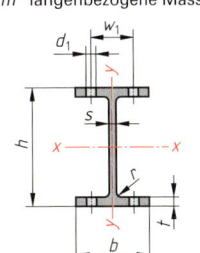

Grenzabmaße in mm							vgl. DIN EN 10 034 (1994-03)
Profilhöhe		Flanschbreite		Stegdicke		Flanschdicke	
Höhe h	Grenz- abmaß	Breite b	Grenz- abmaß	Nenn- maß s	Grenz- abmaß	Nenn- maß t	Grenz- abmaß
≤ 180	+3,0/–2,0	≤ 110	+4,0/–1,0	< 7	± 0,7	< 6,5	+1,5/–0,5
180...≤ 400	+4,0/–2,0	110...≤ 210	+4,0/–2,0	7...≤ 10	± 1,0	6,5...≤ 10	+2,0/–1,0
400...≤ 700	+5,0/–3,0	210...≤ 325	± 4,0	10...≤ 20	± 1,5	10...≤ 20	+2,5/–1,5
> 700	± 5,0	> 325	+6,0/–5,0	20...≤ 40	± 2,0	20...≤ 30	+2,5/–2,0
				40...≤ 60	± 2,5	30...≤ 40	± 2,5
				> 60	± 3,0	40...≤ 60	± 3,0
						> 60	± 4,0

Werkstoff: Stahl für den Stahlbau nach DIN EN 10025, z.B. S235JR

Lieferart: Normallängen, 8 m bis 16 m ± 50 mm bei h < 300 mm,
8 m bis 18 m ± 50 mm bei h ≥ 300 mm

⇒ **I-Profil DIN 1025 – S235JR – IPE 300:** Mittelbreiter I-Träger mit parallelen Flanschflächen, aus S235JR, h = 300 mm

Kurz- zeichen	Abmessungen in mm					S cm²	m' kg/m	Für die Biegeachse				Anreißmaße nach DIN 997	
								x–x		y–y			
IPE	h	b	s	t	r			I_x cm⁴	W_x cm³	I_y cm⁴	W_y cm³	w_1 mm	d_1 mm
80	80	46	3,8	5,2	5	7,64	6,0	80,1	20,0	8,49	3,69	26	6,4
100	100	55	4,1	5,7	7	10,3	8,1	171	34,2	15,9	5,79	30	8,4
120	120	64	4,4	6,3	7	13,2	10,4	318	53,0	27,7	8,65	36	8,4
140	140	73	4,7	6,9	7	16,4	12,9	541	77,3	44,9	12,3	40	11
160	160	82	5,0	7,4	9	20,1	15,8	869	109	68,3	16,7	44	13
180	180	91	5,3	8,0	9	23,9	18,8	1320	146	101	22,2	50	13
200	200	100	5,6	8,5	12	28,5	22,4	1940	194	142	28,5	56	13
220	220	110	5,9	9,2	12	33,4	26,2	2770	252	205	37,3	60	17
240	240	120	6,2	9,8	15	39,1	30,7	3890	324	284	47,3	68	17
270	270	135	6,6	10,2	15	45,9	36,1	5790	429	420	62,2	72	21
300	300	150	7,1	10,7	15	53,8	42,2	8360	557	604	80,5	80	23
330	330	160	7,5	11,5	18	62,6	49,1	11770	713	788	98,5	86	25
360	360	170	8,0	12,7	18	72,7	57,1	16270	904	1040	123	90	25
400	400	180	8,6	13,5	21	84,5	66,3	23130	1160	1320	146	96	28
450	450	190	9,4	14,6	21	98,8	77,6	33740	1500	1680	176	106	28
500	500	200	10,2	16,0	21	116	90,7	48200	1930	2140	214	110	28
550	550	210	11,1	17,2	24	134	106	67120	2440	2670	254	120	28
600	600	220	12,0	19,0	24	156	122	92080	3070	3390	308	120	28

Breite I-Träger (IPB), mit parallelen Flanschflächen, warmgewalzt   vgl. DIN 1025-2 (1995-11)

S Querschnittsfläche
I Flächenmoment 2. Grades
W axiales Widerstands- moment
m' längenbezogene Masse

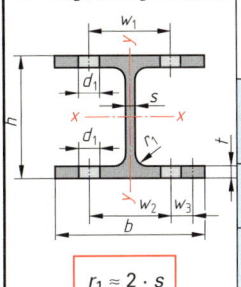

$r_1 \approx 2 \cdot s$

Grenzabmaße in mm   vgl. DIN EN 10 034 (1994-03)
Es gelten die gleichen Werte wie bei mittelbreite I-Träger (IPE) DIN 1025-5

Werkstoff: Stahl für den Stahlbau nach DIN EN 10025, z.B. S235JR

Lieferart: Normallängen, 8 m bis 16 m ± 50 mm bei h < 300 mm,
8 m bis 18 m ± 50 mm bei h ≥ 300 mm

⇒ **I-Profil DIN 1025 – S235JR – IPB 240:** Mittelbreiter I-Träger mit parallelen Flanschflächen, aus S235JR, h = 240 mm

⇒ Bezeichnung nach EURONORM 53-62: **HE 240 B**

Kurz- zeichen	Abmessungen in mm				S cm²	m' kg/m	Für die Biegeachse				Anreißmaße n. DIN 997 in mm	
							x–x		y–y			
IPB	h	b	s	t			I_x cm⁴	W_x cm³	I_y cm⁴	W_y cm³	w_1	d_1
100	100	100	6	10	26,0	20,4	450	89,9	167	33,5	56	13
120	120	120	6,5	11	34,0	26,7	864	144	318	52,9	66	17
140	140	140	7	12	43,0	33,7	1510	216	550	78,5	76	21
160	160	160	8	13	54,3	42,6	2490	311	889	111	86	23
180	180	180	8,5	14	65,3	51,2	3830	426	1360	151	100	25
200	200	200	9	15	78,1	61,3	5700	570	2000	200	110	25

Fortsetzung der Tabelle Seite 146

W

Form- und Stabstahl

Breite I-Träger (IPB), parallele Flanschflächen, warmgewalzt (Fortsetzung)   vgl. DIN 1025-2 (1995-11)

Kurz-zeichen IPB	Abmessungen in mm				S cm²	m' kg/m	Für die Biegeachse x–x		Für die Biegeachse y–y		Anreißmaße n. DIN 997 in mm			
	h	b	s	t			I_x cm⁴	W_x cm³	I_y cm⁴	W_y cm³	einreihig w_1	zweireihig w_2	w_3	d_1
220	220	220	9,5	16	91	71,5	8090	736	2840	258	120	–	–	25
240	240	240	10	17	106	83,2	11260	938	3920	327	–	96	35	25
260	260	260	10	17,5	118	93,0	14920	1150	5130	395	–	106	40	25
280	280	280	10,5	18	131	103	19270	1380	6590	471	–	110	45	25
300	300	300	11	19	149	117	25170	1680	8560	571	–	120	45	28
320	320	300	11,5	20,5	161	127	30820	1930	9240	616	–	120	45	28
340	340	300	12	21,5	171	134	36660	2160	9690	646	–	120	45	28
360	360	300	12,5	22,5	181	142	43190	2400	10140	676	–	120	45	28
400	400	300	13,5	24	198	155	57680	2880	10820	721	–	120	45	28
450	450	300	14	26	218	171	78890	3550	11720	781	–	120	45	28
500	500	300	14,5	28	239	187	107200	4290	12620	842	–	120	45	28
550	550	300	15	29	254	199	136700	4970	13080	872	–	120	45	28
600	600	300	15,5	30	270	212	171000	5700	13530	902	–	120	45	28
650	650	300	16	31	286	225	210600	6480	13980	932	–	120	45	28
700	700	300	17	32	306	241	256900	7340	14440	963	–	126	45	28
800	800	300	17,5	33	334	262	359100	8980	14900	994	–	130	40	28
900	900	300	18,5	35	371	291	494100	10980	15820	1050	–	130	40	28
1000	1000	300	19	36	400	314	644700	12890	16280	1090	–	130	40	28

Schmale I-Träger, warmgewalzt   vgl. DIN 1025-1 (1995-05), Ersatz für (1963-10)

S   Querschnittsfläche
I   Flächenmoment 2. Grades
W   axiales Widerstandsmoment
m'   längenbezogene Masse

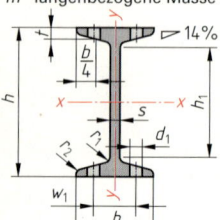

Grenzabmaße in mm   vgl. DIN EN 10 024 (1995-05)

Profilhöhe		Flanschbreite		Stegdicke		Flanschdicke	
Höhe h	Grenz-abmaß	Breite b	Grenz-abmaß	Nennmaß s	Grenz-abmaß	Nennmaß t	Grenz-abmaß
≤ 200	± 2,0	≤ 75	± 1,5	< 7	+0,5/–1,0	< 7	+1,5/–0,5
200...≤ 400	± 3,0	75...≤ 100	± 2,0	7...≤ 10	+0,7/–1,5	7...≤ 10	+2,0/–1,0
> 400	± 4,0	100...≤ 125	± 2,5	> 10	+1,0/–2,0	10...≤ 20	+2,5/–1,5
		> 125	± 3,0			> 20	+2,5/–2,0

$r_1 = s$

$r_2 = 0,6 \cdot s$

Werkstoff: Stahl für den Stahlbau nach DIN EN 10025, z.B. S235JR
Lieferart: Normallängen, 8 m bis 16 m ± 50 mm bei $h < 300$ mm,
     8 m bis 18 m ± 50 mm bei $h \geq 300$ mm

⇨ **I-Profil DIN 1025 – S235JR – I 180:**
Schmaler I-Träger, aus S235JR, $h = 180$ mm

Kurz-zeichen I	Abmessungen in mm					S cm²	m' kg/m	Für die Biegeachse x–x		Für die Biegeachse y–y		Anreißmaße nach DIN 997	
	h	b	s	t	h_1			I_x cm⁴	W_x cm³	I_y cm⁴	W_y cm³	w_1 mm	d_1 mm
80	80	42	3,9	5,9	59	7,57	5,94	77,8	19,5	6,29	3,00	22	6,4
100	100	50	4,5	6,8	75	10,6	8,34	171	34,2	12,2	4,88	28	6,4
120	120	58	5,1	7,7	92	14,2	11,1	328	54,7	21,5	7,41	32	8,4
140	140	66	5,7	8,6	109	18,2	14,3	573	81,9	35,2	10,7	34	11
160	160	74	6,3	9,5	125	22,8	17,9	935	117	54,7	14,8	40	11
180	180	82	6,9	10,4	142	27,9	21,9	1450	161	83,3	19,8	44	13
200	200	90	7,5	11,3	159	33,4	26,2	2140	214	117	26,0	48	13
220	220	98	8,1	12,2	175	39,5	31,1	3060	278	162	33,1	52	13
240	240	106	8,7	13,1	192	46,1	36,2	4250	354	221	41,7	56	17
260	260	113	9,4	14,1	208	53,3	41,9	5740	442	288	51,0	60	17
280	280	119	10,1	15,2	225	61,0	47,9	7590	542	364	61,2	60	17
300	300	125	10,8	16,2	241	69,0	54,2	9800	653	451	72,2	64	21
320	320	131	11,5	17,3	257	77,7	61,0	12510	782	555	84,7	70	21
340	340	137	12,2	18,3	274	86,7	68,0	15700	923	674	98,4	74	21
360	360	143	13,0	19,5	290	97,0	76,1	19610	1090	818	114	76	23
380	380	149	13,7	20,5	306	107	84,0	24010	1260	975	131	82	23
400	400	155	14,4	21,6	322	118	92,4	29210	1460	1160	149	82	23
450	450	170	16,2	24,3	363	147	115	45850	2040	1730	203	94	25
500	500	185	18,0	27,0	404	179	141	68740	2750	2480	268	100	28
550	550	200	19,0	30,0	445	212	166	99180	3610	3490	349	110	28

W

Nahtlose Präzisionsstahlrohre
vgl. DIN 2391-1 und -2 (1994-09)

Lieferzustände

Kurzzeichen	Benennung	Erklärung, Eigenschaften
BK	zugblank-hart	Kaltgezogen ohne nachfolgende Wärmebehandlung; kaum kaltumformbar
BKW	zugblank-weich	Wärmebehandelt und leicht kalt nachgezogen; bedingt kaltumformbar
BKS	zugblank und span-nungsarmgeglüht	Kaltgezogen und nachfolgend spannungsarmgeglüht; kaltumformbar, gut zerspanbar
GBK	geglüht, zugblank	Nach der letzten Kaltumformung sind die Rohre unter Schutzgas geglüht
NBK	normalgeglüht, zugblank	Kaltgezogen und nachfolgend unter Schutzgas normalgeglüht; gut kaltum-formbar, gut zerspanbar

Mechanische Eigenschaften bei verschiedenen Lieferzuständen

Lieferzustand		BK		BKW		BKS			GBK		NBK		
Stahlsorte Kurzname	Bisheriger Kurzname	R_m N/mm²	A_5 %	R_m N/mm²	A_5 %	R_m N/mm²	R_e N/mm²	A_5 %	R_m N/mm²	A_5 %	R_m N/mm²	R_e N/mm²	A_5 %
S215GSiT	St 30 Si	430	8	380	12	380	280	16	280	30	290...420	215	30
S215GAlT	St 30 Al	430	8	380	12	380	280	16	280	30	290...420	215	30
S235G2T	St 35	480	6	420	10	420	315	14	315	25	340...470	235	25
S255GT	St 45	580	5	520	8	520	375	12	390	21	440...570	255	21
S355GT	St 52	640	4	580	7	580	420	10	490	22	490...630	355	22

Lieferart: Außendurchmesser: Von d = 4 mm bis 260 mm in Wanddicken s = 0,5 mm bis 25 mm
Herstelllänge: 4 m bis 7 m
Gütegrad A: Ohne besondere Anforderungen, ohne Abnahmeprüfzeugnis
Gütegrad C: Mit Sonderanforderungen
Die Rohre haben durch Kaltumformung eine glatte äußere und innere Oberfläche mit $R_a \leq 6,3$ µm.
⇨ **Rohr DIN 2391 – C – S235G2T NBK 100 x ID 94:** Nahtloses Präzisionsstahlrohr, Gütegrad C, aus S235G2T, normalgeglüht, zugblank, Außendurchmesser 100 mm, Innendurchmesser 94 mm.

Nahtlose Stahlrohre
Geschweißte Stahlrohre
vgl. DIN 2448 (1981-02)
vgl. DIN 2458 (1981-02)

Maße, Reihe 1

Außen-durch-messer D in mm	Wanddicke s in mm DIN 2448	DIN 2458	Außen-durch-messer D in mm	Wanddicke s in mm DIN 2448	DIN 2458	Außen-durch-messer D in mm	Wanddicke s in mm DIN 2448	DIN 2458	Außen-durch-messer D in mm	Wanddicke s in mm DIN 2448	DIN 2458
10,2	1,6	1,6	42,4	2,6	2,3	139,7	4,0	3,6	406,4	8,8	6,3
13,5	1,8	1,8	48,3	2,6	2,3	168,3	4,5	4,0	457	10,0	6,3
17,2	1,8	1,8	60,3	2,9	2,3	219,1	6,3	4,5	508	11,0	6,3
21,3	2,0	1,8	76,1	2,9	2,6	273	6,3	5,0	610	12,5	6,3
26,9	2,3	2,0	88,9	3,2	2,9	323,9	7,1	5,6	711	–	7,1
33,7	2,6	2,0	114,3	3,6	3,2	355,6	8,0	5,6	813	–	8,0

Lieferart: DIN 2448: Außendurchmesser von D = 10,2 mm bis 610 mm in Wanddicken s = 1,6 mm bis 12,5 mm, nahtlos, schwarz
DIN 2458: Außendurchmesser von D = 10,2 mm bis 2220 mm in Wanddicken s = 1,4 mm bis 10 mm, geschweißt, schwarz
Herstelllänge: Die Rohre werden in den bei der Herstellung anfallenden Längen geliefert. Diese Längen sind je nach Durchmesser, Wanddicke und Herstellerwerk unterschiedlich.
Werkstoff: S235JRG1, S235JRG2, S275JRG2, S355JRG3 (Seite 128).
Die Rohre sind für alle Schweißverfahren geeignet.
⇨ **Rohr DIN 2458 – S235JR – 60,3 x 2,3:** Geschweißtes Stahlrohr, aus S235JR, D = 60,3 mm, s = 2,3 mm.

Installationsrohre aus Kupfer, nahtlos gezogen
vgl. DIN 1786 (1980-05)

Außen-durch-messer D in mm	Wand-dicke s in mm	Außen-durch-messer D in mm	Wand-dicke s in mm	Außen-durch-messer D in mm	Wand-dicke s in mm	Außen-durch-messer D in mm	Wand-dicke s in mm	Außen-durch-messer D in mm	Wand-dicke s in mm
6	0,8 1,0	12	0,8 1,0[1]	22	1,0[1] 1,5	42	1,5[1] 2,0	76,1	2,0[1] 2,5
8	0,8 1,0	15	0,8 1,0[1] 1,5	28	1,0 1,5[1]	54	1,5 2,0[1]	88,9	2,0[1] 2,5
10	0,8 1,0	18	1,0[1] 1,5	35	1,5[1]	64	2,0[1]	108	3,0[1]

[1] Für Gas- und Wasserinstallationen

Lieferart: In Ringen von D = 6 mm bis 22 mm mit einer Lieferlänge von 25 m oder 50 m. Von D = 6 mm bis 133 mm in gestreckter Länge mit 5 m. Die Rohre können auch mit Ummantelung geliefert werden.
Werkstoff: Für Ringe in SF-Cu F22, für gestreckte Längen mit D = 6 mm bis 54 mm in SF-Cu F37 und mit D = 64 mm bis 267 mm in SF-Cu F30.
⇨ **Rohr DIN 1786 – SF-Cu F37 – 22 x 1:** Installationsrohr aus SF-Cu F37, D = 22 mm, s = 1 mm.

Hohlprofile

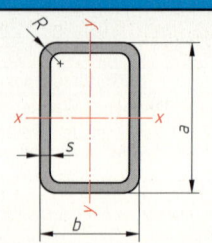

I_x, I_y	Flächenmomente 2. Grades
W_x, W_y	axiale Widerstandsmomente
I_p	polares Flächenmoment 2. Grades
W_p	polares Widerstandsmoment
m'	längenbezogene Masse

DIN 59 410	$R \le 2,5 \cdot s$ für $a \le 140$ mm
	$R \le 3,0 \cdot s$ für $a > 140$ mm
DIN 59 411	$R = 2,0 \cdot s$ für $s \le 4$ mm
	$R = 2,5 \cdot s$ für $s = 4$ bis 8 mm
	$R = 3,0 \cdot s$ für $s \ge 8$ mm

➡ **Hohlprofil DIN 59 410 – S355JO – 60 x 60 x 5:**
Quadratisches Hohlprofil aus S355JO, $a = 60$ mm,
$s = 5$ mm.

W

Warmgefertigte quadratische und rechteckige Stahlrohre · vgl. DIN 59 410 (1974-05)

Nennmaß a, $a \times b$ mm	Wanddicke s mm	Querschnitt S cm²	Längenbezogene Masse m' kg/m	I_x cm⁴	W_x cm³	I_y cm⁴	W_y cm³	I_p cm⁴	W_p cm³
40	2,9	4,23	3,32	9,66	4,83	9,66	4,83	15,0	7,97
	4,0	5,62	4,41	12,1	6,05	12,1	6,05	19,0	10,3
50	2,9	5,39	4,23	19,8	7,94	19,8	7,94	30,7	12,9
	4,0	7,22	5,67	25,4	10,1	25,4	10,1	39,5	16,9
60	2,9	6,55	5,14	35,5	11,8	35,5	11,8	54,5	18,9
	4,0	8,82	6,93	45,9	15,3	45,9	15,3	71,2	25,2
	5,0	10,8	8,47	54,1	18,0	54,1	18,0	84,5	30,2
50 x 30	2,9	4,23	3,32	13,4	5,36	5,88	3,92	12,9	7,39
	4,0	5,62	4,41	16,9	6,75	7,25	4,83	16,2	9,54
60 x 40	2,9	5,39	4,23	26,0	8,67	13,7	6,83	28,0	12,3
	4,0	7,22	5,67	33,3	11,1	17,3	8,65	35,9	16,1
70 x 40	2,9	5,97	4,69	38,1	10,9	15,7	7,83	34,9	14,4
	4,0	8,02	6,30	49,2	14,1	19,9	9,95	44,9	19,0
80 x 40	2,9	6,55	5,14	53,1	13,3	17,7	8,83	42,0	16,6
	4,0	8,82	6,93	69,0	17,3	22,5	11,3	54,2	21,9
	5,0	10,8	8,47	81,7	20,4	26,2	13,1	63,6	26,2

Kaltgefertigte, geschweißte, quadratische und rechteckige Stahlrohre · vgl. DIN 59 411 (1978-07)

Nennmaß a, $a \times b$ mm	Wanddicke s mm	Querschnitt S cm²	Längenbezogene Masse m' kg/m	I_x cm⁴	W_x cm³	I_y cm⁴	W_y cm³	I_p cm⁴	W_p cm³
20	1,6	1,11	0,87	0,61	0,61	0,61	0,61	1,03	1,07
	2	1,34	1,05	0,69	0,69	0,69	0,69	1,20	1,27
30	1,6	1,75	1,38	2,31	1,54	2,31	1,54	3,76	2,57
	2	2,14	1,68	2,72	1,81	2,72	1,81	4,51	3,10
	2,6	2,68	2,10	3,26	2,18	3,26	2,18	5,5	3,84
40	1,6	2,39	1,88	5,79	2,90	5,79	2,90	9,25	4,70
	2	2,94	2,31	6,94	3,47	6,94	3,47	11,2	5,74
	2,6	3,72	2,92	8,45	4,23	8,45	4,23	14,0	7,21
	3,2	4,45	3,49	9,72	4,86	9,72	4,86	16,4	8,54
	4	5,35	4,20	11,1	5,54	11,1	5,54	19,2	10,1
40 x 20	1,6	1,75	1,38	3,43	1,72	1,15	1,15	2,87	2,25
	2	2,14	1,68	4,05	2,03	1,34	1,34	3,42	2,71
	2,6	2,68	2,10	4,81	2,40	1,57	1,57	4,11	3,32
50 x 30	1,6	2,39	1,88	7,96	3,18	3,60	2,40	8,02	4,38
	2	2,94	2,31	9,54	3,81	4,29	2,86	9,72	5,34
	2,6	3,72	2,92	11,6	4,65	5,22	3,48	12,0	6,69
	3,2	4,45	3,49	13,4	5,35	5,93	3,95	14,0	7,90
	4	5,35	4,20	15,3	6,10	6,69	4,46	16,2	9,32
60 x 40	1,6	3,03	2,38	15,2	5,07	8,15	4,08	16,9	7,16
	2	3,74	2,93	18,4	6,14	9,83	4,92	20,7	8,78
	2,6	4,76	3,73	22,8	7,59	12,1	6,05	25,9	11,1
	3,2	5,73	4,50	26,6	8,87	14,1	7,03	30,7	13,3
	4	6,95	5,45	31,0	10,3	16,3	8,14	36,3	15,9

Wärmebehandlung von unlegierten Kaltarbeitsstählen vgl. DIN 17350 (1980-10)

| Stahlsorte | | Warmform-gebungs-temperatur °C | Weichglühen | | Härten | | | | Oberflächenhärte in HRC ≈ | | | |
Kurzname	Werk-stoff-Nr.		Tempe-ratur °C	Härte HB max.	Tempe-ratur °C	Ab-kühl-mittel	Ein-härte-tiefe[1] mm	Durch-härtung bis mm Ø	nach dem Här-ten	nach dem Anlassen[2] bei 100 °C	200 °C	300 °C
C60W	1.1740	1050...800	680...710	231	800...830	Öl	3,5	12	58	58	54	48
C70W2	1.1620	1050...800	680...710	183	790...820	Wasser	3,0	10	64	63	60	53
C80W1	1.1525	1050...800	680...710	192	780...810	Wasser	2,5	10	64	64	60	54
C85W	1.1830	1050...800	680...710	222	800...830	Öl	4,5	12	63	63	59	54
C105W1	1.1545	1050...800	680...710	213	770...800	Wasser	2,5	10	65	64	62	56

[1] Für 30 mm Vierkantstahl
[2] Die Höhe der Anlasstemperatur richtet sich nach dem Verwendungszweck und der gewünschten Gebrauchshärte. Anwendungsbeispiele Seite 132

Wärmebehandlung von legierten Kaltarbeitsstählen, Warmarbeitsstählen und Schnellarbeitsstählen vgl. DIN 17350 (1980-10)

| Stahlsorte | | Warmform-gebungs-temperatur °C | Weichglühen | | Härten | | Oberflächenhärte in HRC ≈ | | | | | |
Kurzname	Werk-stoff-Nr.		Tempe-ratur °C	Härte HB max.	Tempe-ratur[1] °C	Ab-kühl-mittel[2]	nach dem Härten	nach dem Anlassen[3] bei 200 °C	300 °C	400 °C	500 °C	550 °C
115CrV3	1.2210	1050...850	710...750	223	760...810 / 810...840	Wasser / Öl	64	61	58	51	44	40
90MnCrV8	1.2842	1050...850	680...720	229	790...820	Öl	64	60	56	50	42	40
100Cr6	1.2067	1050...850	710...750	223	820...850		64	61	56	50	43	40
60WCrV7	1.2550	1050...850	710...750	229	870...900		60	59	56	52	48	46
X210CrW12	1.2436	1050...850	800...840	255	950...980		64	62	60	58	56	52
X38CrMoV5-1	1.2343	1100...900	750...800	229	1000...1040	Öl, Warm-bad, Luft	53	52	52	53	54	52
X155CrVMo12-1	1.2379	1100...900	750...800	255	1020...1050		63	61	59	58	58	56
S6-5-2	1.3343	1100...900	770...840	300	1190...1230		64	62	62	62	65	65
S10-4-3-10	1.3207	1100...900	770...840	300	1210...1250		66	61	61	62	66	67
S18-1-2-5	1.3255	1100...900	770...840	300	1260...1300		64	64	62	62	65	65

[1] Die Austenitisierungsdauer ist die Dauer des Haltens auf Härtetemperatur und beträgt bei Kaltarbeitsstählen ca. 15 min, bei Schnellarbeitsstählen ca. 80 Sekunden. Das Erwärmen erfolgt in Stufen.
[2] Die für den jeweiligen Verwendungszweck richtige Abkühlgeschwindigkeit kann aus dem Zeit-Temperatur-Umwandlungsschaubild nach DIN 17350 ermittelt werden.
[3] Schnellarbeitsstähle werden 2- bis 3-mal bei 540...580 °C angelassen. Dabei steigt die Härte an.

Wärmebehandlung von Einsatzstählen vgl. DIN EN 10084 (1998-06), Ersatz für DIN 17210

| Stahlsorte[1] | | Auf-kohlungs-temperatur °C | Härten von | | Anlassen °C | Abkühlmittel | Stirnabschreck-versuch | |
Kurzname	Werk-stoff-Nr.		Kernhärte-temperatur °C	Randhärte-temperatur °C			°C	Härte[2] HRC
C10E	1.1121	880...980	880...920	780...820	150...200	Die Wahl des Abkühl-(Abschreck-)mittels richtet sich nach den erforderlichen Eigenschaften, nach der Einsatzbarkeit des verwendeten Stahles, der Gestalt und der Größe des Werkstückes sowie der Wirkung des Abschreckmittels.	–	–
C15E	1.1141		880...920				–	–
17Cr3	1.7016		860...900				880	47...39
16MnCr5	1.7131		860...900				870	47...39
20MnCr5	1.7147		860...900				870	49...41
20MoCr4	1.7321		860...900				910	49...41
17CrNi6-6	1.5918		830...870				870	47...39
15NiCr13	1.5752		840...880				880	48...41
20NiCrMo2-2	1.6523		860...900				920	49...41
18NiCrMo7-6	1.6587		830...870				860	48...40

[1] Für Stähle mit geregeltem Schwefelgehalt, z. B. C10R, 20MnCrS5, gelten dieselben Werte.
[2] Für Stähle mit normaler Härtbarkeit (+H) in 1,5 mm Abstand von der Stirnfläche.
Mindestwerte für Zugfestigkeit, Streckgrenze und Dehnung Seite 130.

W

Wärmebehandlung

Wärmebehandlung von Stählen für Flamm- und Induktionshärtung   vgl. DIN 17 212 (1972-08)

| Stahlsorte | | Warmform-gebung °C | Weich-glühen °C | Normal-glühen °C | Vergüten | | | Anlassen °C | Randschichthärten | |
Kurzname	Werk-stoff-Nr.				Härten in Wasser °C	in Öl °C			in Wasser °C	Härte HRC min.
Cf35	1.1183	1100...850	650...700	860...890	840...870	850...880		550...660	850...930	51
Cf45	1.1193	1100...850		840...870	820...850	830...860			820...900	55
Cf53	1.1213	1050...850		830...860	805...835	815...845			805...885	57
Cf70	1.1249	1000...800		820...860	790...820	–			790...870	60
45Cr2	1.7005	1100...850	650...700	840...870	820...850	830...860		550...660	820...900	55
38Cr4	1.7043	1050...850	680...720	845...885	825...855	835...865		540...680	825...905	53
42Cr4	1.7045	1050...850	680...720	840...880	820...850	830...860		540...680	820...900	54
41CrMo4	1.7223	1050...850	680...720	840...880	820...850	830...860		540...680	820...900	54
49CrMo4	1.7238									56

Mindestwerte für Zugfestigkeit, Streckgrenze und Bruchdehnung Seite 129 bei Vergütungsstählen; Seite 131 bei Stählen für Flammhärtung.

Wärmebehandlung von Vergütungsstählen   vgl. DIN EN 10 083 (1996-10), Ersatz für DIN 17 200

| Stahlsorte[1] | | Normal-glühen °C | Stirnabschreckversuch Härte HRC für Härtbarkeit[2] | | | | Vergüten | | |
Kurzname	Werk-stoff-Nr.		°C	+H	+HH	+HL	Härten[3] °C	Abschreckmittel	Anlassen[4] °C
C22	1.0402	880...920	–	–	–	–	860...900	Wasser	550...660
C25	1.0406	880...920					860...900		
C30	1.0528	870...910					850...890		
C35	1.0501	860...900	870	58...48	58...51	55...48	840...880	Wasser oder Öl	550...660
C40	1.0511	850...890	870	60...51	60...54	57...51	830...870		
C45	1.0503	840...880	850	62...55	62...57	60...55	820...860		
C50	1.0540	830...870	850	63...56	63...58	61...56	810...850	Öl oder Wasser	550...660
C55	1.0535	825...865	830	65...58	65...60	63...58	805...845		
C60	1.0601	820...860	830	67...60	67...62	65...60	800...840		
28Mn6	1.1770	850...890	850	54...45	54...48	51...45	830...870	Wasser oder Öl	540...680
38Cr2	1.7003	–	850	59...51	59...54	56...51	830...870	Öl oder Wasser	540...680
46Cr2	1.7006	–		63...54	63...57	60...54	820...860	Öl oder Wasser	
34Cr4	1.7033	–	850	57...49	57...52	54...49	830...870	Wasser oder Öl	
37Cr4	1.7034	–		59...51	59...54	56...51	825...865	Öl oder Wasser	
41Cr4	1.7035	–	850	61...53	61...55	58...53	820...860	Öl oder Wasser	
25CrMo4	1.7218	–		52...44	52...47	49...44	840...880	Wasser oder Öl	540...680
34CrMo4	1.7220	–		57...49	57...52	54...49	830...870	Öl oder Wasser	
42CrMo4	1.7225	–		61...53	61...56	58...53	820...860	Öl oder Wasser	
50CrMo4	1.7228	–		65...58	65...60	63...58	820...860	Öl	
51CrV4	1.8159	–		65...57	65...60	62...57	820...860	Öl	
36CrNiMo4	1.6511	–		59...51	59...54	56...51	820...850	Öl oder Wasser	540...680
34CrNiMo6	1.6582	–		58...50	58...53	55...50	830...860	Öl	540...660
30CrNiMo8	1.6580	–		56...48	56...51	53...48	830...860	Öl	540...660
36NiCrMo16	1.6773	–		57...50	57...52	55...50	865...885	Luft oder Öl	550...650

[1] Für unlegierte Edelstähle, z.B. C22E und Stähle mit geregeltem Schwefelgehalt, z.B. C35R, 25CrMoS4, gelten dieselben Werte.
[2] Härtbarkeitsanforderungen: +H: normale Härtbarkeit; +HH, +HL: eingeschränkte Härtbarkeitsstreuung.
[3] Der untere Temperaturbereich gilt für das Abschrecken in Wasser, der obere für das Abschrecken in Öl.
[4] Anlassdauer mindestens 60 min.

Härtbarkeit der Vergütungsstähle (Streubänder)

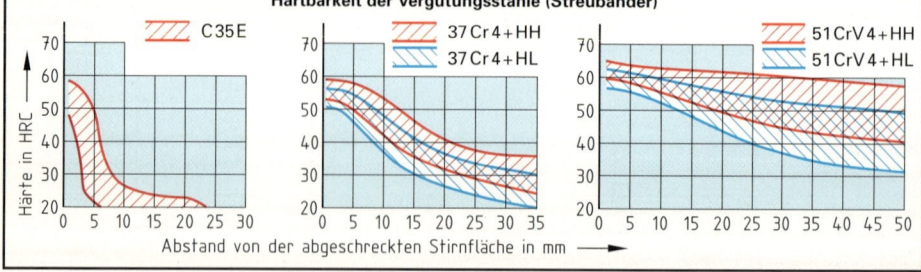

Abstand von der abgeschreckten Stirnfläche in mm ⟶

Wärmebehandlung

Wärmebehandlung von Nitrierstählen — vgl. DIN 17 211 (1987-04)

Stahlsorte		Wärmebehandlung vor dem Nitrieren					Nitrierbehandlung		
		Weichglühen		Vergüten					
				Härten					
Kurzname	Werk-stoff-Nr.	Tempe-ratur °C	Härte max. HB	Erwärmen °C	Abkühlen in	Anlassen °C	Gas-nitrieren °C	Nitrocar-burieren °C	Nitrier-härte HV 1
31CrMo1-2	1.8515	650...700	248	870...910	Öl	570...700	500...520	570...580	800
31CrMoV9	1.8519	680...720	248	840...880	Öl, Wasser	570...680	500...520	570...580	800
15CrMoV5-9	1.8521	680...740	248	940...980	Öl, Wasser	600...700	500...520	570...580	800
34CrAlMo5	1.8507	650...700	248	900...940	Öl, Wasser	570...650	500...520	570...580	950
34CrAlNi7	1.8550	650...700	248	850...890	Öl	570...650	500...520	570...580	950

Mindestwerte für Zugfestigkeit, Streckgrenze und Dehnung Seite 131.

Wärmebehandlung von Automatenstählen — vgl. DIN EN 10 087 (1999-01), Ersatz für DIN 1651

| Stahlsorte[1] | | Einsatzhärten | | | | | | Vergüten | | |
| | | Ein-setzen | Kernhärten | | Randhärten | | Anlas-sen[3] | Härten | | Anlas-sen[3] |
Kurzname	Werk-stoff-Nr.	°C	°C	in[2]	°C	in[2]	°C	°C	in[2]	°C
10S20	1.0721	880...980	880...920	Wasser, Öl, Emulsion	780...820	Wasser, Öl, Emulsion	150...200	–		–
15SMn13	1.0725									
35S20	1.0726	–	–	–	–	–	–	860...890	Wasser, Öl	540...680
38SMn28	1.0760							850...880		
44SMn28	1.0762							840...870	Öl, Wasser	
46S20	1.0727							840...870		

[1] Für Automatenstähle mit Bleizusatz, z.B. 10SPb20, gelten dieselben Werte.
[2] Die Wahl des Abkühlmittels hängt von der Gestalt der Werkstücke und ihrer Verwendung ab.
[3] Anlassdauer mindestens 1 h.
Mindestwerte für Zugfestigkeit, Streckgrenze und Dehnung Seite 130.

W

Aushärten von Aluminiumlegierungen

| Werkstoff | Lösungs-glühen Tempe-ratur °C | Kalt-aus-lager-zeit Tage | Vor-lager-zeit Tage | Warmauslagern | | | | Richtwerte für Zugfestigkeit | |
| | | | | 1. Stufe | | 2. Stufe | | | |
				Tempe-ratur °C	Halte-zeit h	Tempe-ratur °C	Halte-zeit h	kaltaus-gehärtet N/mm²	warmaus-gehärtet N/mm²
EN AW-2017 [AlCu4MgSi(A)]	500	5...8	–	–	–	–	–	400	–
EN AW-6082 [AlSiMgMn]	525	5...8	–	165	8...16	–	–	280	360
EN AW-7020 [AlZn4,5Mg1]	465	90	2	130	18...24	–	–	210	320
EN AW-7075 [AlZn5,5MgCu]	470	–	3	120	12...16	170	4...5	–	540
EN AC-42000 [AlSi7Mg]	525	4	–	155	8...10	–	–	250	300

Aushärtungsverlauf verschiedener Aluminiumlegierungen

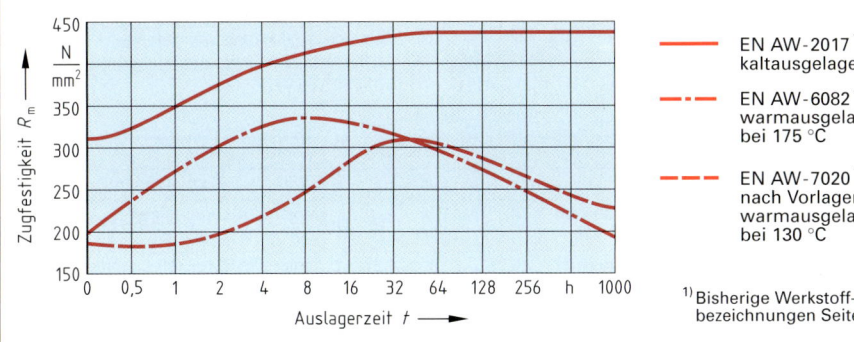

EN AW-2017 [1] kaltausgelagert

EN AW-6082 [1] warmausgelagert bei 175 °C

EN AW-7020 [1] nach Vorlagerung warmausgelagert bei 130 °C

[1] Bisherige Werkstoffbezeichnungen Seite 156

Nichteisenmetalle

Systematische Bezeichnung (Auszug) vgl. DIN 1700 (1954-07), DIN EN 1173 (1995-11)

Nach dieser Norm werden die **Kurzzeichen** aller Nichteisenmetalle, mit Ausnahme von Aluminium und Aluminium-Legierungen, gebildet. Kurzzeichen von Aluminium und Aluminium-Legierungen Seite 153.

Beispiele:

Gießverfahren
G   Sandguss
GD Druckguss
GK Kokillenguss
GZ Schleuderguss

GD –

MgMn2	F20
ZnAl4Cu1	
CuZn31Si	R620

Festigkeitszahl F
F20 → Mindestzugfestigkeit $R_m \approx 10 \cdot 20$ N/mm² $= 200$ N/mm²

Chemische Zusammensetzung

Beispiel	Bemerkung
MgMn2	Mg-Legierung, 2 % Mn
CuSn5	Cu-Legierung, 5 % Sn
CuZn31Si	Cu-Legierung, 31 % Zn, Anteile Si
ZnAl4Cu1	Zn-Legierung, 4 % Al, 1 % Cu

Werkstoffzustand (nur bei Kupfer und Kupferlegierungen)

Beispiel	Bedeutung
A007	Bruchdehnung $A = 7$ %
D	gezogen, ohne Festlegung mechanischer Eigenschaften
H160	Brinellhärte HB = 160 oder Vickershärte HV = 160
M	Herstellzustand, ohne Festlegung mech. Eigenschaften
R620	Mindestzugfestigkeit $R_m = 620$ N/mm²
Y450	Dehngrenze $R_e = 450$ N/mm²

Werkstoffnummern (Auszug) vgl. DIN 17 007 (1963-07)

Nach dieser Norm werden die **Werkstoffnummern** aller Nichteisenmetalle, mit Ausnahme von

- Aluminium und Aluminium-Legierungen (Seite 154)
- Kupfer- und Kupfer-Knetlegierungen (siehe unten)

gebildet.

W

Beispiele:

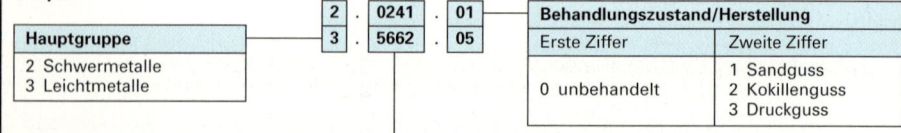

Hauptgruppe
2 Schwermetalle
3 Leichtmetalle

| 2 | . | 0241 | . | 01 |
| 3 | . | 5662 | . | 05 |

Behandlungszustand/Herstellung

Erste Ziffer	Zweite Ziffer
0 unbehandelt	1 Sandguss
	2 Kokillenguss
	3 Druckguss

Sortennummer

Sortennummer	Werkstoffgruppe	Sortennummer	Werkstoffgruppe
2.0000…2.1799	Kupfer-, Kupfergusslegierungen	2.2000…2.2490	Zink, Zinklegierungen
2.3000…2.3499	Blei, Bleilegierungen	2.3500…2.3999	Zinn, Zinnlegierungen
3.5000…3.5999	Magnesium, Magnesiumlegierungen	3.7000…3.7999	Titan, Titanlegierungen

Werkstoffnummern für Kupfer und Kupfer-Knetlegierungen vgl. DIN EN 1412 (1995-12)

Beispiel:

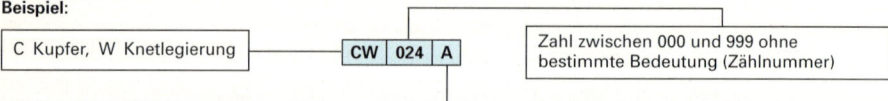

C Kupfer, W Knetlegierung

CW 024 A

Zahl zwischen 000 und 999 ohne bestimmte Bedeutung (Zählnummer)

Kennbuchstabe für Werkstoffgruppen

Buchstabe	Werkstoffgruppe	Buchstabe	Werkstoffgruppe
A oder B	Kupfer	H	Kupfer-Nickel-Legierungen
C oder D	Kupferlegierungen, Anteil der Legierungselemente < 5 %	J K	Kupfer-Zink-Legierungen Kupfer-Zinn-Legierungen
E oder F	Kupferlegierungen, Anteil der Legierungselemente ≥ 5 %	L oder M N oder P	Kupfer-Zink-Zweistoff-Legierungen Kupfer-Zink-Blei-Legierungen
G	Kupfer-Aluminium-Legierungen	R oder S	Kupfer-Zink-Mehrstoff-Legierungen

Bezeichnung von Aluminium und Aluminium-Knetlegierungen

Aluminium und Aluminium-Knetlegierungen werden nach Werkstoffnummern (DIN EN 573-1 Seite 154), nach ihrer chemischen Zusammensetzung (DIN EN 573-2) und eventuell nach dem Werkstoffzustand (DIN EN 515) bezeichnet.

Die Normen **gelten** für:	Die Normen **gelten nicht** für:
• Fertigerzeugnisse, z.B. Bleche, Stangen, Rohre, Bänder, Drähte • Vormaterial, z.B. Rohteile für Schmiedestücke • Schmiedeteile	• Gusserzeugnisse • Verbundprodukte • pulvermetallurgische Erzeugnisse

Bezeichnung nach der chemischen Zusammensetzung vgl. DIN EN 573-2 (1994-12)

Bezeichnungsbeispiele:

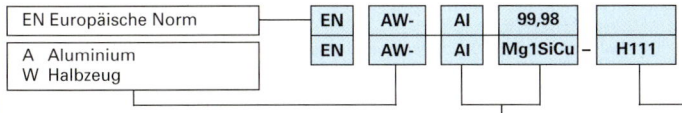

EN Europäische Norm	EN	AW-	Al	99,98	
A Aluminium W Halbzeug	EN	AW-	Al	Mg1SiCu	–	H111

Chemische Zusammensetzung, Reinheitsgrad			
Beispiel	**Bemerkungen**	**Beispiel**	**Bemerkungen**
Al 99,98	Reinaluminium, 99,98 % Al	Al Mg3Mn	3 % Mg, Mn < Mg
Al 99,5Ti	99,5 % Al, Ti	Al Mg1PbMn	1 % Mg, Pb < Mg, Mn < Mg
Al Mg1	1 % Mg	Al MgSi	Si < Mg

Werkstoffzustand (Auszug)	vgl. DIN EN 515 (1993-12)
Bezeichnung	Bedeutung
Herstellungszustand	
F	ohne Festlegung von Grenzwerten für die mechanischen Eigenschaften
Weichgeglüht zur Erzielung geringster Festigkeiten	
O	Festigkeitswerte können auch durch geeignete Warmumformung erzielt werden
O1	lösungsgeglüht mit langsamer Abkühlung auf Raumtemperatur
O2	thermomechanisch behandelt für höchste Umformbarkeit
Kaltverfestigt zur Erzielung festgelegter mechanischer Eigenschaften	
H111	geglüht und geringfügig kaltverfestigt, z.B. durch Recken oder Richten
H112	geringfügig kaltverfestigt
H12	kaltverfestigt – $1/4$ hart
H14	kaltverfestigt – $1/2$ hart
H16	kaltverfestigt – $3/4$ hart
H18	kaltverfestigt – $4/4$ hart
Wärmebehandelt zur Erzielung stabiler Werkstoffzustände	
T1	abgeschreckt aus der Warmformungstemperatur und kaltausgelagert
T2	abgeschreckt wie T1, kaltumgeformt und kaltausgelagert
T3	lösungsgeglüht, kaltumgeformt und kaltausgelagert
T3510	lösungsgeglüht, entspannt und kaltausgelagert, nicht nachgerichtet
T3511	wie T3510 mit anschließendem Nachrichten zur Einhaltung der Grenzabmaße
T4	lösungsgeglüht und kaltausgelagert
T4510	lösungsgeglüht, entspannt und kaltausgelagert, nicht nachgerichtet
T6	lösungsgeglüht und warmausgelagert
T6510	lösungsgeglüht, entspannt und warmausgelagert, nicht nachgerichtet
T6511	wie T6510 mit anschließendem Nachrichten zur Einhaltung der Grenzabmaße
T8	lösungsgeglüht, kaltumgeformt, warmausgelagert
T9	lösungsgeglüht, warmausgelagert und kaltumgeformt

W

Nichteisenmetalle

Werkstoffnummern für Aluminium und Aluminium-Knetlegierungen

vgl DIN EN 573-1 (1994-12), Ersatz für DIN 17 007

Bezeichnungsbeispiele:

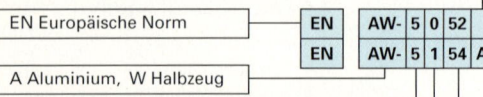

| EN Europäische Norm | | EN | AW- | 5 | 0 | 52 | |
| | | EN | AW- | 5 | 1 | 54 | A |

A Aluminium, W Halbzeug

Kennzeichnung nationaler Varianten

Innerhalb eines Landes sind von der Originallegierung abweichende Grenzwerte für Legierungselemente festgelegt.

Bezeichnung verschiedener Legierungen in der Serie, ohne Bedeutung für den Anwender.

Kennziffern für die Hauptlegierungselemente in Legierungsgruppen

Ziffer	Hauptlegierungselement	Ziffer	Hauptlegierungselement
1	Rein-Al	5	Mg
2	Cu	6	MgSi
3	Mn	7	Zn
4	Si	8	sonstige

Legierungsabwandlungen

Ziffer	Bedeutung
0	Originallegierung
1...9	Legierungsabwandlungen

Bezeichnung von Aluminium-Gussstücken

vgl. DIN EN 1780 (1997-02), DIN EN 1706 (1998-06)

Die vollständige Bezeichnung eines Aluminiums-Gussstückes besteht aus der Bezeichnung des Werkstoffes, des Gießverfahrens und des Werkstoffzustandes. Der Werkstoff kann nach der chemischen Zusammensetzung oder nach Werkstoffnummern bezeichnet werden.

Bezeichnungsbeispiele:

Werkstoffbezeichnung nach:

- chemischer Zusammensetzung

EN	AC-	Al	Mg5	K	F

- Werkstoffnummer

EN	AC-	5	1	3	0	0	K	F

EN Europäische Norm, A Aluminium, C Gussstück

Chemische Zusammensetzung

Beispiel	Bemerkungen
AlMg5	5 % Mg
AlSi6Cu4	6 % Si, 4 % Cu
AlCu4MgTi	4 % Cu, Mg < Ti
AlSi5Cu3Mg	5 % Si, 3 % Cu, Mg

Kennziffer für das Hauptlegierungselement / Kennziffer für die Legierungsgruppe

Ziffer	Hauptlegierungselement	Ziffer	Legierungsgruppe
2	Kupfer (Cu)	1	AlCu
4	Silicium (Si)	1	AlSiMgTi
		2	AlSi7Mg
		3	AlSi10Mg
		4	AlSi
		5	AlSi5Cu
		6	AlSi9Cu
		7	AlSi(Cu)
		8	AlSiCuNiMg
5	Magnesium (Mg)	1	AlMg
7	Zink (Zn)	1	AlZnMg

Die dritte Ziffer ist willkürlich

Die vierte Ziffer ist im Allgemeinen 0

Die fünfte Ziffer ist im Maschinenbau immer 0

Werkstoffzustand

Bezeichnung	Bedeutung
F	Gusszustand
O	weichgeglüht
T1	kontrollierte Abkühlung nach dem Guss, kaltausgelagert
T4	lösungsgeglüht und kaltausgelagert
T5	kontrollierte Abkühlung nach dem Guss, warmausgelagert
T6	lösungsgeglüht, warmausgelagert
T7	lösungsgeglüht und warmausgelagert (stabilisierter Zustand)

Gießverfahren

Bezeichnung	Bedeutung	Bezeichnung	Bedeutung
S	Sandguss	D	Druckguss
K	Kokillenguss	L	Feinguss

W

Aluminium, Aluminium-Knetlegierungen, nicht aushärtbar   vgl. DIN EN 754-2, 755-2 (beide 1997-08)

Bezeichnung nach DIN EN 573 Kurzname (Werkstoffnummer)	A[1]	Werkstoff-zustand[2]	Stangen		Zug-festigkeit R_m N/mm²	Dehn-grenze $R_{p0,2}$ N/mm²	Bruch-deh-nung A_{50} %	Eigenschaften, Verwendung
			$D^{3)}$ mm	$S^{4)}$ mm				
EN AW-Al 99,5 (EN AW-1050A)	p	F, H112 O, H111	≤ 200	≤ 200	min. 60 60... 95	min. 20 min. 20	25 25	**Reinaluminium** Hohe Wärmeleit-fähigkeit, elektrisch gut leitend, korrosionsbeständig, gut schweißbar, z.B. für Verpackungen, Dosen, Zierleisten, elektrische Leiter
	z	O, H111 H14 H18	≤ 80 ≤ 40 ≤ 10	≤ 60 ≤ 10 ≤ 3	60... 95 100...135 min. 145	– min. 70 min. 125	25 6 3	
EN AW-Al 99,0 (EN AW-1200)	p	F, H112	≤ 200	≤ 200	min. 75	min. 25	20	
	z	O, H111 H14 H18	≤ 80 ≤ 40 ≤ 10	≤ 60 ≤ 10 ≤ 3	70...105 110...145 min. 150	– min. 80 min. 130	20 5 3	
EN AW-Al Mn1 (EN AW-3103)	p	F, H112 O, H111	≤ 200	≤ 200	min. 95 95...135	min. 35 min. 35	25 25	**AlMn-Legierungen** Gut umformbar, gut schweiß- und lötbar, beständig gegen alkalische Medien; z.B. für Verpackungen, Verkleidungen
	z	O, H111 H14 H18	≤ 80 ≤ 40 ≤ 10	≤ 60 ≤ 10 ≤ 3	95...130 130...165 min. 180	min. 35 min. 110 min. 145	25 6 3	
EN AW-Al Mn1Cu (EN AW-3003)	p	F, H112 O, H111	≤ 200	≤ 200	min. 95 95...135	min. 35 min. 35	25 25	
	z	O, H111 H14 H18	≤ 80 ≤ 40 ≤ 10	≤ 60 ≤ 10 ≤ 3	95...130 130...165 min. 180	min. 35 min. 110 min. 145	25 6 3	
EN AW-Al Mg1 (B) (EN AW-5005)	p	F, H112 O, H111	≤ 200	≤ 200	min. 100 100...150	min. 40 min. 40	18 20	**Al-Mg- und AlMgMn-Legierungen** Höhere Festigkeiten und höhere Kaltver-festigung als AlMn-Legierungen, gute Zähigkeit bei tiefen Temperaturen, see-wasser- und witte-rungsbeständig; z.B. für Verpackungen, Karosserieteile, Dachdeckungen, Fassadenverklei-dungen, Zierteile, Schilder, Apparate- und Formenbau, Bootsbau, Niete
	z	O, H111 H14 H18	≤ 80 ≤ 40 ≤ 15	≤ 60 ≤ 10 ≤ 2	100...145 min. 140 min. 185	min. 40 min. 110 min. 155	18 6 4	
EN AW-Al Mg2 (EN AW-5251)	p	F, H112 O, H111	≤ 200	≤ 200	min. 160 160...220	min. 60 min. 60	16 17	
	z	O, H111 H14 H18	≤ 80 ≤ 30 ≤ 20	≤ 60 ≤ 5 ≤ 3	150...200 200...240 min. 240	min. 60 min. 160 min. 200	17 5 2	
EN AW-Al Mg3 (EN AW-5754)	p	F, H112 O, H111	≤ 150	≤ 150	min. 180 180...250	min. 80 min. 80	14 17	
	z	O, H111 H14 H18	≤ 80 ≤ 25 ≤ 10	≤ 60 ≤ 5 ≤ 3	180...250 240...290 min. 280	min. 80 min. 180 min. 240	16 4 3	
EN AW-Al Mg5 (EN AW-5019)	p	F, H112 O, H111	≤ 200	≤ 200	min. 250 250...320	min. 110 min. 110	14 15	
	z	O, H111 H12 H14	≤ 80 ≤ 40 ≤ 25	≤ 60 ≤ 25 ≤ 10	250...320 270...350 min. 300	min. 110 min. 180 min. 210	16 8 4	
EN AW-Al Mg3Mn (EN AW-5454)	p	F, H112 O, H111	≤ 200	≤ 200	min. 200 200...275	min. 85 min. 85	10 18	
EN AW-Al Mg4,5Mn0,7 (EN AW-5083)	p	F, O, H111	≤ 200	≤ 200	min. 270	min. 110	12	
	z	O, H111 H12	≤ 80 ≤ 30	≤ 60 –	270...350 min. 280	min. 110 min. 200	16 6	

[1] A Anlieferungszustand: p stranggepresst; z gezogen   [2] Werkstoffzustand nach DIN EN 515, Seite 153
[3] D Stangendurchmesser   [4] S Schlüsselweite von Vier- und Sechskantstangen, Dicke von Rechteckstangen

W

Nichteisenmetalle

Aluminium, Aluminium-Knetlegierungen, aushärtbar vgl. DIN EN 754-2, 755-2 (beide 1997-08)

Bezeichnung nach DIN EN 573 Kurzname (Werkstoffnummer)	$A^{1)}$	Werkstoff-zustand$^{2)}$	Stangen $D^{3)}$ mm	Zug-festigkeit R_m N/mm^2	Dehn-grenze $R_{p0,2}$ N/mm^2	Bruch-deh-nung A_{50} %	Eigenschaften, Verwendung
EN AW-Al CuPbMgMn (EN AW-2007)	p	T4, T4510	≤ 80	min. 370	min. 250	8	**Automatenlegierungen** Auch bei hohen Spanleistungen gut zerspanbar; z.B. für Drehteile, Frästeile
	z	T3	≤ 30 30...80	min. 370 min. 340	min. 240 min. 220	7 6	
EN AW-Al Cu4PbMg (EN AW-2030)	p	T4, T4510	≤ 80	min. 370	min. 250	8	
	z	T3	≤ 30 30...80	min. 370 min. 340	min. 240 min. 220	7 6	
EN AW-Al MgSiPb (EN AW-6012)	p	T6, T6510	≤ 150	min. 310	min. 260	8	
	z	T4 T6	≤ 80	min. 200 min. 310	min. 100 min. 260	10 8	
EN AW-Al Cu4SiMg (EN AW-2014)	p	O, H111	≤ 200	max. 250	max. 135	12	**AlCuMg-Legierungen** Hohe Festigkeiten bei guten Dehnungswerten, hohe Warmfestigkeit, geringe Korrosions-beständigkeit, bedingt warmumformbar, bedingt schweißbar; z.B. für Tragkonstruk-tionen im Hochbau, Flugzeugbau, Hydraulik, Pneumatik, Optik
		T4, T4510, T4511	≤ 25 25...75	min. 370 min. 410	min. 230 min. 270	13 12	
		T6, T6510, T6511	≤ 25 25...75	min. 425 min. 460	min. 370 min. 415	6 7	
	z	O, H111	≤ 200	max. 250	max. 125	12	
		T3 T4	≤ 80	min. 380 min. 380	min. 290 min. 220	8 12	
EN AW-Al Cu4Mg1 (EN AW-2024)	p	O, H111	≤ 200	max. 250	max. 150	12	
		T3, T3510, T3511	≤ 50 50...100	min. 450 min. 440	min. 310 min. 300	8 8	
		T8, T8510	≤ 150	min. 455	min. 380	5	
	z	O, H111	≤ 80	max. 240	max. 125	12	
		T3	≤ 10 10...80	min. 425 min. 425	min. 310 min. 290	10 9	
		T6	≤ 80	min. 425	min. 315	4	
EN AW-Al MgSi (EN AW-6060)	p	T4 T6	≤ 150	min. 120 min. 190	min. 60 min. 150	16 8	**AlMgSi-Legierungen** Geringere Festigkeiten, gute Press- und Tief-ziehbarkeit, witterungs- und korrosionsbestän-dig, gut schweißbar; z.B. für Fenster, Türen, Beschläge, Rollläden, Wärmetauscher, Fahr-zeugbau, Maschinen-gehäuse, Walzenrohre
	z	T4 T6	≤ 80	min. 130 min. 215	min. 65 min. 160	15 12	
EN AW-Al Mg1SiCu (EN AW-6061)	p	O, H111 T4 T6	≤ 200	max. 150 min. 180 min. 260	max. 110 min. 110 min. 240	16 15 8	
	z	O, H111 T4 T6	≤ 80	max. 150 min. 205 min. 290	max. 110 min. 110 min. 240	16 16 10	
EN AW-Al Si1MgMn (EN AW-6082)	p	O, H111 T4 T6	≤ 200 ≤ 200 20...150	max. 160 min. 205 min. 310	max. 110 min. 110 min. 260	14 14 8	
	z	O, H111 T4 T6	≤ 80	max. 160 min. 205 min. 310	max. 110 min. 110 min. 255	15 14 10	
EN AW-Al Zn4,5Mg1 (EN AW-7020)	p	T6	≤ 50	min. 350	min. 290	10	**AlZnMg-Legierungen** Höchste Festigkeiten, selbst aushärtend, gut schweißbar
	z	T6	≤ 80	min. 350	min. 280	10	
EN AW-Al Zn5Mg3Cu (EN AW-7022)	p	T6, T6510	≤ 80	min. 490	min. 420	7	
	z	T6	≤ 80	min. 350	min. 280	10	

[1] A Anlieferungszustand: p stranggepresst; z gezogen   [2] Werkstoffzustand nach DIN EN 515, Seite 153
[3] D Durchmesser bei Rundstangen, Schlüsselweite bei Vier- und Sechskantstangen, Dicke bei Rechteckstangen

W

Al-Profile und -Bleche

Querschnitts-form	Bezeichnung Abmessungen	Norm Seite	Querschnitts-form	Bezeichnung Abmessungen	Norm Seite
	Rundstangen d = 3...100 mm	gezogen DIN EN 754-3		**Bleche, Bänder** s = 0,4...15 mm	gewalzt DIN 1783 Seite 137
	Rundstangen d = 8...320 mm	stranggepresst DIN EN 755-3		**L-Profil** rundkantig h = 10...80 mm	stranggepresst DIN 1771 Seite 158
	Vierkantstangen s = 3...100 mm	gezogen DIN EN 754-4		**L-Profil** scharfkantig h = 10...80 mm	stranggepresst DIN 1771 Seite 158
	Vierkantstangen s = 10...220 mm	stranggepresst DIN EN 755-4		**U-Profil** rundkantig h = 20...140 mm	stranggepresst DIN 9713 Seite 158
	Rechteckstangen $b \times s$ = 5 x 2...200 x 60 mm	gezogen DIN EN 754-5		**U-Profil** scharfkantig h = 20...140 mm	stranggepresst DIN 9713 Seite 158
	Rechteckstangen $b \times s$ = 10 x 2...600 x 240 mm	stranggepresst DIN EN 755-5		**T-Profil** rundkantig h = 15...80 mm	stranggepresst DIN 9714 Seite 158
	Sechskantstangen SW = 3...80 mm	gezogen DIN EN 754-6		**T-Profil** scharfkantig h = 15...80 mm	stranggepresst DIN 9714 Seite 158
	Sechskantstangen SW = 10...220 mm	stranggepresst DIN EN 755-6		**I-Profil** h = 40...200 mm	stranggepresst DIN 9712 –
	Rundrohre d = 20...250 mm	nahtlos gepresst DIN 9107 Ersatz DIN EN 755-7		**Z-Profil** rundkantig h = 35...50	stranggepresst DIN 5517-2 –
	Rundrohre d = 3...273 mm	nahtlos gezogen DIN 1795 Ersatz DIN EN 754-7		**Z-Profil** scharfkantig h = 13...49 mm	stranggepresst DIN 5517-2 –
	Quadratrohre a = 15...100 mm	stranggepresst DIN 5517-6		**Sechskanthohl-profile** SW = 13...65 mm	nahtlos gezogen DIN 59 751
	Rechteckrohre $a \times b$ = 20 x 15...100 x 40 mm	stranggepresst DIN 5517-6		**Rohre** d = 16...100 mm	nahtlos gezogen DIN 59 751

W

Profile aus Aluminium und Al-Knetlegierungen

S	Querschnittsfläche
I	Flächenmoment 2. Grades
W	axiales Widerstandsmoment
m'	längenbezogene Masse

Maße $h \times b \times s$ $h \times b \times s \times t$ mm	Quer- schnitts- fläche S cm²	län- genb. Masse[1] m' kg/m	Abstände der Achsen		Flächen- und Widerstandsmomente für die Biegeachse			
			e_x cm	e_y cm	$x-x$		$y-y$	
					I_x cm⁴	W_x cm³	I_y cm⁴	W_y cm³

L-Profile

vgl. DIN 1771 (1981-09)

Maße	S	m'	e_x	e_y	I_x	W_x	I_y	W_y
10×10×1,5	0,283	0,076	0,305	0,305	0,025	0,036	0,025	0,036
20×10×2	0,566	0,153	0,743	0,243	0,226	0,180	0,038	0,051
20×20×2,5	0,953	0,257	0,592	0,592	0,384	0,247	0,348	0,247
30×20×3	1,42	0,383	1,01	0,512	1,27	0,64	0,455	0,306
40×20×4	2,25	0,608	1,49	0,486	3,62	1,44	0,615	0,406
40×40×5	3,78	1,02	1,18	1,18	5,56	1,97	5,56	1,97
50×25×4	2,85	0,770	1,82	0,570	7,30	2,29	1,26	0,65
50×30×5	3,78	1,02	1,75	0,750	9,45	2,90	2,58	1,14
60×30×4	3,45	0,952	2,15	0,654	12,9	3,35	2,25	0,96
60×60×5	5,78	1,56	1,68	1,68	19,9	4,61	19,9	4,61
80×40×6	6,87	1,85	2,90	0,896	45,2	8,86	7,83	2,52
80×80×8	12,24	3,30	2,29	2,29	73,7	12,9	73,7	12,9

U-Profile

vgl. DIN 9713 (1981-09)

Maße	S	m'	e_x	e_y	I_x	W_x	I_y	W_y
40×20×2×2	1,53	0,413	–	0,574	3,70	1,85	0,57	0,40
40×20×3×3	2,25	0,608	–	0,610	5,17	2,59	0,80	0,57
40×30×3×3	2,85	0,770	–	1,01	7,24	3,62	2,52	1,27
40×40×4×4	4,51	1,22	–	1,49	116	5,80	7,12	2,83
40×40×5×5	5,57	1,50	–	1,52	13,6	6,80	8,59	3,47
50×30×3×3	3,15	0,851	–	0,929	12,2	4,88	2,70	1,31
50×30×4×4	4,11	1,11	–	0,965	15,5	6,20	3,66	1,80
50×40×5×5	6,07	1,64	–	1,42	23,3	9,32	9,26	3,59
60×30×4×4	4,51	1,22	–	0,893	23,7	7,90	3,69	1,75
60×40×5×5	6,57	1,77	–	1,33	36,0	12,0	9,94	3,71
80×45×6×8	11,2	3,02	–	1,57	108	27,1	21,8	7,44

T-Profile

vgl. DIN 9714 (1981-09)

Maße	S	m'	e_x	e_y	I_x	W_x	I_y	W_y
20×30×2	0,97	0,262	0,475	–	0,323	0,21	0,46	0,308
25×40×3	1,89	0,510	0,594	–	0,391	0,49	1,60	0,800
30×30×3	1,74	0,470	0,861	–	1,44	0,67	0,68	0,452
30×45×4	2,87	0,775	0,750	–	2,08	0,92	3,05	1,35
30×60×5	4,32	1,17	0,689	–	2,70	1,17	9,03	3,01
40×40×4	3,07	0,829	1,15	–	4,58	1,61	2,15	1,08
40×60×5	4,82	1,30	0,987	–	6,21	2,06	9,02	3,01
40×80×7	8,07	2,18	0,932	–	8,87	2,89	30,0	7,50
50×50×4	3,87	1,04	1,40	–	9,19	2,55	4,19	1,68
50×70×6	6,91	1,87	1,27	–	14,4	3,86	17,2	4,92
80×80×9	13,75	3,71	2,32	–	81,7	14,4	38,9	9,73

Ausführung, Lieferart, Werkstoffe und Bezeichnung der L-, U- und T-Profile

s	1,5...2	2,5...4	5...6	über 6	Die L-, U- und T-Profile werden mit runden Kanten (R) und mit scharfen Kan-
r_1	1,6	2,5	4	6	ten (S) geliefert. Die Rundungen r_1 und r_2 sind für L-, U- und T-Profile gültig.
r_2	0,4	0,4	0,6	0,6	

Lieferart: Herstelllängen $l > 2$ m. Festlängen sind bei der Bestellung anzugeben.
Strangpressprofile können normalgerichtet (N) oder feingerichtet (F) geliefert werden.

Werkstoff: Aluminium und Al-Knetlegierungen, z.B. **EN AW-Al 99,0** (Al 99), **EN AW-Al Si1MgMn** (AlMg Si 1), **EN AW-Al Zn4,5Mg1** (AlZn4,5Mg1).

⇒ **L-Profil DIN 1771 – EN AW-Al Si1MgMn R 20 x 20 x 2:** Winkelprofil mit gerundeten Kanten, $h = 20$ mm, $b = 20$ mm, $s = 2$ mm, aus EN AW-Al Si1MgMn.

[1] Die Werte gelten für EN AW-Al 99,0, für EN AW-AlZn4,5Mg1 mit $\varrho = 2,77$ kg/dm³ müssen die Werte für m' mit dem Faktor 1,026 multipliziert werden.

W

Kupfer-Knetlegierungen

Bezeichnung Kurzname (Werkstoff-nummer[1])	Z [2]	Stangen D[3] mm	Härte HB	Zug-festigkeit R_m N/mm^2	Dehn-grenze $R_{p0,2}$ N/mm^2	Bruch-dehng. A %	Eigenschaften, Verwendung
Kupfer-Zink-Legierungen							vgl. DIN EN 12 163 (1998-04), Ersatz für DIN 17 660
CuZn28 (CW504L)	R310 R460	4...80 4...10	– –	310 460	120 420	27 –	sehr gut kaltumformbar, gut warmumformbar, zerspanbar, sehr gut polierbar; Instrumententeile, Hülsen
	H085 H145	4...80 4...10	85...115 ≥ 145	– –	– –	– –	
CuZn37 (CW508L)	R310 R440	2...80 2...10	– –	310 440	120 400	30 –	sehr gut kaltumformbar, gut warmumformbar, zerspanbar, sehr gut polierbar; Tiefziehteile, Schrauben, Federn, Druckwalzen
	H085 H145	4...80 4...10	85...115 ≥ 145	– –	– –	– –	
CuZn40 (CW509L)	R340 H080	2...80	– ≥ 80	340 –	260 –	25 –	sehr gut warmumformbar, zerspanbar; Niete, Schrauben
Kupfer-Zink-Legierungen (Mehrstofflegierungen)							vgl. DIN EN 12 163 (1998-04), Ersatz für DIN 17 660
CuZn31Si (CW708R)	R460 R530	5...40 5...14	– –	460 530	250 330	22 12	gut kaltumformbar, warmumformbar, zerspanbar, gute Gleiteigenschaften; Gleitelemente, Lagerbüchsen, Führungen
	H115 H140	5...40 5...14	115...145 ≥ 145	– –	– –	– –	
CuZn38Mn1Al (CW716R)	R490 R550	5...40 5...14	– –	490 550	210 280	18 10	gut warmumformbar, kaltumformbar, zerspanbar, gute Gleiteigenschaften, witterungsbeständig; Gleitelemente, Führungen
	H120 H150	5...40 5...14	120...150 ≥ 150	– –	– –	– –	
CuZn40Mn2Fe1 (CW723R)	R460 R540	5...40 5...14	– –	460 540	270 320	20 8	gut warmumformbar, kaltumformbar, zerspanbar, mittlere Festigkeit, witterungsbeständig; Apparatebau, Architektur
	H110 H150	5...40 5...14	110...140 ≥ 150	– –	– –	– –	
Kupfer-Zink-Blei-Legierungen							vgl. DIN EN 12 164 (1998-04), Ersatz für DIN 17 672
CuZn36Pb3 (CW603N)	R340 R550	40...80 2... 4	90 150	340 550	160 450	20 –	sehr gut zerspanbar, gut kaltum-formbar; Automatendrehteile
CuZn38Pb2 (CW608N)	R360 R550	40...80 2... 6	90 150	360 550	160 420	25 –	sehr gut zerspanbar, gut kalt- und warmumformbar; Automatenteile
CuZn40Pb2 (CW614N)	R360 R550	40...80 2... 6	90 150	360 550	160 420	20 –	sehr gut zerspanbar, gut warm-umformbar; Platinen, Zahnräder
Kupfer-Zinn-Legierungen							vgl. DIN EN 12 164 (1998-04), Ersatz für DIN 17 663
CuSn6 (CW452K)	R340 R550	2...60 2... 6	– –	340 550	230 500	45 –	hohe chemische Beständigkeit, gute Festigkeit; Federn, Metallschläuche, Rohre und Hülsen für Federungskörper
	H085 H160	2...60 2... 6	85...115 ≥ 160	– –	– –	– –	
CuSn8 (CW453K)	R390 R620	2...60 2... 6	– –	390 620	260 550	45 –	hohe chemische Beständigkeit, hohe Festigkeit, gute Gleiteigen-schaften; Gleitlager, gerollte Lager-buchsen, Kontaktfedern
	H090 H185	2...60 2... 6	90...120 ≥ 185	– –	– –	– –	
CuSn8P (CW459K)	R390 R620	2...60 2... 6	– –	390 620	260 550	45 –	sehr gute Gleiteigenschaften, hohe Verschleißfestigkeit, dauerschwing-fest; hochbelastete Gleitlager im Fahrzeug- und Maschinenbau
	H090 H185	2...60 2... 6	90...120 ≥ 185	– –	– –	– –	

[1] Werkstoffnummern nach DIN EN 1412 Seite 152

[2] Z Werkstoffzustand nach DIN EN 1173 Seite 152. Im Herstellzustand M sind alle Legierungen bis zum Durchmesser D = 80 mm lieferbar.

[3] D Durchmesser bei Rundstangen, Schlüsselweite bei Vier- und Sechskantstangen, Dicke bei Rechteckstangen

W

Nichteisenmetalle

Bezeichnung Kurzname (Werkstoff-nummer[1])	Z [2]	Stangen D [3] mm	Härte HB	Zug-festigkeit R_m N/mm^2	Dehn-grenze $R_{p0,2}$ N/mm^2	Bruch-dehng. A %	Eigenschaften, Verwendung
Kupfer-Aluminium-Legierungen							vgl. DIN EN 12 163 (1998-04), Ersatz für DIN 17 660
CuAl10Fe3Mn2 (CW306G)	R590	10...80	–	590	330	12	korrosionsbeständig, verschleißfest, dauerfest, warmfest; Schrauben, Wellen, Zahnräder, Schneckenräder, Ventilsitze
	R690	10...50	–	690	510	6	
	H140	10...80	140...180	–	–	–	
	H170	10...50	≥ 170	–	–	–	
CuAl10Ni5Fe4 (CW307G)	R680	10...80	–	680	480	10	korrosionsbeständig, verschleißfest, zunderbeständig, dauerfest, warmfest; Kondensatorböden, Steuerteile für Hydraulik
	R740		–	740	530	8	
	H170	10...80	170...210	–	–	–	
	H200		≥ 200	–	–	–	
Kupfer-Nickel-Zink-Legierungen							vgl. DIN EN 12 163 (1998-04), Ersatz für DIN 17 663
CuNi12Zn24 (CW430J)	R380	2...50	–	380	270	38	sehr gut kaltumformbar, zerspanbar, gut polierbar; Tiefziehteile, Bestecke, Kunstgewerbe, Architektur, Kontakt-federn
	R640	2... 4	–	640	550	–	
	H090	2...50	90...130	–	–	–	
	H190	2... 4	≥ 190	–	–	–	
CuNi18Zn20 (CW409J)	R400	2...50	–	400	280	35	gut kaltumformbar, zerspanbar, anlaufbeständig, gut polierbar; Membranen, Kontaktfedern, Bestecke
	R650	2... 4	–	650	580	–	
	H100	2...50	100...140	–	–	–	
	H200	2... 4	≥ 200	–	–	–	

[1] Werkstoffnummer nach DIN EN 1412 Seite 152.   [2] Z Werkstoffzustand nach DIN EN 1173 Seite 152.
[3] D Durchmesser bei Rundstangen, Schlüsselweite bei Vier- und Sechskantstangen, Dicke bei Rechteckstangen.

W

Magnesium-Knetlegierungen

vgl. DIN 9715 (1982-08)

Kurzzeichen	Werk-stoff-nummer	Festig-keits-zahl	Stangen, Durch-messer mm	Zug-festigkeit R_m N/mm^2	Streck-grenze R_e N/mm^2	Bruch-dehng. A %	Eigenschaften, Verwendung
MgMn2	3.5200	F20	≤ 80	200	145	15	korrosionsbeständig, gut kalt-umformbar, gut schweißbar
MgAl3Zn	3.5312	F24	≤ 80	240	155	10	
MgAl6Zn	3.5612	F27	≤ 80	270	195	10	hohe Festigkeit, abnehmende Schweißbarkeit; Armaturen, Pressteile
MgAl8Zn	3.5812	F29	≤ 80	290	205	10	
		F31	≤ 80	310	215	6	

Titan-Knetlegierungen

vgl. DIN 17 851 (1990-11)

TiAl6V4	3.7165	F91	≤ 80	910	840	10	korrosionsbeständig, gut schweiß-bar; Luft- und Raumfahrt
TiAl5Sn2,5	3.7115	F81	≤ 80	810	770	8	

Feinzink-Gusslegierungen

vgl. DIN 1743 T2 (1978-04)

Kurzzeichen	Werk-stoff-nummer	Brinell-härte HB	Zug-festigkeit R_m N/mm^2	Streck-grenze R_e N/mm^2	Bruch-dehng. A %	Eigenschaften, Verwendung
GD-ZnAl4Cu1	2.2141	85...105	280...350	220...250	5...2	Vorzugslegierungen für Druckguss-stücke
GD-ZnAl4	2.2140	60... 80	250...300	200...230	6...3	
GD-ZnAl4Cu3	2.2143	90...100	220...260	170...200	2...0,5	Sand- und Kokillenguss; Spritzgießformen für Kunststoffe
GK-ZnAl4Cu3	2.2143	100...110	240...280	200...230	3...1	
G-ZnAl6Cu1	2.2161	80...90	180...230	150...180	3...1	komplizierter Sand- und Kokillen-guss
GK-ZnAl6Cu1	2.2161	80...90	220...260	170...200	3...1,5	

Aluminium-Gusslegierungen

vgl. DIN EN 1706 (1998-03), Ersatz für DIN 1725

Bezeichnung		$G^{2)}$	$Z^{3)}$	Härte HB	Zugfestig-keit R_m N/mm²	Dehn-grenze $R_{p0,2}$ N/mm²	Bruch-dehng. A %	Eigenschaften, Verwendung
Kurzname[1]	Werkstoff-nummer[1]							
AC-AlSi12(a)	AC-44200	S K	F F	50 55	150 170	70 80	5 6	hohe dynamische Festigkeit, witterungsbeständig, seewasser-beständig, beste Gießbarkeit; dünnwandige, druckdichte, schwingungsfeste Gussstücke, z.B. Motorengehäuse
AC-AlSi9	AC-44400	D	F	55	220	120	2	
AC-AlSi10Mg(a)	AC-43000	S	F T6	50 75	150 220	80 180	2 1	
AC-AlSi10Mg(Fe)	AC-43400	D	F	70	240	140	1	
AC-Mg5	AC-51300	S K L	F F F	55 60 55	160 180 170	90 100 95	3 4 3	höchste Korrosionsbeständigkeit, verminderte Gießbarkeit; chemische Industrie, Optik

[1] Die vollständige Bezeichnung erhält jeweils den Vorsatz EN, z.B. EN AC-AlSi12(a), EN AC-44200
[2] G Gießverfahren Seite 154   [3] Z Werkstoffzustand Seite 154

Magnesium-Gusslegierungen

vgl. DIN 1729 T2 (1973-07)

Kurzzeichen	Werk-stoff-nummer	Zug-festigkeit R_m N/mm²	Dehn-grenze $R_{p0,2}$ N/mm²	Bruch-dehnung A %	Härte HB 5/250	Eigenschaften, Verwendung
G-MgAl8Zn1 GD-MgAl8Zn1	3.5812.01 3.5812.05	160...220 200...240	90...110 140...160	6...2 3...1	50...65 60...85	höchste Dehnung, gute Gleiteigen-schaften, schweißbar; stoßbean-spruchte Gussteile
G-MgAl9Zn1 GD-MgAl9Zn1	3.5912.01 3.5912.05	160...220 200...250	90...120 150...170	5...2 3...0,5	50,..65 65...85	höchste Festigkeit, gute Gleiteigen-schaften, schweißbar; häufigste Druckgusslegierung
G-MgAl6 GD-MgAl6 GD-MgAl6Zn1	3.5662.01 3.5662.05 3.5612.05	180...240 190...230 200...240	80...110 120...150 130...160	12...8 8...4 6...3	50...65 55...70 55...70	hohe Dehnung und hohe Schlag-zähigkeit, gering kaltumformbar; Autofelgen

Kupfer-Gusslegierungen

vgl. DIN 1705, DIN 1709, DIN 1714 (alle 1981-11)

G-CuZn15	2.0241.01	170	70	25	45	sehr gut weich- und hartlötbar, meerwasserbeständig; Flansche
G-CuZn33Pb	2.0290.01	180	70	12	45	gut zerspanbar, beständig gegen Brauchwasser bis 90 °C; Armaturen
G-CuZn25Al5	2.0598.01	750	450	8	180	sehr hohe Festigkeit und Härte, gut zerspanbar; Gleitlager
G-CuSn12	2.1052.01	260	140	12	80	hohe Verschleißfestigkeit; Spindelmuttern, Schneckenräder
G-CuSn12Pb	2.1061.01	260	140	10	80	verschleißfest, Notlaufeigen-schaften; Gleitlager
G-CuSn10Zn	2.1086.01	260	130	15	75	Gleitlagerschalen, gering bean-spruchte Schneckenräder
G-CuAl10Fe	2.0940.01	500	180	15	115	mechanisch beanspruchte Teile; Hebel, Gehäuse, Kegelräder
G-CuAl9Ni	2.0970.01	500	200	20	110	korrosionsbeanspruchte Teile; Armaturen, Propeller
G-CuAl10Ni	2.0975.01	600	270	12	140	auf Festigkeit und Korrosion bean-spruchte Teile; Pumpen

W

Verbundwerkstoffe, keramische Werkstoffe

Verbundwerkstoffe

Verbund-werk-stoff	Grund-werk-stoff[1]	Faser-anteil in %	Dichte ϱ g/cm³	Zug-festig-keit σ_B N/mm²	Reiß-dehnung ε_R %	Elasti-zitäts-modul E N/mm²	Ge-brauchs-tempe-ratur bis °C	Verwendung
GFK (glasfaser-verstärkt)	EP	60	–	365	3,5	–	–	Wellen, Gelenke, Pleuel, Boots-körper, Rotorblätter
	UP	35	1,5	130	3,5	10 800	50	Behälter, Tanks, Rohre, Licht-kuppeln, Karosserieteile
	PA 66	35	1,4	160[2]	5[3]	5 000	190	großflächige, steife Gehäuseteile, Kraftstromstecker
	PC	30	1,42	90[2]	3,5[3]	6 000	145	Gehäuse für Drucker, Rechner, Fernsehgeräte
	PPS	30	1,56	140	3,5	11 200	260	Lampenfassungen und Spulen in der Elektrotechnik
	PAI	30	1,56	205	7	11 700	280	Lager, Ventilsitzringe, Dichtungen, Kolbenringe
	PEEK	30	1,44	155	2,2	10 300	315	Leichtbauwerkstoff in der Luft- und Raumfahrt, Metallersatz
CFK (kohlen-stofffaser-verstärkt)	PPS	30	1,45	190	2,5	17 150	260	wie GFK-PPS
	PAI	30	1,42	205	6	11 700	180	wie GFK-PAI
	PEEK	30	1,44	210	1,3	13 000	315	wie GFK-PEEK

[1] EP Epoxid   UP ungesättigter Polyester   PA 66 Polyamid 66, teilkristallin   PC Polycarbonat
PPS Polyphenylensulfid   PAI Polyamidimid   PEEK Polyetheretherketon

[2] σ_S Streckspannung   [3] ε_S Dehnung bei Streckspannung

Keramische Werkstoffe

Werkstoff Bezeich-nung	Kurz-name	Dichte ϱ g/cm³	Biege-festig-keit σ_b N/mm²	Elasti-zitäts-modul E N/mm²	Längenaus-dehnungs-koeffizient α 1/K	Eigenschaften, Verwendung
Alu-minium-oxid	KER 110 KER 610 KER 710	2,3 2,7 3,8	300 340 400	90 000 118 000 300 000	0,000004 0,000004 0,000006	hart, verschleißfest, chemisch und thermisch beständig; Schneidkeramik, Ziehsteine, Biomedizin
Zirko-nium-dioxid	ZrO_2	5,5	600	240 000	0,000010	bruchunempfindlich, thermisch und chemisch beständig; Ziehringe, Strangpressmatrizen
Silicium-karbid	SiC	2,4	440	440 000	0,000005	hart, verschleißfest, temperaturwechsel-beständig; Schleifmittel, Ventile, Lager, Kolben, Brennkammern
Silicium-nitrid	Si_3N_4	3,2	700	210 000	0,000007	bruchunempfindlich, temperaturwechsel-beständig; Schneidkeramik, Leit- und Laufschaufeln für Gasturbinen
Diamant (gesintert)	–	3,5	300	900 000	0,000002	sehr hart, verschleißfest; Werkzeuge zur Präzisionsbearbeitung, Lager-steine, Schleifmittel

W

Sintermetalle

Bezeichnungssystem der Sintermetalle   vgl. DIN 30 910-1 (1990-10)

Bezeichnungsbeispiel: **Sint** - **A** **1** **0** **sinterglatt** — Behandlungszustand

Sintermetall

2. Kennziffer für weitere Unterscheidung

Kennbuchstabe für Werkstoffklasse			1. Kennziffer für chemische Zusammensetzung	
Kenn-buchstabe	Raumerfüllung R_x in %	Einsatzgebiet	Kenn-ziffer	Chemische Zusammensetzung Massenanteil in %
AF	< 73	Filter	0	**Sintereisen, Sinterstahl,** Cu < 1% mit oder ohne C
A	75 ± 2,5	Gleitlager	1	**Sinterstahl,** 1% bis 5% Cu, mit oder ohne C
			2	**Sinterstahl,** Cu > 5%, mit oder ohne C
B	80 ± 2,5	Gleitlager, Formteile mit Gleit-eigenschaften	3	**Sinterstahl,** mit oder ohne Cu bzw. C, andere Legierungselemente < 6%, z. B. Ni
C	85 ± 2,5	Gleitlager, Formteile	4	**Sinterstahl,** mit oder ohne Cu bzw. C, andere Legierungselemente > 6%, z. B. Ni, Cr
D	90 ± 2,5	Formteile	5	**Sinterlegierungen,** Cu > 60%, z. B. Sinter-CuSn
E	94 ± 1,5	Formteile	6	**Sinterbuntmetalle,** außerhalb Kennziffer 5
F	> 95,5	sintergeschmiedete Formteile	7	**Sinterleichtmetalle,** z. B. Sinteraluminium
			8 u. 9	**Reserveziffern**

Behandlungszustand

Behandlungszustand des Werkstoffes	Behandlungszustand der Oberfläche
• gesintert • dampfbehandelt	• sinterglatt • mechanisch bearbeitet
• kalibriert • sintergeschmiedet	• kalibrierglatt • oberflächenbehandelt
• wärmebehandelt • isostatisch gepresst	• sinterschmiedeglatt

Sintermetalle (Auswahl)   vgl. DIN 30910-2...6 (1990-10)

W

Kurzname	Härte HB min	Zugfestigkeit R_m N/mm²	chemische Zusammensetzung	Eigenschaften, Verwendung
Sint-AF40	–	80...200	Sinterstahl, Cr 16...19%, Ni 10...14%	Filterteile für Gas- und Flüssigkeitsfilter
Sint-AF50	–	40...160	Sinterbronze, Sn 9...11%, Rest Cu	
Sint-A00	> 25	> 60	Sintereisen, C < 0,3%, Cu < 1%	Lagerwerkstoffe mit be-sonders großem Poren-raum für beste Notlauf-eigenschaften, Lager-schalen, Lagerbuchsen
Sint-A20	> 40	>150	Sinterstahl, C < 0,3%, Cu > 5%	
Sint-A50	> 25	> 70	Sinterbronze, C < 0,2%, Sn 9...11%, Rest Cu	
Sint-A51	> 18	> 60	Sinterbronze, C 0,2...2%, Sn 9...11%, Rest Cu	
Sint-B00	> 30	> 80	Sintereisen, C < 0,3%, Cu < 1%	Gleitlager mit sehr guten Notlaufeigenschaften, niedrig beanspruchte Formteile
Sint-B10	> 40	>150	Sinterstahl, C < 0,2%, Cu 1...5%	
Sint-B50	> 25	> 90	Sinterbronze, C < 0,2%, Sn 9...11%, Rest Cu	
Sint-C00	> 45	>150	Sintereisen, C < 0,3%, Cu < 1%	Gleitlager, Formteile mittlerer Beanspruchung mit guten Gleiteigen-schaften, Kfz-Teile, Hebel, Kupplungsteile
Sint-C20	> 60	>200	Sinterstahl, C < 0,3%, Cu > 5%	
Sint-C40	>100	>300	Sintereisen, Cr 16...19%, Ni 10...14%, Mo 2%	
Sint-C50	> 30	>140	Sinterbronze, C < 0,2%, Sn 9...11%, Rest Cu	
Sint-D00	> 50	>250	Sintereisen, C < 0,3%, Cu < 1%	Formteile für höhere Beanspruchung, ver-schleißfeste Pumpenteile, Zahnräder, z. T. korrosions-beständig
Sint-D10	> 80	>300	Sinterstahl, C < 0,3%, Cu 1...5%	
Sint-D30	>110	>550	Sinterstahl, C < 0,3%, Cu 1...5%, Ni 1...5%	
Sint-D40	>100	>450	Sintereisen, Cr 16...19%, Ni 10...14%, Mo 2%	
Sint-E02	> 55	>200	Sintereisen, C < 0,1%	Formteile der Fein-mechanik, für Haushalts-geräte, für Elektroindustrie
Sint-E10	>100	>350	Sinterstahl, C < 0,3%, Cu 1...5%	
Sint-E73	> 55	>200	Sinteraluminium, Cu 4...6%	
Sint-F00	>140	>600	Sinterschmiedestahl, C- und Mn-haltig	Dichtringe, Flansche für Schalldämpfersysteme
Sint-F31	>180	>770	Sinterschmiedestahl, C-, Ni-, Mn-, Mo-haltig	

Gleitlagerwerkstoffe

Blei- und Zinn-Gusslegierungen für Verbundgleitlager vgl. DIN ISO 4381 (1992-11)

Kurzzeichen	Werk-stoff-Nr.	Dehn-grenze $R_{p\,0,2}$[1) N/mm²	Brinell-härte HB[2)	Mindest-härte der Welle	Eigenschaften und Verwendung
PbSb15SnAs PbSb10Sn6	2.3390 2.3393	39...25 39...27	18...10 16... 8	160 HB	Für reine Gleitbeanspruchung bei geringer Belastung, mittlerer Gleitgeschwindigkeit und guter Schmierung; Verwendung für gerollte Buchsen und dünnwandige Lagerschalen.
PbSb15Sn10	2.3391	43...30	21...10	160 HB	Für reine Gleitbeanspruchung bei mittlerer Belastung, mittlerer Gleitgeschwindigkeit und guter Schmierung; Verwendung für allgemeine Gleitlager.
PbSb14Sn9CuAs SnSb12Cu6Pb SnSb8Cu4	2.3392 2.3790 2.3791	46...27 61...36 47...27	22...10 25... 8 22... 8	160 HB	Gute Gleiteigenschaften bei mittlerer Belastung, hohen bis niedrigen Gleitgeschwindigkeiten und guter Schmierung; Verwendung für Gleitlager in Elektromaschinen, Getrieben und Walzwerken.
SnSb8Cu4Cd	2.3792	62...30	28...13	160 HB	Bei hoher Belastung und hohen Gleitgeschwindigkeiten, hoher Schlagbeanspruchung; Verwendung für Haupt-, Pleuel- und Walzwerkslager.

➡ **Lagermetall ISO 4381-PbSb10Sn6**: Bleilagerlegierung mit 10% Antimon und 6% Zinn
[1) Oberer Wert für 20 °C, unterer Wert für 100 °C.
[2) Härtewert HB 10/250/180 nach ISO 4384; oberer Wert für 20 °C, unterer Wert für 150 °C.

Kupfer-Gusslegierungen für Verbund- und Massivgleitlager vgl. DIN ISO 4382-1 (1992-11)

Kurzzeichen[1)	Werk-stoff-Nr.	Zugfestig-keit R_m[2) N/mm²	Brinell-härte HB[2)	Mindest-härte der Welle	Eigenschaften und Verwendung
CuSn8Pb2 CuPb5Sn5Zn5 CuSn7Pb7Zn3	2.1810 2.1813 2.1820	250...270 200...250 210...260	60...80 60...65 60...70	300 HB 250 HB 300 HB	Für Anwendungsfälle mit geringen Belastungen und ausreichender Schmierung.
CuPb9Sn5 CuPb10Sn10 CuPb15Sn8 CuPb20Sn5	2.1815 2.1816 2.1817 2.1818	160...230 180...220 170...220 150...180	55...60 65...70 60...65 45...50	250 HB 250 HB 250 HB 200 HB	Weiche Lagerlegierungen; geeignet für mittlere Belastungen und mittlere bis hohe Gleitgeschwindigkeiten. Zunehmender Zinngehalt erhöht Härte und Verschleißwiderstand, zunehmender Bleigehalt erhöht Eignung für Wasserschmierung.
CuSn10P CuSn12Pb2	2.1811 2.1812	220...360 250...270	70...95 80...90	55 HRC	Bei hoher Belastung und hoher Geschwindigkeit sowie Schlag- und Stoßbeanspruchung.
CuAl10Fe5Ni5	2.1819	600...680	140	55 HRC	Sehr hart; für Konstruktionsteile mit Gleitbeanspruchung; relativ schlechte Einbettfähigkeit.

➡ **Lagermetall ISO 4382-GZ-CuPb15Sn8**: Kupferlagerlegierung mit 15% Blei und 8% Zinn, Schleuderguss
[1) Es werden folgende Gussarten unterschieden; GS Sandguss; GM Kokillenguss; GZ Schleuderguss; GC Strangguss.
[2) Niedrigster Wert für Sandguss, höchster Wert für Strangguss; Härtewerte HB 2,5/62,5/10 nach ISO 4384.

Kupfer-Knetlegierungen für Massivgleitlager vgl. DIN ISO 4382-2 (1992-11)

Kurzzeichen	Werk-stoff-Nr.	Zugfestig-keit R_m N/mm²	Brinell-härte HB[1)	Mindest-härte der Welle	Eigenschaften und Verwendung
CuSn8P CuZn31Si1	2.1830 2.1831	400...580 440...560	80...160 100...160	55 HRC	Für hohe Belastung, hohe Gleitgeschwindigkeiten und Schlag- und Stoßbelastung bei ausreichender Schmierung und guter Fluchtung.
CuZn37Mn2Al2Si	2.1832	600	150	55 HRC	Hoher Verschleißwiderstand, auch bei Mangelschmierung.
CuAl9Fe4Ni4	2.1833	700	160	55 HRC	Für Konstruktionsbauteile mit Gleitbeanspruchung.

➡ **Lagermetall ISO 4382-CuSn8P-HB100**: Kupferlagerlegierung mit 8% Zinn, Mindest-Brinellhärte HB 100
[1) Härtewert HB 2,5/62,5/10 nach ISO 4384 (Härteprüfung an Lagermetallen).

W

Verbundwerkstoffe für dünnwandige Gleitlager vgl. DIN ISO 4383 (1992-11)

Kurzzeichen	Werk-stoff-Nr.	Härte[1]	Mindest-härte der Welle	Eigenschaften und Verwendung
PbSb10Sn6	2.3393	19...23[2]	180 HB	Weich, korrosionsbeständig; relativ gute Eignung bei Grenzreibung; geringe Dauerfestigkeit; für harte und weiche Wellen; Verwendung für niedrig belastete Haupt- und Pleuellager, Buchsen, Gleitscheiben.
PbSb15SnAs	2.3390	16...20[2]	180 HB	
PbSb15Sn10	2.3391	18...23[2]	180 HB	
SnSb8Cu4	2.3793	17...24[2]	200 HB	
CuPb10Sn10	2.1821	60...90[3]	53 HRC	Sehr hohe bis hohe Dauer- und Schlagfestigkeit; vorzugsweise für harte Wellen; üblicherweise mit galvanischer Gleitschicht; ohne galvanische Beschichtung teilweise korrosionsanfällig gegenüber gealtertem Öl; Verwendung für Haupt- und Pleuellager, gerollte Buchsen, Gleitscheiben.
CuPb17Sn5	2.1822	60...95[3]	50 HRC	
CuPb24Sn4	2.1823	45...70[3]	48 HRC	
CuPb24Sn	2.1825	40...60[3]	45 HRC	
CuPb30	2.1826	30...45[3]	270 HB	
AlSn20Cu	3.0690	30...40[4]	250 HB	Mittlere bis hohe Dauerfestigkeit; gute Korrosionsbeständigkeit; üblicherweise mit galvanischer Gleitschicht und für harte Wellen; Verwendung für Haupt- und Pleuellager, gerollte Buchsen, Gleitscheiben.
AlSn6Cu	3.0691	35...45[4]	45 HRC	
AlSi4Cd	3.2690	30...40[4]	48 HRC	
AlCd3CuNi	3.0692	35...55[4]	48 HRC	
AlSi11Cu	3.2190	45...60[4]	50 HRC	Hohe Dauerfestigkeit, vorwiegend mit galvanischer Gleitschicht und für harte Wellen bei Haupt- und Pleuellagern.
AlZn5Si1,5Cu1Pb1Mg	3.4220	45...70[4]	45 HRC	
CuSn10/PTFE	–	–	–	Mit Kunststoff imprägniert; gute Eignung bei Mischreibung; für hohe Belastung und niedrige Gleitgeschwindigkeiten.
CuSn10/POM	–	–	–	

⇨ **Lagermetall ISO 4383-G-CuPb15Sn5**: Verbundwerkstoff aus Stahlstützkörper mit aufgegossener Kupferlagerlegierung mit 15% Blei und 5% Zinn.
[1] Prüfung nach ISO 4384; [2] Härte HV, im Gusszustand; [3] Härte HB, gesintert; [4] Härte HB, gewalzt und geglüht

Gleitschichten für dünnwandige Gleitlager vgl. DIN ISO 4383 (1992-11)

Kurzzeichen	Werk-stoff-Nr.	Eigenschaften und Verwendung
PbSn10Cu2	2.3395	Verwendung als meist galvanisch aufgebrachte Gleitschicht auf Verbundgleitlagern; weich; gute Korrosionsbeständigkeit; relativ gute Eignung bei Grenzreibung; Dauerfestigkeit abhängig von der Schichtdicke.
PbSn10	2.3396	
PbIn7	2.3397	

⇨ **Lagermetall ISO 4383-G-CuPb17Sn5-PbSn10Cu2**: Verbundwerkstoff aus Stahlstützkörper mit aufgegossener Kupferlegierung mit 17% Blei und 5% Zinn und Gleitschicht aus Bleilegierung mit 10% Zinn und 2% Kupfer.

W

Thermoplastische Kunststoffe für Gleitlager vgl. DIN ISO 6691 (1990-10)

Bezeichnung	Kurz-zeichen	Eigenschaften und Verwendung
Polyamid	PA6 PA66 PA11 PA12	Beständig gegen Mineralöle, Lösungsmittel und Laugen; empfindlich gegen Mineralsäuren; schlagzäh, besonders stoß- und verschleißfest; im Trockenlauf hoher Gleitwiderstand; Verwendung für stoß- und schwingungsbeanspruchte Lager in Stahlwerken, für Bremsgestänge, Landmaschinen, Federaugenbuchsen.
Polyoxymethylen	POM	Härter, druckbelastbarer, jedoch stoßempfindlicher als PA; geeignet für Trockenlauf oder bei Schmierstoffmangel; Verwendung für Lager in der Feinwerktechnik.
Polyalkylen-terephthalat	PET PBT	Härte und Verschleißfestigkeit ähnlich wie bei POM, jedoch nur unter 70 °C einsetzbar; Verwendung für Lager in der Feinwerktechnik und für Führungs- und Gleitbuchsen; für Unterwasseranlagen.
Polyethylen	PE	Beständig gegen Wasser, tiefe Temperaturen und abrasive Beanspruchung. Für geringe Dauer-, jedoch hohe Stoßbelastung geeignet, z.B. Straßen- und Landmaschinenbau, Gewässerbau, Tieftemperaturlager, Chemieanlagen.
Polytetrafluorethylen	PTFE	Bei hoher Belastung und niedriger Gleitgeschwindigkeit sehr niedrige Reibwerte; hoch- und tieftemperaturbeständig; weich und wenig verschleißfest. Verwendung für Brückenlager, Hochtemperaturlager, Gleitbahnen.
Polyimid	PI	Hochtemperaturwerkstoff mit großer Härte und geringem Verschleiß; hoher Reibwert im Trockenlauf bei Temperaturen unter 70 °C; für Hochtemperaturlager.

⇨ **Thermoplast ISO 6691-PA66, G,27-160 N,GF25**: Lagerwerkstoff mit dem Kurzzeichen PA66 für allgemeine Verwendung (G), Viskositätskennzahl 27, Elastizitätsmodul 16 000 N/mm^2, schnell erstarrend (N), mit Füllstoff Glasfaser (GF) in einem Masseanteil von 25%.

Kunststoffe

Kurzzeichen für Polymere

vgl. DIN 7728-1 (1988-01)

Kurz-zeichen	Bedeutung	Art[1]	Kurz-zeichen	Bedeutung	Art[1]	Kurz-zeichen	Bedeutung	Art[1]
Basispolymere			PIB	Polyisobutylen	T	PVFM	Polyvinylformal, Polyvinylformaldehyd	T
CA	Celluloseacetat	T	PMMA	Polymethylmethacrylat	T			
CAB	Celluloseacetobutyrat	T	POM	Polyoxymethylen,	T	SI	Silikon	D
CF	Kresol-Formaldehyd	D		Polyformaldehyd,		UF	Harnstoff-Formaldehyd	D
CMC	Carboxymethylcellulose	AN		Polyacetal		UP	Ungesättigter Polyester	D
CN	Cellulosenitrat	AN	PP	Polypropylen	T			
CP	Cellulosepropionat	T	PS	Polystyrol	T	**Copolymere**		
EC	Ethylcellulose	AN	PSU	Polysulfon	T	ABS	Acrylnitril/Butadien/ Styrol	T
EP	Epoxid	D	PTFE	Polytetrafluorethylen	T			
MF	Melamin-Formaldehyd	D	PUR	Polyurethan	D	A/MMA	Acrylnitril/ Metylmethacrylat	T
PA	Polyamid	T	PVAC	Polyvinylacetat	T			
PB	Polybutylen	T	PVB	Polyvinylbutyral	T	ASA	Acrylnitril/Styrol/ Acrylester	T
PBT	Polybutylenterephthalat	T	PVC	Polyvinylchlorid	T			
PC	Polycarbonat	T	PVC-C	chloriertes Polyvinylchlorid	T	E/VA	Ethylen/Vinylacetat	E
PCTFE	Polychlortrifluorethylen	T				SAN	Styrol/Acrylnitril	T
PE	Polyethylen	T	PVDC	Polyvinylidenchlorid	T	S/B	Styrol/Butadien	T
PET	Polyethylenterephthalat	T	PVF	Polyvinylfluorid	T	S/MS	Styrol/α-Methylstyrol	T
PF	Phenol-Formaldehyd	D				VC/E	Vinylchlorid/Ethylen	T

[1] AN abgewandelte Naturstoffe; E Elastomere; D Duroplaste; T Thermoplaste

Kennbuchstaben für besondere Eigenschaften

Zeichen	Besondere Eigenschaften	Zeichen	Besondere Eigenschaften	Zeichen	Besondere Eigenschaften
C	chloriert	I	schlagzäh	R	erhöht; Resol
D	Dichte	L	linear; niedrig	U	ultra; weichmacherfrei
E	verschäumt	M	Masse; mittel; molekular	V	sehr
F	flexibel; flüssig	N	normal; Novolak	W	Gewicht
H	hoch	P	weichmacherhaltig	X	vernetzt; vernetzbar

⇨ **PVC-P**: Polyvinylchlorid, weichmacherhaltig; **PE-LLD**: Lineares Polyethylen niedriger Dichte

Kurzzeichen für Füll- und Verstärkungsstoffe

vgl. DIN ISO 1043-2 (1991-08)

Kurzzeichen für Material

Kurz-zeichen	Material	Kurz-zeichen	Material	Kurz-zeichen	Material	Kurz-zeichen	Material
B	Bor	K	Calciumkarbonat	Q	Silikatische Füllstoffe	T	Talkum
C	Kohlenstoff	L	Cellulose[1]			W	Holz[1]
E	Ton	M	Mineral[1] [2]	R	Aramit	X	Nicht spezifisch
G	Glas	P	Glimmer[1]	S	Synthet. Stoffe	Z	Andere[1]

Kurzzeichen für Form und Struktur

Kurz-zeichen	Form, Struktur	Kurz-zeichen	Form, Struktur	Kurz-zeichen	Form, Struktur	Kurz-zeichen	Form, Struktur
B	Perlen, Kugeln, Bällchen	G	Mahlgut	N	Faservlies (dünn)	V	Furnier
		H	Whisker	P	Papier	W	Gewebe
C	Chips, Schnitzel	K	Wirkwaren	R	Roving	X	Nicht spezifiziert
D	Pulver	L	Lagen	S	Schalen, Flocken	Y	Garn
F	Fasern	M	Matte, dick	T	Cord	Z	Andere[1]

[1] Diese Materialien dürfen weiterhin durch ihr chemisches Kurzzeichen bzw. bei Metallen durch ihr chemisches Symbol oder durch zusätzliche Kurzzeichen einer maßgeblichen internationalen Norm gekennzeichnet werden.

[2] Mineralische Füllstoffe sollten genauer angegeben werden, wenn ein Kurzzeichen bekannt ist.

⇨ **GF**: Glasfaser; **CH**: Kohlenstoff-Whisker; **MD**: mineralisches Pulver

W

Erkennen von Kunststoffen

Optisches Untersuchen Aussehen der Probe ist		Schwebeprobe in Lösungen		Verhalten beim Erwärmen	Löslichkeit in Lösungsmitteln
transparent	trüb	Dichte in g/cm^3	Kunststoffe		
CA, CAB, CP, EP, PC, PS, PMMA, PVC, SAN	ABS, ASA, PA, PE, POM, PP, PTFE	0,9 bis 1,0	PB, PE, PIB, PP	• Thermoplaste erweichen und schmelzen • Duroplaste und Elastomere zersetzen sich direkt	Duroplaste und PTFE nicht löslich Sonstige Thermoplaste sind in bestimmten Lösungsmitteln löslich; z. B. PS ist in Benzol oder Aceton löslich
		1,0 bis 1,2	ABS, ASA, CAB, CP, PA, PC, PMMA, PS, SAN, S/B		
Betasten		1,2 bis 1,5	CA, PBT, PET, POM, PSU, PUR	**Brennprobe**	
Wachsartiger Griff bei: PE, PTFE, POM, PP		1,5 bis 1,8	organisch gefüllte Pressmassen	• Flammenfärbung • Brandverhalten • Rußbildung • Geruch der Rauchschwaden	
		1,8 bis 2,2	PTFE		

Unterscheidungsmerkmale der Kunststoffe

Kurzzeichen	Dichte g/cm^3	Brennverhalten	Sonstige Merkmale
ABS	1,06...1,12	gelbe Flamme, rußt stark, riecht nach Gas	zähelastisch, wird von Tetrachlorkohlenstoff nicht angelöst, klingt dumpf
CA	1,31	gelbe, sprühende Flamme, tropft, riecht nach Essigsäure und verbranntem Papier	angenehmer Griff, klingt dumpf
CAB	1,19	gelbe, sprühende Flamme, tropft brennend, riecht nach ranziger Butter	klingt dumpf
MF	1,50	schwer entflammbar, verkohlt mit weißen Kanten, riecht nach Ammoniak	schwer zerbrechlich, klingt scheppernd (vgl. UF)
PA	1,04...1,15	blaue Flamme mit gelblichem Rand, tropft fadenziehend, riecht nach verbranntem Horn	zähelastisch, unzerbrechlich, klingt dumpf
PC	1,20	gelbe Flamme, erlischt nach Wegnahme der Flamme, rußt, riecht nach Phenol	zähhart, unzerbrechlich, klingt scheppernd
PE	0,92	helle Flamme mit blauem Kern, tropft brennend ab, Geruch paraffinartig, Dämpfe kaum sichtbar (vgl. PP)	wachsartige Oberfläche, mit dem Fingernagel ritzbar, unzerbrechlich, Verarbeitungstemperatur >230 °C
PF	1,40	schwer entflammbar, gelbe Flamme, verkohlt, riecht nach Phenol und verbranntem Holz	schwer zerbrechlich, klingt scheppernd
PMMA	1,18	leuchtende Flamme, fruchtiger Geruch, knistert, tropft	uneingefärbt glasklar, klingt dumpf
POM	1,41	bläuliche Flamme, tropft, riecht nach Formaldehyd	unzerbrechlich, klingt scheppernd
PP	0,91	helle Flamme mit blauem Kern, tropft brennend ab, Geruch paraffinartig, Dämpfe kaum sichtbar (vgl. PE)	nicht mit dem Fingernagel markierbar, unzerbrechlich
PS	1,05	gelbe Flamme, rußt stark, riecht süßlich nach Gas, tropft brennend ab	spröde, klingt metallisch blechern, wird u.a. von Tetrachlorkohlenstoff angelöst
PTFE	2,20	unbrennbar, bei Rotglut stechender Geruch	wachsartige Oberfläche
PUR	1,26	gelbe Flamme, stark stechender Geruch	Polyurethan, gummielastisch
PUR	0,03...0,06		Polyurethan-Schaum
PVC U	1,38	schwer entflammbar, erlischt nach Wegnahme der Flamme, riecht nach Salzsäure, verkohlt	klingt scheppernd (U = hart)
PVC P	1,20...1,35	je nach Weichmacher besser brennbar als PVC U, riecht nach Salzsäure, verkohlt	gummiartig flexibel, klanglos (P = weich)
SAN	1,06	gelbe Flamme, rußt stark, riecht nach Gas, tropft brennend ab	zähelastisch, wird von Tetrachlorkohlenstoff nicht angelöst
S/B	1,05	gelbe Flamme, rußt stark, riecht nach Gas und Gummi, tropft brennend ab	nicht so spröde wie PS, wird u.a. von Tetrachlorkohlenstoff angelöst
UF	1,50	schwer entflammbar, verkohlt mit weißen Kanten, riecht nach Ammoniak	schwer zerbrechlich, klingt scheppernd (vgl. MF)
UP	2,00	leuchtende Flamme, verkohlt, rußt, riecht nach Styrol, Glasfaserrückstand	schwer zerbrechlich, klingt scheppernd

W

Kunststoffe

Thermoplaste (Auswahl)

Kurz-zeichen	Bezeichnung	Handels-namen	Dichte g/cm³	Zugfestig-keit N/mm²	Schlag-zähigkeit mJ/mm²	Gebrauchs-temperatur, langzeitig °C	Anwendungs-beispiele
ABS	ABS-Copolymere	Terluran, Novodur	1,06	35...56	80... k.B.[2]	85...100	Telefongehäuse, Armaturbretter, Surfbretter
PA 6	Polyamid 6	Durethan, Maranyl, Resistan, Ultramid, Rilsan	1,14	43	k.B.[2]	80...100	Zahnräder, Gleitlager, Schrauben, Seile, Gehäuse
PA 66	Polyamid 66		1,14	57	21[1]	80...100	
PE-HD	Polyethylen, hohe Dichte	Hostalen, Lupolen, Vestolen A	0,96	20...30	k.B.[2]	80...100	Batteriekästen, Kraftstoffbehälter, Mülltonnen, Rohre, Kabelisolationen, Folien, Flaschen
PE-LD	Polyethylen, niedere Dichte		0,92	8...10	k.B.[2]	60...80	
PMMA	Polymethyl-methacrylat	Plexiglas, Degalan, Lucryl	1,18	70...76	18	70...100	Optische Gläser, Blinklichter, Skalen, Leuchtbuchstaben
POM	Polyoxymethylen	Delrin, Hostaform, Ultraform	1,42	50...70	100	95	Zahnräder, Gleitlager, Ventilkörper, Gehäuseteile
PP	Polypropylen	Hostalen PP, Novolen, Procom, Vestolen P	0,91	21...37	k.B.[2]	100...110	Heizkanäle, Waschmaschinenteile, Fittings, Pumpengehäuse
PS	Polystyrol	Styropor, Polystyrol, Vestyron	1,05	40...65	13...20	55...85	Verpackungsmaterial, Geschirr, Filmspulen, Wärmedämmplatten
PTFE	Polytetrafluor-ethylen	Hostaflon, Teflon, Fluon	2,20	15...35	k.B.[2]	280	Wartungsfreie Lager, Kolbenringe, Dichtungen, Pumpen
PVC-P	Polyvinylchlorid, weich	Hostalit, Vinoflex, Vestolit, Vinnolit, Solvic	1,20 ...1,35	20...29	2[1]	65...90	Schläuche, Dichtungen, Kabelummantelungen, Rohre, Fittings, Behälter
PVC-U	Polyvinylchlorid, hart		1,38	35...60	k.B.[2]	–	
SAN	Styrol/Acrylnitril Copolymer	Luran, Vestyron, Lustran	1,08	78	23...25	85	Skalenscheiben, Batteriegehäuse, Scheinwerfergehäuse
S/B	Styrol/Butadien Copolymer	Vestyron, Styrolux	1,05	22...50	40... k.B.[2]	55...75	Fernsehgehäuse, Verpackungsmaterial, Kleiderbügel, Verteilerdosen

[1] Kerbschlagzähigkeit;   [2] k.B. ≙ kein Bruch der Probe

W

Kennzeichnung thermoplastischer Formmassen

Polyethylen PE vgl. DIN 16776 (1984-12)[1] und **Polypropylen PP** vgl. DIN 16774 (1984-12)[1]

Bezeichnungs-system:	Benennungs-block	Normnummer-block	Datenblock 1 1. – 2.	Datenblock 2 1. 2. 3. 4.	Datenblock 3 1. 2. 3.	Datenblock 4 1. –2.
Beispiel:	Formmasse	DIN 16774	PP – R	, F S C P ,	85 M 090 ,	S 20
	Formmasse	DIN 16776	PE	, F S	, 20 D 045	

Datenblock 1	Datenblock 2						

Zusätzliche Kenn-zeichnung bei PP	Hauptsächliche Anwendung bei PE und PP				Wesentliche Eigenschaften, Additive und Zusatzinformationen (PE und PP)		
	1. Zeichen	Bedeutung	2. Zeichen	Bedeutung	3. Zeichen	Bedeutung	4. Zeichen	Bedeutung

Zusätzliche Kennzeichnung bei PP	1. Zeichen	Bedeutung	2. Zeichen	Bedeutung	3. Zeichen	Bedeutung	4. Zeichen	Bedeutung
H Homopolymerisate des Propylens	B	Blasformen	L	Monofil-extrusion	A	Verarbeitungs-stabilisator	L	Lichtstabilisator
B Thermoplastische Block-Copolymerisate des Propylens	C	Kalandrieren	M	Spritzgießen	B	Antiblockmittel	N	Naturfarben
	E	Extrusion (Rohre)	Q	Pressen	C	Farbmittel	P	schlagzäh modif.
R Thermoplastische, statistische Co-polymerisate des Propylens	F	Extrusion (Folien)	R	Rotations-formen	D	Pulver	R	Entformungs-hilfsmittel
	G	Allgemeine Anwendung	S	Pulversintern	E	Treibmittel	S	Gleitmittel
			T	Bandherstellung	F	Brandschutz-mittel	T	erhöhte Trans-parenz
Q Polymer-mischungen der Gruppen H, B, R	H	Beschichtung	X	Keine Angabe	G	Granulat	Y	erhöhte elektr. Leitfähigkeit
	K	Kabel-, Draht-isolierung	Y	Faser-herstellung	H	Wärmealterungs-stabilisator	Z	Antistatikum
					K	Metalldesakti-vator		

Datenblock 3							

Dichte bei PE in g/cm^3		Isotaxie-Index bei PP		Schmelzindex-Prüfbe-dingungen (PE und PP)	Schmelzindex (PE und PP) in g/10 min	
1. Zeichen	über...bis	1. Zeichen Kennzahl	Massen-anteile in %	2. Zeichen	3. Zeichen	über...bis
15	...0,917			Der Schmelzindex MFI gibt die Masse an, die durch eine Düse gedrückt wird. Die Prüfbedingungen wer-den durch folgende Zeichen angegeben:	000	... 0,1
20	0,917...0,922				001	0,1... 0,2
25	0,922...0,927				003	0,2... 0,4
30	0,927...0,932	95	90...100		006	0,4... 0,8
35	0,932...0,937	85	80... 90		012	0,8... 1,5
40	0,937...0,942	75	70... 80		022	1,5... 3,0
45	0,942...0,947	65	60... 70	D 190 °C/2,16 kg	045	3,0... 6,0
50	0,947...0,952	55	50... 60	T 190 °C/5 kg	090	6,0... 12
55	0,952...0,957			G 190 °C/21,6 kg	200	12 ... 25
60	0,957...0,967			M 230 °C/2,16 kg	400	25 ... 50
65	0,962				700	50

Datenblock 4							

Füll- und Verstärkungsstoffe (PE und PP)				Massenanteil der Füll- und Verstärkungsstoffe in % (für PE und PP)					

1. Zeichen	Bedeutung	1. Zeichen	Bedeutung	2. Zeichen	Massenanteil über...bis	2. Zeichen	Massenanteil über...bis	2. Zeichen	Massenanteil über...bis
A	Asbest	M	Metall, Mineral	05	... 7,5	35	32,5...37,5	65	62,5...67,5
B	Bor	S	Synth. Material	10	7,5...12,5	40	37,5...42,5	70	67,5...72,5
C	Kohlenstoff	T	Talkum	15	12,5...17,5	45	42,5...47,5	75	72,5...77,5
G	Glas	W	Holz	20	17,5...22,5	50	47,5...52,5	80	77,5...82,5
K	Kreide	X	nicht spezifiziert	25	22,5...27,5	55	52,5...57,5	85	82,5...87,5
L	Zellulosen	Z	andere	30	27,5...32,5	60	57,5...62,5	90	87,5...

⇨ **Formmasse DIN 16774 – PP-H, T, 95 M 045:** PP-Formmasse, Homopolymerisat für Bandherstellung ohne besondere Zusätze, Isotaxie-Index 97%, Schmelzindex MFI bei 230 °C/2,16 kg = 4 g/10 min.

[1] Entspricht weitgehend DIN EN ISO 1873-1 (1995-12)

Kunststoffe

Kennzeichnung und Eigenschaften duroplastischer Formmassen (härtbar)

Typ	Zusammensetzung		Biege-festigkeit N/mm^2	Schlag-zähigkeit kJ/m^2	Tempe-ratur für Formbe-ständigk. °C	Wasser-aufnahme mg max.	Verwendung, Eigenschaften
	Harz	Füllstoff					

Phenolplast-Formmassetypen (PF) — DIN 7708-2 (1975-10)

Typ	Harz	Füllstoff	Biege-festigkeit	Schlag-zähigkeit	Temp. °C	Wasser mg max.	Verwendung, Eigenschaften
31	PF	Holzmehl	70	6	125	150	Allgemeine Verwendung
85		Holzmehl/Zellstoff	70	5	125	200	
51	PF	Zellstoff u.a	60	5	125	300	erhöhte Kerbschlagzähigkeit
83		Baumwollkurzfasern	60	5	125	180	
71		Baumwollfasern u.a.	60	6	125	250	
84		Baumwollgewebe-schnitzel/Zellstoff	60	6	125	150	
74		Baumwollgewebe-schnitzel	60	12	125	300	
75		Kunstseidenstränge	60	14	125	300	
12		Asbestfasern[1]	50	3,5	150	60	erhöhte Formbeständigkeit in der Wärme, mit Asbest-fasern mechanisch hoch beanspruchbar
15			50	5	150	130	
16		Asbestschnur[1]	70	15	150	90	
11.5		Gesteinsmehl	50	3,5	150	45	erhöhte elektrische Eigen-schaften, spezifischer elektrischer Widerstand $10^{11} \, \Omega \cdot cm$
13		Glimmer	50	3	150	20	
13.9		Glimmer	50	3	150	20	sonstige zusätzliche Eigen-schaften ammoniakfrei
15.9		Zellstoff	60	5	125	300	

➡ **Formmasse Typ 31 DIN 7708**: Phenoplast-Formmasse Typ 31

Aminoplast-Formmassetypen (UF; MF; MP) — DIN 7708-3 (1975-10)

Typ	Harz	Füllstoff	Biege-festigkeit	Schlag-zähigkeit	Temp. °C	Wasser mg max.	Verwendung, Eigenschaften
131	UF	Zellstoff	80	6,5	100	300	allgemeine Verwendung (sanitäre Teile, Haushalts-geräte) UF nicht für Ess- und Trinkgeschirr
150	MF	Holzmehl	70	6	120	250	
180	MP	Holzmehl	80	6	120	180	
153	MF	Baumwollfasern	60	5	125	300	erhöhte Kerbschlag-zähigkeit
154	MF	Baumwollgewebe-schnitzel	60	6	125	300	
155	MF	Gesteinsmehl	40	2,5	130	200	erhöhte Formbeständigkeit in der Wärme
156	MF	Asbestfasern[1]	50	3,5	140	200	
157	MF	Asbestfasern/[1] Holzmehl	60	4,5	140	200	
131.5	UF	Zellstoff	80	6,5	100	300	erhöhte elektrische Eigenschaften (Elektro- und Installationsmaterial)
183	MP	Zellstoff/ Gesteinsmehl	70	5	120	120	
152.7	MF	Zellstoff	80	7	120	200	Sonderanforderungen; für Ess- und Trinkgeschirr

Schichtpressstoffe: Hartpapier (Hp), Hartgewebe (Hgw), Hartmatte (Hm) — DIN 7735-2 (1975-09)

Typ	Zusammensetzung		Biege-festigkeit N/mm^2	Schlag-zähigkeit kJ/m^2	Zug-festigkeit N/mm^2	Grenz-temp. °C	Verwendung, Eigenschaften
	Harz	Füllstoff					
Hp 2061	Phenol-harz	Papier	150	20	120	120	Geschichtete Papierbahnen als Harzträger; Tafeln Stäbe, Rohre, Formteile
Hp 2063			80	7	70	120	
Hgw 2031		Asbestgewebe[1]	65	10	40	130	Geschichtete Gewebe-bahnen als Harzträger
Hgw 2072		Glasfilamentgewebe	200	15	100	130	
Hgw 2082		Baumwollfeingewebe	130	30	80	110	
Hgw 2272	Melamin-harz	Glasfilamentgewebe	270	50	120	130	Tafeln, Stäbe, gewickelte oder formgepresste Rohre, Formteile
Hgw 2372	Epoxidharz	Glas, Glasgewebe	350	100	220	130	
Hgw 2572	Silikonharz	Glasfilamentgewebe	125	40	90	180	
Hm 2471	Polyester-harz	Glasfilamentmatte	125	80	60	130	Filzartige Glasseidenmatte als Harzträger; Lieferform wie Hartgewebe
Hm 2472			200	100	100	130	

[1] Asbest ist als krebserzeugender Arbeitsstoff ausgewiesen. Seine Verwendung ist in einigen Ländern gesetzlich verboten.

W

Kunststoffe

Elastomere (Kautschuke)

Kurz-zeichen	Kautschukart	Dichte g/cm³	Zugfestig-keit[1] N/mm²	Bruch-deh-nung %	Anwen-dungs-Temperatur °C	Eigenschaften Verwendungsbeispiele
BR	Butadien-Kautschuk	0,94	2 (18)	450	−60...+90	hohe Abriebfestigkeit; Reifen, Gurte, Keilriemen
CO	Chlorepoxypro-pan-Kautschuk	1,27 ...1,36	5 (15)	250	−30...+120 −10...+120	schwingungsdämpfend, öl- und benzin-beständig; Dichtungen, wärmebe-ständige Dämpfungselemente
CR	Chloropren-Kautschuk	1,25	11 (25)	400	−30...+110	öl- und säurebeständig, schwer entflamm-bar, Dichtungen, Schläuche, Keilriemen
CSM	Chlorsulfoniertes Polyethylen	1,25	18 (20)	300	−30...+120	alterungs- und wetterbeständig, ölbestän-dig; Isolierwerkstoff, Formartikel, Folien
EPM/ EPDM	Ethylen-Propylen-Kautschuk	0,86	4 (25)	500	−50...+120	guter elektrischer Isolator, gegen Öl und Benzin unbeständig; Dichtungen, Profile, Stoßfänger, Kühlwasserschläuche
FKM	Fluor-Kautschuk	1,85	2 (15)	450	−10...+190	abriebfest, beste thermische Beständig-keit; Luft- und Raumfahrt, Kfz-Industrie; Radialwellendichtringe, O-Ringe
IIR	Butyl-Kautschuk (Isobutylen-Iso-pren-Kautschuk)	0,93	5 (21)	600	−30...+120	wetter- und ozonbeständig; Kabel-isolierungen, Autoschläuche
IR	Isopren-Kautschuk	0,93	1 (24)	500	−60...+60	wenig ölbeständig, hohe Festigkeit; Lkw-Reifen, Federelemente
NBR	Acrylnitril-Butadien-Kautschuk	1,00	6 (25)	450	−20...+110	abriebfest, öl- und benzinbeständig, elektr. Leiter; O-Ringe, Hydraulikschläuche, Radialwellendichtringe, Axialdichtungen
NR	Naturkautschuk	0,93	22 (27)	600	−60...+70	wenig ölbeständig, hohe Festigkeit; Lkw-Reifen, Federelemente
PUR	Polyurethan-Kautschuk	1,25	20 (30)	450	−30...+100	elastisch, verschleißfest; Zahnriemen, Dichtungen, Kupplungen
Q; SIR	Silikon-Kautschuk	1,25	1 (8)	250	−80...+180	guter elektr. Isolator, wasserabweisend; O-Ringe, Zündkerzenkappen, Zylinder-kopf- und Fugendichtungen
SBR	Styrol-Butadien-Kautschuk	0,94	5 (25)	500	−30...+80	wenig öl- und benzinbeständig, Pkw-Reifen, Schläuche, Kabelummantelungen

[1] Klammerwert = verstärktes Elastomer

W

Schaumstoffe   vgl. DIN 7726 (1982-05)

Schaumstoff ist ein Werkstoff mit über die gesamte Masse verteilten offenen, geschlossenen oder eine Mischung aus geschlossenen und offenen Zellen. Seine Rohdichte ist niedriger als diejenige der Gerüstsubstanz. Man unter-scheidet harten, halbharten, weichen, elastischen, weich-elastischen und Integral-Schaumstoff.

Steifig-keit, Härte	Rohstoff-Basis des Schaumstoffes	Zellstruktur	Dichte kg/m³	Temperatur-Anwendungs-bereich °C[1]	Wärmeleit-fähigkeit W/(K·m)	Wasseraufnah-me in 7 Tagen Volumen-%
hart	Polystyrol	überwiegend geschlossen-zellig	15 ... 30	75 (100)	0,035	2...3
	Polyvinylchlorid		50 ...130	60 (80)	0,038	< 1
	Polyethersulfon		45 ... 55	180 (210)	0,05	15
	Polyurethan		20 ...100	80 (> 150)	0,021	1...4
	Phenolharz	offenzellig	40 ...100	130 (> 250)	0,025	7...10
	Harnstoffharz		5 ... 15	90 (> 100)	0,03	> 20
halb-hart bis weich-elas-tisch	Polyethylen	überwiegend geschlossen-zellig	25 ... 40	bis 100	0,036	1...2
	Polyvinylchlorid		50 ... 70 100	−60...+50	0,036 0,041	1...4 3
	Melaminharz		10,5... 11,5	bis 150	0,033	ca. 1
	Polyurethan Polyester-Typ	offenzellig	20 ... 45	−40...+100	0,045	−
	Polyurethan Polyether-Typ					

[1] Gebrauchstemperatur langzeitig, in Klammern kurzzeitig

Rohre aus Kunststoffen

Rohre aus Polyethylen (PE) DIN 8072 (1972-07)

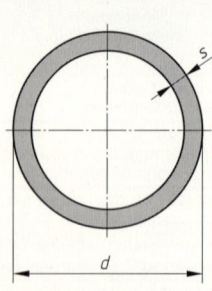

Außendurchmesser d in mm	Wanddicke s in mm und längenbezogene Masse m' in kg/m für Dichte ϱ = 0,92 g/cm³ und Nenndruck p_e					
	p_e = 2,5 bar		p_e = 6 bar		p_e = 10 bar	
	s	m'	s	m'	s	m'
20	–	–	2,2	0,12	3,4	0,17
25	2,0	0,15	2,7	0,19	4,2	0,27
32	2,0	0,19	3,5	0,31	5,4	0,44
40	2,0	0,24	4,3	0,47	6,7	0,68
50	2,4	0,36	5,4	0,74	8,4	1,06
63	3,0	0,56	6,8	1,17	10,5	1,67
75	3,6	0,80	8,1	1,66	12,5	2,36
90	4,3	1,15	9,7	2,37	15,0	3,40
110	5,3	1,72	11,8	3,52	18,4	5,09
125	6,0	2,19	13,4	4,55	20,9	6,56
140	6,7	2,75	–	–	–	–
160	7,7	3,60	–	–	–	–

Lieferart: Rohre mit d = 10 mm bis 160 mm in Längen von 5 m bis 12 m, als Ringbunde bis 300 m.
Werkstoff: Polyethylen weich (PE weich)

➡ **Rohr 32 x 3,5 DIN 8072 PE weich:** d = 32 mm, s = 3,5 mm, aus PE weich

Rohre aus Polyethylen hoher Dichte (PE-HD) DIN 8074 (1987-09)

Außendurchmesser d in mm	Wanddicke s in mm und längenbezogene Masse m' in kg/m für Dichte ϱ = 1,4 g/cm³ und Nenndruck p_e											
	p_e = 2,5 bar		p_e = 3,2 bar		p_e = 4 bar		p_e = 6 bar		p_e = 10 bar		p_e = 16 bar	
	s	m'	s	m'	s	m'	s	m'	s	m'	s	m'
20	–	–	–	–	–	–	1,8	0,11	1,9	0,11	2,8	0,15
25	–	–	–	–	–	–	1,8	0,14	2,3	0,17	3,5	0,24
32	–	–	–	–	1,8	0,18	1,9	0,19	3,0	0,28	4,5	0,39
40	–	–	–	–	1,8	0,23	2,3	0,28	3,7	0,43	5,6	0,61
50	–	–	1,8	0,28	2,0	0,32	2,9	0,44	4,6	0,66	6,9	0,93
63	1,8	0,36	2,0	0,40	2,5	0,49	3,6	0,69	5,8	1,05	8,7	1,48
75	1,9	0,45	2,4	0,57	2,9	0,67	4,3	0,97	6,9	1,48	10,4	2,10
90	2,2	0,64	2,8	0,79	3,5	0,97	5,1	1,38	8,2	2,11	12,5	3,02
110	2,7	0,94	3,5	1,20	4,3	1,45	6,3	2,07	10,0	3,13	15,2	4,49
125	3,1	1,23	3,9	1,51	4,9	1,87	7,1	2,65	11,4	4,06	17,3	5,80
140	3,5	1,54	4,4	1,91	5,4	2,31	8,0	3,32	12,8	5,09	19,4	7,27
160	3,9	1,94	5,0	2,46	6,2	3,03	9,1	4,33	14,6	6,63	22,1	9,47

Lieferart: Rohre mit d = 10 mm bis 1600 mm in Ringbunden oder in Längen bis 12 m
Werkstoff: Polyethylen hoher Dichte PE-HD

➡ **Rohr DIN 8074 32 x 3 PE-HD:** d = 32 mm, s = 3 mm, aus PE-HD

Rohre aus Polyvinylchlorid (PVC) DIN 8062 (1988-11)

Außendurchmesser d in mm	Wanddicke s in mm und längenbezogene Masse m' in kg/m für Dichte ϱ = 1,4 g/cm³ und Nenndruck p_e									
	Lüftungsleitungen		p_e = 4 bar		p_e = 6 bar		p_e = 10 bar		p_e = 16 bar	
	s	m'	s	m'	s	m'	s	m'	s	m'
20	–	–	–	–	–	–	–	–	1,5	0,14
25	–	–	–	–	–	–	1,5	0,17	1,9	0,21
32	–	–	–	–	–	–	1,8	0,26	2,4	0,34
40	–	–	–	–	1,8	0,33	1,9	0,35	3,0	0,52
50	–	–	–	–	1,8	0,42	2,4	0,55	3,7	0,81
63	–	–	–	–	1,9	0,56	3,0	0,85	4,7	1,29
75	–	–	1,8	0,64	2,2	0,78	3,6	1,22	5,6	1,82
90	–	–	1,8	0,77	2,7	1,13	4,3	1,75	6,7	2,60
110	1,8	0,95	2,2	1,16	3,2	1,64	5,3	2,61	8,2	3,90
125	1,8	1,08	2,5	1,48	3,7	2,13	6,0	3,34	9,3	5,01
140	1,8	1,21	2,8	1,84	4,1	2,65	6,7	4,18	10,4	6,27
160	1,8	1,39	3,2	2,41	4,7	3,44	7,7	5,47	11,9	8,17

Lieferart: Rohre mit d = 5 mm bis 1600 mm in Längen bis 12 m
Werkstoff: Weichmacherfreies Polyvinylchlorid, PVC-U und PVC-HI Typ 1 und Typ 2

➡ **Rohr DIN 8062 32 x 1,8 PVC-U:** d = 32 mm, s = 1,8 mm, aus PVC-U

W

Schmierstoffe

Schmieröle

vgl. DIN 51 502 (1990-08)

Stoff-gruppe, Sinnbild	Kenn-buch-stabe	Norm	Schmierstoffart, Eigenschaften, Anwendung
Mineralöle	AN	DIN 51501	Normalschmieröle ohne Zusätze für Durchlauf- und Umlaufschmierung bei Öltemperaturen bis 50 °C, für Anwendungen ohne besondere Anforderungen
	B	DIN 51513	Bitumenhaltige Schmieröle für Hand-, Durchlauf- und Tauchschmierung; besonders hohe Haftfähigkeit, vorwiegend für offene Schmierstellen
	C	DIN 51517	Alterungsbeständige Schmieröle ohne Zusätze, für Umlaufschmierung bei Gleit- und Wälzlagern sowie Getrieben
	CG	DIN 8659-2	Mineralöle mit Wirkstoffen zur Verschleißminderung im Mischreibungsgebiet für Gleit- und Führungsbahnen sowie Schneckengetriebe
	HD	DIN 51511	Schmieröle für Kraftfahrzeugmotoren
	HYP	DIN 51512	Schmieröle für Kraftfahrzeuggetriebe
	K	DIN 51503	Kältemaschinenöle, die der Einwirkung des Kältemittels ausgesetzt sind. Schmieröle KA für Ammoniak, Schmieröle KC für Halogen-Kältemittel
	L	DIN ISO 6743	Öle, die als Abschreck- und Anlassbäder zur Wärmebehandlung dienen
	R	–	Korrosionsschutzöle
	S	DIN 51385	Nichtwassermischbare und wassermischbare Kühlschmierstoffe
	T	DIN 51515	Schmier- und Regleröle für Turbinen, insbesondere für Dampfturbinen
Synthese-flüssig-keiten	E	–	Esteröle mit besonders geringer Viskositätsänderung, für Lagerstellen mit stark wechselnden Temperaturen
	PG	–	Polyglykolöle mit gutem Mischreibungsverhalten, hoher Alterungsbeständigkeit, teilweise wassermischbar
	SI	–	Silikonöle, für besonders hohe und tiefe Temperaturen geeignet, stark wasserabstoßend, hohe Alterungsbeständigkeit

Hydraulikflüssigkeiten (Kennbuchstabe H) Seite 337.

Zusatzkennbuchstaben für Schmieröle

vgl. DIN 51 502 (1990-08)

Zusatzkenn-buchstabe	Anwendung, Erläuterung
E	Für Schmieröle, die mit Wasser gemischt werden, z. B. Kühlschmierstoff SE
F	Für Schmierstoffe mit Festschmierstoffzusatz, z. B. Graphit, Molybdändisulfid
L	Für Schmieröle mit Wirkstoffen zum Erhöhen des Korrosionsschutzes und/oder der Alterungsbeständigkeit, z. B. Schmieröl DIN 51517–CL
M	Für wassermischbare Kühlschmierstoffe mit Mineralölanteilen, z. B. Kühlschmierstoff SEM
S	Für wassermischbare Kühlschmierstoffe auf synthetischer Basis
P	Für Schmierstoffe mit Wirkstoffen zum Herabsetzen der Reibung und des Verschleißes im Mischreibungsgebiet und/oder zur Erhöhung der Belastbarkeit, z. B. Schmieröl DIN 51517–CLP

⇒ **Schmieröl DIN 5 1517-CL100**: Schmieröl für Umlaufschmierung auf Mineralölbasis mit erhöhten Anforderungen an Korrosions- und Alterungsbeständigkeit; ISO-Viskositätsklasse 100 — **Kennzeichnung** des gleichen Öles durch Sinnbild: `CL 100`

ISO-Viskositätsklassen für flüssige Industrie-Schmierstoffe

vgl. DIN 51519 (1998-08)

Viskositäts-klasse[1]	Viskosität bei 40 °C in mm²/s			Viskositäts-klasse[1]	Viskosität bei 40 °C in mm²/s			Viskositäts-klasse[1]	Viskosität bei 40 °C in mm²/s		
	Mittelpunkts-viskosität	Grenzwerte min.	max.		Mittelpunkts-viskosität	Grenzwerte min.	max.		Mittelpunkts-viskosität	Grenzwerte min.	max.
ISO VG 2	2,2	1,98	2,42	ISO VG 32	32	28,8	35,2	ISO VG 460	460	414	506
ISO VG 3	3,2	2,88	3,52	ISO VG 46	46	41,1	50,6	ISO VG 680	680	612	748
ISO VG 5	4,6	4,14	5,06	ISO VG 68	68	61,2	74,8	ISO VG 1000	1000	900	1100
ISO VG 7	6,8	6,12	7,48	ISO VG 100	100	90	110	ISO VG 1500	1500	1350	1650
ISO VG 10	10	9	11	ISO VG 150	150	135	165	ISO VG 2200	2200	1980	2420
ISO VG 15	15	13,5	16,5	ISO VG 220	220	198	242	ISO VG 3200	3200	2880	3520
ISO VG 22	22	19,8	24,2	ISO VG 320	320	288	352				

[1] VG Viskositätsklasse (viscosity grade)

W

Schmierstoffe

SAE-Viskositätsklassen für Motoren-Schmieröle

vgl. DIN 51 502 (1990-08)

SAE-[1] Viskositäts- klasse	Scheinbare Viskosität mPa · s	bei °C	Grenz-Pump- temperatur °C	Kinematische Viskosität bei 100 °C mm²/s	SAE-[1] Viskositäts- klasse	Kinematische Viskosität bei 100 °C mm²/s
0W	≤ 3 250	−30	≤ −35	≥ 3,8	20	5,6... 9,2
5W	≤ 3 500	−25	≤ −30	≥ 3,8	30	9,3...12,4
10W	≤ 3 500	−20	≤ −25	≥ 4,1	40	12,5...16,2
15W	≤ 3 500	−15	≤ −20	≥ 5,6	50	16,3...21,8
20W	≤ 4 500	−10	≤ −15	≥ 5,6	[1] Society of Automative Engineers Inc (SAE)	
25W	≤ 6 000	− 5	≤ −10	≥ 9,3	(Vereinigung amerikan. Automobilingenieure)	

Ein **Mehrbereichsöl** ist ein Öl, das bei tiefen Temperaturen die Forderungen einer W-Klasse erfüllt und bei 100 °C innerhalb des Bereichs der Viskositätsklassen ohne W liegt.

➡ **SAE 10W-30:** Mehrbereichsöl mit einer scheinbaren Viskosität von max. 3500 mPa · s bei −20 °C, einer Grenz-Pumptemperatur von −25 °C und einer Viskosität von 9,3 bis 12,4 mm²/s bei 100 °C.

Schmierfette

vgl. DIN 51 502 (1990-08)

Stoff- gruppe, Sinnbild	Kenn- buch- stabe	Norm	Anwendung, Eigenschaften
Schmierfette auf Mineral- ölbasis △	K	DIN 51825	Schmierfette für Wälzlager, Gleitlager und Gleitflächen
	G	DIN 51826	Schmierfette für geschlossene Getriebe
	OG	–	Schmierfette für offene Getriebe (Haftschmierstoffe ohne Bitumen)
	M	–	Schmierfette für Gleitlager und Dichtungen (geringere Anforderungen)

Konsistenz-Einteilung für Schmierfette

vgl. DIN 51 502 (1990-08)

NLGI- Klasse [1]	Walkpenetration DIN ISO 2137 (1981-12)	NLGI- Klasse [1]	Walkpenetration DIN ISO 2137 (1981-12)	NLGI- Klasse [1]	Walkpenetration DIN ISO 2137 (1981-12)
000	445...475	1	310...340	4	175...205
00	400...430	2	265...295	5	130...160
0	355...385	3	220...250	6	85...115

[1] National Lubricating Grease Institute (NLGI), Nationales Schmierfett-Institut, USA

Zusatzbuchstaben für Schmierfette

vgl. DIN 51 502 (1990-08)

Zusatz- buch- stabe[1]	obere Ge- brauchstem- peratur °C	Bewer- tungs- stufe[2]	Zusatz- buch- stabe[1]	obere Ge- brauchstem- peratur °C	Bewer- tungs- stufe[2]	Zusatz- buch- stabe[1]	obere Ge- brauchstem- peratur °C	Bewer- tungs stufe[2]
C	+60	0 oder 1	G	+100	0 oder 1	N	+140	
D	+60	2 oder 3	H	+100	2 oder 3	P	+160	
						R	+180	nach
						S	+200	Verein-
E	+80	0 oder 1	K	+120	0 oder 1	T	+220	barung
F	+80	2 oder 3	M	+120	2 oder 3	U	+220	

[1] An den Zusatzkennbuchstaben kann der Zahlenwert für die untere Gebrauchstemperatur angehängt werden; z. B. −20 für −20 °C

[2] Bewertungsstufen für das Verhalten gegenüber Wasser, vgl. DIN 51807-1:
0: keine Veränderung; 1: geringe Veränderung; 2: mäßige Veränderung; 3: starke Veränderung

➡ **Schmierfett K3N-20:** Schmierfett für Lager und Gleitflächen (K), Walkpenetration 220 bis 250 (3), obere Gebrauchstemperatur +140 °C (N), untere Gebrauchstemperatur −20 °C

Kennzeichnung durch Sinnbild:

Festschmierstoffe

Schmierstoff	Formel	Anwendung
Graphit	C	Als Pulver oder Paste sowie Beimengung zu Schmierölen und Schmierfetten, Anwen- dungsbereich von −18 °C bis +450 °C, nicht in Sauerstoff, Stickstoff oder Vakuum
Molybdän- disulfid	MoS_2	Als mineralölfreie Paste, Gleitlack oder Beimengung zu Schmierölen und Schmierfetten, geeignet für sehr hohe Flächenpressung und Temperaturen von −180 °C bis +400 °C
Polytetra- fluorethylen	PTFE	Als Pulver in Gleitlacken und synthetischen Schmierfetten sowie als Lagerwerkstoff, sehr niedrige Gleitreibungszahl von μ = 0,04 bis 0,09, Temperaturbereich von −250 °C bis +260 °C

W

Zugversuch

vgl. DIN EN 10002-1 (1991-04)

Spannungs-Dehnungs-Diagramm mit ausgeprägter Streckgrenze, z. B. bei weichem Stahl

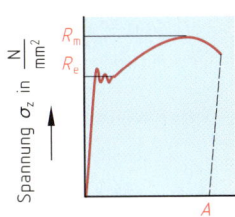

Zweck: Ermittlung des Werkstoffverhaltens bei gleichmäßig zunehmender Zugbeanspruchung.

Durchführung: Eine Zugprobe wird bis zum Bruch gedehnt. Die Änderungen von Zugspannung und Dehnung werden in einem Diagramm dargestellt.

F	Zugkraft	ε	Dehnung
F_m	Höchstzugkraft	A	Bruchdehnung
L	Messlänge	A_k	Bruchdehnung bei Proportionalprobe mit $L_0 = k \cdot \sqrt{S_0}$
L_0	Anfangsmesslänge		
L_u	Messlänge nach Bruch		
d_0	Anfangsdurchmesser der Probe	Z	Brucheinschnürung
S_0	Anfangsquerschnitt der Probe	σ_z	Zugspannung
		R_m	Zugfestigkeit
		R_e	Streckgrenze
S_u	kleinster Probenquerschnitt nach Bruch	$R_{p\,0,2}$	Dehngrenze bei 0,2% bleibender Dehnung
		E	Elastizitätsmodul

Spannungs-Dehnungs-Diagramm ohne ausgeprägte Streckgrenze, z.B. bei vergütetem Stahl

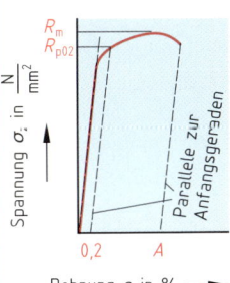

Beispiel:
Zugprobe, $L_0 = 125$ mm; $d_0 = 25$ mm; $F_m = 340$ kN; $L_u = 143$ mm; $R_m = ?$; $A = ?$

$$S_0 = \frac{\pi \cdot d_0^2}{4} = \frac{\pi \cdot (25\ \text{mm})^2}{4} = 490,9\ \text{mm}^2$$

$$R_m = \frac{F_m}{S_0} = \frac{340\,000\ \text{N}}{490,9\ \text{mm}^2} = 692,6\ \frac{\text{N}}{\text{mm}^2}$$

$$A = \frac{L_u - L_0}{L_0} \cdot 100\%$$

$$= \frac{143\ \text{mm} - 125\ \text{mm}}{125\ \text{mm}} \cdot 100\% = 14,4\%$$

Das Verhältnis der Streckgrenze R_e bzw. Dehngrenze $R_{p\,0,2}$ zur Zugfestigkeit R_m gibt Aufschluss über den Wärmebehandlungszustand und die Anwendungsmöglichkeiten des Werkstoffs.

Zugspannung

$$\sigma_z = \frac{F}{S_0}$$

Zugfestigkeit

$$R_m = \frac{F_m}{S_0}$$

Dehnung

$$\varepsilon = \frac{L - L_0}{L_0} \cdot 100\%$$

Bruchdehnung

$$A = \frac{L_u - L_0}{L_0} \cdot 100\%$$

Brucheinschnürung

$$Z = \frac{S_0 - S_u}{S_0} \cdot 100\%$$

Elastizitätsmodul
Beanspruchung im elastischen Bereich

$$E = \frac{\sigma_z}{\varepsilon} \cdot 100\%$$

W

Zugproben

vgl. DIN 50 125 (1991-04)

Form A

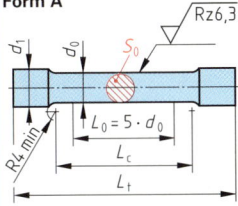

Form E

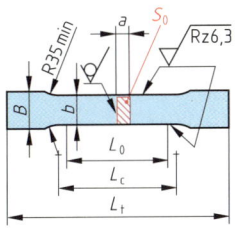

Runde Zugproben mit glatten Zylinderköpfen (Form A) oder Gewindeköpfen (Form B)

d_0		4	5	6	8	10	12	14	16	18	20	25
L_0		20	25	30	40	50	60	70	80	90	100	125
L_c	min.	24	30	36	48	60	72	84	96	108	120	150
Form A	d_1	5	6	8	10	12	15	17	20	22	24	30
	L_t min.	65	80	95	115	140	160	185	205	230	250	300
Form B	d_1	M6	M8	M10	M12	M16	M18	M20	M24	M27	M30	M33
	L_t min.	40	50	60	75	90	110	125	145	160	175	220

Flachproben (Form E)

a		3	4	5	5	6	8	10	10	12	15	18
b		8	10	10	16	20	25	25	30	26	30	30
L_0		30	35	40	50	60	80	90	100	100	120	130
B	min.	12	15	15	22	27	33	33	40	34	40	40
L_c	min.	38	45	50	65	80	105	115	125	125	150	160
L_t	min.	115	135	140	175	210	260	270	300	295	325	335

➡ **Zugprobe DIN 50125-A10x50:** Form A, $d_0 = 10$ mm, $L_0 = 50$ mm

Druckversuch

vgl. DIN 50 106 (1978-12)

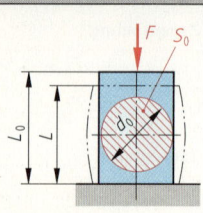

Für Stahl und Gusseisen:
d_0 = 10...30 mm
L_0 = 1,5 · d_0

Für Lagermetall:
$d_0 = L_0$ = 20 mm

Zweck: Ermitteln des Werkstoffverhaltens bei gleichmäßig zunehmender Druckbeanspruchung.

Durchführung: Eine Druckprobe wird bis zum Bruch, bis zum Anriss oder bis zu einer vereinbarten Stauchung gestaucht.

F_m Druckkraft beim Anriss oder Bruch
σ_{dB} Druckfestigkeit
ε_{dB} Bruchstauchung

L_0 Anfangsmesslänge
L Messlänge nach dem Versuch
S_0 Anfangsquerschnitt

Beispiel:
S_0 = 201 mm²; F_m = 93,5 kN; L_0 = 24 mm;
L = 17,6 mm; σ_{dB} = ?; ε_{dB} = ?

$$\sigma_{dB} = \frac{F_m}{S_0} = \frac{93\,500\ \text{N}}{201\ \text{mm}^2} = \textbf{465}\ \frac{\textbf{N}}{\textbf{mm}^2}$$

$$\varepsilon_{dB} = \frac{L_0 - L}{L_0} \cdot 100\% = \frac{24\ \text{mm} - 17{,}6\ \text{mm}}{24\ \text{mm}} \cdot 100\%$$
$$= \textbf{26{,}67\%}$$

Druckfestigkeit

$$\sigma_{dB} = \frac{F_m}{S_0}$$

Bruchstauchung

$$\varepsilon_{dB} = \frac{L_0 - L}{L_0} \cdot 100\%$$

Scherversuch

vgl. DIN 50 141 (1982-01)

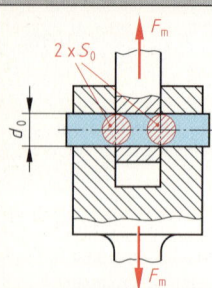

Zweck: Ermitteln der Scherfestigkeit.

Durchführung: Zylindrische Proben werden an zwei Querschnitten abgeschert. Die Höchstscherkraft F_m wird gemessen, die Scherfestigkeit τ_{aB} errechnet.

F_m Höchstscherkraft
τ_{aB} Scherfestigkeit

d_0 Probendurchmesser
S_0 Anfangsquerschnitt

Beispiel:
F_m = 19,9 kN; d_0 = 6 mm; τ_{aB} = ?

$$\tau_{aB} = \frac{F_m}{2 \cdot S_0} = \frac{19\,900\ \text{N}}{2 \cdot \dfrac{\pi \cdot (6\ \text{mm})^2}{4}} = 352\ \frac{\textbf{N}}{\textbf{mm}^2}$$

Scherfestigkeit

$$\tau_{aB} = \frac{F_m}{2 \cdot S_0}$$

Dauerschwingversuch

vgl. DIN 50 100 (1978-02)

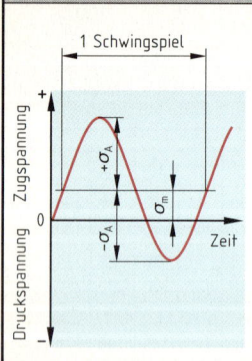

Zweck: Prüfen des Verhaltens von Werkstoffen bei dynamischer Belastung.

Durchführung: In einer Versuchsreihe werden polierte Rundproben so lange einer um den Spannungsausschlag σ_A beidseitig der Mittelspannung σ_m wechselnden Belastung ausgesetzt, bis sie brechen. Der Spannungsausschlag σ_A wird von Probe zu Probe stufenweise verringert, bis kein Bruch mehr auftritt. Aus σ_A und der dabei erreichten Schwingungsanzahl der einzelnen Proben entsteht die Wöhlerlinie.

σ_D Dauerfestigkeit (Dauerschwingfestigkeit)

$\sigma_{D(10^x)}$ Zeitfestigkeit (Spannung, die nach 10^x Schwingspielen zum Bruch führt)

σ_m Mittelwert der Wechselbeanspruchung

σ_A Spannungsausschlag, gemessen von σ_m aus

Dauerfestigkeit

$$\sigma_D = \sigma_m \pm \sigma_A$$

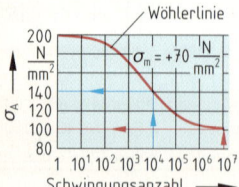

Beispiel:
Eine Versuchsreihe mit einem Mittelwert der Beanspruchung σ_m = + 70 N/mm² ergibt nebenstehende Wöhlerlinie. Zu ermitteln sind die Zeitfestigkeit für 10 000 Schwingspiele $\sigma_{D(10^4)}$ und die Dauerfestigkeit σ_D.

Ergebnis: Bei einer Mittelspannung σ_m = +70 N/mm² und 10^4 Schwingspielen ist ein Bruch bei σ_A = 140 N/mm² zu erwarten (Wechselbelastung von +210 N/mm² auf –70 N/mm²). Dies ergibt $\sigma_{D(10^4)}$ = **+70 ± 140 N/mm²**.

Die Dauerfestigkeit ist bei 10^7 Schwingspielen erreicht. Dabei ist ein Spannungsausschlag σ_A = 100 N/mm² abzulesen. Dies ergibt σ_D = **+70 ± 100 N/mm²**.

Kerbschlagversuch nach Charpy
vgl. DIN EN 10045-1 (1991-04)

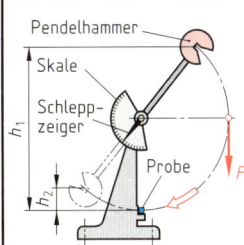

Pendelhammer

Skale

Schlepp-zeiger

Probe

F

h_1 h_2

Zweck: Beurteilung der Widerstandsfähigkeit metallischer Werkstoffe gegen schlagartige Beanspruchung.

Durchführung: In einem Pendelschlagwerk wird eine gekerbte Probe mit einem einzigen Schlag durchgetrennt. Die verbrauchte Schlagarbeit wird gemessen. Bei Prüfung unter Normalbedingungen beträgt das Arbeitsvermögen des Pendelhammers 300 ± 10 J, seine Auftreffgeschwindigkeit 5 bis 5,5 m/s und die Probentemperatur 23 ± 5 °C.

Kerbschlagproben

Proben-querschnitt

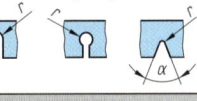

l

h_k

h

b

l_w

| Bezeichnung | Kerb-form | \multicolumn{7}{c}{Abmessungen in mm} |
		l	l_w	h	b	h_k	r	α
Normal- und Untermaßproben		\multicolumn{7}{c}{vgl. DIN EN 10045 (1991-04)}
Normalprobe	U	55	40	10	10	5	1	–
Normalprobe	V	55	40	10	10	8	0,25	45°
Untermaßprobe	V	55	40	10	7,5	8	0,25	45°
Untermaßprobe	V	55	40	10	5	8	0,25	45°
DVM-Proben[1]		\multicolumn{7}{c}{vgl. DIN 50 115 (1991-04)}
DVM-Probe	U	55	40	10	10	7	1	–
DVMK-Probe	U	44	30	6	6	4	0,75	–
KLST-Probe	V	27	22	4	3	3	0,1	60°

Kerbformen

U

gefräst

V

gebohrt und aufgesägt

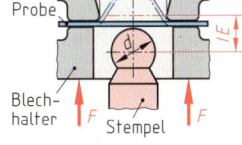

r r r α

➡ **KU = 115 J:** Normalprobe mit U-Kerbe, Kerbschlagarbeit 115 J

➡ **KV150/7,5 = 85 J:** Untermaßprobe mit V-Kerbe, b = 7,5 mm, Kerbschlagarbeit 85 J, gemessen auf Pendelschlagwerk mit 150 J Arbeitsvermögen

[1] DVM Deutscher Verband für Materialprüfung

Tiefungsversuch nach Erichsen
vgl. DIN 50 101 und 50 102 (1979-09)

Matrize F D F

Probe

IE

Blech-halter F F

Stempel

D Bohrungsdurchmesser der Matrize

d Kugeldurchmesser des Stempels

F Blechhaltekraft

Zweck: Ermittlung der Tiefziehfähigkeit von Blechen und Bändern mit 0,2...3 mm Dicke.

Durchführung: Der Stempel der Vorrichtung wird so weit gegen die Probe gedrückt, bis ein Riss auftritt. Die im Augenblick des Einreißens ermittelte Eindringtiefe des Stempels ist die **Erichsentiefung IE**.

| Kurz-zeichen | Norm | \multicolumn{3}{c}{Prüfgerät} | \multicolumn{3}{c}{Probenform} |
		D mm	d mm	F kN	Länge mm	Breite mm	Dicke mm
IE	DIN 50 101-1	27	20	10	90...270	90...100	0,2...2
IE$_{40}$	DIN 50101-2	40	20	10	90...400	90...100	2...3
IE$_{21}$ IE$_{11}$	DIN 50 102	21 11	15 8	10 10	55...270	55... 90 30... 55	0,2...2 0,2...1

➡ **IE = 12 mm:** Erichsentiefung 12 mm nach DIN 50 101-1
➡ **IE$_{40}$ = 16 mm:** Erichsentiefung 16 mm nach DIN 50 101-2

Technologischer Biegeversuch (Faltversuch)
vgl. DIN 50 111 (1987-09)

Zweck: Ermittlung des Umformvermögens metallischer Werkstoffe.

Probenform

$a \le 25$ mm

b = 20...50 mm

$l \ge L_f + 100$ mm

$L_f = D + 3 \cdot a$

Durchführung: Die Biegeprobe wird so weit gebogen, bis entweder ein verlangter Biegewinkel α erreicht ist oder ein Riss auftritt.

Biegestempel: Der Stempelradius D/2 ist abhängig vom Maß a. Er wird den technischen Lieferbedingungen des zu prüfenden Werkstoffs entnommen.

Vor der Prüfung

Erreichen des Biegewinkels α

Weiterbiegen bis $\alpha \approx 180°$

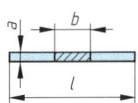

a b

l

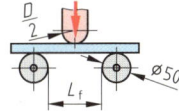

$\frac{D}{2}$

L_f

ø50

α

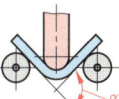

W

Werkstoffprüfung

Härteprüfung nach Brinell

vgl. DIN EN 10 003 (1995-01)

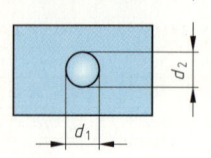

Zweck: Härteprüfung für alle Metalle, deren Brinellhärte 650 nicht überschreitet, z. B. für ungehärteten Stahl, Gusseisen und NE-Metalle.

Durchführung: Eine gehärtete Stahlkugel (bis HBS 350) oder Hartmetallkugel (bis HBW 650) mit dem Durchmesser D wird mit einer genormten Prüfkraft F in die Oberfläche einer Probe eingedrückt. Der Eindruckdurchmesser d wird gemessen, der Härtewert HBS oder HBW berechnet oder Tabellen entnommen. Die Einwirkdauer beträgt meist 10 bis 15 s.

F Prüfkraft
D Kugeldurchmesser
d Eindruckdurchmesser
h Eindrucktiefe
s Mindestdicke der Probe

Eindruckdurchmesser

$$d = \frac{d_1 + d_2}{2}$$

$$0{,}24 \cdot D \leq d \leq 0{,}6 \cdot D$$

Mindestdicke

$$s \geq 8 \cdot h$$

Brinellhärte

$$\left. \begin{matrix} \text{HBS} \\ \text{HBW} \end{matrix} \right\} = 0{,}102 \cdot \frac{2 \cdot F}{\pi \cdot D \cdot (D - \sqrt{D^2 - d^2})}$$

Beispiele für die Angabe der Brinellhärte:

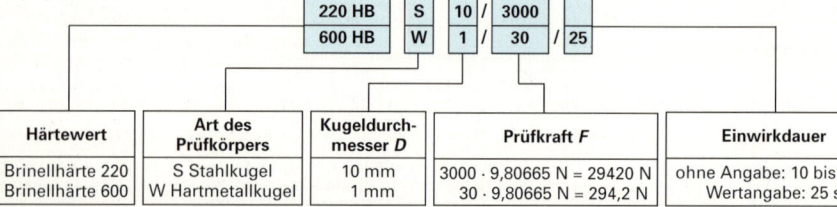

Härtewert	Art des Prüfkörpers	Kugeldurch-messer D	Prüfkraft F	Einwirkdauer
Brinellhärte 220	S Stahlkugel	10 mm	$3000 \cdot 9{,}80665$ N = 29420 N	ohne Angabe: 10 bis 15 s
Brinellhärte 600	W Hartmetallkugel	1 mm	$30 \cdot 9{,}80665$ N = 294,2 N	Wertangabe: 25 s

W

Beanspruchungsgrad, Prüfkraft, Kugeldurchmesser und Probenwerkstoff für Härteprüfungen nach Brinell

Beanspruchungsgrad $0{,}102 \cdot \frac{F}{D^2}$	Prüfkraft F in N bei Kugeldurchmesser D in mm					Probenwerkstoff mit HB-Grenzwert
	1	2	2,5	5	10	
30	294,2	1 177	1 839	7 355	29 420	Stahl, Ni- und Titanlegierungen ≤ 650 HB, Gusseisen ≥ 140 HB[1], Cu-Leg. > 200 HB
15	–	–	–	–	14 710	Al-Leg. ≥ 35 HB
10	98,1	392,3	612,9	2 452	9 807	Gusseisen < 140 HB[1], Cu-Leg. 35...200 HB, Al-Leg. ≥ 35 HB
5	49	196,1	306,5	1 226	4 903	Cu-Leg. < 35 HB, Al-Leg. 35...80 HB
2,5	24,5	98,1	153,2	612,9	2 452	Al-Leg. < 35 HB
1	9,8	39,2	61,3	245,2	980,7	Pb, Sn

[1] Für die Prüfung von Gusseisen muss der Kugeldurchmesser mindestens 2,5 mm betragen.

Mindestdicke der Proben s in Abhängigkeit vom Kugeldurchmesser D und vom mittleren Eindruckdurchmesser d

Kugeldurch-messer D in mm	Mindestdicke der Probe s in mm für mittleren Eindruckdurchmesser d in mm																		
	0,2	0,4	0,6	0,8	1,0	1,2	1,4	1,7	2,0	2,4	2,8	3,2	3,6	4,0	4,4	4,8	5,2	5,6	6,0
1	0,08	0,33	0,80	–	–	–	–	–	–	–	–	–	–	–	–	–	–	–	–
2	–	–	0,37	0,67	1,07	1,60	–	–	–	–	–	–	–	–	–	–	–	–	–
2,5	–	–	0,29	0,53	0,83	1,23	1,72	–	–	–	–	–	–	–	–	–	–	–	–
5	–	–	–	–	0,58	0,80	1,19	1,67	2,46	3,43	–	–	–	–	–	–	–	–	–
10	–	–	–	–	–	–	1,17	1,60	2,10	2,68	3,34	4,08	4,91	5,83	6,86	8,00			

Härteprüfung nach Rockwell — vgl. DIN EN 10 109 (1995-01), Ersatz für DIN 50 103

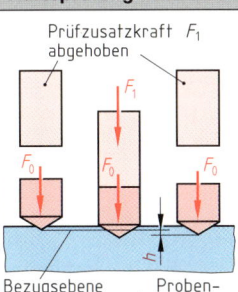

Prüfzusatzkraft F_1 abgehoben

Bezugsebene für Messung — Probenoberfläche

Bezugsebene für Messung

Härteskalen A, C, D

Zweck: Härteprüfung für alle Metalle.

Durchführung: Ein Eindringkörper wird in 2 Stufen in die Probe gedrückt. Aus der bleibenden Eindringtiefe h wird die Rockwellhärte abgeleitet.

F_0 Prüfvorkraft
F_1 Prüfzusatzkraft
h bleibende Eindringtiefe in mm

Beispiel für die Angabe der Rockwellhärte:

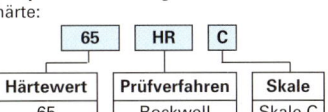

Härtewert	Prüfverfahren	Skale
65	Rockwell	Skale C

Rockwellhärte für Skalen A, C, D

$$\text{Rockwell-härte} = 100 - \frac{h}{0,002\ \text{mm}}$$

Rockwellhärte für Skalen B, E, F, G, H, K

$$\text{Rockwell-härte} = 130 - \frac{h}{0,002\ \text{mm}}$$

Rockwellhärte für Skalen N und T

$$\text{Rockwell-härte} = 100 - \frac{h}{0,001\ \text{mm}}$$

Skalen und Anwendungsbereiche der Härteprüfverfahren nach Rockwell

Skale	Härte	Eindringkörper	F_0 in N	F_1 in N	Anwendungsbereich
A	HRA	Diamantkegel Kegelwinkel 120°	98	490,3	20... 88 HRA
C	HRC		98	1373	20... 70 HRC
D	HRD		98	882,6	40... 77 HRD
B	HRB	Stahlkugel ⌀ 1,5785 mm	98	882,6	20...100 HRB
F	HRF		98	490,3	60...100 HRF
G	HRG		98	1373	30... 94 HRG
E	HRE	Stahlkugel ⌀ 3,175 mm	98	882,6	70...100 HRE
H	HRH		98	490,3	80...100 HRH
K	HRK		98	1373	40...100 HRK
15N	HR15N	Diamantkegel Kegelwinkel 120°	29,4	117,7	70... 94 HR15N
30N	HR30N		29,4	264,8	42... 86 HR30N
45N	HR45N		29,4	411,9	20... 77 HR45N
15T	HR15T	Stahlkugel ⌀ 1,5785 mm	29,4	117,7	67... 93 HR15T
30T	HR30T		29,4	264,8	29... 82 HR30T
45T	HR45T		29,4	411,9	1... 72 HR45T

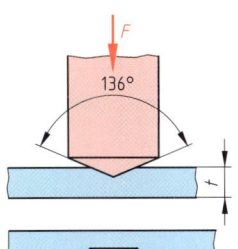

W

Härteprüfung nach Vickers — vgl. DIN EN ISO 6507-1 (1998-01), Ersatz für DIN 50 133

Zweck: Härteprüfung für alle Metalle, besonders für dünne Proben geeignet.

Durchführung: Eine Diamantpyramide mit quadratischer Grundfläche wird in den Probekörper eingedrückt. Aus der Diagonale d des Eindrucks kann die Vickershärte HV bestimmt werden.

F Prüfkraft
d Diagonale des Eindrucks
t Mindestdicke der Probe

Beispiele für die Angabe der Vickershärte:

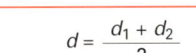

540 HV	1	/ 20
650 HV	5	

Härtewert	Prüfkraft F	Einwirkdauer
Vickershärte 540	1 · 9,80665 N = 9,807 N	Wertangabe: 20 s
Vickershärte 650	5 · 9,80665 N = 49,03 N	ohne Angabe: 10 bis 15 s

Diagonale des Eindrucks

$$d = \frac{d_1 + d_2}{2}$$

Mindestdicke

$$t \geq 1,5 \cdot d$$

Vickershärte

$$HV = 0,1891 \cdot \frac{F}{d^2}$$

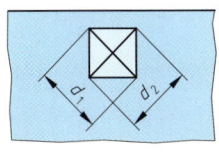

Prüfbedingungen und Prüfkräfte für die Härteprüfung nach Vickers

Prüfbedingung	HV 100	HV 50	HV 30	HV 20	HV 10	HV 5
Prüfkraft F in N	980,7	490,3	294,2	196,1	98,07	49,03
Prüfbedingung	HV 3	HV 2	HV 1	HV 0,5	HV 0,3	HV 0,2
Prüfkraft F in N	29,42	19,61	9,807	4,903	2,942	1,961

Werkstoffprüfung

Universalhärteprüfung
vgl. DIN 50 359-1 (1997-10)

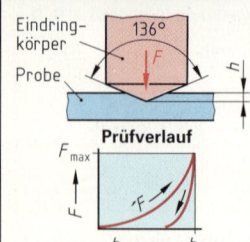

Eindring-
körper
136°
Probe
F
h

Prüfverlauf

F_{max}
F
F
$h \longrightarrow$ h_{max}

Zweck: Härteprüfung bei metallischen und nicht-metallischen Werkstoffen und dünnen Schichten, z.B. Beschichtungen von Werkzeugschneiden.

Durchführung: Eine Diamantpyramide mit quadratischer Grundfläche wird in den Probekörper eingedrückt. Die Prüfkraft wird entweder kraft- oder eindringtiefengesteuert aufgebracht. Die Veränderung der Eindringtiefe während der Kraftaufbringung wird registriert und ausgewertet.

F Prüfkraft
h Eindringtiefe

Universalhärte

$$HU = \frac{F}{26{,}43 \cdot h^2}$$

Beispiele:

| HU | 0,5 | | | = 8700 N/mm² |
| HU | 1,0 | / 20 | / 3 | = 4200 N/mm² |

Härteprüfverfahren	Prüfkraft	Prüfdauer	Kraftaufbringung	Universalhärtewert
Universalhärteprüfung	0,5 N	ohne Angabe: 3...10 s	ohne Angabe: kontinuierlich	8700 N/mm²
Universalhärteprüfung	1,0 N	Wertangabe: 20 s	gestuft: 3 Stufen	4200 N/mm²

Anwendungsbereiche für Universalhärteprüfung

Prüfbereich	Prüfkraft F in N	Eindringtiefe h in mm	Anwendung für
Makrobereich	2,5; 5; 10; 25; 50; 100; 250...10 000	bis 1	Metalle, Nichtmetalle, Hartstoffe
Mikrobereich	0,000001; 0,000025; 0,00005...2	über 0,0002	dünne Schichten

W

Umwertungstabelle für Härtewerte und Zugfestigkeit[1]
vgl. DIN 50 150 (1976-12)

Zugfestig-keit R_m N/mm²	Vickers-härte HV ($F \geqq 98$ N)	Brinell-härte[2] HB	Rockwellhärte				Zugfestig-keit R_m N/mm²	Vickers-härte HV ($F \geqq 98$ N)	Brinell-härte[2] HB	Rockwellhärte	
			HRC	HRA	HRB	HRF				HRC	HRA
255	80	76	–	–	–	–	1155	360	342	37	69
285	90	86	–	–	48	83	1220	380	361	39	70
320	100	95	–	–	56	87	1290	400	380	41	71
350	110	105	–	–	62	91	1350	420	399	43	72
385	120	114	–	–	67	94	1420	440	418	45	73
415	130	124	–	–	71	96	1485	460	437	46	74
450	140	133	–	–	75	99	1555	480	456	48	75
480	150	143	–	–	79	101	1595	490	466	48	75
510	160	152	–	–	82	104	1665	510	485	50	76
545	170	162	–	–	85	106	1740	530	504	51	76
575	180	171		–	87	107	1810	550	523	52	77
610	190	181		–	90	109	1880	570	542	54	78
640	200	190		–	92	110	1955	590	561	55	78
675	210	199		–	94	111	2030	610	580	56	79
705	220	209		–	95	112	2105	630	599	57	80
740	230	219	–	–	97	113	2180	650	618	58	80
770	240	228	20	61	98	114	–	670	636	59	81
800	250	238	22	62	100	115	–	690	–	60	81
835	260	247	24	62	101	–	–	720	–	61	82
865	270	257	26	63	102	–	–	760	–	63	83
900	280	266	27	64	104	–	–	800	–	64	83
930	290	276	29	65	105	–	–	840	–	65	84
965	300	285	30	65	–	–	–	880	–	66	85
1030	320	304	32	66	–	–	–	920	–	68	85
1095	340	323	34	68	–	–	–	940	–	68	86

[1] Gültig für unlegierte und niedriglegierte Stähle und Stahlguss im warmumgeformten oder wärmebehandelten Zustand. Bei hochlegierten und/oder kaltverfestigten Stählen sind erhebliche Abweichungen zu erwarten.

[2] Für Beanspruchungsgrad 30 ($F = 9{,}81 \cdot 30 \cdot D^2$), errechnet aus HB = 0,95 · HV

Bestimmung der Eigenschaften bei Zugbeanspruchung
vgl. DIN EN ISO 527 (1996-04)

typische Spannungs-Dehnungs-Kurven

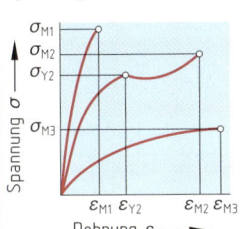

Probekörper

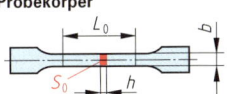

Zweck: Beurteilung des Verhaltens von Kunststoffen bei Beanspruchung auf Zug.

Durchführung: Der Probekörper wird bis zum Bruch gedehnt. Die Zugspannung σ und die Dehnung ε werden in einem Diagramm aufgezeichnet.

F_M	Höchstkraft
F_Y	Streckspannungskraft
ΔL_{FM}	Längenänderung bei Höchstkraft
ΔL_{FY}	Längenänderung bei Streckspannungskraft

L_0	Messlänge
S_0	Anfangsquerschnitt
σ_M	Zugfestigkeit
σ_Y	Streckspannung
ε_M	Höchstdehnung
ε_Y	Streckdehnung

Beispiel:
Zugversuch mit Probekörper 1B nach DIN EN ISO 527-2; F_M = 3,27 kN; σ_M = ?

$$\sigma_M = \frac{F_M}{S_0} = \frac{3270\ N}{10\ mm \cdot 4\ mm} = \textbf{81,75}\ \frac{N}{mm^2}$$

Zugfestigkeit
$$\sigma_M = \frac{F_M}{S_0}$$

Streckspannung
$$\sigma_Y = \frac{F_Y}{S_0}$$

Höchstdehnung
$$\varepsilon_M = \frac{\Delta L_{FM}}{L_0} \cdot 100\%$$

Streckdehnung
$$\varepsilon_Y = \frac{\Delta L_{FY}}{L_0} \cdot 100\%$$

Prüfgeschwindigkeiten			Probekörper nach						
			DIN EN ISO 527-2 für Formmassen				DIN EN ISO 527-3 für Folien		
Prüfgeschwindigkeit in mm/min		Tole-ranz	Typ	1A	1B	5A	5B	2	4	5
			L_0 mm	50 ± 0,5	50 ± 0,5	20 ± 0,5	10 ± 0,2	50 ± 0,5	50 ± 0,5	25 ± 0,25
1	2	5	10	±20%	h mm	4 ± 0,2	4 ± 0,2	≥ 2	≥ 1	≤ 1	≤ 1	≤ 1
20	50	100	200	500	±10%	b mm	10 ± 0,2	10 ± 0,2	4 ± 0,1	2 ± 0,1	10...25	25,4 ± 0,1	6 ± 0,4

⇨ **Zugversuch ISO 527-2/1A/50:** Zugversuch nach ISO 527-2; Probentyp 1A; Prüfgeschwindigkeit 50 mm/min

W

Härteprüfung von Kunststoffen durch Kugeleindruckversuch
vgl. DIN ISO 2039-1 (1990-09)

Kugeleindruckversuch

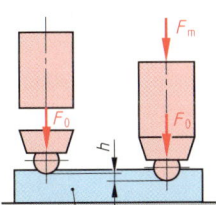

Probe

Zweck: Bestimmung der Härte bei Kunststoffen.

Durchführung: Eine gehärtete Stahlkugel mit d = 5 mm wird mit der Vorkraft F_0 = 9,81 N in die Probe gedrückt. Anschließend wird die Prüfkraft F_m aufgebracht und nach einer Einwirkdauer t = 30 s die Eindringtiefe h gemessen.

Prüfkraft F_m in N	Kugeldruckhärte H in N/mm² bei Eindrucktiefe h in mm									
	0,16	0,18	0,20	0,22	0,24	0,26	0,28	0,30	0,32	0,34
49	21,9	18,7	16,4	14,6	13,1	11,9	10,9	10,1	9,4	8,7
132	59,0	50,6	44,2	39,3	36,4	32,2	29,5	27,2	25,3	23,6
358	160	137	119	106	95,7	87,0	79,8	73,6	68,4	63,8
961	430	370	320	290	260	234	214	198	184	171

⇨ **Kugeldruckhärte ISO 2039-31 H 132:** H = 31 N/mm² bei F_m = 132 N

Härteprüfung nach Shore
vgl. DIN EN ISO 868 (1998-01), Ersatz für DIN 53 505

Eindringkörper

Eindringkörper für
Shore A **Shore D**

Zweck: Bestimmung der Härte von Elastomeren und weichen Thermoplasten.

Durchführung: Das Prüfgerät wird mit der Andruckkraft F_A auf die Probe mit der Dicke h gedrückt. Der Eindringkörper wird gegen die Federkraft F zurückgeschoben und dringt in die Probe ein. An einer Skale lässt sich die von der Eindringtiefe s abhängige Shorehärte ablesen.

Prüfbedingungen für Prüfverfahren Shore A und Shore D					
Prüfver-fahren	F_{max} N	F_A N	h_{min} mm	Bereich Shore	Anwendung
A	8,065	10	≥ 6	10...90	Weichgummi, Elastomere
D	44,50	50	≥ 6	30...90	Hartgummi, Thermoplaste

⇨ **75 Shore A:** Härtewert 75; Prüfverfahren Shore A

Korrosion und Korrosionsschutz

Elektrochemische Spannungsreihe der Metalle

Als **Normalpotenzial** bezeichnet man die Spannung zwischen einem Elektrodenwerkstoff und einer mit Wasserstoff umspülten Platinelektrode. Durch **Passivierung** kann sich die Stellung eines Werkstoffes in der Spannungsreihe verändern.

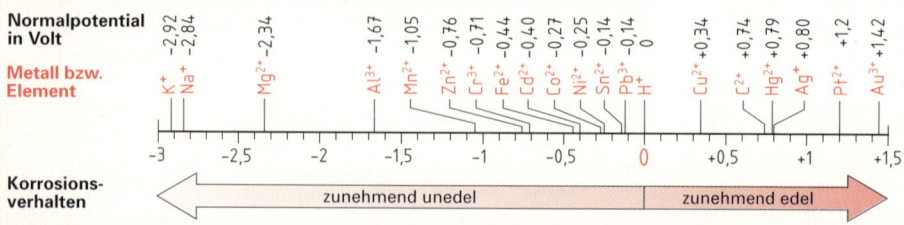

Beispiel: Elektrochemische Spannung Cu-Al = + 0,34 V − (− 1,67 V) = **2,01 V**

Beständigkeit der Metalle gegen aggressive Stoffe

Aggressive Stoffe[1]	Metalle[1]														
	Ag	Al	Au	Cd	Co	Cr	Cu	Fe	Mg	Mo	Ni	Pb	Sn	Ta	Ti	W
Salzsäure	●	○	●	◑	○	○	◐	◐	○	●	◐	◐	◐	●	●	●
Schwefelsäure	◐	○	●	◐	◐	○	◐	○	○	●	●	●	◐	●	◐	●
Salpetersäure	○	◐	●	○	○	●	○	◐	○	◐	◐	○	◐	●	●	◐
Natronlauge	●	○	●	◐	●	◐	◐	●	○	◐	◐	◐	◐	●	◐	●
Luft, feucht	●	◐	●	◐	◐	●	◐	○	◐	●	●	●	●	●	●	●
Luft, 400 °C	●	◐	●	◐	○	●	◑	◐	○	○	◐	◐	◐	●	○	●

Bedeutung der Zeichen:

- ● beständig, Angriff sehr gering
- ◐ bedingt beständig, Angriff abhängig von Konzentration, Temperatur und Zusammensetzung des aggressiven Stoffes
- ◑ wenig beständig
- ○ unbeständig, rasche Zersetzung

[1] Reine Stoffe; bei Anwesenheit von Beimengungen bzw. Legierungselementen kann sich das Verhalten ändern.

Richtlinien für die Vorbehandlung bei passivem Oberflächenschutz

Grundmetall	Überzug	Behandlungsfolge	Grundmetall	Überzug	Behandlungsfolge
Stahl	Lack, Farbe	11-20-1-30-1-3-5-33	Reinalumium	Anodisieren	10-1-22-1-26-1-5
	Nickel, Chrom	10-1-12-1-20-1-31-1	Al-Legierungen, siliciumhaltig	Anodisieren	11-13-1-25-1-5
	Zink, Cadmium	10-1-12-1-20-1-4-1		Galvanisieren	10-1-12-1-25-1-32-1
Kupfer	farbloser Lack	11-21-1-2-5	Al-Legierungen, magnesiumhaltig	Anodisieren	11-12-1-22-1-26-1-5
CuZn, CuSn	farbloser Lack	11-24-1-2-5		Galvanisieren	10-1-12-1-23-1-32-1
	Nickel, Chrom	10-1-13-1-21-1-31-1	Zink	Galvanisieren	10-1-12-1-25-1-31-1

Erläuterung der Kennziffern für Behandlungsfolgen

Kenn-ziffer	Behandlung	Kenn-ziffer	Behandlung
1	Spülen in Kaltwasser	20	Beizen in 10%iger Salzsäure, 20 °C, evtl. mit Zusatz von Phosphorsäure und Reaktionshemmern
2	Spülen in Heißwasser		
3	Spülen in 0,2- bis 1%iger Sodalösung (Passivieren)	21	Beizen in 5- bis 25%iger Schwefelsäure, 40 bis 80 °C
4	Spülen in 10%iger Cyanidlösung	22	Beizen in 10%iger Natronlauge, 80 bis 90 °C
5	Trocknen in Warmluft	23	Beizen in 3%iger Salpetersäure, 80 °C
		24	Gelbbrennen in einem Gemisch von konzentr. Salpetersäure mit konz. Schwefelsäure, 1 : 1
10	Kochentfetten in alkalischen Entfettungsbädern	25	Beizen in 3- bis 10%iger Flusssäure
11	Entfetten mit organischen Lösungsmitteln durch Abwaschen, Tauchen, Dampfbad	26	Beizen in 30%iger Salpetersäure
12	Katodische Entfettung in alkalischer Lösung	30	Phosphatieren, Chromatieren
		31	Vorverkupfern als Zwischenschicht
13	Anodische Entfettung in alkalischer Lösung	32	Zinkatbeize (Ausfällen von Zink)
		33	Grundieren mit Rostschutzfarbe

W

Abfallgesetz, § 2 Abs. 2

vgl. Abfallbestimmungsverordnung AbfBestV (1990-04)

Wichtige Grundsätze:

- Abfälle vermeiden, z. B. Rücknahmeverpflichtung von Verpackungsmaterial.
- Abfälle verwerten, z. B. Wiederaufbereitung oder Verbrennung zur Energiegewinnung.
- Abfälle so entsorgen, dass das Wohl der Allgemeinheit nicht beeinträchtigt wird.
- Umweltgefährdende Abfälle müssen bei den zuständigen Behörden angezeigt und ihre gesetzesgemäße Entsorgung nachgewiesen werden. Sie dürfen nicht mit hausmüllähnlichem Gewerbemüll entsorgt werden.
- Eine Übergabe der Abfälle an ein Transportunternehmen darf nur erfolgen, wenn die Transport- und die Entsorgungsgenehmigung vorliegen.

Auswahl besonders überwachungsbedürftiger Abfälle (Sonderabfälle) in Metallbetrieben

Abfall-schlüssel	Bezeichnung der Abfallart	Vorkommen, Bezeichnung bzw. Beschreibung	Besondere Hinweise für Entsorgung
18710	Papierfilter mit schädlichen Verunreinigungen, vorwiegend organisch	Filterfliese mit Schlamm aus der Kühlschmierstoffaufbereitung. Ölhaltige Papierfiltereinsätze (Korrosionsschutz)	Möglichkeit der Sammelentsorgung durch Sonderabfalltransporteur (Sammelentsorgungsnachweis notwendig).
35106	Eisenbehältnisse mit schädlichen Restinhalten	Dosen von Farben, Härtern, Reinigern, Klebern, Rost- und Silikonentferner, Spachtelmassen, Spraydosen	Entleerte Eisenbehältnisse können an Verwerter (Schrotthändler) abgegeben werden. Auf Spraydosen möglichst verzichten (hohe Lösungsmittelgehalte).
35323	Nickel-Cadmium-Akkumulatoren	Akkus für Handbohrmaschinen und -schrauber	Rückgabe an Lieferanten, öffentliche Sammelstellen, Schadstoffmobil.
35326	Quecksilberhaltige Rückstände	Leuchtstoffröhren, fälschlicherweise als „Neonröhren" bezeichnet	Rückgabe nicht zerstörter Leuchtstoffröhren an Lieferanten, Sonderabfallkleinmengensammlung oder Schadstoffmobil.
54106	Trafo-, Wärmeträger- und Hydrauliköle	Transformatoren, Heizungs- und Hydraulikanlagen	Entsorgung als Sonderabfall.
54109	Bohr-, Schneid- und Schleiföle	Überalterte oder unbrauchbare wasserfreie Bohr-, Dreh-, Schleif- und Schneidöle auf Mineralölbasis	Rückgabe an Lieferanten zur Verwertung. Nicht mit Wasser, Emulsionen, Kaltreiniger usw. vermischen.
54405	Kompressorkondensate	Luft- und Gasverdichter	Entsorgung als Sonderabfall.
54112	Verbrennungsmotoren- und Getriebeöl	Altöl und Getriebeöl, Hydrauliköl, Kompressoröl von Verdichtern	Rückgabe von Ölen bekannter Herkunft an den Lieferanten. Nicht mit anderen Stoffen mischen.
54209	Feste fett- und ölverschmutzte Betriebsmittel	Putzlappen, mit Öl oder Wachs verschmutzte Pinsel, Ölsaugemittel (Ölbinder), Öl- und Fettdosen; Erodierpatronenfilter	Putzlappen dem Putztuchrecycling (Spezialfirmen) zuführen. Erodierpatronenfilter werden meist vom Lieferanten zurückgenommen.
54401	Synthetische Kühl- und Schmiermittel	Bohr-, Kühlemulsionen, Kühlflüssigkeit, Kühlschmierstoff, Bohrwasser aus **synthetischen Ölen**	Zur Zeit gibt es keine Aufbereitungsmöglichkeit für synthetische Öle. Getrennte Entsorgung als Sonderabfall.
54402	Bohr- und Schleifemulsionen, Emulsionsgemische	Bohr-, Kühlemulsionen, Kühlflüssigkeit, Kühlschmierstoff, Bohrwasser, **aus mineralischen Ölen**	Rückgabe an Lieferanten zur Verwertung. Mineralische Öle nicht mit anderen Stoffen vermischen, da sonst keine Verwertung möglich ist.
54710	Schleifschlamm, ölhaltig	Metallschleifschlamm, Metallfeinspäne mit Anteil von Ölen oder Kühlschmierstoffen	Entsorgung als Sonderabfall.
57125	Ionenaustauscherharze mit schädlichen Verunreinigungen	Harz für Drahterodiermaschinen	Harz wird meist vom Lieferanten abgeholt.
57127	Kunststoffbehältnisse mit schädlichen Restinhalten	Kunststoffdosen mit Ölresten	Entsorgung als Sonderabfall bzw. Reststoff.

W

Gefährliche Stoffe

Maximale Arbeitsplatzkonzentration (MAK-Werte) vgl. TRGS 900[1] (1997)

Der MAK-Wert ist die höchstzulässige Konzentration eines Arbeitsstoffes (Gas, Dampf oder Schwebstoff) in der Luft am Arbeitsplatz. Diese Konzentration beeinträchtigt im Allgemeinen die Gesundheit der Beschäftigten nicht und belästigt sie nicht unangemessen. Zugrunde gelegt wird, dass der Beschäftigte dem Arbeitsstoff wiederholt und langfristig, in der Regel täglich 8 Stunden, ausgesetzt ist. Die durchschnittliche Wochenarbeitszeit wird dabei mit 40 Stunden angesetzt.

Stoff	Chemische Formel	MAK ml/m³	MAK mg/m³	Gefähr-lichkeit[2]	Stoff	Chemische Formel	MAK ml/m³	MAK mg/m³	Gefähr-lichkeit[2]
Aceton	$CH_3\text{-}CO\text{-}CH_3$	500	1200	–	Nickel (Staub)	Ni	–	0,5[3]	III A1
Ammoniak	NH_3	20	14	C	Nikotin	–	0,07	0,47	H
Asbest (Faserstaub)	–	–	–	III A1	Ozon	O_3	–	–	III B
Benzol	C_6H_6	1[3]	3,3[3]	H, III A1	Phenol	C_6H_5OH	5	20	H
Blei	Pb	–	0,1	B	Propan	C_3H_8	1000	1800	–
Bleitraethyl (Antiklopfmittel)	$Pb\,(C_2H_5)_4$	–	0,05	D, H	Quecksilber	Hg	0,01	0,1	–
Butan	C_4H_{10}	1000	2400	–	Quecksilber-Verbindungen	–	–	0,01	H, S
Cadmium und Cd-Verbindungen	Cd	–	–	III A2	Salpetersäure	HNO_3	2	5,2	–
Chlor	Cl_2	0,5	1,5	C	Salzsäure	HCl	5	7,6	C
Eisenoxid (Staub)	Fe_2O_3; FeO	–	1,5	–	Schwefeldioxid	SO_2	2	5,3	–
Ethanol	C_2H_5OH	1000	1900	C	Schwefelsäure	H_2SO_4	–	1	–
Flusssäure	HF	3	2,5	–	Silber	Ag	–	0,1	–
Kohlendioxid	CO_2	5000	9100	–	Siliciumkarbid	SiC	–	4	–
Kohlenmonoxid	CO	30	35	B	Styrol	$C_6H_5CH \cdot CH_2$	20	86	C
Kühlschmierstoffe	–	–	–	III B	Terpentinöl	–	100	560	S
Kupfer (Staub)	Cu	–	1	–	Tetrachlorethen („Per")	$Cl_2C = CCl_2$	–	–	III B, H
Magnesiumoxid (Feinstaub)	MgO	–	1,5	–	Trichlorethen („Tri")	$CHCl = CCl_2$	–	–	III A1
Methylalkohol	CH_3OH	200	270	H, C					

W

[1] Technische Regeln für Gefahrstoffe (Auswahl aus Bundesarbeitsblatt).
[2] B: Wahrscheinliches Risiko der Fruchtschädigung bei Schwangerschaft.
C: Fruchtschädigung bei Einhaltung der MAK-Werte nicht zu befürchten.
D: Fruchtschädigung noch nicht sicher beweisbar.
H: Diese Stoffe können durch die Haut in die Blutbahn gelangen. Die Vergiftungsgefahr ist unter Umständen größer als durch Einatmen. Auf gründliche Reinigung von Haut und Kleidung ist zu achten!
S: Diese Stoffe verursachen Überempfindlichkeitsreaktionen allergischer Art.
III A1: Eindeutig als krebserzeugend ausgewiesene Arbeitsstoffe, verursachen beim Menschen bösartige Geschwulste.
III A2: Im Tierversuch eindeutig als krebserzeugender Arbeitsstoff erwiesen.
III B: Stoffe mit begründetem Verdacht auf krebserzeugendes Potenzial.
[3] Technische Richtkonzentration; auch bei Einhaltung ist Gesundheitsgefährdung nicht vollständig auszuschließen.

Stoffwerte gefährlicher Gase

Gas	Dichte-verhältnis zu Luft	Zünd-temperatur	Theore-tischer Luftbedarf kg/kg Gas	untere Zündgrenze Vol% Gas in Luft	obere Zündgrenze Vol% Gas in Luft	Sonstige Hinweise
Acetylen	0,91	305 °C	13,25	1,5	82	Bei einem Druck $p_e > 2$ bar Selbstzerfall und Explosion
Argon	1,38	unbrennbar	–	–	–	Verdrängt Atemluft; Erstickungsgefahr
Butan	2,11	365 °C	15,4	1,5	8,5	Narkotische Wirkung; wirkt erstickend
Kohlendioxid	1,53	unbrennbar	–	–	–	Flüssiges CO_2 und Trockeneis führen zu schweren Erfrierungen
Kohlenmonoxid	0,97	605 °C	2,5	12,5	74	Starkes Blutgift; Seh-, Lungen-, Leber-, Nieren- und Gehörschäden
Propan	1,55	470 °C	15,6	2,1	9,5	Verdrängt Atemluft; flüssiges Propan verursacht Haut- und Augenschäden
Sauerstoff	1,1	unbrennbar	–	–	–	Fette und Öle reagieren mit Sauerstoff explosionsartig; brandförderndes Gas
Stickstoff	0,97	unbrennbar	–	–	–	In geschlossenen Räumen wird Atemluft verdrängt, Erstickungsgefahr
Wasserstoff	0,07	570 °C	34	4	75,6	Selbstentzündung bei hohen Ausström-geschwindigkeiten; bildet mit Luft, O_2 und Cl explosionsfähige Gemische

Gefahrstoffe

Gefahrstoffe sind Stoffe und Zubereitungen, die explosionsgefährlich, brandfördernd, hochentzündlich, leichtentzündlich, entzündlich, sehr giftig, giftig, gesundheitsschädlich, ätzend, reizend, sensibilisierend, krebserzeugend, fruchtschädigend, erbgutverändernd oder umweltgefährdend sind oder die erfahrungsgemäß Krankheitsträger übertragen können. Die Gefahrstoffverordnung (GefStoffV), das Chemikaliengesetz (ChemG), Technische Regeln für gefährliche Stoffe (TRGS) u. a. regeln Herstellung, Inverkehrbringen, Umgang und Verwendung gefährlicher Stoffe. Vorgeschrieben ist eine Kennzeichnungspflicht u. a. durch Gefahrsymbole (Seite 128 D), Hinweise auf besondere Gefahren (R-Sätze) und Sicherheitsratschläge (S-Sätze). Detailliertere Informationen können den Sicherheitsdatenblättern für die einzelnen Gefahrstoffe entnommen werden.

R-Sätze: Hinweise auf besondere Gefahren

GefStoffV[1] (1993-10)

R-Satz	Bedeutung	R-Satz	Bedeutung
R 1	Im trockenen Zustand explosionsgefährlich	R 32	Entwickelt bei Berührung mit Alkalien sehr giftige Gase
R 2	Durch Schlag, Reibung, Feuer oder andere Zündquellen explosionsgefährlich	R 33	Gefahr kumulativer Wirkungen
		R 34	Verursacht Verätzungen
R 3	Durch Schlag, Reibung, Feuer oder andere Zündquellen besonders explosionsgefährlich	R 35	Verursacht schwere Verätzungen
		R 36	Reizt die Augen
R 4	Bildet hochempfindliche explosionsgefährliche Metallverbindungen	R 37	Reizt die Atmungsorgane
		R 38	Reizt die Haut
R 5	Beim Erwärmen explosionsfähig	R 39	Ernste Gefahr irreversiblen Schadens
R 6	Mit oder ohne Luft explosionsfähig	R 40	Irreversibler Schaden möglich
R 7	Kann Brand verursachen	R 41	Gefahr ernster Augenschäden
R 8	Feuergefahr bei Berührung mit brennbaren Stoffen	R 42	Sensibilisierung durch Einatmen möglich
R 10	Entzündlich	R 43	Sensibilisierung durch Hautkontakt möglich
R 11	Leichtentzündlich	R 44	Explosionsgefahr bei Erhitzen unter Einschluss
R 12	Hochentzündlich	R 45	Kann Krebs erzeugen
R 13	Hochentzündliches Flüssiggas	R 46	Kann vererbbare Schäden verursachen
R 14	Reagiert heftig mit Wasser	R 47	Kann Missbildungen verursachen
R 15	Reagiert mit Wasser unter Bildung leicht entzündlicher Gase	R 48	Gefahr ernster Gesundheitsschäden bei längerer Exposition (Ausgesetztsein)
R 16	Explosionsgefährlich in Mischung mit brandfördernden Stoffen	R 49	Kann Krebs erzeugen beim Einatmen
		R 50	Sehr giftig für Wasserorganismen
R 17	Selbstentzündlich an der Luft	R 51	Giftig für Wasserorganismen
R 18	Bei Gebrauch Bildung explosionsfähiger/ leichtentzündlicher Dampf-Luftgemische möglich	R 52	Schädlich für Wasserorganismen
		R 53	Kann in Gewässern längerfristig schädliche Wirkungen haben
R 19	Kann explosionsfähige Peroxide bilden	R 54	Giftig für Pflanzen
R 20	Gesundheitsschädlich beim Einatmen	R 55	Giftig für Tiere
R 21	Gesundheitsschädlich beim Berühren mit der Hand	R 56	Giftig für Bodenorganismen
		R 57	Giftig für Bienen
R 22	Gesundheitsschädlich beim Verschlucken	R 58	Kann längerfristig schädliche Wirkungen auf die Umwelt haben
R 23	Giftig beim Einatmen		
R 24	Giftig bei Berührung mit der Haut	R 59	Gefährlich für die Ozonschicht
R 25	Giftig beim Verschlucken	R 60	Kann die Fortpflanzungsfähigkeit beeinträchtigen
R 26	Sehr giftig beim Einatmen	R 61	Kann das Kind im Mutterleib schädigen
R 27	Sehr giftig bei Berührung mit der Haut	R 62	Kann möglicherweise die Fortpflanzungsfähigkeit beeinträchtigen
R 28	Sehr giftig beim Verschlucken		
R 29	Entwickelt bei Berührung mit Wasser giftige Gase	R 63	Kann das Kind im Mutterleib möglicherweise schädigen
R 31	Entwickelt bei Berührung mit Säure giftige Gase	R 64	Kann Säuglinge über die Muttermilch schädigen

Kombinationen der R-Sätze sind möglich; z. B. R 23/24: giftig beim Einatmen und bei Berührung mit der Hand.
[1] Gefahrstoffverordnung

W

Gefahrstoffe

	S-Sätze: Sicherheitsratschläge			GefStoffV[1] (1993-10)

S-Satz	Bedeutung	S-Satz	Bedeutung
S 1	Unter Verschluss aufbewahren	S 38	Bei unzureichender Belüftung Atemschutz-gerät anlegen
S 2	Darf nicht in die Hände von Kindern gelangen	S 39	Schutzbrille/Gesichtsschutz tragen
S 3	Kühl aufbewahren	S 40	Fußboden und verunreinigte Gegenstände mit ... reinigen (vom Hersteller anzugeben)
S 4	Von Wohnplätzen fernhalten		
S 5	Unter ... aufbewahren (geeignete Flüssigkeit vom Hersteller anzugeben)	S 41	Explosions- und Brandgase nicht einatmen
S 6	Unter ... aufbewahren (inertes Gas vom Hersteller anzugeben)	S 42	Beim Räuchern/Versprühen geeignetes Atemschutzgerät anlegen (geeignete Bezeichnung(en) vom Hersteller anzugeben)
S 7	Behälter dicht geschlossen halten		
S 8	Behälter trocken halten	S 43	Zum Löschen ... (vom Hersteller anzugeben) verwenden; (wenn Wasser die Gefahr er-höht anfügen: „kein Wasser verwenden")
S 9	Behälter an einem gut gelüfteten Ort aufbewahren		
S 12	Behälter nicht gasdicht verschließen		
S 13	Von Nahrungsmitteln, Getränken und Futtermitteln fernhalten	S 44	Bei Unwohlsein ärztlichen Rat einholen (wenn möglich dieses Etikett vorzeigen)
S 14	Von ... fernhalten (inkompatible Substanzen sind vom Hersteller anzugeben)	S 45	Bei Unfall oder Unwohlsein sofort Arzt hinzuziehen (wenn möglich dieses Etikett vorzeigen
S 15	Vor Hitze schützen		
S 16	Von Zündquellen fernhalten – Nicht rauchen	S 46	Bei Verschlucken sofort ärztlichen Rat ein-holen und Verpackung oder Etikett vorzeigen
S 17	Von brennbaren Stoffen fernhalten		
S 18	Behälter mit Vorsicht öffnen und handhaben	S 47	Bei Temperaturen über ... °C aufbewahren (vom Hersteller anzugeben)
S 20	Bei der Arbeit nicht essen und trinken		
S 21	Bei der Arbeit nicht rauchen	S 48	Feucht halten mit ... (geeignetes Mittel vom Hersteller anzugeben)
S 22	Staub nicht einatmen		
S 23	Gas/Rauch/Aerosol nicht einatmen (geeignete Bezeichnung(en) sind vom Hersteller anzugeben	S 49	Nur im Originalbehälter aufbewahren
		S 50	Nicht mischen ... (vom Hersteller anzugeben)
S 24	Berührung mit der Haut vermeiden	S 51	Nur in gut belüfteten Bereichen verwenden
S 25	Berührung mit den Augen vermeiden	S 52	Nicht großflächig in Wohn- und Aufenthalts-räumen zu verwenden
S 26	Bei Berührung mit den Augen gründlich mit Wasser abspülen und Arzt konsultieren		
S 27	Beschmutzte, getränkte Kleidung sofort ausziehen	S 53	Exposition vermeiden, vor Gebrauch besondere Anweisungen einholen
S 28	Bei Berührung mit der Haut sofort abwaschen mit viel ... (vom Hersteller anzugeben)	S 56	Diesen Stoff und seinen Behälter der Problemabfallentsorgung zuführen
S 29	Nicht in die Kanalisation gelangen lassen	S 57	Zur Vermeidung einer Kontamination der Umwelt geeigneten Behälter verwenden
S 30	Niemals Wasser hinzugießen		
S 33	Maßnahmen gegen elektrostatische Auf-ladungen treffen	S 59	Information zur Wiederverwendung/Wiederverwertung beim Hersteller/Lieferanten erfragen
S 34	Schlag und Reibung vermeiden	S 60	Dieser Stoff und sein Behälter sind als gefährlicher Abfall zu entsorgen
S 35	Abfälle und Behälter müssen in gesicherter Weise beseitigt werden	S 61	Freisetzung in die Umwelt vermeiden. Besondere Anweisungen einholen/Sicher-heitsdatenblatt zu Rate ziehen
S 36	Bei der Arbeit geeignete Schutzkleidung tragen	S 62	Bei Verschlucken kein Erbrechen herbei-führen. Sofort ärztlichen Rat einholen und Verpackung oder dieses Etikett vorzeigen
S 37	Geeignete Schutzhandschuhe tragen		

Kombinationen der S-Sätze sind möglich; z. B. S 20/21: Bei der Arbeit nicht essen, trinken, rauchen.

[1] Gefahrstoffverordnung

W

$e_2 = 1,1547 \cdot s$
$s = 0,8660 \cdot e_2$

N

Gewinde

Übersicht über die Gewindearten
vgl. DIN 202 (1988-01)

Rechtsgewinde, eingängig

Gewinde-benennung	Gewindeprofil	Kenn-buch-stabe	Bezeichnungs-beispiel	Nenngröße	Anwendung
Metrisches ISO-Gewinde		M	DIN 14 – M 08	0,3 bis 0,9 mm	Uhren, Feinwerktechnik
			DIN 13 – M 30	1 bis 68 mm	allgemein (Regelgewinde)
			DIN 13 – M 20 × 1	1 bis 1000 mm	allgemein (Feingewinde)
Metr. Gewinde mit großem Spiel			DIN 2510 – M 36	12 bis 180 mm	Schrauben mit Dehnschaft
Metr. zylind. Innengewinde			DIN 158 – M 30 × 2	6 bis 60 mm	Verschlussschrauben und Schmiernippel
Metrisches kegeliges Außengewinde			DIN 158 – M 30 × 2 keg	6 bis 60 mm	Verschlussschrauben und Schmiernippel
Rohrgewinde, zylindrisch		G	DIN ISO 228 – G1$^1/_2$ (innen) DIN ISO 228 – G$^1/_2$A (außen)	$^1/_8$ bis 6 inch	nicht im Gewinde dichtend
Zylindrisches Rohrgewinde (Innengewinde)		Rp	DIN 2999 – Rp $^1/_2$	$^1/_{16}$ bis 6 inch	Rohrgewinde, im Gewinde dichtend für Gewinderohre, Fittings, Rohrverschraubungen
			DIN 3858 – Rp $^1/_8$	$^1/_8$ bis 1$^1/_2$ inch	
Kegeliges Rohrgewinde (Außengewinde)		R	DIN 2999 – R $^1/_2$	$^1/_{16}$ bis 6 inch	
			DIN 3859 – R $^1/_8$-1	$^1/_8$ bis 1$^1/_2$ inch	
Metrisches ISO-Trapezgewinde		Tr	DIN 103 – Tr 40 × 7	8 bis 300 mm	allgemein als Bewegungsgewinde
Sägengewinde		S	DIN 513 – S 48 × 8	10 bis 640 mm	allgemein als Bewegungsgewinde
Rundgewinde		Rd	DIN 405 – Rd 40 × $^1/_6$	8 bis 200 mm	allgemein
			DIN 20 400 – Rd 40 × 5	10 bis 300 mm	Rundgewinde mit großer Tragtiefe
Stahlpanzer-rohrgewinde		Pg	DIN 40 430 – Pg 21	Pg 7 bis Pg 48	Elektrotechnik

Linksgewinde und mehrgängige Gewinde

Gewindeart	Erläuterung	Kurzbezeichnung
Linksgewinde	Das Kurzzeichen „LH" ist hinter die vollständige Gewindebezeichnung zu setzen (LH = Left-Hand).	M 30 – LH Tr 40 × 7 – LH
Mehrgängiges Rechtsgewinde	Hinter dem Kurzzeichen und dem Gewindedurchmesser folgt die Steigung P_h und die Teilung P.	Tr 40 × 14 P7
Mehrgängiges Linksgewinde	Hinter die Gewindebezeichnung des mehrgängigen Gewindes wird „LH" gesetzt.	Tr 40 × 14 P7 – LH

Bei Teilen, die mit Rechts- und Linksgewinde versehen sind, ist hinter die Gewindebezeichnung des Rechtsgewindes das Kurzzeichen „RH" (RH = Right-Hand) und hinter das Linksgewinde „LH" zu setzen. Die Gangzahl bei mehrgängigen Gewinden ergibt sich aus der Beziehung **Gangzahl = Steigung P_h : Teilung P.**

N

Gewinde nach ausländischen Normen (Auswahl) — vgl. DIN 202 (1988-01)

Gewindebenennung	Gewindeprofil	Kurz-zeichen	Bezeichnungs-beispiel	Bedeutung	Land
Einheitsgewinde, grob (Unified Coarse Thread)		UNC	$^1/_4 - 20$ UNC $-$ 2A	UNC-Gewinde mit $^1/_4$ inch Nenn-durchmesser, 20 Gewinde-gänge/inch, Passungsklasse 2A	USA, GB, CDN
Einheits-Feingewinde (Unified Fine Thread)	Muttergewinde	UNF	$^1/_4 - 28$ UNF $-$ 3A	UNF-Gewinde mit $^1/_4$ inch Nenn-durchmesser, 28 Gewinde-gänge/inch, Passungsklasse 3A	USA, GB, CDN
Einheitsgewinde, extra fein (Unified Extra-fine Thread)	Bolzengewinde P	UNEF	$^1/_4 - 32$ UNEF $-$ 3A	UNEF-Gewinde mit $^1/_4$ inch Nenn-durchmesser, 32 Gewinde-gänge/inch, Passungsklasse 3A	USA, GB, CDN
Einheits-Sondergewinde (Unified Special Thread)		UNS	$^1/_4 - 27$ UNS	UNS-Gewinde mit $^1/_4$ inch Nenn-durchmesser, 27 Gewinde-gänge/inch	USA, GB, CDN
Zylindrisches Rohrgewinde für mechanische Verbindungen (Straight Pipe Threads for Mechanical joints)	zylindrisches Muttergewinde P 60° zylindrisches Bolzengewinde	NPSM	$^1/_2 - 14$ NPSM	NPSM-Gewinde mit $^1/_2$ inch Nenn-durchmesser, 14 Gewinde-gänge/inch	USA
Amerikanisches Standard-Rohrgewinde, kegelig (American Standard Taper-Pipe Thread)	kegeliges Muttergewinde 1:16 60° P kegeliges Bolzengewinde	NPT	$^3/_8 - 18$ NPT	NPT-Gewinde mit $^3/_8$ inch Nenn-durchmesser, 18 Gewinde-gänge/inch	USA
Amerikanisches kegeliges Fein-Rohrgewinde (American Standard Taper Pipe Thread, Fine)		NPTF	$^1/_2 - 14$ NPTF (dryseal)	NPTF-Gewinde mit $^1/_2$ inch Nenn-durchmesser, 14 Gewinde-gänge/inch (trocken dichtend)	USA
Amerikanisches Trapezgewinde $h = 0,5 \cdot P$	Muttergewinde P 29° h Bolzengewinde	Acme	$1^3/_4 - 4$ Acme $-$ 2G	Acme-Gewinde mit $1^3/_4$ inch Nenn-durchmesser, 4 Gewinde-gänge/inch, Passungsklasse 2G	USA, GB
Amerikanisches abgeflachtes Trapezgewinde $h = 0,3 \cdot P$		Stub-Acme	$^1/_2 - 20$ Stub-Acme	Stub-Acme-Gewinde mit $^1/_2$ inch Nenndurchmesser, 20 Gewinde-gänge/inch	USA

N

Gewinde

Metrisches ISO-Gewinde, Abmessungen

Muttergewinde

Bolzengewinde

Nenndurchmesser	$d = D$
Steigung	P
Gewindetiefe des Bolzengewindes	$h_3 = 0,6134 \cdot P$
Gewindetiefe des Muttergewindes	$H_1 = 0,5413 \cdot P$
Rundung	$R = 0,1443 \cdot P$
Flanken-$\varnothing$	$d_2 = D_2 = d - 0,6495 \cdot P$
Kern-$\varnothing$ des Bolzengewindes	$d_3 = d - 1,2269 \cdot P$
Kern-$\varnothing$ des Muttergewindes	$D_1 = d - 1,0825 \cdot P$
Kernlochbohrer-$\varnothing$	$= d - P$
Flankenwinkel	$60°$
Spannungsquerschnitt	$S = \dfrac{\pi}{4} \cdot \left(\dfrac{d_2 + d_3}{2} \right)^2$

Regelgewinde Reihe 1[1]   Maße in mm   vgl. DIN 13-1 (1986-12)

Gewinde-bezeich-nung $d = D$	Stei-gung P	Flan-ken-$\varnothing$ $d_2 = D_2$	Kern-$\varnothing$ Bolzen d_3	Kern-$\varnothing$ Mutter D_1	Gewinde-tiefe Bolzen h_3	Gewinde-tiefe Mutter H_1	Run-dung R	Span-nungs-quer-schnitt S mm²	Bohrer-$\varnothing$ DIN 336 (1997-04)	Sechs-kant-schlüs-sel-weite[2]
M 1	0,25	0,84	0,69	0,73	0,15	0,14	0,04	0,46	0,75	–
M 1,2	0,25	1,04	0,89	0,93	0,15	0,14	0,04	0,73	0,95	–
M 1,6	0,35	1,38	1,17	1,22	0,22	0,19	0,05	1,27	1,25	3,2
M 2	0,4	1,74	1,51	1,57	0,25	0,22	0,06	2,07	1,6	4
M 2,5	0,45	2,21	1,95	2,01	0,28	0,24	0,07	3,39	2,05	5
M 3	0,5	2,68	2,39	2,46	0,31	0,27	0,07	5,03	2,5	5,5
M 4	0,7	3,55	3,14	3,24	0,43	0,38	0,10	8,78	3,3	7
M 5	0,8	4,48	4,02	4,13	0,49	0,43	0,12	14,2	4,2	8
M 6	1	5,35	4,77	4,92	0,61	0,54	0,14	20,1	5,0	10
M 8	1,25	7,19	6,47	6,65	0,77	0,68	0,18	36,6	6,8	13
M 10	1,5	9,03	8,16	8,38	0,92	0,81	0,22	58,0	8,5	16
M 12	1,75	10,86	9,85	10,11	1,07	0,95	0,25	84,3	10,2	18
M 16	2	14,70	13,55	13,84	1,23	1,08	0,29	157	14	24
M 20	2,5	18,38	16,93	17,29	1,53	1,35	0,36	245	17,5	30
M 24	3	22,05	20,32	20,75	1,84	1,62	0,43	353	21	36
M 30	3,5	27,73	25,71	26,21	2,15	1,89	0,51	561	26,5	46
M 36	4	33,40	31,09	31,67	2,45	2,17	0,58	817	32	55
M 42	4,5	39,08	36,48	37,13	2,76	2,44	0,65	1121	37,5	65
M 48	5	44,75	41,87	42,59	3,07	2,71	0,72	1473	43	75
M 56	5,5	52,43	49,25	50,05	3,37	2,98	0,79	2030	50,5	85
M 64	6	60,10	56,64	57,51	3,68	3,25	0,87	2676	58	95

Feingewinde   Maße in mm   vgl. DIN 13-2...10 (1986-12)

Gewinde-bezeichnung $d \times P$	Flanken-$\varnothing$ $d_2 = D_2$	Kern-$\varnothing$ Bolzen d_3	Kern-$\varnothing$ Mutter D_1	Gewinde-bezeichnung $d \times P$	Flanken-$\varnothing$ $d_2 = D_2$	Kern-$\varnothing$ Bolzen d_3	Kern-$\varnothing$ Mutter D_1	Gewinde-bezeichnung $d \times P$	Flanken-$\varnothing$ $d_2 = D_2$	Kern-$\varnothing$ Bolzen d_3	Kern-$\varnothing$ Mutter D_1
M 2 × 0,25	1,84	1,69	1,73	M 10 × 0,25	9,84	9,69	9,73	M 24 × 2	22,70	21,55	21,84
M 3 × 0,25	2,84	2,69	2,73	M 10 × 0,5	9,68	9,39	9,46	M 30 × 1,5	29,03	28,16	28,38
M 4 × 0,2	3,87	3,76	3,78	M 10 × 1	9,35	8,77	8,92	M 30 × 2	28,70	27,55	27,84
M 4 × 0,35	3,77	3,57	3,62	M 12 × 0,35	11,77	11,57	11,62	M 36 × 1,5	35,03	34,16	34,38
M 5 × 0,25	4,84	4,69	4,73	M 12 × 0,5	11,68	11,39	11,46	M 36 × 2	34,70	33,55	33,84
M 5 × 0,5	4,68	4,39	4,46	M 12 × 1	11,35	10,77	10,92	M 42 × 1,5	41,03	40,16	40,38
M 6 × 0,25	5,84	5,69	5,73	M 16 × 0,5	15,68	15,39	15,46	M 42 × 2	40,70	39,55	39,84
M 6 × 0,5	5,68	5,39	5,46	M 16 × 1	15,35	14,77	14,92	M 48 × 1,5	47,03	46,16	46,38
M 6 × 0,75	5,51	5,08	5,19	M 16 × 1,5	15,03	14,16	14,38	M 48 × 2	46,70	45,55	45,84
M 8 × 0,25	7,84	7,69	7,73	M 20 × 1	19,35	18,77	18,92	M 56 × 1,5	55,03	54,16	54,38
M 8 × 0,5	7,68	7,39	7,46	M 20 × 1,5	19,03	18,16	18,38	M 56 × 2	54,70	53,55	53,84
M 8 × 1	7,35	6,77	6,92	M 24 × 1,5	23,03	22,16	22,38	M 64 × 2	62,70	61,55	61,84

[1] Reihe 2 und Reihe 3 enthalten auch Zwischengrößen (z. B. M7, M9, M14);   [2] vgl. DIN ISO 272 (1979-10)

Metrisches kegeliges Außengewinde mit zugehörigem zylindrischen Innengewinde (Regelausführung)   vgl. DIN 158-1 (1997-06)

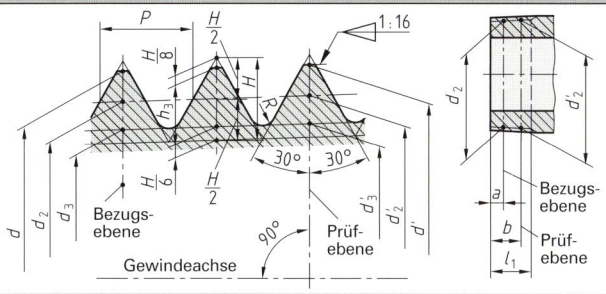

Gewindemaße des Außengewindes

Flanken-$\varnothing$ $d_2 = d - 0{,}650 \cdot P$
Kern-$\varnothing$ $d_3 = 1{,}23 \cdot P$
Höhe $H_1 = 0{,}866 \cdot P$
Gewindetiefe $h_3 = 0{,}613 \cdot P$
Radius $R = 0{,}144 \cdot P$

N

Gewindemaße				Maße in der Bezugsebene				Maße in der Prüfebene			
Gewinde-$\varnothing$ $d \times$ Steigung P	Gewinde-länge l_1	Gewinde-tiefe h_3 max.	Ab-stand a	Gewindemaße			Ab-stand b	Gewindemaße		
				$d = D^{1)}$	$d_2 = D_2{}^{2)}$	d_3		d'	d'_2	d'_3
M 5 keg	5	0,52	2	5	4,48	4,02	2,8	5,05	4,5	4,07
M 6 keg				6	5,35	4,77		6,06	5,4	4,84
M 8 × 1 keg	5,5	0,66	2,5	8	7,35	6,77	3,5	8,06	7,4	6,84
M 10 × 1 keg				10	9,35	8,77		10,06	9,4	8,84
M 12 × 1 keg				12	11,35	10,77		12,06	11,4	10,84
M 10 × 1,25 keg	7	0,82	3	10	9,19	8,47	5	10,13	9,3	8,59
M 12 × 1,25 keg				12	11,19	10,47		12,13	11,3	10,59
M 12 × 1,5 keg				12	11,03	10,16		12,19	11,2	10,35
M 14 × 1,5 keg				14	13,03	12,16		14,19	13,2	12,35
M 16 × 1,5 keg				16	15,03	14,16		16,19	15,2	14,35
M 18 × 1,5 keg	8,5	0,98	3,5	18	17,03	16,16	6,5	18,19	17,2	16,35
M 20 × 1,5 keg				20	19,03	18,16		20,19	19,2	18,35
M 22 × 1,5 keg				22	21,03	20,16		22,19	21,2	20,35
M 24 × 1,5 keg				24	23,03	22,16		24,19	23,2	22,35
M 26 × 1,5 keg				26	25,03	24,16		26,19	25,2	24,35
M 30 × 1,5 keg				30	29,03	28,16		30,19	29,2	28,35
M 36 × 1,5 keg				36	35,03	34,16		36,22	35,2	34,38
M 38 × 1,5 keg				38	37,03	36,16		38,22	37,2	36,38
M 42 × 1,5 keg	10,5	1,01	4,5	42	41,03	40,16	8	42,22	41,2	40,38
M 45 × 1,5 keg				45	44,03	43,16		45,22	44,2	43,38
M 48 × 1,5 keg				48	47,03	46,16		48,22	47,2	46,38
M 52 × 1,5 keg				52	51,03	50,16		52,22	51,2	50,38
M 27 × 2 keg				27	25,70	24,55		27,25	25,9	24,80
M 30 × 2 keg	12	1,32	5	30	28,70	27,55	9	30,25	28,9	27,80
M 33 × 2 keg				33	31,70	30,55		33,25	31,9	30,80
M 36 × 2 keg				36	34,70	33,55		36,25	34,9	33,80
M 39 × 2 keg				39	37,70	36,55		39,25	37,9	36,80
M 42 × 2 keg				42	40,70	39,55		42,25	40,9	39,80
M 45 × 2 keg	13	1,34	6	45	43,70	42,55	10	45,25	43,9	42,80
M 48 × 2 keg				48	46,70	45,55		48,25	46,9	45,80
M 52 × 2 keg				52	50,70	49,55		52,25	50,9	49,80
M 56 × 2 keg				56	54,70	53,55		56,25	54,9	53,80
M 60 × 2 keg				60	58,70	57,55		60,25	58,9	57,80

➡ **Gewinde DIN 158 – M 30 x 2 keg:** Metr. kegeliges Außengewinde, $d = 30$ mm, $P = 2$ mm, Regelausführung
    Anwendung: für selbstdichtende Verbindungen (z.B. Verschlussschrauben, Schmiernippel). Bei größeren Nenndurchmessern wird ein im Gewinde wirkendes Dichtmittel empfohlen.
[1] D Außendurchmesser des Innengewindes   [2] D_2 Flankendurchmesser des Innengewindes

Gewinde

Whitworth-Gewinde (nicht genormt)

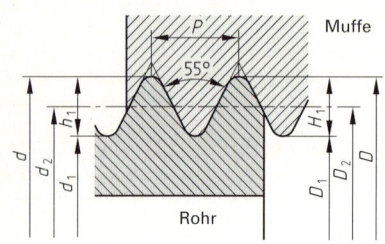

Muttergewinde

Bolzengewinde

Außendurchmesser	$d = D$
Kerndurchmesser	$d_1 = D_1 = d - 1{,}28 \cdot P$
	$= d - 2 \cdot t_1$
Flankendurchmesser	$d_2 = D_2 = d - 0{,}640 \cdot P$
Gangzahl je inch (Zoll)	Z
Steigung	$P = \dfrac{25{,}4\ \text{mm}}{Z}$
Gewindetiefe	$h_1 = H_1 = 0{,}640 \cdot P$
Rundung	$R = 0{,}137 \cdot P$
Flankenwinkel	$55°$

Gewinde-bezeich-nung d	Maße in mm für Bolzen und Mutter						Gewinde-bezeich-nung d	Maße in mm für Bolzen und Mutter					
	Außen-⌀ $d = D$	Kern-⌀ $d_1 = D_1$	Flan-ken-⌀ $d_2 = D_2$	Gang-zahl je inch Z	Ge-winde-tiefe $h_1 = H_1$	Kern-quer-schnitt mm^2		Außen-⌀ $d = D$	Kern-⌀ $d_1 = D_1$	Flan-ken-⌀ $d_2 = D_2$	Gang-zahl je inch Z	Ge-winde-tiefe $h_1 = H_1$	Kern-quer-schnitt mm^2
$\tfrac{1}{4}''$	6,35	4,72	5,54	20	0,81	17,5	$1\tfrac{1}{4}''$	31,75	27,10	29,43	7	2,32	577
$\tfrac{5}{16}''$	7,94	6,13	7,03	18	0,90	29,5	$1\tfrac{1}{2}''$	38,10	32,68	35,39	6	2,71	839
$\tfrac{3}{8}''$	9,53	7,49	8,51	16	1,02	44,1	$1\tfrac{3}{4}''$	44,45	37,95	41,20	5	3,25	1 131
$\tfrac{1}{2}''$	12,70	9,99	11,35	12	1,36	78,4	$2''$	50,80	43,57	47,19	4,5	3,61	1 491
$\tfrac{5}{8}''$	15,88	12,92	14,40	11	1,48	131	$2\tfrac{1}{4}''$	57,15	49,02	53,09	4	4,07	1 886
$\tfrac{3}{4}''$	19,05	15,80	17,42	10	1,63	196	$2\tfrac{1}{2}''$	63,50	55,37	59,44	4	4,07	2 408
$\tfrac{7}{8}''$	22,23	18,61	20,42	9	1,81	272	$3''$	76,20	66,91	72,56	3,5	4,65	3 516
$1''$	25,40	21,34	23,37	8	2,03	358	$3\tfrac{1}{2}''$	88,90	78,89	83,89	3,25	5,00	4 888

Rohrgewinde vgl. DIN ISO 228-1 (1994-12), DIN 2999 (1983-07)

Rohrgewinde DIN ISO 228-1
für nicht im Gewinde dichtende Verbindungen;
Innen- und Außengewinde zylindrisch

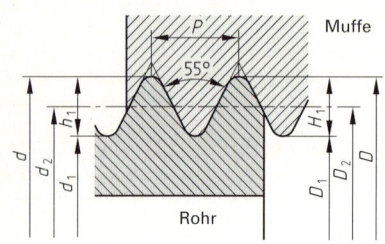

Muffe

Rohr

Whitworth-Rohrgewinde DIN 2999
im Gewinde dichtend;
Innengewinde zylindrisch, Außengewinde kegelig

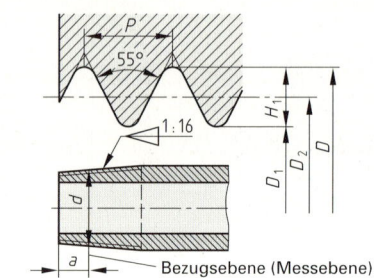

1 : 16

Bezugsebene (Messebene)

N

Kurzzeichen			Außen-durch-messer $d = D$	Flanken-durch-messer $d_2 = D_2$	Kern-durch-messer $d_1 = D_1$	Stei-gung P	Gang-zahl auf 25,4 mm Z	Gewinde-tiefe $h_1 = H_1$	Abstand der Bezugs-ebene a
DIN ISO 228-1 Außen- und Innengewinde	DIN 2999 Außen-gewinde	Innen-gewinde							
$G\tfrac{1}{16}$	$R\tfrac{1}{16}$	$Rp\tfrac{1}{16}$	7,72	7,14	6,56	0,91	28	0,58	4,0
$G\tfrac{1}{8}$	$R\tfrac{1}{8}$	$Rp\tfrac{1}{8}$	9,73	9,15	8,57	0,91	28	0,58	4,0
$G\tfrac{1}{4}$	$R\tfrac{1}{4}$	$Rp\tfrac{1}{4}$	13,16	12,30	11,45	1,34	19	0,86	6,0
$G\tfrac{3}{8}$	$R\tfrac{3}{8}$	$Rp\tfrac{3}{8}$	16,66	15,81	14,95	1,34	19	0,86	6,4
$G\tfrac{1}{2}$	$R\tfrac{1}{2}$	$Rp\tfrac{1}{2}$	20,96	19,79	18,63	1,81	14	1,16	8,2
$G\tfrac{3}{4}$	$R\tfrac{3}{4}$	$Rp\tfrac{3}{4}$	26,44	25,28	24,12	1,81	14	1,16	9,5
$G1$	$R1$	$Rp1$	33,25	31,77	30,29	2,31	11	1,48	10,4
$G1\tfrac{1}{4}$	$R1\tfrac{1}{4}$	$Rp1\tfrac{1}{4}$	41,91	40,43	38,95	2,31	11	1,48	12,7
$G1\tfrac{1}{2}$	$R1\tfrac{1}{2}$	$Rp1\tfrac{1}{2}$	47,80	46,32	44,85	2,31	11	1,48	12,7
$G2$	$R2$	$Rp2$	59,61	58,14	56,66	2,31	11	1,48	15,9
$G2\tfrac{1}{2}$	$R2\tfrac{1}{2}$	$Rp2\tfrac{1}{2}$	75,18	73,71	72,23	2,31	11	1,48	17,5
$G3$	$R3$	$Rp3$	87,88	86,41	84,93	2,31	11	1,48	20,6
$G4$	$R4$	$Rp4$	113,03	111,55	110,07	2,31	11	1,48	25,4
$G5$	$R5$	$Rp5$	138,43	136,95	135,37	2,31	11	1,48	28,6
$G6$	$R6$	$Rp6$	163,83	162,35	160,87	2,31	11	1,48	28,6

Metrisches ISO-Trapezgewinde   vgl. DIN 103-1 (1977-04)

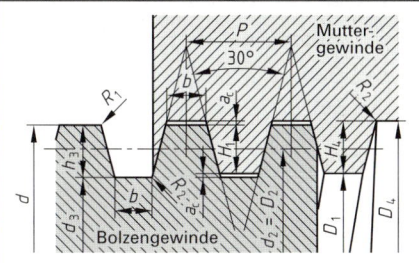

Nenndurchmesser	d
Steigung eingäng. Gewinde u. Teilung mehrgäng. Gewinde	P
Steigung mehrgäng. Gewinde	P_h
Gangzahl	$n = P_h : P$
Kern-$\varnothing$ Bolzengewinde	$d_3 = d - (P + 2 \cdot a_c)$
Außen-$\varnothing$ Muttergewinde	$D_4 = d + 2 \cdot a_c$
Kern-$\varnothing$ Muttergewinde	$D_1 = d - P$
Flanken-$\varnothing$	$d_2 = D_2 = d - 0,5 \cdot P$
Gewindetiefe	$h_3 = H_4 = 0,5 \cdot P + a_c$
Flankenüberdeckung	$H_1 = 0,5 \cdot P$
Spitzenspiel	a_c
Rundungen	R_1 und R_2
Breite	$b = 0,366 \cdot P - 0,54 \cdot a_c$
Flankenwinkel	30°

Maß	für Steigungen P in mm			
	1,5	2...5	6...12	14...44
a_c	0,15	0,25	0,5	1
R_1	0,075	0,125	0,25	0,5
R_2	0,15	0,25	0,5	1

Gewinde-bezeich-nung $d \times P$	Flan-ken-$\varnothing$ $d_2 = D_2$	Kern-$\varnothing$ Bolzen d_3	Kern-$\varnothing$ Mutter D_1	Außen-$\varnothing$ D_4	Ge-winde-tiefe $h_3 = H_4$	Breite b	Gewinde-bezeich-nung $d \times P$	Flan-ken-$\varnothing$ $d_2 = D_2$	Kern-$\varnothing$ Bolzen d_3	Kern-$\varnothing$ Mutter D_1	Außen-$\varnothing$ D_4	Ge-winde-tiefe $h_3 = H_4$	Breite b
Tr 10 x 2	9	7,5	8	10,5	1,25	0,60	Tr 40 x 7	36,5	32	33	41	4	2,29
Tr 12 x 3	10,5	8,5	9	12,5	1,75	0,96	Tr 44 x 7	40,5	36	37	45	4	2,29
Tr 16 x 4	14	11,5	12	16,5	2,25	1,33	Tr 48 x 8	44	39	40	49	4,5	2,66
Tr 20 x 4	18	15,5	16	20,5	2,25	1,33	Tr 52 x 8	48	43	44	53	4,5	2,66
Tr 24 x 5	21,5	18,5	19	24,5	2,75	1,70	Tr 60 x 9	55,5	50	51	61	5	3,02
Tr 28 x 5	25,5	22,5	23	28,5	2,75	1,70	Tr 70 x 10	65	59	60	71	5,5	3,39
Tr 32 x 6	29	25	26	33	3,5	1,93	Tr 80 x 10	75	69	70	81	5,5	3,39
Tr 36 x 3	34,5	32,5	33	36,5	2,0	0,83	Tr 90 x 12	84	77	78	91	6,5	4,12
Tr 36 x 6	33	29	30	37	3,5	1,93	Tr 100 x 12	94	87	88	101	6,5	4,12
Tr 36 x 10	31	25	26	37	5,5	3,39	Tr 140 x 14	133	124	126	142	8	4,58

Gewindemaße in mm (left and right blocks)

Sägengewinde   vgl. DIN 513 (1985-04)

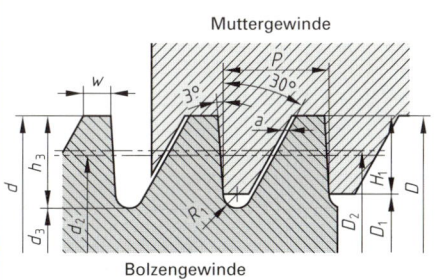

Nennmaß des Gewindes	$d = D$
Steigung	P
Kern-$\varnothing$ Bolzengewinde	$d_3 = d - 1,736 \cdot P$
Kern-$\varnothing$ Muttergewinde	$D_1 = d - 1,5 \cdot P$
Flanken-$\varnothing$ Bolzengewinde	$d_2 = d - 0,75 \cdot P$
Flanken-$\varnothing$ Muttergewinde	$D_2 = d - 0,75 \cdot P + 3,176 \cdot a$
Axialspiel	$a = 0,1 \cdot \sqrt{P}$
Gewindetiefe Bolzen	$h_3 = 0,8678 \cdot P$
Gewindetiefe Mutter	$H_1 = 0,75 \cdot P$
Rundung	$R = 0,124 \cdot P$
Profilbreite am Außen-$\varnothing$	$w = 0,264 \cdot P$
Flankenwinkel	33°

Gewinde-bezeich-nung $d \times P$	Bolzen Kern-$\varnothing$ d_3	Bolzen Gewinde-tiefe h_3	Mutter Kern-$\varnothing$ D_1	Mutter Gewinde-tiefe H_1	Flanken-$\varnothing$ d_2	Gewinde-bezeich-nung $d \times P$	Bolzen Kern-$\varnothing$ d_3	Bolzen Gewinde-tiefe h_3	Mutter Kern-$\varnothing$ D_1	Mutter Gewinde-tiefe H_1	Flanken-$\varnothing$ d_2
S 12 x 3	6,79	2,60	7,5	2,25	9,75	S 44 x 7	31,85	6,07	33,5	5,25	38,75
S 16 x 4	9,06	3,47	10,0	3,00	13,00	S 48 x 8	34,12	6,94	36	6,00	42,00
S 20 x 4	13,06	3,47	14,0	3,00	17,00	S 52 x 8	38,11	6,94	40	6,00	46,00
S 24 x 5	15,32	4,34	16,5	3,75	20,25	S 60 x 9	44,38	7,81	46,5	6,75	53,25
S 28 x 5	19,32	4,34	20,5	3,75	24,25	S 70 x 10	52,64	8,68	55	7,50	62,50
S 32 x 6	21,58	5,21	23,0	4,50	27,5	S 80 x 10	62,64	8,68	65	7,50	72,50
S 36 x 6	25,59	5,21	27,0	4,50	31,50	S 90 x 12	69,17	10,41	72	9,00	81,00
S 40 x 7	27,85	6,07	29,5	5,25	34,75	S 100 x 12	79,17	10,41	82	9,00	91,00

N

Schrauben

Bezeichnung von Schrauben

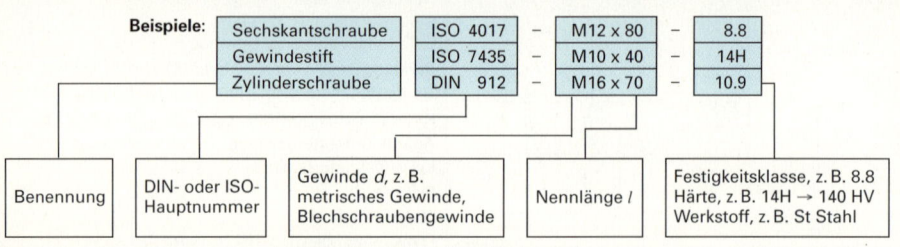

Beispiele:	Sechskantschraube	ISO 4017	–	M12 x 80	–	8.8
	Gewindestift	ISO 7435	–	M10 x 40	–	14H
	Zylinderschraube	DIN 912	–	M16 x 70	–	10.9

| Benennung | DIN- oder ISO-Hauptnummer | Gewinde d, z.B. metrisches Gewinde, Blechschraubengewinde | Nennlänge l | Festigkeitsklasse, z.B. 8.8 Härte, z.B. 14H → 140 HV Werkstoff, z.B. St Stahl |

Schrauben, die nach DIN EN oder DIN EN ISO genormt sind, erhalten in der Bezeichnung die ISO-Hauptnummer. Sie wird nach folgenden Regeln bestimmt:

DIN EN-Norm: ISO-Hauptnummer = **(DIN EN-Hauptnummer) – 20 000**
Beispiel: DIN EN 24 017:   ISO-Hauptnummer = 24 017 – 20 000 = 4017

DIN EN ISO-Norm: ISO-Hauptnummer = DIN EN ISO-Hauptnummer

Festigkeitsklassen und Produktklassen von Schrauben

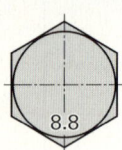

8.8

Festigkeitsklasse	3.6	4.6	4.8	5.6	5.8	6.8	8.8	9.8	10.9	12.9
Zugfestigkeit R_m in N/mm²	300	400		500		600	800	900	1000	1200
Streckgrenze R_e in N/mm²	180	240	320	300	400	480	640	720	900	1080
Bruchdehnung A in %	25	22	14	20	10	8	12	10	9	8

Die Produktklassen A, B, C legen die Qualität und die Toleranzklassen der Schrauben fest. Im Vergleich zur bisherigen Bezeichnung gilt folgende Zuordnung: A → m (mittel), B → mg (mittelgrob), C → g (grob).

Durchgangslöcher für Schrauben

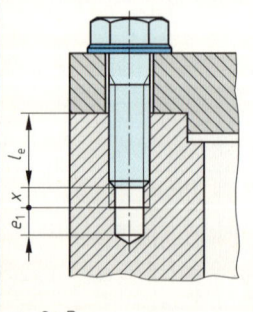

Ge-winde d	Durchgangsloch d_h[1] Reihe			Ge-winde d	Durchgangsloch d_h[1] Reihe			Ge-winde d	Durchgangsloch d_h[1] Reihe		
	fein	mittel	grob		fein	mittel	grob		fein	mittel	grob
M1	1,1	1,2	1,3	M5	5,3	5,5	5,8	M24	25	26	28
M1,2	1,3	1,4	1,5	M6	6,4	6,6	7	M30	31	33	35
M1,6	1,7	1,8	2	M8	8,4	9	10	M36	37	39	42
M2	2,2	2,4	2,6	M10	10,5	11	12	M42	43	45	48
M2,5	2,7	2,9	3,1	M12	13	13,5	14,5	M48	50	52	56
M3	3,2	3,4	3,6	M16	17	17,5	18,5	M56	58	62	66
M4	4,3	4,5	4,8	M20	21	22	24	M64	66	70	74

[1] Toleranzklassen für d_h; Reihe fein: H12, Reihe mittel: H13, Reihe grob: H14

Mindesteinschraubtiefen in Grundlochgewinde

Anwendungsbereich	Mindesteinschraubtiefe l_e für Festigkeitsklasse			
	8.8	8.8	10.9	10.9
Gewindefeinheit $\frac{d}{P}$	< 9	≥ 9	< 9	≥ 9
Harte Al-Legierungen, z.B. AlCuMg1	$1,1 \cdot d$	$1,4 \cdot d$		–
Gusseisen mit Lamellengraphit, z.B. EN-GJL-250 (GG-25)	$1,0 \cdot d$	$1,25 \cdot d$		$1,4 \cdot d$
Stahl niederer Festigkeit, z.B. S235 (St 37), C15	$1,0 \cdot d$	$1,25 \cdot d$		$1,4 \cdot d$
Stahl mittlerer Festigkeit, z.B. E295 (St 50), C35+N	$0,9 \cdot d$	$1,0 \cdot d$		$1,2 \cdot d$
Stahl hoher Festigkeit, mit R_m > 800 N/mm², z.B. 34Cr4	$0,8 \cdot d$	$0,9 \cdot d$		$1,0 \cdot d$

$x \approx 3 \cdot P$
e_1 nach DIN 76 Seite 85

N

Schrauben

Bild	Ausführung, Normbereich von … bis	Norm	W[1]	Bild	Ausführung, Normbereich von … bis	Norm	W[1]
Sechskantschrauben							
	mit Schaft und Regelgewinde, M1,6…M64	DIN EN 24014	5.6 8.8 10.9		Regelgewinde bis zum Kopf, M1,6…M64	DIN EN 24017	5.6 8.8 10.9
	mit Schaft und Feingewinde, M8 x 1…M64 x 4	DIN EN 28765			Feingewinde bis zum Kopf, M8 x 1…M64 x 4	DIN EN 28676	
	mit Dünnschaft, M3…M20	DIN EN 24015	5.8 6.8 8.8		Passschraube, langer Gewindezapfen, M8…M48	DIN 609	5.8
Sechskantschrauben für Stahlkonstruktionen (HV-Schrauben)							
	große Schlüsselweite, M12…M36	DIN 6914	10.9		Passschraube, große Schlüsselweite, M12…M30	DIN 7999	10.9
Zylinderschrauben							
	Innensechskant, M1,6…M36	DIN EN ISO 4762	8.8 10.9 12.9		mit Schlitz, M1,6…M10	DIN EN ISO 1207	4.8 5.8
	niedriger Kopf, M3…M24	DIN 7984	8.8				
Flachkopfschrauben				**Verschlussschrauben**			
	mit Schlitz, M1,6…M10	DIN EN ISO 1580	–		mit Bund, M10 x 1…M52 x 1,5	DIN 908 DIN 910	–
	mit Kreuzschlitz, M1,6…M10	DIN EN ISO 7045	–		Rohrgewinde, R3/8…R1$^{1}/_{2}$	DIN 906	
Senkschrauben							
	mit Schlitz, M1,6…M10	DIN EN ISO 2009	4.8 5.8		Linsensenkkopf mit Schlitz, M1,6…M10	DIN EN ISO 2010	4.8 5.8
	Innensechskant, M3…M20	DIN EN ISO 10642	8.8 10.9 12.9		Linsensenkkopf mit Kreuzschlitz, M1,6…M10	DIN ISO 7047	4.8
Blechschrauben							
	Linsenkopfschraube, ST2,2…ST9,5	DIN ISO 7049	–		Linsensenkschraube, ST2,2…ST9,5	DIN ISO 7051	–
	Senkschraube, ST2,2…ST9,5	DIN ISO 7050	–				
Bohrschrauben mit Blechschraubengewinde							
	Kopfformen, z.B. Sechskant, Flachkopf, ST2,2…ST6,3	DIN 7504	–		Kopfformen, z.B. Senkkopf, Linsensenkkopf, ST2,2…ST6,3	DIN 7504	–

[1] W Werkstoff: Festigkeitsklassen, z.B. 5.6, 5.8, 6.8, 8.8; Stahl; – (ohne nähere Bezeichnung)

N

Schrauben

Bild	Ausführung, Normbereich von … bis	Norm	W[1]	Bild	Ausführung, Normbereich von … bis	Norm	W[1]
Vierkantschrauben				**Stiftschrauben**			
	mit Bund, M5…M24	DIN 478	5.6 5.8 8.8		$e \approx 2 \cdot d$, M4…M24	DIN 835	5.6 8.8 10.8
	mit Kernansatz, M5…M24	DIN 479			$e \approx d$, M3…M48	DIN 938	
	mit Ansatzkuppe, M8…M24	DIN 480			$e \approx 1,25 \cdot d$, M4…M48	DIN 939	
Gewindestifte mit Schlitz				**Gewindestifte mit Innensechskant**			
	mit Zapfen, M1,6…M12	DIN EN 27435	14H 22H		mit Zapfen, M1,6…M24	DIN 915	45H
	mit Ringschneide, M1,6…M12	DIN EN 27436			mit Ringschneide, M1,6…M24	DIN 916	
	mit Kegelkuppe, M1,6…M12	DIN EN 24766			mit Kegelkuppe, M1,6…M24	DIN 913	
	mit Spitze, M1,6…M12	DIN EN 27434			mit Spitze, M1,6…M24	DIN 914	
Gewindefurchende Schrauben							
	Kopfformen, z. B. Sechskant, Zylinderkopf, M2…M10	DIN 7500-1	–		Kopfformen, z. B. Senkkopf, Linsensenkkopf, M2…M10	DIN 7500-1	–

[1] W Werkstoff: Festigkeitsklassen, z.B. 5.6, 5.8, 10.8; Härte, z.B. 14H, 22H; Einsatz- oder Vergütungsstahl: –

Sechskantschrauben mit Schaft

vgl. DIN EN 24 014 (1992-02)

Gültige Normen		Ersatz									
DIN EN	ISO	für DIN	d	M1,6	M2	M2,5	M3	M4	M5	M6	M8	M10
24 014	4014	931	SW	3,2	4	5	5,5	7	8	10	13	16
			k_{max}	1,1	1,4	1,7	2	2,8	3,5	4	5,3	6,4
			d_w	2,3	3,1	4,1	4,6	5,9	6,9	8,9	11,6	14,6
			e	3,4	4,3	5,5	6	7,7	8,8	11,1	14,4	17,8
			b	9	10	11	12	14	16	18	22	26
			l von	12	16	16	20	25	25	30	40	45
			l bis	16	20	25	30	40	50	60	80	100

d	M12	M16	M20	M24	M30	M36	M42	M48	M56
SW	18	24	30	36	46	55	65	75	85
k_{max}	7,5	10	12,5	15	18,7	22,5	26	30	35
d_w	16,6	22	27,7	33,3	42,8	51,1	60	69,5	78,7
e	20	26,2	33	39,6	50,9	60,8	71,3	82,6	93,6
$b^{[1]}$	30	38	46	54	66	–	–	–	–
$b^{[2]}$	–	44	52	60	72	84	96	108	–
$b^{[3]}$	–	–	–	73	85	97	109	121	137
l von	50	65	80	90	110	140	160	180	220
l bis	120	160	200	240	300	360	440	480	500
Nenn-längen l	12, 16, 20, 25, 30, 35…60, 65, 70, 80, 90…140, 150, 160, 180, 200…460, 480, 500 mm								

[1] für $l <$ 125 mm
[2] für $l =$ 125…200 mm
[3] für $l >$ 200 mm

⇒ Sechskantschraube ISO 4014 - M10 x 60 - 8.8
d = M10, l = 60 mm, Festigkeitsklasse 8.8

N

Sechskantschrauben mit Gewinde bis zum Kopf — vgl. DIN EN 24 017 (1992-02)

Gültige Normen		Ersatz	d	M1,6	M2	M2,5	M3	M4	M5	M6	M8	M10
DIN EN	ISO	für DIN	SW	3,2	4	5	5,5	7	8	10	13	16
24 017	4017	933	k	1,1	1,4	1,7	2	2,8	3,5	4	5,3	6,4

	d_w	2,3	3,1	4,1	4,6	6	6,9	8,9	11,6	14,6
	e	3,4	4,3	5,5	6	7,7	8,8	11,1	14,4	17,8
l von		2	4	5	6	8	10	12	16	20
l bis		16	20	25	30	40	50	60	80	100

d	M12	M16	M20	M24	M30	M36	M42	M48	M56
SW	18	24	30	36	46	55	65	75	85
k	7,5	10	12,5	15	18,7	22,5	26	30	35
d_w	16,6	22,5	27,7	33,3	42,8	51,1	60	69,5	78,7
e	20	26,2	33	39,6	50,9	60,8	71,3	82,6	93,6
l von	25	30	40	50	60	70	80	100	110
l bis	120	150	200	200	200	200	200	200	200

Nennlängen l: 2, 3, 4, 5, 6, 8, 10, 12, 16, 20, 25, 30, 35…60, 65, 70, 80, 90…140, 150, 160, 180, 200 mm

⇨ **Sechskantschraube ISO 4017 - M8 x 40 - 10.9**
d = M8, l = 40 mm, Festigkeitsklasse 10.9

Sechskantschrauben mit Schaft und Feingewinde — vgl. DIN EN 28 765 (1992-02)

Gültige Normen		Ersatz	d	M8 x1	M10 x1	M12 x1,5	M16 x1,5	M20 x1,5	M24 x2	M30 x2	M36 x3	M42 x3	M48 x3	M56 x4
DIN EN	ISO	für DIN	SW	13	16	18	24	30	36	46	55	65	75	85
28 765	8765	960	k	5,3	6,4	7,5	10	12,5	15	18,7	22,5	26	30	35

	d_w	11,6	14,6	16,6	22,5	27,7	33,3	42,8	51,1	60	69,5	78,7
	e	14,4	17,8	20	26,2	33	39,6	50,9	60,8	71,3	82,6	93,6
	$b^{1)}$	22	26	30	38	46	54	66	–	–	–	–
	$b^{2)}$	–	–	–	44	52	60	72	84	96	108	–
	$b^{3)}$	–	–	–	–	73	85	97	109	121	137
l von		40	45	50	65	80	100	120	140	160	200	220
l bis		80	100	120	160	200	240	300	360	440	480	500

Nennlängen l: 40, 45, 50, 55, 60, 65, 70, 80, 90…140, 150, 160, 180, 200, 220…460, 480, 500 mm

[1] für l < 125 mm
[2] für l = 125…200 mm
[3] für l > 200 mm

⇨ **Sechskantschraube ISO 8765 - M20 x 1,5 x 120 - 5.6**
d = M20 x 1,5; l = 120 mm, Festigkeitsklasse 5.6

Sechskantschrauben mit Gewinde bis zum Kopf und Feingewinde — vgl. DIN EN 28 676 (1992-02)

Gültige Normen		Ersatz	d	M8 x1	M10 x1	M12 x1,5	M16 x1,5	M20 x1,5	M24 x2	M30 x2	M36 x3	M42 x3	M48 x3	M56 x4
DIN EN	ISO	für DIN	SW	13	16	18	24	30	36	46	55	65	75	85
28 676	8676	961	k	5,3	6,4	7,5	10	12,5	15	18,7	22,5	26	30	35

	d_w	11,6	14,6	16,6	22,5	27,7	33,3	42,8	51,1	60	69,5	78,7
	e	14,4	17,8	20	26,2	33	39,6	50,9	60,8	71,3	82,6	93,6
l von		16	20	25	35	40	40	40	40	90	100	120
l bis		80	100	120	160	200	200	200	200	420	480	500

Nennlängen l: 16, 20, 25, 30, 35…60, 65, 70, 80, 90…140, 150, 160, 180, 200, 220…460, 480, 500 mm

⇨ **Sechskantschraube ISO 8676 - M8 x 1 x 55 - 8.8**
d = M8 x 1, l = 55 mm, Festigkeitsklasse 8.8

N

Schrauben

Sechskantschrauben mit großen Schlüsselweiten
HV-Schrauben in Stahlkonstruktionen
vgl. DIN 6914 (1989-10)

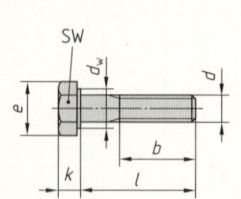

d	M12	M16	M20	M22	M24	M27	M30	M36
SW	22	27	32	36	41	46	50	60
k	8	10	13	14	15	17	19	23
d_w	20	25	30	34	39	43,5	47,5	57
e	23,9	29,6	35	39,6	45,2	50,9	55,4	66,4
b_{min}	21	26	31	32	34	37	40	48
l von	30	40	45	50	60	70	75	85
l bis	95	130	155	165	195	200	200	200
Nennlängen l	30, 35, 40, 45, 50, 55…185, 190, 195, 200 mm							

⇒ **Sechskantschraube DIN 6914 - M12 x 65**
d = M12, l = 65 mm (Festigkeitsklasse 10.9)

Sechskant-Passschrauben mit großen Schlüsselweiten
HV-Schrauben in Stahlkonstruktionen
vgl. DIN 7999 (1983-12)

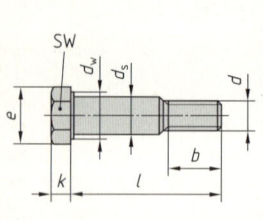

d	M12	M16	M20	M22	M24	M27	M30
SW	21	27	34	36	41	46	50
k	8	10	13	14	15	17	19
d_w	19	25	32	34	39	43,5	47,5
d_s b11	13	17	21	23	25	28	31
e	22,8	29,6	37,3	39,6	45,2	50,9	55,4
b_{min}	18,5	22	26	28	29,5	32,5	35
l von	40	45	50	55	55	60	65
l bis	120	160	180	200	200	200	200
Nennlängen l	40, 45, 50, 55, 60, 65…180, 185, 190, 195, 200 mm						

⇒ **Passschraube DIN 7999 - M24 x 165**
d = M24, l = 165 mm (Festigkeitsklasse 10.9)

Sechskantschrauben mit Dünnschaft
vgl. DIN EN 24 015 (1991-12)

d	M3	M4	M5	M6	M8	M10	M12	M16	M20
SW	5,5	7	8	10	13	16	18	24	30
k	2	2,8	3,5	4	5,3	6,4	7,5	10	12,5
d_w	4,4	5,7	6,7	8,7	11,4	14,4	16,4	22	27,7
e	6	7,5	8,7	10,9	14,2	17,6	19,9	26,2	33
$b^{1)}$	12	14	16	18	22	26	30	38	46
$b^{2)}$	–	–	–	–	28	32	36	44	52
l von	20	20	25	25	30	40	45	55	65
l bis	30	40	50	60	80	100	120	150	150
Nennlängen l	20, 25, 30…65, 70, 75, 80, 90, 100…130, 140, 150 mm								

[1] für $l \leq$ 125 mm
[2] für $l >$ 125 mm

⇒ **Sechskantschraube ISO 4015 - M6 x 45 - 8.8**
d = M6, l = 4 mm, Festigkeitsklasse 8.8

Gewindefurchende Schrauben
vgl. DIN 7500-1 (1995-08)

d	M2	M2,5	M3	M4	M5	M6	M8	M10
d_1	1,8	2,3	2,75	3,6	4,6	5,5	7,4	9,3
l von	3	4	4	6	8	8	10	12
l bis	16	20	25	30	40	50	60	80
Nennlängen l	3, 4, 5, 6, 8, 10, 12, 16, 20, 25…75, 80 mm							
Übrige Maße	nach DIN EN 24 017 (Seite 197)							

Sechskant-Passschrauben mit langem Gewindezapfen   vgl. DIN 609 (1995-04)

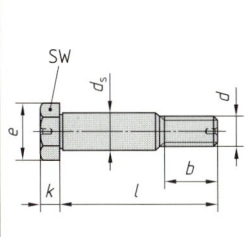

d	M8 M8 x1	M10 M10 x1	M12 M12 x1,5	M16 M16 x1,5	M20 M20 x1,5	M24 M24 x2	M30 M30 x2	M36 M36 x3	M42 M42 x3	M48 M48 x3
SW	13	16	18	24	30	36	46	55	65	75
k	5,3	6,4	7,5	10	12,5	15	19	22	26	30
d_s k6	9	11	13	17	21	25	32	38	44	50
e	14,4	17,8	19,9	26,2	29,6	40	50,9	60,8	71,3	82,6
b[1]	14,5	17,5	20,5	25	28,5	–	–	–	–	–
b[2]	16,5	19,5	22,5	27	30,5	36,5	43	49	56	63
b[3]	–	–	–	32	35,5	41,5	48	54	61	68
l von	25	30	32	38	45	55	65	70	80	85
l bis	80	100	120	150	150	150	200	200	200	200
NL[4]	25, 28, 30, 32, 35, 38, 40, 42, 45, 48, 50, 55, 60...150, 160...200 mm									

[1] für $l \leq 50$ mm
[2] für $l = 50...150$ mm
[3] für $l > 150$ mm
[4] NL Nennlängen l

⇒ **Passschraube DIN 609 - M16 x 1,5 x 125 - 8.8**
d = M16 x 1,5; l = 125 mm, Festigkeitsklasse 8.8

Zylinderschrauben mit Innensechskant   DIN EN ISO 4762 (1998-02), Ersatz für DIN 912

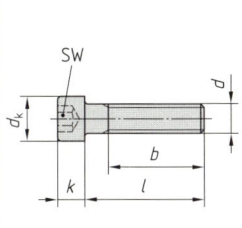

d	M1,5	M2	M2,5	M3	M4	M5	M6	M8	M10
SW	1,5	1,5	2	2,5	3	4	5	6	8
d_k	3	3,8	4,5	5,5	7	8,5	10	13	16
k	1,6	2	2,5	3	4	5	6	8	10
b[1] für l	15 16	16 20	17 25	18 ≥ 25	20 ≥ 30	22 ≥ 30	24 ≥ 35	28 ≥ 40	32 ≥ 45
l von	2,5	3	4	5	6	8	10	12	16
l bis	16	20	25	30	40	50	60	80	100

d	M12	M16	M20	M24	M30	M36	M42	M48	M56
SW	10	14	17	19	22	27	32	36	41
d_k	18	24	30	36	45	54	63	72	84
k	12	16	20	24	30	36	42	48	56
b[1] für l	36 ≥ 45	44 ≥ 65	52 ≥ 80	60 ≥ 90	72 ≥ 110	84 ≥ 120	96 ≥ 140	108 ≥ 160	124 ≥ 180
l von	20	25	30	35	40	45	60	70	80
l bis	120	160	200	200	200	200	300	300	300
NL[2]	2,5, 3, 4, 5, 6, 8, 10, 12, 16, 20, 25, 30...65, 70, 80...150, 160, 180, 200...280, 300 mm								

[1] sonst Gewinde annähernd bis zum Kopf
[2] NL Nennlängen l

⇒ **Zylinderschraube ISO 4762 - M10 x 55 - 10.9**
d = M10, l = 55 mm, Festigkeitsklasse 10.9

Zylinderschrauben mit Innensechskant, niedriger Kopf   vgl. DIN 7984 (1985-05)

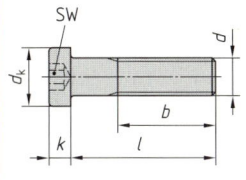

d	M3	M4	M5	M6	M8	M10	M12	M16	M20	M24
SW	2	2,5	3	4	5	7	8	12	14	17
d_k	5,5	7	8,5	10	13	16	18	24	30	36
k	2	2,8	3,5	4	5	6	7	9	11	13
b[1]	12	14	16	18	22	26	30	38	46	54
l von	5	6	8	10	12	16	20	30	40	50
l bis	20	25	30	40	60	70	80	80	100	100
NL[2]	5, 6, 8, 10, 12, 16, 20, 25, 30...45, 50, 60...80, 90, 100 mm									

[1] für $l < b$: Gewinde annähernd bis zum Kopf
[2] NL Nennlängen l

⇒ **Zylinderschraube DIN 7984 - M12 x 60 - 8.8**
d = M12, l = 60 mm, Festigkeitsklasse 8.8

Schrauben

Senkschrauben mit Innensechskant
vgl. DIN EN ISO 10 642 (1998-02), Ersatz für DIN 7991

d	M3	M4	M5	M6	M8	M10	M12	M16	M20
SW	2	2,5	3	4	5	6	8	10	12
d_k	6,7	9	11,2	13,4	17,9	22,4	26,9	33,6	40,3
k	1,9	2,5	3,1	3,7	5	6,2	7,4	8,8	10,2
$b^{1)}$	18	20	22	24	28	32	36	44	52
l von	8	8	8	8	10	12	20	30	35
bis	30	40	60	80	80	100	100	100	100
Nennlängen l	8, 10, 12, 16, 20, 25…65, 70…80, 90, 100 mm								

1) für $l \leq b$: Gewinde annähernd bis zum Kopf

⇒ **Senkschraube ISO 10 642 - M5 x 30 - 8.8**
d = M5, l = 30 mm, Festigkeitsklasse 8.8

Zylinderschrauben mit Schlitz
vgl. DIN EN ISO 1207 (1994-10), Ersatz für DIN 84

d	M1,6	M2	M2,5	M3	M4	M5	M6	M8	M10
d_k	3	3,8	4,5	5,5	7	8,5	10	13	16
k	1,1	1,4	1,8	2	2,6	3,3	3,9	5	6
n	0,4	0,5	0,6	0,8	1,2	1,2	1,6	2	2,5
t	0,5	0,6	0,7	0,9	1,1	1,3	1,6	2	2,4
l von	2	3	3	4	5	6	8	10	12
bis	16	20	25	30	40	50	60	80	80
b	Für $l < 45$ mm $\rightarrow b \approx l$; für $l \geq 45$ mm $\rightarrow b = 38$ mm								
Nennlängen l	2, 3, 4, 5, 6, 8, 10, 12, 16, 20, 25…45, 50, 60, 70, 80 mm								

⇒ **Zylinderschraube ISO 1207 - M6 x 25 - 5.8**
d = M5, l = 25 mm, Festigkeitsklasse 5.8

Flachkopfschrauben mit Schlitz
Flachkopfschrauben mit Kreuzschlitz
vgl. DIN EN ISO 1580 (1994-10), Ersatz für DIN 85
vgl. DIN EN ISO 7045 (1994-10), Ersatz für DIN 7985

N

d	M1,6	M2	M2,5	M3	M4	M5	M6	M8	M10
d_k	3,2	4	5	5,6	8	9,5	12	16	20
k	1,3	1,3	1,5	1,8	2,4	3	3,6	4,8	6
k_1	1,3	1,6	2,1	2,4	3,1	3,7	4,6	6	7,5
n	0,4	0,5	0,6	0,8	1,2	1,2	1,6	2	2,5
t	0,4	0,5	0,6	0,7	1	1,2	1,4	1,9	2,4
$K^{1)}$	0		1		2		3	4	
l von	3	3	3	4	5	6	8	10	12
bis	16	20	25	30	40	50	60	60	60
b	Für $l < 45$ mm $\rightarrow b \approx l$; für $l \geq 45$ mm $\rightarrow b = 38$ mm								
Nennlängen l	3, 4, 5, 6, 8, 10, 12, 16, 20, 25…45, 50, 60 mm								

1) Kreuzschlitzgröße
Kreuzschlitzformen Seite 201

⇒ **Flachkopfschraube ISO 1580 - M4 x 16 - 4.8**
d = M4, l = 16 mm, Festigkeitsklasse 4.8

Senkschrauben mit Schlitz
Senkschrauben mit Kreuzschlitz
vgl. DIN EN ISO 2009 (1994-10), Ersatz für DIN 963
vgl. DIN EN ISO 7046-1 (1994-10), Ersatz für DIN 965

d	M1,6	M2	M2,5	M3	M4	M5	M6	M8	M10
d_k	3	3,8	4,7	5,5	8,4	9,3	11,3	15,8	18,3
k	1	1,2	1,5	1,7	2,7	2,7	3,3	4,7	5
n	0,4	0,5	0,6	0,8	1,2	1,2	1,6	2	2,5
t	0,5	0,6	0,8	0,9	1,3	1,4	1,6	2,3	2,6
$K^{1)}$	0		1		2		3	4	
l von	2,5	3	4	5	6	8	8	10	12
bis	16	20	25	30	40	50	60	80	80
b	Für $l < 45$ mm $\rightarrow b \approx l$; für $l \geq 45$ mm $\rightarrow b = 38$ mm								
Nennlängen l	2,5, 3, 4, 5, 6, 8, 10, 12, 16, 20, 25…45, 50, 60, 70, 80 mm								

1) Kreuzschlitzgröße
Kreuzschlitzformen Seite 201

⇒ **Senkschraube ISO 7046-1 - M5 x 40 - 5.8 - H**
d = M5, l = 25 mm, Festigkeitsklasse 5.8, Kreuzschlitzform H

Linsensenkschrauben mit Schlitz
vgl. DIN EN ISO 2010 (1994-10), Ersatz für DIN 964
Linsensenkschrauben mit Kreuzschlitz
vgl. DIN EN ISO 7047 (1994-10), Ersatz für DIN 966

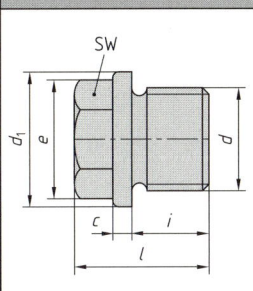

Kreuzschlitz-formen

H   Z

[1] Kreuzschlitzgröße

d	M1,6	M2	M2,5	M3	M4	M5	M6	M8	M10
d_k	3	3,8	4,7	5,5	8,4	9,3	11,3	15,8	18,3
k	1	1,2	1,5	1,7	2,7	2,7	3,3	4,7	5
n	0,4	0,5	0,6	0,8	1,2	1,2	1,6	2	2,5
f	0,4	0,5	0,6	0,7	1	1,2	1,4	2	2,3
t	0,6	0,8	1	1,2	1,6	2	2,4	3,2	3,8
$K^{[1]}$	0		1		2		3	4	
l von	2,5	3	4	5	6	8	8	10	12
bis	16	20	25	30	40	50	60	80	80
b	Für $l < 45$ mm → $b ≈ l$; für $l ≥ 45$ mm → $b = 38$ mm								
Nennlängen l	2,5, 3, 4, 5, 6, 8, 10, 12, 16, 20, 25…45, 50, 60, 70, 80 mm								

⇒ **Senkschraube ISO 7047 - M3 x 20 - 5.8 - H**
d = M3, l = 20 mm, Festigkeitsklasse 5.8, Kreuzschlitzform H

Verschlussschrauben mit Bund und Außensechskant
vgl. DIN 910 (1992-01)

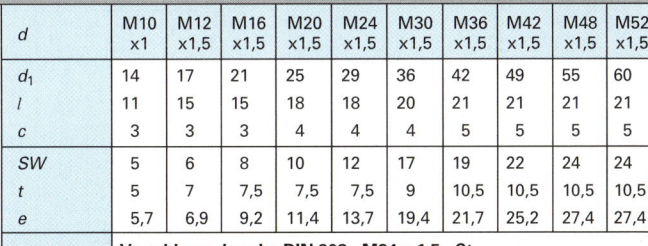

d	M10 x1	M12 x1,5	M16 x1,5	M20 x1,5	M24 x1,5	M30 x1,5	M36 x1,5	M42 x1,5	M48 x1,5	M52 x1,5
d_1	14	17	21	25	29	36	42	49	55	60
l	17	21	21	26	27	30	32	32	33	33
i	8	12	12	14	14	16	16	16	16	16
c	3	3	3	4	4	4	4	5	5	5
SW	10	13	17	19	22	24	24	27	30	30
e	10,9	14,2	18,7	20,9	23,9	26,1	26,1	29,6	33	33

⇒ **Verschlussschraube DIN 910 - M16 x 1,5 - St**
d = M16 x 1,5; Werkstoff Stahl

Verschlussschrauben mit Bund und Innensechskant
vgl. DIN 908 (1992-01)

N

d	M10 x1	M12 x1,5	M16 x1,5	M20 x1,5	M24 x1,5	M30 x1,5	M36 x1,5	M42 x1,5	M48 x1,5	M52 x1,5
d_1	14	17	21	25	29	36	42	49	55	60
l	11	15	15	18	18	20	21	21	21	21
c	3	3	3	4	4	4	5	5	5	5
SW	5	6	8	10	12	17	19	22	24	24
t	5	7	7,5	7,5	7,5	9	10,5	10,5	10,5	10,5
e	5,7	6,9	9,2	11,4	13,7	19,4	21,7	25,2	27,4	27,4

⇒ **Verschlussschraube DIN 908 - M24 x 1,5 - St**
d = M24 x 1,5; Werkstoff Stahl

Verschlussschrauben mit Whitworth-Rohrgewinde
vgl. DIN 906 (1992-01)

d	R1/8	R1/4	R3/8	R1/2	R3/4	R1	R1¹/₄	R1¹/₂
l	8	10	10	10	12	12	18	20
SW	5	7	8	10	12	17	22	24
e	5,7	8	9,2	11,4	13,7	19,4	25,2	27,4
t	4,7	6	6,2	6,4	7,7	7,7	11,5	13,5

⇒ **Verschlussschraube DIN 906 - R1/2 - St**
d = R1/2, Werkstoff Stahl

Schrauben

Gewindestifte mit Schlitz — vgl. DIN EN 27 434, 27 435, 27 436, 24 766 (alle 1992-12)

Gültige Normen DIN EN	ISO	Ersatz für DIN
27 434	7434	553
27 435	7435	417
27 436	7436	438
24 766	4766	551

mit Spitze

mit Zapfen

mit Ringschneide

mit Kegelkuppe

		d	M1,2	M1,6	M2	M2,5	M3	M4	M5	M6	M8	M10	M12
		n	0,2	0,3	0,3	0,4	0,4	0,6	0,8	1,0	1,2	1,6	2
		$t \approx$	0,5	0,7	0,8	1	1,1	1,4	1,6	2	2,5	3	3,6
DIN EN 27 434		d_{1max}	0,1	0,2	0,2	0,3	0,3	0,4	0,5	1,5	2	2,5	3
	l	von	2	2	3	3	4	6	8	8	10	12	16
		bis	6	8	10	12	16	25	30	35	40	55	60
DIN EN 27 435		d_{1max}	–	0,8	1	1,5	2	2,5	3,5	4,3	5,5	7	8,5
		z_{max}	–	1,1	1,3	1,5	1,8	2,3	2,8	3,3	4,3	5,3	6,3
	l	von	–	2,5	3	4	5	6	8	8	10	12	16
		bis	–	8	10	12	16	20	25	30	40	50	60
DIN EN 27 436		d_{1max}	–	0,8	1	1,2	1,4	2	2,5	3	5	6	8
	l	von	–	2	2,5	3	3	4	5	6	8	10	12
		bis	–	8	10	12	16	20	25	30	40	50	60
DIN EN 24 766		d_{1max}	0,6	0,8	1	1,5	2	2,5	3,5	4	5,5	7	8,5
	l	von	2	2	2	2,5	3	4	5	6	8	10	12
		bis	6	8	10	12	16	20	25	30	40	50	60

Nennlängen l: 2, 2,5, 3, 4, 5, 6, 8, 10, 12, 16, 20, 25, 30…50, 55, 60 mm

⇨ **Gewindestift ISO 7434 - M6 x 25 - 14H**
d = M6, l = 25 mm, Festigkeitsklasse 14H

Gewindestifte mit Innensechskant — vgl. DIN 913, 914, 915, 916 (alle 1980-12)

mit Kegelkuppe (DIN 913)

mit Spitze (DIN 914)

mit Zapfen (DIN 915)

mit Ringschneide (DIN 916)

		d	M2	M2,5	M3	M4	M5	M6	M8	M10	M12	M16	M20
		SW	0,9	1,3	1,5	2	2,5	3	4	5	6	8	10
		$e \approx$	1	1,4	1,7	2,3	2,9	3,4	4,6	5,7	6,9	9,2	11,4
		t_{min}	0,8	1,2	1,2	1,5	2	2	3	4	4,8	6,4	8
DIN 913		d_{1max}	1	1,5	2	2,5	3,5	4	5,5	7	8,5	12	15
	l	von	3	3	3	4	5	6	8	10	16	20	20
		bis	10	10	20	20	25	35	40	40	40	40	50
DIN 914		d_{1max}	–	–	–	–	–	1,5	2	2,5	3	4	5
	l	von	3	4	4	5	6	8	10	12	16	20	20
		bis	10	10	20	20	25	35	40	40	40	40	50
DIN 915		d_{1max}	1	1,5	2	2,5	3,5	4	5,5	7	8,5	12	15
		z	1,3	1,5	1,8	2,3	2,8	3,3	4,3	5,3	6,3	8,4	–
	l	von	4	4	5	6	8	8	10	12	16	20	25
		bis	10	10	20	20	25	35	40	40	40	40	50
DIN 916		d_{1max}	1	1,2	1,4	2	2,5	3	5	6	8	10	14
	l	von	3	3	4	5	5	6	8	12	16	20	25
		bis	10	10	20	20	25	35	40	40	40	40	50

Nennlängen l: 3, 4, 5, 6, 8, 10, 12, 16, 20, 25, 30, 35, 40, 45, 50 mm

⇨ **Gewindestift DIN 913 - M6 x 25 - 45H**
d = M6, l = 25 mm, Härte 45H

N

Stiftschrauben

vgl. DIN 835, 938, 939 (1995-02)

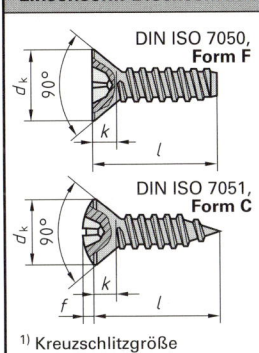

d		M3	M4	M5	M6	M8 / M8 / x1	M10 / M10 / x1,25	M12 / M12 / x1,25	M16 / M16 / x1,5	M20 / M20 / x1,5	M24 / M24 / x2
b für	$l < 125$	12	14	16	18	22	26	30	38	46	54
	$l > 125$	18	20	22	24	28	32	36	44	52	60
e	DIN 835	–	8	10	12	16	20	24	32	40	48
	DIN 938	3	4	5	6	8	10	12	16	20	24
	DIN 939	–	5	6,5	7,5	10	12	15	20	25	30
l	von	20	20	25	25	30	35	40	50	60	70
	bis	30	40	50	60	80	100	120	170	200	200

DIN	Verwendung zum Einschrauben in
835	Aluminiumlegierungen
938	Stahl
939	Gusseisen

Nennlängen l	20, 25, 30…75, 80, 90…180, 190, 200 mm
⇨	**Stiftschraube DIN 939 - M10 x 65 - 8.8** d = M10, l = 65 mm, Festigkeitsklasse 8.8

Linsen-Blechschrauben

vgl. DIN ISO 7049 (1990-04), Ersatz für DIN 7981

Gewinde-größe	ST2,2	ST2,9	ST3,5	ST4,2	ST4,8	ST5,5	ST6,3
d_k	4	5,6	7	8	9,5	11	13
k	1,6	2,4	2,6	3,1	3,7	4	5,6

Übrige Maße, Formen	Längen, Nennlängen, Formen, Kreuzschlitzgrößen und Kreuz-schlitzformen wie DIN ISO 7050
⇨	**Blechschraube ISO 7049 - ST2,9 x 13 - C - H:** Gewinde ST2,9; l = 13 mm, Form C mit Spitze, Kreuzschlitzform H

Senk-Blechschrauben
Linsensenk-Blechschrauben

vgl. DIN ISO 7050 (1990-04), Ersatz für DIN 7982
vgl. DIN ISO 7051 (1990-04), Ersatz für DIN 7983

DIN ISO 7050, **Form F**

DIN ISO 7051, **Form C**

N

Gewinde-größe	ST2,2	ST2,9	ST3,5	ST4,2	ST4,8	ST5,5	ST6,3
d_k	3,8	5,5	7,3	8,4	9,3	10,3	11,3
k	1,1	1,7	2,4	2,6	2,8	3	3,2
f	0,7	0,9	1,2	1,4	1,5	1,7	2
l von	4,5	6,5	9,5	9,5	9,5	13	13
bis	16	19	25	32	32	38	38
$K^{1)}$	0	1		2			3

Nennlängen l	4,5, 6,5, 9,5, 13, 16, 19, 22, 25, 32, 38 mm
Formen	Form C mit Spitze, Form F mit Zapfen Kreuzschlitzform wie DIN EN ISO 7047 Seite 201
⇨	**Blechschraube ISO 7050 - ST4,8 x 32 - F - Z:** Gewinde ST4,8; l = 32 mm, Form F, Kreuzschlitzform Z

1) Kreuzschlitzgröße

Bohrschrauben mit Blechschraubengewinde

vgl. DIN 7504 (1995-09)

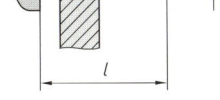

s **Form M**

Gewinde-größe	ST2,9	ST3,5	ST4,2	ST4,8	ST5,5	ST6,3
d_p	2,3	2,8	3,6	4,1	4,8	5,8
l von	9,5	9,5	13	16	19	19
bis	19	25	8	50	50	50
$s^{1)}$ von	0,7	0,7	1,8	1,8	1,8	2
bis	1,9	2,3	3	4,4	5,3	6
$d^{2)}$	2,4	2,9	3,7	4,2	4,9	5,9

Nennlängen l	9,5, 13, 16, 19, 22, 25, 32, 38, 45, 50 mm
Formen	Form M mit Linsenkopf, übrige Maße wie DIN ISO 7049 Form O mit Senkkopf, übrige Maße wie DIN ISO 7050 Form R mit Linsensenkkopf, übrige Maße wie DIN ISO 7051

1) Blechdicke
2) Bohrlochdurchmesser

Berechnung von Schraubenverbindungen

Verspannungs-Schaubild

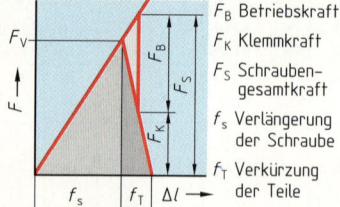

F_V Vorspannkraft
F_B Betriebskraft
F_K Klemmkraft
F_S Schrauben-gesamtkraft
f_s Verlängerung der Schraube
f_T Verkürzung der Teile

Richtwerte zur Vorwahl von Schaftschrauben

Belastung	Betriebskraft je Schraube $F_B^{1)}$ in kN							
statisch	2,5	4	6,3	10	16	25	40	63
dynamisch	1,6	2,5	4	6,3	10	16	25	40
Festigkeitsklasse 4.8, 5.6	M6	M8	M10	M12	M16	M20	M24	M30
5.8, 6.8	M5	M6	M8	M10	M12	M16	M20	M24
8.8	M5	M6	M8	M8	M10	M16	M16	M20
10.9	M4	M5	M6	M8	M10	M12	M16	M16
12.9	M4	M5	M5	M8	M8	M10	M12	M16

1) Für Dehnschrauben nächsthöhere Betriebskraftstufe wählen.

Vorspannkräfte und Anziehdrehmomente

Gewinde	$F^{3)}$	$S^{1)}$ in mm²	Schaftschrauben						$S_T^{2)}$ in mm²	Dehnschrauben					
			Vorspannkraft F_V in kN			Anziehdrehmoment M_A in N·m				Vorspannkraft F_V in kN			Anziehdrehmoment M_A in N·m		
			Gesamtreibungszahl $\mu^{4)}$							Gesamtreibungszahl $\mu^{4)}$					
			0,08	0,12	0,14	0,08	0,12	0,14		0,08	0,12	0,14	0,08	0,12	0,14
M8	8.8	36,6	18,6	17,2	16,5	17,9	23,1	25,3	26,6	12,9	11,8	11,2	13,6	17,6	19,2
	10.9		27,1	25,2	24,2	26,2	34	37,2		19	17,3	16,4	20	25,8	28,2
	12.9		31,9	29,5	28,3	30,7	39,6	43,6		22,2	20,2	19,2	23,4	30,2	33
M8 x 1	8.8	39,2	20,3	18,8	18,1	18,8	24,8	27,3	29,2	14,6	13,4	12,7	13,6	17,6	19,2
	10.9		29,7	27,7	26,6	27,7	36,4	40,1		21,5	19,6	18,7	20	25,8	28,2
	12.9		34,8	32,4	31,1	32,4	42,6	47,1		25,1	23	21,9	23,4	30,2	33
M10	8.8	58,0	29,5	27,3	26,2	36	46	51	42,4	20,7	18,9	17,9	25	32	35
	10.9		43,3	40,2	38,5	53	68	75		30,4	27,7	26,4	37	47	51
	12.9		50,7	47	45	61	80	88		35,6	32,4	30,8	43	55	60
M10x1,25	8.8	61,2	31,5	29,4	28,3	37	49	54	45,6	22,7	20,9	19,9	27	35	38
	10.9		46,5	43,2	41,5	55	72	80		33,5	30,6	29,2	40	51	56
	12.9		54,4	50,6	48,6	64	84	93		39,2	35,9	34,4	46	60	65
M12	8.8	84,3	43	39,9	38,3	61	80	87	61,7	30,3	27,6	26,3	43	55	60
	10.9		63	58,5	56,2	90	117	128		44,6	40,6	38,6	63	81	88
	12.9		73,9	68,5	65,8	105	137	150		52,1	47,7	45,2	74	95	103
M12x1,5	8.8	88,1	48,2	45	43,2	65	87	96	65,8	35	32,6	31	48	63	69
	10.9		70,8	66	63,5	96	128	141		52	47,8	45,7	71	93	102
	12.9		82,7	72,3	74,3	112	150	165		61	56	53,4	83	108	119
M16	8.8	157	81	75,3	72,4	147	194	214	117	58,4	53,4	51	106	137	150
	10.9		119	111	106	216	285	314		85,8	78,5	74,8	156	202	221
	12.9		140	130	124	253	333	367		100	91,8	87,5	182	236	258
M16x1,5	8.8	167	88	82,2	79,2	154	207	229	128	65,5	60,2	57,4	115	151	166
	10.9		129	121	116	227	304	336		96,2	88,4	84,5	169	222	244
	12.9		151	141	136	265	355	394		113	104	99	197	260	285
M20	8.8	245	131	121	117	297	391	430	182	92	86	82	215	278	304
	10.9		186	173	166	423	557	615		134	123	117	306	395	432
	12.9		218	202	194	495	653	720		157	144	137	358	462	505
M20x1,5	8.8	272	149	138	134	320	433	482	210	113	104	100	242	322	355
	10.9		212	200	190	455	618	685		160	148	142	345	460	508
	12.9		247	231	225	533	721	802		188	173	166	402	540	594
M24	8.8	353	188	175	168	512	675	743	262	136	124	118	370	480	523
	10.9		268	250	238	730	960	1060		193	177	168	527	682	745
	12.9		313	291	280	855	1125	1240		225	207	196	617	800	871
M24x2	8.8	384	210	196	189	545	735	816	295	158	145	139	410	543	600
	10.9		300	280	268	776	1046	1160		224	207	198	582	775	852
	12.9		350	327	315	908	1224	1360		263	242	230	682	905	998

1) $A_s \rightarrow S$ Spannungsquerschnitt 2) $A_T \rightarrow S_T$ Schaftquerschnitt, Taillendurchmesser $d_T \approx 0,9 \cdot d_3$
3) F Festigkeitsklasse der Schraube 4) μ Gesamtreibungszahl: Schraube MoS_2-geschmiert oder verkadmet
$\mu = 0,08$; Schraube leicht geölt $\mu = 0,12$; Schraube mit mikroverkapseltem Klebstoff gesichert $\mu = 0,14$

Senkungen für Senkschrauben   vgl. DIN 74-1 (1980-12)

Form A und B Ausführung mittel (m)

$90° \pm 1°$ [1]

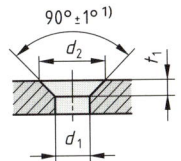

[1] für $d > 20$ mm der Form B (mittel) ist $\alpha = 60°$

Gewinde-Ø			2	3	4	5	6	8	10	12	16	20
Form A	mittel	d_1 H13	2,4	3,4	4,5	5,5	6,6	9	11	13,5	17,5	22
		d_2 H13	4,6	6,5	8,6	10,4	12,4	16,4	20,4	23,9	31,9	40,4
		$t_1 \approx$	1,1	1,6	2,1	2,5	2,9	3,7	4,7	5,2	7,2	9,2
	fein	d_1 H12	2,2	3,2	4,3	5,3	6,4	8,4	10,5	13	17	21
		d_3 H12	4,3	6	8	10	11,5	15	19	23	30	37
		$t_1 \approx$	1,2	1,7	2,2	2,6	3	4	5	5,7	7,7	9,7
		$t_2 +0,1/0$	0,15	0,25	0,3	0,3	0,45	0,7			1,2	1,7

Anwendung der Form A für:
- Senkschrauben DIN EN ISO 2009 und DIN EN ISO 7046-1
- Linsensenkschrauben DIN EN ISO 2010 und DIN EN ISO 7047
- Gewindeschneidschrauben DIN 7513 (Form F und G) und DIN 7516 (Form D und E)
- Gewindefurchende Schrauben DIN 7500 (Form K, L, M und N)
- Senk-Holzschrauben DIN 97 und DIN 7997
- Linsensenk-Holzschrauben DIN 95 und DIN 7995

Form A und B Ausführung fein (f)

$90° \pm 1°$

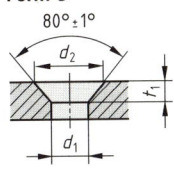

Gewinde-Ø			2	3	4	5	6	8	10	12	16	20
Form B	mittel	d_1 H13	–	3,4	4,5	5,5	6,6	9	11	13,5	17,5	22
		d_2 H13	–	6,6	9	11	13	17,2	21,5	25,5	31,5	38
		$t_1 \approx$	–	1,6	2,3	2,8	3,2	4,1	5,3	6	7	8
	fein	d_1 H12	–	3,2	4,3	5,3	6,4	8,4	10,5	13	17	21
		d_3 H12	–	6,3	8,3	10,4	12,4	16,5	20,5	25	31	37
		$t_1 \approx$	–	1,7	2,4	2,9	3,3	4,4	5,5	6,5	7,5	8,5
		Nenn-Ø	2	3	4	5	6	8	10	12	16	20
		$t_2 +0,1/0$	–	0,2	0,3		0,4		0,5			

Anwendung der Form B für:
- Senkschrauben mit Innensechskant DIN 7991

Form C

$80° \pm 1°$

Form C	Nenn-Ø	2,2	2,9	3,5	3,9	4,2	4,8	5,5	6,3	–	–
	d_1 H12	2,4	3,1	3,7	4,2	4,5	5,1	5,8	6,7	–	–
	d_2 H12	4,6	5,9	7,2	8,1	8,7	10,1	11,4	13	–	–
	$t_1 \approx$	1,3	1,7	2,1	2,3	2,5	3	3,4	3,8	–	–

Anwendung der Form C für:
- Senk-Blechschrauben DIN ISO 1482 und DIN ISO 7050
- Linsensenk-Blechschrauben DIN 7973 und DIN ISO 7051
- ⇒ **Senkung DIN 74 - B f 4:** Form B, Ausführung fein, Gewindedurchmesser 4 mm

N

Senkungen für Senkschrauben mit Einheitsköpfen nach DIN ISO 7721   vgl. DIN 66 (1990-04)

$90° \pm 1°$

Nenngröße	2	3	4	5	6	8
Metr. Schrauben	M2	M3	M4	M5	M6	M8
Blechschrauben	ST2,2	ST2,9	ST4,2	ST4,8	ST6,3	ST8
d_1 H13	2,4	3,4	4,5	5,5	6,6	9
d_2	4,4	6,3	9,4	10,4	12,6	17,3
Grenzabmaße für d_2	+0,1 / 0	+0,2 / 0			+0,25 / 0	
$t \approx$	1,1	1,6	2,6	2,6	3,1	4,3
Nenngröße	10	12	14	16	18	20
Metr. Schrauben	M10	M12	M14	M16	M18	M20
Blechschrauben	ST9,5	–	–	–	–	–
d_1 H13	11	13,5	15,5	17,5	20	22
d_2	20	24	28	32	36	40
Grenzabmaße für d_2	+0,3 / 0			+0,4 / 0		
$t \approx$	4,7	5,4	6,4	7,5	8,2	9,2

Anwendung für Schrauben: DIN ISO 1482, DIN ISO 1483, DIN ISO 2009, DIN ISO 2010; DIN ISO 7046, DIN ISO 7047, DIN ISO 7050, DIN ISO 7051
⇒ **Senkung DIN 66 - 8:** Nenngröße 8 (metr. Gewinde M8 bzw. Blechschraubengewinde ST8)

Senkungen

Senkdurchmesser für Schrauben mit Zylinderkopf

vgl. DIN 974-1 (1991-05)

d_1 H13

d_h H13

x = Ra 3,2

Gewinde-⌀		3	4	5	6	8	10	12	16	20	24	27	30	36
d_h H13		3,4	4,5	5,5	6,6	9	11	13,5	17,5	22	26	30	33	39
d_1 H13	Reihe 1	6,5	8	10	11	15	18	20	26	33	40	46	50	58
	Reihe 2	7	9	11	13	18	24	–	–	–	–	–	–	–
	Reihe 3	6,5	8	10	11	15	18	20	26	33	40	46	50	58
	Reihe 4	7	9	11	13	16	20	24	30	36	43	46	54	63
	Reihe 5	9	10	13	15	18	24	26	33	40	48	54	61	69
	Reihe 6	8	10	13	15	20	24	33	43	48	58	63	73	–

Reihe	Schrauben mit Zylinderkopf ohne Unterlegteile
1	Schrauben DIN ISO 1207, DIN EN ISO 4762 (DIN 912), DIN 6912, DIN 7984
2	Schrauben DIN ISO 1580, ISO 1580, DIN 7985
3	Schrauben ISO 1207, DIN EN ISO 4762 (DIN 912), DIN 7984 mit Federringen DIN 7980

	Schrauben mit Zylinderkopf und folgenden Unterlegteilen:	
4	Scheiben DIN 433-1 und DIN 433-2	Zahnscheiben DIN 6797
	Federscheiben DIN 137 Form A	Fächerscheiben DIN 6798
	Federringe DIN 128 + DIN 6905	Fächerscheiben DIN 6907
5	Scheiben DIN 125-1 und DIN 125-2	Federscheiben DIN 137 Form B
	Scheiben DIN 6902 Form A	Federscheiben DIN 6904
6	Spannscheiben DIN 6796	**Spannscheiben DIN 6908**

Senkdurchmesser für Sechskantschrauben und Sechskantmuttern

vgl. DIN 974-2 (1991-05)

d_1 H13

d_h H13

x = Ra 3,2

oder Rz 25

Gewinde-⌀	4	5	6	8	10	12	14	16	20	24	27	30	33	36	42
Schlüsselw.	7	8	10	13	16	18	21	24	30	36	41	46	50	55	65
d_h H13	4,5	5,5	6,6	9	11	13,5	15,5	17,5	22	26	30	33	36	39	45
d_1 H13 — Reihe 1	13	15	18	24	28	33	36	40	46	58	61	73	76	82	98
d_1 H13 — Reihe 2	15	18	20	26	33	36	43	46	54	73	76	82	89	93	107
d_1 H13 — Reihe 3	10	11	13	18	22	26	30	33	40	48	54	61	69	73	82

Reihe 1: für Steckschlüssel DIN 659, DIN 896, DIN 3112 oder Steckschlüsseleinsätze DIN 3124
Reihe 2: für Ringschlüssel DIN 838, DIN 897 oder Steckschlüsseleinsätze DIN 3129
Reihe 3: für Ansenkungen bei beengten Raumverhältnissen (für Spannscheiben nicht geeignet).

Berechnung der Senktiefe für bündigen Abschluss (für DIN 974-1 und DIN 974-2)

Scheibe — Schraubenkopf

d_k

h_{max}

k_{max}

d

d_h H13

d_1 H13

Ermittlung der Zugabe Z					
Gewinde-Nenn-⌀ d	von 1 bis 1,4	über 1,4 bis 6	über 6 bis 20	über 20 bis 27	über 27 bis 100
Zugabe Z	0,2	0,4	0,6	0,8	1,0

t Senktiefe

k_{max} maximale Kopfhöhe der Schraube

h_{max} maximale Höhe des Unterlegteiles

Z Zugabe entspr. dem Gewinde-Nenndurchmesser (vgl. Tabelle)

Senktiefe[1]

$$t = k_{max} + h_{max} + Z$$

Beispiel:

Wie groß ist die Senktiefe für eine Zylinderschraube DIN EN ISO 4762 - M12 x 50 - 12.9 mit Scheibe DIN 433-13-300 HV?

Aus Tabellen: k_{max} = 12 mm; h_{max} = 2,2 mm; Z = 0,6 mm

$t = k_{max} + h_{max} + Z$

= 12 mm + 2,2 mm + 0,6 mm = 14,8 mm ≈ **15 mm**

[1] Falls die Werte k_{max} und h_{max} nicht zur Verfügung stehen, können näherungsweise die Werte k und h verwendet werden.

Hinweis: DIN 974 sieht keine Kurzbezeichnung für Senkungen vor.

Muttern

Bezeichnung von Muttern

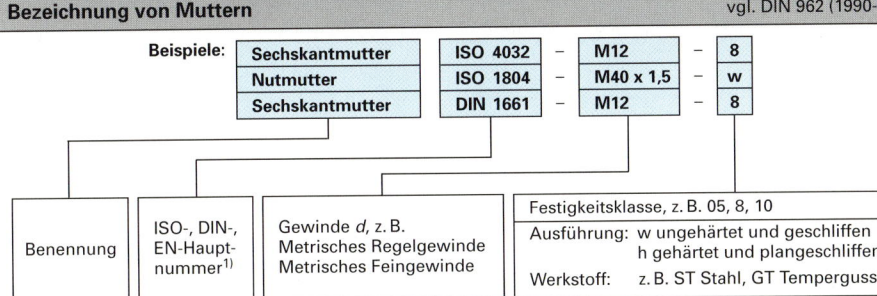

Beispiele:

Sechskantmutter	ISO 4032	– M12	– 8
Nutmutter	ISO 1804	– M40 x 1,5	– w
Sechskantmutter	DIN 1661	– M12	– 8

Benennung	ISO-, DIN-, EN-Haupt-nummer[1]	Gewinde d, z. B. Metrisches Regelgewinde Metrisches Feingewinde	Festigkeitsklasse, z. B. 05, 8, 10
			Ausführung: w ungehärtet und geschliffen h gehärtet und plangeschliffen
			Werkstoff: z. B. ST Stahl, GT Temperguss

[1] Muttern, die nach DIN EN ISO genormt sind, erhalten in der Bezeichnung die ISO-Hauptnummer.

DIN EN ISO-Norm: **ISO-Hauptnummer = DIN EN ISO-Nummer**

Muttern, die nach DIN EN genormt sind, erhalten in der Bezeichnung die EN- **oder** die ISO-Hauptnummer.

DIN EN-Norm: **EN-Hauptnummer = DIN EN-Nummer**

oder: **ISO-Hauptnummer = (DIN EN-Nummer – 20 000)**

Beispiel: DIN EN 24 032:   ISO-Hauptnummer = 24 032 – 20 000 = 4032

Muttern, die nach DIN genormt sind, erhalten in der Bezeichnung die DIN-Nummer.

Festigkeitsklassen von Muttern

		zulässige Kombination Mutter/Schraube[1]					
Mutter		**Mutter**					**Schraube**
Festig-keits-klasse	Höhe m	mit Regelgewinde Gewindebereich d		mit Feingewinde Gewindebereich d			Festig-keits-klasse
		Typ 1	Typ 2[2]	Typ 1		Typ 2	
4	≥ 0.8 · d	M20…M36	—	—		—	bis 4.8
5		M5 …M36	—	—		—	bis 5.8
6		M5 …M36	—	M8 x 1…M36 x 3		—	bis 6.8
8		M5 …M36	M20…M36	M8 x 1…M36 x 3		M8 x 1…M16 x 1,5	bis 8.8
9		M5 …M16	M5 …M16	—		—	bis 9.8
10		M5 …M36	—	M8 x 1…M16 x 1,5		M8 x 1…M36 x 3	bis 10.9
12		M5 …M16	M5 …M36	—		M8 x 1…M16 x 1,5	bis 12.9
04	< 0.8 · d	Muttern der Festigkeitsklassen 04 und 05 sind nicht in Typ 1 oder Typ 2 eingeteilt. Sie sind geringer belastbar als Muttern mit der Höhe m ≥ 0.8 · d.					
05							

[1] Werden Muttern und Schrauben innerhalb der angegebenen Bereiche miteinander kombiniert, so können die Verbindungen nach untenstehender **Tabelle** belastet werden.

[2] Muttern des Typs 2 sind ca. 10% höher als Muttern des Typs 1.

Zulässige Längskräfte F[1] für Muttern und Schrauben

Gewinde d	zulässige Längskraft F in kN für Festigkeitsklasse der Schraube							Gewinde d	zulässige Längskraft F in kN für Festigkeitsklasse der Schraube						
	4.8	5.8	6.8	8.8	9.8	10.9	12.9		4.8	5.8	6.8	8.8	9.8	10.9	12.9
M5	4,40	5,40	6,25	8,23	9,23	11,8	13,8	M16 x 1,5	51,8	63,5	73,5	96,9	109	139	162
M6	6,23	7,64	8,84	11,6	13,1	16,7	19,5	M20	76,0	93,1	108	147	–	203	238
M8	11,4	13,9	16,1	21,2	23,8	30,4	35,5	M20 x 1,5	84,0	103	120	163	–	226	264
M8 x 1	12,2	14,9	17,2	22,7	25,5	32,5	38,0	M24	109	134	155	212	–	293	342
M10	18,0	22,0	25,5	33,7	37,7	48,1	56,3	M24 x 2	119	146	169	230	–	319	372
M10 x 1	20,0	24,5	28,4	37,4	41,9	53,5	62,7	M30	174	213	247	337	–	466	544
M12	26,1	32,0	37,1	48,9	54,8	70,0	81,8	M30 x 2	192	236	273	373	–	515	602
M12 x 1,5	28,6	35,0	40,5	53,4	59,9	76,4	89,3	M36	253	310	359	490	–	678	792
M16	48,7	59,7	69,1	91,0	102	130	152	M36 x 3	268	329	381	519	–	718	838

[1] Bei Belastungen bis zur Kraft F besteht keine Gefahr gegen das Abstreifen der Gewinde, wenn Muttern mit der Höhe m ≥ 0.8 · d verwendet werden.

N

	Muttern						
Bild	Ausführung, Normbereich von … bis	W[1]	Norm	Bild	Ausführung, Normbereich von … bis	W[1]	Norm
Sechskantmutter							
	Typ 1				Typ 1		
	M3…M36	6; 8; 10	DIN EN 24 032		M8 x 1…M12 x 1,5	6; 8; 10	DIN EN 28 673
	M1,6…M2,5 und M42…M63	2)			M16 x 1,5…M36 x 3	6; 8	
					M42 x 3…M64 x 4	2)	
	Typ 2, M5…M36	9; 10; 12	DIN EN 24 033		Typ 2, M8 x 1…M36 x 3	8; 10; 12	DIN EN 28 674
Sechskantmuttern, niedrige Form							
	M1,6…M2,5	14H	DIN EN 24 035		M8 x 1…M36 x 3	04; 05	DIN EN 28 675
	M3…M36	04; 05					
	M42…M64	2)			M42 x 3…M63 x 4	2)	
Sechskantmuttern mit Klemmteil, nichtmetallischer Einsatz				**Sechskantmuttern mit Klemmteil, Ganzmetallmuttern**			
	Typ 1, Regelgewinde, M3…M36	5; 8; 10	DIN EN ISO 7040		Typ 1, Regelgewinde, M5…M36	5; 8; 10	DIN EN ISO 7719
	niedrige Form, Regelgewinde, M3…M36	04; 05	DIN EN ISO 10511		Typ 2, Regelgewinde, M5…M36	5; 8; 10; 12	DIN EN ISO 7042
	Typ 1, Feingewinde, M8 x 1…M36 x 3	6; 8; 10	DIN EN ISO 10512		Typ 2, Feingewinde, M8 x 1…M36 x 3	8; 10; 12	DIN EN ISO 10513
Sechskantmuttern, weitere Formen							
	mit Flansch, M5…M20	8; 10; 12	DIN EN 1661		mit großen Schlüsselweiten, HV-Verbindungen im Stahlbau, M12…M36	10	DIN 6915
	mit Flansch und Klemmteil, M5…M20	8; 10	DIN 1663				
	mit Bund, hohe Form M6…M48	8; 10	DIN 6331		Schweißmuttern, M3…M16, M8 x 1…M16 x 1,5	St	DIN 929
Kronenmuttern				**Hutmuttern**			
	hohe Form, M4…M36 M8 x 1…M36 x 3	6; 8; 10	DIN 935		hohe Form, M4…M24, M8 x 1…M24 x 2	6	DIN 1587
	M42…M100 x 6 M42 x 3…M100 x 4	2)					
	niedrige Form, M6…M36 M8 x 1…M36 x 3	04; 05	DIN 979		niedrige Form, M4…M36, M8 x 1…M36 x 3	5; 6	DIN 917
	M42…M48 M42 x 3…M48 x 3	2)			M42…M48, M42 x 3…M48 x 3	2)	

[1] W Werkstoff: Festigkeitsklasse, z.B. 04, 05, 6, 8 oder Härte, z.B. 6H, 11H oder Stahl, z.B. St, C15

[2] Festigkeitsklasse nach Vereinbarung

Muttern

Bild	Ausführung, Normbereich von … bis	W[1]	Norm	Bild	Ausführung, Normbereich von … bis	W[1]	Norm
Ringmuttern, Ringschrauben				**Rändelmuttern**			
	Ringmuttern, M8…M100 x 6, M20 x 2…M100 x 4	C15	DIN 582		hohe Form, M1…M10	5	DIN 466
	Ringschrauben, Gewinde wie Ringmuttern	C15	DIN 580		niedrige Form, M1…M10	5	DIN 467
Nutmuttern				**Kreuzlochmuttern**			
	Ausführungen w oder h, M6…M200 x 3	5	DIN 1804		Ausführungen w oder h, M6…M200 x 3	5	DIN 1816
	für Wälzlager, M10 x 1…M200 x 3	11H	DIN 981				
Flügelmuttern				**Spannschlossmuttern**			
	M4…M24	St, GT	DIN 315		Sechskantstahl, M6…M30	St	DIN 1479
Sicherungsmuttern				**Splinte**			
	M4…M30	Feder-stahl	DIN 7967		0,6 x 4…20 x 80	St	DIN EN ISO 1234

[1] W Werkstoff: Festigkeitsklasse, z.B. 5, 6, 8 oder Härte, z.B. 6H, 11H oder Stahl, z.B. St, C15 oder Temperguss GT

Sechskantmuttern mit Regelgewinde, Typ 1 und niedrige Form   vgl. DIN EN 24 032, 24 035 (1992-02)

Gültige Normen		Ersatz	d	M1,6	M2	M2,5	M3	M4	M5	M6	M8	M10
DIN EN	ISO	für DIN	SW	3,2	4	5	5,5	7	8	10	13	16
24 032	4032	934	d_w	2,4	3,1	4,1	4,6	5,9	6,9	8,9	11,6	14,6
24 035	4035	439	e	3,4	4,3	5,5	6	7,7	8,8	11,1	14,4	17,8
			$m^{1)}$	1,3	1,6	2	2,4	3,2	4,7	5,2	6,8	8,4
			$m^{2)}$	1	1,2	1,6	1,8	2,2	2,7	3,2	4	5
			d	M12	M16	M20	M24	M30	M36	M42	M48	M56
			SW	18	24	30	36	46	55	65	75	85
			d_w	16,6	22,5	27,7	33,3	42,8	51,1	60	69,5	78,7
			e	20	26,8	33	39,6	50,9	60,8	71,3	82,6	93,6
			$m^{1)}$	10,8	14,8	18	21,5	25,6	31	34	38	45
			$m^{2)}$	6	8	10	12	15	18	21	24	28

⇒ **Sechskantmutter ISO 4032 - M24 - 10**: d = M24, Festigkeitsklasse 10

[1] DIN EN 24 032: Sechskantmutter Typ 1
[2] DIN EN 24 035: Sechskantmutter niedrige Form

Sechskantmuttern mit Regelgewinde, Typ 2   vgl. DIN EN 24 033 (1992-02)

d	M5	M6	M8	M10	M12	M16	M20	M24	M30	M36
SW	8	10	13	16	18	24	30	36	46	55
d_w	6,9	8,9	11,6	14,6	16,6	22,5	27,7	33,2	42,7	51,1
e	8,8	11,1	14,4	17,8	20	26,8	33	39,6	50,9	60,8
m	5,1	5,7	7,5	9,3	12	16,4	20,3	23,9	28,6	34,7

⇒ **Sechskantmutter ISO 4033 - M6 - 8**: d = M6, Festigkeitsklasse 8

Muttern

Sechskantmuttern mit Feingewinde, Typ 1 und Typ 2   vgl. DIN EN 28 673, 28 674 (1992-02)

Gültige Normen		Ersatz											
DIN EN	ISO	für DIN	d	M8 x1	M10 x1,5	M12 x1,5	M16 x1,5	M20 x1,5	M24 x2	M30 x2	M36 x3	M42 x3	M48 x3	M56 x3
28 673	8673	934	SW	13	16	18	24	30	36	46	55	65	75	85
28 674	8674	971	d_w	11,6	14,6	16,6	22,5	27,7	33,3	42,8	51,1	60	69,5	78,7
			e	14,4	17,8	20	26,8	33	39,6	50,9	60,8	71,3	82,6	93,6
			$m^{1)}$	5,3	6,4	7,5	10	12,5	15	18,7	22,5	26	30	35
			$m^{2)}$	7,5	9,3	12	16,4	20,3	23,9	28,6	34,7	–	–	–

⇒ **Sechskantmutter ISO 8673 - M20 x 1,5 - 8:**
d = M20 x 1,5; Festigkeitsklasse 8

[1) DIN EN 28 673: Sechskantmuttern Typ 1
2) DIN EN 28 674: Sechskantmuttern Typ 2]

Sechskantmuttern mit Feingewinde, niedrige Form   vgl. DIN EN 28 675 (1992-02), Ersatz für DIN 439

d	M8 x1	M10 x1,5	M12 x1,5	M16 x1,5	M20 x1,5	M24 x2	M30 x2	M36 x3	M42 x3	M48 x3	M56 x3
SW	13	16	18	24	30	36	46	55	65	75	85
d_w	11,6	14,6	16,6	22,5	27,7	33,3	42,8	51,1	60	69,5	78,7
e	14,4	17,8	20	26,8	33	39,6	50,9	60,8	71,3	82,6	93,6
m	4	5	6	8	10	12	15	18	21	24	28

⇒ **Sechskantmutter ISO 8675 - M12 x 1,5 - 05:**
d = M12 x 1,5; Festigkeitsklasse 05

Sechskantmuttern mit Klemmteil, Typ 1   vgl. DIN EN ISO 7040, 10 512 (1998-02)

Gültige Norm	Ersatz												
DIN EN ISO	für DIN	d	M3	M4	M5	M6	M8	M10	M12	M16	M20	M24	M30	M36
7040			–	–	–	–	M8 x1	M10 x1	M12 x1,25	M16 x1,5	M20 x1,5	M24 x2	M30 x2	M36 x3
10512	982	SW	5,5	7	8	10	13	16	18	24	30	36	46	55
		d_w	4,6	5,9	6,9	8,9	11,7	14,6	16,6	22,5	27,7	33,3	42,8	51,1
		e	6,0	7,7	8,8	11,1	14,4	17,8	20	26,8	33	39,6	50,9	60,8
		h	4,5	6	6,8	8	9,5	11,9	14,9	19,1	22,8	27,1	32,6	38,9
		m	2,2	2,9	4,4	4,9	6,4	8	10,4	14,1	16,9	20,2	24,3	29,4

⇒ **Sechskantmutter ISO 7040 - M16 - 10**: d = M16, Festigkeitsklasse 10

DIN EN ISO 7040: Muttern mit Regelgewinde
DIN EN ISO 10152: Muttern mit Feingewinde

HV[1)]-Sechskantmuttern für Stahlkonstruktionen   vgl. DIN 6915 (1989-10)

d	M12	M16	M20	M22	M24	M27	M30	M36
SW	22	27	32	36	41	46	50	60
d_w	20	25	30	34	39	43,5	47,5	57
e	23,9	29,6	35	39,6	45,2	50,9	55,4	66,4
m	10	13	16	18	19	22	24	29

⇒ **Sechskantmutter DIN 6915 - M24**: d = M24 (Festigkeitsklasse 10)

[1) HV: hochfest vorgespannte Verbindungen]

Sechskantmuttern mit Flansch   vgl. DIN EN 1661 (1998-02), Ersatz für DIN 6923

d	M5	M6	M8	M10	M12	M16	M20
SW	8	10	13	15	18	24	30
d_w	9,8	12,2	15,8	19,6	23,8	31,9	39,9
d_c	11,8	14,2	17,9	21,8	26	34,5	42,8
e	8,8	11,1	14,4	17,8	20	26,8	33
m	5	6	8	10	12	16	20

⇒ **Sechskantmutter DIN EN 1661 - M16 - 10:**
d = M16, Festigkeitsklasse 10

Muttern

Sechskant-Hutmuttern

vgl. DIN 1587 (1987-06)

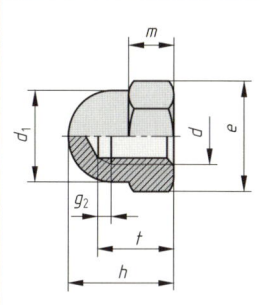

	M4	M5	M6	M8	M10	M12	M16	M20	M24
d	–	–	–	M8 x1	M10 x1	M12 x1,5	M16 x1,5	M20 x2	M24 x2
SW	7	8	10	13	16	18	24	30	36
d_1	6,5	7,5	9,5	12,5	15	17	23	28	34
m	3,2	4	5	6,5	8	10	13	16	19
e	7,7	8,8	11,1	14,4	17,8	20	26,8	33,5	40
h	8	10	12	15	18	22	28	34	42
t	5,3	7,2	7,8	10,7	13,3	16,3	21,4	25,6	30,5
g_2	$g_2 = 2 \cdot P$ (P Gewindesteigung)					Gewindefreistich DIN 76-C			

⇒ **Hutmutter DIN 1587 - M10 - 6**: d = M10, Festigkeitsklasse 6

Nutmuttern

vgl. DIN 1804 (1971-03)

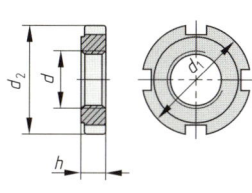

d	M16 x1,5	M20 x1,5	M24 x1,5	M30 x1,5	M35 x1,5	M40 x1,5	M45 x1,5	M50 x1,5	M55 x1,5	M60 x1,5	M65 x1,5
d_1	32	36	42	50	55	62	68	75	80	90	95
d_2	27	30	36	43	48	54	60	67	70	80	85
b	5	6	6	7	7	8	8	8	10	10	10
h	7	8	9	10	11	12	12	13	13	13	14

⇒ **Nutmutter DIN 1804 - M16 x 1,5 - h**: d = M16 x 1,5; Ausführung h: gehärtet und plangeschliffen

Sicherungsbleche für Nutmuttern nach DIN 1804

vgl. DIN 462 (1973-09)

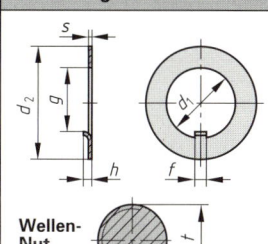

d_1 H11	16	20	24	30	35	40	45	50	55	60	65
d_2	32	36	42	50	55	62	68	75	80	90	95
s	1	1	1	1,2	1,2	1,2	1,2	1,2	1,2	1,5	1,5
g	13,5	17,5	21,6	27,5	32,6	37,3	42,4	47,4	52,3	57,3	62,3
h	3	4	4	5	5	5	5	5	6	6	6
f c11	5	6	6	7	7	8	8	8	8	10	10
t_{max}	13,4	17,4	21,5	27,4	32,5	37,2	42,2	47,2	52,1	57,1	62,1
n H11	5	6	6	7	7	8	8	8	8	10	10

Wellen-Nut

⇒ **Sicherungsblech DIN 462 - 16**: d_1 = 16 mm

Ringmuttern und Ringschrauben

vgl. DIN 582 (1971-04), DIN 580 (1972-03)

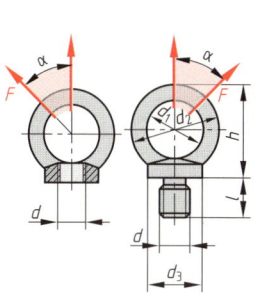

	M8	M10	M12	M16	M20	M24	M30	M36	M42	M48	M56
d	–	–	–	–	M20 x2	M24 x2	M30 x2	M36 x3	M42 x3	M48 x3	M56 x4
l	13	17	20,5	27	30	36	45	54	63	68	78
d_1	20	25	30	35	40	50	60	70	80	90	100
d_2	36	45	54	63	72	90	108	126	144	166	184
d_3	20	25	30	35	40	50	65	75	85	100	110
h	36	45	53	62	71	90	109	128	147	168	187
zulässige Kraft F in kN											
α 0°	1,4	2,3	3,3	6,9	11,8	17,7	35,3	50	68,7	86	112
45°	0,9	1,7	2,4	4,9	8,2	12,5	25,5	36,3	49	59,8	81

⇒ **Ringschraube DIN 580 - M36 x 3**: d = M36 x 3 (Werkstoff C15)

⇒ **Ringmutter DIN 582 - M10**: d = 10 mm (Werkstoff C15)

Muttern

Kronenmuttern
vgl. DIN 935, DIN 979 (beide 1987-10)

Form bis M10

Form ab M12

DIN		M4	M5	M6	M8	M10	M12	M16	M20	M24	M30
DIN	d	–	–	–	M8 x1	M10 x1,25	M12 x1,5	M16 x1,5	M20 x2	M24 x2	M30 x2
935	d_1	5,8	6,8	8,8	11,3	15,3	17,2	22,2	27,7	33,2	42,7
935	w	3,2	4	5	6,5	8	10	13	16	19	24
935	m	5	6	7,5	9,5	12	15	19	22	27	33
979	d_1	–	–	8,8	11,3	15,3	17,2	22,2	27,7	33,2	42,7
979	w	–	–	2,5	3,5	4	5	7	10	11	15
979	m	–	–	5	6,5	8	10	13	16	19	24
935, 979	n	1,2	1,4	2	2,5	2,8	3,5	4,5	4,5	5,5	7
935, 979	s	7	8	10	13	16	18	24	30	36	46
935, 979	e	7,7	8,8	11,1	14,4	17,8	20	26,8	33	39,6	50,9

⇒ **Kronenmutter DIN 935 - M20 - 8**: d = M20, Festigkeitsklasse 8

DIN 935: Normalausführung; DIN 979: niedrige Form

Splinte
vgl. DIN EN ISO 1234 (1998-02), Ersatz für DIN 94

$d^{1)}$		1	1,2	1,6	2	2,5	3,2	4	5	6,3	8
b		3	3	3,2	4	5	6,4	8	10	12,6	16
c		1,6	2	2,8	3,6	4,6	5,8	7,4	9,2	11,8	15
a		1,6	2,5	2,5	2,5	2,5	3,2	4	4	4	4
l	von	6	8	8	10	12	14	18	22	28	36
l	bis	20	25	32	40	50	63	80	100	125	160
$d_1^{2)}$	über	3,5	4,5	5,5	7	9	11	14	20	27	39
$d_1^{2)}$	bis	4,5	5,5	7	9	11	14	20	27	39	56
Nenn-längen		6, 8, 10, 12, 14, 16, 18, 20, 22, 25, 28, 32, 36, 40, 45, 50, 56, 63, 71, 80, 90, 100, 112, 125, 140, 160 mm									

⇒ **Splint ISO 1234 - 2,5 x 32 - St**:
d = 2,5 mm, l = 32 mm, Werkstoff: Stahl

[1] d Nenngröße = Splintlochdurchmesser
[2] d_1 zugehörende Schraubendurchmesser

Sechskant-Schweißmuttern
vgl. DIN 929 (1998-02)

d	M3	M4	M5	M6	M8	M10	M12	M16
d_k	4,5	6	7	8	10,5	12,5	14,8	18,8
m	3	3,5	4	5	6,5	8	10	13
h	0,3	0,3	0,3	0,4	0,4	0,5	0,6	0,8
s	7,5	9	10	11	14	17	19	24
e	8,2	9,8	11	12	15,4	18,7	20,9	26,5

⇒ **Schweißmutter DIN 929 - M12 - St**: d = M12, Werkstoff: Stahl

Rändelmuttern
vgl. DIN 466, 467 (1986-09)

d	M1,2	M1,6	M2	M2,5	M3	M4	M5	M6	M8	M10
d_k	6	7,5	9	11	12	16	20	24	30	36
d_s	3	3,8	4,5	5	6	8	10	12	16	20
k	1,5	2	2	2,5	2,5	3,5	4	5	6	8
$h^{1)}$	4	5	5,3	6,5	7,5	9,5	11,5	15	18	23
$h^{2)}$	2	2,5	2,5	3	3	4	5	6	8	10

⇒ **Rändelmutter DIN 467 - M6 - 5**: d = M6, Festigkeitsklasse 5

[1] DIN 466: hohe Form; [2] DIN 467: niedrige Form

N

Bezeichnungsbeispiel:

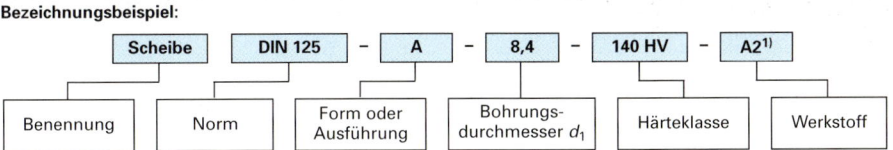

| Scheibe | DIN 125 | – | A | – | 8,4 | – | 140 HV | – | A2[1] |

| Benennung | Norm | Form oder Ausführung | Bohrungs- durchmesser d_1 | Härteklasse | Werkstoff |

[1] Nichtrostender Stahl, Stahlgruppe A2

Scheiben, Produktklasse A, vorzugsweise für Sechskantschrauben und -muttern

vgl. DIN 125-1+2 (1990-03)

Form A: DIN 125-1   **Form B:**
ohne Fase   mit Außenfase

$(0,25...0,5) \cdot h$
30° bis 45°

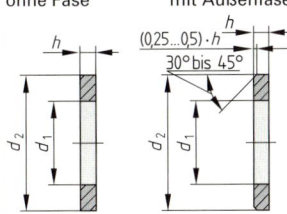

Gewinde	M1,6	M2	M2,5	M3	M4	M5	M6	M7
d_1 min.	1,7	2,2	2,7	3,2	4,3	5,3	6,4	7,4
d_2 max.	4,5	5	6	7	9	10	12	14
h max.	0,35	0,35	0,55	0,55	0,9	1,1	1,8	1,8
Gewinde	M8	M10	M12	M14	M16	M18	M20	M22
d_1 min.	8,4	10,5	13	15	17	19	21	23
d_2 max.	16	20	24	28	30	34	37	39
h max.	1,8	2,2	2,7	2,7	3,3	3,3	3,3	3,3

DIN 125-2

Form B:
mit Außen- u.
mit Innenfase

Form A:
ohne Außen-,
mit Innenfasen

$(0,25...0,35) \cdot h$
30° bis 45°

Gewinde	M24	M30	M36	M42	M48	M56	M64	M80
d_1 min.	25	31	37	43	50	58	66	82
d_2 max.	44	56	66	78	92	105	115	140
h max.	4,3	4,3	5,6	8	9	10	10	13,2

Werk- stoffe [1]	DIN 125-1		DIN 125 2	
	Härteklasse	HV	Härteklasse	HV
Stahl oder nichtrosten- der Stahl	140 HV	140...250	300 HV vergütet	300...400
	Form A	Form B	Form A	Form B
Abmes- sungen d_1	1,7...37 mm	5,3...165 mm	1,7...37 mm	5,3...165 mm

⇒ **Scheibe DIN 125-A 13-140 HV-A2:** d_1 = 13 mm, Form A, Härteklasse 140 HV, aus nichtrostendem Stahl

[1] Nichteisenmetalle und andere Werkstoffe nach Vereinbarung

---

Scheiben, Produktklasse A, vorzugsweise für Zylinderschrauben

vgl. DIN 433-1+2 (1990-03)

DIN 433-1   DIN 433-2

Gewinde	M1	M1,6	M2	M2,5	M3	M4	M5	M6
d_1 min.	1,1	1,7	2,2	2,7	3,2	4,3	5,3	6,4
d_2 max.	2,5	3,5	4,5	5	6	8	9	11
h max.	0,35	0,35	0,35	0,55	0,55	0,55	1,1	1,8
Gewinde	M8	M10	M12	M14	M16	M20	M24	M30
d_1 min.	8,4	10,5	13	15	17	21	25	31
d_2 max.	15	18	20	24	28	34	39	50
h max.	1,8	1,8	2,2	2,7	2,7	3,3	4,3	4,3

Werk- stoffe [1]	DIN 433-1		DIN 433-2	
	Härteklasse	HV	Härteklasse	HV
Stahl oder nichtrosten- der Stahl	140 HV 200 HV	140...250 200...250	300 HV vergütet	300...400

⇒ **Scheibe DIN 433-13-300 HV:** d_1 = 13 mm, Härteklasse 300 HV, aus Stahl

[1] Nichteisenmetalle und andere Werkstoffe nach Vereinbarung

Scheiben, Produktklasse C, vorzugsweise für Sechskantschrauben und -muttern

vgl. DIN 126 (1990-03)

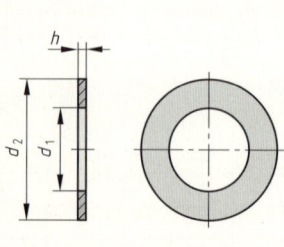

Für Gewinde	M5	M6	M8	M10	M12	M16	M20	M24
d_1 min.	5,5	6,6	9	11	13,5	17,5	22	26
d_2 max.	10	12	16	20	24	30	37	44
h max.	1,2	1,9	1,9	2,3	2,8	3,6	3,6	3,4
Für Gewinde	M27	M30	M36	M42	M48	M56	M64	M72
d_1 min.	30	33	39	45	52	62	70	78
d_2 max.	50	56	66	78	92	105	115	125
h max.	4,6	4,6	6	8,2	9,2	10,2	10,2	11,2
Für Gewinde	M80	M90	M100	M120	M130	M140	M150	M160
d_1 min.	86	96	107	127	137	147	159	168
d_2 max.	140	160	175	210	220	240	250	250
h max.	13,6	13,6	15,6	17,6	17,6	19,6	19,6	19,6

➡ **Scheibe DIN 126-22-100 HV**:
d_1 = 22 mm, Härteklasse 100 HV

Scheiben für Bolzen, Produktklasse A

vgl. DIN EN 28 738 (1992-10)

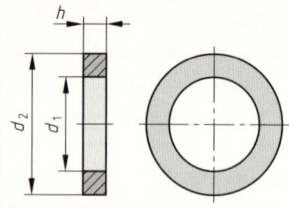

d_1 min. = Nenngröße	3	4	5	6	8	10	12	14
d_2 max.	6	8	10	12	15	18	20	22
h max.	0,9	0,9	1,1	1,8	2,2	2,7	3,3	
d_1 min. = Nenngröße	16	18	20	22	24	27	30	33
d_2 max.	24	28	30	34	37	39	44	47
h max.	3,3	4,3				5,6		
d_1 min. = Nenngröße	36	40	46	50	60	70	80	100
d_2 max.	50	56	60	66	78	92	98	120
h max.	6,6			9		11	13,2	

➡ **Scheibe ISO 8738-14-160 HV**:
d_1 = 14 mm, Härteklasse 160 HV

Scheiben für Stahlkonstruktionen

vgl. DIN 7989 (1974-07)

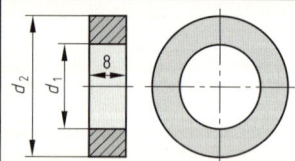

Für Gewinde	M10	M12	M16	M20	M24	M27	M30	M36
d_1 min.	11	14	18	22	26	30	33	39
d_2 max.	21	24	30	37	44	50	56	66

Ausführungen: A grob; B mittel (vorzugsweise für Sechskant-Passschrauben)

➡ **Scheibe DIN 7989-A 18-St**: Ausführung A, d_1 = 18 mm, aus Stahl

Scheiben für U- und I-Träger

vgl. DIN 434 (1990-04) und DIN 435 (1989-12)

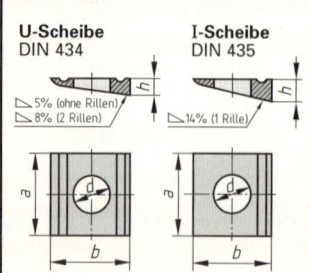

U-Scheibe DIN 434   **I-Scheibe DIN 435**

▷ 5% (ohne Rillen)
▷ 8% (2 Rillen)
▷ 14% (1 Rille)

Für Gewinde	M8	M10	M12	M16	M20	M22	M24	M27
d min.	9	11	14	18	22	24	26	30
a	22	22	26	32	40	44	56	56
b	22	22	30	36	44	50	56	56
h DIN 434	3,8	3,8	4,9	5,8	7	8	8,5	8,5
h DIN 435	4,6	4,6	6,2	7,5	9,2	10	10,8	10,8

➡ **I-Scheibe DIN 435-14**: d = 14 mm (für I-Träger)

Spannscheiben für Schrauben der Festigkeitsklassen 8.8 bis 10.9   vgl. DIN 6796 (1987-10)

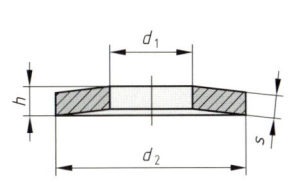

Für Gewinde	d_1 H14	d_2 h14	h max.	s	Für Gewinde	d_1 H14	d_2 h14	h max.	s
M2	2,2	5	0,6	0,4	M12	13	29	3,95	3
M3	3,2	7	0,85	0,6	M14	15	35	4,65	3,5
M4	4,3	9	1,3	1	M16	17	39	5,25	4
M5	5,3	11	1,55	1,2	M18	19	42	5,8	4,5
M6	6,4	14	2	1,5	M20	21	45	6,4	5
M7	7,4	17	2,3	1,75	M24	25	56	7,75	6
M8	8,4	18	2,6	2	M27	28	60	8,35	6,5
M10	10,5	23	3,2	2,5	M30	31	70	9,2	7

➡ **Spannscheibe DIN 6796-8-FSt**: für M8, aus Federstahl

Federringe, gewölbt, für Schrauben der Festigkeitsklasse <8.8   vgl. DIN 128 (1994-10)

Form A[1] gewölbt

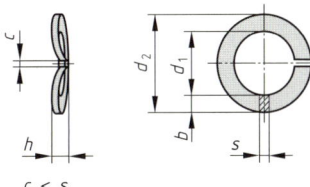

$c < s$

Für Gewinde	d_1 min.	d_1 max.	d_2 max.	b	s	h min.	h max.
M2	2,1	2,4	4,4	0,9	0,5	0,7	0,9
M3	3,1	3,4	6,2	1,3	0,7	1,1	1,3
M4	4,1	4,4	7,6	1,5	0,8	1,2	1,4
M5	5,1	5,4	9,2	1,8	1	1,5	1,7
M6	6,1	6,5	11,8	2,5	1,3	2	2,2
M7	7,1	7,5	12,8	2,5	1,3	2	2,2
M8	8,1	8,5	14,8	3	1,6	2,45	2,75
M10	10,2	10,7	18,1	3,5	1,8	2,85	3,15
M12	12,2	12,7	21,1	4	2,1	3,35	3,65
M14	14,2	14,7	24,1	4,5	2,4	3,9	4,3
M16	16,2	17	27,4	5	2,8	4,5	5,1
M18	18,2	19	29,4	5	2,8	4,5	5,1
M20	20,2	21,2	33,6	6	3,2	5,1	5,9
M22	22,5	23,5	35,9	6	3,2	5,1	5,9
M24	24,5	25,5	40	7	4	6,5	7,5
M27	27,5	28,5	43	7	4	6,5	7,5
M30	30,5	31,7	48,2	8	6	9,5	10,5
M36	36,5	37,5	58,2	10	6	10,3	11,3

[1] Form B wurde gestrichen

➡ **Federring DIN 128 – A8-FSt**: Form A, für M8, aus Federstahl

Zahnscheiben[1]
Fächerscheiben[1]

vgl. DIN 6797 (1988-07)
vgl. DIN 6798 (1988-07)

DIN 6797
Form A außengezahnt
Form J innengezahnt
Form V versenkbar

DIN 6798
Form A außengezahnt
Form J innengezahnt
Form V versenkbar

Für Gewinde	Nennmaß					Mindestzähnezahl DIN 6797 (DIN 6798)		
	d_1 min.	d_2 max.	d_3	s_1	s_2	A	J	V
M2	2,2	4,5	4,2	0,3	0,2	6 (9)	6 (7)	6 (10)
M3	3,2	6	6	0,4	0,2	6 (9)	6 (7)	6 (12)
M4	4,3	8	8	0,5	0,25	8 (11)	8 (8)	8 (14)
M5	5,3	10	9,8	0,6	0,3	8 (11)	8 (8)	8 (14)
M6	6,4	11	11,8	0,7	0,4	8 (12)	8 (9)	10 (16)
M7	7,4	12,5	–	0,8		8 (14)	8 (10)	– (–)
M8	8,4	15	15,3	0,8	0,4	8 (14)	8 (10)	10 (18)
M10	10,5	18	19	0,9	0,5	9 (12)	9 (12)	10 (20)
M12	13	20,5	23	1	0,5	10 (16)	10 (12)	10 (26)
M14	15	24	26,2	1	0,6	10 (18)	10 (14)	12 (28)
M16	17	26	30,2	1,2	0,6	12 (18)	12 (14)	12 (30)
M18	19	30	–	1,4	–	12 (18)	12 (14)	– (–)
M20	21	33	–	1,4	–	12 (20)	12 (16)	– (–)
M24	25	38	–	1,5	–	14 (20)	14 (16)	– (–)
M27	28	44	–	1,6	–	14 (22)	14 (18)	– (–)
M30	31	48	–	1,6	–	14 (22)	14 (18)	– (–)

➡ **Zahnscheibe DIN 6797 – A 8,4-FSt**: Form A, Nenngröße 8,4 (für M8), aus Federstahl

[1] Zahnscheiben und Fächerscheiben aus Federstahl (Härte 350 bis 425 HV10) dienen überwiegend zur Herstellung elektrischer Kontakte bei Verschraubung beschichteter Teile, außerdem als Losdrehsicherung von Schrauben mit niedriger Festigkeitsklasse.

Schlüsselweiten, Vierkante von Zylinderschäften

Schlüsselweiten

vgl. DIN 475-1 (1984-01)

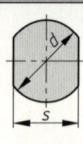

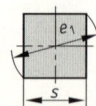

$e_1 = 1{,}4142 \cdot s$
$s = 0{,}7071 \cdot e_1$

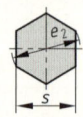

$e_2 = 1{,}1547 \cdot s$
$s = 0{,}8660 \cdot e_2$

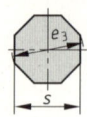

$e_3 = 1{,}0824 \cdot s$
$s = 0{,}9239 \cdot e_3$

Schlüssel-weite (SW) Nennmaß s	Eckenmaß			Schlüssel-weite (SW) Nennmaß s	Eckenmaß			
	2kant d	4kant e_1 ≈	6kant e_2[1] ≈		2kant d	4kant e_1 ≈	6kant e_2[1] ≈	8kant e_3 ≈
3,2	3,7	4,5	3,7	21	24	29,7	24,2	22,7
3,5	4	4,9	4,0	22	25	31,1	25,4	23,8
4	4,5	5,7	4,6	23	26	32,5	26,6	24,9
4,5	5	6,4	5,2	24	28	33,9	27,7	26,0
5	6	7,1	5,8	25	29	35,5	28,9	27,0
5,5	7	7,8	6,4	26	31	36,8	30,0	28,1
6	7	8,5	6,9	27	32	38,2	31,2	29,1
7	8	9,9	8,1	28	33	39,6	32,3	30,2
8	9	11,3	9,2	30	35	42,4	34,6	32,5
9	10	12,7	10,4	32	38	45,3	36,9	34,6
10	12	14,1	11,5	34	40	48,0	39,3	36,7
11	13	15,6	12,7	36	42	50,9	41,6	39,0
12	14	17,0	13,9	41	48	58,0	47,3	44,4
13	15	18,4	15,0	46	52	65,1	53,1	49,8
14	16	19,8	16,2	50	58	70,7	57,7	54,1
15	17	21,2	17,3	55	65	77,8	63,5	59,5
16	18	22,6	18,5	60	70	84,8	69,3	64,9
17	19	24,0	19,6	65	75	91,9	75,0	70,3
18	21	25,4	20,8	70	82	99,0	80,8	75,7
19	22	26,9	21,9	75	88	106	86,6	81,2
20	23	28,3	23,1	80	92	113	92,4	86,6

➡ **DIN 475 - SW 16**: Nennmaß $s = 16$ mm

[1] In DIN 475 sind die Maße e_2 kleiner als beim scharfkantigen Sechseck. Diese kleineren Maße sind empfohlene Herstellungsmaße für fertiggepresste Sechskant-produkte.

Vierkante von Zylinderschäften

vgl. DIN 10 (1994-02)

Innenvierkante

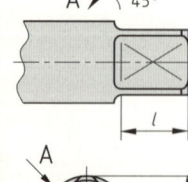

Außenvierkante

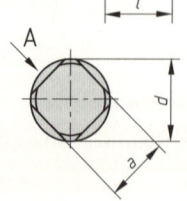

Nenn-maß a	Vierkant						Zylinderschaft		
	Innenvierkant			Außenvierkant			Schaft	Durchmesser-bereich	
	a max.	a min.	e min.	a max.	a min.	l	d	d über	d bis
3,0	3,16	3,02	4,08	3,00	2,91	6	4	3,60	4,01
3,8	4,01	3,83	5,15	3,80	3,68	7	5	4,53	5,08
4,9	5,11	4,93	6,61	4,90	4,78	8	6	5,79	6,53
6,2	6,46	6,24	8,35	6,20	6,05	9	8	7,33	8,27
8,0	8,26	8,04	10,77	8,00	7,85	11	10	9,46	10,67
11	11,32	11,05	14,77	11,00	10,82	14	14	13,33	14,67
12	12,32	12,05	16,10	12,00	11,82	15	16	14,67	16,00
16	16,32	16,05	21,44	16,00	15,82	19	20	19,33	21,33
20	20,40	20,07	26,78	20,00	19,79	23	25	24,00	26,67
29	29,40	29,07	38,79	29,00	28,79	32	36	34,67	38,67
32	32,47	32,08	42,80	32,00	31,75	35	40	38,67	42,67
39	39,47	39,08	52,20	39,00	38,75	42	50	46,67	52,06
44	44,47	44,08	58,81	44,00	43,75	47	56	52,06	58,67
49	49,47	49,08	65,48	49,00	48,75	52	63	58,67	65,33
55	55,56	55,10	73,48	55,00	54,7	58	70	65,33	73,33
61	61,56	61,10	81,50	61,00	60,7	64	80	73,33	81,33
68	68,56	68,10	90,83	68,00	67,7	71	90	81,33	90,66
76	76,56	76,10	101,51	76,00	75,7	79	100	90,66	101,33

➡ **Vierkant DIN 10 - 12**: Nennmaß $a = 12$ mm

N

Stifte und Bolzen – Übersicht

Bezeichnungsbeispiel:

Zylinderstift	ISO 2338	–	A	–	6 x 30	–	St

Benennung	Norm	Form bzw. Typ	Nenn- ∅ x Nennlänge	Werkstoff

Stifte mit DIN-EN-Hauptnummern werden mit ISO-Nummern bezeichnet.
ISO-Nummer = DIN-EN-Nummer – 20 000; Beispiel: DIN EN 22 338 = ISO 2338

Bild	Bezeichnung, Normbereich von…bis	Norm	Bild	Bezeichnung, Normbereich von…bis	Norm
Stifte					
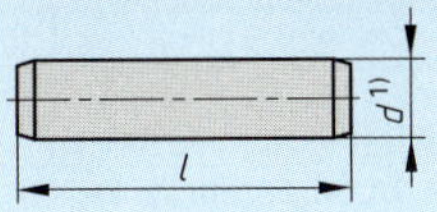 ¹⁾ Toleranz m6 oder h8	Zylinderstift, ungehärtet d = 1…50 mm	DIN EN ISO 2338	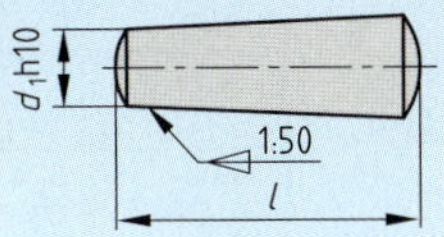	Kegelstift d_1 = 0,6…50 mm	DIN EN 22 339
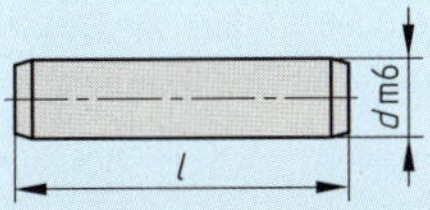	Zylinderstift, gehärtet d = 0,8…20 mm	DIN EN ISO 8734	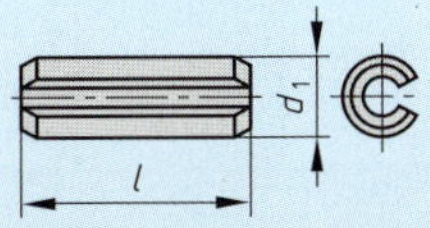	Spannstift (Spannhülsen), geschlitzt d_1 = 1…50 mm	DIN EN ISO 8752
Kerbstifte, Kerbnägel					
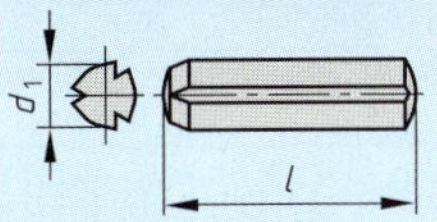	Zylinderkerbstift mit Fase d_1 = 1,5…25 mm	DIN EN ISO 8740	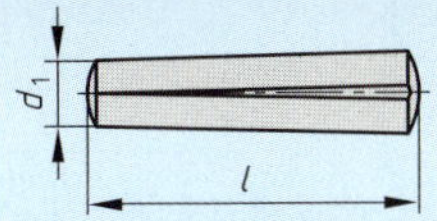	Kegelkerbstift d_1 = 1,5…25 mm	DIN EN ISO 8744
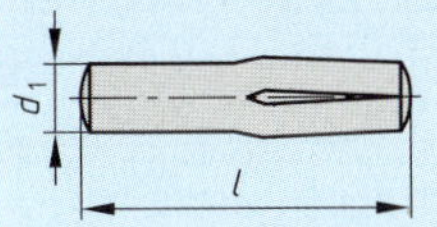	Steckkerbstift d_1 = 1,5…25 mm	DIN EN ISO 8741	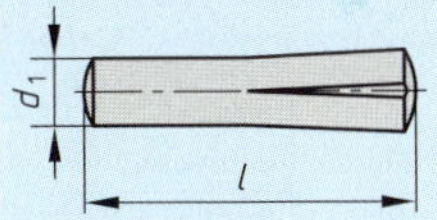	Passkerbstift d_1 = 1,2…25 mm	DIN EN ISO 8745 DIN EN ISO 13 337
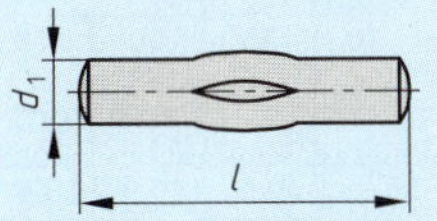	Knebelkerbstift, 1/3 der Länge gekerbt d_1 = 1,2…25 mm	DIN EN ISO 8742	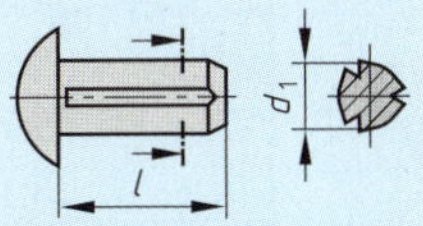	Halbrund- kerbnagel d_1 = 1,4…20 mm	DIN EN ISO 8746
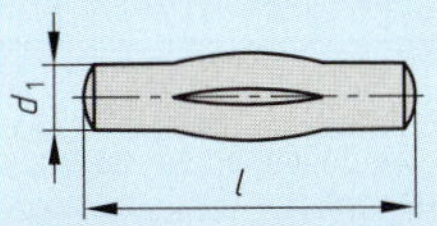	Knebelkerbstift mit langen Kerben d_1 = 1,2…25 mm	DIN EN ISO 8743	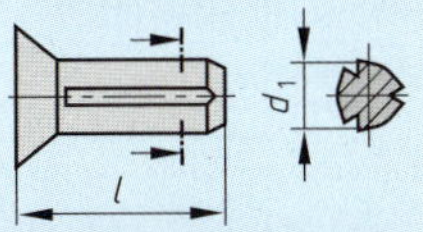	Senkkerbnagel d_1 = 1,4…20 mm	DIN EN ISO 8747
Bolzen					
Form A 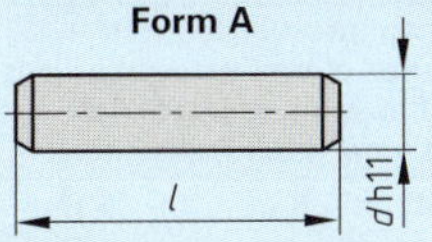	Bolzen ohne Kopf, Form A ohne, Form B mit Splintloch d = 3…100 mm	DIN EN 22 340	**Form A** 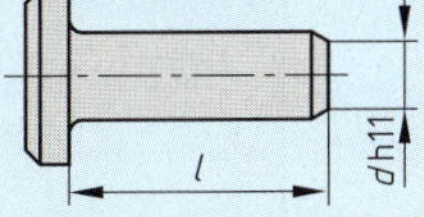	Bolzen mit Kopf, Form A ohne, Form B mit Splintloch d = 3…100 mm	DIN EN 22 341

Stifte

Zylinderstifte aus ungehärtetem Stahl und austenitischem nichtrostendem Stahl

vgl. DIN EN ISO 2338 (1998-02)

d m6/h8[1]	0,6	0,8	1	1,2	1,5	2	2,5	3	4	5
l von bis	2 6	2 8	4 10	4 12	4 16	6 20	6 24	8 30	8 40	10 50
d	6	8	10	12	16	20	25	30	40	50
l von bis	12 60	14 80	18 95	22 140	26 180	35 200	50 200	60 200	80 200	95 200
Nenn-längen l	2, 3, 4, 5, 6, 8, 10, 12, 14, 16, 18, 20, 22, 24, 26, 28, 30, 32, 35, 40, ... 95, 100, 120, 140, 160, 180, 200 mm. [1] Mit Bohrung H7 ergibt sich mit m6 eine Übergangspassung, mit h8 eine Spielpassung.									

[1] Radius und Einsenkung am Stiftende zulässig

⇒ **Zylinderstift ISO 2338 - 6 m6 x 30 – St:** d = 6 mm, Toleranzklasse m6, l = 30 mm, aus Stahl

Zylinderstifte, gehärtet

vgl. DIN EN ISO 8734 (1998-03)

d m6	1	1,5	2	2,5	3	4	5	6	8	10	12	16	20
l von bis	3 10	4 16	5 20	6 24	8 30	10 40	12 50	14 60	18 80	22	26 40	40	50 100
Nenn-längen l	3, 4, 5, 6, 8, 10, 12, 14, 16, 18, 20, 22, 24, 26, 28, 30, 32, 35, 40, 45, 50, 55, 60, 65, 70, 75, 80, 85, 90, 95, 100 mm												
Werkstoffe	• Stahl: Typ A Stift durchgehärtet, Typ B einsatzgehärtet • Nichtrostender Stahl Sorte C1 ISO 3506-1, Härte 560 HV 30												

[1] Radius und Einsenkung am Stiftende zulässig

⇒ **Zylinderstift ISO 8734 - 6 x 30 - C1:** d = 6 mm, l = 30 mm, aus nichtrostendem Stahl der Sorte C1

Kegelstifte, ungehärtet

vgl. DIN EN 22 339 (1992-10)

d h10	1	2	3	4	5	6	8	10	12	16	20	25	30
l von bis	6 10	10 35	12 45	14 55	18 60	22 90	22 120	26 160	32 180	40	45 200	50	55
Nenn-längen l	2, 3, 4, 5, 6, 8, 10, 12, 14, 16, 18, 20, 22, 24, 26, 28, 30, 32, 35, 40, 45...95, 100, 120...180, 200 mm												

Typ A geschliffen, Ra = 0,8 μm;
Typ B gedreht, Ra = 3,2 μm

⇒ **Kegelstift ISO 2339 - A - 10 x 40 - St:** Typ A, d = 10 mm, l = 40 mm, aus Stahl

Spannstifte (Spannhülsen), geschlitzt, schwere Ausführung
vgl. DIN EN ISO 8752 (1998-03)
Spannstifte (Spannhülsen), geschlitzt, leichte Ausführung
vgl. DIN EN ISO 13 337 (1998-02)

Nenn-∅ d_1	2	2,5	3	4	5	6	8	10	12
d_1 max.	2,4	2,9	3,5	4,6	5,6	6,7	8,8	10,8	12,8
s ISO 8752 s ISO 13337	0,4 0,2	0,5 0,25	0,6 0,3	0,8 0,5	1 0,5	1,2 0,75	1,5 0,75	2 1	2,5 1
l von bis	4 20	4 30	4 40	4 50	5 80	10 100	10 120	10 160	10 180
Nenn-∅ d_1	14	16	20	25	30	35	40	45	50
d_1 max.	14,8	16,8	20,9	25,9	30,9	35,9	40,9	45,9	50,9
s ISO 8752 s ISO 13337	3 1,5	3 1,5	4 2	5 2	6 2,5	7 3,5	7,5 4	8,5 4	9,5 5
l von bis	10 200			14 200			20 200		
Nenn-längen l	4, 5, 6, 8, 10, 12, 14, 16, 18, 20, 22, 24, 26, 28, 30, 32, 35, 40, 45...95, 100, 120, 140, 160, 180, 200 mm								
Werkstoffe	• Stahl: gehärtet und angelassen auf 420 HV 30...520 HV 30 • Nichtrostender Stahl: Sorte A (martensitisch) oder Sorte C gehärtet und angelassen auf 440 HV 30...560 HV 30								
Anwendung	Der Durchmesser der Aufnahmebohrung (Toleranz H12) muss gleich dem Nenndurchmesser d_1 des dazugehörigen Stiftes sein. Nach Einbau des Stiftes in die kleinste Aufnahmebohrung darf der Schlitz nicht ganz geschlossen sein.								

[1] Für Spannstifte mit einem Nenndurchmesser $d_1 \geq$ 10 mm ist auch nur eine Fase zulässig

⇒ **Spannstift ISO 8752 - 6 x 30 - St:** d_1 = 6 mm, l = 30 mm, aus Stahl

Kerbstifte, Kerbnägel   vgl. DIN EN ISO 8740…8747 (1998-03)

Zylinderkerbstifte mit Fase ISO 8740

d_1	1,5	2	2,5	3	4	5	6	8	10	12	16	20	25
l von	8	8	10	10	10	14	14	14	14	18	22	26	26
bis	20	30	30	40	60	60	80	100	100	100	100	100	100

Steckkerbstifte ISO 8741

	von	8	8	8	8	10	10	12	14	18	26	26	26	26
l	bis	20	30	30	40	60	60	80	100	160	200	200	200	200

Knebelkerbstifte ISO 8742 + 8743

	von	8	12	12	12	18	18	22	26	32	40	45	45	45
l	bis	20	30	30	40	60	60	80	100	160	200	200	200	200

Kegelkerbstifte ISO 8744

	von	8	8	8	8	8	8	10	12	14	14	24	26	26
l	bis	20	30	30	40	60	60	80	100	120	120	120	120	120

Passkerbstifte ISO 8745

	von	8	8	8	8	10	10	10	14	14	18	26	26	26
l	bis	20	30	30	40	60	60	80	100	200	200	200	200	200

Halbrundkerbnägel ISO 8746

d_1	1,4	1,6	2	2,5	3	4	5	6	8	10	12	16	20
l von	3	3	3	3	4	5	6	8	10	12	16	20	25
bis	6	8	10	12	16	20	25	30	40	40	40	40	40

Senkkerbnägel ISO 8747

l von		3	3	4	4	5	6	8	10	12	16	20	25
bis		6	8	10	12	16	20	25	30	40	40	40	40

Nenn-längen l	Stifte: 8, 10…30, 32; 35, 40…100; 120, 140…180, 200 mm Nägel: 3, 4, 5, 6, 8, 10, 12, 16, 20, 25, 30, 35, 40 mm
⇨	**Kerbstift ISO 8740 – 6 x 50 – St**. d_1 = 6 mm, l = 50 mm, aus Stahl

Bolzen ohne Kopf und mit Kopf   vgl. DIN EN 22 340, 22 341 (1992-10)

Bolzen ohne Kopf ISO 2340

Bolzen mit Kopf ISO 2341

d h11	3	4	5	6	8	10	12	14	16	18	20	22	24
d_l H13	0,8	1	1,2	1,6	2	3,2	3,2	4	4	5	5	5	6,3
d_k h14	5	6	8	10	14	18	20	22	25	28	30	33	36
k js14	1	1	1,6	2	3	4	4	4	4,5	5	5	5,5	6
l_e	1,6	2,2	2,9	3,2	3,5	4,5	5,5	6	6	7	8	8	9
l von	6	8	10	12	16	20	24	28	30	35	40	45	50
l bis	30	40	50	60	80	100	120	140	160	180	200	200	200

Nenn-längen l	6, 8, 10…30, 32; 35, 40…95, 100; 120, 140…180, 200 mm

Form A ohne Splintloch, **Form B** mit Splintloch

⇨   **Bolzen ISO 2340 – B – 20 x 100 – St**: Form B, d = 20 mm, l = 100 mm, aus Stahl

Bolzen mit Kopf und Gewindezapfen   vgl. DIN 1445 (1977-02)

d_1 h11	8	10	12	14	16	18	20	24	30	40	50
b min	11	14	17	20	20	20	25	29	36	42	49
d_2	M6	M8	M10	M12	M12	M12	M16	M20	M24	M30	M36
d_3 h14	14	18	20	22	25	28	30	36	44	55	66
k js14	3	4	4	4	4,5	5	5	6	8	8	9
s	11	13	17	19	22	24	27	32	36	50	60

[1] Klemmlänge
Nennlänge $l_2 = l_1 + b$

Nenn-längen l_2	16 (18), 20 (22); 25 (28); 30, 35…125, 130, 140, 150…190, 200 mm

Keile und Federn

Bezeichnungsbeispiel:

| Passfeder | DIN 6885 | – | A | – | 12 x 8 x 56 | – | (St 50) |

| Benennung | Norm | Form bzw. Typ | Breite x Höhe x Länge | Werkstoff, z.B. Stahl |

Bild	Bezeichnung, Normbereich von … bis	Norm	Bild	Bezeichnung, Normbereich von … bis	Norm
Keile					
	Keil $b \times h =$ 2 x 2…100 x 50	DIN 6886 Form A: Einlegekeil Form B: Treibkeil		Nasenkeil $b \times h =$ 4 x 4…100 x 50	DIN 6887
Federn					
Form A					
	Passfeder $b \times h =$ 2 x 2…100 x 50 Form A…J	DIN 6885		Scheibenfeder $b \times h =$ 2,5 x 3,7…10 x 16	DIN 6888

Keile, Nasenkeile
vgl. DIN 6886 (1967-12) bzw. DIN 6887 (1968-04)

Form A (Einlegekeil) Form B (Treibkeil)

Für Wellen-durchmesser d	über bis	10 12	12 17	17 22	22 30	30 38	38 44	44 50	50 58	58 65	65 75	75 85	85 95	95 110
Keilmaße	b	4	5	6	8	10	12	14	16	18	20	22	25	28
	h	4	5	6	7	8	8	9	10	11	12	14	14	16
Nasenkeile	h_1	4,1	5,1	6,1	7,2	8,2	8,2	9,2	10,2	11,2	12,2	14,2	14,2	16,2
	h_2	7	8	10	11	12	12	14	16	18	20	22	22	25
Wellennuttiefe	t_1	2,5	3	3,5	4	5	5	5,5	6	7	7,5	9	9	10
Nabennuttiefe	t_2	1,2	1,7	2,2	2,4	2,4	2,4	2,9	3,4	3,4	3,9	4,4	4,4	5,4
Zul. Abweichung	t_1, t_2	+0,1			+0,2									
Keillänge l	von bis	10[1] 45	12[1] 56	16 70	20 90	25 110	32 140	40 160	45 180	50 200	56 220	63 250	70 280	80 320
Nennlängen l		6, 8…20, 22; 25, 28, 32, 40, 45, 50, 56, 63; 70, 80…100, 110; 125, 140, 160… 200, 220; 250, 280, 320, 360, 400 mm [1] Nasenkeillängen ab 14 mm												

Längentoleranzen	Keillänge l, von … bis	6…28		32…80		90…400	
Toleranzen für	Keillänge	– 0,2		– 0,3		– 0,5	
	Nutlänge	+ 0,2		+ 0,3		+ 0,5	

N

Passfedern, Scheibenfedern

Passfedern (hohe Form)

vgl. DIN 6885-1 (1968-08)

Form A	Form B	Form C	Form D	Form E	Form F

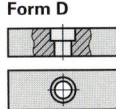
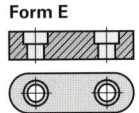
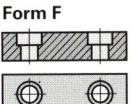

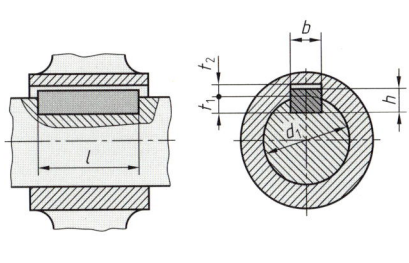

Toleranzen für Passfedernuten

Wellennutenbreite b	fester Sitz		P 9
	leichter Sitz		N 9
Nabennutenbreite b	fester Sitz		P 9
	leichter Sitz		JS 9

zul. Abweichung bei d_1	≤ 22	≤ 130	> 130
Wellennutentiefe t_1	+ 0,1	+ 0,2	+ 0,3
Nabennutentiefe t_2	+ 0,1	+ 0,2	+ 0,3

Länge l	6…28	32…80	90…400
Längen- toleranzen für Feder	− 0,2	− 0,3	− 0,5
Nut	+ 0,2	+ 0,3	+ 0,5

d_1	über bis	6 8	8 10	10 12	12 17	17 22	22 30	30 38	38 44	44 50	50 58	58 65	65 75	75 85	85 95	95 110	110 130
b		2	3	4	5	6	8	10	12	14	16	18	20	22	25	28	32
h		2	3	4	5	6	7	8	8	9	10	11	12	14	14	16	18
t_1		1,2	1,8	2,5	3	3,5	4	5	5	5,5	6	7	7,5	9	9	10	11
t_2		1	1,4	1,8	2,3	2,8	3,3	3,3	3,3	3,8	4,3	4,4	4,9	5,4	5,4	6,4	7,4
l	von bis	6 20	6 36	8 45	10 56	14 70	18 90	20 110	28 140	36 160	45 180	50 200	56 220	63 250	70 280	80 320	90 360

Nenn- längen l	6, 8, 10, 12, 14, 16, 18, 20, 22, 25, 28, 32, 36, 40, 45, 50, 56, 63, 70, 80, 90, 100, 110, 125, 140, 160, 180, 200, 220, 250, 280, 320 mm

⇨ **Passfeder DIN 6885 – A – 12 x 8 x 56**: Form A, b = 12 mm, h = 8 mm, l = 56 mm

Scheibenfedern

vgl. DIN 6888 (1956-08)

Toleranzen für Scheibenfedernuten

Wellennutenbreite b	fester Sitz	P 9 (P 8)[1]
	leichter Sitz	N 9 (N 8)[1]
Nabennutenbreite b	fester Sitz	P 9 (P 8)[1]
	leichter Sitz	J 9 (J 8)[1]

zul. Abweich. bei b und h	≤ 5 ≤ 7,5	5 > 7,5	6 ≤ 9	6 > 9	8 –	10 –
Wellennutentiefe t_1	+0,1	+0,2	+0,1	+0,2	+0,2	+0,2
Nabennutentiefe t_2	+0,1	+0,1	+0,1	+0,1	+0,1	+0,2

d_1	über bis		8 10		10 12			12 17		17 22			22 30			30 38	
b h9	2,5		3		4			5		6			8			10	
h h12	3,7	3,7	5	6,5	5	6,5	7,5	6,5	7,5	9	7,5	9	11	9	11	13	11	13	16
d_2	10	10	13	16	13	16	19	16	19	22	19	22	28	22	28	32	28	32	45
t_1	2,9	2,5	3,8	5,3	3,5	5	6	4,5	5,5	7	5,1	6,6	8,6	6,2	8,2	10,2	7,8	9,8	12,8
t_2	1		1,4		1,7			2,2		2,6			3			3,4	
$l ≈$	9,7	9,7	12,7	15,7	12,7	15,7	18,6	15,7	18,6	21,6	18,6	21,6	27,4	21,6	27,4	31,4	27,4	31,4	43,1

⇨ **Scheibenfeder DIN 6888 – 6 x 9**: b = 6 mm, h = 9 mm

[1] Toleranzklassen bei geräumten Nuten

N

Keilwellenverbindungen mit geraden Flanken
vgl. DIN ISO 14 (1986-12)

Nabe

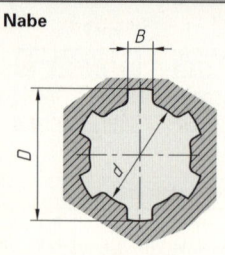

Welle (Innenzentrierung)

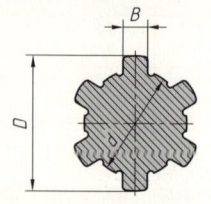

d	Leichte Reihe $N^{1)}$	D	B	Mittlere Reihe $N^{1)}$	D	B	d	Leichte Reihe $N^{1)}$	D	B	Mittlere Reihe $N^{1)}$	D	B
11	–	–	–	6	14	3	42	8	46	8	8	48	8
13	–	–	–	6	16	3,5	46	8	50	9	8	54	9
16	–	–	–	6	20	4	52	8	58	10	8	60	10
18	–	–	–	6	22	5	56	8	62	10	8	65	10
21	–	–	–	6	25	5	62	8	68	12	8	72	12
23	6	26	6	6	28	6	72	10	78	12	10	82	12
26	6	30	6	6	32	6	82	10	88	12	10	92	12
28	6	32	7	6	34	7	92	10	98	14	10	102	14
32	8	36	6	8	38	6	102	10	108	16	10	112	16
36	8	40	7	8	42	7	112	10	120	18	10	125	18

Toleranzklasse für die Nabe						Toleranzklasse für die Welle			
nicht wärme-behandelt Maße			wärme-behandelt Maße			Maße	Gleit-sitz	Einbauart Übergangssitz	Festsitz
B	D	d	B	D	d	B	d10	f9	h10
H9	H10	H7	H11	H10	H7	D	a11	a11	a11
						d	f7	g7	h7

⇒ **Welle (oder Nabe) DIN ISO 14-6 x 23 x 26**: $N = 6$, $d = 23$ mm, $D = 26$ mm

1) N Anzahl der Keile

Blindniete mit Sollbruchstellen
vgl. DIN 7337 (1985-07)

Form A Flachkopf

Niethülse   Nietdorn   Klemmlänge L

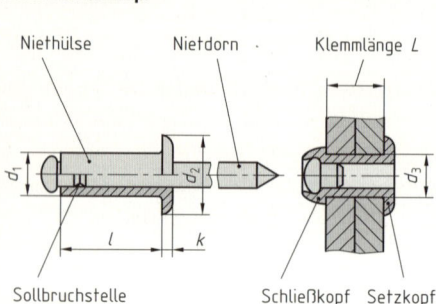

Sollbruchstelle   Schließkopf   Setzkopf

N

Nennmaß d_1 Reihe 1	2	d_2 Form A	B	Nietloch-∅ d_3	Grenzabmaße	k Form A	B
–	$2,4^{1)}$	5	–	2,5	+0,05 / 0	0,55	–
3	–	6,5	6	3,1	+0,1 / 0	0,8	0,9
–	3,2	6,5	6	3,3		0,8	0,9
4	–	8	7,5	4,1		1	1
–	4,8	9,5	9	4,9		1,1	1,2
5	–	9,5	9	5,1		1,1	1,2
$6^{1)}$	–	12	11	6,1	+0,2 / 0	1,5	1,5

Form B Senkkopf

Klemmlänge L

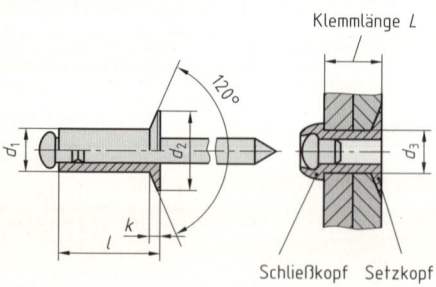

Schließkopf   Setzkopf

Klemmlängenbereich L (Niethülse aus Al-Leg., Nietdorn aus St) für Nietlängen l in mm					
d_1	6	8	10	12	16
$2,4^{1)}$	2...4	4...6	–	–	–
3	1,5...3,5	3,5...5,5	5,5...7	7...9	9...13
3,2	1,5...3,5	3,5...5,5	5,5...7	7...9	9...13
4	1,5...3	3...5	5...6,5	6,5...8,5	8,5...12,5
4,8	2...3	3...4,5	4,5...6	6...8	8...12
5	2...3	3...4,5	4,5...6	6...8	8...12
$6^{1)}$	–	2...4	4...6	6...8	8...11

⇒ **Blindniet DIN 7337 – A 4 x 8 – Al-Leg. – bk – St – A1P**:
Form A, mit $d_1 = 4$ mm, $l_1 = 8$ mm, Werkstoff der Niethülse Al-Leg., blank (bk) und Werkstoff des Nietdorns Stahl (St), verzinkt (A1P)

1) Nicht in Form B (Senkkopf) lieferbar.

Morsekegel und Metrische Kegel
vgl. DIN 228-1+2 (1987-05)

Form A: Kegelschaft mit Anzuggewinde

Form B: Kegelschaft mit Austreiblappen

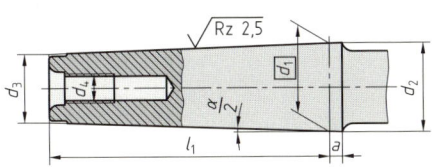

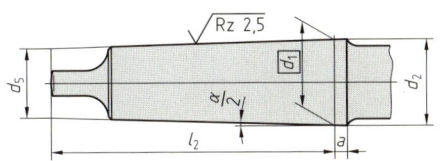

Form C: Kegelhülse für Kegelschäfte mit Anzuggewinde

Form D: Kegelhülse für Kegelschäfte mit Austreiblappen

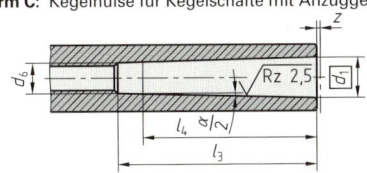

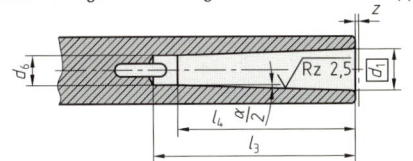

Kegel	Größe	Kegelschaft								Kegelhülse				Ver-jüngung	$\frac{\alpha}{2}$
		d_1	d_2	d_3	d_4	d_5	l_1	a	l_2	d_6 H11	l_3	l_4	$z^{1)}$		
Metr. Kegel (ME)	4	4	4,1	2,9	–	–	23	2	–	3	25	20	0,5	1 : 20	1,432°
	6	6	6,2	4,4	–	–	32	3	–	4,6	34	28	0,5		
Morsekegel (MK)	0	9,045	9,2	6,4	–	6,1	50	3	56,5	6,7	52	45	1	1 : 19,212	1,491°
	1	12,065	12,2	9,4	M6	9	53,5	3,5	62	9,7	56	47	1	1 : 20,047	1,429°
	2	17,780	18,0	14,6	M10	14	64	5	75	14,9	67	58	1	1 : 20,020	1,431°
	3	23,825	24,1	19,8	M12	19,1	81	5	94	20,2	84	72	1	1 : 19,922	1,438°
	4	31,267	31,6	25,9	M16	25,2	102,5	6,5	117,5	26,5	107	92	1	1 : 19,254	1,488°
	5	44,399	44,7	37,6	M20	36,5	129,5	6,5	149,5	38,2	135	118	1	1 : 19,002	1,507°
	6	63,348	63,8	53,9	M24	52,4	182	8	210	54,8	188	164	1	1 : 19,180	1,493°
Metr. Kegel (ME)	80	80	80,4	70,2	M30	69	196	8	220	71,5	202	170	1,5	1 : 20	1,432°
	100	100	100,5	88,4	M36	87	232	10	260	90	240	200	1,5		
	120	120	120,6	106,6	M36	105	268	12	300	108,5	276	230	1,5		
	160	160	160,8	143	M48	141	340	16	380	145,5	350	290	2		
	200	200	201,0	179,4	M48	177	412	20	460	182,5	424	350	2		

Die **Formen AK, BK, CK** und **DK** haben jeweils eine Zuführung für Kühlschmierstoffe.

➡ **Kegelschaft DIN 228 – ME – B 80 AT6:** Metr. Kegelschaft, Form B, Größe 80, Kegelwinkel-Toleranzqualität AT6

[1] Das Prüfmaß d_1 kann bis maximal im Abstand z vor der Kegelhülse liegen.

Steilkegelschäfte für Werkzeuge und Spannzeuge Form A
vgl. DIN 2080-1 (1978-12)

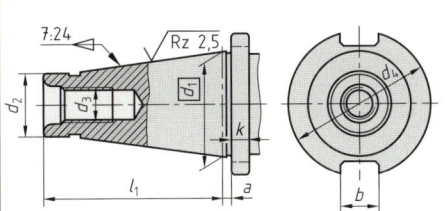

(Form B): Steilkegelschaft für Frontbefestigung)

Nr.	d_1	d_2 a10	d_3	$d_4 - 0,4$	l_1	$a \pm 0,2$	b H12
30	31,75	17,4	M12	50	68,4	1,6	16,1
40	44,45	25,3	M16	63	93,4	1,6	16,1
50	69,85	39,6	M24	97,5	126,8	3,2	25,7
60	107,95	60,2	M30	156	206,8	3,2	25,7
70	165,1	92	M36	230	296	4	32,4
80	254	140	M48	350	469	6	40,5

➡ **Steilkegelschaft DIN 2080 – A 40 AT4:** Form A, Nr. 40 mit Kegelwinkel-Toleranzqualität AT4.

N

Bohrbuchsen

Bohrbuchsen

DIN 179 (1992-11)

Form A　　**Form B**

15°　r　l_1　r

Rz 4　d_1　d_2　$\sqrt{Rz\ 25}\ (\sqrt{Rz\ 4})$

Härte 780 ± 40 HV 10

d_1F7 über	1	1,8	2,6	3,3	4	5	6	8	10	12	15	18	22	26
bis	1,8	2,6	3,3	4	5	6	8	10	12	15	18	22	26	30
l_1 kurz	6		8		10		12		16		20		25	
l_1 mittel	9		12		16		20		28		36		45	
l_1 lang	–		16		20		25		36		45		56	
d_2 n6	4	5	6	7	8	10	12	15	18	22	26	30	35	42
r	1		1		1,5		2					3		

➡ **Bohrbuchse DIN 179 – A 18 x 16:** Form A, d_1 = 18 mm, l_1 = 16 mm

Bundbohrbuchsen

DIN 172 (1992-11)

Form A　　**Form B**

d_3　l_2　15°　l_1　Rz 6,3

$\sqrt{} = \sqrt{Rz\ 4}$　d_1　d_2　$\sqrt{Rz\ 25}\ (\sqrt{Rz\ 4}\ \sqrt{Rz\ 6,3})$

Härte 780 ± 40 HV 10

d_1F7 über	1	1,8	2,6	3,3	4	5	6	8	10	12	15	18	22	26
bis	1,8	2,6	3,3	4	5	6	8	10	12	15	18	22	26	30
l_1 kurz	6		8		10		12		16		20		25	
l_1 mittel	9		12		16		20		28		36		45	
l_1 lang	–		16		20		25		36		45		56	
d_2 n6	4	5	6	7	8	10	12	15	18	22	26	30	35	42
d_3	7	8	9	10	11	13	15	18	22	26	30	34	39	46
l_2	2		2,5		3				4			5		
r	1		1		1,5		2					3		

➡ **Bohrbuchse DIN 172 – A 22 x 36:** Form A, d_1 = 22 mm, l_1 = 36 mm

Steckbohrbuchsen

DIN 173-1 (1992-11)

Form K Schnellwechselbuchsen
für rechtsschneidende Werkzeuge

t　d_6　l_2　l_5　l_6　30°　l_4　l_1　l_3　Rz 6,3
d_1　d_2　d_5　$\sqrt{Rz\ 4}$

r_2　d_3　d_4　α　r_2　e_1

$\sqrt{Rz\ 25}\ (\sqrt{Rz\ 4}\ \sqrt{Rz\ 6,3})$

Härte 780 ± 40 HV 10

d_1F7 über	4	6	8	10	12	15	18	22	26	30	35	42	48
bis	6	8	10	12	15	18	22	26	30	35	42	48	55
d_2 m6	10	12	15	18	22	26	30	35	42	48	55	62	70
l_1 kurz	12		16		20		25		30			35	
l_1 mittel	20		28		36		45		56			67	
l_1 lang	25		36		45		56		67			78	
d_3	6,5	8,5	10,5	12,5	15,5	19	23	27	31	36	43	50	57
d_4	18	22	26	30	34	39	46	52	59	66	74	82	90
d_5	15	18	22	26	30	35	42	46	53	60	68	76	84
d_6 H7	2,5	3			5				6				8
l_2	8		10		12				16				
α	65°	60°	50°		35°		30°			25°			
l_3	1							1,5			2		
l_4	4,25	6			7					9		8	
l_5	3		4		5,5				7				
l_6 mittel	8		12		16		20		26			32	
l_6 lang	13		20		25		31		37			43	
t	4		5	6	7	8	9		10	12		14	
r_1	2						3				3,5		
r_2	7		8,5		10,5					12,5			
e_1	13	16,5	18	20	23,5	26	29,5	32,5	36	41,5	45,5	49	53

➡ **Bohrbuchse DIN 173 – K 15 x 22 x 36:** Form K, d_1 = 15 mm, d_2 = 22 mm, l_1 = 36 mm

N

Gewindestifte mit Druckzapfen   vgl. DIN 6332 (1993-08)

Form S (M6 bis M20)

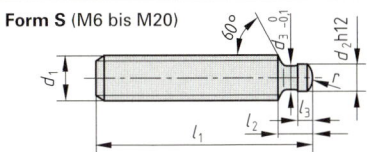
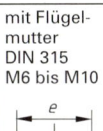

d_1	M 6		M 8		M 10		M 12			M 16		
d_2	4,5		6		8		8			12		
d_3	4		5,4		7,2		7,2			11		
r	3		5		6		6			9		
l_2	6		7,5		9		10			12		
l_3	2,5		3		4,5		4,5			5		
d_4	32		40		50		63			–		
d_5	24		30		36		–			–		
e	32		40		50		–			–		
l_1	30	50	40	60	60	80	60	80	100	80	100	125
l_4	20	40	27	47	44	64	40	60	80	–	–	–
l_5	22	42	30	50	48	68	–	–	–	–	–	–

Anwendungsbeispiele als Spannschrauben

mit Kreuzgriff DIN 6335 oder DIN 6336 M6 bis M12	mit Rändelmutter DIN 6303 M6 bis M10	mit Flügelmutter DIN 315 M6 bis M10

➡ **Gewindestift DIN 6332 – S M 12 x 60:** Form S mit Gewinde d_1 = M 12, l_1 = 60 mm

Druckstücke   vgl. DIN 6311 (1992-11)

Form S mit Sprengring

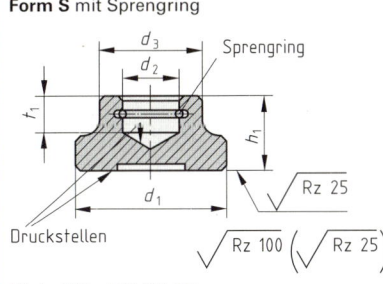

d_1	d_2 H12	d_3	h_1	t_1	Sprengring DIN 7993	Gewindestift DIN 6332
12	4,6	10	7	4	1)	M 6
16	6,1	12	9	5	1)	M 8
20	8,1	15	11	6	8	M 10
25	8,1	18	13	7	8	M 12
32	12,1	22	15	7,5	12	M 16
40	15,6	28	16	8	16	M 20

Druckstellen   √ Rz 100 (√ Rz 25)   √ Rz 25

Härte 550 + 100 HV 10

➡ **Druckstück DIN 6311 – S 40:** Form S, d_1 = 40 mm, mit eingesetztem Sprengring   1) Nicht genormt

Kugelknöpfe   vgl. DIN 319 (1978-12)

N

Form C mit Gewinde   **Form L** mit Klemmhülse

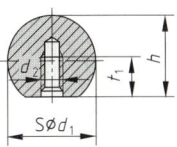
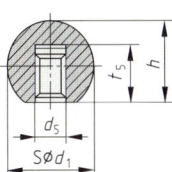

Form K, KN mit zylindrischer Bohrung   **Form E** mit Gewindebuchse

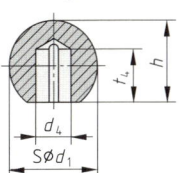

d_1	16	20	25			32			40			50		
d_2	M 4	M 5	M 6			M 8			M 10			M 12		
t_1	7,2	9,1	11			14,5			18			21		
t_3	6	7,5	9			12			15			18		
d_4	6	8	10			12			16			20		
t_4	10	12	16			20			25			32		
d_5	4	5	6	8	10	8	10	12	10	12	16	12	16	20
t_5	11	13	16	15	15	15	20	20	20	23	23	20	23	28
h	15	18	22,5			29			37			46		

Werkstoff	Form	Kugelkörper aus
St	C, K und KN	Stahl, Sorte nach Wahl des Herstellers
FS	C, K, KN, L	Kunststoff, Formstoff FS31 DIN 7708 oder ein anderer geeigneter Kunststoff, schwarz.
FS/St	E	Einpressmutter St oder CuZn
FS/CuZn		

➡ **Kugelknopf DIN 319 – E 25 FS:** Form E, d_1 = 25 mm, aus Formstoff (Kunststoff)

Griffe, Aufnahme- und Auflagebolzen

Kreuzgriffe

vgl. DIN 6335 (1996-01)

Form A   **Form C**

Form K

d_1	d_2	d_3	d_4	d_5	h_2	h_3	t_1[2]	t_3
32	12	18	6	M 6	21	10	12	12
40	14	21	8	M 8	26	14	15	14
50	18	25	10	M 10	34	20	18	18
63	20	32	12	M 12	42	25	22	22
80	25	40	16	M 16	52	30	28	30
100[1]	32	48	20	M 20	65	38	36	–

Ausführungen	Form	Beschreibung
	A bis E	Metallgriffe
	A	Rohteil aus Metall
	B	mit durchgehender Bohrung d_4
	C	mit nicht durchgehender Bohrung d_4
	D	mit durchgehender Gewindebohrung d_5
	E	mit nicht durchgehender Gewindebohrung d_5
	K[3]	aus Formstoff mit Gewindebuchse d_5
	L[3]	aus Formstoff mit Gewindebolzen d_5

⇨ **Kreuzgriff DIN 6335 – A 50 AL:** Form A, d_1 = 50 mm, aus Aluminium

[1] Diese Größe gibt es nicht aus Formstoff
[2] Gewindetiefe für Form E
[3] Teilweise geringfügig andere Abmessungen; Werkstoff wie bei Sterngriffen DIN 6336

Sterngriffe

vgl. DIN 6336 (1996-01)

Form A   **Form E**

Form L

d_1	d_2	d_3	d_4	h_1	h_3	t_1		l
32	12	6	M 6	21	10	12	20	30
40	14	8	M 8	26	13	15	20	30
50	18	10	M 10	34	17	18	25	30
63	20	12	M 12	42	21	22	30	40
80	25	16	M 16	52	25	28	30	40

Formen A bis E (Metallgriffe) sowie K und L (Formstoffe) entsprechend wie bei Kreuzgriffen DIN 6335

Werkstoffe: Gusseisen, Aluminium, Formmasse (PF 31 N RAL 9005 DIN 7708-2)

⇨ **Sterngriff DIN 6336 – L 40 x 30:** Form L (Formstoff) d_1 = 40 mm, l = 30 mm

Aufnahme- und Auflagebolzen

vgl. DIN 6321 (1973-12)

Form A
Auflage-
bolzen

Form B
Aufnahme-
bolzen
zylindrisch

Form C
Aufnahme-
bolzen
abgeflacht

gehärtet 56 ± 2 HRC

d_1 g6	l_1 Form A h9	l_1 Form B und C kurz	l_1 Form B und C lang	b	d_2 n6	l_2	l_3	l_4	t
6	5	7	12	1	4	6	1,2	4	
8	–		16	1,6					
10	6	10	18	2,5	6	9	1,6	6	0,02
12	–								
16	8	13	22	3,5	8	12	2	8	
20	–	15	25	5	12	18	2,5	9	0,04
25	10								

⇨ **Bolzen DIN 6321 – C 20 x 25:** Form C, d_1 = 20 mm, l = 25 mm

T-Nuten und Muttern für T-Nuten — vgl. DIN 650 (1989-10) und 508 (1997-01)

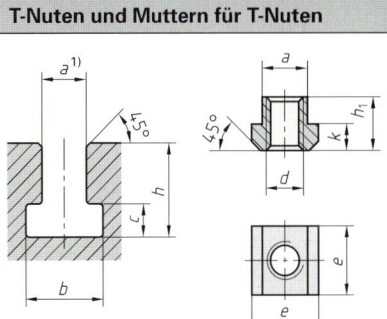

Breite a	8	10	12	14	18	22	28	36	42
Abmaße von a	−0,3/−0,5			−0,3/−0,6				−0,4/−0,7	
b	14,5	16	19	23	30	37	46	56	68
Abmaße von b	1,5/0	+2/0			+3/0		+4/0		
c	7	7	8	9	12	16	20	25	32
Abmaße von c	+1/0			+2/0			+3/0		
h max.	18	21	25	28	36	45	56	71	85
h min.	15	17	20	23	30	38	48	61	74
Gewinde d	M6	M8	M10	M12	M16	M20	M24	M30	M36
e	13	15	18	22	28	35	44	54	65
h_1	10	12	14	16	20	28	36	44	52
k	6	6	7	8	10	14	18	22	26
Abmaße von k	0/−0,5					0/−1			

[1] Toleranz H8 für Richt- und Spannuten; H12 für Spannuten

⇨ **Mutter DIN 508 – M 10 x 12:** d = M10, a = 12 mm

Schrauben für T-Nuten — vgl. DIN 787 (1991-05)

a	8	10	12	14	18	22	28	36
b von	22	30	35	35	45	55	70	80
b bis	50	60	120	120	150	190	240	300
d_1	M8	M10	M12		M16	M20	M24	M30
e_1	13	15	18	22	28	35	44	54
h_1	12	14	16	20	24	32	41	50
k	6	6	7	8	10	14	18	22

$e_2 \geq e_1$
bis M12 x 12 a: < d_1
ab M12 × 14 a: > d_1

Nennlängen l = 25, 32, 40, 50, 63, 80, 100, 125, 160, 200, 250, 315, 400, 500 mm

⇨ **Schraube DIN 787 – M 10 x 10 x 100 – 8.8:** d_1 = M10, a = 10 mm, l = 100 mm, Festigkeitsklasse 8.8

Lose Nutensteine — vgl. DIN 6323 (1980-07)

Form A $b_1 > b_2$ **Form B** $b_1 = b_2$ **Form C** $b_1 < b_2$

Übrige Maße und Angaben wie **Form A**

b_1 h6	b_2 h6	Form	b_3	h_1	h_2	h_3	h_4	l
12	6	A	–	12	3,6	–	–	20
	8							
	10							
	12	B	5	28,6	–	5,5	9	20
20	12	A	–	14	5,5	–	–	32
	14							
	18							
	22	C	9	50,5	–	7	18	40
	28		12	61,5			24	
	36		16	76,5			30	50
	42		19	90,5			36	

⇨ **Nutenstein DIN 6323 – C 20 x 28:** Form C, b_1 = 20 mm, b_2 = 28 mm

Kugelscheiben und Kegelpfannen — vgl. DIN 6319 (1997-10)

Kugelscheibe   **Kegelpfanne**

d_1 H13	d_2 H13	d_3	d_4 Form D	d_4 Form G	d_5	h_2	h_3 Form D	h_3 Form G	R Kugel
6,4	7,1	12	12	17	11	2,3	2,8	4	9
8,4	9,6	17	17	24	14,5	3,2	3,5	5	12
10,5	12	21	21	30	18,5	4	4,2	5	15
13	14,2	24	24	36	20	4,6	5	6	17
17	19	30	30	44	26	5,3	6,2	7	22
21	23,2	36	36	50	31	6,3	7,5	8	27

Form C   **Form D** $d_4 = d_3$ **Form G** $d_4 > d_3$

⇨ **Kugelscheibe DIN 6319 – C 17:** Form C, d_1 = 17 mm

N

Einspannzapfen mit Gewindeschaft Form CE vgl. DIN 9859-3 (1995-08)

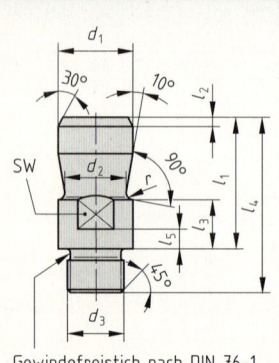

Gewindefreistich nach DIN 76–1

d_1 d9	d_2	d_3	l_1	l_2	l_3	l_4	l_5	SW
20	15	M 16 × 1,5	40	3	12	58	4	17
25	20	M 16 × 1,5 M 20 × 1,5	45	4	16	68	6	21
32	25	M 20 × 1,5 M 24 × 1,5	56	4	16	79	6	27
40	32	M 24 × 1,5 M 27 × 2 M 30 × 2	70	5	26	93	12	36
50	42	M 30 × 2	80	6	26	108	12	41

⇨ **Einspannzapfen DIN 9859 – CE 40 M 30 x 2:** Form CE, d_1 = 40 mm, d_3 = M 30 × 2

Runde Schneidstempel Form D vgl. DIN 9861-1 (1992-07)

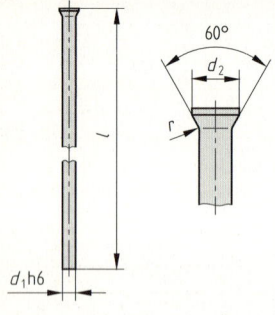

$d_2 \approx (1,1...1,8) \cdot d_1$ (je nach ⌀ d_1)

d_1 h6 von ... bis	Stu- fung	l $^{+0,5}_{0}$		Werk- stoff	Härte	
					Schaft	Kopf
0,5...0,95	0,05	71	80	–	WS[1]	62 ± 2 HRC	45 ± 5 HRC
1,0...2,9	0,1			HWS[2]		
3,0...6,4	0,1	71	80	100	HSS[3]	64 ± 2 HRC	50 ± 5 HRC
6,5...20	0,5					

⇨ **Schneidstempel DIN 9861 D – 5,6 x 71 HWS:** Form D, d_1 = 5,6 mm, l = 71 mm aus hochlegiertem Kaltarbeitsstahl

[1] WS legierte Kaltarbeitsstähle [2] HWS hochlegierte Kaltarbeitsstähle
[3] HSS Schnellarbeitsstähle

Platten für Säulengestelle vgl. DIN 9873-1 (1987-10)

l_1	Plattendicke t der Ausführung A für Plattenmaß l_2									
	80	100	125	160	200	250	315	400	500	630
160	20, 25, 32				–	–	–	–	–	–
200	–	25, 32, 40				–	–	–	–	–
250	–	–	32, 40, 50				–	–	–	–
315	–	–	–	32, 40, 50				–	–	–
400	–	–	–	–	32, 40, 50				–	–
500	–	–	–	–	–	40, 50, 63				–
630	–	–	–	–	–	–	40, 50, 63			

⇨ **Platte DIN 9873 – A 315 x 200 x 32:** Ausführung A, l_1 = 315 mm, l_2 = 200 mm, t = 32 mm

Ausführung B: Seiten a, b geschruppt, ISO 2768-v; Maße l_1 und l_2 jeweils um 2 mm kleiner als Ausführung A

Ausführung C: Seiten a, b c, d geschruppt, ISO 2768-v; Maße l_1 und l_2 jeweils um 4 mm kleiner als Ausführung A

$\sqrt{}^{x} = \sqrt{Rz\ 25}$

Säulengestelle mit rechteckiger Arbeitsfläche Form C und CG[1]   vgl. DIN 9812 (1981-12)

$a_1 \times b_1$	c_1	c_2	c_3	d_2	d_3	e	l
80 × 63 100 × 63	50	30	80	19	M 20 × 1,5	125 145	160
100 × 80 160 × 80	50	30	80	25	M 20 × 1,5	155 215	160
125 × 100 250 × 100	50	40	90	25 32	M 24 × 1,5	180 315	170 180
160 × 125 315 × 125	56	40	90	32	M 24 × 1,5	225 380	180
200 × 160 315 × 160	56 63	50	100	32 40	M 30 × 2	265 395	200 220
250 × 200 315 × 250	63	50	100	40	M 30 × 2	330 395	220

[1] Form C ohne Gewinde; Form CG mit Gewinde d_3
➡ **Säulengestell DIN 9812 – C 100 x 80: Form C,**
  $a_1 \times b_1 = 100$ mm × 80 mm

Säulengestelle mit runder Arbeitsfläche Form D und DG[2]   vgl. DIN 9812 (1981-12)

d_1	c_1	c_2	c_3	d_2	d_3	e	l
50 63	40	25	65	16	M 16 × 1,5	80 95	125 140
80 100 125	50	30	80	19 25 25	M 20 × 1,5	125 155 180	160
160 180 200	56	40	90	32	M 24 × 1,5	225 245 265	180 180 190
250 315	56 63	50	100	40	M 30 × 2	330 395	200 220

[2] Form D ohne Gewinde; Form DG mit Gewinde d_3
➡ **Säulengestell DIN 9812 – D 160: Form D,**
  $d = 160$ mm

Säulengestelle mit mittigstehenden Führungssäulen und dicker Säulenführungsplatte Form DF   vgl. DIN 9816 (1981-12)

d_1	c_1	c_2	d_2	e	f_1	f_2	f_3	l
80	50	80	19	125	16	10	36	170
100	50	85	25	155	18	11	40	180
125	50	90	25	180	18	11	40	190
160	56	100	32	225	23	11	45	220
200	56	110	32	265	23	11	45	240

➡ **Säulengestell DIN 9816 – DF 100 GG: Form DF,**
  $d_1 = 100$ mm, Gleitführung aus Gusseisen

Säulengestelle mit übereckstehenden Führungssäulen Form C und CG[3]   vgl. DIN 9819 (1981-12)

$a_1 \times b_1$	a_2	b_2	c_1	c_2	c_3	d_2	e_1	e_2	l
80 × 63	135	180	50	30	80	19	75	103	160
125 × 80	190	215	50	30	80	25	120	128	160
125 × 100	190	235	50	40	90	25	120	148	170
250 × 100	325	255	50	40	90	25	245	158	170
160 × 125	235	280	56	40	90	32	155	183	180
315 × 125	390	280	56	40	90	32	310	183	180

[3] Form C ohne, Form CG mit Gewinde

N

Federn

Zylindrische Schrauben-Druckfedern   vgl. DIN 2098-1 (1968-10), -2 (1970-08)

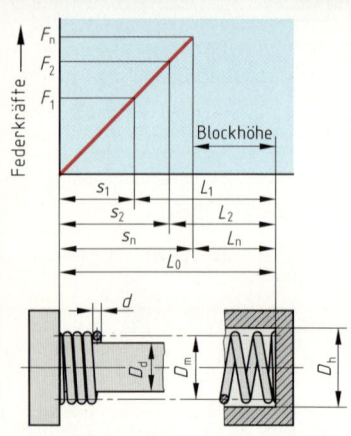

d	Drahtdurchmesser
D_m	mittlerer Windungsdurchmesser
D_d	Dorndurchmesser
D_h	Hülsendurchmesser
L_0	Länge der unbelasteten Feder
L_1, L_2	Länge der belasteten Feder bei F_1, F_2
L_n	kleinste zulässige Prüflänge der Feder
F_1, F_2	Federkräfte bei L_1, L_2
F_n	größte zulässige Federkraft bei s_n
s_1, s_2	Federwege bei F_1, F_2
s_n	größter zulässiger Federweg bei F_n
i_f	Anzahl der federnden Windungen
i_g	Gesamtwindungszahl (Enden geschliffen)
R	Federrate in N/mm

Gesamtwindungszahl

$$i_g = i_f + 2$$

➡ **Druckfeder DIN 2098 – 2 x 20 x 94:** $d = 2$ mm, $D_m = 20$ mm und $L_0 = 94$ mm

d	D_m	D_d max.	D_h min.	F_n in N	$i_f = 3{,}5$			$i_f = 5{,}5$			$i_f = 8{,}5$			$i_f = 12{,}5$		
					L_0	s_n	R	L_0	s_n	R	L_0	s_n	R	L_0	s_n	R
0,2	2,5	2,0	3,1	1,00	5,4	3,8	0,26	8,2	6,0	0,17	12,4	9,3	0,11	17,9	13,7	0,07
	2	1,5	2,6	1,24	4,0	2,4	0,51	5,9	3,8	0,33	8,7	5,9	0,21	12,6	8,6	0,15
	1,6	1,1	2,1	1,50	3,0	1,5	1,0	4,4	2,4	0,65	6,4	3,6	0,42	9,2	5,4	0,28
0,5	6,3	5,3	7,5	6,6	13,5	9,2	0,73	20,0	14,0	0,46	30,0	21,3	0,30	44,0	31,8	0,21
	4	3,1	5,0	9,3	7,0	3,3	2,84	10,0	4,9	1,81	15,0	7,9	1,17	21,5	11,7	0,79
	2,5	1,7	3,4	10,4	4,4	0,9	11,6	6,1	1,4	7,43	8,7	2,2	4,80	12,0	3,0	3,27
1	12,5	10,8	14,4	22	24,0	14,6	1,49	36,5	23,1	0,95	55,5	36,1	0,61	80,5	53,1	0,41
	8	6,5	9,6	33,2	13,0	5,7	5,68	19,0	8,9	3,61	28,5	14,2	2,33	40,5	20,6	1,59
	5	3,6	6,5	43,8	8,5	1,9	23,2	12,0	3,0	14,8	17,0	4,4	9,57	24,0	6,6	6,51
1,6	20	17,5	22,6	84,9	48,0	35,6	2,38	73,5	55,9	1,52	110	84,5	0,99	165	129	0,67
	12,5	10,3	14,7	135	24,0	14,0	9,76	36,0	21,9	6,23	53,5	33,4	4,0	78,0	50,0	2,73
	8	5,9	10,1	212	14,5	5,5	37,3	21,5	8,9	23,7	31,5	13,6	15,4	45,0	20,2	10,4
2	25	22,0	28,0	128	58,0	43,0	2,98	88,5	67,1	1,90	135	104	1,23	195	151	0,83
	16	13,4	18,6	198	30,0	17,5	11,4	45,0	27,3	7,24	68,0	42,5	4,69	98	62,1	3,19
	10	7,5	12,5	318	18,0	6,8	46,6	26,5	10,9	29,7	38,5	16,5	19,2	55	24,4	13,0
2,5	32	28,3	36,0	182	71,5	52,2	3,48	110	82,1	2,22	170	129	1,43	245	187	0,97
	25	21,6	28,4	233	49,0	32,2	7,29	74,5	50,5	4,64	115	80,2	3,0	165	116	2,04
	20	16,8	23,2	292	36,0	20,5	14,2	54,0	32,1	9,05	81,5	50,0	5,86	120	75,7	3,98
	16	12,9	19,1	365	27,5	12,9	27,8	41,0	20,5	17,7	61,0	31,7	11,5	88,0	49,9	7,78
3,2	40	35,6	44,6	288	82,0	60,8	4,76	125	95,3	3,03	190	148	1,96	275	216	1,33
	32	27,6	36,5	361	58,5	38,7	9,3	88,5	61,1	5,92	135	96,2	3,82	190	136	2,61
	25	21,1	28,9	461	42,5	23,4	19,4	63,5	37,2	12,4	94,5	57,4	8,0	135	83,4	5,45
	20	16,1	23,9	577	33,5	15,0	38,2	49,5	23,6	24,2	74,0	36,9	15,7	105	53,4	10,7
4	50	44,0	56,0	427	99,0	71,6	5,95	150	111	3,79	230	175	2,45	335	257	1,65
	40	34,8	45,2	533	71,0	45,8	11,7	105	69,9	7,41	160	110	4,79	235	165	3,26
	32	27,0	37,0	666	53,5	29,5	22,8	79,5	46,2	14,4	120	72,8	9,35	170	104	6,36
	25	20,3	29,7	852	41,0	18,1	47,7	60,5	28,3	30,3	89,5	43,5	19,6	130	65,5	13,3
5	63	56,0	70,0	623	120	87,7	7,27	180	135	4,63	275	210	2,99	395	304	2,03
	50	43,0	57,0	785	85,0	54,1	14,5	130	86,8	9,25	195	133	5,98	280	194	4,07
	40	34,0	46,0	981	64,0	34,4	28,4	95,5	54,5	18,1	140	81,6	11,7	200	124	7,95
	32	26,0	38,0	1226	51,0	22,3	55,4	75,0	34,8	35,3	110	52,5	22,9	160	79,5	15,5
6,3	80	71,0	89,0	932	145	103	8,96	220	160	5,70	335	250	3,69	490	370	2,51
	63	55,0	71,5	1177	105	65,0	18,3	155	99,0	11,7	235	155	7,55	340	277	5,13
	50	42,0	58,0	1481	80,0	42,0	36,7	115	62,0	23,3	175	100	15,1	250	145	10,3
	40	32,6	47,5	1854	60,0	24,0	71,7	90,0	39,7	45,6	135	63,2	29,5	195	95,0	20,1
8	100	89,0	111	1413	170	118	11,9	260	187	7,58	390	286	4,9	570	423	3,34
	80	69,0	91,0	1766	125	76,0	23,2	180	111	14,8	285	186	9,58	410	271	6,51
	63	53,0	73,0	2237	95,0	48,0	47,0	140	74,0	30,3	205	112	19,6	300	169	13,3
	50	40,5	60,0	2825	75,0	30,0	95,4	110	46,8	60,8	160	70,0	39,2	230	103	26,7

Federkräfte — F_n, F_2, F_1 — Blockhöhe — s_1, s_2, s_n, L_1, L_2, L_n, L_0 — d, D_d, D_m, D_h

N

Tellerfedern
vgl. DIN 2093-1 (1992-01)

Einzelfeder

$$h_0 \approx l_0 - t$$

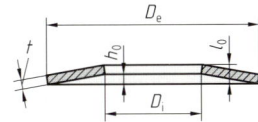

- D_e Außendurchmesser
- D_i Innendurchmesser
- t Dicke der Einzeltellerfeder
- t' Reduzierte Dicke bei Tellerfedern mit Auflagefläche
- h_0 Federhöhe (theoretischer Federweg bis zur Planlage)
- l_0 Bauhöhe der unbelasteten Einzeltellerfeder
- s Federweg der Einzeltellerfeder
- s_S Federweg von geschichteten Tellerfedern
- F Federkraft der Einzeltellerfedern
- F_S Federkraft von geschichteten Tellerfedern
- L_0 Länge von unbelasteten geschichteten Tellerfedern
- n Anzahl der Tellerfedern im Federpaket
- i Anzahl der Tellerfedern in der Federsäule

Federkennlinie

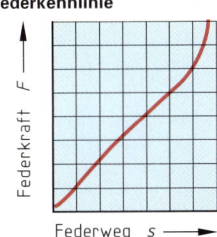

Federkraft F

Federweg s →

 Federsäule

Federkraft   Federweg

$$F_S = F \qquad s_S = i \cdot s$$

Federlänge

$$L_0 = i \cdot l_0$$

Federpaket

Federkraft   Federweg

$$F_S = n \cdot F \qquad s_S = s$$

Federlänge

$$L_0 = l_0 + (n - 1) \cdot t$$

Gruppe	D_e h12	D_i H12	Reihe A: harte Federn $D_e/t \approx 18$; $h_0/t \approx 0,4$					Reihe B: mittelharte Federn $D_e/t \approx 28$; $h_0/t \approx 0,75$					Reihe C: weiche Federn $D_e/t \approx 40$; $h_0/t \approx 1,3$				
			t	t'	l_0	F in kN[1]	s[2]	t	t'	l_0	F in kN[1]	s[2]	t	t'	l_0	F in kN[1]	s[2]
Gr. 1: $t < 1{,}25$ mm	8	4,2	0,4	–	0,6	0,21	0,15	0,3	–	0,55	0,12	0,19	0,2	–	0,45	0,04	0,19
	10	5,2	0,5	–	0,75	0,33	0,19	0,4	–	0,7	0,21	0,23	0,25	–	0,55	0,06	0,23
	14	7,2	0,8	–	1,1	0,81	0,23	0,5	–	0,9	0,28	0,30	0,35	–	0,8	0,12	0,34
	16	8,2	0,9	–	1,25	1,00	0,26	0,6	–	1,05	0,41	0,34	0,4	–	0,9	0,16	0,38
	20	10,2	1,1	–	1,55	1,53	0,34	0,8	–	1,35	0,75	0,41	0,5	–	1,15	0,25	0,49
	25	12,2	–	–	–	–	–	0,9	–	1,6	0,87	0,53	0,7	–	1,6	0,60	0,68
	28	14,2	–	–	–	–	–	1,0	–	1,8	1,11	0,60	0,8	–	1,8	0,80	0,75
	40	20,4	–	–	–	–	–	–	–	–	–	–	1	–	2,3	1,02	0,98
Gruppe 2: $t = 1{,}25\ldots6$ mm	25	12,2	1,5	–	2,05	2,91	0,41	–	–	–	–	–	–	–	–	–	–
	28	14,2	1,5	–	2,15	2,85	0,49	–	–	–	–	–	–	–	–	–	–
	40	20,4	2,2	–	3,15	6,54	0,68	1,5	–	2,6	2,62	0,86	–	–	–	–	–
	45	22,4	3	–	4,1	7,72	0,75	1,7	–	3,0	3,66	0,98	1,25	–	2,85	1,89	1,20
	50	25,4	3	–	4,3	12,0	0,83	2	–	3,4	4,76	1,05	1,25	–	2,85	1,55	1,20
	56	28,5	3,5	–	4,9	11,4	0,98	2	–	3,6	4,44	1,20	1,5	–	3,45	2,62	1,46
	63	31	4	–	5,6	15,0	1,05	2,5	–	4,2	7,18	1,31	1,8	–	4,15	4,24	1,76
	71	36	5	–	6,7	20,5	1,20	2,5	–	4,5	6,73	1,50	2	–	4,6	5,14	1,95
	80	41	5	–	7	33,7	1,28	3	–	5,3	10,5	1,73	2,25	–	5,2	6,61	2,21
	90	46	6	–	8,2	31,4	1,50	3,5	–	6	14,2	1,88	2,5	–	5,7	7,68	2,40
	100	51	6	–	8,5	48,0	1,65	3,5	–	6,3	13,1	2,10	2,7	–	6,2	8,61	2,63
	125	64	–	–	–	–	–	5	–	8,5	30,0	2,63	3,5	–	8	15,4	3,38
	140	72	–	–	–	–	–	5	–	9	27,9	3,00	3,8	–	8,7	17,2	3,68
	160	82	–	–	–	–	–	6	–	10,5	41,1	3,38	4,3	–	9,9	21,8	4,20
	180	92	–	–	–	–	–	6	–	11,1	37,5	3,83	4,8	–	11	26,4	4,65
	200	102	–	–	–	–	–	–	–	–	–	–	5,5	–	12,5	36,1	5,25
Gr. 3: $t > 6\ldots14$ mm	125	64	8	7,5	10,6	85,9	1,95	–	–	–	–	–	–	–	–	–	–
	140	72	8	7,5	11,2	85,3	2,40	–	–	–	–	–	–	–	–	–	–
	160	82	10	9,4	13,5	139	2,63	–	–	–	–	–	–	–	–	–	–
	180	92	10	9,4	14	125	3,00	–	–	–	–	–	–	–	–	–	–
	200	102	12	11,25	16,2	183	3,15	8	7,5	13,6	76,4	4,20	–	–	–	–	–
	225	112	12	11,25	17	171	3,75	8	7,5	14,5	70,8	4,88	6,5	6,2	13,6	44,6	5,33
	250	127	14	13,1	19,6	249	4,20	10	9,4	17	119	5,25	7	6,7	14,8	50,5	5,85

➡ **Tellerfeder DIN 2093 – A 16**: Reihe A, $D_e = 16$ mm, $t = 0{,}9$ mm

[1] Federkraft F des Einzeltellers bei Federweg $s \approx 0{,}75 \cdot h_0$ [2] $s \approx 0{,}75 \cdot h_0$

Schmalkeilriementrieb

Schmalkeilriemen	DIN 7753-1 (1988-01)		Bezeichnungen			Schmalkeilriemen, Keilriemenscheiben			

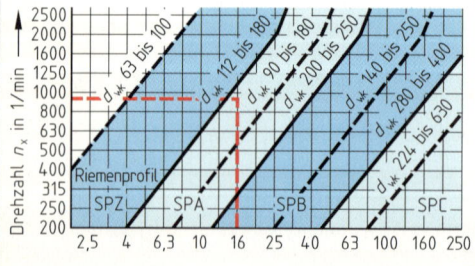

Bezeichnungen		SPZ	SPA	SPB	SPC
Riemenprofil (ISO-Kurzzeichen)		SPZ	SPA	SPB	SPC
b_o	obere Riemenbreite	9,7	12,7	16,3	22
b_w	Wirkbreite	8,5	11	14	19
h	Riemenhöhe	8	10	13	18
h_w	Abstand	2	2,8	3,5	4,8
d_{wk}	kleinstzulässiger Wirk-$\varnothing$	63	90	140	224
b_1	obere Rillenbreite	9,7	12,7	16,3	22
c	Abstand Wirk-$\varnothing$ bis Außen-$\varnothing$	2	2,8	3,5	4,8
t	kleinstzulässige Rillentiefe	11	13,8	17,5	23,8
e	Rillenabstand	12	15	19	25,5
f	Rillenabstand vom Rande	8	10	12,5	17

Keilriemenscheiben DIN 2211-1 (1984-03)

einrillig mehrrillig

Wirkdurchmesser $d_w = d_a - 2 \cdot c$

Rillen-winkel α	$34°$ $38°$ für Wirk-$\varnothing$	bis	80	118	190	315
		über	80	118	190	315

Winkelfaktor c_1	1	1,02	10,5	1,08	1,12	1,16	1,22	1,28	1,37	1,47
Umschlingungswinkel β	180°	170°	160°	150°	140°	130°	120°	110°	100°	90°

Betriebsfaktor c_2

Tägliche Betriebsdauer in Stunden			angetriebene Arbeitsmaschinen (Beispiele)
bis 10	über 10 bis 16	über 16	
1,0	1,1	1,2	Kreiselpumpen, Ventilatoren, Bandförderer für leichtes Gut
1,1	1,2	1,3	Werkzeugmaschinen, Pressen, Blechscheren, Druckereimaschinen
1,2	1,3	1,4	Mahlwerke, Kolbenpumpen, Stoßförderer, Textil- u. Papiermaschinen
1,3	1,4	1,5	Steinbrecher, Mischer, Winden, Krane, Bagger

Leistungswerte für Schmalkeilriemen

vgl. DIN 7753-2 (1976-04)

Riemenprofil	SPZ			SPA			SPB			SPC		
d_{wk} der kleineren Scheibe	63	100	180	90	160	250	140	250	400	224	400	630
n_k der kleineren Scheibe	Nennleistung P_N in kW je Riemen											
400	0,35	0,79	1,71	0,75	2,04	3,62	1,92	4,86	8,64	5,19	12,56	21,42
700	0,54	1,28	2,81	1,17	3,30	5,88	3,02	7,84	13,82	8,13	19,79	32,37
950	0,68	1,66	3,65	1,48	4,27	7,60	8,83	10,04	17,39	10,19	24,52	37,37
1 450	0,93	2,36	5,19	2,02	6,01	10,53	5,19	13,66	22,02	13,22	29,46	31,74
2 000	1,17	3,05	6,63	2,49	7,60	12,85	6,31	16,19	22,07	14,58	25,81	–
2 800	1,45	3,90	8,20	3,00	9,24	14,13	7,15	16,44	9,37	11,89	–	–

Bestimmung des Profils für Schmalkeilriemen

Drehzahl n_x in 1/min

2500, 2000, 1600, 1250, 1000, 800, 630, 500, 400, 315, 250, 200

d_{wk} 63 bis 100 — d_{wk} 112 bis 180 — d_{wk} 90 bis 180 — d_{wk} 200 bis 250 — d_{wk} 140 bis 250 — d_{wk} 280 bis 400 — d_{wk} 224 bis 630

Riemenprofil: SPZ — SPA — SPB — SPC

2,5 4 6,3 10 16 25 40 63 100 160 250

Berechnungsleistung $P \cdot c_2$ in kW ⟶

P zu übertragende Leistung
P_N Nennleistung je Riemen
z Anzahl der Riemen
c_1 Winkelfaktor
c_2 Betriebsfaktor

Anzahl der Riemen

$$z = \frac{P \cdot c_1 \cdot c_2}{P_N}$$

Beispiel:
Zu übertragen sind $P = 12$ kW bei $c_1 = 1{,}12$; $c_2 = 1{,}4$; $d_{wk} = 160$ mm; $n_k = 950$/min; $\beta = 140°$; $z = ?$

Aus $P \cdot c_2 = 12$ kW $\cdot$ 1,4 $= 16{,}8$ kW erhält man nach Diagramm das Profil **SPA**;

P_N nach Tabelle 4,27 kW je Riemen

$$z = \frac{P \cdot c_1 \cdot c_2}{P_N} = \frac{12 \text{ kW} \cdot 1{,}12 \cdot 1{,}4}{4{,}27 \text{ kW}} = \textbf{4,4}$$

gewählt: $z = $ **5 Riemen**

Synchronriementrieb

Synchronriemen (Zahnriemen) vgl. DIN 7721-1 (1989-06)

Einfachverzahnung

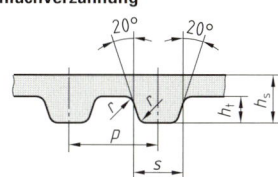

Zahnteilung Kurzzeichen	Maße der Zähne				Nenndicke	Synchronriemenbreite			
	p	s	h_t	r	h_s	b			
T 2,5	2,5	1,5	0,7	0,2	1,3	–	4	6	10
T 5	5	2,7	1,2	0,4	2,2	6	10	16	25
T 10	10	5,3	2,5	0,6	4,5	16	25	32	50
T 20	20	10,2	5,0	0,8	8,0	32	50	75	100

Wirklänge[1]	Zähnezahl für T 2,5	T 5	Wirklänge[1]	Zähnezahl für T 5	T 10	Wirklänge[1]	Zähnezahl für T 10	T 20
120	48	–	530	–	53	1010	101	–
150	–	30	560	112	56	1080	108	–
160	64	–	610	122	61	1150	115	–
200	80	40	630	126	63	1210	121	–
245	98	49	660	–	66	1250	125	–
270	–	54	700	–	70	1320	132	–
285	114	–	720	144	72	1390	139	–
305	–	61	780	156	78	1460	146	73
330	132	66	840	168	84	1560	156	–
390	–	78	880	–	88	1610	161	–
420	168	84	900	180	–	1780	178	89
455	–	91	920	184	92	1880	188	94
480	192	96	960	–	96	1960	196	–
500	200	200	990	198	–	2250	225	–

Doppel-Verzahnung

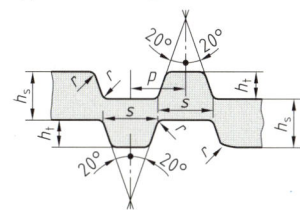

➡ **Riemen DIN 7721 – 6 T2,5 x 480:** b = 6 mm, Teilung T = 2,5 mm, Wirklänge = 480 mm, Einfachverzahnung

Ein Synchronriemen mit Doppel-Verzahnung wird mit einem an die Bezeichnung angehängten Kennbuchstaben D gekennzeichnet.

[1] Wirklängen von 100...3620 mm in Sonderfertigung bis 25 000 mm

Synchronriemenscheiben vgl. DIN 7721-2 (1989-06)

Zahnlücken	Scheibenaußen-Ø d_0 für				Zahnlücken	Scheibenaußen-Ø d_0 für				Zahnlücken	Rundungen und Abstände Scheibenaußen-Ø d_0 für			
	T 2,5	T 5	T 10	T 20		T 2,5	T 5	T 10	T 20		T 2,5	T 5	T 10	T 20
10	7,4	15,0	–	–	17	13,0	26,2	52,2	105,4	32	24,9	50,1	100,0	200,8
11	8,2	16,6	–	–	18	13,8	27,8	55,4	111,7	36	28,1	56,4	112,7	226,3
12	9,0	18,2	36,3	–	19	14,6	29,4	58,6	118,1	40	31,3	62,8	125,4	251,8
13	9,8	19,8	39,5	–	20	15,4	31,0	61,8	124,5	48	37,7	75,5	150,9	302,7
14	10,6	21,4	42,7	–	22	17,0	34,1	68,2	137,2	60	47,2	94,6	189,1	379,1
15	11,4	23,0	45,9	92,6	25	19,3	38,9	77,7	156,3	72	56,8	113,7	227,3	455,5
16	12,2	24,6	49,1	99,0	28	21,7	43,7	82,2	175,4	84	66,3	132,9	265,5	531,9

Zahnlückenmaße

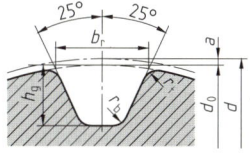

Kurzzeichen	Lückenbreite b_r Form SE	Form N	Lückenhöhe h_g Form SE	Form N	Weitere Maße für Formen SE und N r_b	r_t	$2a$
T 2,5	1,75	1,83	0,75	1	0,2	0,3	0,6
T 5	2,96	3,32	1,25	1,95	0,4	0,6	1
T 10	6,02	6,57	2,6	3,4	0,6	0,8	2
T 20	11,65	12,6	5,2	6	0,8	1,2	3

Wirkdurchmesser

$$d = d_0 + 2 \cdot a$$

Form SE für ≤ 20 Zahnlücken
Form N für > 20 Zahnlücken

Scheibenmaße

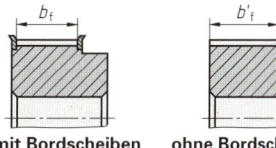

mit Bordscheiben   ohne Bordscheiben

Kurzzeichen	Riemenbreite b	Scheibenbreite mit Bord b_f	ohne Bord b'_f	Kurzzeichen	Riemenbreite b	Scheibenbreite mit Bord b_f	ohne Bord b'_f
T 2,5	4	5,5	8	T 10	16	18	21
	6	7,5	10		25	27	30
	10	11,5	14		32	34	37
					50	52	55
T 5	6	7,5	10	T 20	32	34	38
	10	11,5	14		50	52	56
	16	17,5	20		75	77	81
	25	26,5	29		100	102	106

N

Gleitlagerbuchsen

Buchsen aus Kupferlegierungen

vgl. DIN ISO 4379 (1995-10)

Form C — d2, d1 ^1), b1 · *Form F* — d2, d1 ^1), d3, b1, b2 · alle Fasen 45°

1) Ergibt Toleranzfeld H8 nach dem Einpressen

d1	Form C / d2			Form F Reihe 1			Form F Reihe 2			Längen / b1		
	d2	d2	d2	d2	d3	b2	d2	d3	b2	b1	b1	b1
10	12	14	16	12	14	1	16	20	3	–	10	–
12	14	16	18	14	16	1	18	22	3	10	15	20
15	17	19	21	17	19	1	21	27	3	10	15	20
18	20	22	24	20	22	1	24	30	3	12	20	30
20	23	24	26	23	26	1,5	26	32	3	15	20	30
22	25	26	28	25	28	1,5	28	34	3	15	20	30
25	28	30	32	28	31	1,5	32	38	4	20	30	40
30	34	36	38	34	38	2	38	44	4	20	30	40
35	39	41	45	39	43	2	45	50	5	30	40	50
40	44	48	50	44	48	2	50	58	5	30	40	60
45	50	53	55	50	55	2,5	55	63	5	30	40	60

Empfohlene Toleranzfelder für Einbaumaße

Aufnahmebohrung	H7
Welle	e7 oder g7 (abhängig vom Anwendungsfall)

Zusatzzeichen

Y	Einpressfase 15° (statt 45°)
⇒	**Buchse ISO 4379 – F22 x 25 x 30 – CuSn8P:** Form F, $d_1 = 22$ mm, $d_2 = 25$ mm, $b_1 = 30$ mm, aus CuSn8P

Buchsen aus Sintermetall

vgl. DIN 1850-3 (1998-07)

Form J — d_2 r6, d_1 G7, b_1 js13 · *Form V* — d_2 r6, d_1 G7, d_3 js13, b_2 js13, b_1 js13, R · alle Fasen 45°

d1	Form J		Form V				Längen		
	d2	d2	d2	d3	b2	R_{max}	b1	b1	b1
10	16	14	16	22	2	0,6	8	10	16
12	18	16	18	24	3	0,6	8	12	20
15	21	19	21	27	3	0,6	10	15	25
18	24	22	24	30	3	0,6	12	18	30
20	26	25	26	32	3	0,6	15	20	25
22	28	27	28	34	3	0,6	15	20	25
25	32	32	32	39	3,5	0,8	20	25	30
30	38	35	38	46	4	0,8	20	25	30
35	45	41	45	55	5	0,8	25	35	40
40	50	46	50	60	5	0,8	30	40	50
45	55	51	55	65	5	0,8	35	45	55

Empfohlene Toleranzfelder für Einbaumaße

Aufnahmebohrung	H7
Welle	–

Zusatzzeichen

X	ohne Öltränkung
⇒	**Buchse DIN 1850 – V18 x 24 x 18 – Sint-B50 – X:** $d_1 = 18$ mm, $d_2 = 24$ mm, $b_1 = 18$ mm, aus Sinterbronze Sint-B50, ohne Öltränkung (X)

Buchsen aus Duroplasten und Thermoplasten

vgl. DIN 1850-5 und -6 (1998-07)

Duroplaste — *Form P* (d_2, d_1, b_1 js13) · *Form R* (d_2, d_1, d_3 d13, b_2 js13, b_1 js13, R) · alle Fasen 45°

Thermoplaste — *Form S* (d_2, d_1, b_1 h13, 30°) · *Form T* (d_2, d_1, d_3 d13, b_2 h13, b_1 h13, 30°, R)

d1	d2	d3	b2	R_{max}	Längen b1		
10	16	20	3	0,3	6	10	–
12	18	22	3	0,5	10	15	20
15	21	27	3	0,5	10	15	20
18	24	30	3	0,5	12	20	30
20	26	32	3	0,5	15	20	30
22	28	34	3	0,5	15	20	30
25	32	38	4	0,5	20	30	40
30	38	44	4	0,5	20	30	40
35	45	50	5	0,8	30	40	50
40	50	58	5	0,8	30	40	60
45	55	63	5	0,8	30	40	60

Empfohlene Toleranzfelder für Einbaumaße

	Duroplaste	Thermoplaste
Aufnahmebohrung	H7	H7
Welle	h7	h9

Grenzabmaße von d_2 und d_1 der Toleranzklassen A und B für Buchsen aus Thermoplasten

	d2						Herstell-verfahren	sich ergebendes Toleranzfeld nach dem Einpressen d_1
von / bis	10 / 14	15 / 18	20 / 25	28 / 32	35 / 40	42 / 55		
A	+0,21 / +0,07	+0,2 / 0	+0,4 / +0,1	+0,6 / +0,2	+0,69 / +0,23	+0,90 / +0,30	gespritzt	D12
B	Toleranzklasse zb11						gespant	C11

Zusatzzeichen für Buchsen aus Duroplasten

W	Wendelnuten am Außendurchmesser d_2	Y	Einpressfase 15° (statt 45°)
		Z	Freistich anstelle des Radius R
⇒	**Buchse DIN 1850 – S20 A20 – PA 6:** Form S, $d_1 = 20$ mm, Toleranzgr. A, $b_1 = 20$ mm, aus Polyamid 6		

Bezeichnung von Wälzlagern
vgl. DIN 623-1 (1993-05)

Beispiele:

| Rillenkugellager | DIN 625 | – | – | 6207 | – | Z | – | |
| Kegelrollenlager | DIN 720 | S | – | 30208 | – | P5 | | |

| Benennung | Norm | Vorsetzzeichen | Basiszeichen | Nachsetzzeichen | herstellerinternes Ergänzungszeichen |

Vorsetzzeichen (Auswahl)	**Nachsetzzeichen (Auswahl)**
K Käfig mit Wälzkörpern R Ring mit Wälzkörpersatz S rostfreier Stahl N freier Ring	K Lager mit kegeliger Bohrung, Kegel 1 : 12 P5 Lager mit besonders hoher Maß-, Form- und Laufgenauigkeit (ISO-Toleranzklasse 5)

Beispiel für das Basiszeichen:

| 3 | 0 | 2 | 08 |

- Lagerreihe 302
- Maßreihe 02
- Lagerart 3: Kegelrollenlager
- Breitenreihe 0
- Durchmesserreihe 2
- Bohrungskennzahl 08 ($d = 8 \times 5$ mm = 40 mm)

Bohrungs-∅ d	Bohrungskennzahl
10	00
12	01
15	02
17	03
20 bis 480	1/5 von d

Wichtige Maßreihen bei Wälzlagern
vgl. DIN 616 (1994-06)

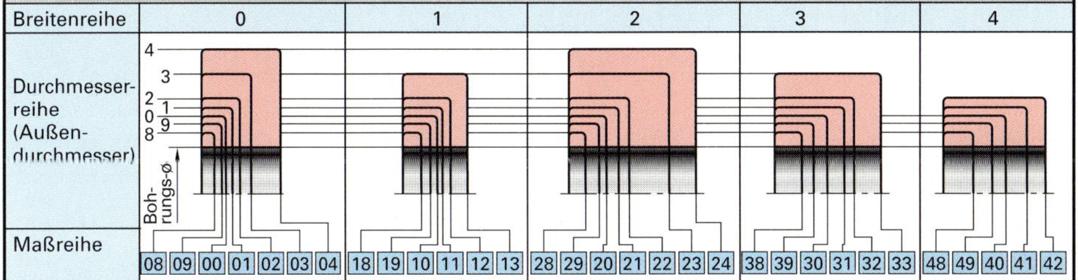

Breitenreihe	0	1	2	3	4

Durchmesserreihe (Außendurchmesser): 4 3 2 1 0 9 8

Bohrungs-∅

| Maßreihe | 08 09 00 01 02 03 04 | 18 19 10 11 12 13 | 28 29 20 21 22 23 24 | 38 39 30 31 32 33 | 48 49 40 41 42 |

Wälzlager-Übersicht (Auswahl)
vgl. DIN 623-1 (1993-05)

Bild	Norm Lagerart	Normbereich d von...bis	Bild	Norm Lagerart	Normbereich d von...bis	Bild	Norm Lagerart	Normbereich d von...bis

Radiallager

Rillenkugellager			**Schrägkugellager**			**Zylinderrollenlager**		
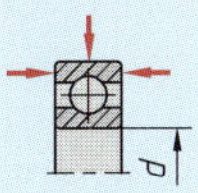	DIN 625 Lagerart 6	1,5...600	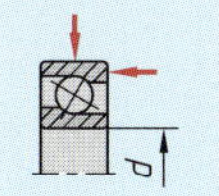	DIN 628 Lagerart 7	10...170	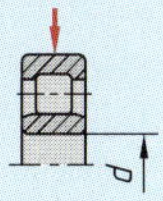	DIN 5412 Lagerarten N, NU, NJ, NUP	15...500

Kegelrollenlager			**Tonnenlager**			**Nadellager**		
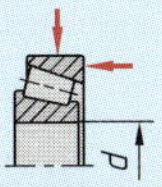	DIN 720 DIN ISO 355 Lagerart 3	15...360	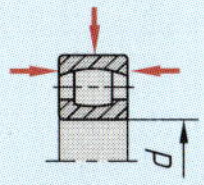	DIN 635 Lagerart 2	20...280	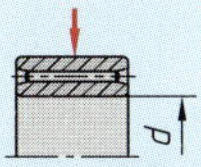	DIN 617 Lagerart NA	10...360

Axiallager

Axial-Rillenkugellager			**Axial-Zylinderrollenlager**			**Axial-Pendelrollenlager**		
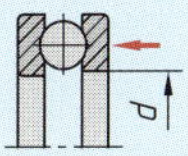	DIN 711 Lagerart 5	8...360	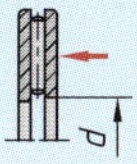	DIN 722 Lagerart 8	15...600	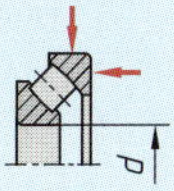	DIN 728 Lagerart 2	60...1060

Kugellager

Rillenkugellager

vgl. DIN 625-1 (1989-04) und DIN 5418 (1993-02)

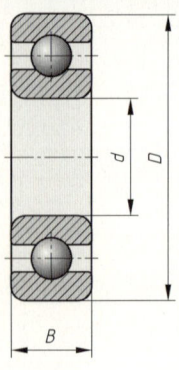

d	Lagerreihe 60					Lagerreihe 62					Lagerreihe 63				
	D	B	r max	h min	Basis-zeichen	D	B	r max	h min	Basis-zeichen	D	B	r max	h min	Basis-zeichen
10	26	8	0,3	1	6000	30	9	0,6	2,1	6200	35	11	0,6	2,1	6300
12	28	8	0,3	1	6001	32	10	0,6	2,1	6201	37	12	1	2,8	6301
15	32	9	0,3	1	6002	35	11	0,6	2,1	6202	42	13	1	2,8	6302
17	35	10	0,3	1	6003	40	12	0,6	2,1	6203	47	14	1	2,8	6303
20	42	12	0,6	1,6	6004	47	14	1	2	6204	52	15	1	3,5	6304
25	47	12	0,6	1,6	6005	52	15	1	2	6205	62	17	1	3,5	6305
30	55	13	1	2,3	6006	62	16	1	2	6206	72	19	1	3,5	6306
35	62	14	1	2,3	6007	72	17	1	2	6207	80	21	1,5	4,5	6307
40	68	15	1	2,3	6008	80	18	1	3,5	6208	90	23	1,5	4,5	6308
45	75	16	1	2,3	6009	85	19	1	3,5	6209	100	25	1,5	4,5	6309
50	80	16	1	2,3	6010	90	20	1	3,5	6210	110	27	2	5,5	6310
55	90	18	1	3	6011	100	21	1,5	4,5	6211	120	29	2	5,5	6311
60	95	18	1	3	6012	110	22	1,5	4,5	6212	130	31	2,1	6	6312
65	100	18	1	3	6013	120	23	1,5	4,5	6213	140	33	2,1	6	6313
70	110	20	1	3	6014	125	24	1,5	4,5	6214	150	35	2,1	6	6314
75	115	20	1	3	6015	130	25	2	5,5	6215	160	37	2,1	6	6315
80	125	22	1	3	6016	140	26	2	5,5	6216	170	39	2,5	7	6316
85	130	22	1,5	3,5	6017	150	28	2,1	6	6217	180	41	2,5	7	6317
90	140	24	1,5	3,5	6018	160	30	2,1	6	6218	190	43	2,5	7	6318
95	145	24	1,5	3,5	6019	170	32	2,1	6	6219	200	45	2,5	7	6319
100	150	24	1,5	3,5	6020	180	34	2,1	6	6220	215	47	2,5	7	6320

Einbaumaße:

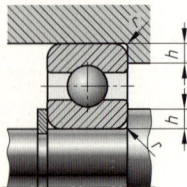

Ausführungen (Nachsetzzeichen)

Z	1 Deckscheibe	RS	1 Dichtscheibe	N	Nut im Außenring
2Z	2 Deckscheiben	2RS	2 Dichtscheiben		

⇒ **Rillenkugellager DIN 625 – 6208:** Rillenkugellager (Lagerart 6), Breitenreihe 0[1], Durchmesserreihe 2, Bohrungskennzahl 08 (Bohrungsdurchmesser $d = 8 \cdot 5$ mm = 40 mm)

Schrägkugellager

vgl. DIN 628-1 und 3 (1993-12) und DIN 5418 (1993-02)

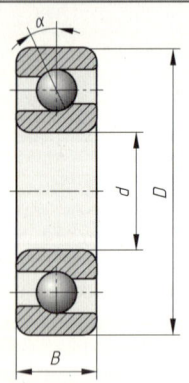

d	Lagerreihe 72					Lagerreihe 73					Lagerreihe 33 (zweireihig)				
	D	B	r max	h min	Basis-zeichen[2]	D	B	r max	h min	Basis-zeichen[2]	D	B	r max	h min	Basis-zeichen
15	35	11	0,6	2,1	7202B	42	13	1	2,8	7302B	42	19	1	2,8	3302
17	40	12	0,6	2,1	7203B	47	14	1	2,8	7303B	47	22,2	1	2,8	3303
20	47	14	1	2,8	7204B	52	15	1	3,5	7304B	52	22,2	1	3,5	3304
25	52	15	1	2,8	7205B	62	17	1	3,5	7305B	62	25,4	1	3,5	3305
30	62	16	1	2,8	7206B	72	19	1	3,5	7306B	72	30,2	1	3,5	3306
35	72	17	1	3,5	7207B	80	21	1,5	4,5	7307B	80	34,9	1,5	4,5	3307
40	80	18	1	3,5	7208B	90	23	1,5	4,5	7308B	90	36,5	1,5	4,5	3308
45	85	19	1	3,5	7209B	100	25	1,5	4,5	7309B	100	39,7	1,5	4,5	3309
50	90	20	1	3,5	7210B	110	27	2	5,5	7310B	110	44,4	2	5,5	3310
55	100	21	1,5	4,5	7211B	120	29	2	5,5	7311B	120	49,2	2	5,5	3311
60	110	22	1,5	4,5	7212B	130	31	2,1	6	7312B	130	54	2,1	6	3312
65	120	23	1,5	4,5	7213B	140	33	2,1	6	7313B	140	58,7	2,1	6	3313
70	125	24	1,5	4,5	7214B	150	35	2,1	6	7314B	150	63,5	2,1	6	3314
75	130	25	1,5	4,5	7215B	160	37	2,1	6	7315B	160	68,3	2,1	6	3315
80	140	26	2	5,5	7216B	170	39	2,1	6	7316B	170	68,3	2,1	6	3316
85	150	28	2	5,5	7217B	180	41	2,1	7	7317B	180	73	2,5	7	3317
90	160	30	2	5,5	7218B	190	43	2,5	7	7318B	190	73	2,5	7	3318
95	170	32	2,1	6	7219B	200	45	2,5	7	7319B	200	77,8	2,5	7	3319
100	180	34	2,1	6	7220B	215	47	2,5	7	7320B	215	82,6	2,5	7	3320

Einbaumaße:

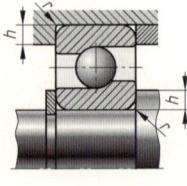

⇒ **Schrägkugellager DIN 628 – 7309B:** Schrägkugellager (Lagerart 7), Breitenreihe 0[1], Durchmesserreihe 3, Bohrungskennzahl 09 (Bohrungsdurchmesser $d = 9 \cdot 5$ mm = 45 mm)

[1] Bei der Bezeichnung von Rillen- und Schrägkugellagern wird nach DIN 623-1 die 0 für die Breitenreihe teilweise unterdrückt.

[2] Berührungswinkel $\alpha = 40°$

N

Axial-Rillenkugellager
vgl. DIN 711 (1988-02)

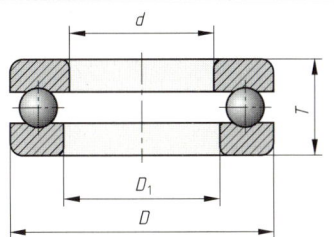

d	D_1	Lagerreihe 512					Lagerreihe 513				
		D	T	r max	h min	Basis-zeichen	D	T	r max	h min	Basis-zeichen
25	27	47	15	0,6	6	51205	52	18	1	7	51305
30	32	52	16	0,6	6	51206	60	21	1	8	51306
35	37	62	18	1	7	51207	68	24	1	9	51307
40	42	68	19	1	7	51208	78	26	1	10	51308
45	47	73	20	1	7	51209	85	28	1	10	51309
50	52	78	22	1	7	51210	95	31	1	12	51310
55	57	90	25	1	9	51211	105	35	1	13	51311
60	62	95	26	1	9	51212	110	35	1	13	51312
65	67	100	27	1	9	51213	115	36	1	13	51313
70	72	105	27	1	9	51214	125	40	1	14	51314
75	77	110	27	1	9	51215	135	44	1,5	15	51315
80	82	115	28	1	9	51216	140	44	1,5	15	51316

⇒ **Axial-Rillenkugellager DIN 711 – 51210:** Axial-Rillenkugellager der Lagerreihe 512 mit Lagerart 5, Breitenreihe 1, Durchmesserreihe 2 und Bohrungskennzahl 10

Einbaumaße nach DIN 5418:

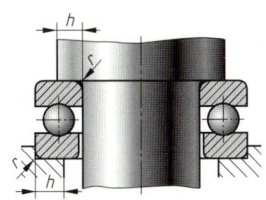

Zylinderrollenlager
vgl. DIN 5412-01 (1982-06)

Form N **Form NU**

Form NJ

Form NUP

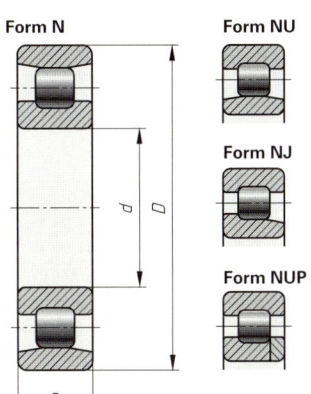

d	Lagerreihen N2, NU2, NJ2, NUP2						Lagerreihen N3, NU3, NJ3, NUP3						Boh-rungs-kenn-zahl
	D	B	r_1 max	h_1 min	r_2 max	h_2 min	D	B	r_1 max	h_1 min	r_2 max	h_2 min	
17	40	12	0,6	2,1	0,3	1,2	47	14	1	2,8	1	2,8	03
20	47	14	1	2,8	0,6	2,1	52	15	1,1	3,5	1	2,8	04
25[1)]	52	15	1	2,8	0,6	2,1	62	17	1,1	3,5	1	2,8	05
30	62	16	1	2,8	0,6	2,1	72	19	1,1	3,5	1	2,8	06
35	72	17	1	3,5	0,6	2,1	80	21	1,5	4,5	1	2,8	07
40	80	18	1	3,5	1	3,5	90	23	1,5	4,5	2	5,5	08
45	85	19	1	3,5	1	3,5	100	25	1,5	4,5	2	5,5	09
50	90	20	1	3,5	1	3,5	110	27	2	5,5	2	5,5	10
55	100	21	1,5	4,5	1	3,5	120	29	2	5,5	2	5,5	11
60	110	22	1,5	4,5	1,5	4,5	130	31	2,1	6	2	5,5	12
65	120	23	1,5	4,5	1,5	4,5	140	33	2,1	6	2	5,5	13
70	125	24	1,5	4,5	1,5	4,5	150	35	2,1	6	2	5,5	14
75	130	25	1,5	4,5	1,5	4,5	160	37	2,1	6	2	5,5	15
80	140	26	2	5,5	2	5,5	170	39	2,1	6	2	5,5	16
85	150	28	2	5,5	2	5,5	180	41	3	7	3	7	17
90	160	30	2	5,5	2	5,5	190	43	3	7	3	7	18
95	170	32	2,1	6	2,1	6	200	45	3	7	3	7	19
100	180	34	2,1	6	2,1	6	215	47	3	7	3	7	20
105	190	36	2,1	6	2,1	6	225	49	3	7	3	7	21
110	200	38	2,1	6	2,1	6	240	50	3	7	3	7	22
120	215	40	2,1	6	2,1	6	260	55	3	7	3	7	24
130	230	40	2,5	7	2,5	7	280	58	4	8,5	4	8,5	26
140	250	42	2,5	7	2,5	7	300	62	4	8,5	4	8,5	28
150	270	45	2,5	7	2,5	7	320	65	4	8,5	4	8,5	30

⇒ **Zylinderrollenlager DIN 5412 – NUP312:** Zylinderrollenlager der Lagerreihe NUP3 mit Lagerart NUP, Breitenreihe 0, Durchmesserreihe 3 und Bohrungskennzahl 12

[1)] Bauform NUP nicht genormt

Einbaumaße nach DIN 5418:

Form N **Form NU**

ohne Bord   mit festem Bord

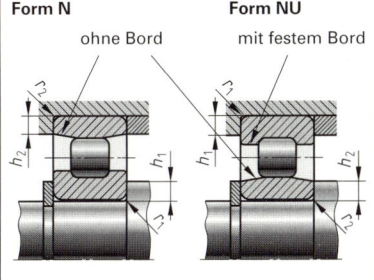

N

Rollenlager

Kegelrollenlager

vgl. DIN 720-1 (1979-02) und DIN 5418 (1993-02)

Einbaumaße nach DIN 5418:

Bei Kegelrollenlagern steht der Käfig über die Seitenfläche des Außenrings vor.

Damit der Käfig nicht an anderen Bauteilen streift, müssen die Einbaumaße nach DIN 5418 eingehalten werden.

Lagerreihe 302

	Abmessungen					Einbaumaße								
d	D	B	C	T	d_1	d_a max	d_b min	D_a min	D_a max	D_b min	c_a min	c_b min	r_{as} max	r_{bs} max	Basis-zeichen
20	47	14	12	15,25	33,2	27	26	40	41	43	2	3	1	1	30204
25	52	15	13	16,25	37,4	31	31	44	46	48	2	2	1	1	30205
30	62	16	14	17,25	44,6	37	36	53	56	57	2	3	1	1	30206
35	72	17	15	18,15	51,8	44	42	62	65	67	3	3	1,5	1,5	30207
40	80	18	16	19,75	57,5	49	47	69	73	74	3	3,5	1,5	1,5	30208
45	85	19	16	20,75	63	54	52	74	78	80	3	4,5	1,5	1,5	30209
50	90	20	17	21,75	67,9	58	57	79	83	85	3	4,5	1,5	1,5	30210
55	100	21	18	22,75	74,6	64	64	88	91	94	4	4,5	2	1,5	30211
60	110	22	19	23,75	81,5	70	69	96	101	103	4	4,5	2	1,5	30212
65	120	23	20	24,75	89	77	74	106	111	113	4	4,5	2	1,5	30213
70	125	24	21	26,25	93,9	81	79	110	116	118	4	5	2	1,5	30214
75	130	25	22	27,25	99,2	86	84	115	121	124	4	5	2	1,5	30215
80	140	26	22	28,25	105	91	90	124	130	132	4	6	2,5	2	30216
85	150	28	24	30,5	112	97	95	132	140	141	5	6,5	2,5	2	30217
90	160	30	26	32,5	118	103	100	140	150	150	5	6,5	2,5	2	30218
95	170	32	27	34,5	126	110	107	149	158	159	5	7,5	3	2,5	30219
100	180	34	29	37	133	116	112	157	168	168	5	8	3	2,5	30220
105	190	36	30	39	141	122	117	165	178	177	6	9	3	2,5	30221
110	200	38	32	41	148	129	122	174	188	187	6	9	3	2,5	30222
120	215	40	34	43,5	161	140	132	187	203	201	6	9,5	3	2,5	30224

Lagerreihe 303

	Abmessungen					Einbaumaße								
d	D	B	C	T	d_1	d_a max	d_b min	D_a min	D_a max	D_b min	c_a min	c_b min	r_{as} max	r_{bs} max	Basis-zeichen
20	52	15	13	16,25	34,3	28	27	44	45	47	2	3	1,5	1,5	30304
25	62	17	15	18,25	41,5	34	32	54	55	57	2	3	1,5	1,5	30305
30	72	19	16	20,75	44,8	40	37	62	65	66	3	4,5	1,5	1,5	30306
35	80	21	18	22,75	54,5	45	44	70	71	74	3	4,5	2	1,5	30307
40	90	23	20	25,25	62,5	52	49	77	81	82	3	5	2	1,5	30308
45	100	25	22	27,25	70,1	59	54	86	91	92	3	5	2	1,5	30309
50	110	27	23	29,25	77,2	65	60	95	100	102	4	6	2,5	2	30310
55	120	29	25	31,5	84	71	65	104	110	111	4	6,5	2,5	2	30311
60	130	31	26	33,5	91,9	77	72	112	118	120	5	7,5	3	2,5	30312
65	140	33	28	36	98,6	83	77	122	128	130	5	8	3	2,5	30313
70	150	35	30	38	105	89	82	120	138	140	5	8	3	2,5	30314
75	160	37	31	40	112	95	87	139	148	149	5	9	3	2,5	30315
80	170	39	33	42,5	120	102	92	148	158	159	5	9,5	3	2,5	30316
85	180	41	34	44,5	126	107	99	156	166	167	6	10,5	4	3	30317
90	190	43	36	46,5	132	113	104	165	176	176	6	10,5	4	3	30318
95	200	45	38	49,5	139	118	109	172	186	184	6	11,5	4	3	30319
100	215	47	39	51,5	148	127	114	184	201	197	6	12,5	4	3	30320
105	225	49	41	53,5	155	132	119	193	211	206	7	12,5	4	3	30321
110	240	50	42	54,5	165	141	124	206	226	220	8	12,5	4	3	30322
120	260	55	46	59,5	178	152	134	221	246	237	8	13,5	4	3	30324

⇒ **Kegelrollenlager DIN 720 – 30212:** Kegelrollenlager der Lagerreihe 302 mit Lagerart 3, Breitenreihe 0, Durchmesserreihe 2, Bohrungskennzahl 12

Auswahl von wichtigen Wälzlagerbauformen

Lagerbauart	Eignung und Eigenschaften						
	Radialbe-lastung	Axialbe-lastung	Ausgleich Flucht-fehler	geringe Reibung	hohe Drehzahl	hohe Belast-barkeit	geräusch-armer Lauf
Rillenkugellager	◐	◑	◕	◐	●	◐	●
Schrägkugellager	◑	◑	○	◐	●[1]	◕[2]	◕
Axial-Rillenkugellager	○	◑	◐	◕	◐	◐	◕
Kegelrollenlager	●	●	◕	◕	◐[1]	●[2]	◕
Zylinderrollenlager	●	○	◕	◑	●	◑	◐

● sehr gut ◑ gut ◐ normal ◕ eingeschränkt ○ nicht geeignet

[1] verminderte Eignung bei paarweisem Einbau   [2] bei paarweisem Einbau

Nutmuttern für Wälzlager
vgl. DIN 981 (1993-02)

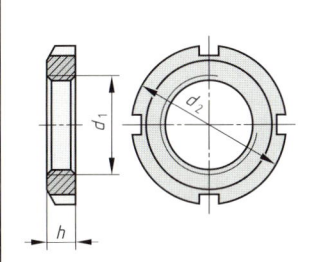

d_1	d_2	h	Kurz-zeichen	d_1	d_2	h	Kurz-zeichen
M10 × 0,75	18	4	KM0	M 60 × 2	80	11	KM12
M12 × 1[1]	22	4	KM1	M 65 × 2	85	12	KM13
M15 × 1	25	5	KM2	M 70 × 2	92	12	KM14
M17 × 1	28	5	KM3	M 75 × 2	98	13	KM15
M20 × 1[1]	32	6	KM4	M 80 × 2	105	15	KM16
M25 × 1,5	38	7	KM5	M 85 × 2	110	16	KM17
M30 × 1,5[1]	45	7	KM6	M 90 × 2	120	16	KM18
M35 × 1,5	52	8	KM7	M 95 × 2	125	17	KM19
M40 × 1,5	58	9	KM8	M100 × 2	130	18	KM20
M45 × 1,5	65	10	KM9	M105 × 2	140	18	KM21
M50 × 1,5	70	11	KM10	M110 × 2	145	19	KM22
M55 × 2	75	11	KM11	M115 × 2	150	19	KM23

➡ **Nutmutter DIN 981 – KM6:** Nutmutter mit d_1 = M30 × 1,5
[1] genormt in DIN 156

Sicherungsbleche
vgl. DIN 5406 (1993-02)

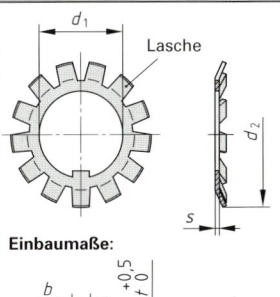

Lasche

Einbaumaße:

d_1	d_2	s	b H11	t	Kurz-zeichen	d_1	d_2	s	b H11	t	Kurz-zeichen
10	21	1	4	2	MB0	60	86	1,5	9	4	MB12
12	25	1	4	2	MB1	65	92	1,5	9	4	MB13
15	28	1	5	2	MB2	70	98	1,5	9	5	MB14
17	32	1	5	2	MB3	75	104	1,5	9	5	MB15
20	36	1	5	2	MB4	80	112	1,7	11	5	MB16
25	42	1,2	6	3	MB5	85	119	1,7	11	5	MB17
30	49	1,2	6	4	MB6	90	126	1,7	11	5	MB18
35	57	1,2	7	4	MB7	95	133	1,7	11	5	MB19
40	62	1,2	7	4	MB8	100	142	1,7	14	6	MB20
45	69	1,2	7	4	MB9	105	145	1,7	14	6	MB21
50	74	1,2	7	4	MB10	110	154	1,7	14	6	MB22
55	81	1,5	9	4	MB11	115	159	2	14	6	MB23

➡ **Sicherungsblech DIN 5406 – MB6:** Sicherungsblech mit d_1 = 30 mm

N

Sicherungsringe, Sicherungsscheiben

Sicherungsringe (Regelausführung)

für Wellen	vgl. DIN 471 (1981-09)	für Bohrungen	vgl. DIN 472 (1981-09)

Einbauraum · Wellennut · Einbauraum · Bohrungsnut

Nenn-maß d_1 mm	Ring				Nut			Nenn-maß d_1 mm	Ring				Nut		
	s	d_3	d_4	b ≈	d_2	m H13	n min.		s	d_3	d_4	b ≈	d_2	m H13	n min.
10	1	9,3	17	1,8	9,6	1,1	0,6	10	1	10,8	3,3	1,4	10,4	1,1	0,6
12	1	11	19	1,8	11,5	1,1	0,8	12	1	13	4,9	1,7	12,5	1,1	0,8
15	1	13,8	22,6	2,2	14,3	1,1	1,1	15	1	16,2	7,2	2	15,7	1,1	1,1
18	1,2	16,5	26,2	2,4	17	1,3	1,5	18	1	19,5	9,4	2,2	19	1,1	1,5
20	1,2	18,5	28,4	2,6	19	1,3	1,5	20	1	21,5	11,2	2,3	21	1,1	1,5
22	1,2	20,5	30,8	2,8	21	1,3	1,5	22	1	23,5	13,2	2,5	23	1,1	1,5
25	1,2	23,2	34,2	3	23,9	1,3	1,7	25	1,2	26,9	15,5	2,7	26,2	1,3	1,8
28	1,5	25,9	37,9	3,2	26,6	1,6	2,1	28	1,2	30,1	17,9	2,9	29,4	1,3	2,1
30	1,5	27,9	40,5	3,5	28,6	1,6	2,1	30	1,2	32,1	19,9	3	31,4	1,3	2,1
32	1,5	29,6	43	3,6	30,3	1,6	2,6	32	1,2	34,4	20,6	3,2	33,7	1,3	2,6
35	1,5	32,2	46,8	3,9	33	1,6	3	35	1,5	37,8	23,6	3,4	37	1,6	3
38	1,75	35,2	50,2	4,2	36	1,85	3	38	1,5	40,8	26,4	3,7	40	1,6	3
40	1,75	36,5	52,6	4,4	37,5	1,85	3,8	40	1,75	43,5	27,8	3,9	42,5	1,85	3,8
42	1,75	38,5	55,7	4,5	39,5	1,85	3,8	42	1,75	45,5	29,6	4,1	44,5	1,85	3,8
45	1,75	41,5	59,1	4,7	42,5	1,85	3,8	45	1,75	48,5	32	4,3	47,5	1,85	3,8
48	1,75	44,5	62,5	5	45,5	1,85	3,8	48	1,75	51,5	34,5	4,5	50,5	1,85	3,8
50	2,0	45,8	64,5	5,1	47,0	2,15	4,5	50	2,0	54,2	36,3	4,6	53,0	2,15	4,5
60	2,0	55,8	75,6	5,8	57,0	2,15	4,5	60	2,0	64,2	44,7	5,4	63,0	2,15	4,5
65	2,5	60,8	81,4	6,3	62,0	2,65	4,5	65	2,5	69,2	49,0	5,8	68,0	2,65	4,5
70	2,5	65,5	87	6,6	67,0	2,65	4,5	72	2,5	76,5	55,6	6,4	75,0	2,65	4,5
75	2,5	70,5	92,7	7,0	72,0	2,65	4,5	75	2,5	79,5	58,6	6,6	78,0	2,65	4,5
80	2,5	74,5	98,1	7,4	76,5	2,65	5,3	80	2,5	85,5	62,1	7,0	83,5	2,65	5,3
90	3,0	84,5	108,5	8,2	86,5	3,15	5,3	90	3,0	95,5	71,9	7,6	93,5	3,15	5,3
100	3,0	94,5	120,2	9	96,5	3,15	5,3	100	3,0	105,5	80,6	8,4	103,5	3,15	5,3

⇒ **Sicherungsring DIN 471 – 40 x 1,75:** $d_1 = 40$ mm, $s = 1,75$ mm

⇒ **Sicherungsring DIN 472 – 80 x 2,5:** $d_1 = 80$ mm, $s = 2,5$ mm

Toleranzfelder für d_2				Toleranzfelder für d_2			
d_1 in mm	3 … 10	12 … 22	24 … 100	d_1 in mm	8 … 22	24 … 100	100 … 300
d_2	h10	h11	h12	d_2	H11	H12	H13

Sicherungsscheiben

vgl. DIN 6799 (1981-09)

ungespannt · gespannt · Einbaumaße:

	Sicherungsscheibe				Wellennut		
d_2 H11	d_3 gespannt	a	s	d_2 von…bis		m	n min.
6	12,3	5,26	0,7	7… 9	0,74	+0,05 0	1,2
7	14,3	5,84	0,9	8…11	0,94		1,5
8	16,3	6,52	1	9…12	1,05		1,8
9	18,8	7,63	1,1	10…14	1,15		2
10	20,4	8,32	1,2	11…15	1,25	+0,08 0	2
12	23,4	10,45	1,3	13…18	1,35		2,5
15	29,4	12,61	1,5	16…24	1,55		3
19	37,6	15,92	1,75	20…31	1,80		3,5
24	44,6	21,88	2	25…38	2,05		4

⇒ **Sicherungsscheibe DIN 6799 – 15:** $d_2 = 15$ mm

Passscheiben, Stützscheiben, Wellenenden

Passscheiben, Stützscheiben

vgl. DIN 988 (1990-03)

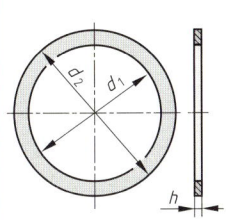

d_1 D12	d_2 d12	Stütz-scheibe h	Pass-scheibe h	d_1 D12	d_2 d12	Stütz-scheibe h	Pass-scheibe h	d_1 D12	d_2 d12	Stütz-scheibe h	Pass-scheibe h
10	16	1,2		28	40	2		56	72	3	
11	17	1,2	0,1...1,8	30	42	2,5		60	75	3	
12	18	1,2		32	45	2,5		63	80	3	
13	19	1,5		35	45	2,5		65	85	3,5	
14	20	1,5		36	45	2,5		70	90	3,5	
15	21	1,5		37	47	2,5		75	95	3,5	
16	22	1,5		40	50	2,5		80	100	3,5	
17	24	1,5		42	52	2,5		85	105	3,5	0,1...2
18	25	1,5		45	55	3	0,1...2	90	110	3,5	
19	26	1,5	0,1...2	45	56	3		95	115	3,5	
20	28	2		48	60	3		100	120	3,5	
22	30	2		50	62	3		100	125	3,5	
22	32	2		50	63	3		105	130	3,5	
25	35	2		52	65	3		110	140	3,5	
25	36	2		55	68	3		120	150	3,5	
26	37	2		56	70	3		130	160	3,5	

Abstufungen und Grenzmaße für Passscheibendicken h

h_{max}	0,1	0,15	0,2	0,3	0,5	1	1,1	1,2	1,3	1,4	1,5	1,6	1,7	1,8	1,9	2
h_{min}	0,07	0,12	0,16	0,25	0,45	0,95	1,05	1,15	1,25	1,35	1,45	1,55	1,65	1,75	1,85	1,95

➡ **Passscheibe DIN 988 – 40 × 50 × 1,5:** d_1 = 40 mm, d_2 = 50 mm, h = 1,5 mm

Wellenenden

vgl. DIN 748-1 (1970-1) und DIN 1448-1 (1970-1)

Zylindrisches Wellenende DIN 748

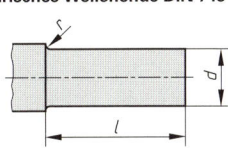

Kegeliges Wellenende DIN 1448

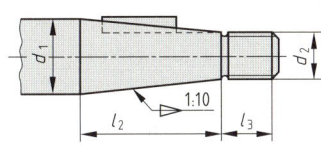

d	Toleranz-klasse	l lang	l kurz	r	d_1	l_2 lang	l_2 kurz	l_3	Passfeder[1] $b × h$	Gewinde d_2
16		40	28	0,6	16	28	16	12	3 × 3	M10 × 1,25
20	k6	50	36	0,6	20	36	22	14	4 × 4	M12 × 1,25
22	k6	50	36	0,6	22	36	22	14	4 × 4	M12 × 1,25
25		60	42	1	25	42	24	18	5 × 5	M16 × 1,5
28		60	42	1	28	42	24	18	5 × 5	M16 × 1,5
30	k6	80	58	1	30	58	36	22	5 × 5	M20 × 1,5
35	k6	80	58	1	35	58	36	22	6 × 6	M20 × 1,5
38		80	58	1	38	58	36	22	6 × 6	M24 × 2
40		110	82	1	40	82	54	28	10 × 8	M24 × 2
45	k6	110	82	1	45	82	54	28	12 × 8	M30 × 2
48	k6	110	82	1	48	82	54	28	12 × 8	M30 × 2
50		110	82	1,6	50	82	54	28	12 × 8	M36 × 3
60		140	105	1,6	60	105	70	35	16 × 10	M42 × 3
70	m6	140	105	1,6	70	105	70	35	18 × 11	M48 × 3
80	m6	170	130	1,6	80	130	90	40	20 × 12	M56 × 4
90		170	130	2,5	90	130	90	40	22 × 14	M64 × 4
100		210	165	2,5	100	165	120	45	25 × 14	M72 × 4
110	m6	210	165	2,5	110	165	120	45	25 × 14	M80 × 4
120	m6	210	165	2,5	120	165	120	45	28 × 16	M90 × 4

➡ **Wellenende DIN 748 – 80 × 130:** d = 80 mm, l = 130 mm

[1] Nut und Passfeder nach DIN 6885-1

Dichtelemente

Radial-Wellendichtringe

vgl. DIN 3760 (1996-09)

Form A   Form AS

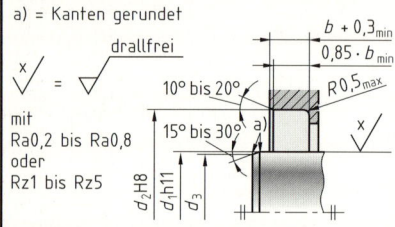

Einbaumaße:

a) = Kanten gerundet

drallfrei

$x = \sqrt{}$ mit Ra0,2 bis Ra0,8 oder Rz1 bis Rz5

10° bis 20° · 15° bis 30° · R0,5max · b + 0,3min · 0,85 · b min

d_2H8 · d_1h11 · d_3

d_1	d_2		b	d_3
10	22	26	7	8,5
	25	–		
12	22	30	7	10
	25	–		
14	24	30	7	12
15	26	35	7	13
	30	–		
16	30	35	7	14
18	30	35	7	16
20	30	40	7	18
	35	–		
22	35	47	7	19,5
	40	–		
25	35	47	7	22,5
	40	52		
28	40	52	7	25,5
	47	–		
30	40	47	8	27,5
	42	52		
32	45	52	8	29
	47	–		
35	47	52	8	32
	50	55		
38	55	62	8	35
40	52	62	8	37
	55	–		
42	55	62	8	38,5
45	60	65	8	41,5
	62	–		
48	62	–	8	44,5
50	65	72	8	46,5
	68	–		
55	70	80	8	51
	72	–		
60	75	85	8	56
	80	–		
65	85	90	10	61
70	90	95	10	66
75	95	100	10	70,5
80	100	110	10	75,5
85	110	120	12	80,5
90	110	120	12	85,5
95	120	125	12	90,5
100	120	130	12	94,5
	125	–		

➡ **WDR DIN 3760 – A25 x 40 x 7 – NB:** Wellendichtring (WDR) der Form A mit d_1 = 25 mm, d_2 = 40 mm und b = 7 mm, Elastomerteil aus Nitril-Butadien-Kautschuk (NB)

Filzringe

vgl. DIN 5419 (1959-09)

Einbaumaße:

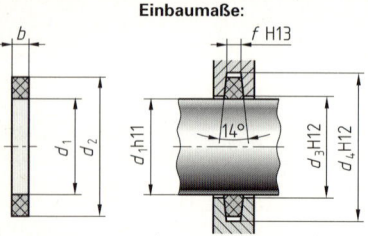

b · f H13 · 14° · d_1 · d_2 · d_1h11 · d_3H12 · d_4H12

Abmessungen			Einbaumaße			Abmessungen			Einbaumaße		
d_1	d_2	b	d_3	d_4	f	d_1	d_2	b	d_3	d_4	f
20	30	4	21	31	3	60	76	6,5	61,5	77	5
25	37	5	26	38	4	65	81	6,5	66,5	82	5
30	42	5	31	43	4	70	88	7,5	71,5	89	6
35	47	5	36	48	4	75	93	7,5	76,5	94	6
40	52	5	41	53	4	80	98	7,5	81,5	99	6
45	57	5	46	58	4	85	103	7,5	86,5	104	6
50	66	6,5	51	67	5	90	110	8,5	92	111	7
55	71	6,5	56	72	5	100	124	10	102	125	8

O-Ringe

vgl. DIN 3771 (1984-12)

Einbaumaße:

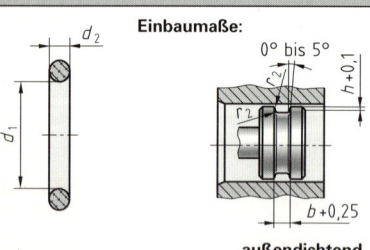

0° bis 5° · r_1 · r_2 · h+0,1 · b+0,25 · d_2 · d_1

außendichtend

d_1	d_2	d_1	d_2	d_1	d_2	d_1	d_2
5		18		56		80	
6		20		58		85	
8	1,8	25	2,65 3,55	60		90	
9		28		63	3,55 5,3	95	3,55 5,3
10		30		67		100	
14		40		69		103	
15	1,8 2,65	45	3,55 5,3	71		106	
16		50		75		109	
17		53		80		112	

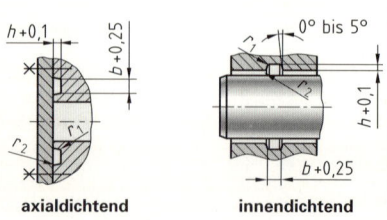

h+0,1 · b+0,25 · r_2 · r_1 · 0° bis 5° · b+0,25

axialdichtend   **innendichtend**

Einbaumaße

d_2	r_1	r_2	innen- und außendichtend						axial-dichtend	
			Hydraulik bewegt		Pneumatik bewegt		Hydr. + Pn. ruhend		Hydr. + Pneumat.	
			b	h	b	h	b	h	b	h
1,8	0,3	0,2	2,4	1,3	2,2	1,4	2,4	1,3	2,6	1,28
2,65			3,6	2,05	3,4	2,1	3,6	2	3,8	1,97
3,55	0,6	0,2	4,8	2,8	4,6	2,9	4,8	2,7	5	2,75
5,3			7,1	4,3	6,9	4,5	7,1	4	7,3	4,24

Bear-beitung	v_c m/min	f_z mm
leicht	160	0,08...0,25
schwer	140	0,08...0,35

F

Qualitätsmanagement

Die Normen der ISO-9000-Familie stellen eine betriebsunabhängige, allgemeine Beschreibung der Elemente eines Qualitätsmanagementsystems (QM-Systems) dar.

Sie dienen als Anleitung
- zum Qualitätsmanagement
- zur Genehmigung und Registrierung durch einen Kunden
- für Kundenvereinbarungen
- zur Zertifizierung und Registrierung durch unabhängige Stellen

Normen zum Qualitätsmanagement

vgl. DIN EN ISO 9000 bis 9004 (1994-08)

Norm	Erläuterung, Inhalte
DIN EN ISO 9000	**Klärung grundlegender qualitätsbezogener Konzepte sowie deren Unterschiede und Wechselbeziehungen** Begriffliche Kategorisierung von Produkten: • Hardware • Software • verfahrenstechnische Produkte • Dienstleistungen Qualitätsbezogene Schlüsselziele und Verantwortlichkeiten: • Qualitätsanforderungen erfüllen • Qualität der Produkte sowie der eigenen Arbeitsweise aufrechterhalten und verbessern • Intern und extern Vertrauen in die Erfüllung der Qualitätsanforderungen schaffen Interessenpartner: • Kunden • Unterlieferanten • Mitarbeiter • Gesellschaft • Eigentümer Gedankenmodell zum Prozessverständnis: • Jedes Produkt wird durch einen Prozess oder ein Netzwerk von Prozessen (= Betrieb) geschaffen **Leitfaden zur Auswahl und Anwendung der Normen DIN EN ISO 9001 bis 9004** Allgemeines zur Anwendung von DIN EN ISO 9001 bis 9003 Anwendung von DIN EN ISO 9001 auf Entwicklung, Lieferung und Wartung von Software Management von Zuverlässigkeitsprogrammen
DIN EN ISO 9001	**Umfangreichstes Modell eines QM-Systems** Es wird angewendet bei Unternehmen, bei denen alle Tätigkeitsbereiche vom Design über Entwicklung, Produktion, Montage, Wartung bis zu Verpackung und Versand zu sichern sind. **Elemente dieser Norm:** • Verantwortung der Leitung • Prüfstatus • QM-System • Lenkung fehlerhafter Produkte • Vertragsprüfung • Korrekturmaßnahmen, Vorbeugungsmaßnahmen • Designlenkung • Lenkung der Dokumente und Daten • Handhabung, Lagerung, Verpackung, Konservierung, Versand • Beschaffung • Lenkung vom Kunden beigestellter Produkte • Lenkung von Qualitätsaufzeichnungen • Identifikation, Rückverfolgbarkeit von Produkten • Interne Qualitätsaudits (systematische, unabhängige Überprüfungen des QM-Systems) • Prozesslenkung • Schulung • Prüfungen • Kundendienst, Wartung • Überwachung der Prüfmittel • Statistische Methoden
DIN EN ISO 9002	Modell eines QM-Systems für Unternehmen, die Tätigkeiten von der Produktion, Montage, Wartung bis zur Verpackung und Versand zu sichern haben. Diese **Unternehmen** führen **keinen eigenen Entwicklungsbereich,** sondern arbeiten auftragsbezogen nach genauen Kundenunterlagen.
DIN EN ISO 9003	Modell eines QM-Systems für Unternehmen, die keine Entwicklung und Produktion haben, sondern nur **Tätigkeiten einer Endprüfung** sicherzustellen haben.
DIN EN ISO 9004	**Umfassende Beschreibung der Elemente eines QM-Systems** mit Beispielen und Zielsetzungen sowie Anleitung zum Aufbau eines QM-Systems. **Diese Norm ist nicht für den Vorgang der Zertifizierung vorgesehen.** Sie enthält als zusätzliche Elemente: • Produktsicherheit • Qualitätsbezogene Wirtschaftlichkeit • Marketing

F

Qualitätsmanagement

Begriffe	Definitionen/Erläuterungen	vgl. DIN EN ISO 8402 (1995-08)

Allgemeine Begriffe

Begriffe	Definitionen/Erläuterungen
Einheit	Das, was einzeln beschrieben und betrachtet werden kann. Eine Einheit kann z.B. sein • eine Tätigkeit • ein Prozess • ein Produkt • eine Organisation • eine Kombination daraus
Prozess	In Wechselbeziehung stehende Mittel und Tätigkeiten, die Eingaben in Ergebnisse umsetzen. Als Mittel gelten z.B. Personal, Finanzen, Anlagen und Methoden
Verfahren	Festgelegte Art und Weise, wie eine Tätigkeit ausgeführt wird. In schriftlicher Form auch als Verfahrensanweisung bezeichnet.
Produkt	Ergebnis von Prozessen und Tätigkeiten, z.B. Bauteil, Montageergebnis, verfahrenstechnisches Erzeugnis, Wissen, Entwurf, Schriftstück, Vertrag, Schadstoff
Dienstleistung	Im Kontakt zwischen Lieferant und Kunde sowie durch interne Tätigkeiten des Lieferanten erbrachtes Ergebnis zur Erfüllung der Erfordernisse des Kunden
Organisation	Eingetragene oder nichteingetragene, öffentliche oder private Gesellschaft, Körperschaft, Betrieb, Unternehmen, Institution oder Teil davon, mit eigener Funktion und Verwaltung
Lieferant	Organisation, die einem Kunden ein Produkt oder eine Dienstleistung bereitstellt
Kunde	Empfänger des vom Lieferanten bereitgestellten Produktes oder einer Dienstleistung

Qualitätsbezogene Begriffe

Begriffe	Definitionen/Erläuterungen
Qualität	Gesamtheit von Merkmalen einer Einheit bezüglich ihrer Eignung, festgelegte und vorausgesetzte Erfordernisse zu erfüllen
Qualitätsforderung	Formulierung der Erfordernisse an die Merkmale einer Einheit, z.B. Nennwerte, Toleranzen, Funktionsfähigkeit, Sicherheit
Qualitätsmerkmale	Merkmale und Merkmalswerte, die infolge der gestellten Qualitätsanforderungen zur Beurteilung der Qualität herangezogen werden. • Quantitative (variable) Merkmale: Diskrete Merkmale (Zählwerte), z.B. Bohrungsanzahl, Stückzahl / Kontinuierliche Merkmale (Messwerte), z.B. Länge, Lage, Masse • Qualitative Merkmale: Ordinalmerkmale (mit Ordnungsbeziehung), z.B. hellblau – blau – dunkelblau / Nominalmerkmale (keine Ordnungsbeziehung), z.B. gut – schlecht, blau – gelb
Fehler	Nichterfüllung einer festgelegten Forderung bei einem oder mehreren Merkmalen, z.B. Nichteinhalten einer geforderten Maßtoleranz oder Oberflächengüte
Produkthaftung	Verpflichtung eines Produzenten oder anderer zum Schadenersatz, wenn durch ein Produkt ein Personen-, Sach- oder anderer Schaden verursacht wurde

Begriffe zum Qualitätsmanagement

Begriffe	Definitionen/Erläuterungen
Qualitäts-managementsystem	Erforderliche Organisationsstrukturen, Verfahren und Prozesse eines Betriebes, um ein Qualitätsmanagement verwirklichen zu können
Qualitäts-management	Alle Tätigkeiten des Gesamtmanagements, die im Rahmen des QM-Systems die Qualitätspolitik, die Ziele und Verantwortungen festlegen sowie diese verwirklichen durch • Qualitätsplanung • Qualitätslenkung • Qualitätssicherung / QM-Darlegung • Qualitätsverbesserung
Qualitätsplanung	Tätigkeiten, in denen die Qualitätsforderungen und Qualitätsziele sowie die Anwendung der einzelnen Bereiche des Qualitätsmanagementsystems festgelegt werden. Bedeutet also nicht nur eine umfangreiche Planung bezüglich der Produktqualität, sondern auch die Planung hinsichtlich der Führungstätigkeiten und Ausführungstätigkeiten mitsamt der erforderlichen Ablaufs- und Zeitplanung aller Maßnahmen
Qualitätslenkung	Arbeitstätigkeiten und Techniken, um trotz unvermeidbarer Qualitätsschwankungen die Qualitätsanforderung dauerhaft zu erfüllen. Beinhaltet im Wesentlichen die Prozessüberwachung und die Beseitigung von Schwachstellen
Qualitätssicherung/ QM-Darlegung	Die Durchführung und geforderte Dokumentation aller Tätigkeiten im Bereich des QM-Systems mit dem Ziel, firmenintern und beim Kunden angemessenes Vertrauen zu schaffen, dass die Qualitätsanforderungen erfüllt werden
Qualitäts-verbesserung	In der gesamten Organisation ergriffene Maßnahmen zur Erhöhung der Effektivität und Effizienz von Tätigkeiten und Prozessen, um zusätzlichen Nutzen sowohl für die Organisation als auch für ihre Kunden zu erzielen
QM-Handbuch	Dokument, in dem die Qualitätspolitik und die Qualitätsziele sowie das Qualitätsmanagementsystem einer Organisation beschrieben werden
Qualitätsaudit	Momentaufnahmen zur Überprüfung und Beurteilung bestimmter Qualitätssicherungsmaßnahmen und deren Durchführung

F

Qualitätsmanagement

Qualitätsplanung

Verzehnfachungsregel

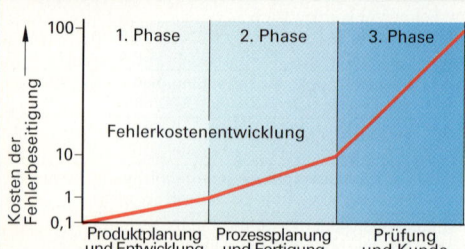

Die erforderlichen Kosten zur Fehlerbeseitigung bzw. die Folgekosten eines Fehlers steigen im Produktlebenslauf von Phase zu Phase etwa um den Faktor 10.

Beispiel: Ein Toleranzfehler an einem Einzelteil kann beim Konstruieren ohne nennenswerte Mehrkosten korrigiert werden. Wird der Fehler erst während der Produktion der Teile bemerkt, entstehen viel größere Fehlerkosten. Führt der Fehler zu Montageproblemen oder Funktionsbeeinträchtigung am Fertigprodukt oder gar zu einer Rückrufaktion, werden riesige Kosten verursacht.

Qualitätslenkung

Qualitätsregelkreis

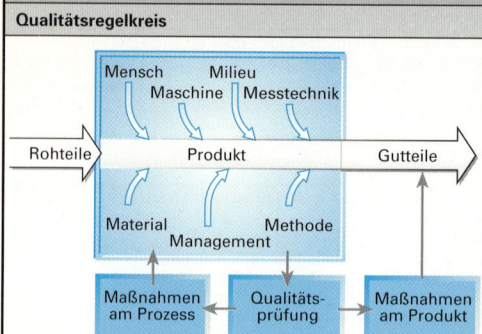

Einflüsse auf die Streuung der Qualität

Einfluss	Beispiel
Mensch	Qualifikation, Motivation, Belastungsgrad
Maschine	Maschinensteifigkeit, Positioniergenauigkeit, Verschleißzustand
Material	Abmaße, Werkstoffeigenschaften, Werkstoffunterschiede
Methode	Arbeitsfolge, Fertigungsverfahren, Prüfbedingungen
Milieu (Umwelt)	Temperatur, Erschütterungen, Licht, Lärm, Staub
Management	Falsche Qualitätsziele oder -politik
Messbarkeit	Messunsicherheit

Qualitätsprüfung

vgl. DIN 55 350-17 (1988-08)

Begriffe	Erläuterungen
Qualitätsprüfung	Feststellen, inwieweit eine Einheit die gestellten Qualitätsforderungen erfüllt
Prüfplan, Prüfanweisung	Festlegung und Beschreibung von Art und Umfang der Prüfungen, z.B. Prüfmittel, Prüfhäufigkeit, Prüfperson, Prüfort
Vollständige Prüfung	Prüfung einer Einheit hinsichtlich aller festgelegten Qualitätsmerkmale, z.B. vollständige Überprüfung eines Einzelwerkstückes hinsichtlich aller Forderungen
100%-Prüfung	Prüfung aller Einheiten eines Prüfloses, z.B. Sichtprüfung aller gelieferten Teile
Statistische Prüfung (Stichprobenprüfung)	Qualitätsprüfung mit Hilfe statistischer Methoden, z.B. Beurteilung einer großen Anzahl von Werkstücken durch Auswertung von daraus entnommenen Stichproben
Prüflos (Stichprobenprüfung)	Gesamtheit der in Betracht gezogenen Einheiten, z.B. eine Produktion von 5000 gleichen Werkstücken
Stichprobe	Eine oder mehrere Einheiten, die aus der Grundgesamtheit oder einer Teilgesamtheit entnommen werden, z.B. 50 Teile aus der Tagesproduktion von 400 Teilen

F

Wahrscheinlichkeit (Fehlerwahrscheinlichkeit)

Wahrscheinlichkeit eines fehlerhaften Bauteils innerhalb einer bestimmten Gesamtanzahl von Bauteilen.

P Wahrscheinlichkeit m Gesamtanzahl der Bauteile

g Anzahl fehlerhafter Bauteile

Beispiel:

In einer Kiste befinden sich $m = 400$ Werkstücke, wobei $g = 10$ Werkstücke einen Maßfehler aufweisen. Wie groß ist die Wahrscheinlichkeit P, beim Herausgreifen eines Werkstückes ein fehlerhaftes Teil zu entnehmen?

Wahrscheinlichkeit

$$P = \frac{g}{m}$$

$P = \dfrac{g}{m} = \dfrac{10}{400} = 0{,}025;$ **Wahrscheinlichkeit = 2,5%**

Statistische Auswertung (kontinuierliche Merkmale) vgl. DIN 53 804-1 (1981-09)

Darstellung der Prüfdaten	Beispiel

Urliste

Die Urliste ist die Dokumentation aller Beobachtungswerte aus dem Prüflos oder einer Stichprobe in der Reihenfolge, in der sie anfallen.

Stichprobenumfang: 40 Teile
Prüfmerkmal: Bauteildurchmesser $d = 8 \pm 0,05$ mm

Gemessener Bauteildurchmesser d in mm

Teile 1...10	7,98	7,96	7,99	8,01	8,02	7,96	8,03	7,99	7,99	8,01
Teile 11...20	7,96	7,99	8,00	8,02	8,02	7,99	8,02	8,00	8,01	8,01
Teile 21...30	7,99	8,05	8,03	8,00	8,03	7,99	7,98	7,99	8,01	8,02
Teile 31...40	8,02	8,01	8,05	7,94	7,98	8,00	8,01	8,01	8,02	8,00

Strichliste

Die Strichliste ermöglicht eine übersichtlichere Darstellung der Beobachtungswerte und eine Einteilung in Klassen (Bereiche) mit bestimmter Klassenbreite.

n Anzahl der Einzelwerte
k Anzahl der Klassen
w Klassenbreite
R Spannweite (Seite 248)
n_j absolute Häufigkeit
h_j relative Häufigkeit in %

Klasse Nr.	Messwert $\geq$	$<$	Strichliste	n_j	h_j in %
1	7,94	7,96	I	1	2,5
2	7,96	7,98	III	3	7,5
3	7,98	8,00	ЖII ЖII I	11	27,5
4	8,00	8,02	ЖII ЖII III	13	32,5
5	8,02	8,04	ЖII ЖII	10	25
6	8,04	8,06	II	2	5
			$\Sigma =$	40	100

$k = \sqrt{n} = \sqrt{40} = 6,3 \approx 6$

$w = \dfrac{R}{k} = \dfrac{0,11 \text{ mm}}{6} = 0,018 \text{ mm} \approx 0,02 \text{ mm}$

Anzahl der Klassen

$$k \approx \sqrt{n}$$

Klassenbreite

$$w \approx \dfrac{R}{k}$$

Relative Häufigkeit

$$h_j = \dfrac{n_j}{n} \cdot 100\%$$

Histogramm

Das Histogramm ist ein Balkendiagramm zur Erkennung und Darstellung der Verteilung von erfassten Einzelwerten.

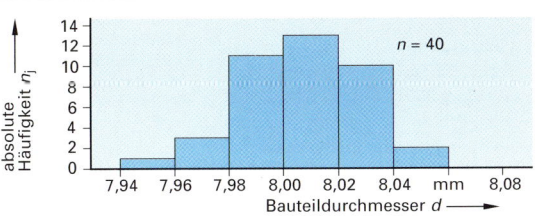

Summenlinie im Wahrscheinlichkeitsnetz

Die Summenlinie im Wahrscheinlichkeitsnetz ist eine einfache und anschauliche grafische Methode, um das Vorliegen einer Normalverteilung (Seite 248) zu prüfen.

Ergeben die Summen der relativen Häufigkeiten im Wahrscheinlichkeitsnetz angenähert eine Gerade, so kann auf eine Normalverteilung der Einzelwerte geschlossen werden, d.h. es darf eine weitere Auswertung nach DIN 53 804-1 (Seite 248) erfolgen.

Zusätzlich lassen sich in diesem Fall Kennwerte der Stichproben entnehmen.

Ablesebeispiel:

Arithmetischer Mittelwert und Standardabweichung der Stichprobe:

$\overline{x} \approx 8,003$ mm; $s \approx 0,02$ mm

Im Gesamtlos zu erwartende Überschreitungsanteile:

0,6% zu dünne Teile
3% zu dicke Teile

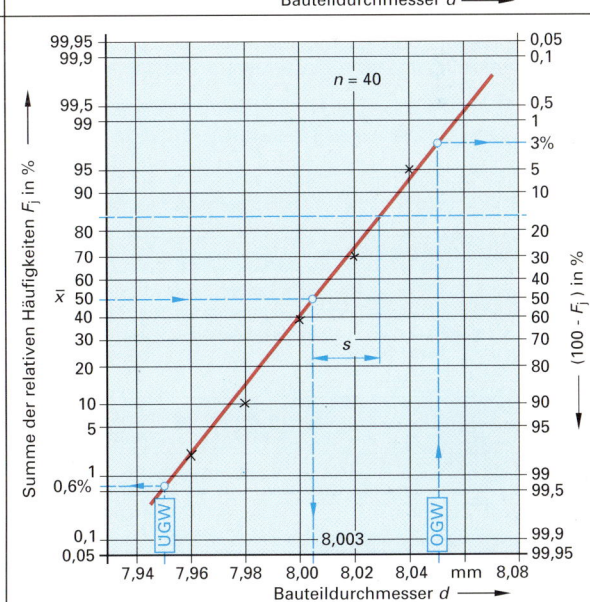

F

Gauß'sche Normalverteilung

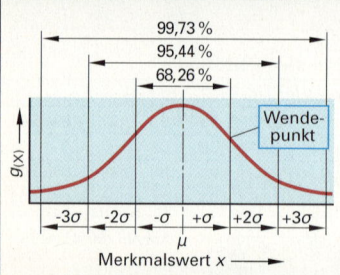

99,73 %
95,44 %
68,26 %

Wende-punkt

-3σ -2σ $-\sigma$ $+\sigma$ $+2\sigma$ $+3\sigma$
μ
Merkmalswert x ⟶

Kontinuierliche Merkmalswerte weisen in ihrer Verteilung häufig eine Charakteristik auf, die sich mit dem Modell der **Gauß'schen Normalverteilung** näherungsweise mathematisch beschreiben lässt. Für unendlich viele Einzelwerte ergibt die Wahrscheinlichkeitsdichte einer Normalverteilung die typische **Glockenkurve**. Diese symmetrische und stetige Verteilungskurve wird durch folgende Parameter eindeutig beschrieben:

Der **Mittelwert** μ liegt beim Kurvenmaximum und kennzeichnet die Lage der Verteilung.

Die **Standardabweichung** σ kennzeichnet die Streuung, d.h. das Abweichverhalten vom Mittelwert.

Normalverteilung in Stichproben

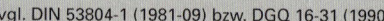

vgl. DIN 53804-1 (1981-09) bzw. DGQ 16-31 (1990)

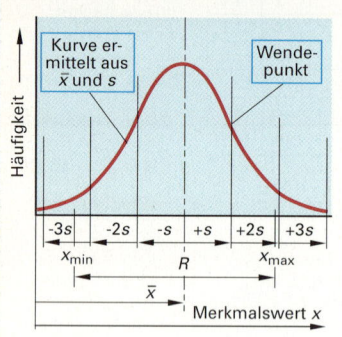

Kurve ermittelt aus $\bar{x}$ und s

Wende-punkt

$-3s$ $-2s$ $-s$ $+s$ $+2s$ $+3s$
x_{min} R x_{max}
$\bar{x}$
Merkmalswert x ⟶

n — Anzahl der Einzelwerte (Stichprobenumfang)
x_i — Wert des messbaren Merkmals, z.B. Einzelwert
x_{max} größter Messwert
x_{min} kleinster Messwert
$\bar{x}$ — Arithmetischer Mittelwert
$\tilde{x}$ — Medianwert (Zentralwert)[1], mittlerer Wert der nach Größe geordneten Messwerte
s — Standardabweichung
R — Spannweite
D — Modalwert (am häufigsten auftretender Messwert einer Messreihe)
$g_{(x)}$ — Wahrscheinlichkeitsdichte

Arithmetischer Mittelwert[2]

$$\bar{x} = \frac{x_1 + x_2 + ... + x_n}{n}$$

Standardabweichung[2]

$$s = \sqrt{\frac{\sum (x_i - \bar{x})^2}{n-1}}$$

Spannweite

$$R = x_{max} - x_{min}$$

Bei Auswertung mehrerer Stichproben:

m Anzahl der Stichproben
$\bar{\bar{x}}$ Gesamtmittelwert
$\bar{R}$ mittlere Spannweite
$\bar{s}$ Mittelwert der Standardabweichungen

Beispiel: Auswertung der Stichprobenwerte von Seite 247:
$\bar{x} = 8,00275$ mm $R = 0,11$ mm $\tilde{x} = 8,005$ mm $s = 0,02396$ mm $D = 7,99$ mm

[1] Medianwert bei ungerader Anzahl der Einzelwerte: z.B. $x_1; x_2; x_3; x_4; x_5: \tilde{x} = x_3$

Medianwert bei gerader Anzahl der Einzelwerte: z.B. $x_1; x_2; x_3; x_4; x_5; x_6: \tilde{x} = \dfrac{x_3 + x_4}{2}$

[2] Die meisten gängigen Taschenrechnermodelle sind mit Sonderfunktionen für die Berechnung von Mittelwert und Standardabweichung ausgestattet.

Mittlere Spannweite

$$\bar{R} = \frac{R_1 + R_2 + ... + R_m}{m}$$

Gesamtmittelwert

$$\bar{\bar{x}} = \frac{\bar{x}_1 + \bar{x}_2 + ... + \bar{x}_m}{m}$$

Mittelwert der Standardabweichungen

$$\bar{s} = \frac{s_1 + s_2 + ... + s_m}{m}$$

Normalverteilung im Prüflos

Die Parameter der Grundgesamtheit werden beim Stichprobenverfahren anhand der Kennwerte aus der Stichprobe geschätzt. Um Stichprobenkennwerte klar von Parametern der Gesamtheit unterscheiden zu können, werden auch andere Kurzbezeichnungen verwendet. Durch die Kennzeichnung mit einem ^ (Dach) erfolgt auch eine Abgrenzung dieser Schätzwerte gegenüber den rechnerisch ermittelbaren Prozesswerten bei einer 100%-Prüfung.

Stichprobe	Grundgesamtheit aus Stichprobe ermittelt	Grundgesamtheit bei 100%-Prüfung
Werteumfang n	Werteumfang N	Werteumfang N
Arithmetischer Mittelwert $\bar{x}$	geschätzter Prozessmittelwert $\hat{\mu}$ (Erwartungswert)	Prozessmittelwert μ
Standardabweichung s	geschätzte Prozessstandardabweichung $\hat{\sigma}$	Prozessstandardabweichung σ

F

Statistische Prozesslenkung (Statistical Prozess Control, SPC)

Arten von Qualitätsregelkarten (QRK)

Prozessregelkarten	Annahmequalitätsregelkarten
Prozessregelkarten dienen zur Überwachung eines Prozesses bezüglich Veränderungen gegenüber einem Sollwert oder eines bisherigen Prozesswertes. Die Eingriffs- und Warngrenzen werden über die Prozess-schätzwerte einer Grundgesamtheit oder eines Vor-laufes bestimmt.	Annahmeregelkarten dienen der Überwachung eines Prozesses im Hinblick auf vorgegebene Grenzwerte (Grenzmaße). Die Eingriffsgrenzen werden über die Toleranzgrenzen berechnet. Dabei wird nur die Lage der Messwerte, nicht die Streuung untersucht.

Prozessregelkarten für quantitative Merkmale (Shewhart-Regelkarten)[1]

Urwertkarte	Regelgrenzen	Beispiel: 5 Einzelwerte je Stichprobe
Die Urwertkarte ist eine Dokumentation aller Mess-werte durch Eintragung der Werte ohne weitere Berech-nungen. Sie setzt einen an-genähert normalverteilten Prozess voraus und ist auf-grund der vielen Eintra-gungen relativ unübersicht-lich.	M Mittelwert des Merkmals OWG obere Warngrenze UWG untere Warngrenze OEG obere Eingriffsgrenze UEG untere Eingriffsgrenze OGW oberer Grenzwert UGW unterer Grenzwert	

Zentralwert-Spannweiten-Karte ($\bar{x}$-R-Karte)

Bei diesen Karten lässt sich ohne großen Rechenauf-wand die Fertigungsstreuung verdeutlichen. Sie sind für eine manuelle Regelkartenführung geeignet.

Beispiel:

Prüfmerkmal: Durchmesser		Kontrollmaß: 5±0,05		
Stichprobenumfang: $n = 5$		Kontrollintervall: 60 min		

	x_1	4,98	4,96	5,03	4,97
Messwerte mm	x_2	4,97	4,99	5,01	4,96
	x_3	4,99	5,03	5,02	5,01
	x_4	5,01	4,99	4,99	4,99
	x_5	5,01	5,00	4,98	5,02
	$\sum x$	24,96	24,97	25,03	24,95
	$\tilde{x}$	4,99	4,99	5,02	4,99
	R	0,04	0,07	0,05	0,06

Probennr.	1	2	3	4
Uhrzeit	6 00	7 00	8 00	9 00

Mittelwert-Standardabweichungs-Karte ($\bar{x}$-s-Karte)

Diese Karten verdeutlichen die Tendenz der Mittelwert-entwicklung und weisen eine größere Empfindlichkeit als $\bar{x}$-R-Karten auf. Sie erfordern eine rechnergestützte Regelkartenführung.

Beispiel:

Prüfmerkmal: Durchmesser		Kontrollmaß: 5±0,05		
Stichprobenumfang: $n = 5$		Kontrollintervall: 60 min		

	x_1	4,98	4,96	5,03	4,97
Messwerte mm	x_2	4,97	4,99	5,01	4,96
	x_3	4,99	5,03	5,02	5,01
	x_4	5,01	4,99	4,99	4,99
	x_5	5,01	5,00	4,98	5,02
	$\bar{x}$	4,992	4,994	5,006	4,990
	s	0,018	0,025	0,021	0,025

Probennr.	1	2	3	4
Uhrzeit	6 00	7 00	8 00	9 00

F

[1] Walter Andrew Shewhart (1891–1967), amerikanischer Wissenschaftler

Qualitätsmanagement

Prozessverläufe

Prozessverlauf	Bezeichnung / Beobachtung	Mögliche Ursachen → Maßnahmen
OEG / M / UEG	**Natürlicher Verlauf** 2/3 aller Werte liegen im Bereich ± Standardabweichung s und alle Werte liegen innerhalb der Eingriffsgrenzen.	Der Prozess ist unter Kontrolle und kann ohne Eingriff weitergeführt werden.
OEG / M / UEG	**Überschreiten der Eingriffsgrenzen** Die Werte über- bzw. unterschreiten die Eingriffsgrenzen.	Überjustierte Maschine, verschiedene Materialchargen, beschädigte Maschine; → In Prozess eingreifen und Teile seit letzter Stichprobe 100%-prüfen
OEG / M / UEG	**RUN (in Folge)** 7 oder mehr aufeinander folgende Werte liegen auf einer Seite der Mittellinie.	Werkzeugverschleiß, andere Materialcharge, neues Werkzeug, neues Personal; → Verschärftes Beobachten des Prozesses
OEG / M / UEG	**Trend** 7 oder mehr aufeinander folgende Werte zeigen eine steigende oder fallende Tendenz.	Verschleiß an Werkzeug, Vorrichtungen oder Messgeräten, Personalermüdung; → Prozess unterbrechen, um Verschiebung zu ergründen
OEG / M / UEG	**Middle Third** Mindestens 15 Werte liegen aufeinander folgend innerhalb ± Standardabweichung s.	Verbesserte Fertigung, bessere Beaufsichtigung, beschönigte Prüfergebnisse; → Feststellen, wodurch Prozess verbessert wurde bzw. Prüfergebnisse überprüfen
OEG / M / UEG	**Perioden** Die Werte wechseln periodisch um die Mittellinie.	Unterschiedliche Messgeräte, systematische Aufteilung der Daten; → Fertigungsprozess nach Einflüssen untersuchen

Annahmestichprobenprüfung (Attributprüfung)   vgl. DIN ISO 2859-1 (1993-04)

Bei einer Attributprüfung handelt es sich um eine Annahmestichprobenprüfung, bei der anhand der fehlerhaften Einheiten oder der Fehler in den einzelnen Stichproben die Annehmbarkeit des Prüfloses festgestellt wird.

Der **Anteil fehlerhafter Einheiten oder die Anzahl der Fehler je hundert Einheiten im Los** wird durch die **Qualitätslage** ausgedrückt. Die annehmbare Qualitätsgrenzlage ist die festgelegte Qualitätslage in kontinuierlich vorgestellten Losen, bei dem diese in den meisten Fällen vom Kunden angenommen werden. Die entsprechenden Stichprobenanweisungen sind in Leittabellen zusammengefasst.

Annahmestichprobenplan für normale Prüfung (Leittabelle)

Losgröße	Annehmbare Qualitätsgrenzlage, AQL (Vorzugswerte)																			
	0,04		0,065		0,10		0,15		0,25		0,40		0,65		1,0		1,5		2,5	
2... 8	↓		↓		↓		↓		↓		↓		↓		↓		↓		↓	
9... 15	↓		↓		↓		↓		↓		↓		↓		↓		8	0	5	0
16... 25	↓		↓		↓		↓		↓		↓		13	0	8	0	5	0
26... 50	↓		↓		↓		↓		↓		20	0	13	0	8	0	5	0
51... 90	↓		↓		↓		↓		50	0	32	0	20	0	13	0	8	0	20	1
91... 150	↓		↓		↓		80	0	50	0	32	0	20	0	13	0	32	1	20	1
151... 280	↓		↓		125	0	80	0	50	0	32	0	20	0	50	1	32	1	32	2
281... 500	↓		200	0	125	0	80	0	50	0	32	0	80	1	50	1	50	2	50	3
501...1200	315	0	200	0	125	0	80	0	50	0	125	1	80	1	80	2	80	3	80	5

Erläuterung: ↓ — Anwenden der ersten Stichprobenanweisung dieser Spalte. Soweit Stichprobenumfang größer oder gleich Losumfang: 100%-Prüfung durchführen.

50 2 — Zweite Zahl: Annahmezahl = Anzahl der geduldeten fehlerhaften mitgelieferten Einheiten
— Erste Zahl: Stichprobenumfang = Anzahl der zu prüfenden Einheiten

F

Qualitätsfähigkeit von Prozessen
vgl. DGQ 16-33 (1990)

Bei der Beurteilung der Qualitätsfähigkeit eines Prozesses durch **Fähigkeitskennzahlen** (Fähigkeitsindizes) muss zwischen der **Kurzzeitfähigkeit (Maschinenfähigkeit)** und der **Langzeitfähigkeit (Prozessfähigkeit)** unterschieden werden.

Die **Maschinenfähigkeit** ist eine Bewertung der Maschine, ob diese im Rahmen ihrer normalen Schwankungen mit genügender Wahrscheinlichkeit innerhalb der vorgegebenen Grenzwerte fertigen kann.

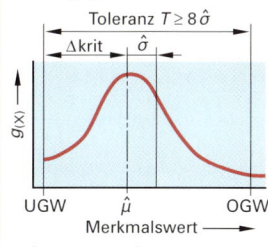

Wenn $C_m \geq 1{,}33$ und $C_{mk} \geq 1{,}0$ bedeutet dies, dass 99,994% (Bereich $\pm\,4\,\hat{\sigma}$) der Merkmalswerte innerhalb der Grenzwerte liegen und der Mittelwert $\hat{\mu}$ mindestens um die Größe $3\,\hat{\sigma}$ von den Toleranzgrenzen entfernt liegt.

Die **Prozessfähigkeit** ist eine Bewertung des Fertigungsprozesses, ob dieser im Rahmen seiner normalen Schwankungen mit genügender Wahrscheinlichkeit die festgelegten Forderungen erfüllen kann.

UGW   unterer Grenzwert
OGW   oberer Grenzwert
$\hat{\sigma}$ geschätzte Standardabweichung
$\hat{\mu}$ geschätzter Mittelwert

Δkrit   kleinster Abstand zwischen Mittelwert und Toleranzgrenze
C_m, C_{mk} Maschinenfähigkeitsindex
C_p, C_{pk} Prozessfähigkeitsindex

Maschinenfähigkeitsindex

$$C_m = \frac{T}{6 \cdot \hat{\sigma}}$$

$$C_{mk} = \frac{\Delta \text{krit}}{3 \cdot \hat{\sigma}}$$

Eine Maschinenfähigkeit gilt üblicherweise als nachgewiesen, wenn

- $C_m \geq 1{,}33$ und
- $C_{mk} \geq 1{,}0$ ist.

Prozessfähigkeitsindex

$$C_p = \frac{T}{6 \cdot \hat{\sigma}}$$

$$C_{pk} = \frac{\Delta \text{krit}}{3 \cdot \hat{\sigma}}$$

Die Prozessfähigkeit gilt üblicherweise als nachgewiesen, wenn

- $C_p \geq 1{,}33$ und
- $C_{pk} \geq 1{,}0$ ist.

Beispiel:

Maschinenfähigkeitsuntersuchung für Fertigungsmaß 80 ± 0,05;
Werte aus Vorlauf: $\hat{\sigma}$ = 0,012 mm; $\hat{\mu}$ = 79,99 mm

$$C_m = \frac{T}{6 \cdot \hat{\sigma}} = \frac{0{,}1\ \text{mm}}{6 \cdot 0{,}012\ \text{mm}} = \mathbf{1{,}388}; \quad C_{mk} = \frac{\Delta \text{krit}}{3 \cdot \hat{\sigma}} = \frac{0{,}04\ \text{mm}}{3 \cdot 0{,}012\ \text{mm}} = \mathbf{1{,}11}$$

Die Maschinenfähigkeit ist für diese Fertigung nachgewiesen.

Qualitätsregelkarten für qualitative Merkmale
vgl. DGQ 16-33 (1990); DGQ 11-19 (1989)

Fehlersammelkarte

Fehlersammelkarten erfassen die fehlerhaften Einheiten, die Fehlerarten und ihre Häufigkeit in einer Stichprobe.

Ablesebeispiel für F3:

$n = 9 \cdot 50 = 450$

Fehler in % $= \dfrac{\Sigma i_j}{n} \cdot 100\ \%$

$\quad = \dfrac{3}{450} \cdot 100\ \% = \mathbf{0{,}66\ \%}$

Beispiel:

Teil: **Deckel**		Stichprobenumfang $n = 50$								Prüfintervall: 60 min		
Fehlerart		Fehlerhäufigkeit i_j								Σi_j	%	Fehleranteil
Lackschaden	F1		1				1			2	0,44	.
Druckstellen	F2	1	2		2	1	2	2	2	14	3,11	
Korrosion	F3		1		1			1		3	0,66	
Grat	F4	1								1	0,22	
Rissbildungen	F5		1							1	0,22	
Winkelfehler	F6	2		3	1		3	1		2	12	2,66
Verbogen	F7				1					1	0,22	
Gewinde fehlt	F8		1							1	0,22	
Fehler je Probe		4	6	3	3	3	5	4	3	4	35		
Stichprobennr.		1	2	3	4	5	6	7	8	9			

Pareto-Diagramm[1]

Das Pareto-Diagramm klassifiziert Kriterien (z. B. Fehler) nach Art und Häufigkeit und ist damit ein wichtiges Hilfsmittel, um Kriterien zu analysieren und Prioritäten zu ermitteln.

Beispiel:

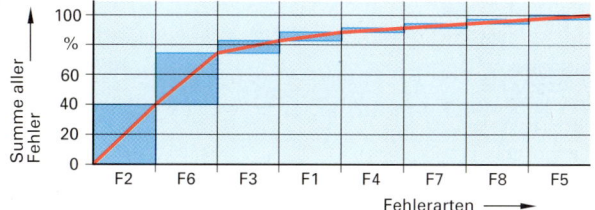

Ablesebeispiel: Die Druckstellen (F2) und die Winkelfehler (F6) machen zusammen ca. 74% der gesamten Fehler aus.

[1] ital. Soziologe

F

Auftragszeit nach REFA

Auftragszeit T

- Rüstzeit t_r
  - Rüstgrundzeit t_{rg}
  - Rüsterholungszeit t_{rer}
  - Rüstverteilzeit t_{rv}
- Ausführungszeit t_a
  - Zeit je Einheit t_e
    - Grundzeit t_g
      - Tätigkeitszeit t_t
        - beeinflussbare Tätigkeitszeit t_{tb}
        - unbeeinflussbare Tätigkeitszeit t_{tu}
      - Wartezeit t_w
    - Erholungszeit t_{er}
    - Verteilzeit t_v
      - sachliche Verteilzeit t_s
      - persönliche Verteilzeit t_p

Kurz-zeichen	Bezeich-nung	Erläuterung
T	Auftrags-zeit	Die für die Erledigung eines Auftrages insgesamt vorgegebene Zeit. Sie gliedert sich in die Rüstzeit (Vorbereiten der Auftragsausführung) und die Ausführungszeit.
t_r	Rüstzeit	In der Rüstzeit werden Arbeitsplatz, Maschine und Werkzeuge für den Auftrag vorbereitet (gerüstet) und nach der Ausführung wieder in den ursprünglichen Zustand versetzt. Die Rüstzeit kommt unabhängig von der Zahl der Einheiten meist nur einmal je Auftrag vor. **Beispiele:** Rüstgrundzeit t_{rg}: Auftrag und Zeichnung lesen, Maschine einstellen Rüsterholungszeit t_{rer}: Erholungszeit nach anstrengender Umrüstung Rüstverteilzeit t_{rv}: Kurze Maschinenstörung beseitigen
t_a	Ausfüh-rungszeit	Die Zeit für die Ausführungsarbeit an allen Einheiten m des Auftrages. Meist wird die Ausführungszeit aus $t_a = m \cdot t_e$ berechnet.
t_g	Grundzeit	Die Grundzeit ist für das planmäßige Ausführen des Auftrages nötig. Sie setzt sich aus der Tätigkeit und der Wartezeit zusammen.
t_{er}	Erholungs-zeit	Während der Erholungszeit wird die Arbeit unterbrochen, um Arbeitsermüdung abzubauen. **Beispiele:** Erholung nach Überkopfschweißen oder längerer Arbeit am Bildschirm.
t_v	Verteilzeit	Unregelmäßig auftretende Zeiten, die zur planmäßigen Auftragsausführung nötig sind. **Beispiele:** Sachliche Verteilzeit t_s: Unvorhergesehenes Werkzeugschleifen Persönliche Verteilzeit t_p: Lohnabrechnung prüfen, Bedürfnis erledigen
t_t	Tätigkeits-zeit	Tätigkeitszeiten sind Zeiten, in denen der eigentliche Auftrag erledigt wird. In der **Haupttätigkeitszeit** wird der Auftrag unmittelbar bearbeitet. **Beispiele:** Montage von Getriebeteilen, Spanen mit Werkzeugmaschinen In der **Nebentätigkeitszeit** tritt kein direkter Fortschritt des Auftrages ein. **Beispiele:** Auspacken von Wälzlagern, Spannen von Werkstücken, Ablage von Fertigteilen. Die Tätigkeitszeiten werden in **beeinflussbare** Zeiten, z.B. Montage- oder Entgratarbeiten, und **unbeeinflussbare** Zeiten, z.B. Programmablauf einer CNC-Maschine, unterteilt.
t_w	Wartezeit	In der Wartezeit wartet der Arbeiter auf das Ende von Arbeitsabschnitten, die seiner eigentlichen Tätigkeit vorangehen und seine weitere Tätigkeit bedingen. **Beispiel:** Warten auf das nächste Werkstück in der Fließfertigung.
m	Mengen-einheit	Anzahl der zu fertigenden Einheiten innerhalb eines Auftrages.

Beispiel: Drehen von Wellen auf einer Drehmaschine, $m = 3$; Auftragszeit $T = ?$

Rüstzeiten:		min
Auftrag rüsten		= 4,50
Maschine rüsten		= 10,00
Werkzeug rüsten		= 12,50
Rüstgrundzeit	t_{rg}	= 27,00
Rüsterholungszeit	t_{rer} = 4% von t_{rg}	= 1,08
Rüstverteilzeit	t_{rv} = 14% von t_{rg}	= 3,78
Rüstzeit	$t_r = t_{rg} + t_{rer} + t_{rv}$	**= 31,86**

Ausführungszeiten:		min
Tätigkeitszeit	t_t	= 14,70
Wartezeit	t_w	= 3,75
Grundzeit	$t_g = t_t + t_w$	= 18,45
Erholungszeit	t_{er} durch t_w abgegolten	–
Verteilzeit	t_v = 8% von t_g	= 1,48
Zeit je Einheit	$t_e = t_g + t_{er} + t_v$	= 19,93
Ausführungszeit	$t_a = m \cdot t_e$	**= 59,79**

Auftragszeit $T = t_r + t_a \approx 32$ min + 60 min = **92 min** (= 1,53 h)

F

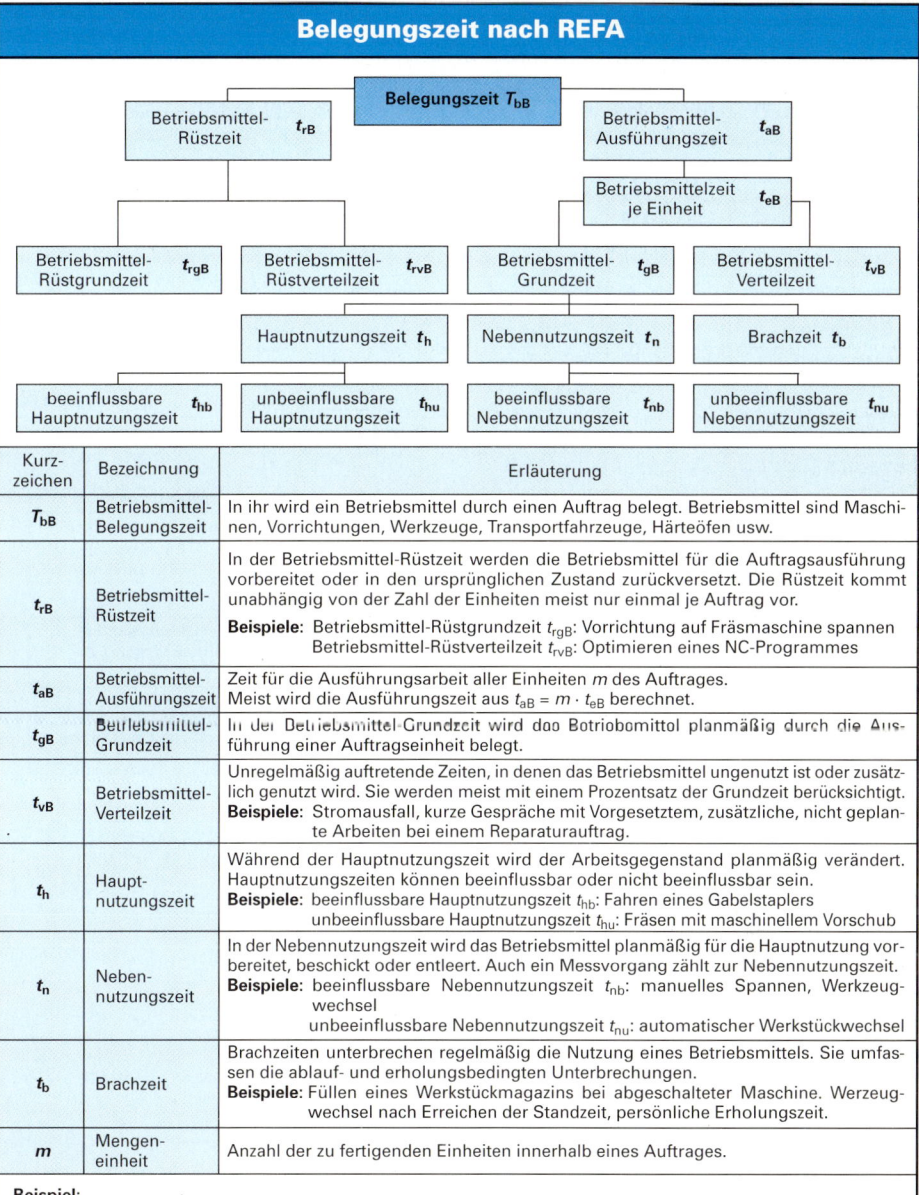

Kurz-zeichen	Bezeichnung	Erläuterung
T_{bB}	Betriebsmittel-Belegungszeit	In ihr wird ein Betriebsmittel durch einen Auftrag belegt. Betriebsmittel sind Maschinen, Vorrichtungen, Werkzeuge, Transportfahrzeuge, Härteöfen usw.
t_{rB}	Betriebsmittel-Rüstzeit	In der Betriebsmittel-Rüstzeit werden die Betriebsmittel für die Auftragsausführung vorbereitet oder in den ursprünglichen Zustand zurückversetzt. Die Rüstzeit kommt unabhängig von der Zahl der Einheiten meist nur einmal je Auftrag vor. **Beispiele:** Betriebsmittel-Rüstgrundzeit t_{rgB}: Vorrichtung auf Fräsmaschine spannen Betriebsmittel-Rüstverteilzeit t_{rvB}: Optimieren eines NC-Programmes
t_{aB}	Betriebsmittel-Ausführungszeit	Zeit für die Ausführungsarbeit aller Einheiten m des Auftrages. Meist wird die Ausführungszeit aus $t_{aB} = m \cdot t_{eB}$ berechnet.
t_{gB}	Betriebsmittel-Grundzeit	In der Betriebsmittel-Grundzeit wird das Betriebsmittel planmäßig durch die Ausführung einer Auftragseinheit belegt.
t_{vB}	Betriebsmittel-Verteilzeit	Unregelmäßig auftretende Zeiten, in denen das Betriebsmittel ungenutzt ist oder zusätzlich genutzt wird. Sie werden meist mit einem Prozentsatz der Grundzeit berücksichtigt. **Beispiele:** Stromausfall, kurze Gespräche mit Vorgesetztem, zusätzliche, nicht geplante Arbeiten bei einem Reparaturauftrag.
t_h	Haupt-nutzungszeit	Während der Hauptnutzungszeit wird der Arbeitsgegenstand planmäßig verändert. Hauptnutzungszeiten können beeinflussbar oder nicht beeinflussbar sein. **Beispiele:** beeinflussbare Hauptnutzungszeit t_{hb}: Fahren eines Gabelstaplers unbeeinflussbare Hauptnutzungszeit t_{hu}: Fräsen mit maschinellem Vorschub
t_n	Neben-nutzungszeit	In der Nebennutzungszeit wird das Betriebsmittel planmäßig für die Hauptnutzung vorbereitet, beschickt oder entleert. Auch ein Messvorgang zählt zur Nebennutzungszeit. **Beispiele:** beeinflussbare Nebennutzungszeit t_{nb}: manuelles Spannen, Werkzeugwechsel unbeeinflussbare Nebennutzungszeit t_{nu}: automatischer Werkstückwechsel
t_b	Brachzeit	Brachzeiten unterbrechen regelmäßig die Nutzung eines Betriebsmittels. Sie umfassen die ablauf- und erholungsbedingten Unterbrechungen. **Beispiele:** Füllen eines Werkstückmagazins bei abgeschalteter Maschine. Werkzeugwechsel nach Erreichen der Standzeit, persönliche Erholungszeit.
m	Mengen-einheit	Anzahl der zu fertigenden Einheiten innerhalb eines Auftrages.

F

Beispiel:

Fräsen der Auflagefläche von Reitstöcken auf einer Senkrechtfräsmaschine, $m = 20$; Belegungszeit T_{bB} = ?

Rüstzeiten:	min
Auftrag und Zeichnung lesen	= 4,54
Bereitstellen und Weglegen von Planfräser	= 3,65
Fräser ein- und ausspannen	= 3,10
Maschine einstellen	= 2,84
Betriebsmittel-Rüstgrundzeit t_{rgB}	= 14,13
Betriebsmittel-Rüstverteilzeit t_{rvB} = 10% v. t_{rgB}	= 1,41
Betriebsmittel-Rüstzeit $t_{rB} = t_{rgB} + t_{rvB}$	**= 15,54**

Ausführungszeiten:	min
Fräsen $\hat{=}$ Hauptnutzungszeit t_h	= 3,52
Werkstück spannen $\hat{=}$ Nebennutzungszeit t_n	= 4,00
Werkstück transportieren $\hat{=}$ Brachzeit t_b	= 1,20
Betriebsmittel-Grundzeit $t_{gB} = t_h + t_n + t_b =$	8,72
Betriebsmittel-Verteilzeit t_{vB} = 10% v. t_{gB}	0,87
Betriebsmittelzeit je Einheit $t_{eB} = t_{gB} + t_{vB}$	= 9,59
Betriebsmittel-Ausführungszeit $t_{eB} = m \cdot t_{eB}$	**= 191,80**

Belegungszeit $T_{bB} = t_{rB} + t_{aB} \approx$ 16 min + 192 min = 208 min (= 3,47 h)

Kalkulation

Einfache Kalkulationsbeispiele

Bei der einfachen Kalkulation werden die Gemeinkosten von der überwiegenden Kostenart ermittelt.

Überwiegende Kostenart **Fertigungslöhne**	Überwiegende Kostenart **Werkstoffkosten**	Keine Kostenart überwiegt wesentlich
Werkstoffkosten = 60,00 DM Fertigungslöhne = 560,00 DM Gemeinkosten[1] 160 % der Fertigungslöhne = 896,00 DM	Werkstoffkosten = 3400,00 DM Fertigungslöhne = 560,00 DM Gemeinkosten[1] 120 % der Werkstoffkosten = 4080,00 DM	Werkstoffkosten = 380,00 DM Fertigungslöhne = 450,00 DM Gemeinkosten[1] 80 % der Werkstoffkosten und Fertigungslöhne = 664,00 DM
Selbstkosten = 1516,00 DM Gewinn[2] 10 % der Selbstkosten = 151,60 DM	Selbstkosten = 8040,00 DM Gewinn[2] 10 % der Selbstkosten = 804,00 DM	Selbstkosten = 1494,00 DM Gewinn[2] 10 % der Selbstkosten = 149,40 DM
Verkaufspreis ohne MwSt = 1667,60 DM	**Verkaufspreis ohne MwSt = 8844,00 DM**	**Verkaufspreis ohne MwSt = 1643,40 DM**

[1] Der Gemeinkosten-Prozentsatz muss für jeden einzelnen Betrieb ermittelt werden; [2] Angenommener Gewinn 10 %

Erweiterte Kalkulation (Schema)

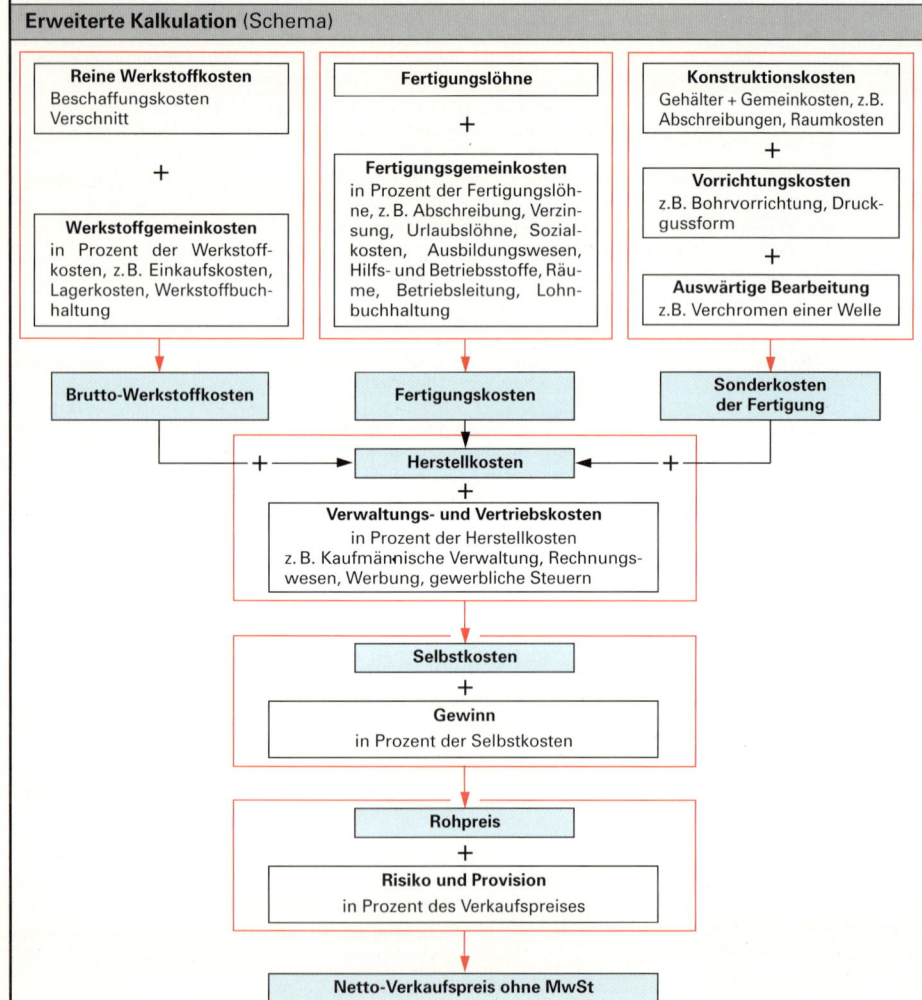

Berechnung des Maschinenstundensatzes

Die Kalkulation mit Hilfe des Maschinenstundensatzes hat gegenüber den Kalkulationsbeispielen auf Seite 254 den Vorteil, dass die Kosten genauer erfasst und überwacht werden können. Diese Berechnungsart wird vor allem bei teuren Werkzeugmaschinen und bei der automatisierten Fertigung angewandt. Der Maschinenstundensatz umfasst nicht die Kosten der Bedienungsperson.

$$\text{Kalkulatorische Abschreibung} = \frac{\text{Wiederbeschaffungskosten in DM}}{\text{Nutzungsdauer in Jahren}}$$

$$\text{Kalkulatorische Zinsen} = \frac{^1/_2 \cdot \text{Wiederbeschaffungskosten in DM x Zinssatz}}{100\%}$$

Instandhaltungskosten = Instandhaltungskosten in DM/Jahr
(z. B. Reparaturen und Wartungsdienst)

Energiekosten = Max. Leistungsaufnahme in kW x Nutzungsfaktor x Energiekosten in DM/(kW · h) x Maschinenlaufzeit in h/Jahr

Anteilige Raumkosten = Raumkostensatz in DM/(m² x Jahr) x Flächenbedarf der Maschine in m²

Fertigungsgemeinkosten = **Kalkulatorische Abschreibung + kalkulatorische Zinsen + Instandhaltungskosten + Energiekosten + anteilige Raumkosten**

Netto-Maschinenlaufzeit = Tägliche Arbeitszeit in h x Arbeitstage/Jahr
– jährliche Ausfallzeiten (z. B. Wartung, Reparatur, Urlaub)

$$\textbf{Maschinenstundensatz} = \frac{\textbf{Fertigungsgemeinkosten}}{\textbf{Netto-Maschinenlaufzeit}}$$

Beispiel:

Wiederbeschaffungskosten eines Bearbeitungszentrums 450 000,00 DM, Nutzungsdauer 8 Jahre, Zinssatz 7%, Instandhaltungskosten 10 000,00 DM/Jahr, max. Leistungsaufnahme 30 kW, Nutzungsfaktor 75%, Energiekosten 0,35 DM/(kW · h), monatlicher Raumkostensatz 12,50 DM/m², Flächenbedarf 30 m², Netto-Maschinenlaufzeit 1600 h/Jahr; Maschinenstundensatz in DM/h = ?

Kalkulatorische Abschreibung $= \dfrac{450\,000,00\ \text{DM}}{8\ \text{Jahre}}$ $= 56\,250,00\ \text{DM/Jahr}$

Kalkulatorische Zinsen $= \dfrac{450\,000,00\ \text{DM} \cdot 7\%}{2 \cdot 100\%}$ $= 15\,750,00\ \text{DM/Jahr}$

Instandhaltungskosten $= 10\,000,00\ \text{DM/Jahr}$

Energiekosten $= 30\ \text{kW} \cdot 0,75 \cdot 0,35\ \dfrac{\text{DM}}{\text{kW} \cdot \text{h}} \cdot 1600\ \text{h/Jahr}$ $= 12\,600,00\ \text{DM/Jahr}$

Anteilige Raumkosten $= 12,50\ \dfrac{\text{DM}}{\text{m}^2 \cdot \text{Monat}} \cdot 30\ \text{m}^2 \cdot 12\ \text{Monate/Jahr}$ $= 4\,500,00\ \text{DM/Jahr}$

Fertigungsgemeinkosten $= 99\,100,00\ \text{DM/Jahr}$

Maschinenstundensatz $= \dfrac{99\,100,00\ \text{DM/Jahr}}{1600\ \text{h/Jahr}}$ $= \mathbf{61,94\ DM/h}$

F

Zahnradberechnungen

Stirnräder mit Geradverzahnung

Zahnradmaße

m Modul
p Teilung
d Teilkreisdurchmesser
d_a Kopfkreisdurchmesser
d_f Fußkreisdurchmesser
z Zähnezahl
h_a Zahnkopfhöhe h Zahnhöhe
h_f Zahnfußhöhe c Kopfspiel

Ein geradverzahntes Stirnrad mit Modul
$m = 1$ mm hat eine Teilung
$p = \pi \cdot m = \pi \cdot 1$ mm $= 3{,}142$ mm. Sie wird als
Bogenmaß auf dem Teilkreis gemessen.

Achsabstand

Außenliegendes Gegenrad

Innenliegendes Gegenrad

a Achsabstand
d_1, d_2 Teilkreisdurchmesser
z_1, z_2 Zähnezahlen

Maße außenverzahnter Stirnräder mit Geradverzahnung

Modul

$$m = \frac{p}{\pi} = \frac{d}{z}$$

Teilung

$$p = \pi \cdot m$$

Zähnezahl

$$z = \frac{d}{m} = \frac{d_a - 2 \cdot m}{m}$$

Kopfspiel

$$c = 0{,}1 \cdot m \text{ bis } 0{,}3 \cdot m$$
$$\text{häufig } c = 0{,}167 \cdot m$$

Zahnkopfhöhe

$$h_a = m$$

Teilkreisdurchmesser

$$d = m \cdot z = \frac{z \cdot p}{\pi}$$

Kopfkreisdurchmesser

$$d_a = d + 2 \cdot m = m \cdot (z + 2)$$

Fußkreisdurchmesser

$$d_f = d - 2 \cdot (m + c)$$

Zahnhöhe

$$h = 2 \cdot m + c$$

Zahnfußhöhe

$$h_f = m + c$$

Maße innenverzahnter Stirnräder mit Geradverzahnung

Kopfkreisdurchmesser

$$d_a = d - 2 \cdot m = m \cdot (z - 2)$$

Fußkreisdurchmesser

$$d_f = d + 2 \cdot (m + c)$$

Zähnezahl

$$z = \frac{d}{m} = \frac{d_a + 2 \cdot m}{m}$$

Die anderen Zahnradmaße werden gleich wie bei außenverzahnten Stirnrädern mit Geradverzahnung berechnet.

Achsabstand bei Geradverzahnung

Achsabstand bei außenliegendem Gegenrad

$$a = \frac{d_1 + d_2}{2} = \frac{m \cdot (z_1 + z_2)}{2}$$

Achsabstand bei innenliegendem Gegenrad

$$a = \frac{d_2 - d_1}{2} = \frac{m \cdot (z_2 - z_1)}{2}$$

Beispiel: Innenverzahntes Stirnrad,
$m = 1{,}5$ mm; $z = 80$; $c = 0{,}167 \cdot m$; $d = ?$; $d_a = ?$; $h = ?$
$d = m \cdot z = 1{,}5$ mm $\cdot 80 =$ **120 mm**
$d_a = d - 2 \cdot m = 120$ mm $- 2 \cdot 1{,}5$ mm $=$ **117 mm**
$h = 2 \cdot m + c = 2 \cdot 1{,}5$ mm $+ 0{,}167 \cdot 1{,}5$ mm $=$ **3,25 mm**

F

Stirnräder mit Schrägverzahnung

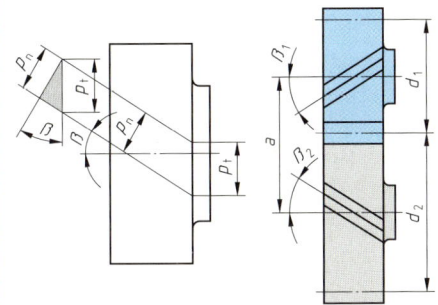

d, d_1, d_2 Teilkreisdurchmesser
d_a Kopfkreisdurchmesser
β Schrägungswinkel
z   Zähnezahl
a   Achsabstand
p_n Normalteilung
p_t Stirnteilung
m_n Normalmodul
m_t Stirnmodul

Bei Stirnrädern mit Schrägverzahnung verlaufen die Zähne schraubenförmig auf dem zylindrischen Radkörper. Die Werkzeuge zur Herstellung von Stirnrädern und Schraubenrädern richten sich nach dem Normalmodul.

Bei parallelen Achsen ist ein Rad rechts-, das andere linkssteigend. Der Schrägungswinkel ist für beide Räder gleich, d.h. $\beta_1 = \beta_2$. Meist ist $\beta = 8°$ bis 25°.

Maße außenverzahnter Stirnräder mit Schrägverzahnung

Bei Stirnrädern mit Schrägverzahnung muss zur Berechnung des Teilkreisdurchmessers statt des Normalmoduls m_n der Stirnmodul m_t eingesetzt werden.

Stirnmodul
$$m_t = \frac{m_n}{\cos\beta} = \frac{p_t}{\pi}$$

Stirnteilung
$$p_t = \frac{p_n}{\cos\beta} = \frac{\pi \cdot m_n}{\cos\beta}$$

Teilkreisdurchmesser
$$d = m_t \cdot z = \frac{z \cdot m_n}{\cos\beta}$$

Zähnezahl
$$z = \frac{d}{m_t} = \frac{\pi \cdot d}{p_t}$$

Normalmodul
$$m_n = \frac{p_n}{\pi} = m_t \cdot \cos\beta$$

Normalteilung
$$p_n = \pi \cdot m_n = p_t \cdot \cos\beta$$

Kopfkreisdurchmesser
$$d_a = d + 2 \cdot m_n$$

Achsabstand
$$a = \frac{d_1 + d_2}{2}$$

Zahnhöhe, Zahnkopfhöhe, Zahnfußhöhe und Kopfspiel werden wie bei Stirnrädern mit Geradverzahnung berechnet.

Beispiel: Schrägverzahnung, z = 32; m_n = 1,5 mm; β = 19,5°; c = 0,167 · m; m_t = ?; d_a = ?; d = ?; h = ?

$$m_t = \frac{m_n}{\cos\beta} = \frac{1,5\ mm}{\cos 19,5°} = \textbf{1,591 mm}$$

$$d = m_t \cdot z = 1,591\ mm \cdot 32 = \textbf{50,9 mm}$$

$$h = 2 \cdot m_n + c = 2 \cdot 1,5\ mm + 0,167 \cdot 1,5\ mm$$
$$= \textbf{3,25 mm}$$

$$d_a = d + 2 \cdot m_n = 50,9\ mm + 2 \cdot 1,5\ mm$$
$$= \textbf{53,9 mm}$$

F

Modulreihe für Stirnräder (Reihe I)   vgl. DIN 780-1 und -2 (1977-05)

Modul	0,2	0,25	0,3	0,4	0,5	0,6	0,7	0,8	0,9	1,0	1,25
Teilung	0,628	0,785	0,943	1,257	1,571	1,885	2,199	2,513	2,827	3,142	3,927
Modul	1,5	2,0	2,5	3,0	4,0	5,0	6,0	8,0	10,0	12,0	16,0
Teilung	4,712	6,283	7,854	9,425	12,566	15,708	18,850	25,132	31,416	37,699	50,265

Einteilung des Satzes von 8 Modul-Scheibenfräsern (bis zu *m* = 9 mm)

Fräser-Nr.	1	2	3	4	5	6	7	8
Zähnezahl	12...13	14...16	17...20	21...25	26...34	35...54	55...134	135...Zahnstange

Für Zahnräder mit *m* > 9 mm wird ein Satz mit 15 Modul-Scheibenfräsern verwendet.

Kegelräder mit Geradverzahnung

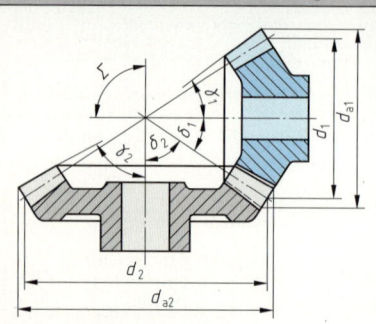

Der Achsenwinkel Σ ist meist 90°, er kann aber auch größer oder kleiner sein.

Maße der Kegelräder		
Benennung	treibendes Rad	getriebenes Rad
Teilkreis-durchmesser	$d_1 = m \cdot z_1$	$d_2 = m \cdot z_2$
Außen-durchmesser	$d_{a1} = d_1 + 2 \cdot m \cdot \cos \delta_1$	$d_{a2} = d_2 + 2 \cdot m \cdot \cos \delta_2$
Kegelwinkel	$\tan \gamma_1 = \dfrac{z_1 + 2 \cdot \cos \delta_1}{z_2 - 2 \cdot \sin \delta_1}$	$\tan \gamma_2 = \dfrac{z_2 + 2 \cdot \cos \delta_2}{z_1 - 2 \cdot \sin \delta_2}$
Teilkreis-winkel	$\tan \delta_1 = \dfrac{d_1}{d_2} = \dfrac{z_1}{z_2} = \dfrac{1}{i}$	$\tan \delta_2 = \dfrac{d_2}{d_1} = \dfrac{z_2}{z_1} = i$
Achsenwinkel	$\Sigma = \delta_1 + \delta_2$	
Kopfspiel, Zahnhöhe, Zahnkopfhöhe usw. wie bei Stirnrädern		

Beispiel: Kegelrädergetriebe, $m = 2$ mm; $z_1 = 30$; $z_2 = 120$, $\Sigma = 90°$. Die Maße zum Drehen der Kegelräder sind zu berechnen.

Treibendes Rad

$\tan \delta_1 = \dfrac{z_1}{z_2} = \dfrac{30}{120} = 0{,}2500;$ $\delta_1 = 14{,}04°$

$d_1 \quad = m \cdot z_1 = 2 \text{ mm} \cdot 30 = \mathbf{60 \text{ mm}}$

$d_{a1} \quad = d_1 + 2 \cdot m \cdot \cos \delta_1$
$\quad = 60 \text{ mm} + 2 \cdot 2 \text{ mm} \cdot \cos 14{,}04° = \mathbf{63{,}88 \text{ mm}}$

$\tan \gamma_1 = \dfrac{z_1 + 2 \cdot \cos \delta_1}{z_2 - 2 \cdot \sin \delta_1} = \dfrac{30 + 2 \cdot \cos 14{,}04°}{120 - 2 \cdot \sin 14{,}04°} = 0{,}267$

$\gamma_1 = \mathbf{14{,}95°}$

Getriebenes Rad

$\tan \delta_2 = \dfrac{z_2}{z_1} = \dfrac{120}{30} = 4{,}000;$ $\delta_2 = 75{,}96°$

$d_2 \quad = m \cdot z_2 = 2 \text{ mm} \cdot 120 = \mathbf{240 \text{ mm}}$

$d_{a2} \quad = d_2 + 2 \cdot m \cdot \cos \delta_2$
$\quad = 240 \text{ mm} + 2 \cdot 2 \text{ mm} \cdot \cos 75{,}96° = \mathbf{240{,}97 \text{ mm}}$

$\tan \gamma_2 = \dfrac{z_2 + 2 \cdot \cos \delta_2}{z_1 - 2 \cdot \sin \delta_2} = \dfrac{120 + 2 \cdot \cos 75{,}96°}{30 - 2 \cdot \sin 75{,}96°} = 4{,}294$

$\gamma_2 = \mathbf{76{,}89°}$

Schneckentrieb

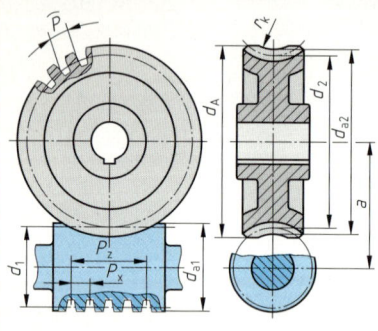

F

Kopfspiel, Zahnhöhe, Zahnkopfhöhe und Zahnfußhöhe wie bei Stirnrädern

Maße von Schnecke und Schneckenrad		
Benennung	Schnecke	Schneckenrad
Teilkreis-durchmesser	$d_1 = $ Nennmaß	$d_2 = m \cdot z_2$
Teilung	$p_x = \pi \cdot m$	$p = \pi \cdot m$
Kopfkreis-durchmesser	$d_{a1} = d_1 + 2 \cdot m$	$d_{a2} = d_2 + 2 \cdot m$
Außen-durchmesser		$d_A \approx d_{a2} + m$
Kopfkehl-halbmesser		$r_k = \dfrac{d_1}{2} - m$
Steigungs-höhe	$p_z = p_x \cdot z_1 = \pi \cdot m \cdot z_1$	
Achsabstand	$a = \dfrac{d_1 + d_2}{2}$	

Beispiel: Schneckentrieb, $m = 2{,}5$ mm; $z_1 = 2$ (= 2gängig); $d_1 = 40$ mm; $z_2 = 40$. Wie groß werden die übrigen Maße?

Schnecke

$p_z \quad = \pi \cdot z_1 \cdot m = \pi \cdot 2 \cdot 2{,}5 \text{ mm} \qquad = \mathbf{15{,}708 \text{ mm}}$

$d_{a1} = d_1 + 2 \cdot m = 40 \text{ mm} + 2 \cdot 2{,}5 \text{ mm} \quad = \mathbf{45 \text{ mm}}$

$a \quad = \dfrac{d_1 + d_2}{2} = \dfrac{40 \text{ mm} + 100 \text{ mm}}{2} \qquad = \mathbf{70 \text{ mm}}$

Schneckenrad

$d_2 \quad = m \cdot z_2 = 2{,}5 \text{ mm} \cdot 40 \qquad\qquad = \mathbf{100 \text{ mm}}$

$d_{a2} = d_2 + 2 m = 100 \text{ mm} + 2 \cdot 2{,}5 \text{ mm} = \mathbf{105 \text{ mm}}$

$d_A \quad \approx d_{a2} + m = 105 \text{ mm} + 2{,}5 \text{ mm} \qquad = \mathbf{107{,}5 \text{ mm}}$

$r_k \quad = \dfrac{d_1}{2} - m = \dfrac{40 \text{ mm}}{2} - 2{,}5 \text{ mm} \qquad = \mathbf{17{,}5 \text{ mm}}$

Riementrieb

Einfache Übersetzung

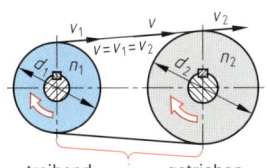

treibend i getrieben

$d_1, d_3, d_5 \ldots$ Durchmesser ⎫ treibende
$n_1, n_3, n_5 \ldots$ Drehzahlen ⎭ Scheiben
$d_2, d_4, d_6 \ldots$ Durchmesser ⎫ getriebene
$n_2, n_4, n_6 \ldots$ Drehzahlen ⎭ Scheiben
n_a Anfangsdrehzahl
n_e Enddrehzahl
i Gesamtübersetzungsverhältnis
$i_1, i_2, i_3 \ldots$ Einzelübersetzungsverhältnis
v, v_1, v_2 Umfangsgeschwindigkeit

Geschwindigkeit

$$v = v_1 = v_2$$

Antriebsformel

$$n_1 \cdot d_1 = n_2 \cdot d_2$$

Übersetzungsverhältnis

$$i = \frac{d_2}{d_1} = \frac{n_1}{n_2} = \frac{n_a}{n_e}$$

Mehrfache Übersetzung

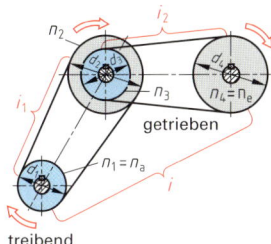

getrieben

treibend

Beispiel:
$n_1 = 600/\text{min} \cdot n_2 = 400/\text{min}$
$d_1 = 240$ mm; $i = ?$; $d_2 = ?$

$$i = \frac{n_1}{n_2} = \frac{600/\text{min}}{400/\text{min}} = \frac{1,5}{1} = \mathbf{1,5}$$

$$d_2 = \frac{n_1 \cdot d_1}{n_2} = \frac{600/\text{min} \cdot 240 \text{ mm}}{400/\text{min}}$$
$$= \mathbf{360 \text{ mm}}$$

Gesamtübersetzungs-verhältnis

$$i = \frac{d_2 \cdot d_4 \cdot d_6 \ldots}{d_1 \cdot d_3 \cdot d_5 \ldots}$$

$$i = i_1 \cdot i_2 \cdot i_3 \ldots$$

Zahnradtrieb

Einfache Übersetzung

treibend   getrieben

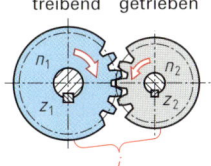

$z_1, z_3, z_5 \ldots$ Zähnezahlen ⎫ treibende
$n_1, n_3, n_5 \ldots$ Drehzahlen ⎭ Räder
$z_2, z_4, z_6 \ldots$ Zähnezahlen ⎫ getriebene
$n_2, n_4, n_6 \ldots$ Drehzahlen ⎭ Räder
n_a Anfangsdrehzahl
n_e Enddrehzahl
i Gesamtübersetzungsverhältnis
$i_1, i_2, i_3 \ldots$ Einzelübersetzungsverhältnis

Antriebsformel

$$n_1 \cdot z_1 = n_2 \cdot z_2$$

Übersetzungsverhältnis

$$i = \frac{z_2}{z_1} = \frac{n_1}{n_2} = \frac{n_a}{n_e}$$

Mehrfache Übersetzung

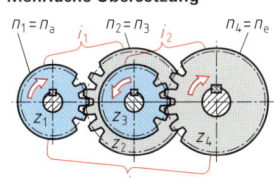

Beispiel:
$i = 0,4$; $n_1 = 180/\text{min}$; $z_2 = 24$;
$n_2 = ?$; $z_1 = ?$

$$n_2 = \frac{n_1}{i} = \frac{180/\text{min}}{0,4} = \mathbf{450/\text{min}}$$

$$z_1 = \frac{n_2 \cdot z_2}{n_1} = \frac{450/\text{min} \cdot 24}{180/\text{min}} = \mathbf{60}$$

Gesamtübersetzungs-verhältnis

$$i = \frac{z_2 \cdot z_4 \cdot z_6 \ldots}{z_1 \cdot z_3 \cdot z_5 \ldots}$$

$$i = i_1 \cdot i_2 \cdot i_3 \ldots$$

Schneckentrieb

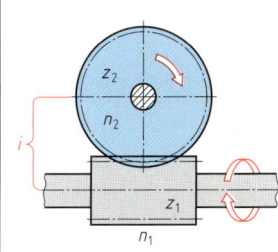

z_1 Zähnezahl (Gangzahl) der Schnecke
n_1 Drehzahl der Schnecke
z_2 Zähnezahl des Schneckenrades
n_2 Drehzahl des Schneckenrades
i Übersetzungsverhältnis

Beispiel:
$i = 25$; $n_1 = 1500/\text{min}$; $z_1 = 3$; $n_2 = ?$

$$n_2 = \frac{n_1}{i} = \frac{1500/\text{min}}{25} = \mathbf{60/\text{min}}$$

Antriebsformel

$$n_1 \cdot z_1 = n_2 \cdot z_2$$

Übersetzungsverhältnis

$$i = \frac{n_1}{n_2} = \frac{z_2}{z_1}$$

F

Geschwindigkeiten an Maschinen

Vorschubgeschwindigkeit

Drehen

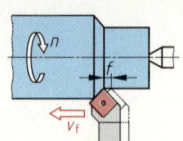

Fräsen

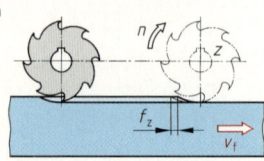

Gewindetrieb

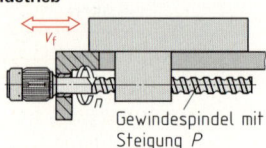

Gewindespindel mit
Steigung P

Zahnstangentrieb

v_f	Vorschubgeschwindigkeit
n	Drehzahl
f	Vorschub
f_z	Vorschub je Schneide
z	Anzahl der Schneiden, Zähnezahl des Ritzels
P	Gewindesteigung
p	Teilung der Zahnstange

Beispiel:
Walzenfräser, $z = 8$; $f_z = 0,2$ mm;
$n = 45$/min; $v_f = ?$

$v_f = n \cdot f_z \cdot z$

$\quad = 45 \dfrac{1}{min} \cdot 0,2 \text{ mm} \cdot 8$

$\quad = 72 \dfrac{mm}{min}$

Vorschubgeschwindigkeit
beim Bohren, Drehen

$$v_f = n \cdot f$$

Vorschubgeschwindigkeit
beim Fräsen

$$v_f = n \cdot f_z \cdot z$$

Vorschubgeschwindigkeit
beim Gewindetrieb

$$v_f = n \cdot P$$

Vorschubgeschwindigkeit
beim Zahnstangentrieb

$$v_f = n \cdot z \cdot p$$

$$v_f = \pi \cdot d \cdot n$$

Schnittgeschwindigkeit, Umfangsgeschwindigkeit

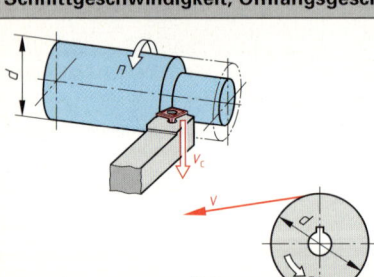

v_c	Schnittgeschwindigkeit
v	Umfangsgeschwindigkeit
d	Durchmesser
n	Drehzahl

Beispiel:
Drehen, $n = 1200$/min;
$d = 35$ mm; $v_c = ?$

$v_c = \pi \cdot d \cdot n$

$\quad = \pi \cdot 0,035 \text{ m} \cdot 1200 \dfrac{1}{min}$

$\quad = 132 \dfrac{m}{min}$

Schnittgeschwindigkeit

$$v_c = \pi \cdot d \cdot n$$

Umfangsgeschwindigkeit

$$v = \pi \cdot d \cdot n$$

Mittlere Geschwindigkeit bei Kurbeltrieben

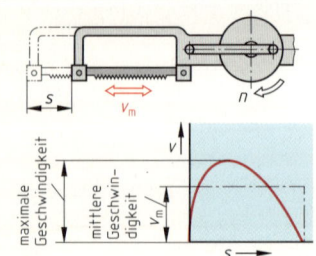

maximale Geschwindigkeit — mittlere Geschwindigkeit

v_m	mittlere Geschwindigkeit
n	Anzahl der Doppelhübe
s	Hublänge

Beispiel:
Maschinenbügelsäge,
$s = 280$ mm; $n = 45$/min; $v_m = ?$

$v_m = 2 \cdot s \cdot n = 2 \cdot 0,28 \text{ m} \cdot 45 \dfrac{1}{min}$

$\quad = 25,2 \dfrac{m}{min}$

Mittlere Geschwindigkeit

$$v_m = 2 \cdot s \cdot n$$

F

Die Lastdrehzahlen gelten für die Arbeitsspindeln von Werkzeugmaschinen bei Nennbelastung des Antriebsmotors. Sie sind geometrisch gestufte Normzahlen nach DIN 323 Teil 1 (Seite 61). Die Stufensprünge der Reihen betragen $q = 1,12$; $1,25$; $1,41$; $1,58$ und $2,00$.

Grundreihe R 20	Nennwerte der Lastdrehzahlen in min⁻¹						Grenzwerte der Grundreihe R 20 in min⁻¹			
		Abgeleitete Reihen					bei mech. Abweichung		bei mech. und elektr. Abweichung	
	R 20/2 Beispiel	R 20/3 Beispiel		R 20/4 Beispiel	Beispiel	R 20/6 Beispiel	− 2 %	+ 3 %	− 2 %	+ 6 %
$q = 1,12$	$q = 1,25$	$q = 1,41$		$q = 1,58$	$q = 1,58$	$q = 2,00$				
100							98	103	98	106
112	112	11,2			112	11,2	110	116	110	119
125			125				123	130	123	133
140	140		1400	140		1400	138	145	138	150
160		16					155	163	155	168
180	180	180			180	180	174	183	174	188
200			2000				196	206	196	212
224	224	22,4		224		22,4	219	231	219	237
250		250					246	259	246	266
280	280		2800	280		2800	276	290	276	299
315		31,5					310	326	310	335
355	355	355		355		355	348	365	348	376
400			4000				390	410	390	422
450	450	45		450	45		438	460	438	473
500		500					491	516	491	531
560	560		5600	560		5600	551	579	551	596
630	63						618	650	618	669
710	710	710		710		710	694	729	694	750
800			8000				778	818	778	842
900	900	90		900	90		873	918	873	945
1000		1000					980	1030	980	1060

Die abgeleiteten Reihen werden aus der Grundreihe R 20 gebildet, indem bei der Reihe R 20/2 jeder zweite Wert der Reihe R 20, bei der Reihe R 20/3 jeder dritte Wert der Reihe R 20 verwendet wird usw. Die abgeleiteten Reihen können bei jedem beliebigen Wert der Grundreihe beginnen, wobei die Grundreihe nach oben und unten durch Multiplikation bzw. Division mit 10, 100 usw. fortgesetzt werden kann.

Die Grenzwerte enthalten die zulässigen Abweichungen der Nennwerte. Die mechanische Abweichung gilt für die meist nicht genau einzuhaltenden Übersetzungen, die elektrische Abweichung berücksichtigt den Schlupf von Motoren unterschiedlicher Herkunft und Leistung.

Berechnung der Stufensprünge und Zwischendrehzahlen

q Stufensprung n_1 kleinste Drehzahl

n_z größte Drehzahl z Anzahl der Drehzahlen

Bei geometrisch gestuften Drehzahlen erhält man die nächsthöhere Drehzahl, indem man die vorhergehende Drehzahl mit dem Stufensprung multipliziert.

Beispiel: Das Getriebe einer Fräsmaschine soll $z = 8$ Drehzahlen zwischen $n_1 = 56$ min⁻¹ und $n_8 = 1400$ min⁻¹ erhalten.

a) Wie groß ist der Stufensprung q?

b) Welche Zwischendrehzahlen sind zu wählen?

a) $q = \sqrt[z-1]{\dfrac{n_z}{n_1}} = \sqrt[8-1]{\dfrac{1400 \text{ min}^{-1}}{56 \text{ min}^{-1}}} = \sqrt[7]{25} = 1,58382 \approx \mathbf{1,58}$

(Stufensprung der Reihe R 20/4)

b) Eine Drehzahlreihe nach R 20/4 entsteht aus der erweiterten Grundreihe R 20, indem von den Werten der Grundreihe nur jeder vierte Wert verwendet wird:

56 63 71 80 **90** 100 112 125 **140** 160 180 200 **224** 250 280 315 **355** 400 450 500 **560** 630 710 800 **900** 1000 1120 1250 **1400 min⁻¹**

Stufensprung

$$q = \sqrt[z-1]{\dfrac{n_z}{n_1}}$$

Zwischendrehzahlen

$n_2 = n_1 \cdot q$

$n_3 = n_2 \cdot q = n_1 \cdot q^2$

$n_4 = n_3 \cdot q = n_1 \cdot q^3$

usw.

$n_z = n_{z-1} \cdot q = n_1 \cdot q^{z-1}$

F

Drehzahldiagramm

Die Bestimmung der Drehzahl n einer Werkzeugmaschine aus dem Werkstück- bzw. dem Werkzeugdurchmesser d und der gewählten Schnittgeschwindigkeit v_c kann

- rechnerisch mit Hilfe der Formel
- oder grafisch mit dem Drehzahldiagramm erfolgen.

Drehzahl

$$n = \frac{v_c}{\pi \cdot d}$$

Drehzahldiagramme enthalten die an der Maschine einstellbaren Lastdrehzahlen. Diese sind geometrisch gestuft (Seite 261). Bei stufenlosen Antrieben kann die ermittelte Drehzahl genau eingestellt werden.

Drehzahldiagramm mit logarithmisch geteilten Achsen

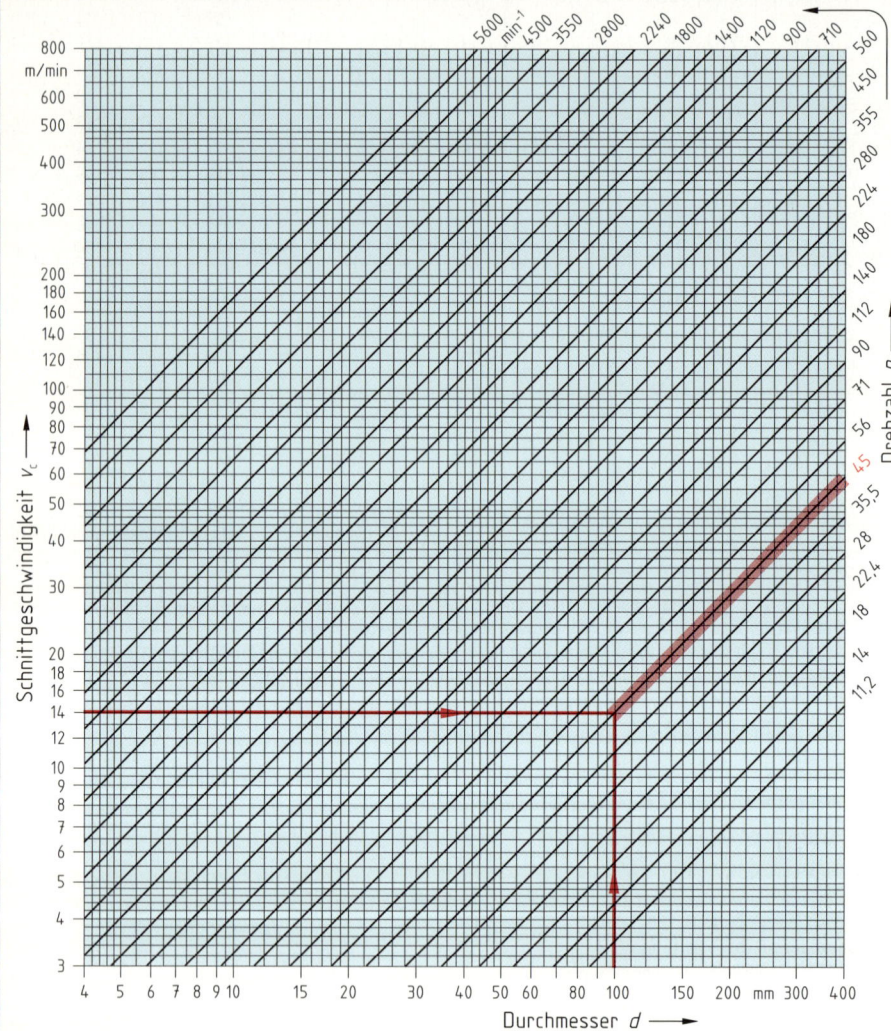

Berechnungsbeispiel: $d = 100$ mm; $v_c = 14 \; \frac{m}{min}$; $n = ?$; $n = \dfrac{v_c}{\pi \cdot d} = \dfrac{14 \, \frac{m}{min}}{\pi \cdot 0{,}1 \, m} = \mathbf{44{,}56} \; \dfrac{1}{min}$

Ablesebeispiel: $d = 100$ mm; $v_c = 14 \; \frac{m}{min}$; $n = ?$; Abgelesen: $\boldsymbol{n \approx 45} \; \dfrac{1}{min}$

Längs-Runddrehen und Quer-Plandrehen mit konstanter Drehzahl

t_h Hauptnutzungszeit
d Außendurchmesser
d_1 Innendurchmesser
d_m mittlerer Durchmesser[1]
l Werkstücklänge
l_a Anlauf

l_u Überlauf
L Vorschubweg
f Vorschub je Umdrehung
n Drehzahl
i Anzahl der Schnitte
v_c Schnittgeschwindigkeit

Hauptnutzungszeit

$$t_h = \frac{L \cdot i}{n \cdot f}$$

Berechnung des Vorschubweges L und des mittleren Durchmessers d_m

Längs-Runddrehen		Quer-Plandrehen		
		Vollzylinder		Hohlzylinder
ohne Ansatz	mit Ansatz	ohne Ansatz	mit Ansatz	

$L = l + l_a + l_u$	$L = l + l_a$	$L = \dfrac{d}{2} + l_a$	$L = \dfrac{d - d_1}{2} + l_a$	$L = \dfrac{d - d_1}{2} + l_a + l_u$
$n = \dfrac{v_c}{\pi \cdot d}$		$d_m = \dfrac{d}{2}$; $n = \dfrac{v_c}{\pi \cdot d_m}$	$d_m = \dfrac{d + d_1}{2}$; $n = \dfrac{v_c}{\pi \cdot d_m}$	

[1] Die Verwendung des mittleren Durchmessers d_m führt zu höheren Schnittgeschwindigkeiten. Dadurch ist garantiert, dass bei kleinen Durchmessern (Innenbereich) noch annehmbare Schnittbedingungen herrschen.

Beispiel:

Längsrunddrehen ohne Ansatz, l = 1240 mm;
$l_a = l_u$ = 2 mm; f = 0,6 mm; v_c = 120 m/min;
i = 2; d = 160 mm;
L = ?; n = ? (für stufenlose Drehzahleinstellung)
t_h = ?

$L = l + l_a + l_u$ = 1240 mm + 2 mm + 2 mm = **1244 mm**

$$n = \frac{v_c}{\pi \cdot d} = \frac{120\ \frac{m}{min}}{\pi \cdot 0,16\ m} \approx \mathbf{239}\ \frac{1}{min}$$

$$t_h = \frac{L \cdot i}{n \cdot f} = \frac{1244\ mm \cdot 2}{239\ \frac{1}{min} \cdot 0,6\ mm} \approx \textbf{17,4 min}$$

Gewindedrehen

t_h Hauptnutzungszeit
L Gesamtweg des Gewindedrehmeißels
l Gewindelänge
l_a Anlauf
l_u Überlauf
i Anzahl der Schnitte

P Gewindesteigung
n Drehzahl
g Gangzahl
h Gewindetiefe
a Schnitttiefe
v_c Schnittgeschwindigkeit

Hauptnutzungszeit

$$t_h = \frac{L \cdot i \cdot g}{P \cdot n}$$

Anzahl der Schnitte

$$i = \frac{h}{a}$$

Beispiel:

Gewinde M 24; l = 76 mm; $l_a = l_u$ = 2 mm;
f = 0,6 mm; v_c = 6 m/min; i = 2; a = 0,15 mm;
h = 1,84 mm; P = 3 mm; g = 1;
L = ?; n = ?; i = ?; t_h = ?

$i = \dfrac{h}{a} = \dfrac{1,84\ mm}{0,15\ mm}$ = 12,2 ≈ **13**

$L = l + l_a + l_u$ = 76 mm + 2 · 2 mm = **80 mm**

$$n = \frac{v_c}{\pi \cdot d} = \frac{6\ \frac{m}{min}}{\pi \cdot 0,024\ m} \approx \mathbf{80}\ \frac{1}{min}$$

$$t_h = \frac{L \cdot i \cdot g}{P \cdot n} = \frac{80\ mm \cdot 13 \cdot 1}{3\ mm \cdot 80\ \frac{1}{min}} = \textbf{4,3 min}$$

F

Hauptnutzungszeit beim Drehen

Längs-Runddrehen und Quer-Plandrehen mit konstanter Schnittgeschwindigkeit

Muss die Drehzahl aus Sicherheitsgründen durch die Vorgabe einer Grenz-drehzahl n_g begrenzt werden, so erfolgt für Drehdurchmesser $d <$ Übergangs-durchmesser d_g die Drehbearbeitung mit konstanter Drehzahl (Seite 263).

t_h Hauptnutzungszeit
d Außendurchmesser
d_1 Innendurchmesser
d_e Ersatzdurchmesser
d_g Übergangsdurchmesser
v_c Schnittgeschwindigkeit
f Vorschub

n_g Grenzdrehzahl
i Anzahl der Schnitte
a Spanungstiefe
L Vorschubweg
l_a Anlauf
l_u Überlauf

Übergangsdurchmesser
$$d_g = \frac{v_c}{\pi \cdot n_g}$$

Hauptnutzungszeit
$$t_h = \frac{\pi \cdot d_e \cdot L \cdot i}{v_c \cdot f}$$

Anzahl der Schnitte beim Längs-Runddrehen
$$i = \frac{d - d_1}{2 \cdot a}$$

Berechnung des Vorschubweges L und des Ersatzdurchmessers d_e

Längs-Runddrehen	Quer-Plandrehen
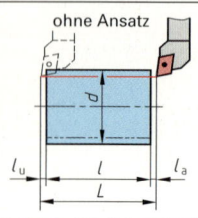	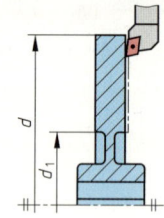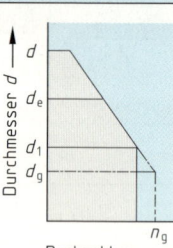

ohne Ansatz	mit Ansatz	Vollzylinder mit Ansatz	Hohlzylinder
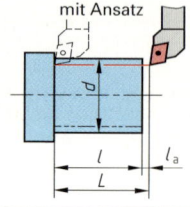		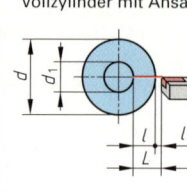	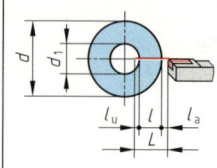
$L = l + l_a + l_u$	$L = l + l_a$	$L = \frac{d - d_1}{2} + l_a$	$L = \frac{d - d_1}{2} + l_a + l_u$
$d_e = d - a \cdot (i + 1)$		$d_e = \frac{d + d_1}{2} + l_a$	$d_e = \frac{d + d_1}{2} + l_a - l_u$

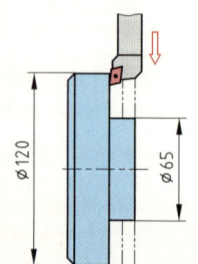

Beispiel:
Quer-Plandrehen; $l_a = 1,5$ mm; $v_c = 220$ m/min; $f = 0,2$ mm; $i = 2$; $n_g = 3000$/min; $d_g = ?$; $L = ?$; $d_e = ?$; $t_h = ?$

$$d_g = \frac{v_c}{\pi \cdot n_g} = \frac{220\,000\,\frac{mm}{min}}{\pi \cdot 3000\,\frac{1}{min}} = 23,3\text{ mm }(d_1 > d_g)$$

$$L = \frac{d - d_1}{2} + l_a = \frac{120\text{ mm} - 65\text{ mm}}{2} + 1,5\text{ mm} = \textbf{29 mm}$$

$$d_e = \frac{d - d_1}{2} + l_a = \frac{120\text{ mm} + 65\text{ mm}}{2} + 1,5\text{ mm} = \textbf{94 mm}$$

$$t_h = \frac{\pi \cdot d_e \cdot L \cdot i}{v_c \cdot f} = \frac{\pi \cdot 94\text{ mm} \cdot 29\text{ mm} \cdot 2}{220\,000\,\frac{mm}{min} \cdot 0,2\text{ mm}} = \textbf{0,39 min}$$

F

Bohren, Reiben, Senken

Anschnitt l_s	
σ	l_s
80°	$0{,}6 \cdot d$
118°	$0{,}3 \cdot d$
130°	$0{,}23 \cdot d$
140°	$0{,}18 \cdot d$

t_h Hauptnutzungszeit
d Werkzeugdurchmesser
l Bohrungstiefe
l_a Anlauf
l_u Überlauf
l_s Anschnitt

L Vorschubweg
f Vorschub je Umdrehung
n Drehzahl
v_c Schnittgeschwindigkeit
i Anzahl der Schnitte
σ Spitzenwinkel

Hauptnutzungszeit

$$t_h = \frac{L \cdot i}{n \cdot f}$$

Berechnung des Vorschubweges L beim Bohren und Reiben | Vorschubweg L beim Senken

Durchgangsbohrung

Vorschubweg

$$L = l + l_s + l_a + l_u$$

Grundlochbohrung

Vorschubweg

$$L = l + l_s + l_a$$

Vorschubweg beim Senken

Vorschubweg

$$L = l + l_a$$

Beispiel:
Grundlochbohrung mit d = 30 mm;
l = 90 mm; f = 0,15 mm;
n = 450/min; i = 15; l_a = 1 mm;
σ = 130°; L = ?; t_h = ?

$L = l + l_s + l_a = 90$ mm $+ 0{,}23 \cdot 30$ mm $+ 1$ mm $= \textbf{98 mm}$

$$t_h = \frac{L \cdot i}{n \cdot f} = \frac{98 \text{ mm} \cdot 15}{450 \, \frac{1}{\text{min}} \cdot 0{,}15 \text{ mm}} = \textbf{21,78 min}$$

Hobeln und Stoßen

t_h Hauptnutzungszeit
l Werkstücklänge
l_a Anlauf
l_u Überlauf
L Hublänge
b Werkstückbreite
b_a Anlaufbreite

b_u Überlaufbreite
n Doppelhubzahl je Minute
v_c Schnitt-, Vorlaufgeschwindigkeit
v_r Rücklaufgeschwindigkeit
B Hobel-, Stoßbreite
f Vorschub je Doppelhub
i Anzahl der Schnitte

Hauptnutzungszeit

$$t_h = \frac{B \cdot i}{n \cdot f}$$

$$t_h = \left(\frac{L}{v_c} + \frac{L}{v_r} \right) \cdot \frac{B \cdot i}{f}$$

Berechnung der Hublänge L und Hobelbreite B

Werkstücke ohne Ansatz

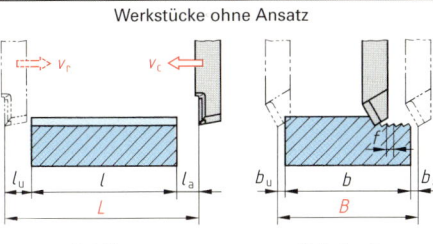

Hublänge

$$L = l + l_a + l_u$$

Hobelbreite

$$B = b + b_a + b_u$$

Werkstücke mit Ansatz

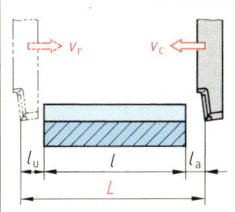

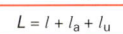

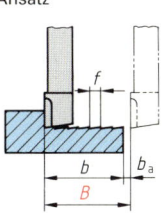

Hublänge

$$L = l + l_a + l_u$$

Hobelbreite

$$B = b + b_a$$

F

Hauptnutzungszeit beim Fräsen

t_h	Hauptnutzungszeit	z	Zähnezahl des Fräsers
l	Werkstücklänge	v_f	Vorschubgeschwindigkeit
l_a	Anlauf	i	Anzahl der Schnitte
l_u	Überlauf	b	Werkstückbreite
l_s	Anschnitt	n	Drehzahl
L	Vorschubweg	a	Spanungstiefe
f_z	Vorschub je Fräserzahn	t	Nuttiefe
v_c	Schnittgeschwindigkeit	f	Vorschub je Fräserumdrehung
d	Fräserdurchmesser		

Hauptnutzungszeit

$$t_h = \frac{L \cdot i}{v_f}$$

$$t_h = \frac{L \cdot i}{n \cdot f}$$

Vorschub je Umdrehung

$$f = f_z \cdot z$$

Vorschubgeschwindigkeit

$$v_f = n \cdot f$$

Berechnung des Vorschubweges L

Umfangs-Planfräsen

Walzenfräser

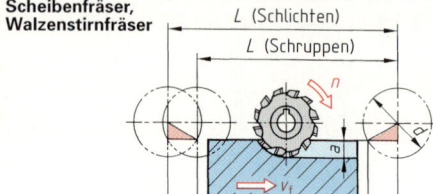

Stirn-Umfangs-Planfräsen

Scheibenfräser, Walzenstirnfräser

Umfangs-Planfräsen	Stirn-Umfangs-Planfräsen	
Schruppen oder Schlichten	**Schruppen**	**Schlichten**
$L = l + l_s + l_a + l_u$	$L = l + l_s + l_a + l_u$	$L = l + 2 \cdot l_s + l_a + l_u$
$l_s = \sqrt{d \cdot a - a^2};\ l_a = l_u$	$l_s = \sqrt{d \cdot a - a^2};\ l_a = l_u$	

Stirn-Planfräsen (mittig)

Walzenstirnfräser

Nutenfräsen

Nutenfräser

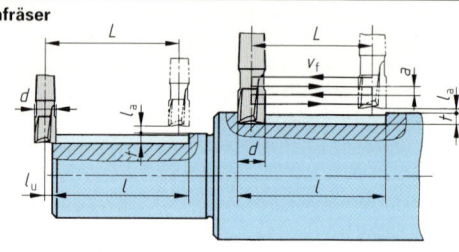

Stirn-Planfräsen (mittig)		Nutenfräsen	
Schruppen	**Schlichten**	**Einseitig offene Nut**	**Geschlossene Nut**
$L = l + \dfrac{d}{2} - l_s + l_a + l_u$	$L = l + d + l_a + l_u$	$L = l - \dfrac{d}{2} + l_u$	$L = l - d$
$l_s = \dfrac{1}{2} \cdot \sqrt{d^2 - b^2}$	—	$i = \dfrac{t + l_a}{a}$	
$l_a = l_u \approx 1{,}5$ mm		$l_u = l_a \approx 1{,}5$ mm	

Beispiel:

Umfangs-Planfräsen, $l = 176$ mm;
$l_a = l_u = 1{,}5$ mm; $d = 100$; $z = 8$; $n = 64$/min;
$f_z = 0{,}1$ mm; $a = 8$ mm; $i = 1$;
$L = ?$; $f = ?$; $v_f = ?$; $t_h = ?$

$f = f_z \cdot z = 0{,}1$ mm $\cdot 8 = $ **0,8 mm**

$L = l + l_s + l_a + l_u$
$ = 176$ mm $+ \sqrt{100 \text{ mm} \cdot 8 \text{ mm} - (8 \text{ mm})^2} + 2 \cdot 1{,}5$ mm $= $ **206 mm**

$v_f = n \cdot f = 64 \dfrac{1}{\text{min}} \cdot 0{,}8$ mm $= $ **51,2** $\dfrac{\text{mm}}{\text{min}}$

$t_h = \dfrac{L \cdot i}{v_f} = \dfrac{206 \text{ mm} \cdot 1}{51{,}2 \dfrac{\text{mm}}{\text{min}}} = $ **4,0 min**

Längs-Rundschleifen

t_h Hauptnutzungszeit
d_1 Ausgangsdurchmesser des Werkstücks
d Fertigdurchmesser des Werkstücks
l Werkstücklänge
l_u Überlauf
L Vorschubweg
f Vorschub je Umdrehung
n Drehzahl des Werkstücks
v_f Vorschubgeschwindigkeit
i Anzahl der Schnitte
a Spanungstiefe, Zustellung
t Schleifzugabe
b_s Schleifscheibenbreite

Hauptnutzungszeit

$$t_h = \frac{L \cdot i}{n \cdot f}$$

Drehzahl des Werkstücks

$$n = \frac{v_f}{\pi \cdot d_1}$$

Anzahl der Schnitte

für Außenrundschleifen

$$i = \frac{d_1 - d}{2 \cdot a} + 8^{1)}$$

für Innenrundschleifen

$$i = \frac{d - d_1}{2 \cdot a} + 8^{1)}$$

1) 8 Schnitte zum Ausfeuern

Berechnung des Vorschubweges *L*

Werkstücke ohne Ansatz

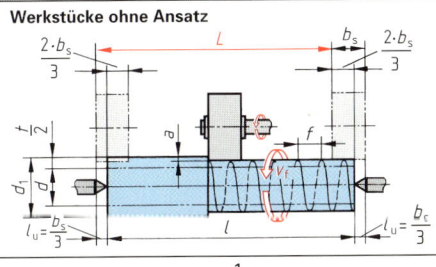

$$L = l - \frac{1}{3} \cdot b_s$$

Werkstücke mit Ansatz

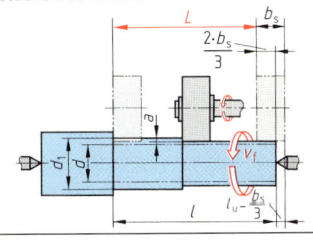

$$L = l - \frac{2}{3} \cdot b_s$$

Vorschub beim Schruppen $f = {}^2/_3 \cdot b_s \dots {}^3/_4 \cdot b_s$;   Vorschub beim Schlichten $f = {}^1/_4 \cdot b_s \dots {}^1/_2 \cdot b_s$

Umfangs-Planschleifen (Flachschleifen)

t_h Hauptnutzungszeit
l Werkstücklänge
l_a Anlauf, Überlauf
L Vorschubweg
b Werkstückbreite
b_u Überlaufbreite
B Schleifbreite

f Quervorschub je Hub
n Hubzahl je Minute
v_f Vorschubgeschwindigkeit
i Anzahl der Schnitte
t Schleifzugabe
b_s Schleifscheibenbreite
a Spanungstiefe, Zustellung

Anzahl der Schnitte

$$i = \frac{t}{a} + 8^{1)}$$

1) 8 Schnitte zum Ausfeuern

Hubzahl

$$n = \frac{v_f}{L}$$

Hauptnutzungszeit

$$t_h = \frac{i}{n} \cdot \left(\frac{B}{f} + 1 \right)$$

Berechnung des Vorschubweges *L* und der Schleifbreite *B*

Werkstücke ohne Ansatz

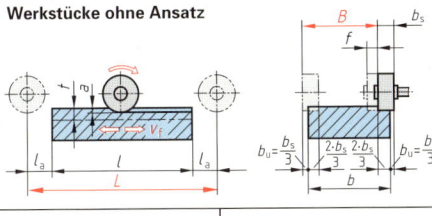

$$L = l + 2 \cdot l_a$$

$$B = b - \frac{1}{3} \cdot b_s$$

Werkstücke mit Ansatz

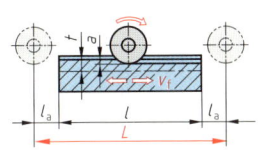

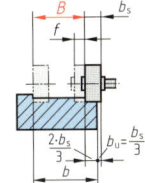

$$L = l + 2 \cdot l_a$$

$$B = b - \frac{2}{3} \cdot b_s$$

Quervorschub beim Schruppen $f = {}^2/_3 \cdot b_s \dots {}^4/_5 \cdot b_s$;   Vorschub beim Schlichten $f = {}^1/_2 \cdot b_s \dots {}^2/_3 \cdot b_s$

F

Hauptnutzungszeit beim Abtragen

Funkenerosives Schneiden

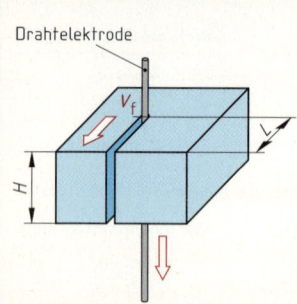

t_h Hauptnutzungszeit
v_f Vorschubgeschwindigkeit
L Vorschubweg, Schnittlänge
H Schnitthöhe
T Formtoleranz

Hauptnutzungszeit

$$t_h = \frac{L}{v_f}$$

Beispiel:

Werkstoff: Stahl; H = 30 mm; L = 320 mm;
T = 30 μm; v_f = ?; t_h = ?

v_f = **1,8 mm/min** (nach Tabelle)

$$t_h = \frac{L}{v_f} = \frac{320 \text{ mm}}{1,8 \frac{\text{mm}}{\text{min}}} = \textbf{178 min}$$

Richtwerte für die Vorschubgeschwindigkeit v_f in mm/min

Schnitt-höhe H in mm	Stahlbearbeitung					Kupferbearbeitung			Hartmetallbearbeitung		
	angestrebte Formtoleranz T in μm										
	60	40	30	20	10	40	20	10	80	20	10
10	9,0	8,5	4,0	3,9	2,1	7,5	3,5	2,0	4,5	0,7	0,6
20	5,1	5,5	2,5	2,5	1,5	4,7	2,4	1,5	3,1	0,3	0,3
30	3,7	4,0	1,8	1,8	1,1	4,0	1,9	1,1	2,3	0,2	0,2
50	2,5	2,5	1,2	1,2	0,8	2,6	1,4	0,7	1,4	0,2	0,2

Die angegebenen Richtwerte sind Durchschnittswerte aus dem Hauptschnitt und allen zur Erzielung der Kontur-toleranz erforderlichen Nachschnitten.

Funkenerosives Senken

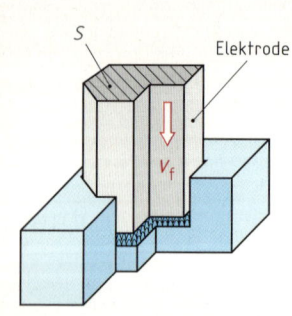

t_h Hauptnutzungszeit
S abtragender Querschnitt der Elektrode
V abzutragendes Volumen
V_W Abtragrate

Hauptnutzungszeit

$$t_h = \frac{V}{V_W}$$

Beispiel:

Schruppen von Stahl; Grafitelektrode;
S = 150 mm²; V = 3060 mm³; V_w = ?; t_h = ?

V_W = **31 mm³/min** (nach Tabelle)

$$t_h = \frac{V}{V_W} = \frac{3060 \text{ mm}^3}{31 \frac{\text{mm}^3}{\text{min}}} = \textbf{99 min}$$

Richtwerte für die Abtragrate V_W in mm³/min

Bear-beiteter Werkstoff	Elektrode	Schruppen						Schlichten				
		Abtragender Querschnitt S in mm²						Angestrebte Rautiefe R_z in μm				
		10 bis 50	50 bis 100	100 bis 200	200 bis 300	300 bis 400	400 bis 600	2 bis 3	3 bis 4	4 bis 6	6 bis 8	8 bis 10
Stahl	Grafit	7,0	18	31	62	81	105	–	–	–	2	5
	Kupfer	13,3	22	28	51	85	105	0,1	0,5	1,9	3,8	5
Hartmetall	Kupfer	6,0	15	18	28	30	33	–	0,1	0,5	2,2	5,2

F

Kühlschmierstoffe für die spanende Formgebung der Metalle

Begriffe und Anwendungsbereiche für Kühlschmierstoffe[1]   vgl. DIN 51385 (1991-06)

Art des Kühl-schmierstoffes	Wirkungs-weise	Kurzzeichen in Tabelle	Erläuterung
SESW Kühlschmier-lösungen	↑ zunehmende Kühlwirkung / ↓ zunehmende Schmierwirkung	L1	Lösungen von anorganischen Stoffen, wie z.B. Soda oder Natrium-nitrit in Wasser. Verwendung vorwiegend zum Schleifen.
		L2	Lösungen oder Dispersionen von vorwiegend organischen, meist synthetischen Stoffen in Wasser. Gleicher Anwendungsbereich wie Kühlschmieremulsionen, weniger geruchsintensiv.
SEMW Kühlschmier-emulsionen (Öl in Wasser)		E 2%	Emulsionen mit einem Mischungsverhältnis von 2% (E 2%) bis 20% (E 20%) emulgierbarem Kühlschmierstoff in Wasser. Meist als Bohrwasser bezeichnet.
		E 20%	Anwendung, wenn gute Kühlwirkung, aber nur geringe Schmier-wirkung erforderlich ist, z.B. beim Spanen mit hoher Schnittge-schwindigkeit.
SN nichtwasser-mischbare Kühlschmier-stoffe		S1	Schneidöl mit polaren Zusätzen, z.B. pflanzlichen oder tierischen Fettstoffen oder synthetischen Estern, zur Verbesserung der Haf-tung auf der Metalloberfläche. Sehr gute Schmier- und Korrosi-onsschutzwirkung, jedoch nicht für hohe Schneidentemperaturen geeignet.
		S2	Schneidöl mit mild wirkenden EP-Zusätzen[2]. Höhere Temperatur- und Druckbeständigkeit als S1.
		S3	Schneidöl mit polaren und mild wirkenden EP-Zusätzen[2].
		S4	Schneidöl mit aktiven EP-Zusätzen[2]. Sehr hohe Temperatur- und Druckbeständigkeit, jedoch Angriff der Metalloberflächen möglich.
		S5	Schneidöl mit polaren und aktiven EP-Zusätzen.

[1] Kühlschmierstoffe können gesundheitsgefährdend sein (Seite 184).
[2] EP extreme pressure ≙ Hochdruck; Zusätze zur Steigerung der Aufnahme hoher Flächenpressung.

Richtlinien für die Auswahl von Kühlschmierstoffen

Fertigungsverfahren		Stahl normal spanbar	Stahl schwer spanbar	Gusseisen Temperguss	Kupfer, Kupfer-legierungen	Aluminium, Aluminium-legierungen	Magnesium-legierungen
Drehen	Schruppen (Vordrehen)	E 2...5% L2	E 10% S4, S5	trocken	trocken L2, S1	E 2...5% L2, S1, S3	trocken S1, S2
	Schlichten (Fertigdrehen)	E 2...5% S3	E 10% S4, S5	trocken E 2...5%	trocken L2, S1, S2	trocken S1, S2, S3	trocken S1, S2, S3
Fräsen		E 5%...10% L2, S3	E 10% S4, S5	trocken E 2...5%	trocken E 2...5% S1, S2, S3	S1, S2, S3 E 2...5%	trocken S1, S2, S3
Bohren		E 2...5%	E 10% S4, S5	trocken E 5...10%	trocken S1, S2, S3 E 5...10%	E 2...5% S1, S2, S3	trocken S1, S2, S3
Tiefbohren		S3, E 20%	S5	E 20%	S3	S3	S3
Reiben		S2, S3 E 20%	S3 S4, S5	trocken S1	trocken S1, S2, S3	S1, S2, S3	S1, S2, S3
Sägen		E 5%...10% L2	E 20%	trocken E 2...5%	S1, S2, S3 E 2...5%	S1, S2, S3 E 2...5%	trocken S1, S2, S3
Räumen		S2, S3 E 10%	S4, S5	E 5...10%	S1, S2, S3	S1, S2, S3	S1, S2, S3
Wälzfräsen, Wälzstoßen		S3	S5	E 2...5% S3	–	–	–
Gewindeschneiden		S3	S5	S3 E 5...10%	S3	S3	S3 trocken
Gewindefräsen		S2, S3	S4, S5	S2	S1, S2, S3	S1, S2, S3	S1, S2, S3
Gewindeschleifen		S3	S5	–	–	–	–
Flachschleifen, Rundschleifen		E 2...5% L2, L1	S3 L2, L1	L2, L1 E 2...5%	E 2% L2, L1	– E 2...5%	–
Honen, Läppen		S2, S3	S4, S5	S2	–	–	–

F

Werkzeug-Anwendungsgruppen zum Zerspanen
vgl. DIN 1836 (1984-01)

Werkzeug-Anwendungsgruppen, allgemein		Werkzeug-Anwendungsgruppen für Schruppfräser	
Werkzeug-Anwendungsgruppe	Anwendungsbereich	Werkzeug-Anwendungsgruppe[1]	Form des Spanteilers an der Schneide des Schruppfräsers
N	Zerspanen von Werkstoffen mit normaler Festigkeit und Härte	NF HF	Spanteiler mit flachem Profil
H	Zerspanen von harten, zähharten und/oder kurzspanenden Werkstoffen	NF HF	Spanteiler mit flachem Profil
W	Zerspanen von weichen, zähen und/oder langspanenden Werkstoffen	NR HR	Spanteiler mit rundem Profil

Zu bearbeitender Werkstoff		Zugfestigkeit R_m N/mm² bzw. Brinellhärte HB	Werkzeug-Anwendungsgruppe[2]					
			N	H	W	NF	NR	HF HR
Automatenstahl		$R_m = 370 \dots 600$	●		○	●	●	
		$R_m = 550 \dots 1000$	●	○		●	●	○
Allgemeiner Baustahl		$R_m = - \dots 600$	●			●	●	
		$R_m = 500 \dots 900$	●			●	●	
Einsatzstahl	unlegiert	$R_m = - \dots 600$	●		○	●	●	
	legiert	$R_m = 500 \dots 800$	●			●	●	
Nichtrostender Stahl, Stahlguss		$R_m = 450 \dots 950$	●			●	●	
Nitrierstahl	weichgeglüht	$R_m = 700 \dots 900$	●			●	●	
	vergütet	$R_m = 800 \dots 1250$	●	○		●	●	●
Stahlguss		$R_m = 400 \dots 1120$	●			●	●	
Vergütungsstahl	normal geglüht	$R_m = 500 \dots 750$	●			●	●	
	unlegiert, vergütet	$R_m = 700 \dots 1000$	●			●	●	
	legiert, vergütet	$R_m = 700 \dots 1000$ $R_m = 900 \dots 1250$	● ●	○		● ●	● ●	●
Werkzeugstahl	legiert, vergütet	$R_m = 900 \dots 1250$	●	○		●	●	●
	unlegiert oder legiert	HB $= 180 \dots 240$	●			●	●	
	hochgekohlt und/oder hochlegiert	HB $= 220 \dots 300$	○	●		○	○	●
Gusseisen	mit Lamellengraphit	HB $= 100 \dots 240$ HB $= 230 \dots 320$	● ○	●		● ●	● ○	●
	mit Kugelgraphit	HB $= 100 \dots 240$ HB $= 230 \dots 320$	● ○	●		● ●	○ ●	○ ●
Temperguss		HB $= 100 \dots 270$	●			●	○	○
Aluminium-Legierungen, Si ≤ 10%		$R_m = - \dots 180$	○		●			
Aluminium-Legierungen, Si > 10%		$R_m = 150 \dots 250$			○			
Kupfer		$R_m = 200 \dots 400$	○		●			
Kupfer-Legierungen	mit geringer Festigkeit mit hoher Festigkeit mit Zusätzen (Pb, P, Te)	$R_m = 200 \dots 550$ $R_m = 250 \dots 850$ $R_m = 250 \dots 500$	○ ● ○	●	● ○			
Magnesium-Legierungen		$R_m = 150 \dots 300$	●		○			
Titan-Legierungen	mit mittlerer Festigkeit mit hoher Festigkeit	$R_m = - \dots 700$ $R_m = 600 \dots 1100$	● ○	●	○	● ○	●	●

[1] Gruppe N für Werkstoffe mit normaler Festigkeit bzw. Härte, Gruppe H für harte bzw. kurzspanende Werkstoffe
[2] ● Regelfall, ○ Sonderfall

F

Schneidstoffe

Kennzeichnung der Schneidstoffe — vgl. DIN ISO 513 (1992-06) und DIN 6599 (1998-06)

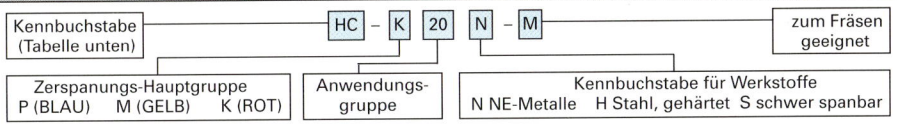

| Kennbuchstabe (Tabelle unten) | HC – K 20 N – M | zum Fräsen geeignet |

Zerspanungs-Hauptgruppe
P (BLAU)   M (GELB)   K (ROT)

Anwendungs-gruppe

Kennbuchstabe für Werkstoffe
N NE-Metalle   H Stahl, gehärtet   S schwer spanbar

K[1]	Schneidstoffgruppe
HW	Unbeschichtetes Hartmetall, vorwiegend aus Wolframcarbid (WC)
HT	Unbeschichtetes Hartmetall, vorwiegend aus Titancarbid (TiC) oder Titannitrid (TiN) [2]
HC	Beschichtetes Hartmetall
CA	Oxidkeramik, vorwiegend aus Aluminiumoxid (Al_2O_3)
CM	Mischkeramik, auf der Basis von Aluminiumoxid (Al_2O_3) und anderen oxidischen Bestandteilen
CN	Nitridkeramik, vorwiegend Siliciumnitrid (Si_3N_4)
CC	Beschichtete Schneidkeramik
DP	Polykristalliner Diamant [3]
BN	Kubisch kristallines Bornitrid [3]

⇒ **HC-K40N-M:** Beschichtetes Hartmetall, Zerspanungs-Anwendungsgruppe K40, für Nichteisenmetalle, zum Fräsen geeignet

[1] Kennbuchstabe   [2] Auch „Cermet" genannt   [3] Auch „hochharte Schneidstoffe" genannt

Zerspanungs-Hauptgruppen und Anwendungsgruppen der Schneidstoffe — vgl. DIN ISO 513 (1992-06)

Haupt-gruppe, Kenn-farbe	Kurz-zei-chen	Schneid-stoffeigen-schaften	Werkstoff	Arbeitsverfahren und Schnittbedingungen	Spanungs-werte
P BLAU	P01	zunehmende Verschleißfestigkeit / zunehmende Zähigkeit	Stahl, Stahlguss	Feindrehen und Feinbohren mit hohen Schnittge-schwindigkeiten und kleinen Spanungsquerschnitten	zunehmende Schnittgeschwindigkeit / zunehmende Schneidenbelastung
	P10		Stahl, Stahlguss, langspanender Temperguss	Drehen, Fräsen, Gewindeherstellung; hohe Schnitt-geschwindigkeit bei kleinen bis mittleren Spanungs-querschnitten	
	P20		Stahl, Stahlguss, langspanender Temperguss	Drehen, Kopierdrehen, Fräsen mit mittleren Schnitt-geschwindigkeiten und mittleren Spanungsquer-schnitten; Hobeln mit kleinem Vorschub	
	P30		Stahl, Stahlguss mit Lunkern	Drehen, Hobeln und Stoßen mit niedrigen Schnitt-geschwindigkeiten und großen Spanungsquerschnitten	
	P40		Stahl, Stahlguss	Bearbeitung unter ungünstigen Spanungsbedingun-gen; große Spanwinkel möglich	
M GELB	M10	zunehmende Verschleißfestigkeit / zunehmende Zähigkeit	Stahl, Stahlguss, Gusseisen, Man-ganhartstahl	Drehen mit mittleren bis hohen Schnittgeschwindig-keiten und kleinen bis mittleren Spanungsquer-schnitten	zunehmende Schnittgeschwindigkeit / zunehmende Schneidenbelastung
	M20		Stahl, Stahlguss, Gusseisen, auste-nitischer Stahl	Drehen und Fräsen mit mittlerer Schnittgeschwindig-keit und mittlerem Spanungsquerschnitt	
	M30		Stahl, Gusseisen, hochwarmfeste Legierungen	Drehen, Fräsen, Hobeln mit mittlerer Schnittgeschwin-digkeit und mittleren bis großen Spanungsquer-schnitten	
	M40		Automatenstahl, Nichteisenmetalle, Leichtmetalle	Drehen, Abstechen, besonders auf Automaten	
K ROT	K01	zunehmende Verschleißfestigkeit / zunehmende Zähigkeit	hartes Gusseisen, Al-Si-Legierungen, Duroplaste	Drehen, Schäldrehen, Fräsen, Schaben	zunehmende Schnittgeschwindigkeit / zunehmende Schneidenbelastung
	K10		Gusseisen HB≥220, harter Stahl, Gestein, Keramik	Drehen, Fräsen, Bohren, Innendrehen, Räumen, Schaben	
	K20		Gusseisen HB≤220, NE-Metalle	Drehen, Fräsen, Hobeln, Innendrehen; wenn große Zähigkeit des Schneidstoffes erforderlich ist	
	K30		Stahl, Gusseisen niedriger Härte	Drehen, Fräsen, Hobeln, Stoßen, Nutenfräsen; große Spanwinkel sind möglich	
	K40		NE-Metalle, Holz	Bearbeitung mit großen Spanwinkeln	

F

Wendeschneidplatten · vgl. DIN 4987-1 u. –2 (1987-03)

Bezeichnungsbeispiele für Wendeschneidplatten:

Wendeschneidplatte aus Hartmetall mit Eckenrundungen (DIN 4968) ohne Bohrung

Schneidplatte DIN **4968** – **T** **E** **G** **N** **16** **03** **08** **T** – **P20**

Wendeschneidplatte aus Hartmetall mit Planschneiden (DIN 6590)

Schneidplatte DIN **6590** – **S** **P** **E** **N** **15** **04** **ED** **R** – **P10**

Norm-Nummer ————— ① ② ③ ④ ⑤ ⑥ ⑦ ⑧ ⑨ ⑩

① **Grundform**	H	O	P	R	S	T	C	D
H, O, P, R, S, T gleichseitig und gleichwinklig							80°	55°
C, D, E, M, V, W gleichseitig und ungleichwinklig	E	M	V	W	L	A	B	K
L ungleichseitig und gleichwinklig	75°	86°	35°	80°		85°	82°	55°
A, B, K ungleichseitig und ungleichwinklig								

② **Normal-Freiwinkel** α_n an der Platte	A	B	C	D	E	F	G	N	P	O
	3°	5°	7°	15°	20°	25°	30°	0°	11°	bes. Angaben

③ Toleranzklassen

Zul. Abw. für	A	F	C	H	E	G
Prüfmaß d	± 0,025	± 0,013	± 0,025	± 0,013	± 0,025	
Prüfmaß m	± 0,005		± 0,013		± 0,025	
Plattendicke s	± 0,025		± 0,025		± 0,025	± 0,09
Zul. Abw. für	J	K	L	M	N	U
Prüfmaß d		± 0,05...± 0,15		± 0,05...± 0,15		± 0,16
Prüfmaß m	± 0,005	± 0,013	± 0,025	± 0,08...± 0,20		± 0,25
Plattendicke s	± 0,025			± 0,09	± 0,025	± 0,13

④ Ausführung der **Spanflächen** und **Befestigungsmerkmale**	N		G		B	
	R		W		H	
	F		T		C	
	A		Q		J	
	M		U		X	bes. Angaben

⑤ **Plattengröße**	Als Schneidenlänge wird bei ungleichseitigen Platten die längere Schneide angegeben, bei runden Platten der Durchmesser.

⑥ **Plattendicke**	Die Plattendicke wird ohne Dezimalstellen in mm angegeben.

⑦ Ausführung der Schneidenecke

Kennzahl multipliziert mit Faktor 0,1 = Eckenradius r_ε

1. Kennbuchstaben für den Einstellwinkel $\varkappa_r$ der Hauptschneide		A	D	E	F	P
		45°	60°	75°	85°	90°

2. Kennbuchstaben für den Freiwinkel α'_n an der Planschneide (Eckenfase)	A	B	C	D	E	F	G	N	P
	3°	5°	7°	15°	20°	25°	30°	0°	11°

⑧ **Schneide**	F scharf	E gerundet	T gefast	S gefast und gerundet	K doppelgefast	P doppelgefast und gerundet

⑨ **Schneidrichtung**	R rechtsschneidend	L linksschneidend	N rechts- und linksschneidend

⑩ **Schneidstoff**	Hartmetall mit Zerspanungs-Anwendungsgruppe oder Schneidkeramik

F

Bezeichnung von Klemmhaltern und Kurzklemmhaltern — vgl. DIN 4983 (1987-06)

Bezeichnungsbeispiel:

Halter | DIN 4984 | – | C | T | W | N | R | 32 | 25 | M | 16

- Norm-Nummer des Halters
- Art der Befestigung
- Grundform der Wendeschneidplatte[1]
- Form des Halters
- Normal-Freiwinkel der Platte[1] α_n
- Ausführung des Halters
- Höhe der Schneidecke $h_1 = h_2$ in mm
- Schaftbreite b in mm
- Länge des Halters l_1 in mm
- Größe der Wendeschneidplatte[1]

[1] Wendeschneidplatten Seite 272

Kennzeichen		Ausführungen			
Platten-befestigung	Kennbuchstabe	C	M	P	S
	Wendeschneid-platte	von oben geklemmt	von oben und über Bohrung geklemmt	über Bohrung geklemmt	durch Befesti-gungssenkung geschraubt

Form des Halters	Kennbuchstabe	A	B	D	E	M	N	V	G	H	J	R	T
	Seiten-Einstellwinkel $\varkappa_r$	90°	75°	45°	60°	50°	63°	72,5°	90°	107,5°	93°	75°	60°
	Schaftausführung	gerade							abgesetzt				
	Kennbuchstabe	C	F	K	S	U	W	Y					
	End-Einstellwinkel $\varkappa_r$	90°	90°	75°	45°	93°	60°	85°	Halter D und S auch mit runden Wendeschneid-platten der Grundform R				
	Schaftausführung	gerade	abgesetzt										

Ausführung des Halters	Kennbuchstabe	R	rechter Halter		L	linker Halter	N	neutral (beidseitig)		

Länge des Halters	Kennbuchstabe	A	B	C	D	E	F	G	H	J	K	L	M
Bei genormten Haltern kann anstelle des Buchstabens ein Mittestrich stehen.	l_1 in mm	32	40	50	60	70	80	90	100	110	125	140	150
	Kennbuchstabe	N	P	Q	R	S	T	U	V	W	X	Y	
	l_1 in mm	160	170	180	200	250	300	350	400	450	Sonderlänge	500	

➡ **Halter DIN 4984 – CTWNR 3225 M 16:** Klemmhalter mit Vierkantschaft, von oben geklemmte (C), dreieckige Wendeschneidplatte (T), $\varkappa_r = 60°$ (W), $\alpha_n = 0°$ (N), rechte Ausführung (R), $h_1 = h_2 = 32$ mm, $b = 25$ mm (3225), $l_1 = 150$ mm (M), $l_3 = 16{,}5$ mm (16).

F

Kräfte und Leistungen beim Zerspanen

Spezifische Schnittkraft

k_c spezifische Schnittkraft
k Tabellenwert für die spezifische Schnittkraft
$k_{c1.1}$ Hauptwert der spezifischen Schnittkraft
m_c Werkstoffkonstante
h Spanungsdicke
C_1 Korrekturfaktor für die Schnittgeschwindigkeit
C_2 Korrekturfaktor für das Fertigungsverfahren

Spezifische Schnittkraft

$$k_c = k \cdot C_1 \cdot C_2$$

$$k_c = \frac{k_{c1.1}}{h^{m_c}} \cdot C_1 \cdot C_2$$

Beispiel: Eine Welle aus C45 wird mit v_c = 75 m/min und h = 0,31 mm überdreht.

Gesucht: Korrekturfaktoren C_1 und C_2; spezifische Schnittkraft k_c

Lösung: Aus den Tabellen: C_1 = 1,1 und C_2 = 1,0

            k = 1990 N/mm²

      $k_c = k \cdot C_1 \cdot C_2$ = 1990 N/mm² · 1,1 · 1,0 = **2189 N/mm²**

      oder:

$$k_c = \frac{k_{c1.1}}{h^{m_c}} \cdot C_1 \cdot C_2 = \frac{1450 \ \frac{N}{mm^2}}{0,31^{0,27}} \cdot 1,1 \cdot 1,0 = \textbf{2188 N/mm}^2$$

Korrekturfaktoren	
Schnitt- geschwindigkeit v_c in m/min	C_1
10... 30	1,3
31... 80	1,1
81... 400	1,0
> 400	0,9
Fertigungs- verfahren	C_2
Fräsen	0,8
Drehen	1,0
Bohren	1,2

Richtwerte für die spezifische Schnittkraft

Werkstoff	$k_{c1.1}$ N/mm²	m_c	spezifische Schnittkraft k in N/mm² für die Spanungsdicke h in mm								
			0,08	0,1	0,16	0,2	0,31	0,5	0,8	1,0	1,6
E295	1500	0,3	3200	2995	2600	2430	2130	1845	1605	1500	1305
C35, C45	1450	0,27	2870	2700	2380	2240	1990	1750	1540	1450	1275
C60	1690	0,22	2945	2805	2530	2410	2185	1970	1775	1690	1525
9S20	1390	0,18	2190	2105	1935	1855	1715	1575	1445	1390	1275
9SMn28	1310	0,18	2065	1985	1820	1750	1615	1485	1365	1310	1205
35S20	1420	0,17	2180	2100	1940	1865	1735	1600	1475	1420	1310
16MnCr5	1400	0,30	2985	2795	2425	2270	1990	1725	1495	1400	1215
18CrNi8	1450	0,27	2870	2700	2380	2240	1990	1750	1540	1450	1275
20MnCr5	1465	0,26	2825	2665	2360	2225	1985	1755	1555	1465	1295
34CrMo4	1550	0,28	3145	2955	2590	2430	2150	1880	1650	1550	1360
37MnSi5	1580	0,25	2970	2810	2500	2365	2115	1880	1670	1580	1405
40Mn4	1600	0,26	3085	2910	2575	2430	2170	1915	1695	1600	1415
42CrMo4	1565	0,26	3020	2850	2520	2380	2120	1875	1660	1565	1385
50CrV4	1585	0,27	3135	2950	2600	2450	2175	1910	1685	1585	1395
X210Cr12	1720	0,26	3315	3130	2770	2615	2330	2060	1825	1720	1520
EN-GJL-200	825	0,33	1900	1765	1510	1405	1215	1035	890	825	705
EN-GJL-300	900	0,42	2600	2365	1945	1740	1470	1205	990	900	740
CuZn37	1180	0,15	1725	1665	1555	1500	1405	1310	1220	1180	1100
CuZn36Pb1,5	835	0,15	1220	1180	1100	1065	995	925	865	835	780
CuZn40Pb2	500	0,32	1120	1045	900	835	725	625	535	500	430

Die Richtwerte gelten für Hartmetallwerkzeuge mit den Spanwinkeln:

γ_0 = + 6° für die angegebenen Stähle,

γ_0 = + 2° für die angegebenen Gusseisenwerkstoffe,

γ_0 = + 8° für die angegebenen Kupferlegierungen.

F

Drehen

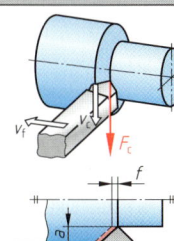

F_c Schnittkraft
A Spanungsquerschnitt
a Schnitttiefe
f Vorschub
$\varkappa$ Einstellwinkel
h Spanungsdicke
v_c Schnittgeschwindigkeit
k_c spezifische Schnittkraft (Seite 274)
Q Zeitspanungsvolumen
P_c Schnittleistung

Spanungsquerschnitt

$$A = a \cdot f$$

Schnittkraft

$$F_c = A \cdot k_c$$

Spanungsdicke

$$h = f \cdot \sin \varkappa$$

Zeitspanungsvolumen

$$Q = A \cdot v_c = a \cdot f \cdot v_c$$

Schnittleistung

$$P_c = F_c \cdot v_c = Q \cdot k_c$$

Beispiel: Eine Welle aus 16MnCr5 wird mit a = 5 mm, f = 0,32 mm, $\varkappa$ = 75° und v_c = 160 m/min zerspant.

Gesucht: h; k_c; A; F_c; P_c

Lösung: $h = f \cdot \sin \varkappa = 0{,}32 \text{ mm} \cdot \sin 75° = \textbf{0,31 mm}$

$k_c = k \cdot C_1 \cdot C_2; k = 1990 \, \frac{\text{N}}{\text{mm}^2}$ (Seite 274)

$k_c = 1990 \, \frac{\text{N}}{\text{mm}^2} \cdot 1{,}0 \cdot 1{,}0 = \textbf{1990} \, \frac{\textbf{N}}{\textbf{mm}^2}$

$F_c = a \cdot f \cdot k_c = 5 \text{ mm} \cdot 0{,}32 \text{ mm} \cdot 1990 \, \frac{\text{N}}{\text{mm}^2} = \textbf{3184 N}$

$P_c = F_c \cdot v_c = \dfrac{3184 \text{ N} \cdot 160 \text{ m}}{60 \text{ s}} = 8491 \text{ W} = \textbf{8,49 kW}$

Bohren

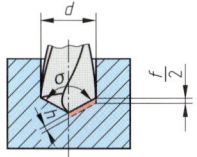
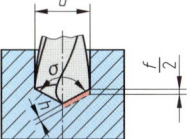
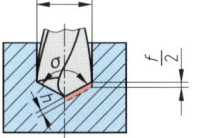
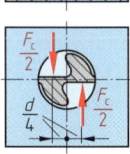

F_c Schnittkraft
A Spanungsquerschnitt
d Bohrerdurchmesser
σ Spitzenwinkel
f Vorschub je Umdrehung
h Spanungsdicke
v_c Schnittgeschwindigkeit
k_c spezifische Schnittkraft (Seite 274)
M_c Schnittmoment
Q Zeitspanungsvolumen
P_c Schnittleistung

Bohrertyp	Spanungsdicke
N; H; W (σ = 118°...130°)	$h = 0{,}43 \cdot f$

Spanungsquerschnitt

$$A = \frac{d \cdot f}{2}$$

Schnittkraft

$$F_c = A \cdot k_c$$

Schnittmoment

$$M_c = \frac{F_c \cdot d}{4}$$

Zeitspanungsvolumen

$$Q = \frac{A \cdot v_c}{2}$$

Schnittleistung

$$P_c = \frac{F_c \cdot v_c}{2} = Q \cdot k_c$$

F

Beispiel: Werkstoff 37MnSi5, Bohrerdurchmesser d = 16 mm, v_c = 12 m/min, f = 0,18 mm, Bohrertyp N

Gesucht: h; k_c; F_c; M_c

Lösung: $h = 0{,}43 \cdot f = 0{,}43 \cdot 0{,}18 \text{ mm} = \textbf{0,08 mm}$

$k_c = k \cdot C_1 \cdot C_2$ (Seite 274)

$= 2970 \, \frac{\text{N}}{\text{mm}^2} \cdot 1{,}3 \cdot 1{,}2 = \textbf{4633} \, \frac{\textbf{N}}{\textbf{mm}^2}$

$A = \dfrac{d \cdot f}{2} = \dfrac{16 \text{ mm} \cdot 0{,}18 \text{ mm}}{2} = \textbf{1,44 mm}^2$

$F_c = A \cdot k_c = 1{,}44 \text{ mm}^2 \cdot 4633 \, \frac{\text{N}}{\text{mm}^2} = \textbf{6672 N}$

$M_c = \dfrac{F \cdot d}{4} = \dfrac{6672 \text{ N} \cdot 0{,}016 \text{ m}}{4} = \textbf{26,7 N} \cdot \textbf{m}$

Stirnfräsen

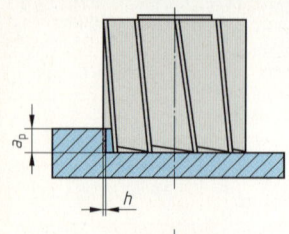

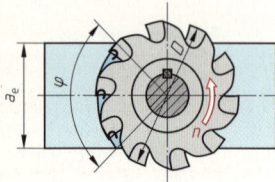

F_c Schnittkraft
A Spanungsquerschnitt
k_c spezifische Schnittkraft (Seite 274)
a_p Schnitttiefe
a_e Arbeitseingriff (Fräsbreite)
h Spanungsdicke
v_c Schnittgeschwindigkeit
v_f Vorschubgeschwindigkeit
n Drehzahl
D Fräserdurchmesser
z Anzahl der Schneiden
f Vorschub je Umdrehung
f_z Vorschub je Schneide
z_e Zahl der Schneiden im Eingriff
φ_s Winkel zwischen Fräserein- und Fräseraustritt
Q Zeitspanungsvolumen
P_c Schnittleistung

Vorschub

$$f = f_z \cdot z$$

Vorschubgeschwindigkeit

$$v_f = f_z \cdot z \cdot n = f \cdot n$$

Spanungsdicke

$$h \approx 0{,}9 \cdot f_z$$

Eingriffswinkel

$$\sin \frac{\varphi_s}{2} = \frac{a_e}{D}$$

Schneiden im Eingriff

$$z_e = \frac{\varphi_s \cdot z}{360°}$$

Spanungsquerschnitt

$$A = a_p \cdot h \cdot z_e$$

Schnittkraft

$$F_c = A \cdot k_c$$

Zeitspanungsvolumen

$$Q = a_p \cdot a_e \cdot v_f$$

Schnittleistung

$$P_c = F_c \cdot v_c = Q \cdot k_c$$

Beispiel: Werkstoff 16MnCr5; $D = 160$ mm; $z = 12$; $a_e = 120$ mm; $a_p = 6$ mm; $f_z = 0{,}2$ mm; $v_c = 85$ m/min

Gesucht: n; v_f; φ_s; z_e; h; A; k_c; F_c; Q; P_c

Lösung: $n = \dfrac{v}{\pi \cdot d} = \dfrac{85 \frac{m}{min}}{\pi \cdot 0{,}16\ m} = \mathbf{169/min}$

$v_f = f_z \cdot z \cdot n = 0{,}2\ mm \cdot 12 \cdot 169/min = \mathbf{406\ \dfrac{mm}{min}}$

$\sin \dfrac{\varphi_s}{2} = \dfrac{a_e}{D} = \dfrac{120\ mm}{160\ mm} = 0{,}75;\ \ \varphi_s = \mathbf{97{,}2°}$

$z_e = \dfrac{\varphi_s \cdot z}{360°} = \dfrac{97{,}2° \cdot 12}{360°} = \mathbf{3{,}24}$

$h \approx 0{,}9 \cdot f_z = 0{,}9 \cdot 0{,}2\ mm = \mathbf{0{,}18\ mm}$

$A = a_p \cdot h \cdot z_e = 6\ mm \cdot 0{,}18\ mm \cdot 3{,}24 = \mathbf{3{,}5\ mm^2}$

$k_c = k \cdot C_1 \cdot C_2;$

$k = 2348\ N/mm^2$ (Mittelwert, Seite 274)

$k_c = 2348\ N/mm^2 \cdot 0{,}8 \cdot 1 = \mathbf{1879\ \dfrac{N}{mm^2}}$

$F_c = A \cdot k_c = 3{,}5\ mm^2 \cdot 1879\ \dfrac{N}{mm^2} = \mathbf{6577\ N}$

$Q = a_p \cdot a_e \cdot v_f = 6\ mm \cdot 120\ mm \cdot 405{,}6\ \dfrac{mm}{min} = \mathbf{292\ \dfrac{cm^3}{min}}$

$P_c = F_c \cdot v_c = \dfrac{6577\ N \cdot 85\ m}{60\ s} = 9317\ W = \mathbf{9{,}3\ kW}$

oder:

$P_c = Q \cdot k_c = \dfrac{292\ cm^3 \cdot 187\,900\ \dfrac{N}{cm^2}}{60\ s} = 914\,447\ \dfrac{N \cdot cm}{s}$

$= \mathbf{9{,}1\ kW}$

F

Spiralbohrer — vgl. DIN ISO 5419 (1998-06)

Nebenschneide, Querschneide, ψ, γ_f, Z, d h8, Bohrer-Ø, σ, Hauptschneide, Fase

σ Spitzenwinkel, ψ Querschneidenwinkel,
γ_f Seitenspanwinkel

Winkel am Spiralbohrer — vgl. DIN 1414-1 (1998-06)

Bohrer-Typ	Anwendungs-beispiele	Seitenspan-winkel γ_f[1]	Spitzen-winkel σ[2]
H	harte, zähharte Werkstoffe	10°… 19°	118°
N	allg. Baustähle, weiches Guss-eisen, mittel-harte NE-Metalle	19°… 40°	118°
W	weiche, zähe Werkstoffe	27°… 45°	130°

[1] Abhängig vom Bohrer-Ø d und von der Steigung;
[2] Regelausführung

➡ **Bohrer DIN 338 – 9,8 L – H – 140 – B – ML-HSS**: Kurzer Spiralbohrer mit Zylinderschaft, Schneidendurch-messer d = 9,8 mm; linksschneidend, Werkzeuganwendungsgruppe H; Spitzenwinkel 140° (abweichend von der Regelausführung); Anschliffform B; Mitnehmer ML; Legierungsgruppe des Schnellarbeitsstahles HSS.

Schnittdaten für das Bohren mit Spiralbohrern aus Schnellarbeitsstahl[1]

Werkstoffgruppe[3]	Zug-festigkeit R_m N/mm²	Härte HB	Schnittgeschwindig-keit v_c in m/min unbe-schichtet	TiN-be-schichtet	Vorschub f in mm je Umdrehung bei Bohrerdurchmesser d in mm 2… 3,15	>3,15 …6,3	>6,3 …12,5	>12,5 …25	>25 …50	Kühl-schmier-stoffe[2]
Bau- und Automatenstähle	≤ 850	≤ 250	30	40	0,06 …0,10	0,13 …0,16	0,20 …0,25	0,32 …0,50	0,50 …0,80	E
Unlegierte Einsatzstähle	≤ 750	≤ 220	35	45	0,06 …0,10	0,13 …0,16	0,20 …0,25	0,32 …0,50	0,50 …0,80	E
Legierte Einsatzstähle	850…<1000 1000…1200	250…<300 300…360	18 14	20 16	0,04 …0,06	0,08 …0,10	0,13 …0,16	0,20 …0,32	0,32 …0,50	Öl
Unlegierte Vergütungsstähle	≤ 700 700…850	≤ 210 210…250	36 30	45 32	0,05 …0,08	0,10 …0,13	0,16 …0,20	0,25 …0,4	0,40 …0,63	E
Legierte Vergütungsstähle	850…1000	250…300	–	18	0,04 …0,06	0,08 …0,1	0,13 …0,16	0,20 …0,32	0,32 …0,50	E
	850…<1000	250…<300	–	22						
	1000…1200	300…360	–	20	0,03 …0,05	0,06 …0,08	0,10 …0,13	0,16 …0,25	0,25 …0,40	E
Gusseisen	– –	≤ 240 ≤ 300	36 28	45 36	0,063 …0,10	0,13 …0,16	0,20 …0,25	0,32 …0,50	0,50 …0,80	E, L
Kugelgraphit- und Temperguss	– –	≤ 240 ≤ 300	32 23	40 28	0,063 …0,10	0,13 …0,16	0,20 …0,25	0,32 …0,50	0,50 …0,80	E
Al-Knetlegierungen	≤ 450	–	90	–	0,08 …0,13	0,16 …0,2	0,25 …0,32	0,40 …0,63	0,63 …1,0	E
Al-Guss-legierungen < 10 % Si		–	70	90						
Al-Guss-legierungen > 10 % Si	≤ 600	–	55	80	0,06 …0,10	0,13 …0,16	0,20 …0,25	0,32 …0,50	0,50 …0,80	E
Kupfer-Zink-Legierungen	≤ 600	–	45	55	0,05 …0,08	0,10 …0,13	0,16 …0,20	0,25 …0,4	0,40 …0,63	E

Schnittdaten für das Bohren mit Spiralbohrern aus Hartmetall[1]

Werkstoffgruppe	R_m N/mm²	Härte HB	v_c in m/min		f 2…3,15	>3,15…6,3	>6,3…12,5	>12,5…25	>25…50	Kühl-schmier-stoffe
Bau-, Einsatz-, Vergütungsstähle	≤ 850	≤ 250	70		0,04 …0,06	0,08 …0,1	0,13 …0,16	0,20 …0,32	0,32 …0,50	E
Gusseisen, Kugel-graphit-, Temperguss	–	≤ 300	70		0,04 …0,06	0,08 …0,1	0,13 …0,16	0,20 …0,32	0,32 …0,50	Öl, L
Al-Knetlegierungen	≤ 450	–	200		0,08 …0,13	0,16 …2,0	0,25 …0,32	0,40 …0,63	0,63 …1,0	E
Al-Guss-legierungen < 10 %Si > 10 %Si	≤ 600	–	150 120		0,063 …0,10	0,13 …0,16	0,20 …0,25	0,32 …0,50	0,50 …0,80	E
Kupfer-Zink-Legierung. Kupfer-Zinn-Legierung.	≤ 600 ≤ 850	– –	180 120		0,05 …0,08	0,10 …0,13	0,16 …0,20	0,25 …0,4	0,40 …0,63	E

[1] Die Richtwerte beziehen sich auf eine Standzeit $T \approx$ 15 min; eine Bohrtiefe ≤ 3 · d (HSS) bzw. ≤ 5 · d (HM). Die Hinweise der Werkzeughersteller sind zu beachten.

[2] Kühlschmierstoffe Seite 173; E Emulsion; L Luft   [3] Spanen der Kunststoffe Seite 290

F

Reiben und Gewindebohren

Schnittdaten für das Reiben mit Maschinenreibahlen aus Schnellarbeitsstahl[1]

Werkstoffgruppe	Zugfestigkeit R_m N/mm²	Härte HB	Schnittgeschwindigkeit v_c in m/min unbeschichtet	TiN-beschichtet	Vorschub f in mm je Umdrehung für Werkzeugdurchmesser d in mm 2...3,15	>3,15...6,3	>6,3...12,5	>12,5...25	>25...50	Reibzugabe für d bis ≤20 mm	≤50 mm
Unlegierte und legierte Stähle	≤ 500	≤ 150	14	18	0,05 ...0,08	0,10 ...0,13	0,16 ...2,0	0,25 ...4,0	0,4 ...0,63	0,15...0,25	0,3...0,35
Bau-, Einsatz- und Vergütungsstähle	>500...850	> 150 ...250	11	15	0,4 ...0,63	0,80 ...1,0	0,13 ...0,16	0,20 ...0,32	0,32 ...0,50		
Vergütungs- und Werkzeugstähle	>850...1000	> 250 ...300	8	10	0,4 ...0,63	0,80 ...1,0	0,13 ...0,16	0,20 ...0,32	0,32 ...0,50		
Gusseisen	–	≤ 240	14	16	0,05 ...0,08	0,10 ...0,13	0,16 ...2,0	0,25 ...4,0	0,4 ...0,63		
Gusseisen, Temperguss	–	≤ 300	12	14							
Al-Knetlegierungen	≤ 450		20	26	0,08 ...0,13	0,16 ...0,20	0,25 ...0,32	0,40 ...0,63	0,63 ...1,0	0,2...0,35	0,5...0,7
Al-Gussleg. < 10% Si	170...280	–	18	22	0,063 ...0,10	0,13 ...0,16	0,20 ...0,25	0,32 ...0,50	0,50 ...0,80		
Kupfer-Zink-Legier.	≤ 600	–	20	26							
Thermoplaste	–	–	12	14	0,1 ...0,16	0,2 ...0,25	0,32 ...0,40	0,50 ...0,8	0,8 ...1,25		
Duroplaste	–	–	8	12							

Schnittdaten für das Reiben mit Maschinenreibahlen aus Hartmetall[1]

Werkstoffgruppe	Zugfestigkeit R_m N/mm²	Härte HB	Schnittgeschwindigkeit v_c in m/min	Vorschub f in mm je Umdrehung 2...3,15	>3,15...6,3	>6,3...12,5	>12,5...25	>25...50	Reibzugabe ≤20 mm	≤50 mm
Unlegierte und legierte Stähle	≤ 500	≤ 150	18	0,08 ...0,13	0,16 ...0,2	0,25 ...0,32	0,4 ...0,63	0,63 ...1,0	0,15...0,25	0,3...0,35
Einsatz- und Vergütungsstähle	>550...1200	> 360 ...550	13	0,05 ...0,08	0,10 ...0,13	0,16 ...2,0	0,25 ...4,0	0,4 ...0,63		
Werkzeugstähle	750...1000	220 ...300	10	0,4 ...0,63	0,80 ...1,0	0,13 ...0,16	0,20 ...0,32	0,32 ...0,50		
Gusseisen	–	≤ 240	30	0,08 ...0,13	0,16 ...0,20	0,25 ...0,32	0,40 ...0,63	0,63 ...1,0		
Gusseisen, Temperguss	–	≤ 300	25							
Al-Knetlegierungen	≤ 450	–	30						0,2...0,3	0,4...0,5
Al-Gussleg. < 10% Si	170...280	–	30	0,1 ...0,16	0,2 ...0,25	0,32 ...0,40	0,50 ...0,8	0,8 ...1,25		
> 10% Si	180...300	–	25							
Cu-Zn-Legierungen	≤ 600	–	33							
Thermoplaste	–	–	20							
Duroplaste	–	–	30							

Schnittdaten für maschinelles Gewindebohren und Gewindeformen[1]

Werkstoffgruppe	Zugfestigkeit R_m N/mm²	Härte HB	Schnellarbeitsstahl Schnittgeschw. v_c in m/min unbeschichtet	TiN-beschichtet	Kühlschmierstoffe[2]	Hartmetall Schnittgeschw. v_c in m/min unbeschichtet	TiCN-beschichtet	Kühlschmierstoffe[2]
Unlegierte Stähle	≤ 700	≤ 200	15	20	E, S	20	40	E, S
	≤ 850	≤ 250	11	20		15	35	
Legierte Stähle	≤ 1200	≤ 350	8	12		10	20	S
Gusseisen	–	≤ 150	20	40	E,T, P	30	60	E, T
	–	> 150	15	30		15	30	
Cu-Zn-Legierungen	≤ 550	–	20	40	S, E	35	70	E
Al-Legierungen	≤ 300	–	20	40	E	30	80	
Thermoplaste	–	–	25	–		40	80	E, T
Duroplaste	–	–	8	12	E, T	20	50	

F

[1] Die Richtwerte müssen den jeweiligen Einsatzbedingungen angepasst werden. Die Hinweise der Werkzeughersteller sind zu beachten.

[2] Kühlschmierstoffe Seite 173; E Emulsion; L Luft; T trocken; S Schneidöl; P Petroleum

Bezeichnungen am Kegel

vgl. DIN ISO 3040 (1991-09)

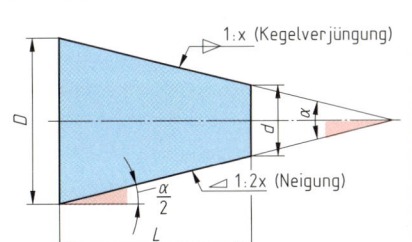

D	großer Kegeldurchmesser
d	kleiner Kegeldurchmesser
L	Kegellänge
α	Kegelwinkel
$\dfrac{\alpha}{2}$	Kegelerzeugungswinkel (Einstellwinkel)
C	Kegelverjüngung

1 : x Kegelverjüngung:
Auf eine Kegellänge von x mm ändert sich der Kegeldurchmesser um 1 mm.

$\dfrac{C}{2}$	Kegelneigung
V_R	Reitstockverstellung
V_{Rmax}	maximale Reitstockverstellung
L_W	Werkstücklänge

Kegeldrehen durch Einstellen des Oberschlittens

α Kegelwinkel

$\dfrac{\alpha}{2}$ Kegel-Erzeugungswinkel

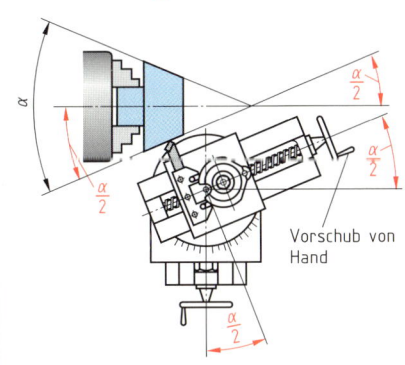

Vorschub von Hand

Einstellwinkel

$$\tan \frac{\alpha}{2} = \frac{C}{2}$$

$$\tan \frac{\alpha}{2} = \frac{D-d}{2 \cdot L}$$

Kegelverjüngung

$$C = \frac{D-d}{L}$$

$$C = 1 : x$$

Beispiel:
$D = 225$ mm, $d = 150$ mm, $L = 100$ mm; $\dfrac{\alpha}{2} = ?$

$$\tan \frac{\alpha}{2} = \frac{D-d}{2 \cdot L} = \frac{(225-150)\text{ mm}}{2 \cdot 100 \text{ mm}} = 0{,}375$$

$$\frac{\alpha}{2} = 20{,}556° = 20° \ 33' \ 22''$$

Kegeldrehen durch Verstellen des Reitstockes

Drehmaschinenachse

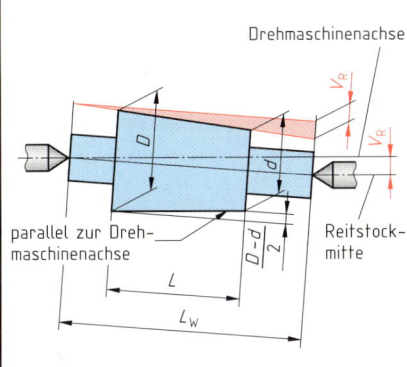

parallel zur Drehmaschinenachse

Reitstockmitte

Reitstockverstellung

$$V_R = \frac{C}{2} \cdot L_W$$

$$V_R = \frac{D-d}{2} \cdot \frac{L_W}{L}$$

Maximale Reitstockverstellung

$$V_{R\,max} \leq \frac{L_W}{50}$$

Beispiel:
$D = 20$ mm; $d = 18$ mm; $L = 80$ mm; $L_W = 100$ mm; $V_R = ?$

$$V_R = \frac{D-d}{2} \cdot \frac{L_W}{L} = \frac{(20-18)\text{ mm}}{2} \cdot \frac{100 \text{ mm}}{80 \text{ mm}} = \mathbf{1{,}25 \text{ mm}}$$

F

Drehen

| Winkel am Drehmeißel | Rautiefe in Abhängigkeit vom Eckenradius und vom Vorschub |

α	Freiwinkel
α_H	Freiwinkel der Hauptschneide
α_N	Freiwinkel der Nebenschneide
β	Keilwinkel
γ	Spanwinkel
ε	Eckenwinkel
κ	Einstellwinkel der Hauptschneide
κ_N	Einstellwinkel der Nebenschneide
λ	Neigungswinkel
r	Eckenradius
F	Fase an Schneidkante

R_{th} theoretische Rautiefe r Eckenradius
f Vorschub

Beispiel:
$R_{th} = 25\ \mu m;\ r = 1{,}2\ mm;\ f = ?$

$f \approx \sqrt{8 \cdot r \cdot R_{th}}$
$= \sqrt{8 \cdot 1{,}2\ mm \cdot 0{,}025\ mm} \approx \textbf{0{,}5 mm}$

Theoretische Rautiefe[1]

$$R_{th} \approx \frac{f^2}{8 \cdot r}$$

Ecken-radius r in mm	Schruppen		Schlichten		Feindrehen	
	R_{th} 100 μm	R_{th} 63 μm	R_{th} 25 μm	R_{th} 16 μm	R_{th} 6,3 μm	R_{th} 4 μm
	Vorschub f in mm je Umdrehung					
0,4	0,57	0,45	0,28	0,2	0,14	0,1
0,8	0,80	0,63	0,4	0,3	0,2	0,16
1,2	1,0	0,8	0,5	0,4	0,25	0,2
1,6	1,13	0,9	0,6	0,45	0,3	0,23
2,4	1,4	1,3	0,7	0,55	0,35	0,28

[1] Bei kleinen Vorschüben weicht die gemessene Rautiefe von der berechneten (theoretischen) Rautiefe ab.

Schnittdaten für das Drehen mit Schnellarbeitsstahl [1]

Werkstoffgruppe [2]	R_m N/mm^2	Härte HB	Bearbei-tungs-bedin-gungen	HSS unbeschichtet			HSS beschichtet [3]	
				v_c m/min	f mm	a mm	v_c m/min	f mm
Unlegierte und legierte Bau-, Einsatz- und Vergütungsstähle	< 500	< 150	leicht mittel schwer	70 55 45	0,1 0,5 1,0	0,5 3 6	–	
Unlegierte und legierte Bau-, Einsatz-, Vergütungs- und Werkzeugstähle	500...700	150...200	leicht mittel schwer	60 40 30	0,1 0,5 1,0	0,5 3 6	... 80	
Vergütungs- und Nitrierstähle	...1180	> 200...350	mittel	–			... 60	bis 1,0
Gusseisen-Werkstoffe	–	< 250	leicht mittel schwer	35 30 20	0,1 0,3 0,6	0,5 3 6	60 50 35	
Aluminium-Legierungen	–	< 90	leicht schwer	180 120	0,3 0,6	3 6	... 800	
Kupfer-Legierungen	–	–	leicht schwer	125 100	0,3 0,6	3 6	... 200	

[1] Die angegebenen Richtwerte beziehen sich auf eine Standzeit von 15 Minuten. Die Hinweise der Werkzeug-hersteller sind zu beachten.
[2] Kunststoffe Seite 290;   [3] Mit TiN/TiCN und TiAlN beschichtete HSS-Wendeschneidplatten.

Schnittdaten für das Drehen mit Schneidkeramik

Werkstoffgruppe	Zugfestigkeit R_m N/mm^2 bzw. Härte HB; HRC	Schnittge-schwindigkeit v_c m/min	Schnitttiefe a mm		Vorschub f mm		Schneidstoff
			Schrup-pen	Schlich-ten	Schrup-pen	Schlich-ten	
Einsatz- und Vergütungsstähle	600...1000 > 1000...1300	400 250	> 1,5	0,3...1	0,3...0,45	0,2...0,35	Oxidkeramik + Zinkoxid
	600...900 > 900...1300	250 150	0,5...1,5	0,25...0,8	0,15...0,3	0,1...0,2	Cermets (TiC + TiN)
Gusseisen	140...210 HB > 210...240 HB > 240...280 HB	600 500 300	> 1,5	0,3...1	0,2...0,6	0,2...0,6	Siliciumnitride m. oxid. Zusatz-schneidstoffen
Gehärteter Stahl	48...67 HRC	130	–		1,3...0,7		Oxidkeramik + TiC

F

Schnittdaten für das Drehen mit beschichteten Hartmetall-Wendeschneidplatten[1]

Werkstoffgruppe	Zugfestigkeit R_m N/mm² $\approx$	Härte-Bezugswert HB	HM Hauptgruppe	Bearbeitungsbedingungen[2]	Schnittgeschwindigkeit v_c m/min [3]	Vorschub f je Umdrehung mm	Schnitttiefe a_p mm
Unlegierte und legierte Bau-, Einsatz- u. Vergütungsstähle, Nitrier- und Werkzeugstähle	630	180	P	leicht mittel schwer	350 300 240	0,07... 0,3 0,1 ... 0,3 0,2 ... 0,5	0,3...1,5 0,4...5,5 0,7...7,5
Nichtrostender Stahl, Automatenstahl, warmfeste Legierungen, Titanlegierungen	630	180	M	leicht mittel schwer	245 180 160	0,15... 0,4 0,2 ...0,45 0,3 ...0,45	0,5...4,0 1,0...6,0 2,0...8,0
Gusseisen, Kugelgraphitguss, kurzspanender Temperguss	240	260	K	leicht schwer	200 170	0,1 ...0,4 0,15 ...0,6	0,2...4,0 0,3...8,0
Al-Knetlegierungen, gewalzt Al-Knetlegierungen, ausgehärtet	– –	60 100	K	mittel	1800 600	0,1 ... 0,6 0,1 ... 0,6	0,3...8,0 0,3...6,0
Al-Gusslegierungen, nicht ausgeh. Al-Gusslegierungen, ausgehärtet	– –	75 90			500 350	0,1 ... 0,6 0,1 ... 0,6	0,3...8,0 0,3...6,0
Kupferlegierungen	–	90	K	mittel	300	0,1 ... 0,6	0,3...8,0

[1] Die angegebenen Richtwerte beziehen sich auf eine Standzeit von 15 Minuten. Stabilität und Leistung der Maschine, Einspannung des Werkstücks, Auskraglänge des Werkzeugs, Schnittunterbrechungen sowie Guss- oder Schmiedehäute beeinflussen die Schnittdaten. Die Hinweise der Werkzeughersteller sind zu beachten.

[2] Leicht: Schlichten, geringe Schnitttiefen und Vorschübe zur Erzielung einer hohen Oberflächengüte.
Mittel: häufige Anwendung, größere Schnitttiefen und Vorschübe, kleinere Schnittunterbrechungen.
Schwer: Schruppen, große Schnitttiefen und Vorschübe, größere Schnittunterbrechungen.

[3] „Startwerte", die je nach Bedarf nach unten bzw. nach oben zu verändern sind.

Anpassung der Schnittgeschwindigkeit an unterschiedliche Härten der Werkstücke

HM Hauptgruppe	Härte-Bezugswert	Faktoren für die Schnittgeschwindigkeit bei einer Abweichung vom Härte-Bezugswert um								
		◄──── Geringere Härte ────				⬦	──── Größere Härte ────►			
		–80 HB	–60 HB	–40 HB	–20 HB	0	+20 HB	+40 HB	+60 HB	+80 HB
P	180 HB	1,26	1,18	1,12	1,05	1,0	0,94	0,91	0,86	0,83
M	180 HB	–	–	1,21	1,10	1,0	0,91	0,85	0,79	0,75
K	260 HB	–	–	1,25	1,10	1,0	0,92	0,86	0,80	–

Beispiel: Vergütungsstahl mit 240 HB; mittlere Bearbeitungsbedingungen; angepasste Schnittgeschwindigkeit $v_{c\,240\,HB}$ = ? Härtebezugswert (Hauptgruppe P) = 180 HB; Härteunterschied = 240 HB – 180 HB = + 60 HB. Aus Tabelle: ➜ Faktor 0,86. Schnittgeschwindigkeit (Bezugshärte 180 HB) aus obiger Tabelle: ➜ $v_{c\,180\,HB}$ = 300 m/min. Angepasste Schnittgeschwindigkeit: $v_{c\,240\,HB}$ = 300 m/min · 0,86 ≈ **260 m/min**.

Korrekturfaktoren für die Ermittlung der Schnittgeschwindigkeit bei veränderter Standzeit

Standzeit in min	10	15	20	25	30	45	60
Korrekturfaktor k	1,1	1,0	0,95	0,9	0,87	0,8	0,75

Beispiel: Wie muss die eingestellte Schnittgeschwindigkeit $v_{c\,15}$ = 180 m/min (Standzeit 15 min) verändert werden, damit eine Standzeit von 30 min erreicht wird? ➜ $v_{c\,30}$ = $v_{c\,15}$ · k = 180 m/min · 0,87 = **157 m/min**.

Optimierung der Drehbedingungen und Beseitigung von Drehproblemen[1]

Drehbedingungen und -probleme	v_c	f	a_p	α	ε	$\varkappa$	F
großer Verschleiß, stumpfe Schneidkante	↘	–	–	↗	↗	–	↘
Vibrationen, Rattern (schlechte Oberfläche)	(↗) ↘	↘	↘	↗	↘	↗	↘
Erhöhung der Standzeit	↘	↘	↘	–	–	–	–
Vermeidung von Aufbauschneiden	↗	↗	–	↗	–	–	↘
großer Freiflächenverschleiß	↘	–	–	↗	↗	–	↘
großer Kolkverschleiß	↘	↘	–	↗	–	↘	↘
schlechter Spanabfluss, lange Fließspäne	↘	↗	↗	–	↘	↗	↘
zu kurze Späne	↗	↘	↘	–	↗	↘	↘

[1] Formelzeichen vgl. Legende in Bild Seite 280; ↘ Wert verkleinern; ↗ Wert erhöhen.

F

Fräsen

Schnittdaten für Fräser aus Schnellarbeitsstahl [1]

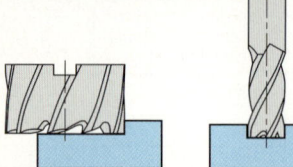
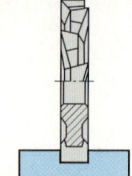
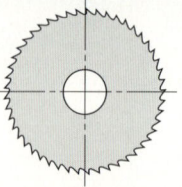
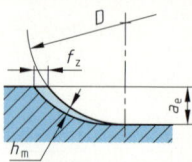

Walzenstirnfräser	Schaftfräser	Scheibenfräser	Kreissäge	Mindestvorschub beim Scheibenfräser

Werkstoffgruppe	Zugfestig-keit R_m N/mm²	Härte HB	Schnittgeschwindig-keit v_c m/min unbe-schichtet	beschich-tet [2]	Vorschub pro Zahn f_z mm bei d [3] ≤				WSF [4]	SF [5]
					6	12	20	40		
Baustähle, unlegierte Auto-matenstähle, Einsatzstähle	< 700	< 200	43	70	0,002...0,017	0,013...0,11	0,025...0,16	0,04...0,16	0,06...0,13	0,04...0,13
Baustähle, unlegierte und legier-te Einsatz- und Vergütungsstähle	≤ 800	≤ 240	32	52						
Unlegierte und legierte Einsatz- und Vergütungsstähle, Nitrier-stähle, warmfeste Baustähle	> 800 ...1200	> 240 ...380	24	40						
Vergütete Stähle, Schnellarbeits-stähle, nichtrostende Stähle	> 1200	> 380	17	27						
Gusseisen	–	≤ 150	24	40						
	–	> 150	17	27						
Al-Gusslegierungen ≤ 6% Si	–	–	90	180	0,003 ...0,025	0,025 ...0,09	0,04... 0,14	0,06... 0,23	0,11... 0,18	0,10... 0,15
Al-Gusslegierungen > 6% Si	–	–	55	95						
Al-Knetlegierungen	–	–	270	800						
Kupfer-Zinn-Legierungen	–	–	55	90	0,002 ...0,019	0,019 ...0,12	0,035 ...0,2	0,06 ...0,2	0,08 ...0,18	0,05 ...0,16
Kupfer-Zink-Legierungen	–	–	70	110						

[1] Richtwerte für eine Standzeit von 60 Minuten. Die Hinweise der Werkzeughersteller sind zu beachten.
[2] Beschichtungen: TiN und TiCN ergeben längere Standzeiten; TiAlCN ist besonders für Trockenbearbeitung geeignet.
[3] d Durchmesser des Schaftfräsers;   [4] WSF Walzenstirnfräser;   [5] SF Scheibenfräser.

Mindestvorschub bei Scheibenfräsern [1]

Verhältnis $a_e : D$	0,01	0,02	0,04	0,06	0,10	0,30
Mindestvorschub/Zahn	0,10	0,08	0,05	0,04	0,03	0,02

[1] Mindestvorschubwerte sind zu beachten, damit bei Scheibenfräsern eine mittlere Spanungsdicke von 0,01 mm nicht unterschritten wird.

Schnittdaten für Kreissägen aus Schnellarbeitsstahl (HSS) und Hartmetall (HM)

Werkstoffgruppe	Zugfestig-keit R_m N/mm²	Härte HB	Schnittgeschwindigkeit v_c m/min		Vorschub pro Zahn f_z mm	
			HSS	HM	HSS	HM
Baustähle, unlegierte u. legierte Einsatz- und Vergütungsstähle	340...900	100...270	55	135	0,002 bis 0,02	
Nichtrostende Stähle	500...700	150...210	20	95		
Gusseisen	150...200	240...270	30	80		
Kupferlegierungen	–	–	225	500		
Aluminiumlegierungen	–	–	990	670		

Hinweise auf die Auswahl der Schnittdaten

1. Für HSS-Fräser gelten dieselben Hinweise wie für die Hartmetall-Werkzeuge (Seite 283). Bei der Bearbeitung von Stahl und Al-Legierungen muss mit reichlich Kühlschmierstoff gearbeitet werden (Seite 173).
2. Bei der Wahl des Fräsers sowie der optimalen Schnittwerte sind die Hinweise der Werkzeughersteller zu beachten.
3. Mindestwerte von Spanungsdicke und Vorschub beachten, damit ein richtiger Span entsteht.

F

Schnittdaten für Fräser mit Hartmetallschneiden [1]

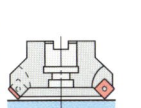
Planfräser

Eckfräser

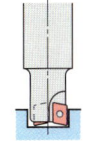
Schaftfräser

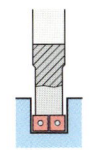
Scheibenfräser

v_c Schnittgeschwindigkeit
n Drehzahl des Fräsers
d Fräserdurchmesser
f_z Vorschub je Fräserzahn
v_f Vorschubgeschwindigkeit
z Zähnezahl des Fräsers
a Spantiefe
α Freiwinkel
ε Spitzenwinkel
F Fasenbreite an der Schneidkante

Drehzahl

$$n = \frac{v_c}{\pi \cdot d}$$

Vorschubgeschwindigkeit

$$v_f = f_z \cdot z \cdot n$$

Werkstoffgruppe	Zugfestigkeit R_m N/mm² ≈	Härte-Bezugswert HB	HM Haupt-Gruppe	Bearbeitungsbedingungen [2]	Schnittgeschwindigkeit v_c m/min [3]	Vorschub je Zahn f_z mm
Unlegierte und legierte Einsatz- und Vergütungsstähle, Automatenstähle, Nitrierstähle, Werkzeugstähle	630	180	P	leicht mittel schwer	280 210 160	0,1…0,3
Hochlegierte nichtrostende und warmfeste Stähle	630	180	M	leicht mittel schwer	300 160 120	0,1…0,3
Gusseisen, Kugelgraphitguss, Temperguss	240	260	K	leicht schwer	200 100	0,1…0,3
Aluminium-Knetlegierungen	200	60	K	mittel	640	0,1…0,2
Al-Gusslegierungen mit <12% Si	250	75			500	
Al-Gusslegierungen mit >12% Si	500	130			210	
Kupfer-Zink-Leglerungen	320	90			240	0,1 0,2

[1] Die angegebenen Richtwerte beziehen sich auf eine Standzeit von 15 Minuten. Stabilität und Leistung der Maschine, Einspannung des Werkstücks, Auskraglänge des Werkzeugs, Schnittunterbrechungen sowie Guss- oder Schmiedehäute beeinflussen die Schnittdaten. Die Hinweise der Werkzeughersteller sind zu beachten.

[2] Leicht: Schlichten, geringe Schnitttiefen und Vorschübe; → hohe Oberflächengüte; mittel: häufige Anwendung, mittlerer Schnitttiefen- und Vorschubbereich; schwer: Schruppen, große Schnitttiefen und Vorschübe.

[3] „Startwerte", die je nach Bedarf nach unten bzw. nach oben zu verändern sind.

Optimierung der Fräsbedingungen und Beseitigung von Fräsproblemen

Fräsbedingungen und -probleme [1]	v_c	f_z	a	α	ε	F	z
Erhöhung der Standzeit	↘	↘	↘	–	–	–	–
Bildung von Aufbauschneiden	↗	↗	–	↗	–	↘	–
Extremer Freiflächenverschleiß	↘	–	–	↗	–	↘	–
Extremer Kolkverschleiß	↘	↘	–	↗	↗	↘	–
Bruch der Schneidkante	–	↘	↘	↗	–	↘	–
Schlechte Spanabfuhr, Spänestau	↗	↗	–	↗	–	–	↘
Vibrationen, Rattern	↘ (↗)	↘	↘	↗	↘	↘	↘
Schlechte Oberflächengüte	↗	↘	↘	–	–	↘	–

[1] ↗ Wert vergrößern; ↘ Wert verkleinern; Formelzeichen vgl. oben

Anpassung der Schnittgeschwindigkeit an unterschiedliche Härten der Werkstücke

HM Hauptgruppe	Härte-Bezugswert	Faktoren für die Schnittgeschwindigkeit bei einer Abweichung vom Härte-Bezugswert um geringere Härte ◁——▷ größere Härte								
		−80 HB	−60 HB	−40 HB	−20 HB	0	+20 HB	+40 HB	+60 HB	+80 HB
P	180 HB	1,26	1,18	1,12	1,05	1,0	0,94	0,91	0,86	0,83
M	180 HB	–	–	1,21	1,10	1,0	0,91	0,85	0,79	0,75
K	260 HB	–	–	1,25	1,10	1,0	0,92	0,86	0,80	–

Anwendung der Tabelle entsprechend Seite 281.

F

Teilen mit dem Teilkopf

Direktes Teilen

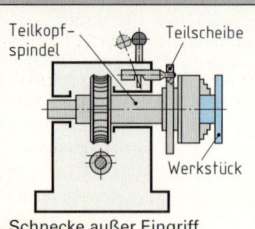

Teilkopf-spindel — Teilscheibe

Werkstück

Schnecke außer Eingriff

Beim direkten Teilen wird die Teilkopfspindel mit der Teilscheibe und dem Werkstück um den gewünschten Teilschritt gedreht. Dabei sind Schnecke und Schneckenrad außer Eingriff.

T Teilzahl $\qquad \alpha$ Winkelteilung
n_L Anzahl der Löcher der Teilscheibe
n_l Teilschritt; Anzahl der weiterzuschaltenden Lochabstände

Beispiel:
$n_L = 24$; $T = 8$; $n_l = ?$ $\qquad n_l = \dfrac{n_L}{T} = \dfrac{24}{8} = 3$

Teilschritt

$$n_l = \frac{n_L}{T}$$

$$n_l = \frac{\alpha \cdot n_L}{360°}$$

Indirektes Teilen

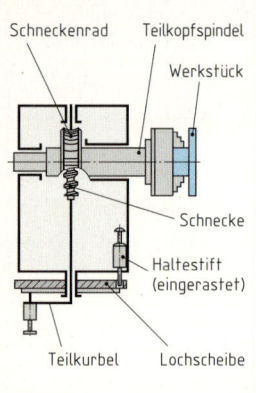

Schneckenrad — Teilkopfspindel

Werkstück

Schnecke

Haltestift (eingerastet)

Teilkurbel — Lochscheibe

Beim indirekten Teilen wird die Teilkopfspindel durch die Schnecke über das Schneckenrad angetrieben.

T Teilzahl $\qquad \alpha$ Winkelteilung
i Übersetzungsverhältnis des Teilkopfs
n_k Teilschritt; Anzahl der Teilkurbelumdrehungen für eine Teilung

1. Beispiel:
$T = 68$; $i = 40$; $n_k = ?$ $\qquad n_k = \dfrac{i}{T} = \dfrac{40}{68} = \dfrac{10}{17}$

2. Beispiel:
$\alpha = 37{,}2°$; $i = 40$; $n_k = ?$

$n_k = \dfrac{i \cdot \alpha}{360°} = \dfrac{40 \cdot 37{,}2°}{360°} = \dfrac{37{,}2}{9} = \dfrac{186}{9 \cdot 5} = 4\,\dfrac{2}{15}$

Teilschritt

$$n_k = \frac{i}{T}$$

$$n_k = \frac{i \cdot \alpha}{360°}$$

Lochkreise der Lochscheiben												
15	16	17	18	19	20	21	23	27	29	31	33	37
39	41	43	47	49								

oder

17	19	23	24	26	27	28	29	30	31	33	37	39
41	42	43	47	49	51	53	57	59	61	63		

Ausgleichsteilen (Differentialteilen)

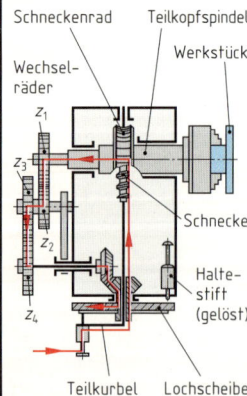

Schneckenrad — Teilkopfspindel

Wechsel-räder

Werkstück

z_1
z_3

Schnecke

Halte-stift (gelöst)

z_2
z_4

Teilkurbel — Lochscheibe

Beim Ausgleichsteilen wird die Teilkopfspindel wie beim indirekten Teilen über Schnecke und Schneckenrad angetrieben. Gleichzeitig dreht aber die Teilkopfspindel über Wechselräder die Lochscheibe mit.

T Teilzahl $\qquad \alpha$ Winkelteilung
T' Hilfsteilzahl
i Übersetzungsverhältnis des Teilkopfes
n_k Teilschritt; Anzahl der Teilkurbelumdrehungen für eine Teilung
z_t Zähnezahlen der treibenden Räder (z_1, z_3)
z_g Zähnezahlen der getriebenen Räder (z_2, z_4)

Bei gewählter Hilfsteilzahl T' gilt:

$T' > T$: Teilkurbel und Lochscheibe müssen gleiche Drehrichtung haben.
$T' < T$: Teilkurbel und Lochscheibe müssen entgegengesetzte Drehrichtung haben.
Die erforderliche Drehrichtung erreicht man gegebenenfalls durch ein Zwischenrad.

Beispiel:
$i = 40$; $T = 97$; $n_k = ?$; $\dfrac{z_t}{z_g} = ?$ T' gewählt $= 100$

$n_k = \dfrac{i}{T'} = \dfrac{40}{100} = \dfrac{8}{20}$

$\dfrac{z_t}{z_g} = \dfrac{i}{T'} \cdot (T' - T) = \dfrac{40}{100} \cdot (100 - 97) = \dfrac{2}{5} \cdot 3 = \dfrac{6}{5} = \dfrac{48}{40}$

Teilschritt

$$n_k = \frac{i}{T'}$$

Wechselräder

$$\frac{z_t}{z_g} = \frac{i}{T'} \cdot (T' - T)$$

Zähnezahlen der Wechselräder			
24	24	28	32
36	40	44	48
56	64	72	80
84	86	96	100

F

Wendelnuten sind Schraubenwindungen mit großer Steigung. Sie können auf Universalfräsmaschinen mit Hilfe des Teilkopfes gefräst werden.

Beim Wendelnutenfräsen führt der Frästisch die geradlinige und die Teilkopfspindel die kreisförmige Bewegung aus. Die Drehbewegung wird von der Tischspindel über die Wechsel- und Kegelräder auf die Lochscheibe übertragen. Diese dreht über den eingerasteten Teilstift die Teilkurbel und damit den Schneckentrieb und das Werkstück. Bei scheibenförmigen Fräsern muss der Frästisch zum Fräsen um den Einstellwinkel β geschwenkt werden.

Sind in ein Werkstück mehrere Nuten zu fräsen, so muss dieses nach jeder Nut durch indirektes Teilen weitergedreht werden.

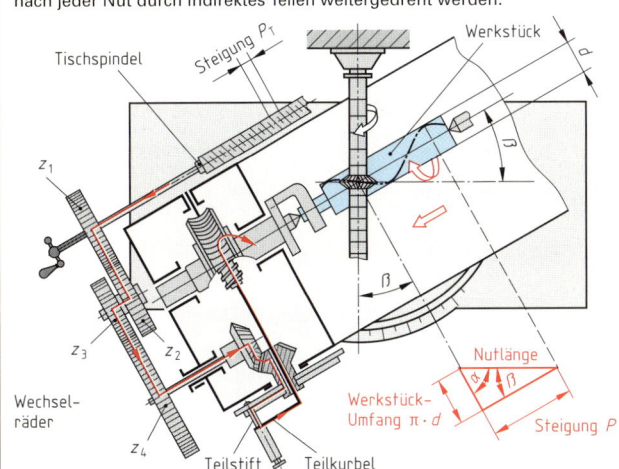

Steigung der Wendel

$$P = \pi \cdot d \cdot \tan \alpha$$

Steigungswinkel

$$\tan \alpha = \frac{P}{\pi \cdot d}$$

Einstellwinkel

$$\tan \beta = \frac{\pi \cdot d}{P}$$

$$\beta = 90° - \alpha$$

Wechselräder

$$\frac{z_t}{z_g} = \frac{P_T \cdot i \cdot i_1}{P}$$

d Werkstückdurchmesser
α Steigungswinkel
β Einstellwinkel
P Steigung der Wendel
P_T Steigung der Tischspindel
i Übersetzungsverhältnis des Schneckentriebes
i_1 Übersetzungsverhältnis der Kegelräder
z_t Zähnezahlen der treibenden Räder (z_1, z_3)
z_g Zähnezahlen der getriebenen Räder (z_2, z_4)

Lochkreise der Lochscheiben								
15	16	17	18	19	20	21	23	27
29	31	33	37	39	41	43	47	49
oder								
17	19	23	24	25	27	28	29	30
31	33	37	39	41	42	43	47	49
51	53	57	59	61	63			
Zähnezahlen der Wechselräder								
24	24	28	32	36	40	44	48	
56	64	72	80	84	86	96	100	

1. Beispiel

Ein schrägverzahnter Fräser soll einen Schrägungswinkel (= Einstellwinkel) $\beta = 25°$ und 9 Zähne erhalten. $d = 80$ mm; $i = 40$; $i_1 = 1$; $P_T = 6$ mm.

Gesucht:

Steigung P; Wechselräder z_t/z_g und Teilkurbelumdrehungen n_K.

Lösung:

$\alpha = 90° - \beta = 90° - 25° = \mathbf{65°}$

$P = \pi \cdot d \cdot \tan \alpha = \pi \cdot 80 \text{ mm} \cdot \tan 65°$

$\quad = 539 \text{ mm} \approx \mathbf{540 \text{ mm}}$

$\dfrac{z_t}{z_g} = \dfrac{P_T \cdot i \cdot i_1}{P} = \dfrac{6 \text{ mm} \cdot 40 \cdot 1}{540 \text{ mm}} = \dfrac{240}{540} = \dfrac{4}{9} = \mathbf{\dfrac{32}{72}}$

$n_K = \dfrac{i}{T} = \dfrac{40}{9} = 4\dfrac{4}{9} = \mathbf{4\dfrac{12}{27}}$

2. Beispiel

Ein Werkstück mit einem Durchmesser $d = 120$ mm soll 6 Wendelnuten mit $P = 200$ mm erhalten. $i = 40$; $i_1 = 2$; $P_T = 4$ mm

Gesucht:

Einstellwinkel β; Wechselräder z_t/z_g; Teilkurbelumdrehungen n_K.

Lösung:

$\tan \alpha = \dfrac{P}{\pi \cdot d} = \dfrac{200 \text{ mm}}{\pi \cdot 120 \text{ mm}} = 0{,}5305;$

$\alpha = \mathbf{27{,}95°}$

$\beta = 90° - \alpha = 90° - 27{,}95° = \mathbf{62{,}05°}$

$\dfrac{z_t}{z_g} = \dfrac{P_T \cdot i \cdot i_1}{P} = \dfrac{4 \text{ mm} \cdot 40 \cdot 2}{200 \text{ mm}} = \mathbf{\dfrac{64}{40}}$

$n_K = \dfrac{i}{T} = \dfrac{40}{6} = 6\dfrac{4}{6} = \mathbf{6\dfrac{16}{24}}$

F

Schleifen

Planschleifen

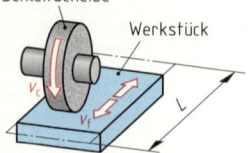

Schleifscheibe
Werkstück

Längsrundschleifen

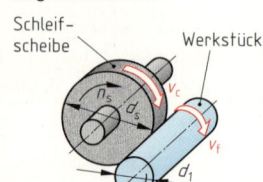

Schleif-
scheibe
Werkstück

v_c Schnittgeschwindigkeit
d_s Durchmesser der Schleifscheibe
n_s Drehzahl der Schleifscheibe
v_f Vorschubgeschwindigkeit
L Vorschubweg
n_H Hubzahl
d_1 Durchmesser des Werkstücks
n Drehzahl des Werkstücks
q Geschwindigkeitsverhältnis

Beispiel:
$v_c = 30$ m/s, $v_f = 20$ m/min; $q = ?$

$$q = \frac{v_c}{v_f} = \frac{30 \cdot 60 \text{ m/min}}{20 \text{ m/min}} = 90$$

Schnittgeschwindigkeit

$$v_c = \pi \cdot d_s \cdot n_s$$

Vorschubgeschwindigkeit

Planschleifen
$$v_f = L \cdot n_H$$

Längsrund-
schleifen
$$v_f = \pi \cdot d_1 \cdot n$$

**Geschwindigkeits-
verhältnis**

$$q = \frac{v_c}{v_f}$$

Schnittgeschwindigkeit v_c, Vorschubgeschwindigkeit v_f, Geschwindigkeitsverhältnis q

| Werkstoff | Planschleifen | | | | | | Längsrundschleifen | | | | | |
| | Umfangsschleifen | | | Seitenschleifen | | | Außenrundschleifen | | | Innenrundschleifen | | |
	v_c m/s	v_f m/min	q	v_c m/s	v_f m/min	q	v_c m/s	v_f m/min	q	v_c m/s	v_f m/min	q
Stahl	30	10…35	80	25	6…25	50	30…35	10	125	25	19…23	80
Gusseisen	30	10…35	65	25	6…30	40	25	11	100	25	23	65
Hartmetall	10	4	115	8	4	115	8	4	100	8	8	60
Al-Legierungen	18	15…40	30	18	24…45	20	18	24…30	50	16	30…40	30
Cu-Legierungen	25	15…40	50	18	20…45	30	25…35	16	80	25	25	50

Schleifdaten für Stahl und Gusseisen mit Korund oder Siliciumcarbid-Schleifscheiben

Verfahren	Körnung	Aufmaß in mm	Zustellung in mm	R_2 in μm
Vorschleifen	30… 46	0,5 … 0,2	0,02 … 0,1	3 …10
Fertigschleifen	46… 80	0,02 … 0,1	0,005… 0,05	1 … 5
Feinstschleifen	80…120	0,005… 0,02	0,002… 0,008	1,6… 3

Hochleistungsschleifen metallischer Werkstoffe mit CBN-Schleifscheiben   vgl. E VDI 3411 (1997-05)

Bindungsart	B	V	M	G
Höchstzulässige Umfangsgeschwindigkeit in m/s	140	160	180	280

Höchstzulässige Umfangsgeschwindigkeit für Schleifkörper aus gebundenem Schleifmittel   vgl. VBG 48 (1994-10) [1]

Bindungsart	Mg	V	S	B	BF	R	RF	E
Umfangsschleifen in m/s	25[2]	40	40	50	50	50	50	50
Seitenschleifen in m/s	25[2]	32	32	40	40	40	40	40
Trennschleifen in m/s	–	–	–	50	50	50	50	50

Farbstreifen für höchstzulässige Umfangsgeschwindigkeiten   vgl. VBG 48 (1994-10) [1]

Farbstreifen	blau	gelb	rot	grün	grün + gelb	blau + rot	blau + grün
v_c max in m/s	50	63	80	100	125	140	160
Farbstreifen	gelb + rot	gelb + grün	rot + grün	blau + blau	gelb + gelb	rot + rot	grün + grün
v_c max in m/s	180	200	225	250	280	320	360

[1] Unfallverhütungsvorschrift des Hauptverbandes der gewerblichen Berufsgenossenschaften (HVBG)
[2] Außendurchmesser der Schleifscheibe ≤ 1000 mm

F

Schleifen

Schleifmittel
vgl. DIN 69100 (1988-07)

Zei-chen	Schleifmittel	Härte nach Mohs	Härte nach Knoop in GPa	Anwendungsgebiete
SL	Schmirgel	8	–	Belag von Schleifpapier, Bearbeiten und Polieren von Stahl, Gusseisen, Holz
A	Elektrokorund	≈ 9	16…20	Zähe Werkstoffe, ungehärteter Stahl, Schweißnähte, gehärteter Stahl, Titan
C	Siliciumkarbid	9,6	24	Harte Werkstoffe: Hartmetall, Gusseisen, Schnellarbeitsstahl, Keramik, Glas; weiche Werkstoffe: Kupfer, Aluminium, Kunststoffe
B	Bornitrid	–	44	Schnellarbeitsstahl, Warm- und Kaltarbeitsstähle
D	Diamant	10	56…102	Präzisionsschleifen von zähharten Werkstoffen wie Hartmetall, Gusseisen, Glas, Keramik; Abrichten von Schleifscheiben

Härtegrad
vgl. DIN 69100 (1988-07)

Bezeichnung		Anwendung	Bezeichnung		Anwendung
äußerst weich	A B C D	Tief- und Seiten-schleifen harter Werkstoffe	hart	P Q R S	Außenrundschleifen weicher Werkstoffe
sehr weich	E F G		sehr hart	T U V W	
weich	H I JOT K	herkömmliches Metallschleifen	äußerst hart	X Y Z	
mittel	L M N O				

Körnung
vgl. DIN ISO 8466-1 und 2 (1997-09)

Körnungs-bezeichnung	Makrokörnung			Mikrokörnung
	grob	mittel	fein	sehr fein
	F4, F5, F6, F7, F8, F10, F12, F14, F16, F20, F22, F24	F30, F36, F46, F54, F60, F70, F80, F90, F100	F120, F150, F180, F220	F230, F240, F280, F320, F360, F400, F500, F600, F800, F1000, F1200

Gefüge
vgl. DIN 69100 (1988-07)

Kennziffer	0 1 2 3 4 5 6 7 8 9 10 11 12 13 14 usw.
Gefüge	◁ geschlossen (dicht) offen (porös) ▷

Bindung
vgl. DIN 69100 (1988-07)

Zei-chen	Bindungsart	Eigenschaften	Anwendungsgebiete
V	Keramische Bindung	porös, spröde, unempfindlich gegen Wasser, Öl, Wärme	Vor- und Feinschleifen von Stählen mit Korund und Siliciumkarbid
B BF	Kunstharzbindung, faserstoffverstärkt	dicht oder porös, elastisch, ölbeständig, kühler Schliff	Vor- oder Trennschleifen, Profilschleifen mit Diamant und Bornitrid, Hochdruckschleifen
M	Metallbindung	dicht oder porös, zäh, unemp-findlich gegen Druck und Wärme	Profil- und Werkzeugschleifen mit Diamant oder Bornitrid, Nassschliff
G	Galvanische Bindung	hohe Griffigkeit durch heraus-ragende Körner	Innenschleifen von Hartmetall, Handschliff
R RF	Gummibindung, faserstoffverstärkt	elastisch, kühler Schliff, empfindlich gegen Öl u. Wärme	Trennschleifen
E	Schellackbindung	temperaturempfindlich, zäh-elastisch, stoßunempfindlich	Sägen- und Formschliff, Regelscheibe beim spitzenlosen Schleifen
Mg	Magnesitbindung	weich, elastisch, wasser-empfindlich	Trockenschliff, Messerschliff

➡ **Schleifscheibe DIN 69 120 – 1 A-300 x 20 x 127 – A 60 L – 5 V - 50**: Form 1, Randform A, Außen- $\varnothing$ D = 300 mm, Breite T = 20 mm, Bohrungs-$\varnothing$ H = 127 mm, Schleifmittel Elektrokorund, Körnung 60, Härtegrad L, Gefüge 5, Bindung keramisch, Höchstumfangsgeschwindigkeit 50 m/s.

F

Schleifen

Auswahl der Schleifscheiben (Richtwerte)

Längsrundschleifen

Werkstoff	Schleif-mittel	Schruppen		Schlichten mit Scheibendurchmesser bis 500 mm		über 500 mm		Feinschlichten	
		Körnung	Härte	Körnung	Härte	Körnung	Härte	Körnung	Härte
Stahl, ungehärtet	A	54	M...N	80	M...N	60	L...M	180	L...M
Stahl, gehärtet, unleg. u. legiert	A	46	L...M	80	K...L	60	J...K	240...500	H...N
Stahl, gehärtet, hochlegiert	A, C	80	M...N	80	N...O	60	M...N	240...500	H...N
Hartmetall, Keramik	C	60	K	80	K	60	K	240...500	H...N
Gusseisen	A, C	60	L	80	L	60	L	100	M
NE-Metalle, z.B. Al, Cu, CuZn	C	46	K	60	K	60	K	–	–

Innenrundschleifen

Werkstoff	Schleif-mittel	Schleifscheibendurchmesser in mm bis 20		über 20 bis 40		über 40 bis 80		über 80	
		Körnung	Härte	Körnung	Härte	Körnung	Härte	Körnung	Härte
Stahl, ungehärtet	A	80	M	60	L...M	54	L...M	46	K
Stahl, gehärtet, unleg. u. legiert	A	80	K...L	120	M...N	80	M...N	80	L
Stahl, gehärtet, hochlegiert	A, C	80	J...K	100	K	80	K	60	J
Hartmetall, Keramik	D	D 100	–	D 150	–	D 200	–	D 250	–
Gusseisen	A	80	L...M	80	K...L	60	M	46	M
NE-Metalle, z.B. Al, Cu, CuZn	C	80	I...J	120	K	60	J...K	54	J

Umfangs-Planschleifen

Werkstoff	Schleif-mittel	Topfscheiben $D < 300$ mm		Gerade Schleifscheiben $D \leq 300$ mm		$D > 300$ mm		Schleif-segmente	
		Körnung	Härte	Körnung	Härte	Körnung	Härte	Körnung	Härte
Stahl, ungehärtet	A	46	J	46	J	36	J	24	J
Stahl, gehärtet, unleg. u. legiert	A	46	J	60	J	46	J	36	J
Stahl, gehärtet, hochlegiert	A	46	H...J	60	I...J	46	I...J	36	I...J
Hartmetall, Keramik	C	46	J	60	J	60	J	46	J
Gusseisen	A	46	J	46	J	46	J	24	J
NE-Metalle, z.B. Al, Cu, CuZn	C	46	J	60	J	60	J	36	J

Werkzeugschleifen

Schneidstoff	Schleif-mittel	Gerade Schleifscheiben $D \leq 225$	$D > 225$	Härte	Schleifteller $D \leq 100$	$D > 100$	Härte	Topf-scheiben Körnung	Härte
Werkzeugstahl	A	80	60	M	80	60	M	46	K
Schnellarbeitsstahl	A	60	46	K	60	46	K	46	H
Hartmetall	C	80	54	K	80	54	K	46	H

Trennen auf stationären Maschinen

Werkstoff	Schleif-mittel	Gerade Trennscheiben v_c bis 80 m/s $D \leq 200$ mm		$D > 200$ mm		Gerade Trennscheiben v_c bis 100 m/s $D \leq 500$ mm		$D > 500$ mm	
		Körnung	Härte	Körnung	Härte	Körnung	Härte	Körnung	Härte
Stahl, ungehärtet	A	80	Q...R	46	Q...R	24	U	20	Q...R
Gusseisen	A	60	Q...R	46	Q...R	24	U...V	20	U...V
NE-Metalle, z.B. Al, Cu, CuZn	A	60	Q...R	46	Q...R	30	S	24	S

Schleifen und Trennen mit Handmaschinen

Werkstoff	Schleif-mittel	Trennscheiben v_c bis 80 m/s		Schruppscheiben v_c bis 45 m/s		v_c bis 80 m/s		Schleifstifte	
		Körnung	Härte	Körnung	Härte	Körnung	Härte	Körnung	Härte
Stahl, ungehärtet	A	30	T	24	M	24	R	36	Q...R
Stahl, korrosionsbeständig	A	30	R	16	M	24	R	36	S
Gusseisen	A, C	30	T	20	R	24	R	30	T
NE-Metalle, z.B. Al, Cu, CuZn	A, C	30	T	20	R	–	–	–	–

F

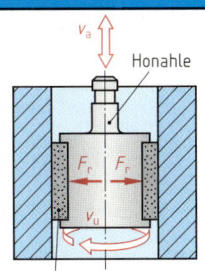

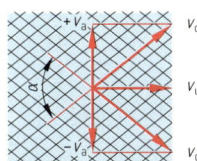

Honahle

F_r F_r

v_u

Honstein

$+v_a$ v_c

α

v_u

$-v_a$ v_c

v_c Schnittgeschwindigkeit
v_a Axialgeschwindigkeit
v_u Umfangsgeschwindigkeit
α Überschneidungswinkel der Bearbeitungsspuren
p Anpressdruck
A Anlagefläche der Honsteine
F_r radiale Zustellkraft

Beispiel:

$v_a = 12$ m/min; $v_u = 25$ m/min; $v_c = ?$; $\alpha = ?$

$$v_c = \sqrt{v_a{}^2 + v_u{}^2} = \sqrt{\left(12\ \frac{m}{min}\right)^2 + \left(25\ \frac{m}{min}\right)^2} \approx 28\ \frac{m}{min}$$

$$\tan\frac{\alpha}{2} = \frac{v_a}{v_u} = \frac{12\ \text{m/min}}{25\ \text{m/min}} = 0{,}48;\quad \alpha = \mathbf{51{,}2°}$$

Schnittgeschwindigkeit

$$v_c = \sqrt{v_a{}^2 + v_u{}^2}$$

Überschneidungswinkel

$$\tan\frac{\alpha}{2} = \frac{v_a}{v_u}$$

Anpressdruck

$$p = \frac{F_r}{A}$$

Schnittgeschwindigkeit und Bearbeitungszugaben

Werkstoff	Umfangsgeschwindigkeit v_u in m/min		Axialgeschwindigkeit v_a in m/min		Bearbeitungszugaben in mm für Bohrungsdurchmesser in mm		
	Vorhonen	Fertighonen	Vorhonen	Fertighonen	2...15	15...100	100...500
Stahl, ungehärtet	18...22	20...25	9...12	10...13	0,02...0,05	0,03...0,08	0,06...0,3
Stahl, gehärtet	14...22	15...24	5... 9	6...10	0,01...0,03	0,02...0,05	0,03...0,1
legierte Stähle	23...25	25...28	10...12	11...13	0,02...0,05	0,03...0,08	0,06...0,3
Gusseisen	23...28	25...30	10...12	11...13			
Aluminium-Legierungen	22...24	24...26	9...12	10...13			

Honen mit Diamantkorn v_u bis 40 m/min und v_a bis 25 m/min; $\alpha = 60°...90°$

Anpressdruck von Honwerkzeugen

Honverfahren	Anpressdruck p in N/cm²			
	keramische Honsteine	kunststoffgebundene Honsteine	Diamant-Honleisten	Bornitrid-Honleisten
Vorhonen	50...250	200...400	300...700	200...400
Fertighonen	20...100	40...250	100...300	100...200

Auswahl der Honsteine aus Korund und SiC

Werkstoff	Zugfestigkeit in N/mm²	Verfahren	Rautiefe Rz in μm	Honsteine aus Korund und SiC[1]				
				Honmittel	Körnung	Härte	Bindung	Gefüge
Stahl	< 500	Vorhonen Fertighonen Polieren	8 ...12 2 ... 5 0,5... 1,5	A	700 400 1200	R R M	B	1 5 2
	500...700	Vorhonen Fertighonen Polieren	5 ...10 2 ... 3 0,5... 2	A	80 400 700	R O N	B	3 5 3
Gusseisen	–	Vorhonen Fertighonen	5 ... 8 2 ... 4	C	80 220	M K	V	3 7
NE-Metalle	–	Vorhonen Fertighonen Polieren	6 ...10 2 ... 3 0,5... 1	A A C	80 400 1000	O O N	V	3 1 5

Auswahl der Honsteine aus Diamant und kubischem Bornitrid (CBN)

Schleifstoff	Natürlicher Diamant	Synthetischer Diamant	CBN
Werkstoff	Stahl, Hartmetall	Gusseisen, nitrierter Stahl, NE-Metalle, Glas, Keramik	gehärteter Stahl

[1] vgl. Schleifmittel Seite 287

F

Spanende Formung der Kunststoffe

Richtwerte für Drehen und Fräsen
vgl. VDI 2003 (1976-01)

Gruppe	Kurzzeichen	Bezeichnung	Schneidstoff[1]	Drehen Schnittgeschwindigkeit v_c m/min	Drehen Freiwinkel α Grad	Drehen Spanwinkel γ Grad	Drehen Einstellwinkel $\varkappa$ Grad	Fräsen Schnittgeschwindigkeit v_c m/min	Fräsen Freiwinkel α Grad	Fräsen Spanwinkel γ Grad
Duroplaste PF, EP MF, UF Hp, Hgw	PF, EP MF, UF Hp, Hgw	Press- und Schichtstoffe mit organischen Füllstoffen	HSS HC	≤ 80 ≤ 400	7 7	17 12	45...60 45...60	≤ 80 ≤ 1000	≤ 15 ≤ 10	20 10
	PF, EP MF, UF Hp, Hgw	Press- und Schichtstoffe mit anorganischen Füllstoffen	HC D	≤ 40 –	8 –	6 –	45...60 –	≤ 1000 ≤ 1500	≤ 10 –	10 –
Thermoplaste	PA PE, PP	Polyamid Polyolefine	HSS	200...500	7	5	45...60	≤ 1000	10	≤ 15
	PC	Polycarbonat	HSS	200...300	7	3	45...60	≤ 1000	7	≤ 10
	PMMA	Polymethylmethacrylat	HSS	200...300	7	2	15	≤ 2000	6	3
	POM	Polyoximethylen	HSS	200...300	7	3	45...60	≤ 400	7	≤ 10
	PS, ABS SAN, SB	Polystyrol und Styrol-Copolymere	HSS	50...60[2]	7	1	15	≤ 2000[2]	6	3
	PTFE	Polytetrafluorethylen	HSS	100...300	12	18	9...11	≤ 1000	7	≤ 15
	PVC	Polyvinylchlorid	HSS	200...500	7	3	45...60	≤ 1000	7	≤ 15

Drehen: Der Vorschub kann bis zu 0,5 mm, bei Polystyrol und seinen Copolymeren bis zu 0,2 mm gewählt werden. Die Spanabnahme erfolgt möglichst in einem Schnitt. Eine Spitzenrundung von mindestens 0,5 mm und eine Breitschlichtschneide verbessern die Oberfläche.

Fräsen: Bevorzugt wird Stirnfräsen mit Fräswerkzeugen geringer Schneidenzahl. Der Vorschub kann bis zu 0,5 mm/Zahn betragen.

[1] HC beschichtetes Hartmetall; HSS Schnellarbeitsstahl; D Diamant
[2] Kühlschmierung erforderlich

Richtwerte für Bohren und Sägen
vgl. VDI 2003 (1976-01)

Gruppe	Kurzzeichen	Bezeichnung	Schneidstoff[1]	Bohren Schnittgeschwindigkeit v_c m/min	Bohren Spitzenwinkel σ Grad	Sägen Kreissäge Schnittgeschwindigkeit v_c m/min	Sägen Kreissäge Spanwinkel γ Grad	Sägen Bandsäge Schnittgeschwindigkeit v_c m/min	Sägen Bandsäge Spanwinkel γ Grad
Duroplaste	PF, EP MF, UF Hp, Hgw	Press- und Schichtstoffe mit organischen Füllstoffen	HSS HC	30... 40 100...120	110 110	≤ 3000 ≤ 5000	7 5	≤ 2000 –	7 –
	PF, EP MF, UF Hp, Hgw	Press- und Schichtstoffe mit anorganischen Füllstoffen	HC D	20... 40 ≤ 1500	90 Hohlbohrer	– ≤ 2000	– –	– ≤ 3000	– –
Thermoplaste	PA, PE, PP	Polyamid Polyolefine	HSS	50...100	75	≤ 3000	7	≤ 3000	4
	PC	Polycarbonat	HSS	50...120	75	≤ 3000	7	≤ 3000	4
	PMMA	Polymethylmethacrylat	HSS	20... 60	75	≤ 3000	7	≤ 3000	4
	POM	Polyoximethylen	HSS	50...100	75	≤ 3000	7	≤ 3000	4
	PS, ABS SAN, SB	Polystyrol und Styrol-Copolymere	HSS	20... 80	75	≤ 3000	7	≤ 3000	4
	PTFE	Polytetrafluorethylen	HSS	100...300	130	≤ 3000	7	≤ 3000	4
	PVC	Polyvinylchlorid	HSS	30... 80	95	≤ 3000	7	≤ 3000	4

Bohren: Der Seitenspanwinkel der Spiralbohrer beträgt 12° bis 16°. Für dünnwandige Teile werden Hohlbohrer (Kronenbohrer) verwendet.

Sägen: Verwendet werden feingezahnte Sägen mit genügendem Freischnitt (geschränkt oder hinterschliffen). Für Duroplaste mit anorganischen Füllstoffen wird Diamant angewandt.

[1] HC beschichtetes Hartmetall; HSS Schnellarbeitsstahl; D Diamant

F

Schneidkraft, Schneidarbeit

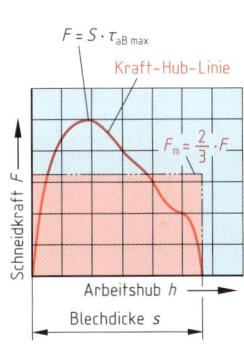

$F = S \cdot \tau_{aB\,max}$

Kraft-Hub-Linie

$F_m = \frac{2}{3} \cdot F$

Schneidkraft F

Arbeitshub h

Blechdicke s

F	Schneidkraft
S	Scherfläche
$R_{m\,max}$	maximale Zugfestigkeit
$\tau_{aB\,max}$	maximale Scherfestigkeit
W	Schneidarbeit
s	Blechdicke

Beispiel: $S = 236\ mm^2$; $s = 2{,}5\ mm$;
$R_{m\,max} = 510\ N/mm^2$

Gesucht: $\tau_{aB\,max}$; F; W

Lösung:
$\tau_{aB\,max} = 0{,}8 \cdot R_{m\,max}$
$\qquad = 0{,}8 \cdot 510\ N/mm^2 =$ **408 N/mm²**
$F = S \cdot \tau_{aB\,max} = 236\ mm^2 \cdot 408\ N/mm^2$
$\qquad = 96\,288\ N =$ **96,288 kN**

$W = \frac{2}{3} \cdot F \cdot s = \frac{2}{3} \cdot 96{,}288\ kN \cdot 2{,}5\ mm$
$\qquad \approx 160\ kN \cdot mm =$ **160 N · m**

Schneidkraft

$$F = S \cdot \tau_{aB\,max}$$

Max. Scherfestigkeit

$$\tau_{aB\,max} \approx 0{,}8 \cdot R_{m\,max}$$

Schneidarbeit

$$W = \frac{2}{3} \cdot F \cdot s$$

Exzenter- und Kurbelpressen

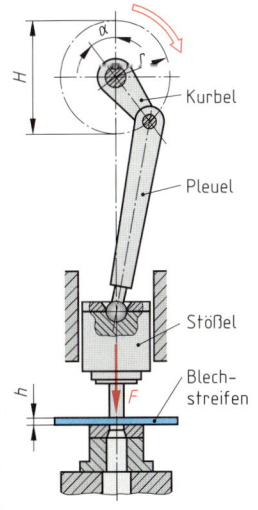

α

H

Kurbel

Pleuel

Stößel

Blech-
streifen

h

F

In der Regel sind die Pressenantriebe so aus-
gelegt, dass die Nenn-Presskraft im Kurbelwin-
kelbereich $\alpha = 30^\circ$ wirken kann.

Im Dauerhub arbeiten die Maschinen ohne
Unterbrechung. Im Einzelhub werden die Pressen nach jedem Hub stillgesetzt. Bei Pressen
mit einstellbarem Hub ist die zulässige Press-
kraft kleiner als die Nenn-Presskraft.

F	Schneidkraft, Umformkraft
F_n	Nenn-Presskraft
F_{zul}	zul. Presskraft bei einstellbarem Hub
H	Hub, maximaler Hub bei einstellbarem Hub
H_e	eingestellter Hub
h	Arbeitsweg
α	Kurbelwinkel
W	Schneidarbeit, Umformarbeit
W_D	Arbeitsvermögen im Dauerhub
W_E	Arbeitsvermögen im Einzelhub

**Arbeitsvermögen
im Dauerhub**

$$W_D = \frac{F_n \cdot H}{15}$$

**Arbeitsvermögen
im Einzelhub**

$$W_E = 2 \cdot W_D$$

Einsatzbedingungen
Bei festem Hub
$F \leq F_n$
$W \leq W_D$ oder
$W \leq W_E$
Bei einstellbarem Hub
$F \leq F_{zul}$
$F_{zul} = \dfrac{F_n \cdot H}{4 \cdot \sqrt{H_e \cdot h - h^2}}$
$W \leq W_D$ oder
$W \leq W_E$

F

Beispiel: Exzenterpresse mit festem Hub; $F_n = 250\ kN$; $H = 30\ mm$;
$F = 207\ kN$; $s = 4\ mm$

Gesucht: W; W_D. Ist die Presse im Dauerhub einsetzbar?

Lösung: $W = \frac{2}{3} \cdot F \cdot s = \frac{2}{3} \cdot 207\ kN \cdot 4\ mm = 552\ kN \cdot mm =$ **552 N · m**

$W_D = \dfrac{F_n \cdot H}{15} = \dfrac{250\ kN \cdot 30\ mm}{15} = 500\ kN \cdot mm =$ **500 N · m**

$F < F_n$ aber $W > W_D$, die Presse ist für dieses Werkstück im
Dauerhub nicht einsetzbar.

Trennen durch Scherschneiden

Schneidstempel- und Schneidplattenmaße
vgl. VDI 3368 (1982-05)

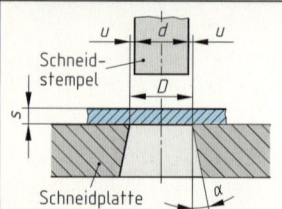

- d Schneidstempelmaße
- D Schneidplattenmaße
- u Schneidspalt
- D Blechdicke
- α Freiwinkel

Verfahren	Lochen	Ausschneiden
Form des Werkstücks	(Form mit d)	(Form mit D)
Für das Sollmaß ist maßgebend:	Maß des Schneidstempels d	Maß der Schneidplatte D
Maß des Gegenwerkzeugs	Schneidplatte $D = d + 2 \cdot u$	Schneidstempel $d = D - 2 \cdot u$

Schneidspalt u in Abhängigkeit vom Werkstoff und der Blechdicke

Blechdicke s	Schneidplattendurchbruch mit Freiwinkel α				Schneidplattendurchbruch ohne Freiwinkel α			
	Schneidspalt u für eine Scherfestigkeit τ_{aB} in N/mm²				Schneidspalt u für eine Scherfestigkeit τ_{aB} in N/mm²			
mm	bis 250	251...400	401...600	über 600	bis 250	251...400	401...600	über 600
0,4...0,6	0,01	0,015	0,02	0,025	0,015	0,02	0,025	0,03
0,7...0,8	0,015	0,02	0,03	0,04	0,025	0,03	0,04	0,05
0,9...1	0,02	0,03	0,04	0,05	0,03	0,04	0,05	0,05
1,5...2	0,03	0,05	0,06	0,08	0,05	0,07	0,09	0,11
2,5...3	0,04	0,07	0,10	0,12	0,08	0,11	0,14	0,17
3,5...4	0,06	0,09	0,12	0,16	0,11	0,15	0,19	0,23

Stegbreite, Randbreite, Seitenschneiderabfall für metallische Werkstoffe
vgl. VDI 3367 (1970-07)

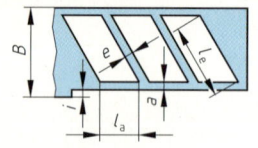

eckige Werkstücke

- a Randbreite
- e Stegbreite
- l_a Randlänge
- l_e Steglänge
- B Streifenbreite
- i Seitenschneiderabfall

Eckige Werkstücke:
Bei der Ermittlung von Steg- und Randbreite wird das jeweils größere Maß der Steg- oder Randlänge benützt.

Runde Werkstücke:
Für die Steg- und Randbreite gelten dieselben Werte, die für $l_e = l_a = 10$ mm angegeben sind.

Streifenbreite B	Steglänge l_e Randlänge l_a mm	Stegbreite e Randbreite a	Blechdicke s in mm										
			0,1	0,3	0,5	0,75	1,0	1,25	1,5	1,75	2,0	2,5	3,0
bis 100 mm	bis 10	e	0,8	0,8	0,8	0,9	1,0	1,2	1,3	1,5	1,6	1,9	2,1
		a	1,0	0,9	0,9								
	11...50	e	1,6	1,2	0,9	1,0	1,1	1,4	1,4	1,6	1,7	2,0	2,3
		a	1,9	1,5	1,0								
	51...100	e	1,8	1,4	1,0	1,2	1,3	1,6	1,6	1,8	1,9	2,2	2,5
		a	2,2	1,7	1,2								
	über 100	e	2,0	1,6	1,2	1,4	1,5	1,8	1,8	2,0	2,1	2,4	2,7
		a	2,4	1,9	1,5								
	Seitenschneiderabfall i				1,5		1,8	2,2	2,5	3,0	3,5	4,5	
über 100 mm bis 200 mm	bis 10	e	0,9	1,0	1,0	1,0	1,1	1,3	1,4	1,6	1,7	2,0	2,3
		a	1,2	1,1	1,1								
	11...50	e	1,8	1,4	1,0	1,2	1,3	1,6	1,6	1,8	1,9	2,2	2,5
		a	2,2	1,7	1,2								
	51...100	e	2,0	1,6	1,2	1,4	1,5	1,8	1,8	2,0	2,1	2,4	2,7
		a	2,4	1,9	1,5								
	101...200	e	2,2	1,8	1,4	1,6	1,7	2,0	2,0	2,2	2,3	2,6	2,9
		a	2,7	2,2	1,7								
	Seitenschneiderabfall i				1,5		1,8	2,0	2,5	3,0	3,5	4,0	5,0

F

Lage des Einspannzapfens bei Stempelformen mit bekanntem Schwerpunkt

Stempelanordnung   **Werkstück**

Vorlochen   Ausschneiden

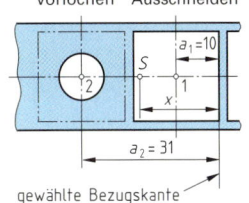 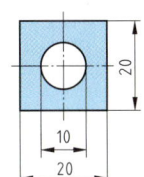

$a_1 = 10$

$a_2 = 31$

gewählte Bezugskante

$U_1, U_2, U_3 \ldots$ Umfänge der einzelnen Stempel

$a_1, a_2, a_3 \ldots$ Abstände der Stempelschwerpunkte von der Bezugskante

x Abstand des Kräftemittelpunktes S von der Bezugskante

Abstand des Kräftemittelpunktes

$$x = \frac{U_1 \cdot a_1 + U_2 \cdot a_2 + U_3 \cdot a_3 + \ldots}{U_1 + U_2 + U_3 + \ldots}$$

Beispiel:
Gesucht ist der Abstand x des Kräftemittelpunktes im Bild links

Lösung:
Als Bezugskante wird die äußere Fläche des Ausschneidstempels gewählt.

$U_1 = 4 \cdot 20$ mm $= 80$ mm; $a_1 = 10$ mm

$U_2 = \pi \cdot 10$ mm $= 31{,}4$ mm; $a_1 = 31$ mm

$$x = \frac{U_1 \cdot a_1 + U_2 \cdot a_2}{U_1 + U_2}$$

$$\boldsymbol{x} = \frac{80 \text{ mm} \cdot 10 \text{ mm} + 31{,}4 \text{ mm} \cdot 31}{80 \text{ mm} + 31{,}4 \text{ mm}} \approx \boldsymbol{16} \textbf{ mm}$$

Lage des Einspannzapfens bei Stempelformen mit unbekanntem Schwerpunkt

Der Kräftemittelpunkt entspricht dem Linienschwerpunkt[1] aller Schneidkanten.

Stempelanordnung   **Werkstück**

Vorlochen   Ausschneiden

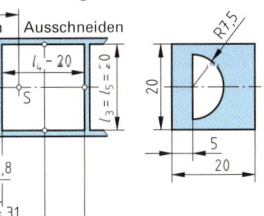

$a_1 = 5$

$a_2 = 9{,}8$

$a_3 = 21$

gewählte Bezugskante

$a_4 = 31$

$a_5 = 41$

$l_1, l_2, l_3 \ldots l_n$ Schneidkantenlängen

$a_1, a_2, a_3 \ldots a_n$ Abstände der Linienschwerpunkte von den Bezugskanten

x Abstand des Kräftemittelpunktes von der Bezugskante

n Summe der Schneidkanten

[1] Linienschwerpunkte Seite 30

Abstand des Kräftemittelpunktes

$$x = \frac{l_1 \cdot a_1 + l_2 \cdot a_2 + l_3 \cdot a_3 + \ldots}{l_1 + l_2 + l_3 + \ldots}$$

$$x = \frac{\Sigma l_n \cdot a_n}{\Sigma l_n}$$

Beispiel:
Für das Werkstück (Bild) ist die Lage des Einspannzapfens am Schneidwerkzeug zu berechnen.

Lösung:

n	l_n in mm	a_n in mm	$l_a \cdot a_n$ in mm²
1	15	5	75
2	23,6	9,8	231,28
3	20	21	420
4	2 · 20	31	1240
5	20	41	820
Σ	118,6	–	2786,28

$$\boldsymbol{x} = \frac{\Sigma l_n \cdot a_n}{\Sigma l_n} = \frac{2786{,}28 \text{ mm}^2}{118{,}6 \text{ mm}} = \textbf{23,5 mm}$$

Streifenausnutzung

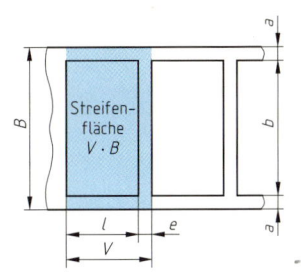 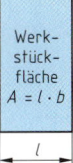

Streifenfläche $V \cdot B$

Werkstückfläche $A = l \cdot b$

l Werkstücklänge
b Werkstückbreite
B Streifenbreite
a Randbreite
e Stegbreite
V Streifenvorschub
A Fläche eines Werkstücks (einschl. Lochungen)
R Anzahl der Reihen
η Ausnutzungsgrad

Streifenbreite

$$B = b + 2 \cdot a$$

Streifenvorschub

$$V = l + e$$

Ausnutzungsgrad

$$\eta = \frac{R \cdot A}{V \cdot B}$$

F

Biegeumformen

Kleinster zulässiger Biegeradius für Biegeteile aus NE-Metallen
vgl. DIN 5520 (1991-03)

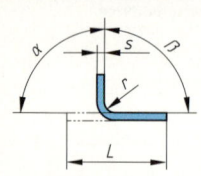

Werkstoff	Zustand	Kleinster zulässiger Biegeradius[1] r in mm für Blechdicke s in mm							
		über – bis 0,8	– 0,8 1	0,8 1 1,5	1 1,5 2	1,5 2 3	2 3 4	3 4 5	4 5 6
Al99,5F9	kaltgewalzt	–	0,8	1	1,2	1,6	2,5	4	5	6
AlMg3F22	weich	–	1	1,2	2	2,5	4	6	8	10
AlMg3F22	kaltgewalzt	–	1,6	2	3	4	6	8	12	16
AlMg2Mn0,8W19	weich	–	1	1,6	2	2,5	4	6	8	10
AlMg4,5MnG31	geglüht	–	2,5	3	5	6	10	12	18	22
AlMgSi1F32	warmausgehärtet	–	2,5	4	5	8	12	16	20	25
AlZn4,5Mg1F35	warmausgehärtet	–	1,2	1,6	3	4	5	6	8	10
CuZn37F60[2]	hart	–	2	2,5	4	5	8	10	12	16

s Blechdicke
r Biegeradius
α Biegewinkel
β Öffnungswinkel

[1] Längs und quer zur Walzrichtung für Biegewinkel 90°
[2] Erfahrungswert, senkrecht zur Walzrichtung

Kleinster zulässiger Biegeradius für das Kaltbiegen von Stahl
vgl. DIN 6935 (1975-10)

Mindestzugfestigkeit R_m in N/mm² über ... bis	Kleinster Biegeradius[1] r für Blechdickenbereich s (über ... bis) in mm														
	0 ...1	1 ...1,5	1,5 ...2,5	2,5 ...3	3 ...4	4 ...5	5 ...6	6 ...7	7 ...8	8 ...10	10 ...12	12 ...14	14 ...16	16 ...18	18 ...20
bis 390	1	1,6	2,5	3	5	6	8	10	12	16	20	25	28	36	40
390...490	1,2	2	3	4	5	8	10	12	16	20	25	28	32	40	45
490...640	1,6	2,5	4	5	6	8	10	12	16	20	25	32	36	45	50

[1] Werte gelten für Biegewinkel $\alpha \leq 120°$ und Biegen quer zur Walzrichtung. Beim Biegen längs zur Walzrichtung und Biegewinkeln $\alpha > 120°$ ist der Wert der nächsthöheren Blechdicke zu wählen.

Ausgleichswerte v für Biegewinkel $\alpha = 90°$
vgl. Beiblatt 2 zu DIN 6935 (1983-02)

Biege- radius r in mm	Ausgleichswert v je Biegestelle in mm für Blechdicke s in mm													
	0,4	0,6	0,8	1	1,5	2	2,5	3	3,5	4	4,5	5	6	8	10
1	1,0	1,3	1,7	1,9	–	–	–	–	–	–	–	–	–	–	–
1,6	1,3	1,6	1,8	2,1	2,9	–	–	–	–	–	–	–	–	–	–
2,5	1,6	2,0	2,2	2,4	3,2	4,0	4,8	–	–	–	–	–	–	–	–
4	–	2,5	2,8	3,0	3,7	4,5	5,2	6,0	6,9	–	–	–	–	–	–
6	–	–	3,4	3,8	4,5	5,2	5,9	6,7	7,5	8,3	9,0	9,9	–	–	–
10	–	–	–	5,5	6,1	6,7	7,4	8,1	8,9	9,6	10,4	11,2	12,7	–	–
16	–	–	–	8,1	8,7	9,3	9,9	10,5	11,2	11,9	12,6	13,3	14,8	17,8	21,0
20	–	–	–	9,8	10,4	11,0	11,6	12,2	12,8	13,4	14,1	14,9	16,3	19,3	22,3
25	–	–	–	11,9	12,6	13,2	13,8	14,4	15,0	15,6	16,2	16,8	18,2	21,1	24,1
32	–	–	–	15,0	15,6	16,2	16,8	17,4	18,0	18,6	19,2	19,8	21,0	23,8	26,7
40	–	–	–	18,4	19,0	19,6	20,2	20,8	21,4	22,0	22,6	23,2	24,5	26,9	29,7
50	–	–	–	22,7	23,3	23,9	24,5	25,1	25,7	26,3	26,9	27,5	28,8	31,2	33,6

F

Zuschnittsermittlung für 90°-Biegeteile
vgl. DIN 6935 (1975-10)

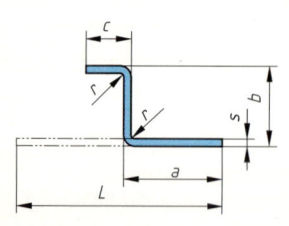

L gestreckte Länge[1]
a, b, c Längen der Schenkel
s Dicke
r Biegeradius
n Anzahl der Biegestellen
v Ausgleichswert

Beispiel:
$a = 25$ mm; $b = 20$ mm; $c = 15$ mm; $n = 2$; $s = 2$ mm;
$r = 4$ mm; Werkstoff: S235JR (St 37-2); $v = ?$; $L = ?$

$v = 4,5$ mm (vgl. Tabelle)
$L = a + b + c - n \cdot v = (25 + 20 + 15 - 2 \cdot 4,5)$ mm = **51 mm**

Gestreckte Länge

$$L = a + b + c + ... - n \cdot v$$

[1] Die berechneten gestreckten Längen sind auf volle mm aufzurunden

Zuschnittsermittlung für Teile mit beliebigem Biegewinkel
vgl. DIN 6935 (1975-10)

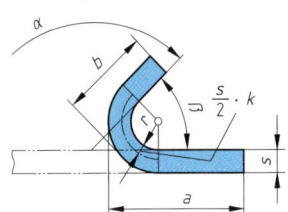

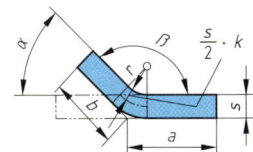

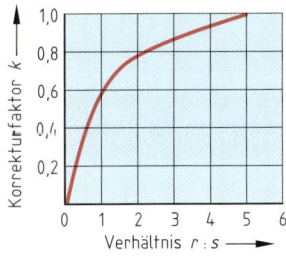

Korrekturfaktor

L	gestreckte Länge	s	Blechdicke
a, b	Länge der Schenkel	r	Biegeradius
v	Ausgleichswert	β	Öffnungswinkel

Gestreckte Länge

$$L = a + b - v$$

Ausgleichswert für $\beta = 0°$ bis $90°$

$$v = 2 \cdot (r + s) - \pi \cdot \left(\frac{180° - \beta}{180°} \right) \cdot \left(r + \frac{s}{2} \cdot k \right)$$

Ausgleichswert für β über $90°$ bis $165°$

$$v = 2 \cdot (r + s) \cdot \tan \frac{180° - \beta}{2} - \pi \cdot \left(\frac{180° - \beta}{180°} \right) \cdot \left(r + \frac{s}{2} \cdot k \right)$$

für β über $165°$ bis $180°$;
$v \approx 0$ (vernachlässigbar klein)

Korrekturfaktor

$$k = 0{,}65 + 0{,}5 \cdot \log \frac{r}{s}$$

Beispiel:
Biegeteil mit Öffnungswinkel $\beta = 60°$, $a = 16$ mm, $b = 21$mm, $r = 6$ mm, $s = 5$mm; $k = ?$; $v = ?$; $L = ?$;

$$\frac{r}{s} = \frac{6 \text{ mm}}{5 \text{ mm}} = 1{,}2; \quad \mathbf{k = 0{,}7} \text{ (aus Diagramm)}$$

$$v = 2 \cdot (r + s) - \pi \cdot \left(\frac{180° - \beta}{180°} \right) \cdot \left(r + \frac{s}{2} \cdot k \right)$$

$$= 2 \cdot (6 + 5) \text{ mm} - \pi \cdot \left(\frac{180° - 60°}{180°} \right) \cdot \left(6 + \frac{5}{2} \cdot 0{,}7 \right) \text{ mm}$$

$$= \mathbf{5{,}77 \text{ mm}}$$

$$L = a + b - v = 16 \text{ mm} + 21 \text{ mm} - 5{,}77 \text{ mm}$$

$$\approx \mathbf{32 \text{ mm}}$$

Rückfederung beim Biegen
vgl. VDI 3389 (1973-12)

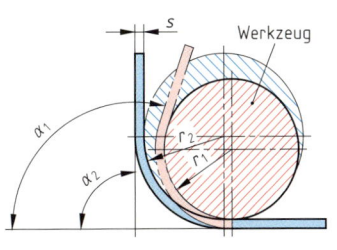

α_1	Winkel am Werkzeug vor Rückfederung
α_2	Biegewinkel am Werkstück
r_1	Radius am Werkzeug
r_2	Biegeradius am Werkstück
k_R	Rückfederungsfaktor
s	Blechdicke

Radius am Werkzeug

$$r_1 = k_R \cdot (r_2 + 0{,}5 \cdot s) - 0{,}5 \cdot s$$

Winkel am Werkzeug

$$\alpha_1 = \frac{\alpha_2}{k_R}$$

F

Werkstoff der Biegeteile	Rückfederungsfaktor k_R für das Verhältnis $r_2 : s$										
	1	1,6	2,5	4	6,3	10	16	25	40	63	100
USt 1404	0,99	0,99	0,99	0,98	0,97	0,97	0,96	0,94	0,91	0,87	0,83
USt 1203	0,99	0,99	0,99	0,97	0,96	0,96	0,93	0,90	0,85	0,77	0,66
X12CrNi18-8	0,99	0,98	0,97	0,95	0,93	0,89	0,84	0,76	0,63	–	–
E-Cu F 20	0,98	0,97	0,97	0,96	0,95	0,93	0,90	0,85	0,79	0,72	0,6
CuZn 33 F 29	0,97	0,97	0,96	0,95	0,94	0,93	0,89	0,86	0,83	0,77	0,73
CuNi 18 Zn 20	–	–	–	0,97	0,96	0,95	0,92	0,87	0,82	0,72	–
Al 99 0	0,99	0,99	0,99	0,99	0,98	0,98	0,97	0,97	0,96	0,95	0,93
AlCuMg 1	0,98	0,98	0,98	0,98	0,97	0,97	0,96	0,95	0,93	0,91	0,87
AlSi 1 Mg Mn 0	0,98	0,98	0,97	0,96	0,95	0,93	0,90	0,86	0,82	0,76	0,72

Tiefziehen

Berechnung der Zuschnittdurchmesser

Ziehteil[1]	Zuschnittdurchmesser D	Ziehteil[1]	Zuschnittdurchmesser D
d_2, d_1, h	Ohne Rand d_2 $D = \sqrt{d_1^2 + 4 \cdot d_1 \cdot h}$ Mit Rand d_2 $D = \sqrt{d_2^2 + 4 \cdot d_1 \cdot h}$	d_2, d_1, h, r	Ohne Rand d_2 $D = \sqrt{2 \cdot d_1^2 + 4 \cdot d_1 \cdot h}$ Mit Rand d_2 $D = \sqrt{2 \cdot d_1^2 + 4 \cdot d_1 \cdot h + (d_2^2 - d_1^2)}$
d_3, d_2, h_2, d_1, h_1	Ohne Rand d_3 $D = \sqrt{d_2^2 + 4 \cdot (d_1 \cdot h_1 + d_2 \cdot h_2)}$ Mit Rand d_3 $D = \sqrt{d_3^2 + 4 \cdot (d_1 \cdot h_1 + d_2 \cdot h_2)}$	r, h_2, h_1, d_1, d_2	Ohne Rand d_2 $D = \sqrt{d_1^2 + 4 \cdot h_1^2 + 4 \cdot d_1 \cdot h_2}$ Mit Rand d_2 $D = \sqrt{d_1^2 + 4 \cdot h_1^2 + 4 \cdot d_1 \cdot h_2 + (d_2^2 - d_1^2)}$
d_4, d_3, d_2, l, d_1	Ohne Rand d_4 $D = \sqrt{d_1^2 + 4 \cdot d_2 \cdot l}$ Mit Rand d_4 $D = \sqrt{d_1^2 + 4 \cdot d_2 \cdot l + (d_4^2 - d_3^2)}$	d_3, d_2, h_2, d_1, h_1	Ohne Rand d_3 $D = \sqrt{d_2^2 + 4 \cdot h_1^2 + 4 \cdot d_2 \cdot h_2}$ Mit Rand d_3 $D = \sqrt{d_2^2 + 4 \cdot h_1^2 + 4 \cdot d_2 \cdot h_2 + (d_3^2 - d_2^2)}$
d_4, d_3, h, d_2, l, d_1	Ohne Rand d_4 $D = \sqrt{d_1^2 + 4 \cdot d_2 \cdot l + 4 \cdot d_3 \cdot h}$ Mit Rand d_4 $D = \sqrt{d_1^2 + 4 \cdot d_2 \cdot l + 4\,d_3 \cdot h + (d_4^2 - d_3^2)}$	d_2, d_1	Ohne Rand d_2 $D = \sqrt{2 \cdot d_1^2} = 1{,}414 \cdot d$ Mit Rand d_2 $D = \sqrt{d_1^2 + d_2^2}$
d_3, d_2, h, d_1, r	Ohne Rand d_3 $D = \sqrt{d_1^2 + 2 \cdot \pi \cdot (d_1 + r) \cdot r + 4 \cdot d_2 \cdot h}$ Mit Rand d_3 $D =$ $\sqrt{d_1^2 + 2 \cdot \pi \cdot (d_1 + r) \cdot r + 4 \cdot d_2 \cdot h + (d_3^2 - d_2^2)}$	d_2, d_1, h	Ohne Rand d_2 $D = \sqrt{d_1^2 + 4 \cdot h^2}$ Mit Rand d_2 $D = \sqrt{d_2^2 + 4 \cdot h^2}$

[1] $\varnothing$-Maße sind jeweils Innenmaße

Ziehspalt und Radien am Ziehring und Ziehstempel

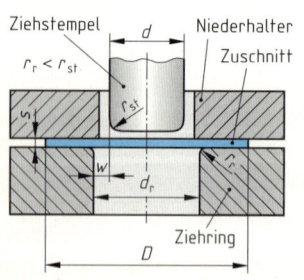

F

Ziehstempel d Niederhalter, Zuschnitt, $r_r < r_{st}$, Ziehring

w	Ziehspalt
s	Blechdicke
k	Werkstofffaktor
r_r	Radius am Ziehring
r_{st}	Radius am Ziehstempel
D	Zuschnittdurchmesser
d	Stempeldurchmesser
d_r	Ziehringdurchmesser

Ziehspalt in mm

$$w = s + k \cdot \sqrt{10 \cdot s}$$

Radius am Ziehring in mm

$$r_r = 0{,}035 \cdot [50 + (D - d)] \cdot \sqrt{s}$$

Bei jedem Weiterzug ist der Radius am Ziehring um 20...40 % zu verkleinern.

Werkstofffaktor k	
Stahl	0,07
Aluminium	0,02
Sonstige NE-Metalle	0,04

Ziehspalt

$$w = \frac{d_r - d}{2}$$

Radius am Ziehstempel in mm

$$r_{st} = (4...5) \cdot s$$

Ziehstufen und Ziehverhältnisse

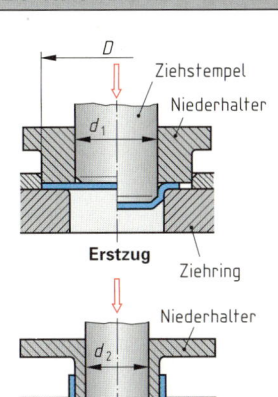

Erstzug

Weiterzug

D	Zuschnittdurchmesser
d_1	Stempeldurchmesser beim 1. Zug
d_2	Stempeldurchmesser beim 2. Zug
d_n	Stempeldurchmesser beim n. Zug
β_1	Ziehverhältnis für 1. Zug
β_2	Ziehverhältnis für 2. Zug
β_{ges}	Gesamt-Ziehverhältnis
s	Blechdicke

Beispiel:

Napf ohne Rand aus FeP04 (St 14) ohne Zwischenglühen mit d = 50 mm; h = 60 mm; D = ?; β_1 = ?; β_2 = ?; d_1 = ?; d_2 = ?

$$D = \sqrt{d^2 + 4 \cdot d \cdot h}$$
$$= \sqrt{(50\ mm)^2 + 4 \cdot 50\ mm \cdot 60\ mm} \approx \mathbf{120\ mm}$$

β_1 = **2,0**; β_2 = **1,3** nach Tabelle

$$d_1 = \frac{D}{\beta_1} = \frac{120\ mm}{2,0} = \mathbf{60\ mm}$$

$$d_2 = \frac{d_1}{\beta_2} = \frac{60\ mm}{1,3} = \mathbf{46\ mm}$$

Ziehverhältnis

1. Zug

$$\beta_1 = \frac{D}{d_1}$$

2. Zug

$$\beta_2 = \frac{d_1}{d_2}$$

Gesamt-Ziehverhältnis

$$\beta_{ges} = \beta_1 \cdot \beta_2 \cdot \ldots$$

$$\beta_{ges} = \frac{D}{d_n}$$

Werkstoff	Ziehverhältnisse[1]			Werkstoff	Ziehverhältnisse[1]			Werkstoff	Ziehverhältnisse[1]		
	β_1 max.	β_2 max. ohne	β_2 max. mit Zwischenglühen		β_1 max.	β_2 max. ohne	β_2 max. mit Zwischenglühen		β_1 max.	β_2 max. ohne	β_2 max. mit Zwischenglühen
– (St 10)	1,7	1,2	1,5	Cu	2,1	1,3	1,9	Al 99,5 w	2,1	1,6	2,0
DC01 (St 12)	1,8	1,2	1,6	CuZn 37 w	2,1	1,4	2,0	AlMg 1 w	1,85	1,3	1,75
DC03 (St 13)	1,9	1,25	1,65	CuZn 37 h	1,9	1,2	1,7	AlCuMg 1 w	2,0	1,5	1,8
DC04 (St 14)	2,0	1,3	1,7	CuSn 6 w	1,5	–	–	AlCuMg 1 ka	1,8	1,3	1,5

[1] Die Werte gelten bis $d_1 : s$ = 300; sie wurden ermittelt für d_1 = 100 mm und s = 1 mm. Für andere Blechdicken und Stempeldurchmesser ändern sich die Werte geringfügig.

Bodenreißkraft, Tiefziehkraft, Niederhalterkraft

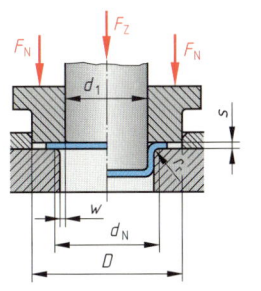

F_B	Bodenreißkraft
F_Z	Tiefziehkraft
d_1	Stempeldurchmesser
s	Blechdicke
R_m	Zugfestigkeit
β	Ziehverhältnis
β_{max}	höchstmögliches Ziehverhältnis
F_N	Niederhalterkraft
D	Zuschnittdurchmesser
d_N	Auflagedurchmesser des Niederhalters
p	Niederhalterdruck
r_r	Radius am Ziehring
w	Ziehspalt

Bodenreißkraft

$$F_B = \pi \cdot (d_1 + s) \cdot s \cdot R_m$$

Tiefziehkraft

$$F_Z = \pi \cdot (d_1 + s) \cdot s \cdot R_m \cdot 1,2 \cdot \frac{\beta - 1}{\beta_{max} - 1}$$

Niederhalterkraft

$$F_N = \frac{\pi}{4} \cdot (D^2 - d_N^2) \cdot p$$

Auflagedurchmesser

$$d_N = d_1 + 2 \cdot (r_r + w)$$

F

Niederhalterdruck p in N/mm²	
Stahl	2,5
Cu-Legierungen	2,0...2,4
Al-Legierungen	1,2...1,5

Beispiel: D = 210 mm; d_1 = 140 mm; s = 1 mm; R_m = 380 N/mm²; β = 1,5; β_{max} = 1,9; F_Z = ?

$$F_Z = \pi \cdot (d_1 + s) \cdot s \cdot R_m \cdot 1,2 \cdot \frac{\beta - 1}{\beta_{max} - 1} = \pi \cdot (140\ mm + 1\ mm) \cdot 1\ mm \cdot 380\ \frac{N}{mm^2} \cdot 1,2 \cdot \frac{1,5 - 1}{1,9 - 1} = \mathbf{112\ 218\ N}$$

Kunststoffverarbeitung

Verarbeitungsdaten, Zuordnung der Toleranzgruppen

Kurz-zeichen	Spritzgießen Temperatur in °C Masse	Werkzeug	Spritzdruck in bar	Extrudieren Verarbeitungstemperatur in °C	Schwindung in %	Allgemeintoleranzen	Toleranzgruppen[6] Reihe 1	Reihe 2
PE	160...300	20...70	500	190...230	1,5...3,5	150	140	130
PP	170...300	20...100	1200	235...270	1,3...2 [1] / 0,8...1,8 [2]	150	140	130
PVC, hart	170...210[3]	30...60	1000...1800	170...190	0,2...0,5	130	120	110
PVC, weich	170...200[3]	20...60	300	150...200	1...2,5	–	–	–
PS	180...250	30...60	–	180...220	0,3...0,7	130	120	110
SB	180...250	20...70	–	180...220	0,4...0,7	130	120	110
SAN	200...260	40...80	–	180...200	0,5...0,6	130	120	110
ABS	200...240	40...85	800...1800	180...220	0,4...0,7	130	120	110
PMMA	200...250	50...90	400...1200	180...250	0,3...0,8	130	120	110
PA	210...290	80...120	700...1200	230...275	1...2	130	120	110
POM	180...230[3]	50...120	800...1700	180...220	1...3,5	140	130	120
PC	280...320[3]	80...120	> 800	240...290	0,7...0,8	130	120	110
PF [4]	90...110[3]	170...190	800...2500	–	0,5...0,9[1] / 0,7...1,5[2]	140	130	120
MF [5]	95...110[3]	160...180	1500...2500	–	0,6...1,2[1] / 0,6...1,7[2]	130	120	110
UF [4]	95...110	150...160	1500...2500	–	0,4...0,6	140	130	120

[1] in Fließrichtung; [2] quer zur Fließrichtung; [3] mit Schnecken-Spritzgießmaschine; [4] mit organischen Füllstoffen; [5] mit anorganischen Füllstoffen; [6] vgl. DIN 16901 (1982-11)

Toleranzen für Kunststoff-Formteile   vgl. DIN 16901 (1982-11)

Toleranzgruppe aus obiger Tabelle	Kennbuchstabe[1]	0...1	1...3	3...6	6...10	10...15	15...22	22...30	30...40	40...53	53...70	70...90	90...120	120...160
Allgemeintoleranzen														
150	A	±0,23	±0,25	±0,27	±0,30	±0,34	±0,38	±0,43	±0,49	±0,57	±0,68	±0,81	±0,97	±1,20
	B	±0,13	±0,15	±0,17	±0,20	±0,24	±0,28	±0,33	±0,39	±0,47	±0,58	±0,71	±0,87	±1,10
140	A	±0,20	±0,21	±0,22	±0,24	±0,27	±0,30	±0,34	±0,38	±0,43	±0,50	±0,60	±0,70	±0,85
	B	±0,10	±0,11	±0,12	±0,14	±0,17	±0,20	±0,24	±0,28	±0,33	±0,40	±0,50	±0,60	±0,75
130	A	±0,18	±0,19	±0,20	±0,21	±0,23	±0,25	±0,27	±0,30	±0,34	±0,38	±0,44	±0,51	±0,60
	B	±0,08	±0,09	±0,10	±0,11	±0,13	±0,15	±0,17	±0,20	±0,24	±0,28	±034	±0,41	±0,50
Toleranzen für Maße mit direkt eingetragenen Abmaßen														
140	A	0,40	0,42	0,44	0,48	0,54	0,60	0,68	0,76	0,86	1,00	1,20	1,40	1,70
	B	0,20	0,22	0,24	0,28	0,34	0,40	0,48	0,56	0,66	0,80	1,00	1,20	1,50
130	A	0,36	0,38	0,40	0,42	0,46	0,50	0,54	0,60	0,68	0,76	0,88	1,02	1,20
	B	0,16	0,18	0,20	0,22	0,26	0,30	0,34	0,40	0,48	0,56	0,68	0,82	1,00
120	A	0,32	0,34	0,36	0,38	0,40	0,42	0,46	0,50	0,54	0,60	0,68	0,78	0,90
	B	0,12	0,14	0,16	0,18	0,20	0,22	0,26	0,30	0,34	0,40	0,48	0,58	0,70
110	A	0,18	0,20	0,22	0,24	0,26	0,28	0,30	0,32	0,36	0,40	0,44	0,50	0,58
	B	0,08	0,10	0,12	0,14	0,16	0,18	0,20	0,22	0,26	0,30	0,34	0,40	0,48

Nennmaßbereich über ... bis in mm

[1] A für nicht werkzeuggebundene Maße;   B für werkzeuggebundene Maße

F

Schweißen

Schweißverfahren und Ordnungsnummern
vgl. DIN EN 24 063 (1992-09)

N[1]	Schweißverfahren	N[1]	Schweißverfahren	N[1]	Schweißverfahren
1	**Lichtbogenschweißen**	**2**	**Widerstandsschweißen**	**4**	**Pressschweißen**
101 111	Metall-Lichtbogenschweißen Lichtbogenhandschweißen	21 22	Widerstands-Punktschweißen Rollennahtschweißen	41 42	Ultraschallschweißen Reibschweißen
114	Metall-Lichtbogenschweißen mit Fülldrahtelektrode	225 23	Foliennahtschweißen Buckelschweißen	45 47	Diffusionsschweißen Gaspressschweißen
12 13	Unterpulverschweißen Metall-Schutzgasschweißen	24 25	Abbrennstumpfschweißen Pressstumpfschweißen	**7**	**Andere Schweißverfahren**
131 135	Metall-Inertgasschweißen Metall-Aktivgasschweißen	291	Widerstandspressschweißen mit Hochfrequenz	73 74	Elektrogasschweißen Induktionsschweißen
136	Metall-Aktivgasschweißen mit Fülldrahtelektrode	**3**	**Gasschmelzschweißen**	75 751	Lichtstrahlschweißen Laserstrahlschweißen
14 141	Wolfram-Schutzgasschw. Wolfram-Inertgasschweißen	311	Gasschweißen mit Sauerstoff-Acetylen-Flamme	752 753	Lichtbogenstrahlschweißen Infrarotschweißen
149 151	Wolfram-Wasserstoffschweißen Plasma-MIG-Schweißen	312	Gasschweißen mit Sauerstoff-Propan-Flamme	76 78	Elektronenstrahlschweißen Bolzenschweißen

[1] N Ordnungsnummer, z. B. für zeichnerische Darstellung

Schweißpositionen
vgl. DIN EN ISO 6947 (1997-05)

Kurzzeichen ISO 6947	Kurzzeichen DIN 1912	Benennung	Hauptpositionen, Beschreibung
PA	w	Wannenposition	Nahtmittellinie senkrecht, waagrechtes Arbeiten, Decklage oben
PB	h	Horizontalposition	horizontales Arbeiten, Decklage oben
PF	s	Steigposition	steigendes Arbeiten
PG	f	Fallposition	fallendes Arbeiten
PC	q	Querposition	Nahtmittellinie horizontal, waagrechtes Arbeiten
PE	ü	Überkopfposition	horizontales Arbeiten, Nahtmittellinie senkrecht, Decklage unten
PD	hü	Horizontal-Überkopfposition	horizontales Arbeiten, Überkopf, Decklage unten

Allgemeintoleranzen für Schweißkonstruktionen
vgl. DIN EN ISO 13 920 (1996-11), Ersatz für DIN 8570

	Zulässige Abweichungen								
	für Längenmaße Δl in mm Nennmaßbereich $l^{1)}$						für Winkelmaße $\Delta\alpha$ in ° und ' Nennmaßbereich $l^{1)}$		
Genauig-keitsgrad	bis 30	über 30 bis 120	über 120 bis 400	über 400 bis 1000	über 1000 bis 2000	über 2000 bis 4000	bis 400	über 400 bis 1000	über 1000
A	±1	±1	±1	±2	±3	± 4	±20'	±15'	±10'
B	±1	±2	±2	±3	±4	± 6	±45'	±30'	±20'
C	±1	±3	±4	±6	±8	±11	±1°	±45'	±30'

[1] Länge des längeren Schenkels

Schweißen

Nahtvorbereitung

vgl. DIN EN 29 692 (1994-04), Ersatz für DIN 8551 T1

Benennung, Symbol der Schweißnaht	Werkstückdicke t mm	A[1]	Fugenform	Nahtvorbereitung Maße Spalt b mm	Steg c mm	Winkel α in °	Empfohlene Schweißverfahren[2]	Bemerkungen
Bördelnaht ⋀	0 ... 2	e		–	–	–	3, 111, 141, 131, 135	Dünnblechschweißung, meist ohne Zusatzwerkstoff
I-Naht ‖	0 ... 4	e		$\approx t$	–	–	3, 111, 141	wenig Zusatzwerkstoff, keine Nahtvorbereitung
	0 ... 8	b		$\approx t/2$	–	–	111, 141	
				$\leq t/2$	–	–	131, 135	
V-Naht ⋁	3 ... 10	e		≤ 4	$c \leq 2$	40° ... 60°	3	–
	3 ... 40	b		≤ 3	$c \leq 2$	$\approx 60°$	111, 141	mit Gegenlage
						40° ... 60°	131, 135	
Y-Naht Y	5 ... 40	e		1 ... 4	2 ... 4	$\approx 60°$	111, 131, 135, 141	–
	>10	b		1 ... 3	2 ... 4	$\approx 60°$	111, 141	mit Wurzel- und Gegenlage
						40° ... 60°	131, 135	
D-V-Naht X	>10	b		1 ... 3	$c \leq 2$	$\approx 60°$	111, 141	symmetrische Fugenform, $h = t/2$
						40° ... 60°	131, 135	
HV-Naht ⋁	3 ... 10	e		2 ... 4	1 ... 2	35° ... 60°	111, 131, 135, 141	–
	3 ... 30	b		1 ... 4	$c \leq 2$	35° ... 60°	111, 131, 135, 141	mit Gegenlage
D-HV-Naht K	>10	b		1 ... 4	$c \leq 2$	35° ... 60°	111, 131, 135, 141	symmetrische Fugenform, $h = t/2$
Kehlnaht ◺	> 2	e		≤ 2	–	70° ... 100°	3, 111, 131, 135, 141	T-Stoß
	> 3	b		≤ 2	–	70° ... 110°	3, 111, 131, 135, 141	Doppelkehlnaht, Eckstoß

[1] A Ausführung: e einseitig geschweißt, b beidseitig geschweißt
[2] Schweißverfahren Seite 299

Druckgasflaschen, Gasverbrauch

Druckgasflaschen

vgl. DIN EN 1089 (1997-07)

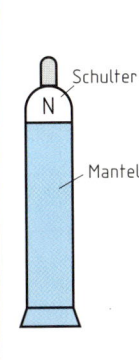

Schulter

Mantel

Gasart	Farbkennzeichnung nach DIN EN 1089-3			Anschluss-gewinde	Volumen V l	Fülldruck p_F bar	Füll-menge
	Mantel	Schulter	bisher				
Sauerstoff	blau	weiß	blau	R3/4	40 50	150 200	6 m³ 10 m³
Acetylen	kastanien-braun	kastanien-braun	gelb	Spannbügel	40 50	19 19	8 kg 10 kg
Wasserstoff	rot	rot	rot	W21,80x1/14	10 50	200 200	2 m³ 10 m³
Argon	grau	dunkel-grün	grau	W21,80x1/14	10 50	200 200	2 m³ 10 m³
Helium	grau	braun	grau	W21,80x1/14	10 50	200 200	2 m³ 10 m³
Argon/Kohlen-dioxid-Gemisch	grau	leuchtend-grün	grau	W21,80x1/14	20 50	200 200	4 m³ 10 m³
Kohlendioxid	grau	grau	grau	W21,80x1/14	10 50	58 58	7,5 kg 20 kg
Stickstoff	grau	schwarz	dunkel-grün	W24,32x1/14	40 50	150 200	6 m³ 10 m³

Gasverbrauch

V Volumen der Gasflasche
ΔV Gasverbrauch
Δm Verbrauchte Gasmasse
K Umrechnungszahl
p_1 Flaschendruck vor dem Schweißen
p_2 Flaschendruck nach dem Schweißen

t_1 Flaschentemperatur vor dem Schweißen
t_2 Flaschentemperatur nach dem Schweißen
m_1 Gasmasse vor dem Schweißen
m_2 Gasmasse nach dem Schweißen

Maximale Acetylenentnahme bei Stahlflaschen mit $V = 40$ l und $V = 50$ l	
Schweiß-betrieb	Gasentnahme in Liter/h bei 15 °C und 1 bar
kurzzeitig	1000
Einschicht-betrieb	500
Dauerbetrieb	350

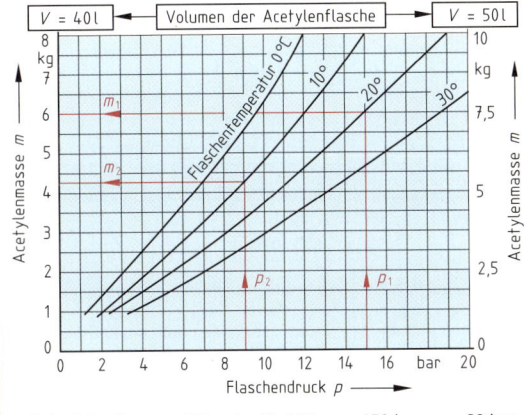

Gasverbrauch (ohne Acetylen) bei konstanter Temperatur

$$\Delta V = \frac{V \cdot (p_1 - p_2)}{p_{amb}}$$

Acetylenverbrauch bei 15 °C und 1 bar

$$\Delta V = K \cdot \Delta m$$

Verbrauchte Gasmasse

$$\Delta m = m_1 - m_2$$

Umrechnungszahl

$$K = 910 \frac{l}{kg}$$

Über die Umrechnungszahl wird die Gasmasse (kg) in den Acetylenverbrauch (l) umgerechnet.

1. Beispiel: Sauerstoffflasche $V = 50$ l, $p_1 = 150$ bar, $p_2 = 80$ bar, $p_{amb} = 1$ bar; $\Delta V = ?$

Lösung: $\Delta V = \dfrac{V(p_1 - p_2)}{p_{amb}} = \dfrac{50\,l\,(150 - 80)\,\text{bar}}{1\,\text{bar}} = \mathbf{3500\ l}$

2. Beispiel: Acetylenflasche $V = 40$ l, $p_1 = 15$ bar, $p_2 = 9$ bar, $t_1 = 20\,°C$, $t_2 = 10\,°C$; $m_1 = ?$; $m_2 = ?$; $\Delta m = ?$; $\Delta V = ?$

Lösung: Aus Schaubild: $m_1 = \mathbf{6\ kg}$, $m_2 = \mathbf{4,3\ kg}$

$\Delta m = m_1 - m_2 = 6\,kg - 4,3\,kg = \mathbf{1,7\ kg}$

$\Delta V = K \cdot \Delta m = 910 \dfrac{l}{kg} \cdot 1,7\,kg = \mathbf{1547\ l}$

F

Gasschweißen

Gasschweißstäbe für das Verbindungsschweißen von Stählen   vgl. DIN 8554-1 (1986-05)

Einteilung und Eignung

Grundwerkstoffe			Schweißstabklasse					
Stahlart	Norm	Stahlsorte	G I	G II	G III	G IV	G V	G VI
Unlegierte Baustähle	EN 10 025	S235JR, S235JRG 1, S275JR S235JO, S275JO, S355JO		●	● ●	● ●		
Stahlrohre	DIN 1626 DIN 1629	St 37-0, St 44-0, St 52-0	●	●	●	●		
Rohre	DIN 17 175	St 35.8 St 45.8			●	● ●		
Blech, Band	EN 10 028	H I, H II			●	●		
Blech, Band, Rohre	EN 10 028 DIN 17 175	16Mo3 13CrMo4-5 10CrMo9-10, 11CrMo9-10				●	●[1]	●[1]

[1] bei Mehrlagenschweißung   ● gut geeignet

Kennzeichnung und Schweißverhalten

Schweißstabklasse	G I	G II	G III	G IV	G V	G VI
Einprägung	I	II	III	IV	V	VI
Farbkennzeichnung	–	grau	gold	rot	gelb	grün
Fließverhalten	dünn-fließend	weniger dünnfließend	zähfließend			
Spritzer	viel	wenig	keine			
Porenneigung	ja	ja	gering	nein		
Abmessungen	Nenndurchmesser: 1,6; 2; 2,5; 3; 4; 5 mm			Länge: 1000 m		

➡ **Schweißstab DIN 8554 – G III – 2:** Schweißstabklasse G III, Durchmesser 2 mm

Richtwerte für das Gasschmelzschweißen

Werkstoff: unlegierter Baustahl   Betriebsüberdruck: Sauerstoff: 2,5 bar
Schweißposition: PA (w)   Acetylen: 0,03...0,8 bar

Nahtform	Nahtdicke a mm	Spalt s mm	R[1]	Brennergröße	Stab-∅ mm	Sauerstoff l/h	Acetylen l/h	Abschmelzleistung kg/h	Schweißzeit min/m
	0,8	0	NL	0,5... 1	1,5	90	80	0,17	8,5
	1	0	NL	0,5... 1	2	100	90	0,19	7,6
	1,5	1,5	NL	1 ... 2	2	150	135	0,25	10
	2	2	NL	1 ... 2	2	165	150	0,25	11,5
	3	2,5	NL	2 ... 4	2,5	260	235	0,36	12,3
	4	2...4	NR	2 ... 4	3	320	300	0,33	15
	6	2...4	NR	4 ... 6	4	520	490	0,68	22
	8	2...4	NR	6 ... 9	5	840	800	0,95	28
	10	2...4	NR	9 ...14	6	1300	1250	1,2	35

[1] R Schweißrichtung: NL Nachlinksschweißen; NR Nachrechtsschweißen

Schutzgasschweißen

Schutzgase zum Lichtbogenschweißen u. Schneiden
vgl. DIN EN 439 (1994-10), Ersatz für DIN 32 526

Kurzbezeichnung		Zusammensetzung in Volumen-%					Gasgruppe, Wirkung	Anwendung
Gruppe	Kenn-zahl	CO_2	O_2	Ar	He	H_2		
R	1			Rest[1]		> 0...15	Mischgase, reduzierend	WIG, Plasma-schweißen
	2			Rest[1]		> 15...35		
I	1			100			inerte Gase, inerte Misch-gase	MIG, WIG, Plasmaschweißen, Wurzelschutz
	2				100			
	3			Rest	> 0...95			
M1	1	> 0... 5		Rest[1]	> 0... 5		Mischgase, schwach oxidierend	
	2	> 0... 5		Rest[1]				
	3		> 0... 3	Rest[1]				
M2	1	> 5...25		Rest[1]				
	2		> 3...10	Rest[1]				MAG
	3	> 0... 5	> 3...10	Rest[1]				
M3	1	> 25...50		Rest[1]				
	2		> 10...15	Rest[1]				
	3	> 5...50	> 8...15	Rest[1]				
C	1	100					stark oxidierend	
	2	Rest	> 0...30					

[1] Argon kann bis zu 95 % durch Helium ersetzt werden.

➡ **Schutzgas EN 439 – I3:** Mischgas mit 30 % Helium, Rest Argon

Drahtelektroden und Schweißgut zum Metall-Schutzgasschweißen von unlegierten Stählen und Feinkornbaustählen
vgl. DIN EN 440 (1994-11) Ersatz für DIN 8559 T1

Bezeichnungsbeispiel (Schweißgut):

$$\boxed{EN\ 440} - \boxed{G}\ \boxed{46}\ \boxed{3}\ \boxed{M}\ \boxed{G3Si1}$$

Norm-Nummer

Kurzzeichen für Metall-Schutzgasschweißen

Kennziffer für die mechanischen Eigenschaften des Schweißgutes

Kenn-ziffer	Mindest-streck-grenze N/mm^2	Zug-festig-keit N/mm^2	Mindest-bruch-dehnung A_5 in %
35	355	440...570	22
38	380	470...600	20
42	420	500...640	20
46	460	530...680	20
50	500	560...720	18

Kennzeichen für die Kerbschlag-arbeit des Schweißgutes

Kennbuchstabe/ Kennziffer	Mindestkerbschlag-arbeit 47 J bei °C
Z	keine Anforderungen
A	+ 20
0	0
2	− 20
3	− 30
4	− 40
5	− 50
6	− 60

Kennzeichen für Schutzgase

Kenn-zeichen	Verwendetes Gas nach DIN EN 439
M	Mischgas, M2, jedoch ohne Helium
C	Reines Kohlendioxid C1

Chemische Zusammensetzung der Drahtelektroden

Kurz-zeichen	Hauptlegierungselemente	Kurz-zeichen	Hauptlegierungselemente
G0	Jede vereinbarte Zusammensetzung	G3Ni1	0,5...0,9% Si, 1,0...1,6% Mn, 0,08...1,5% Ni
G2Si1	0,5...0,8% Si, 0,9...1,3% Mn	G2Ni2	0,4...0,8% Si, 0,8...1,4% Mn, 2,1...2,7% Ni
G3Si1	0,7...1,0% Si, 1,3...1,6% Mn	G2Mo	0,3...0,7% Si, 0,9...1,3% Mn, 0,4...0,6% Mo
G3Si2	1,0...1,3% Si, 1,3...1,6% Mn	G4Mo	0,5...0,8% Si, 1,7...2,1% Mn, 0,4...0,6% Mo
G2Ti	0,4...0,8% Si, 0,9...1,4% Mn, 0,05...0,25% Ti	G2Al	0,3...0,5% Si, 0,9...1,3% Mn, 0,35...0,75% Al

➡ **EN 440 – G3Si1:** Drahtelektrode mit 0,8% Si und 1,5% Mn:

F

Schutzgasschweißen

Nahtform	Nahtdicke a mm	Drahtdurchmesser mm	Anzahl der Lagen	Spannung V	Strom A	Draht[1] vorschubgeschw. m/min	Schutzgas l/min	Schweißzusatz g/m	Hauptnutzungszeit min/m
Nahtplanung				**Einstellwerte**				**Leistungswerte**	

Richtwerte für das MAG-Schweißen

Werkstoff: unlegierter Baustahl
Schweißposition: PB (h)

Schweißzusatz: Drahtelektrode DIN 8559 – SG2
Schutzgas DIN 32 526 – M21

Nahtform	a mm	Draht mm	Lagen	V	A	m/min	l/min	g/m	min/m
	2	0,8	1	20	105	7		45	1,5
	3	1,0	1	22	215	11	10	90	1,4
	4	1,0	1	23	220	11		140	2,1
	5	1,0	1	30	300	10	15	215	2,6
	6	1,0	1					300	3,5
	7	1,2	3					390	4,6
	8	1,2	3	30	300	10	15	545	6,4
	10	1,2	4					805	9,5

Richtwerte für das MIG-Schweißen

Werkstoffe: Aluminium, Aluminiumlegierungen
Schweißposition: PA (w)

Schweißzusatz DIN 1732 – SG – AlMg5
Schutzgas DIN 32 526 – I1

Nahtform	a mm	Draht mm	Lagen	V	A	m/min	l/min	g/m	min/m
	4	1,2	1	23	180	3	12	30	2,9
	5	1,6	1	25	200	4	18	77	3,3
	6	1,6	1	26	230	7	18	147	3,9
	5	1,6	1	22	160	6	18	126	4,2
	6	1,6	2	22	170	6	18	147	4,6
	8	1,6	2	26	220	7	18	183	5,0
	10	1,6	1	26	220	6	20	190	5,4
		1,6	2	24	200	6	20		
		1,6	1 G[2]	26	230	7	20		
	12	2,4	1	27	260	4	25	345	7,6
		2,4	2	27	280	4	25		

Richtwerte für das WIG-Schweißen

Werkstoffe: Aluminiumlegierungen, nicht aushärtbar
Schweißposition: PA (w)

Schweißzusatz DIN 1732 – SG – AlMg5
Schutzgas DIN 32 526 – I1

Nahtform	a mm	Draht mm	Lagen	V	A	m/min	l/min	g/m	min/m
	1	3	1	–	75	0,3	5	19	3,8
	1,5	3	1	–	90	0,2	5	22	4,3
	2	3	1	–	110	0,2	6	28	4,8
	3	3	1	–	125	0,2	6	28	5,9
	4	3	1	–	160	0,2	8	38	6,7
	5	3	1	–	185	0,1	10	47	7,1
	6	3	1	–	210	0,1	10	47	12
	5	4	1. Lage	–	165	0,1	12	105	13
			2. Lage	–		0,2			
	6	4	1. Lage	–	165	0,1	12	190	16
			2. Lage	–		0,2			

[1] Beim MIG-Schweißen: Schweißgeschwindigkeit   [2] G Gegenlage

F

Thermisches Trennen

305

Richtwerte für das Brennschneiden

Werkstoff: unlegierter Baustahl; Brenngas: Acetylen

Blech-dicke s mm	Schneid-düse mm	Schnitt-fugen-breite mm	Sauerstoffdruck Schneiden bar	Sauerstoffdruck Heizen bar	Acetylen-druck bar	Gesamt-sauerstoff-verbrauch m³/h	Acetylen-verbrauch m³/h	Schneidgeschwindigkeit Qualitäts-schnitt m/min	Schneidgeschwindigkeit Trenn-schnitt m/min
5			2,0			1,67	0,27	0,69	0,84
8	3...10	1,5	2,5	2,0	0,2	1,92	0,32	0,64	0,78
10			3,0			2,14	0,34	0,60	0,74
10			2,5			2,46	0,36	0,62	0,75
15	10...25	1,8	3,0	2,5	0,2	2,67	0,37	0,52	0,69
20			3,5			2,98	0,38	0,45	0,64
25			4,0			3,20	0,40	0,41	0,60
30	25...40	2,0	4,3	2,5	0,2	3,42	0,42	0,38	0,57
35			4,5			3,54	0,44	0,36	0,55

Richtwerte für das Plasmaschneiden

Blech-dicke s mm	Werkstoff: hochlegierte Baustähle / Argon-Wasserstoff — Stromstärke Qualitäts-schnitt A	Trenn-schnitt A	Schneidge-schwindigkeit Qualitäts-schnitt m/min	Trenn-schnitt m/min	Argon m³/h	Wasser-stoff m³/h	Stick-stoff m³/h	Werkstoff: Aluminium / Argon-Wasserstoff — Stromstärke Qualitäts-schnitt A	Trenn-schnitt A	Schneidge-schwindigkeit Qualitäts-schnitt m/min	Trenn-schnitt m/min	Argon m³/h	Wasser-stoff m³/h
4			1,4	2,4	0,6	–	1,2			3,6	6,0		
5	70	120	1,1	2,0	0,6	–	1,2	70	120	1,9	5,0	1,2	0,5
10			0,65	0,95	1,2	0,24	–			1,1	1,6		
15			0,35	0,6	1,2	0,24	–			0,6	1,3		
20	70	120	0,25	0,45	1,2	0,24	–	70	120	0,35	0,75	1,2	0,5
25			0,35	0,35	1,5	0,48	–			0,2	0,5		

Die Werte gelten für eine Lichtbogenleistung von ca. 12 kW und 1,2 mm Schneiddüsen-Durchmesser.

Richtwerte für das Laserstrahlschneiden

W[1]	Blech-dicke s mm	Laserleistung 1 kW — Schneid-geschw. v m/min	Schneid-gas	Schneid-gasdruck p bar	Laserleistung 1,5 kW — Schneid-geschw. v m/min	Schneid-gas	Schneid-gasdruck p bar	Laserleistung 2 kW — Schneid-geschw. v m/min	Schneid-gas	Schneid-gasdruck p bar
Stahl unlegiert	1	5,0...8,0			7,0...10			7,0...10		
	1,5	4,0...7,0			5,5...7,5			5,6...7,4		
	2	4,0...6,0			4,8...6,2			4,8...6,1		
	2,5	3,5...5,0	O₂	1,5...3,5	4,2...5,0	O₂	1,5...3,5	4,2...5,0	O₂	1,5...3,5
	3	3,5...4,0			3,5...4,2			3,6...2,8		
	4	2,5...3,0			2,8...3,3			2,8...3,4		
	5	1,8...2,3			2,3...2,7			2,5...3,0		
	6	1,3...1,6			1,9...2,2			2,1...2,5		
Stahl rostfrei	1	4,0...5,5		8	5,0...7,0		6	4,5...9,0		12
	1,5	2,8...3,6		10	3,5...5,2		10	3,8...6,6		13
	2	2,2...2,8			2,0...4,0		10	3,4...5,3		
	2,5	1,6...2,0	N₂	14	1,9...3,2	N₂	14	2,7...3,8	N₂	14
	3	1,3...1,4		15	1,8...2,4		14	2,2...2,7		14
	4	–		–	1,0...1,1		15	1,4...1,8		16

[1] W Werkstoffgruppe
Die Tabellenwerte gelten für eine Linsenbrennweite f = 127 mm (5") und eine Schnittspaltbreite b = 0,15 mm.

F

Güte, Maßtoleranzen

Güte der Schnittfläche		
Toleranz-klasse		
DIN 2310 – II K		

l	Nennlänge
s	Werkstückdicke
u	Rechtwinkligkeitstoleranz
I, II	Güte der Schnittfläche
A, B...	Toleranzklasse
R_z	gemittelte Rautiefe
Δl	Grenzabmaße

Güte der Schnitt-fläche	Rechtwinklig-keitstoleranz u in mm	gemittelte Rautiefe R_z in μm	Tole-ranz-klasse	Werkstück-dicke s in mm	Grenzabmaße Δl für Nennlängen l in mm			
					von bis	von bis	von bis	von bis
Autogenes Brennschneiden							vgl. DIN 2310-T1 (1987-11)	
					35 bis < 315	315 bis < 1000	1000 bis < 2000	2000 bis < 4000
I	$u < (0,4 + 0,01 \cdot s)$	$R_z < (70 + 1,2 \cdot s)$	A B	3 ... 12	1,0 2,0	1,5 3,5	2,0 4,5	3,0 5,0
II	$u < (1 + 0,015 \cdot s)$	$R_z < (110 + 1,8 \cdot s)$	A B	> 12 ... 50	0,5 1,5	1,0 2,5	1,5 3,0	2,0 3,5
			A B	> 50 ... 100	1,0 2,5	2,0 3,5	2,5 4,0	3,0 4,5
Laserstrahlschneiden							vgl. DIN 2310-T5 (1990-12)	
					> 10 bis 30	> 30 bis 120	> 120 bis 315	> 315 bis 1000
I	$u < (0,1 + 0,015 \cdot s)$	$R_z < (10 + 2 \cdot s)$	K L	> 1 ... 3	0,12 0,4	0,15 0,5	0,2 0,6	0,25 0,7
II	$u < (0,25 + 0,025 \cdot s)$	$R_z < (60 + 4 \cdot s)$	K L	> 3 ... 6	0,25 0,6	0,3 0,8	0,35 1,0	0,45 1,2
			K L	> 6 ... 10	0,4 0,8	0,5 1,0	0,6 1,2	0,7 1,6

Beispiel: Laserstrahlschneiden, Güte I, Toleranzklasse K, a = 6 mm, l = 250 mm; gesucht: u, R_z, Δl
$u < (0,1 + 0,015 \cdot s) < (0,1 + 0,015 \cdot 6) <$ **0,19 mm**, $R_z < (10 + 2 \cdot s) < (10 + 2 \cdot 6) <$ **22 μm**, Δl = **0,2 mm**

Schweißzusatzwerkstoffe für Aluminium   vgl. DIN 1732 (1988-06)

Kurzzeichen[1]	Werk-stoff-nummer	Schmelz-bereich °C	Verwendung für folgende Grundwerkstoffe (Auswahl)																						
			EN AW-Al99,7	EN AW-EAl99,5	EN AW-Al99,5	EN AW-Al99,0	EN AW-AlMn1	EN AW-AlMn1Cu	EN AW-AlMg1(C)	EN AW-AlMg3	EN AW-AlMg5	EN AW-AlMg4	EN AW-AlSi1MgMn	EN AW-AlMg1SiCu	EN AW-AlZn4,5Mg1	G-AlSi11	G-AlSi9Mg	G-AlSi7Mg	G-AlSi5Mg	G-AlSi8Cu3	G-AlMg5	G-AlMg5Si	G-AlMg3	G-AlMg3Si
SG-Al99,8 (EL-Al99,8)	3.0286	658	●	●	○																			
SG-Al99,5 (EL-Al99,5)	3.0259	647...658		○	●	●																		
SG-Al99,5Ti (EL-Al99,5Ti)	3.0805	647...658	○		●	●																		
SG-AlMn1 (EL-AlMn1)	3.0516	648...657					●	●	○															
SG-AlMg3	3.3536	610...642							●	●													●	●
SG-AlMg5	3.3556	575...633								●	●	●	●	●	●						●	●	●	●
SG-AlMg4,5Mn	3.3548	574...638								○	●	●	●	●	●						●	●		
SG-AlSi5 (EL-AlSi5)	3.2245	573...625											●	●				○	○					
SG-AlSi12 (EL-AlSi12)	3.2585	570...610														●	●	●	●	○				○

[1] Schweißzusätze mit der Bezeichnung SG werden mit metallisch blanker Oberfläche geliefert. Umhüllte Stab-elektroden erhalten die Kennzeichnung EL (Kurzzeichen in Klammern).
● gut geeignet   ○ möglich

Umhüllte Stabelektroden
für unlegierte Stähle und Feinkornbaustähle
vgl. DIN EN 499 (1995-01), Ersatz für DIN 1913 T1

Bezeichnungsbeispiel:

| Norm-Nummer | EN 499 - E 46 3 1Ni B 5 4 H5 |
| Kurzzeichen für umhüllte Stabelektrode | |

Kennziffer für die mechanischen Eigenschaften des Schweißgutes

Kenn-ziffer	Mindest-streck-grenze N/mm²	Zug-festig-keit N/mm²	Mindest-bruch-dehnung A_5 in %
35	355	440...570	22
38	380	470...600	20
42	420	500...640	20
46	460	530...680	20
50	500	560...720	18

Kennziffer für die Kerbschlagarbeit des Schweißgutes

Kennbuchstabe/ Kennziffer	Mindestkerbschlagarbeit 47 J bei °C
Z	keine Anforderungen
A	+ 20
0	0
2	− 20
3	− 30
4	− 40
5	− 50
6	− 60

Hinweis: Ist eine Elektrode für eine bestimmte Temperatur geeignet, ist sie auch für jede höhere Temperatur verwendbar.

Kurzzeichen für die chemische Zusammensetzung des Schweißgutes

Legierungs-kurzzeichen	Chemische Zusammensetzung in %		
	Mn	Mo	Ni
Kein Kurzz.	2,0	–	–
Mo	1,4	0,3...0,6	–
MnMo	>1,4...2,0	0,3...0,6	–
1Ni	1,4	–	0,6...1,2
2Ni	1,4	–	1,8...2,6
3Ni	1,4	–	>2,6...3,8
Mn1Ni	>1,4...2,0	–	0,6...1,2
1NiMo	1,4	–	0,6...1,2
Z	Vereinbarte Zusammensetzung		

Kennzeichen für den Wasserstoffgehalt

Kennzeichen	Wasserstoffgehalt in ml/100 g Schweißgut
H 5	5
H 10	10
H 15	15

Kennziffer für die Schweißposition

Kenn-ziffer	Schweißposition
1	Alle Positionen
2	Alle Positionen, außer Fallnaht
3	Stumpfnaht in Wannenposition, Kehlnaht in Wannen- u. Horizontalposition
4	Stumpf- u. Kehlnaht in Wannenposition
5	Für Fallnaht und wie Ziffer 3

Kennziffer für Ausbringung und Stromart

Kenn-ziffer	Ausbringung %	Stromart
1	> 105	Wechsel- u. Gleichstrom
2	> 105	Gleichstrom
3	> 105 ≤ 125	Wechsel- u. Gleichstrom
4	> 105 ≤ 125	Gleichstrom
5	> 125 ≤ 160	Wechsel- u. Gleichstrom
6	> 125 ≤ 160	Gleichstrom
7	> 160	Wechsel- u. Gleichstrom
8	> 160	Gleichstrom

Kurzzeichen für den Umhüllungstyp

Kurz-zeichen	Art der Umhüllung
A	sauerumhüllt
C	zelluloseumhüllt
R	rutilumhüllt
RR	dick-rutilumhüllt
RC	rutilzellulose-umhüllt
RA	rutilsauer-umhüllt
RB	rutilbasisch-umhüllt
B	basisch-umhüllt

⇒ **EN 499 – E 42 A RR 12**: Schweißguteigenschaften: Mindeststreckgrenze = 420 N/mm², Kerbschlagarbeit bei 20 °C = 47 J; Umhüllungstyp: dick-rutil; Ausbringung >105%; für alle Schweißpositionen, außer für Fallnähte.

Abmessungen umhüllter Stabelektroden
vgl. DIN EN 2054 (1991-12)

Durchmesser d in mm	Länge l in mm				Durchmesser d in mm	Länge l in mm				Durchmesser d in mm	Länge l in mm		
2,0	225	250	300	350	3,2	300	350	400	450	5,0	350	400	450
2,5	–	250	300	350	4,0	–	350	4500	450	6,0	350	400	450

F

Lichtbogenschweißen

Umhüllungstypen der Stabelektroden

Kurz-zeichen	Schweißtechnische Eigenschaften, Anwendungsbereiche	Kurz-zeichen	Schweißtechnische Eigenschaften, Anwendungsbereiche
A	feiner Tropfenübergang, flache, glatte Schweiß-nähte, begrenzter Einsatz in Zwangslagen	RR	vielseitig anwendbar, feinschuppige Nähte, gutes Wiederzünden
C	optimale Eignung zur Fallnahtschweißung	RA	hohe Abschmelzleistung, glatte Nähte
R	Dünnblechschweißung, alle Schweißpositionen außer Fallnaht	RB	gute Kerbschlagzähigkeit, rissicher, alle Schweißpositionen außer Fallnaht
RC	auch für Fallpositionen geeignet, mitteltropfig	B	beste Kerbschlagzähigkeit, rissicher

Neue und alte Bezeichnungen bei Stabelektroden (Beispiele)

nach DIN EN 499	bisher DIN 1913 T1	nach DIN EN 499	bisher DIN 1913 T1	nach DIN EN 499	bisher DIN 1913 T1
E 35 Z A 12	E 43 00 A 2	E 42 2 RB 12	E 51 43 RR(B) 7	E 38 5 B 73 H10	E 51 55 B(R) 12 160
E 38 0 RC 11	E 43 22 R(C) 3	E 38 2 RA 12	E 43 33 AR 7	E 42 6 B 42 H10	E 51 55 B 10
E 42 0 RC 11	E 51 32 R(C) 3	E 38 2 RA 73	E 51 43 AR 11 160	E 38 6 B 42 H10	E 53 55 B 10
E 38 A R 12	E 43 21 R 3	E 38 2 RA 73	E 43 43 AR 11 160	E 42 3 B 42 H10	E 51 54 B 10
E 46 0 RR 12	E 51 32 RR 5	E 38 0 RR 53	E 51 22 RR 11 160	E 46 3 B 83 H10	E 51 43 B 12 160
E 42 0 RC 11	E 51 22 RR(C) 6	E 42 0 RR 73	E 51 32 RR 11 160	E 42 4 B 32 H10	E Y42 53 Mn B
E 42 0 RR 12	E 51 22 RR 6	E 38 0 RR 73	E 51 32 RR 11 160	E 50 6 B 34 H10	E Y46 54 Mn B
E 42 A RR 12	E 51 21 RR 6	E 42 2 B 15 H10	E 51 43 B 9	E 42 6 B 42 H 5	E SY42 76 Mn B H5
E 42 0 RR 12	E 51 32 RR 6	E 38 2 B 12 H10	E 51 43 B(R) 10	E 42 6 B 32 H 5	E SY 42 76 Mn B
E 38 2 RB 12	E 43 43 RR(B) 7	E 42 4 B 32 H10	E 51 54 B(R) 10	E 46 6 1 Ni B 42 H5	E SY42 76 1 Ni B H5

Nahtplanung für V-Nähte

Naht-dicke a mm	Spalt s mm	Anzahl und Art der Lagen[1]	Elektroden-abmessungen $d \times l$ mm	spez. Elek-trodenbedarf z_s Stück/m	je Lagenart m_s g/m	gesamt m g/m
4	1	1 W / 1 D	3,2 × 450 / 4 × 450	3 / 2	75 / 80	155
5	1,5	1 W / 1 D	3,2 × 450 / 4 × 450	4 / 2,9	100 / 110	210
6	2	1 W / 2 D	3,2 × 450 / 4 × 450	4 / 4,7	100 / 185	285
8	2	1 W / 1 F / 1 D	3,2 × 450 / 4 × 450 / 5 × 450	4 / 3,7 / 3,5	100 / 145 / 215	460
10	2	1 W / 1 F / 1 D	3,2 × 450 / 4 × 450 / 5 × 450	4 / 4 / 6,2	100 / 195 / 380	675

Nahtplanung für Kehlnähte

3	–	1	3,2 × 450	3,2	80	80
4	–	1	4 × 450	3,6	140	140
5	–	3	3,2 × 450	8,6	215	215
6	–	3	4 × 450	8	310	310
8	–	1 W / 2 D	4 × 450 / 5 × 450	3 / 7	120 / 430	550
10	–	1 W / 4 D	4 × 450 / 5 × 450	3 / 12,3	120 / 745	865
12	–	1 W / 4 D	4 × 450 / 5 × 450	3 / 18,5	120 / 1125	1245

[1] W Wurzellage; F Fülllage; D Decklage

Elektrodenbedarf

Für die Wurzel-, Füll- und Decklagen werden in der Regel verschiedene Elektrodendurchmesser verwendet. Der Elektrodenbedarf ist deshalb für jede Nahtart gesondert zu ermitteln.

Elektrodenbedarf

$$Z = K_E \cdot K_L \cdot K_W \cdot z_s \cdot L$$

Z Elektrodenbedarf

z_s spezifischer Elektrodenbedarf

L Nahtlänge

l Nennlänge der Elektroden

α Öffnungswinkel

K_E Faktor für den Elektrodentyp

K_L Faktor für die Elektrodenlänge

K_W Faktor für den Öffnungswinkel

Beispiel: Kehlnaht; a = 10 mm; L = 2,4 m; α 90°; Ausbringung 100 %; l = 450 mm

Gesucht: Nahtplanung; Elektrodenbedarf

Lösung: Nahtplanung (Seite 308): 1 Wurzellage mit Elektrodendurchmesser 4 mm, 4 Decklagen mit Elektrodendurchmesser 5 mm

Elektrodenbedarf: $Z = K_E \cdot K_L \cdot K_W \cdot z_s \cdot L$; K_E = 1; K_L = 1; K_W = 1

Spezifischer Elektrodenbedarf (Seite 308):

z_s = 3 Stück/m für Elektrodenabmessungen 4 x 450 mm

z_s = 12,3 Stück/m für Elektrodenabmessungen 5 x 450 mm

Wurzellage: $Z = 1 \cdot 1 \cdot 1 \cdot 3 \dfrac{\text{Stück}}{\text{m}} \cdot 2,4 \text{ m} = 7,2 \approx \textbf{8 Stück}$

Decklagen: $Z = 1 \cdot 1 \cdot 1 \cdot 12,3 \dfrac{\text{Stück}}{\text{m}} \cdot 2,4 \text{ m} = 29,5 \approx \textbf{30 Stück}$

Faktor für den Elektrodentyp

Faktor	Ausbringung in %			
	100	120	140	160
K_E	1	0,8	0,7	0,65

Faktor für die Elektrodenlänge

Faktor	Nennlänge l in mm			
	300	350	400	450
K_L	1,6	1,3	1,1	1

Faktor für den Öffnungswinkel

Faktor	Öffnungswinkel α				
	V-Nähte			Kehlnähte	
	50°	60°	70°	60°	90°
K_W	0,9	1	1,2	0,6	1

Hauptnutzungszeit

Für die Wurzel-, Füll- und Decklagen werden in der Regel verschiedene Elektrodendurchmesser verwendet. Die Hauptnutzungszeit ist deshalb für jede Lagenart gesondert zu ermitteln.

Hauptnutzungszeit

$$t_h = K_W \cdot K_P \cdot \frac{m_s}{p} \cdot L$$

t_h Hauptnutzungszeit

m_s Nahtmasse je Lagenart

p Abschmelzleistung

L Nahtlänge

α Öffnungswinkel

K_W Faktor für den Öffnungswinkel

K_P Faktor für die Schweißposition

Beispiel: Kehlnaht; a = 6 mm; L = 2,4 m; α = 90; Schweißposition h (PB); Elektrodentyp E42 0 RR12

Gesucht: Hauptnutzungszeit t_h

Lösung: $t_h = K_W \cdot K_P \cdot \dfrac{m_s}{p} \cdot L$

m_s = 310 g/m, Elektrodendurchmesser d = 4 mm (Seite 307); Abschmelzleistung p = 29 g/min (Tabelle unten)

$t_h = 1 \cdot 1 \cdot \dfrac{310 \,\frac{\text{g}}{\text{m}}}{29 \,\frac{\text{g}}{\text{min}}} \cdot 2,4 \text{ m} = \textbf{25,7 min}$

Faktor für die Schweißposition

Faktor	V-Nähte Schweißposition				
	w PA	f PG	ü PE	s PF	q PC
K_p	1	1,1	1,9	1,5	1,2

Faktor	Kehlnähte Schweißposition				
	w PA	f PG	ü PE	s PF	h PB
K_p	1	1,2	1,7	1,4	1

F

Abschmelzleistung p von Stabelektroden in g/min (Richtwerte)

Elektroden-durchmesser in mm	Elektrodentyp							
	E420 RC11	E420 RR12	E38 2RA12	E38 2RB12	E42 0 RR6	E42 6 B42H10	E42 4 B32H10	E38 0 RR73
3,2	20	21	27	19	22	23	23	32
4,0	25	29	39	26	29	32	32	46
5,0	32	38	44	36	38	43	43	72

Lichtbogenschweißen

Schadstoffe beim Schweißen und Schneiden

Beim Schweißen und Schneiden entstehen Rauche, Gase und Dämpfe, die gesundheitsgefährdend sein können. Als Schwellenwert für die Konzentration gesundheitsgefährdender Stoffe in der Atemluft sind festgelegt:

- die MAK-Werte (**M**aximale **A**rbeitsplatz**k**onzentration, Seite 184),
- die TRK-Werte (**T**echnische **R**icht**k**onzentration).

Schadstoffkomponenten beim Schweißen von Stahl

Einflussgröße	Gliederung	Schadstoffkomponenten, Wirkung	Schwellenwert
Grundwerkstoff, Schweißzusatz	unlegiert	Schweiß-Rauchgase, lungenbelastend	MAK: 6 mg/m^3 [1]
	hoch-legiert[2]	Neben den üblichen Schweiß-Rauchgasen entstehen: – Chromate, evtl. krebserzeugend – Nickelverbindungen, evtl. krebserzeugend – Mangan, Manganverbindungen, giftig – Fluoride, giftig	TRK: 0,2 mg/m^3 TRK: 0,5 mg/m^3 MAK: 5 mg/m^3 MAK: 2,5 mg/m^3
	Elektroden-umhüllung	rutil – sauer – basisch – zellulose → zunehmende Rauchgasentwicklung Bei basisch umhüllten Elektroden entstehen zusätzlich: – Fluoride, giftig	 MAK: 2,5 mg/m^3
Schweißverfahren	MIG, MAG	Neben den üblichen Schweiß-Rauchgasen entsteht: – Eisenoxid in großer Menge, lungenbelastend Aus den Reaktionen mit dem Schutzgas bilden sich: – Kohlenmonoxid, giftig – Ozon, giftig	MAK: 6 mg/m^3 MAK: 30 ml/m^3 MAK: 0,1 ml/m^3
Beschichtung des Grundwerkstoffes		Anstriche, Metallüberzüge, Beschichtungen und Verunreinigungen verbrennen im Lichtbogen. Dabei können gesundheitsgefährdende Verbindungen entstehen.	

[1] MAK: 6 mg/m^3 → in 1 m^3 Atemluft darf die Schadstoffkonzentration den Grenzwert von 6 mg nicht überschreiten.

[2] Legierte Stähle im Sinne der Unfallverhütungsvorschrift sind Stähle, die mindestens 5 % Chrom oder 5 % Nickel enthalten.

Lüftung von Räumen

Durch natürliche oder technische Lüftung ist sicherzustellen, dass die festgelegten MAK-Werte nicht erreicht werden.

Verfahren mit Zusatzwerkstoff		Zusatzwerkstoff						Verfahren ohne Zusatzwerkstoff		Grundwerkstoff					
		Stahl, unlegiert, Al-Werkstoffe		Stahl, legiert, NE-Metalle (außer Al)		Stahl, be-schichtet				Stahl, unlegiert, Al-Werkstoffe		Stahl, legiert, NE-Metalle		Stahl be-schichtet	
Verfahren	S[1]	k[2]	l[3]	k	l	k	l	Verfahren	S[1]	k	l	k	l	k	l
Lichtbogen-handschweißen	o no	○ ●	□ ○	□ ○	□ □	□ ○	□	WIG-schweißen	o no	● ●	○ ●	● ●	○ ○	● ●	○ ○
MIG-, MAG-Schweißen	o no	○ ●	□ ○	□ ○	□ □	□ ○	□	Plasma-schneiden	o no	□ ●	□ ○	□ ●	□ ○	□ ●	□ ○
WIG-Schweißen	o no	● ●	○ ●	● ●	○ ●	● ●	○ ●	Brenn-schneiden	o no	□ ●	□ ○	□ ●	□ ○	○ ○	○ ○
Gasschweißen	n no	● ●	○ ○	○ ●	○ ●	● ●	○ □	Flammhärten	—	●	○	—	—	—	—
Thermisches Spritzen	—	□	□	□	□			Abbrenn-stumpfschw.	—	—	○	—	—	□	□

[1] S Schweißort. o ortsgebunden, z.B. Schweißkabine; no ist nicht ortsgebunden, z.B. Montageplatz

[2] k kurzzeitiger Einsatz: täglich bis zu einer halben Stunde oder wöchentlich bis zu zwei Stunden

[3] l längerfristiger Einsatz: täglich über eine halbe Stunde oder wöchentlich über zwei Stunden

● natürliche Lüftung   ○ technische (maschinelle) Lüftung   □ Absaugung an der Schweißstelle

F

Verarbeitung, Eigenschaften und Anwendung von Klebstoffen

Klebstoff Grundstoff	Komponenten	Abbindung[1] Temperatur °C	Abbindung[1] Druck N/cm²	Klebstoff-Eigenschaften[2] Festigkeit	Klebstoff-Eigenschaften[2] Verformbarkeit	Alterungsbeständigkeit	Grenztemperatur ca. °C	Vorzugsweise Verwendung
Epoxidharz	2	20	–	◕	◕	◑	55	Metalle, Duroplaste, Keramik
	1	150	–	●	●	◕	120	Metalle, Keramik
Epoxid-Polyaminoamid	2	20	–	◕	◕	●	55	Metalle, Duroplaste, PVC
	1	150	5	●	●	◑	80	Metalle
Epoxid-Polyamid	1	175	10...30	●	◕	●	80	Aluminium, Titan, Stahl
Phenolharz	1	150	80	●	◑	◕	250	Metalle, Holz, Duroplaste
PVC	1	180	–	◔	●	●	20	Dünnbleche
Polyurethan	2	20	–	◑	●	◕	55	Metalle, Holz, Schaumstoffe
Methylmethacrylat	2	20	–	●	◕	◕	80	Metalle, Kunststoffe, Keramik
	1	120	–	●	◕	◑	100	Metalle, Glas
Polychloroprene	1	20	< 100	◔	●	◕		Kontaktkleber, Metalle, Plaste
Zyanacrylat	1	20	–	◕	◑	◑	80	Schnellbinder, Metalle, Gummi
Schmelzkleber	1	120	2	◔	●	◕		Werkstoffe aller Art

[1] Die genauen Verarbeitungsvorschriften sind den Vorschriften des Herstellers zu entnehmen.
[2] Festigkeitswerte Schaubild unten;   [3] Vergleichende Anhaltswerte: ● sehr gut; ◕ gut; ◑ mittel; ◔ gering

Vorbehandlung von Fügeteilen für Klebeverbindungen
vgl. VDI 2229 (1979-06)

Werkstoff	Behandlungsfolge[1] für Beanspruchungsart[2] niedrig	mittel	hoch	Werkstoff	Behandlungsfolge[1] für Beanspruchungsart[2] niedrig	mittel	hoch
Al-Legierungen		1-6-5-3-4	1-2-7-8-3-4	Stahl, blank		1-6-2-3-4	1-7-2-3-4
Mg-Legierungen	1-2-3-4	1-6-2-3-4	1-7-2-9-3-4	Stahl, verzinkt	1-2-3-4	1-2-3-4	1-2-3-4
Ti-Legierungen		1-6-2-3-4	1-2-10-3-4	Stahl, phosphatiert		1-2-3-4	1-6-2-3-4
Cu-Legierungen	1-2-3-4	1-6-2-3-4	1-7-2-3-4	Übrige Metalle	1-2-3-4	1-6-2-3-4	1-7-2-3-4

[1] **Erläuterung der Kennziffern für Behandlungsfolgen**

1 Reinigen von Schmutz, Zunder, Rost, Farbresten
2 Entfetten mit organischen Lösungsmitteln oder wässrigen Reinigungsmitteln
3 Spülen mit klarem Wasser, Nachspülen mit entsalztem oder destilliertem Wasser
4 Trocknen in Warmluft bei 65 °C
5 Entfetten unter gleichzeitigem chemischen Angriff der Oberfläche (Beiz-Entfetten)

6 Mechanisches Aufrauen durch Schleifen (Körnung 100 bis 150) oder Bürsten
7 Mechanisches Aufrauen durch Strahlen
8 Beizen 30 min, bei 60 °C in wässriger Lösung von 27,5% Schwefelsäure und 7,5% Natriumdichromat
9 Beizen 1 min bei 20 °C in einer Lösung von 20% Salpetersäure und 15% Kaliumdichromat in Wasser
10 Beizen 3 min bei 20 °C in 15%iger Flusssäure

[2] **Erläuterung der Beanspruchungsarten für Klebeverbindungen**

niedrig: Zugscherfestigkeit bis 5 N/mm²; trockene Umgebung; für Feinmechanik, Elektrotechnik
mittel: Zugscherfestigkeit bis 10 N/mm²; feuchte Luft; Kontakt mit Öl; für Maschinen- und Fahrzeugbau
hoch: Zugscherfestigkeit über 10 N/mm²; direkte Berührung mit Flüssigkeiten; für Flugzeug-, Schiffs- und Behälterbau

Verhalten von Klebeverbindungen und Prüfverfahren

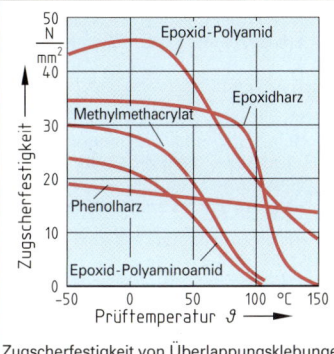

Zugscherfestigkeit von Überlappungsklebungen

Norm	Inhalt
DIN 53 282	**Winkelschälversuch:** Bestimmung des Widerstandes von Klebeverbindungen gegen abschälende Kräfte
DIN EN 1465	**Zugscherversuch:** Bestimmung der Zugscherfestigkeit hochfester Überlappungsklebungen
DIN 53 284	**Zeitstandversuch:** Bestimmung der Zeitstand- und Dauerfestigkeit von einschnittig überlappten Klebungen
DIN EN ISO 9664	**Ermüdungsprüfung:** Bestimmung der Ermüdungseigenschaften von Strukturklebungen
DIN EN 26 922	**Zugversuch:** Bestimmung der Zugfestigkeit von Stumpfklebungen rechtwinklig zur Klebefläche
DIN EN 1464	**Rollenschälversuch:** Bestimmung des Widerstandes gegen abschälende Kräfte
DIN 54 452	**Druckscherversuch:** Bestimmung der Scherfestigkeit vorwiegend anaerober Klebstoffe

F

Lote und Flussmittel

Hartlote für Schwermetalle, silberhaltig — vgl. DIN 8513-2 (1979-10) und DIN 8513-3 (1985-07)

Gruppe	Lotwerkstoff Kurzzeichen[1]	Werkstoff-Nr.	Schmelz-bereich[2] °C	Arbeits-temperatur °C	Löt-stoß[3]	Lot-zu-fuhr[4]	Hinweise für die Verwendung Grundwerkstoffe
AgCuCdZn	L-Ag50Cd	2.5143	620...640	640	S	a, e	Edelmetalle, Stähle, Kupferlegierungen
AgCuCdZn	L-Ag45Cd	2.5146	620...635	620	S	a, e	
AgCuCdZn	L-Ag40Cd	2.5141	595...630	610	S	a, e	Stähle, Temperguss, Kupfer, Kupfer-legierungen, Nickel, Nickellegierungen
AgCuCdZn	L-Ag20Cd	2.1215	605...765	750	S, F	a, e	
AgCuZn (Sn)	L-Ag45Sn	2.5158	640...680	670	S	a, e	Stähle, Temperguss, Kupfer, Kupferlegierungen, Nickel, Nickellegierungen
AgCuZn (Sn)	L-Ag44	2.5147	675...735	730	S	a, e	
AgCuZn (Sn)	L-Ag34Sn	2.5157	630...730	710	S	a, e	
AgCuZn (Sn)	L-Ag25	2.1216	700...800	780	S	a, e	
Silbergehalt unter 20%	L-Ag12	2.1207	800...830	830	S	a, e	Stähle, Temperguss, Kupfer, Kupfer-legierungen, Nickel, Nickellegierungen
Silbergehalt unter 20%	L-Ag5	2.1205	820...870	860	S, F	a, e	
Silbergehalt unter 20%	L-Ag15P	2.1210	650...800	710	S, F	a, e	Kupfer u. nickelfreie Kupferlegierungen. **Nicht** geeignet für Fe- oder Ni-haltige Grundwerkstoffe
Silbergehalt unter 20%	L-Ag5P	2.1466	650...810	710	S, F	a, e	
Silbergehalt unter 20%	L-Ag2P	2.1467	650...810	710	S, F	a, e	
Sonder-Hartlote	L-Ag56InNi	2.5162	620...730	730	S	a, e	Chrom, Chrom-Nickel-Stähle
Sonder-Hartlote	L-Ag50CdNi	2.5160	645...690	660	S	a, e	Cu-Legierungen, Hartmetall auf Stahl
Sonder-Hartlote	L-Ag49	2.5156	625...705	690	S	a, e	Hartmetall auf Stahl, Wolfram- und Molybdän-Werkstoffe

Hartlote für Schwermetalle, Kupferbasislote — vgl. DIN 8513-1 (1979-10)

Lotwerkstoff Kurzzeichen[1]	Werkstoff-Nr.	Schmelz-bereich[2] °C	Arbeits-temperatur °C	Löt-stoß[3]	Lot-zu-fuhr[4]	Hinweise für die Verwendung Grundwerkstoffe
L-SFCu	2.0091	1083	1100	S	e	Stähle
L-CuSn6	2.1021	910...1040	1040	S	e	Eisen- und Nickelwerkstoffe
L-CuSn12	2.1055	825...990	990	S	e	
L-CuNi10Zn42	2.0711	890...920	910	S, F	a, e	Stähle, Temperguss, Ni, Ni-Legierungen
L-CuNi10Zn42				F	a	Gusseisen
L-CuZn46	2.0413	880...890	890	S	e	St, Temperguss, Cu, Cu-Legierungen
L-CuZn40	2.0367	890...900	900	S, F	a, e	St, Temperguss, Cu, Ni, Cu- und Ni-Leg.
L-ZnCu42	2.2310	835...845	845	S	e	CuNiZn-Legierungen
L-CuP7	2.1463	710...820	720	S	a, e	Cu, Fe-freie und Ni-freie Cu-Legierungen

Hartlote, Nickelbasislote zum Hochtemperaturlöten — vgl. DIN 8513-5 (1983-02)

Lotwerkstoff	Werkstoff-Nr.	Schmelz-bereich	Arbeits-temperatur	Löt-stoß	Lot-zu-fuhr	Grundwerkstoffe
L-Ni1	2.4140	980...1040				Nickel, Cobalt, Nickel- und Cobaltlegierungen, unlegierte und legierte Stähle
L-Ni3	2.4143	980...1040	5)	5)	5)	
L-Ni5	2.4148	1080...1135				
L-Ni7	2.4150	890				

Hartlote, Aluminiumbasislote — vgl. DIN 8513-4 (1981-02)

Lotwerkstoff	Werkstoff-Nr.	Schmelz-bereich	Arbeits-temperatur	Löt-stoß	Lot-zu-fuhr	Grundwerkstoffe
L-AlSi7,5	3.2280	575...615	610	S	a, e	Aluminium und Al-Legierungen der Typen AlMn, AlMgMn, G-AlSi bedingt für Al-Legierungen der Typen AlMg, AlMgSi bis zu 2% Mg-Gehalt
L-AlSi10	3.2282	575...595	600	S	a, e	
L-AlSi12	3.2285	575...590	595	S	a, e	

[1] Nach DIN EN ISO 3677 (1995-04) werden die Kurzzeichen für Hartlote aus einem vorangestellten B, der Zusammensetzung und dem Schmelzbereich gebildet: L-Ag50Cd ≙ B-Ag50Cd-620/640

[2] Unterer Wert ist Solidustemperatur, oberer Wert Liquidustemperatur

[3] S geeignet für Spaltlöten, F geeignet für Fugenlöten

[4] a Lot angesetzt, e Lot eingelegt

[5] Spaltgeometrie und Lötzyklus für das Hochtemperaturlöten sind von den Lotherstellern anzugeben

F

Lote und Flussmittel

Weichlote　　　　　　　　　　vgl. DIN EN 29 453 (1994-02), Ersatz für DIN 1707

Legierungs-gruppe[1]	Legie-rungs-Nr.[2]	Legierungs-kurzzeichen	Kurzzeichen DIN 1707	Schmelz-temperatur[3] °C	Hinweise für die Verwendung
Zinn-Blei	1	S-Sn63Pb37	L-Sn63Pb	183	Feinwerktechnik
	1a	S-Sn63Pb37E	L-Sn63Pb	183	Elektronik, gedruckte Schaltungen
	2	S-Sn60Pb40	L-Sn60Pb	183...190	gedruckte Schaltungen, Edelstahl
	3	S-Pb50Sn50	L-Sn50Pb	183...215	Elektroindustrie, Verzinnung
	5	S-Pb60Sn40	L-PbSn40	183...235	Feinblechpackungen, Metallwaren
	7	S-Pb70Sn30	–	183...255	Klempnerarbeiten, Zink, Zinklegierungen
	10	S-Pb98Sn2	L-PbSn2	320...325	Kühlerbau
Zinn-Blei mit Antimon	11	S-Sn63Pb37Sb	–	183	Feinwerktechnik
	12	S-Sn60Pb40Sb	L-Sn60Pb(Sb)	183...190	Feinwerktechnik, Elektroindustrie
	14	S-Pb58Sn40Sb2	L-PbSn40Sb	185...231	Kühlerbau, Schmierlot
	16	S-Pb74Sn25Sb1	L-PbSn25Sb	185...263	Schmierlot, Bleilötungen
Zinn-Blei-Wismuth	19	S-Sn69Pb38Bi2	–	180...185	Feinlötungen
	21	S-Bi57Sn43	–	138	Niedertemperaturlot, Schmelzsicherungen
Zinn-Blei-Cadmium	22	S-Sn50Pb32Cd18	L-SnPbCd18	145	Thermosicherungen, Kabellötungen
Zinn-Blei-Kupfer	24	S-Sn97Cu3	L-SnPbCu3	230...250	Elektrogerätebau, Feinwerktechnik
	25	S-Sn60Pb38Cu2	L-Sn60Cu	183...190	
	26	S-Sn50Pb49Cu1	L-Sn50PbCu	183...215	
Zinn-Blei-Silber	28	S-Sn96Ag4	–	221	Kupferrohrinstallation, Edelstahl
	31	S-Sn60Pb36Ag4	L-Sn60PbAg	178...180	Elektrogeräte, gedruckte Schaltungen
	33	S-Pb95Ag5	L-PbAg5	304...365	für hohe Betriebstemperaturen
	34	S-Pb93Sn5Ag2	–	296...301	Elektromotore, Elektrotechnik

[1] Cadmium- und zinkhaltige Weichlote sowie Weichlote für Aluminium sind in DIN EN 29 453 nicht mehr enthalten

[2] Ersetzen Werkstoffnummern nach DIN 1707

[3] Unterer Wert Solidustemperatur, oberer Wert Liquidustemperatur

Flussmittel zum Weichlöten　　　　vgl. DIN EN 29 454-1 (1994-02), Ersatz für DIN 8511-2

Kennzeichen nach den Hauptbestandteilen				Einteilung nach der Wirkung		
Flussmittel-typ	Flussmittelbasis	Flussmittelaktivator	Flussmittel-art	Typ-Kurzzeichen DIN EN	DIN 8511	Wirkung der Rückstände
1 Harz	1 Kolophonium	1 ohne Aktivator	A flüssig	3.2.2...	F-SW11	stark korrodierend
	2 ohne Kolophonium			3.1.1...	F-SW12	
2 orga-nisch	1 wasserlöslich	2 mit Halogenen aktiviert		3.2.1...	F-SW13	bedingt korrodierend
	2 nicht wasserlöslich	3 ohne Halogene aktiviert		3.1.1...	F-SW21	
3 anor-ganisch	1 Salze	1 mit Ammoniumchlorid	B fest	2.1.3...	F-SW23	
		2 ohne Ammoniumchlorid		2.1.2...	F-SW25	
				1.2.2...	F-SW28	
	2 Säuren	1 Phosphorsäure	C Paste	1.1.1...	F-SW31	nicht korrodierend
		2 andere Säuren		1.2.3...	F-SW33	
	3 alkalisch	1 Amine und/oder Ammoniak				

⇒ **Flussmittel ISO 9454 – 1.2.2.C:** Flussmittel vom Typ Harz (1), Basis ohne Kolophonium (2); mit Halogenen aktiviert (2), geliefert in Pastenform (C)

Flussmittel zum Hartlöten　　　　vgl. DIN EN 1045 (1997-08), Ersatz für DIN 8511-1

Flussmittel	Wirktemperatur	Hinweise für die Verwendung
FH10	550...800 °C	Vielzweckflussmittel; Rückstände sind abzuwaschen oder abzubeizen
FH11	550...800 °C	Cu-Al-Legierungen; Rückstände sind abzuwaschen oder abzubeizen
FH12	550...850 °C	Rostfreie und hochlegierte Stähle, Hartmetalle; Rückstände sind abzubeizen
FH20	700...1000 °C	Vielzweckflussmittel; Rückstände sind abzuwaschen oder abzubeizen
FH21	750...1100 °C	Vielzweckflussmittel; Rückstände sind mechanisch entfernbar oder abzubeizen
FH30	über 1100 °C	Für Kupfer- und Nickellote; Rückstände sind mechanisch entfernbar
FH40	600...1000 °C	Borfreies Flussmittel; Rückstände sind abzuwaschen oder abzubeizen
FL10	–	Leichtmetalle; Rückstände sind abzuwaschen oder abzubeizen
FL20	–	Leichtmetalle; Rückstände nicht korrosiv, jedoch vor Feuchtigkeit zu schützen

F

Schall und Lärm

Schalltechnische Begriffe

Begriff	Erläuterung
Schall	Schall entsteht durch mechanische Schwingungen. Er breitet sich in gasförmigen, flüssigen und festen Körpern aus.
Frequenz	Anzahl der Schwingungen pro Sekunde. Einheit: 1 Hertz = 1 Hz = 1/s. Die Tonhöhe steigt mit der Frequenz. Frequenzbereich des menschlichen Hörens: 16 Hz ... 20 000 Hz.
Schallpegel	Ein Maß für die Stärke des Schalls (Schallenergie).
Lärm	Unerwünschte, belästigende oder schmerzhafte Schallwellen; Schädigung ist abhängig von der Stärke, Dauer, Frequenz und Regelmäßigkeit der Einwirkung. Bei einem Lärmpegel von 85 dB (A) und mehr droht die Gefahr der unheilbaren Schwerhörigkeit.
Dezibel (dB)	Genormte Einheit für den Schallpegel dargestellt auf logarithmischer Skale.
dB (A)	Da das menschliche Ohr verschieden hohe Töne (Frequenzen) des gleichen Schallpegels verschieden stark empfindet, muss der Lärm mit Filtern bei bestimmten Frequenzen entsprechend gedämpft werden. Die Frequenzbewertungskurve mit Filter A berücksichtigt dies und gibt den subjektiven Gehöreindruck an. Ein Unterschied von 10 dB (A) entspricht etwa einer Verdoppelung (oder Halbierung) der empfundenen Lautstärke.

Schallpegel

Schallart	dB (A)	Schallart	dB (A)	Schallart	dB (A)
Beginn der Hörempfindlichkeit	4	Normales Sprechen in 1 m Abstand	70	Schwere Stanzen	95...110
Atemgeräusche in 30 cm Abstand	10	Werkzeugmaschinen	75... 90	Winkelschleifer	95...115
Leises Blätterrauschen	20	Lautes Sprechen in 1 m Abstand	80	Autohupe in 5 m Entfernung	100
Flüstern	30	Schweißbrenner, Drehmaschine	85	Diskomusik	100...115
Zerreißen von Papier	40	Schlagbohrmaschine, Motorrad	90	Richtarbeiten	110
Leise Unterhaltung	50...60	Motorenprüfstand, Walkman	90...110	Düsentriebwerk	120...130

Lärmschutzverordnung

vgl. Unfallverhütungsvorschrift „Lärm" VGB 121 (1997-01)

Unfallverhütungsvorschrift für lärmerzeugende Betriebe	§ 15 Arbeitsstättenverordnung	
– Kennzeichnungspflicht für Lärmbereiche ab 90 dB (A). – Ab 85 dB (A) müssen Schallschutzmittel zur Verfügung stehen und ab 90 dB (A) müssen diese benutzt werden. – Steigt durch Lärm die Unfallgefahr, so müssen entsprechende Maßnahmen getroffen werden. – Regelmäßige Vorsorgeuntersuchungen sind Pflicht. – Neue Arbeitseinrichtungen müssen dem fortschrittlichsten Stand der Lärmminderung entsprechen.	Lärmgrenzwert für:	max. dB (A)
	Überwiegend geistige Tätigkeit	55
	Einfache, überwiegend mechanisierte Tätigkeiten	70
	Alle sonstigen Tätigkeiten (Wert darf bis 5 dB überschritten werden)	85
	In Pausen-, Bereitschafts- und Sanitätsräumen	55

Gesundheitsschädlicher Lärm

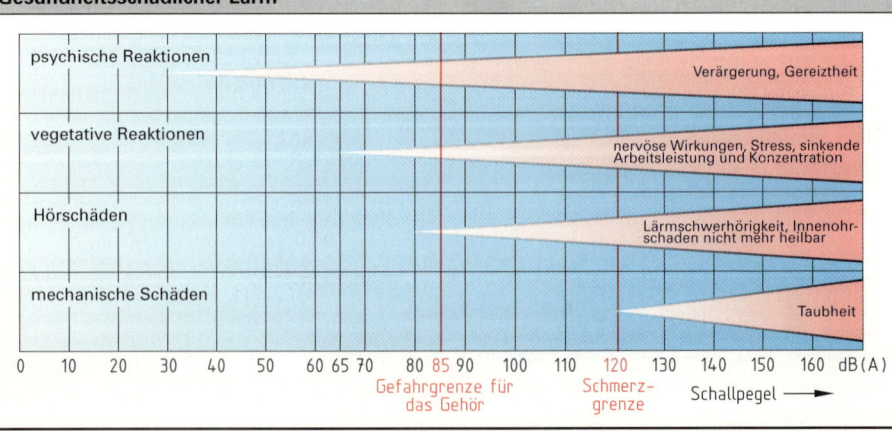

F

A

Grundbegriffe der Steuerungs- und Regelungstechnik

Grundbegriffe

vgl. DIN 19 226-1 bis 5 (1994-02)

Steuern	Regeln
Beim Steuern wird die Ausgangsgröße, z. B. die Temperatur in einem Härteofen, von der Eingangsgröße, z. B. dem Strom in der Heizwicklung, beeinflusst. Die Ausgangsgröße wirkt auf die Eingangsgröße nicht zurück. Die Steuerung hat einen offenen Wirkungsweg.	Beim Regeln wird die Regelgröße, z. B. die Isttemperatur in einem Härteofen, fortlaufend erfasst, mit der Soll-Temperatur als Führungsgröße verglichen und bei Abweichungen an die Führungsgröße angeglichen. Die Regelung hat einen geschlossenen Wirkungsablauf, bei dem sich die Regelgröße im Wirkungsweg des Regelkreises fortlaufend selbst beeinflusst.

Beispiel: Härteofen

Schemadarstellung	Schemadarstellung
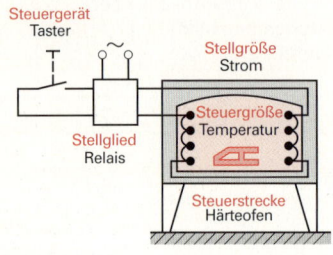	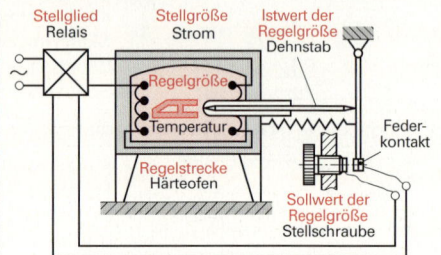
Wirkungsplan	Wirkungsplan
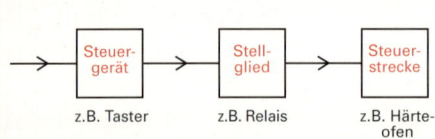	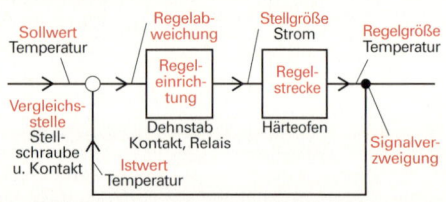

Aufgabenbezogene Kennbuchstaben und Bildzeichen

vgl. DIN 19 227-1 (1993-10)

Kennbuchstaben

Erstbuchstaben

		Ergänzungsbuchstaben
D Dichte	M Feuchte	D Differenz
E Elektrische Größen	P Druck	F Verhältnis
F Durchfluss, Durchsatz	Q Qualitätsgrößen	J Messstellenabfrage
G Abstand, Stellung, Länge	R Strahlungsgrößen	Q Summe, Integral
H Handeingabe, Handeingriff	S Geschwindigkeit, Drehzahl	
K Zeit	T Temperatur	
L Stand (z. B. Füllstand)	W Gewichtskraft, Masse	

Folgebuchstaben	Beispiel: Differenzdruckregelung mit Anzeige
A Störungsmeldung	
C selbsttätige Regelung	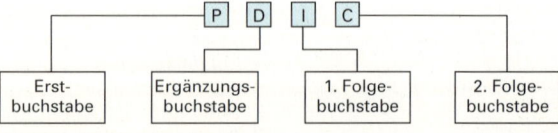
H oberer Grenzwert	
I Anzeige	
L unterer Grenzwert	
R Registrierung	

Bildzeichen
vgl. DIN 19 227-1 (1993-10)

Ausgabe- und Bedienort	Messort, Stellort	Einwirkung auf die Strecke

Ausgabe- und Bedienort

- vor Ort, allgemein (oder)
- Prozessleitwarte
- örtlicher Leitstand
- vor Ort, realisiert mit einem Prozessleitsystem
- vor Ort, realisiert mit einem Prozessrechner

Messort, Stellort

- Bezugslinie
- Messort, Fühler
- Stellglied, Stellort

Beispiele:

Durchflussregelung: Registrierung der Regelgröße und Störungsmeldung bei Erreichen des unteren Grenzwertes in der Prozessleitwarte; Messstelle 570

Temperaturregelung; Registrierung und Bedienung im örtlichen Leitstand: Messstelle 310

Einwirkung auf die Strecke

- Stellantrieb, allgemein
- Stellantrieb; bei Ausfall der Hilfsenergie wird die Stellung für minimalen Massenstrom oder Energiefluss eingestellt.

Lösungsbezogene Bildzeichen für Geräte
vgl. DIN 19 227-2 (1991-02)

Sinnbild	Erläuterung	Sinnbild	Erläuterung	Sinnbild	Erläuterung

Aufnehmer | **Regler** | **Bediengeräte**

- Aufnehmer für Temperatur, allgemein (T)
- Aufnehmer für Druck (P)
- Aufnehmer für Stand mit Schwimmer (L)
- Aufnehmer für Gewichtskraft, Waage, anzeigend (W)

Regler:
- PID-Regler

Anpasser:
- Signal- oder Messumformer mit elektrischem Signalausgang ($\mathcal{E}$)
- Messumformer für Druck mit pneumatischem Signalausgang (P/A)

Bediengeräte:
- Einsteller, allgemein (M)
- Schaltgerät, allgemein

Stellgeräte:
- Motor-Stellantrieb

Signalkennzeichen:
$\mathcal{E}$	Signal, elektrisch
A	Signal, pneumatisch
$\cap$	Analogsignal
#	Digitalsignal

Ausgeber
- Basissymbol, Anzeiger allgemein
- Schreiber, analog, Anzahl der Kanäle als Ziffer
- Bildschirm

Beispiel: Temperaturregelung

A

Grundbegriffe der Steuerungs- und Regelungstechnik

Stetige Regler

vgl. DIN 19 225 (1981-12)

Reglerart	Beispiel, Beschreibung	Übergangsverhalten	Blockdarstellung
P-Regler (Proportional-Regler) Die Ausgangsgröße ist proportional der Eingangsgröße. P-Regler besitzen eine bleibende Regelabweichung.		ideal / real	x Eingangsgröße y Ausgangsgröße
I-Regler (Integral-Regler) I-Regler sind langsamer als P-Regler, beseitigen aber die Regelabweichung vollständig.			
PI-Regler (Proportional-integral wirkender Regler) Beim PI-Regler werden ein P-Regler und ein I-Regler parallel geschaltet.			
D-Regler Differenzierend wirkender Regler	D-Regeleinrichtungen kommen nur zusammen mit P- oder PI-Regeleinrichtungen vor, da reines D-Verhalten bei konstanter Regeldifferenz keine Stellgröße und damit keine Regelung liefert.		
PD-Regler Proportional-differenzierend wirkender Regler	PD-Regler entstehen durch die Parallelschaltung eines P-Reglers mit einem D-Glied. Der D-Anteil ändert die Ausgangsgröße proportional zur Änderungsgeschwindigkeit der Eingangsgröße. Der P-Anteil ändert die Ausgangsgröße proportional zur Eingangsgröße. PD-Regler wirken schnell.		
PID-Regler Proportional integral-differenzierend wirkender Regler	PID-Regler entstehen durch die Parallelschaltung eines P-, eines I- und eines D-Reglers. Am Anfang reagiert der D-Anteil mit einer großen Steuersignaländerung, danach wird diese Veränderung etwa bis zum Anteil des D-Gliedes verringert, um anschließend durch den Einfluss des I-Gliedes linear anzusteigen.		

A

Grundbegriffe der Steuerungs- und Regelungstechnik

Unstetige Regler
vgl. DIN 19 225 (1981-12)

Reglerart	Beispiel	Übergangsverhalten bzw. Kennlinie	Blockdarstellung
Zweipunktregler	**Bimetall-Regler** 230 V Heizwicklung Wärme Kon-takte Bimetall Sollwert-einsteller	 x Eingangsgröße y Ausgangsgröße	 Schaltdifferenz
Dreipunktregler	**Klima-Anlage** Mit 3 Schaltzuständen: Kühlen – Aus – Heizen. Das Ausgangssignal kann deshalb 3 Werte annehmen.		

Regelstrecken

Regelstrecken mit Ausgleich (P-Strecken)

Regelstrecke	Beispiel	Übergangsverhalten	Anwendungsbeispiele
ohne Verzögerung	**Drehzahlregelung** Dehzahl $n_1 \widehat{=}$ Eingangsgröße x Dehzahl $n_2 \widehat{=}$ Ausgangsgröße y		Eine Änderung der Drehzahl n_1 bewirkt eine sofortige Änderung der Drehzahl n_2.
mit Verzögerung erster Ordnung	**Füllen eines Gasbehälters** P_1 P_0 P_1		Wird der Druckbehälter über ein Ventil durch einen Gasstrom gefüllt, erreicht der Druck p_1 im Behälter allmählich den Druck des Gasstroms (Signalverzögerung).
mit Verzögerung zweiter Ordnung	**Füllen von zwei Gasbehältern** 1 2		Werden zwei Behälter hintereinandergeschaltet, steigt der Druck p_2 im zweiten Behälter noch langsamer an als der Druck p_1 im ersten Behälter.

Regelstrecken ohne Ausgleich (I-Strecken)

Regelstrecke	Beispiel	Übergangsverhalten	Anwendungsbeispiele
ohne Verzögerung	**Vorschubantrieb** Weg $s \widehat{=}$ Ausgangsgröße y Drehzahl $n \widehat{=}$ Eingangsgröße x		Wird beim Vorschubantrieb der Vorschubmotor eingeschaltet, vergrößert sich der Weg des Maschinentisches stetig.

A

Grundbegriffe der Steuerungs- und Regelungstechnik

Binäre Verknüpfungen

Funktion	Schaltzeichen Logische Gleichung	Funktionstabelle	technische Realisierung	
			pneumatisch	elektrisch
UND (AND)	E1 E2 & A $A = E1 \wedge E2$	E1 E2 A 0 0 0 0 1 0 1 0 0 1 1 1		
ODER (OR)	E1 E2 ≥1 A $A = E1 \vee E2$	E1 E2 A 0 0 0 0 1 1 1 0 1 1 1 1		
NICHT (NOT)	E 1 A $A = \overline{E}$	E A 0 1 1 0		
UND-NICHT (NAND)	E1 E2 & A $A = \overline{E1 \wedge E2}$	E1 E2 A 0 0 1 0 1 1 1 0 1 1 1 0		
ODER-NICHT (NOR)	E1 E2 ≥1 A $A = \overline{E1 \vee E2}$	E1 E2 A 0 0 1 0 1 0 1 0 0 1 1 0		
Speicher (RS-Kipp-Element, Flip-Flop)	E1 S A1 E2 R A2 S Setzen R Rücksetzen	E1 E2 A1 A2 0 0 • • 0 1 0 1 1 0 1 0 1 1 □ □ • Zustand unverändert □ Zustand unbestimmt		

A

Mathematische Zeichen und Sinnbilder
vgl. DIN 66 000 (1985-11)

Sinnbild	Benennung	Beispiel	Sprechweise	Sinnbild	Benennung	Beispiel	Sprechweise
———	Negation	$\overline{a}$	nicht a	∨	Adjunktion, ODER-Verknüpfung Disjunktion	$a \vee b$	a oder b
		$\overline{a \vee b}$	nicht (a oder b)	$\overline{\wedge}$	NAND-Verknüpfung (NICHT-UND)	$a \overline{\wedge} b$	a nand b
∧	Konjunktion, UND-Verknüpfung	$a \wedge b$	a und b	$\overline{\vee}$	NOR-Verknüpfung (NICHT-ODER)	$a \overline{\vee} b$	a nor b

Rechenregeln für die UND-Verknüpfung mit 2 oder mehr Variablen

Regeln	mit Schaltzeichen	pneumatisch/hydraulisch	elektrisch (mit Relais)
Vertauschungsgesetz (Kommutativ-Gesetz) $a \wedge b = b \wedge a$ Die Variablen einer UND-Verknüpfung dürfen beliebig vertauscht werden.			
Verbindungsgesetz (Assoziativ-Gesetz) $a \wedge b \wedge c = (a \wedge b) \wedge c = a \wedge (b \wedge c) = (a \wedge c) \wedge b$ Die Variablen einer UND-Verknüpfung können beliebig zusammengefasst werden.			

Rechenregeln für die ODER-Verknüpfung mit 2 oder mehr Variablen

Regeln	mit Schaltzeichen	pneumatisch/hydraulisch	elektrisch (mit Relais)
Vertauschungsgesetz (Kommutativ-Gesetz) $a \vee b = b \vee a$ Die Variablen einer ODER-Verknüpfung dürfen beliebig vertauscht werden.			
Verbindungsgesetz (Assoziativ-Gesetz) $a \vee b \vee c = (a \vee b) \vee c = a \vee (b \vee c) = (a \vee b) \vee c$ Die Variablen einer ODER-Verknüpfung dürfen in Gruppen zusammengefasst werden.			

Beispiel für die Negation einer UND-Verknüpfung

NEGATION einer UND-Verknüpfung $\overline{a \wedge b} = \overline{a} \vee \overline{b}$ Die Negation einer UND-Verknüpfung ist gleich der ODER-Verknüpfung der negierten Variablen.			

A

Elektrotechnische Schaltungsunterlagen

Grafische Symbole für Schaltpläne
vgl. DIN EN 60 617 (1997-08)

Bildzeichen	Bezeichnung, Erläuterung	Bildzeichen	Bezeichnung, Erläuterung	Bildzeichen	Bezeichnung, Erläuterung
Allgemeine Schaltzeichen		**Leiter, Verbinder und Anschlüsse**		**Geräte und Maschinen**	
	Widerstand, allgemein		Leiter, allgemein		Messgerät, Maschine
	Kondensator		Leiter, beweglich		Messgerät, aufzeichnend
	Induktivität, Spule, bisherige Darstellung		Leiter, geschirmt		Transformator, wahlweise Darstellung
	Dauermagnet		Schutzleiter PE		Ventil
	Lampe, allgemein, wahlweise Darstellung		Neutralleiter N	**Kennbuchstaben**	
	Klingel, Wecker		Neutralleiter mit Schutzfunktion PEN	V U	Spannung
	Sicherung		Abzweig, wahlweise Darstellung	A I	Strom
	Galvanisches Element		Doppelabzweig, wahlweise Darstellung	M	Motor
	Umsetzer, Umformer		Buchse mit Stecker	G	Generator
	Begrenzungslinie, Gehäuse		Masseanschluss	**Halbleiterbauelemente**	
			Erdung	a) Halbleiterdiode, allgemein	
			Schutzleiteranschluss	b) Fotodiode	
Kennzeichen		**Spannungen, Stromarten**		c) PNP-Transistor	
Veränderbarkeit a) allgemein b) einstellbar c) geregelt		Gleichstrom		d) NPN-Transistor	
		Wechselstrom		**Installationen in Gebäuden**	
		Wechselstrom mit hoher Frequenz		Abzweigdose	
Funktion a) gestuft b) stetig		**Schaltungsarten**		Schutzkontakt-Steckdose	
		a) Reihenschaltung b) Parallelschaltung		a) Schalter, allgemein b) Ausschalter, zweipolig c) Serienschalter d) Wechselschalter	
Wirkung a) thermisch b) Strahlung		Sternschaltung		Taster	
		Dreieckschaltung		Leuchtenauslass	
		Stern-Dreieck-Schaltung		Elektroherd	
Anwendungsbeispiele					
	Spule, veränderbar		Gleich- oder Wechselstrom (Allstrom)		a) Spannungsmesser
	Widerstand, 5-stufig verstellbar		Dreiadrige Leitung mit Abzweigung		b) Gleichstrommotor
	Wechselrichter, geregelt	3/N/PE~ 5×4	Drehstromleitung mit 3 Außenleiter 1 Neutralleiter 1 Schutzleiter Querschnitt 5 x 4 mm²		c) Einphasen-Wechselstrommotor d) Drehstrommotor

Grafische Symbole für Schaltpläne   vgl. DIN EN 60 617 (1997-08) und DIN 40 900-12 (1992-09)

Bildzeichen	Bezeichnung, Erläuterung	Bildzeichen	Bezeichnung, Erläuterung	Bildzeichen	Bezeichnung, Erläuterung	Funktions-tabelle

Kontakte | Sensoren (Blockdarstellung) | Binäre Elemente

Kontakte

- Schließer Einschaltglied,
- Öffner Ausschaltglied,
- Wechsler Umschaltglied

Betätigungsarten

- von Hand, allgemein
- durch Drücken
- durch Ziehen
- durch Rolle
- durch Annähern
- durch Berühren
- durch Druckenergie
- durch Bimetall (thermisch)

Schaltverhalten

- Raste, verhindert selbsttätige Rückkehr
- Verzögerte Wirkung (Verzögerung bei Bewegung nach rechts)
- Kennzeichen für Darstellung im betätigten Zustand

Elektromagnetische Antriebe

- elektromechanisch, allgemein
- mit Ansprechverzögerung
- mit Rückfallverzögerung
- mit Ansprech- und Rückfallverzögerung
- mit zwei getrennten Wicklungen

Sensoren (Blockdarstellung)

- Kapazitiver Sensor, reagiert bei Annäherung aller Stoffe
- Induktiver Sensor, reagiert bei Annäherung von Metallen
- Magnetischer Sensor, reagiert bei Annäherung eines Magneten (Reedschalter)
- Optischer Sensor, reagiert auf Reflexion von Licht (Infrarotstrahlung)

Beispiele für Schalter

- Schließer mit Handbetätigung
- Stellschalter mit 1 Schließer und 1 Öffner
- Öffner, betätigt durch Rolle
- Schließer, schließt verzögert bei Betätigung
- Pilz-Notdrucktaster
- Öffner, dargestellt im betätigten Zustand
- Schließer, dargestellt im betätigten Zustand
- magnetisch betätigter Näherungsschalter mit Schließkontakt
- elektromagnetisch betätigtes Ventil

Binäre Elemente

ODER (OR) (≥ 1)

E1	E2	A1
0	0	0
1	0	1
0	1	1
1	1	1

UND (AND) ($\&$)

E1	E2	A1
0	0	0
1	0	0
0	1	0
1	1	1

NICHT (NOT) (1)

E1	A1
0	1
1	0

ODER mit negiertem Ausgang (NOR) (≥ 1)

E1	E2	A1
0	0	1
1	0	0
0	1	0
1	1	0

UND mit negiertem Ausgang (NAND) ($\&$)

E1	E2	A1
0	0	1
1	0	1
0	1	1
1	1	0

RS-Kippelement (S R)

E1	E2	A1	A2
1	0	1	0
0	1	0	1
0	0	●	●
1	1	□	□

● Zustand unverändert
□ Zustand unbestimmt

T-Kipp-Element
Bei jeder Änderung von 0 nach 1 am Eingang T ändert sich der Zustand von A1 in seine Umkehrung ($0 \rightarrow 1$ oder $1 \rightarrow 0$).

Einschalt-Verzögerung
Bei Anliegen eines Signals an E1 nimmt A1 nach der Zeit t_1 den Wert 1 an.

Ausschalt-Verzögerung
Beim Wegfall des Signals an E1 nimmt A1 nach der Zeit t_2 den Wert 0 an.

A

Elektrotechnische Schaltungsunterlagen

Kennzeichnung von Betriebsmitteln in Schaltungsunterlagen vgl. DIN 40719 (1978-06)

Die Kennzeichnung der Betriebsmittel in Schaltungsunterlagen erfolgt in 4 Kennzeichnungsblöcken, denen zur Identifizierung Vorzeichen vorangestellt werden.

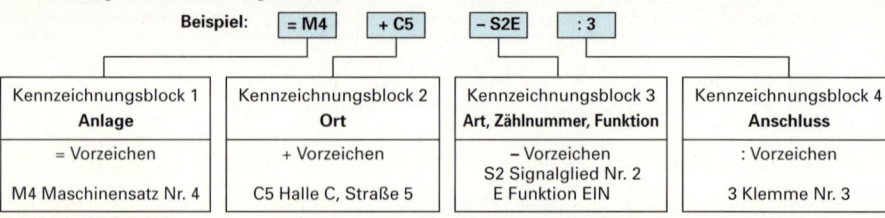

Kennzeichnungsblock 1 **Anlage**	Kennzeichnungsblock 2 **Ort**	Kennzeichnungsblock 3 **Art, Zählnummer, Funktion**	Kennzeichnungsblock 4 **Anschluss**
= Vorzeichen	+ Vorzeichen	– Vorzeichen S2 Signalglied Nr. 2 E Funktion EIN	: Vorzeichen
M4 Maschinensatz Nr. 4	C5 Halle C, Straße 5		3 Klemme Nr. 3

In vielen Schaltplänen sind an den Betriebsmitteln nur Angaben im Kennzeichnungsblock 3 (Art, Zählnummer, Funktion). Das Vorzeichen – kann dann weggelassen werden. **Beispiel:** K1 ≙ Relais Nr. 1

Kennbuchstaben für die Art eines Betriebsmittels im Kennzeichnungsblock 3 (Art, Zählnummer, Funktion)

Kenn-buchstabe	Art des Betriebsmittels	Beispiel	Kenn-buchstabe	Art des Betriebsmittels	Beispiel
B	Umsetzer	Sensor	N	Verstärker, Regler	Spannungsregler, Stromverstärker
C	Kapazität	Kondensator	Q	Starkstrom-Schaltgerät	Stern-Dreieck-Schalter
F	Schutz-einrichtung	Sicherung, Überstromauslöser	R	Widerstand	Anlasser
H	Melde-einrichtung	Signalleuchte, Hupe	S	Signalglied, Schalter, Wähler	Schalter, Taster, Grenztaster
K	Schütz, Relais	Leistungsschütz, Zeitrelais	X	Klemme, Stecker	Klemmleiste, Kabelstecker
L	Induktivität	Drosselspule	Y	elektromechani-sche Einrichtung	Magnetventil, Kupplung
M	Motor	Drehstrommotor			

Kennzeichnung von Leitern u. Betriebsmittelanschlüssen vgl. DIN EN 60 445 (1991-09) u. DIN 40 705 (1980-02)

	Besondere Leiter				Betriebsmittelanschlüsse		
Art des Leiters	Kennzeichnung Kurzzeichen	Farbe	Beispiel		Anschluss für	Kennzeichnung	Beispiel
Außenleiter 1 Außenleiter 2 Außenleiter 3	L1 L2 L3	schwarz[1]	L1 schwarz L2 braun L3 schwarz		Außenleiter 1	U	
					Außenleiter 2	V	
Neutralleiter	N	hellblau	N hellblau		Außenleiter 3	W	
Schutzleiter	PE	grün-gelb	PE grün-gelb				
Neutralleiter mit Schutzfunktion	PEN	grün-gelb	L– schwarz		Neutralleiter	N	
					Schutzleiter PE, PEN		
Positiv Negativ	L+ L–	schwarz[1]	L+ schwarz		Bauelemente	1; 2; 1.2	

[1] Farbe nicht festgelegt. Empfohlen wird schwarz, für Unterscheidung braun. Nicht verwendet werden darf grün-gelb.

Sicherungen und Leitungsquerschnitte vgl. DIN VDE 0100-430 (1991-11) und DIN 49 515 (1983-12)

Nennstrom der Sicherung I_n in A	Kennfarbe der Sicherung	Mindestquerschnitt in mm² für CU-Leitungen bei Verlegeart[1]								Nennstrom der Sicherung I_n in A	Kennfarbe der Sicherung	Mindestquerschnitt in mm² für CU-Leitungen bei Verlegeart[1]							
		A		B1		B2		C				A		B1		B2		C	
		und Anzahl der belasteten Adern										und Anzahl der belasteten Adern							
		2	3	2	3	2	3	2	3			2	3	2	3	2	3	2	3
13 (10)	rot	1,5	1,5	1,5	1,5	1,5	1,5	1,5	1,5	35	schwarz	6	6	6	6	6	6	4	4
16	grau	1,5	2,5	1,5	1,5	1,5	1,5	1,5	1,5	50	weiß	10	16	10	10	10	10	10	10
20	blau	2,5	2,5	2,5	2,5	2,5	2,5	1,5	2,5	63	kupfer	16	25	16	16	16	16	10	10
25	gelb	4	4	2,5	4	4	4	2,5	2,5	80	silber	25	35	16	25	25	25	16	16

[1] A: In wärmedämmenden Wänden; B1: Einzeldrähte in Installationsrohren oder -kanälen in oder auf Mauerwerk
B2: Kabel in Installationsrohren oder -kanälen in oder auf Mauerwerk; C: Kabel in oder auf Mauerwerk
Für alle Verlegearten gilt: Umgebungstemperatur max. 25 °C; zulässige Erwärmung der Leitung (Betriebstemperatur) max. 70 °C

A

Elektrotechnische Schaltungsunterlagen

Schaltpläne
vgl. DIN EN 61 082-1 (1995-05)

Schaltungsunterlagen sind Schaltpläne, Diagramme, Tabellen und Beschreibungen.

Schaltpläne zeigen die Arbeitsweise, die Verbindung oder die räumliche Anordnung von elektrischen Einrichtungen. Die Betriebsmittel werden im stromlosen Zustand und in der Grundstellung durch Schaltzeichen dargestellt.

Art	Zweck	Darstellungsart	Anwendung	Beispiel: Steuerung eines Motors
Übersichts-schaltplan	Zeigt die Gliederung und die Arbeitsweise einer elektrischen Einrichtung	Meist einpolig mit Schaltkurzzeichen oder Blockschalt-bildern	Leicht fassliche Darstellung umfangreicher Anlagen	
Installationsplan	Darstellung der Anordnung und äußeren Verdrahtung von Betriebsmitteln	Nicht maßstäbliche, doch lagerichtige Darstellung in Bauzeichnungen, meist einpolig	Elektroinstallation in Gebäuden	
Stromlaufplan	Übersichtliche Darstellung des Zusammenwirkens der Betriebsmittel mit allen Einzelheiten	Meist aufgelöste Darstellung. Teile einzelner Betriebsmittel werden getrennt voneinander dargestellt. Die räumliche Lage der Betriebsmittel bleibt unberücksichtigt.	Häufig angewendete Darstellungsart für Steuerungen. Die einzelnen Stromwege sind übersichtlich und dennoch vollständig zu erkennen.	

Gestaltung von Stromlaufplänen
vgl. DIN EN 61 082-1 (1995-05)

Stromwege und Aufteilung der Stromkreise

- Jedes elektrische Betriebsmittel erhält einen senkrechten Stromweg ohne Rücksicht auf die räumliche Anordnung der Elemente.

- Die Stromwege werden von links nach rechts durchnummeriert.

- Der **Steuerstromkreis** enthält die Geräte für die Signaleingabe und die Signalverarbeitung.

- Der **Hauptstromkreis** enthält die für die Betätigung der Arbeitsglieder erforderlichen Stellglieder.

- Die räumliche Zusammengehörigkeit von z.B. Relaisspule und Relaiskontakt wird nicht dargestellt.

Kennzeichnung der Betriebsmittel und Schaltgliedertabelle

- Kontakte und die zugehörige Schütz- oder Relaisspule werden mit der gleichen Kennziffer bezeichnet.
  Beispiel: Stromwege 5, 6, 7 und 8

  Zur Relaisspule K3 gehören 2 Schließer und 1 Öffner, die alle mit K3 bezeichnet werden. Sie dienen zur Selbsthaltung der Relaisspule und zum Schalten der Ventile Y11 und Y13.

- Alle Kontakte eines Schützes oder Relais werden in eine Schaltgliedertabelle unter dem Stromweg der jeweiligen Spule eingetragen.

  Die Tabelle gibt Auskunft, in welchem Stromweg ein Kontakt des Relais oder Schützes zu finden ist.

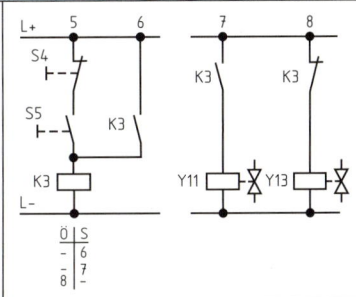

A

Schutzmaßnahmen gegen gefährliche Körperströme

Übersicht über Schutzmaßnahmen

vgl. DIN VDE 0100-410 (1983-11)

Schutzmaßnahme	Zweck	Erläuterung, Beispiele
Schutz gegen **direktes Berühren**	Verhindert ein Berühren spannungsführender Teile einer Anlage	Isolierung aller spannungsführenden Teile, Abdeckung mit Gittern, Schutz durch Hindernisse (Absperrungen), Schutz durch Abstand, z.B. bei Freileitungen.
Schutz bei **indirektem Berühren**	Verhindert eine Gefährdung des Menschen im **Fehlerfall**	Im Fehlerfall können normalerweise spannungslose Teile, z.B. Gehäuse, unter Spannung stehen. Der erforderliche Schutz richtet sich nach der **Netzform**, der **maximalen Berührungsspannung** und der **Umgebung**. Nach der Schutzart werden die Geräte in Schutzklassen (I, II, III) eingeteilt.
Zusätzlicher Schutz bei **direktem Berühren**	**Zusätzlicher** Schutz für Fälle, bei denen die anderen Schutzmaßnahmen versagen	Durch einen Fehlerstrom- oder Differenzstrom-Schutzschalter mit einem Nennfehlerstrom unter 30 mA wird die Anlage abgeschaltet. Damit wird eine tödliche Stromwirkung auch z.B. bei Unterbrechung des Schutzleiters, bei Isolationsschaden oder Wassereinwirkung, weitgehend ausgeschlossen.

Berührungsspannungen und Schutzmaßnahmen

vgl. DIN VDE 0100-410 (1983-11)

Maximale Berührungsspannung in Volt		Erforderliche Schutzmaßnahme	Geräteschutzklassen		Beispiele für Geräte und Anlagen
Wechselspannung	Gleichspannung		Schutzklasse	Sinnbild	
25	60	Basisisolierung	–	–	Fernsprecheinrichtungen, Steuerungen, Schweißanlagen, Fassleuchten
50[1]	120	Basisisolierung, **zusätzlich** Schutzkleinspannung oder Funktionskleinspannung	III	⟨III⟩	
über 50	über 120	Basisisolierung **und** Schutzleiter	I	⏚	Elektrogeräte mit elektr. leitenden, berührbaren Teilen (Körper)
		Basisisolierung **und** Schutzisolierung	II	▢	Elektrogeräte mit Isoliergehäuse, z. B. Haushaltsgeräte, Leuchten
		Schutzklasse I oder II und **zusätzlicher** Schutz bei direktem Berühren	–	–	Fehlerstrom-Schutzeinrichtung für gefährliche Umgebung, z. B. Baderaum, Waschraum, Landwirtschaft

[1] Bei außergewöhnlichen Umgebungsbedingungen gelten niedrigere Werte: z.B. 6 V für medizinische Geräte, 12 V für Geräte, die in Badewannen eingesetzt werden, 25 V für elektromotorische Spielzeuge und landwirtschaftliche Betriebe.

Beispiele für Schutzmaßnahmen im TN-S-Netz[2]

3/N/PE ~ 50 Hz 400 V[3]

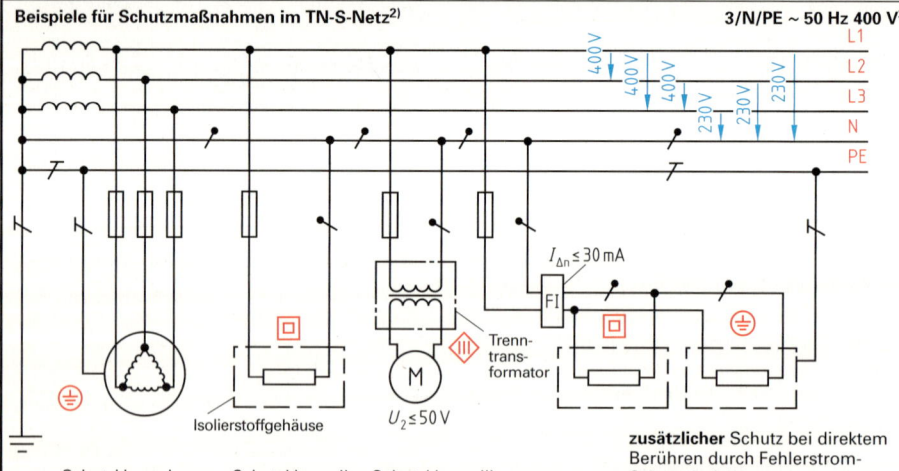

Schutzklasse I   Schutzklasse II   Schutzklasse III

zusätzlicher Schutz bei direktem Berühren durch Fehlerstrom-Schutzeinrichtung

A

[2] Drehstrom-Netz mit direkter Erdung eines Punktes (T), Verbindung der Körper der elektrischen Anlage, z.B. Gehäuse, mit dem Betriebserder (N) und getrennte Führung von Neutralleiter und Schutzleiter (S).

[3] Das Drehstromnetz enthält 3 Leiter (3-Phasen-Wechselstrom), einen Neutralleiter (N) und einen Schutzleiter (PE). Die Frequenz des Wechselstromes ist 50 Hertz, die Leiterspannung 400 V.

Der Funktionsplan stellt prozessorientierte Steuerungsabläufe dar und ist sowohl für Verknüpfungs- als auch für Ablaufsteuerungen geeignet. Er macht jedoch keine Aussage über die Art der verwendeten Geräte, der Führung der Leitungen oder den Einbau der Betriebsmittel.

Grafische Sinnbilder

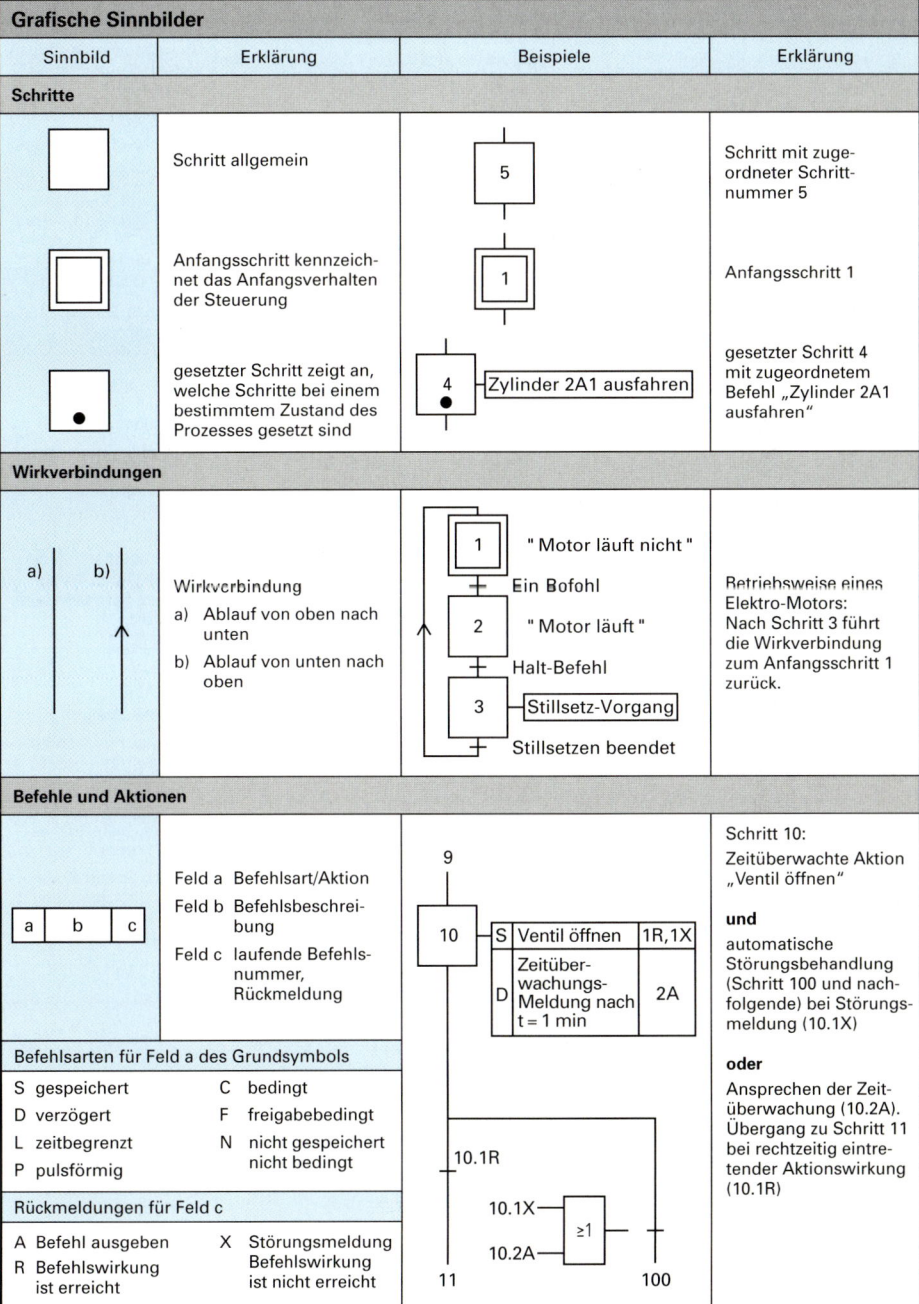

Sinnbild	Erklärung	Beispiele	Erklärung
Schritte			
	Schritt allgemein	5	Schritt mit zugeordneter Schrittnummer 5
	Anfangsschritt kennzeichnet das Anfangsverhalten der Steuerung	1	Anfangsschritt 1
	gesetzter Schritt zeigt an, welche Schritte bei einem bestimmtem Zustand des Prozesses gesetzt sind	4 Zylinder 2A1 ausfahren	gesetzter Schritt 4 mit zugeordnetem Befehl „Zylinder 2A1 ausfahren"
Wirkverbindungen			
a) b)	Wirkverbindung a) Ablauf von oben nach unten b) Ablauf von unten nach oben	1 " Motor läuft nicht " Ein Befehl 2 " Motor läuft " Halt-Befehl 3 Stillsetz-Vorgang Stillsetzen beendet	Betriebsweise eines Elektro-Motors: Nach Schritt 3 führt die Wirkverbindung zum Anfangsschritt 1 zurück.
Befehle und Aktionen			
a b c	Feld a Befehlsart/Aktion Feld b Befehlsbeschreibung Feld c laufende Befehlsnummer, Rückmeldung	9 10 S Ventil öffnen 1R,1X D Zeitüberwachungs-Meldung nach t = 1 min 2A 10.1R 10.1X 10.2A ≥1 11 100	Schritt 10: Zeitüberwachte Aktion „Ventil öffnen" **und** automatische Störungsbehandlung (Schritt 100 und nachfolgende) bei Störungsmeldung (10.1X) **oder** Ansprechen der Zeitüberwachung (10.2A). Übergang zu Schritt 11 bei rechtzeitig eintretender Aktionswirkung (10.1R)

Befehlsarten für Feld a des Grundsymbols

S	gespeichert	C	bedingt
D	verzögert	F	freigabebedingt
L	zeitbegrenzt	N	nicht gespeichert
P	pulsförmig		nicht bedingt

Rückmeldungen für Feld c

A	Befehl ausgeben	X	Störungsmeldung Befehlswirkung ist nicht erreicht
R	Befehlswirkung ist erreicht		

A

Grundformen von Schrittketten

Sinnbild	Erklärung	Beispiele	Erklärung

Übergangsbedingungen

Sinnbild	Erklärung	Beispiele	Erklärung
Übergangsbedingung	Übergangssymbol mit Übergangsbedingung. Voraussetzung für das Setzen des nächsten Schrittes: a) vorangehende Schritte müssen gesetzt sein b) Übergangsbedingung muss erfüllt sein	2 2 2 — $1A1 \wedge \overline{S1}$ — & $\frac{1A1}{S1}$ — Zyl. 1A1 ausgefahren und keine Störung — 3 3 3	Übergangsbedingungen können dargestellt werden durch: Textaussagen, Boolesche Gleichungen, grafische Symbole. Der Schritt 3 wird erst dann ausgeführt, wenn Zylinder 1A1 ausgefahren ist und keine Störmeldung ansteht (S1).

Ablaufkette (sequentieller Betrieb)

Sinnbild	Erklärung	Beispiele	Erklärung
a / b	Eine Ablaufkette besteht aus einer Reihe von Schritten, die nacheinander gesetzt werden. Schritt und Übergang erfolgen abwechselnd. Jeder Übergang wird durch einen Schritt freigegeben.	p — 13 / S Pumpe EIN / DC Ventil AUF Wartezeit $t = 2$ s — 1A — 14	Eine Pumpe wird durch ein Signal p eingeschaltet. 2 Sekunden nachdem der Druck aufgebaut wurde, wird ein zugehöriges Ventil geöffnet. Beide Aktionen werden auf das Signal 1A hin beendet. Schritt 14 wird ausgelöst.

Ablaufauswahl (Alternativ-Betrieb)

Sinnbild	Erklärung	Beispiele	Erklärung
$c \wedge \overline{d}$ $\overline{c} \wedge d$ Beispiel: Ablaufverzweigung	Bei der Ablaufauswahl verzweigt eine Schrittkette in mehrere Abläufe. Man unterscheidet: a) Ablaufverzweigung b) Ablaufzusammenführung	5 — e f — 6 8	Ablaufverzweigung: Der Ablauf findet statt, wenn Schritt 5 gesetzt ist a) nach Schritt 6, wenn die Übergangsbedingung „e" erfüllt ist (e=1) **oder** b) nach Schritt 8, wenn die Übergangsbedingung „f" erfüllt ist (f=1)

Gleichzeitige Abläufe (Parallel-Betrieb)

Sinnbild	Erklärung	Beispiele	Erklärung
a / b	Eine Schrittkette verzweigt sich in mehrere Abläufe, die gleichzeitig ausgelöst werden, aber unabhängig voneinander ablaufen. Erst wenn alle Zweige durchlaufen sind, wird der nächste Einzelschritt ausgeführt.	2 — a — 22 24 — b — 3	Ein Ablauf vom Schritt 2 zu den Schritten 22, 24 usw., findet nur statt, wenn a) Schritt 2 gesetzt ist **und** b) die dem gemeinsamen Übergang zugeordnete Übergangsbedingung „a" erfüllt ist (a=1)

A

Beispiel: Hubeinrichtung

Werkstücke sollen durch einen Hubzylinder angehoben und anschließend durch einen Verschiebezylinder auf eine Rollenbahn geschoben werden.

Durch die Betätigung des Hauptventils und des Starttasters fährt der Hubzylinder 1A1 aus, hebt das Werkstück an und betätigt in der Endstellung den Grenztaster 1S3. Dadurch fährt der Verschiebezylinder 2A1 aus, schiebt das Werkstück auf die Rollenbahn und betätigt den Grenztaster 2S2. Zylinder 1A1 fährt in seine Ausgangsstellung zurück, betätigt 1S2 und bewirkt dadurch die Rückstellung von Zylinder 2A1.

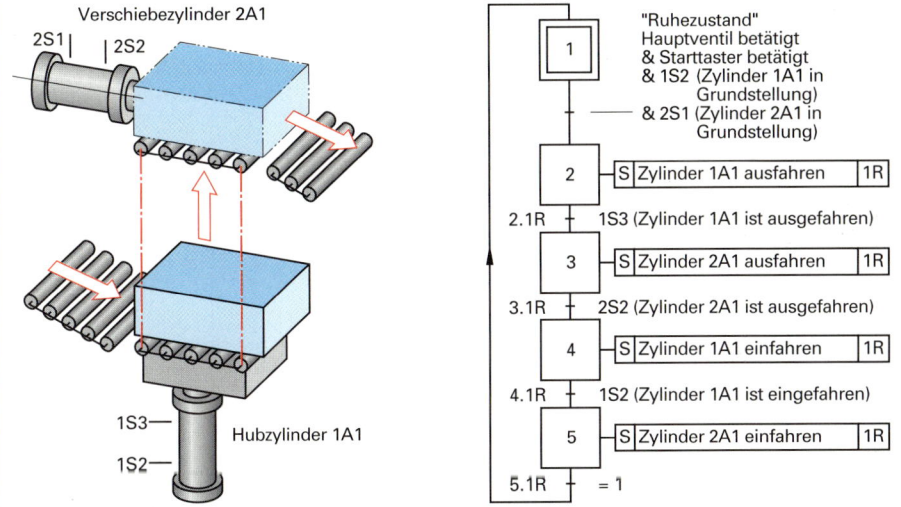

Verschiebezylinder 2A1

2S1 | 2S2

1S3 — Hubzylinder 1A1

1S2 —

1	"Ruhezustand" Hauptventil betätigt & Starttaster betätigt & 1S2 (Zylinder 1A1 in Grundstellung) & 2S1 (Zylinder 2A1 in Grundstellung)	
2	S Zylinder 1A1 ausfahren	1R
2.1R	1S3 (Zylinder 1A1 ist ausgefahren)	
3	S Zylinder 2A1 ausfahren	1R
3.1R	2S2 (Zylinder 2A1 ist ausgefahren)	
4	S Zylinder 1A1 einfahren	1R
4.1R	1S2 (Zylinder 1A1 ist eingefahren)	
5	S Zylinder 2A1 einfahren	1R
5.1R	= 1	

Beispiel: Rührwerksteuerung

Farbe soll in einen Rührwerksbehälter einlaufen, dort umgerührt und danach wieder abgepumpt werden. Durch Öffnen des Ventils Y1 läuft die Farbe bis zu einer Füllstandsmarke ein. Anschließend wird der Motor M1 eingeschaltet und die Farbe 2 Minuten umgerührt. Nach dem Abschalten des Rührwerkmotors M1 und dem Einschalten des Pumpenmotors M2 (Laufzeit mindestens 10 s) wird der Behälter leergepumpt. Abschaltkriterium für den Pumpenmotor M2 ist das Absinken der Motorantriebsleistung unter 1 kW (Behälter ist leer).

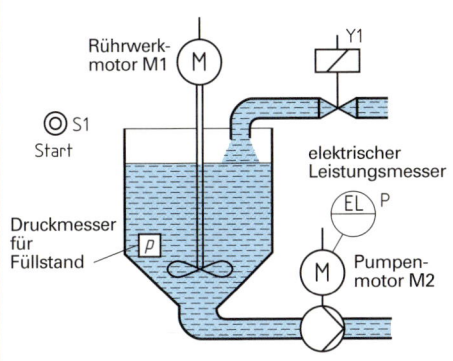

Rührwerk-motor M1

S1 Start

Druckmesser für Füllstand

p

Y1

elektrischer Leistungsmesser

EL P

Pumpen-motor M2

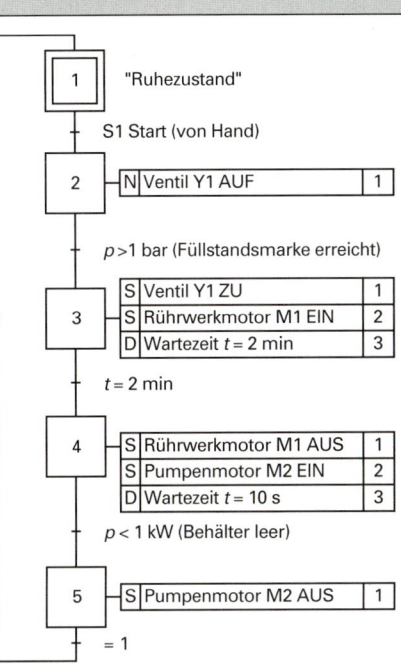

1	"Ruhezustand"	
	S1 Start (von Hand)	
2	N Ventil Y1 AUF	1
	$p > 1$ bar (Füllstandsmarke erreicht)	
3	S Ventil Y1 ZU	1
	S Rührwerkmotor M1 EIN	2
	D Wartezeit $t = 2$ min	3
	$t = 2$ min	
4	S Rührwerkmotor M1 AUS	1
	S Pumpenmotor M2 EIN	2
	D Wartezeit $t = 10$ s	3
	$p < 1$ kW (Behälter leer)	
5	S Pumpenmotor M2 AUS	1
	= 1	

A

Funktionsdiagramme

In Funktionsdiagrammen werden die Zustände und Zustandsänderungen von Arbeitsmaschinen und Fertigungsanlagen grafisch dargestellt. Man unterteilt sie in Weg- und Zustandsdiagramme.

Wegdiagramme stellen die Wege eines Arbeitsgliedes durch Bildzeichen dar.

Zustandsdiagramme stellen die Funktionsfolgen einer oder mehrerer Arbeitseinheiten und die steuerungstechnische Verknüpfung der zugehörigen Bauglieder in zwei Koordinaten dar. In der senkrechten Achse wird der Zustand der Bauglieder, auf der waagerechten Koordinate die Zeit und/oder die Schritte des Steuerungsablaufes aufgetragen.

Wege und Bewegungen	Signalglieder muskelbetätigt	Signalverknüpfungen
→ Geradlinige Arbeitsbewegung	EIN	Signallinie Sie beginnt am Signalausgang und endet an der Stelle, wo eine Änderung des Zustandes eingeleitet wird.
----→ Geradlinige Leerbewegung	AUS	
Funktionslinien	EIN/AUS	
—— Ruhe- oder Ausgangsstellung der Bauglieder	TIPPEN	Signalverzweigung Die Verzweigungslinie wird mit einem Punkt markiert.
—— Für alle von der Ruhe- oder Ausgangsstellung abweichenden Zustände	AUTOMATIK EIN	
Wegbegrenzungen und Bewegungsabgrenzungen	**Signalglieder mechanisch betätigt**	
→ Wegbegrenzung allgemein ----→	Grenztaster in Endlage betätigt	UND-Bedingung: Die Verzweigungsstelle wird mit einem breiten Schrägstrich markiert.
	Signalglieder pneumatisch bzw. hydraulisch betätigt	
→● Wegbegrenzung über Signalglied ----●→	p 6 bar Druckschalter mit Einstellwert, z.B. 6 bar	ODER-Bedingung: Die Vereinigungsstelle wird mit einem Punkt markiert.
→┤ Wegbegrenzung durch einstellbaren mechanischen Festanschlag ----→┤	t 2 s Zeitglied mit Einstellwert, z.B. 2 s	

Ausführung eines Funktionsdiagramms

Darstellung	Beschreibung	Beispiel	Beschreibung
Zylinder oder Hubmagnet		**Stellglied mechanisch betätigt**	
0 1 2 3 4 5 6 7 (Diagramm mit Stufen bei 2 und 1)	Schritt 1: von der Ausgangsstellung 1 zur Lage 2 fahren		Schritt 1: Stellglied schaltet von b nach a und bewirkt Ausfahren von Zylinder 1A1
	Schritt 2 und 3: verharren	Schritt 0 1 2 3 4 5 6 7	
	Schritt 4: von der Lage 2 zur Ausgangsstellung 1 fahren	Zustand	
Ventil mit zwei Schaltstellungen		1S1	
0 1 2 3 4 5 6 7 (Diagramm a/b)	Schritt 1: Umschalten von Ausgangsstellung b in Stellung a	1A1 2/1 t 2s	Schritt 2: Zylinder betätigt Signalglied 1S1; Signalglied 1S1 steuert Zeitglied an; Zeitglied läuft ab (2 s)
	Schritt 2 und 3: verharren		
	Schritt 4: Umschalten von Stellung a in Ausgangsstellung b	a b	Schritt 3: Zeitglied steuert Stellglied von a nach b; Zylinder 1A1 fährt wieder ein
Signalglied muskelbetätigt			
0 1 2 3 4 5 6 7 a b	Schritt 3: einschalten; Steuerglied schaltet von b nach a		

A

Funktionsdiagramme

Beispiel: pneumatisch gesteuerte Hubeinrichtung

Lageplan

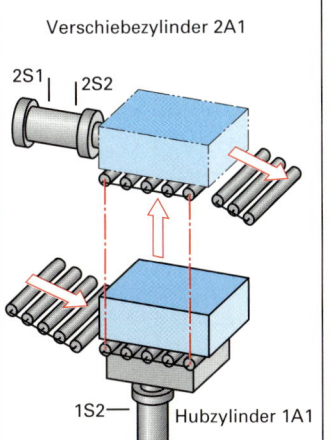

Verschiebezylinder 2A1
2S1
2S2
1S2
Hubzylinder 1A1
1S1

Funktionsdiagramm

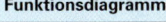

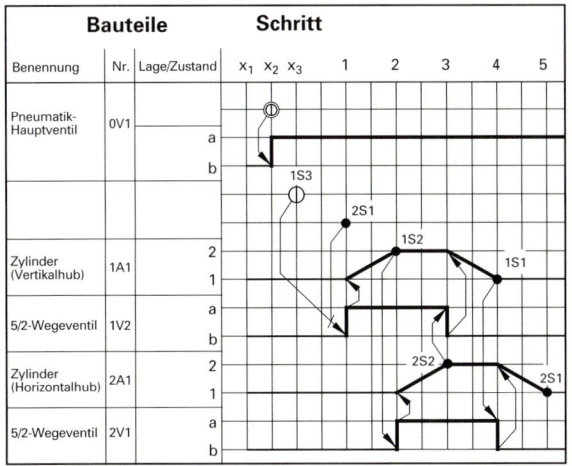

Bauteile
Schritt
Benennung
Nr.
Lage/Zustand
x1 x2 x3
1 2 3 4 5
Pneumatik-Hauptventil
0V1
a
b
1S3
2S1
1S2
1S1
Zylinder (Vertikalhub)
1A1
2
1
5/2-Wegeventil
1V2
a
b
2S2
2S1
Zylinder (Horizontalhub)
2A1
2
1
5/2-Wegeventil
2V1
a
b

Pneumatik-Schaltplan

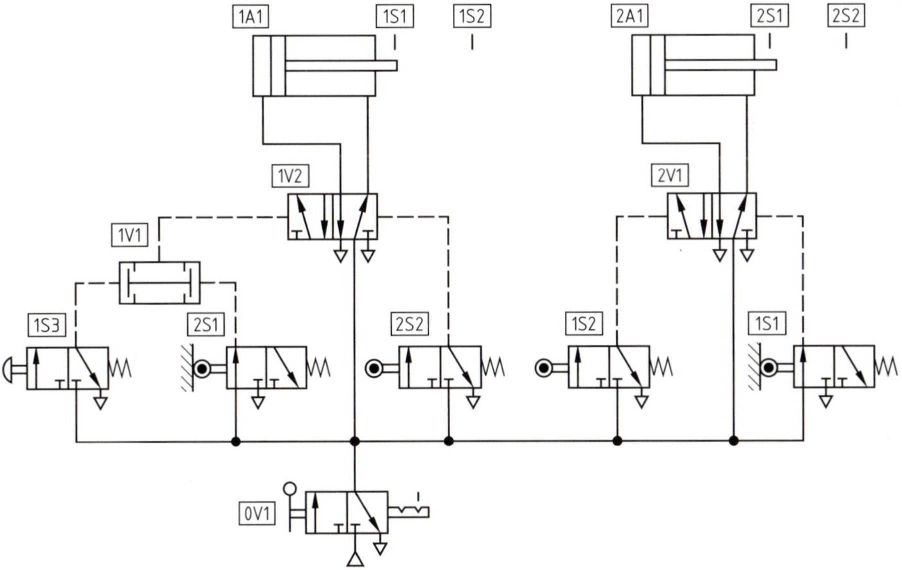

1A1
1S1
1S2
2A1
2S1
2S2
1V2
2V1
1V1
1S3
2S1
2S2
1S2
1S1
0V1

Schaltzeichen der Pneumatik und Hydraulik vgl. DIN ISO 1219-1 (1996-03)

Funktionssinnbilder	Energieumformung	Sperrventile

Funktionssinnbilder

- Hydrostrom
- Druckluftstrom
- Strömungsrichtung
- Drehrichtung
- Verstellbarkeit

Energieübertragung

- Druckquelle [1] [2]
- Arbeitsleitung
- Steuerleitung, Leckstromleitung
- Umrahmung von Baugruppen
- Leitungsverbindung
- Leitungskreuzung
- Schnellkupplung
- Entlüftung ohne Anschluss
- Entlüftung mit Anschluss
- Geräuschdämpfer
- Behälter
- Druckbehälter
- Hydrospeicher
- Filter oder Sieb
- Wasserabscheider
- Lufttrockner
- Öler
- Aufbereitungs-Einheit

Energieumformung

Pumpen, Kompressoren
- Konstant-Hydropumpe, eine Drehrichtung
- Verstell-Hydropumpe, zwei Drehrichtungen
- Kompressor, eine Drehrichtung

Motoren
- Konstantmotor, eine Drehrichtung [1] [2]
- Verstellmotor, zwei Drehrichtungen
- Drehantrieb
- Elektromotor

einfachwirkende Zylinder [3]
- Rückhub durch nicht definierte Kraft (vereinfacht)
- Rückhub durch eingebaute Feder (vereinfacht)

doppeltwirkende Zylinder [3]
- mit einseitiger Kolbenstange (vereinfacht)
- mit einseitiger Kolbenstange und beidseitig einstellbarer Endlagendämpfung (vereinfacht)

Sperrventile
- Rückschlagventil unbelastet
- Rückschlagventil federbelastet
- Wechselventil (ODER-Funktion)
- Schnellentlüftungsventil
- Drosselrückschlagventil
- Zweidruckventil (UND-Funktion)

Druckventile
- Druckbegrenzungsventil
- Folgeventil
- 2-Wege-Druckreduzierventil, direktwirkend
- 2-Wege-Druckreduzierventil, vorgesteuert

Stromventile
- Drosselventil nicht verstellbar
- Drosselventil verstellbar
- 2-Wege-Stromregelventil mit veränderlichem Auslassstrom
- 3-Wege-Stromregelventil mit veränderlichem Auslassstrom, Entlastungsöffnung zum Behälter

[1] hydraulisch [2] pneumatisch [3] Dreiecke können entfallen

A

Kurzbezeichnung von Wegeventilen

1V3 2

Anzahl der Anschlüsse

3 / 2 - Wegeventil 1 V 3

Anzahl der Schaltstellungen

Bauteil-Kennzeichnung

Schaltkreis-Nummer

Bauteil-Nummer

2V3 4 2 14 a b 12 5 1 3

⇒ Wegeventil mit 5 Anschlüssen, 2 Schaltstellungen, Schaltkreisnummer 2, Bauteilkennzeichnung V (Ventil), Bauteilnummer 3. Ein Impuls an Steueranschluss 12 bewirkt eine Verbindung des Anschlusses 1 mit 2, ein Impuls an 14 eine Verbindung von 1 mit 4.

Wegeventile	Bauarten (Auswahl)	Betätigungsarten
Grundsinnbilder	**2/-Wegeventile**	**Betätigung durch Muskelkraft**
Anzahl der Rechtecke ≙ Anzahl der Schaltstellungen	2/2-Wegeventil mit Sperr-Ruhestellung	allgemein
Grundsinnbild für 2-Stellungs-Wegeventil	2/2-Wegeventil mit Durchfluss-Ruhestellung	durch Druckknopf
		durch Hebel
		durch Pedal
Grundsinnbild für 3-Stellungs-Wegeventil	**3/-Wegeventile**	**Mechanische Betätigung**
	3/2-Wegeventil mit Sperr-Ruhestellung	durch Stößel
	3/2-Wegeventil mit Durchfluss-Ruhestellung	durch Feder
Anschlüsse an Ventile werden mit kurzen Strichen markiert		durch Rolle
	3/3-Wegeventil mit Sperr-Mittelstellung	durch Rollenhebel, eine Betätigungsrichtung
Durchflusswege	**4/-Wegeventile**	**Druckbetätigung**
ein Durchflussweg	4/2-Wegeventil	direkt
zwei gesperrte Anschlüsse		1) 2) indirekt über Vorsteuerventil
zwei Durchflusswege	4/3-Wegeventil mit Sperr-Mittelstellung	**Elektrische Betätigung**
zwei Durchflusswege und ein gesperrter Anschluss	4/3-Wegeventil mit Schwimm-Mittelstellung	durch Elektromagnet
		durch Elektromotor
zwei Durchflusswege mit Verbindung zueinander	**5/-Wegeventile**	**Kombinierte Betätigung**
	5/2-Wegeventil	durch Elektromagnet und Vorsteuerventil
ein Durchflussweg in Nebenschlussschaltung und zwei gesperrte Anschlüsse		durch Elektromagnet oder Vorsteuerventil
	5/3-Wegeventil mit Sperr-Mittelstellung	**Mechanische Bestandteile**
		Raste

A

Aufbau eines Schaltplanes

- Die Steuerung wird untergliedert in Schaltkreise mit zusammenhängenden Steuerfunktionen.
- Baugruppen, wie z.B. Drosselrückschlagventile, werden durch eine strichpunktartige Linie umgrenzt.

Anordnung der Bauteile

- Die räumliche Anordnung der Bauteile in der Anlage wird nicht berücksichtigt.
- Bauteile eines Schaltkreises werden von unten nach oben in Richtung des Energieflusses und von links nach rechts angeordnet:
  - Energiequellen: unten links,
  - Steuerungselemente in fortlaufender Reihenfolge: aufwärts von links nach rechts,
  - Antriebe: oben von links nach rechts.
- Hydraulikbauteile werden in der Ausgangsstellung der Anlage dargestellt.

  Pneumatikbauteile werden in der Ausgangsstellung der Anlage mit Druckbeaufschlagung dargestellt.
- Gleichartige Bauglieder oder Baugruppen sollen innerhalb eines Schaltkreises in gleicher Höhe dargestellt werden.
- Geräte, die durch Antriebe betätigt werden, z.B. Grenztaster oder impulsbetätigte Ventile, werden an ihrer Betätigungsstelle durch einen kleinen Markierungsstrich und ihren Kennzeichnungsschlüssel dargestellt.

  Bei einseitig arbeitenden Rollenhebelventilen ist ein Richtungspfeil an den Markierungsstrich anzufügen.

Kennzeichnung der Bauteile

Beispiel eines Kennzeichnungsschlüssels:

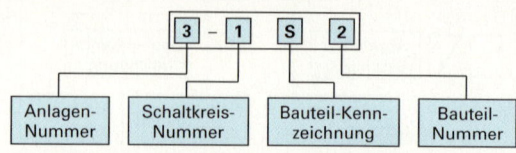

| Anlagen-Nummer | Schaltkreis-Nummer | Bauteil-Kennzeichnung | Bauteil-Nummer |

- Der Kennzeichnungsschlüssel wird mit einem Rahmen versehen.
- Besteht ein Schaltplan aus mehreren Anlagen, muss die Anlagennummer, beginnend mit der Ziffer 1, angewandt werden.
- Schaltkreise erhalten eine Schaltkreis-Nummer. Vorzugsweise ist bei allen Versorgungsgliedern, z.B. Aufbaubereitungseinheit oder Hauptventil, mit der Ziffer 0 zu beginnen.
- Die Bauteil-Kennzeichnung besteht aus einem Buchstaben für:

Pumpen und Kompressoren	P
Antriebe	A
Antriebsmotoren	M
Signalaufnehmer	S
Ventile	V
jedes andere Bauteil	Z

  oder ein anderer noch nicht belegter Buchstabe

- Alle Bauteile innerhalb eines Schaltkreises erhalten eine fortlaufende Bauteil-Nummerierung, beginnend mit der Ziffer 1.

Bauteile eines Schaltkreises

Antriebsglieder	Motoren, Zylinder, Ventile
Stellglieder	Ventile zur Steuerung der Antriebsglieder
Steuerglieder	Ventile zur Signalverknüpfung
Signalglieder	Bauteile zur Auslösung eines Schaltschrittes
Versorgungsglieder	Aufbereitungseinheit, Hauptventil

Bezeichnung der Anschlüsse an Ventilen

Zufluss, Druckanschluss	1	Abfluss, Entlüftung	3, 5, 7
Arbeitsanschlüsse	2, 4, 6	Steueranschlüsse	12, 14, 16

Beispiel: Pneumatikschaltplan mit zwei Zylindern (Hubeinrichtung)

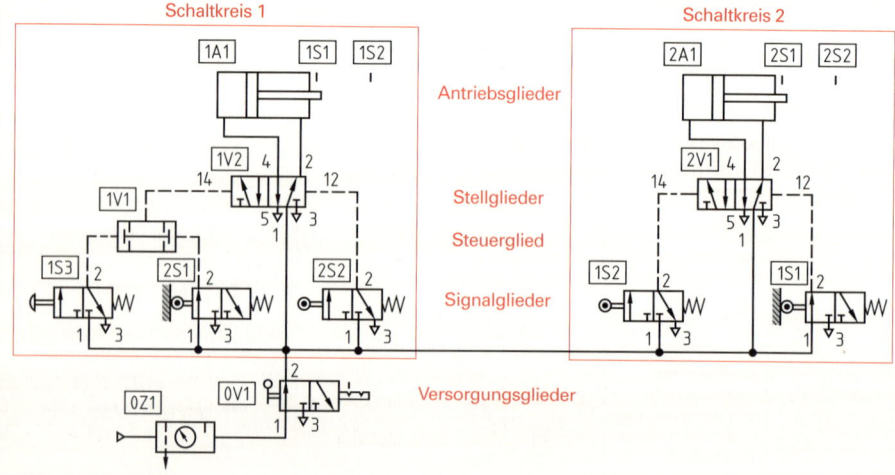

A

Elektropneumatische Steuerungen

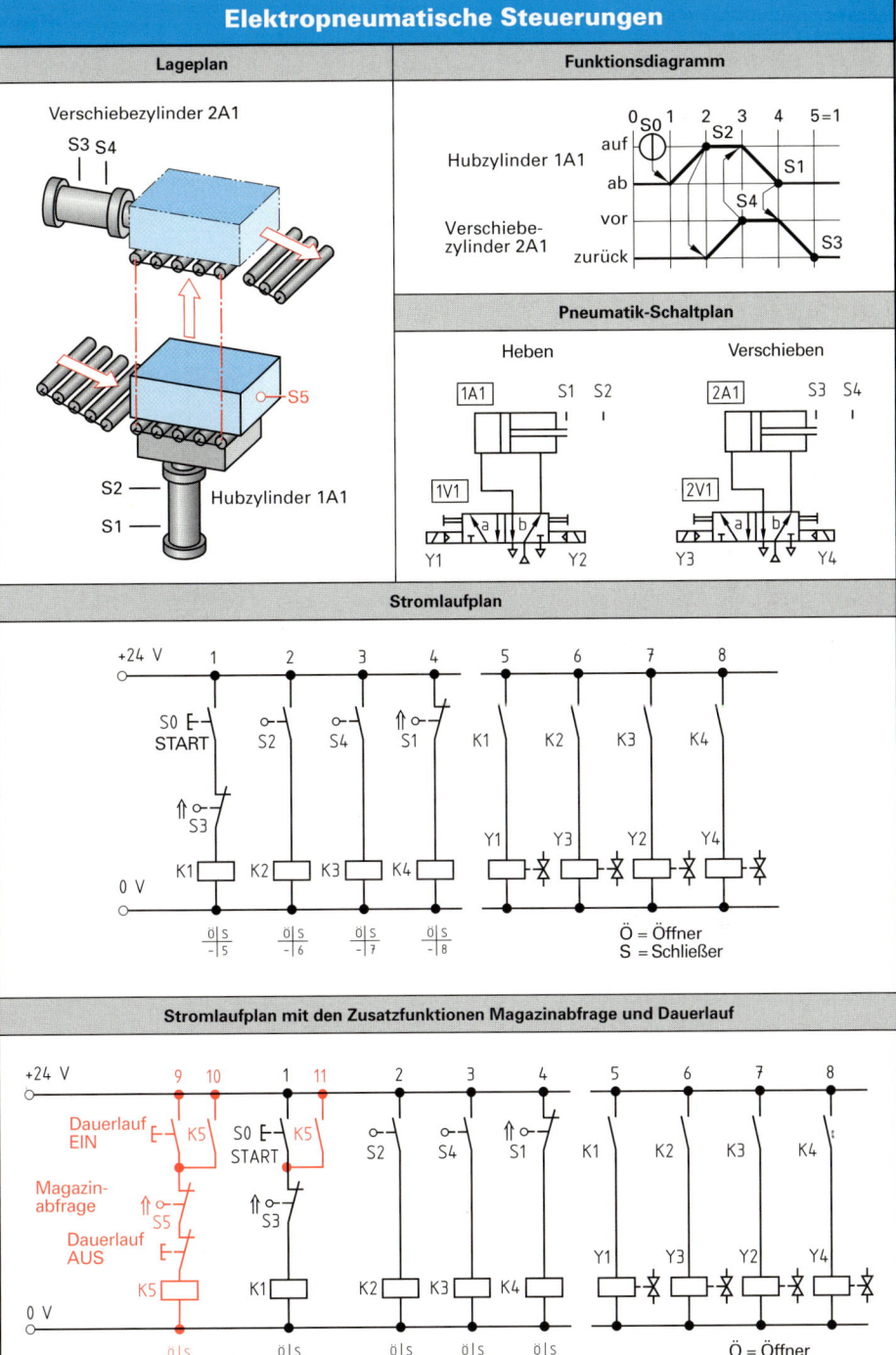

Lageplan

Verschiebezylinder 2A1

S3 S4

S5

S2 — Hubzylinder 1A1

S1

Funktionsdiagramm

0 1 2 3 4 5=1
S0

Hubzylinder 1A1 auf / ab   S2   S1

Verschiebezylinder 2A1 vor / zurück   S4   S3

Pneumatik-Schaltplan

Heben   Verschieben

1A1   S1 S2   2A1   S3 S4

1V1   2V1
a b   a b
Y1   Y2   Y3   Y4

Stromlaufplan

+24 V   1   2   3   4   5   6   7   8

S0 E START
S2   S4   S1   K1   K2   K3   K4

S3

Y1   Y3   Y2   Y4

K1   K2   K3   K4

0 V

Ö|S Ö|S Ö|S Ö|S   Ö = Öffner
—|5 —|6 —|7 —|8   S = Schließer

Stromlaufplan mit den Zusatzfunktionen Magazinabfrage und Dauerlauf

+24 V   9 10   1 11   2   3   4   5   6   7   8

Dauerlauf EIN K5   S0 E START K5

Magazinabfrage S5

Dauerlauf AUS

K5   K1   S2   K2   S4   K3   S1   K4

K1   K2   K3   K4

Y1   Y3   Y2   Y4

0 V

Ö|S   Ö|S Ö|S Ö|S Ö|S   Ö = Öffner
—|10 —|5 —|6 —|7 —|8   S = Schließer
—|11

A

Elektrohydraulische Steuerungen

Beispiel: Elektrohydraulisch gesteuerte Vorschubeinheit

Der Hydraulikzylinder fährt im Eilgang (EV) vor, wird durch den Schalter S3 auf Arbeitsvorschub (AV) umgesteuert. In der vorderen Endlage wird durch den Schalter S4 nach einer Zeitverzögerung von 4 Sekunden auf Eilrücklauf (ER) geschaltet. Die Geschwindigkeit des Arbeitsvorschubs wird durch das einstellbare Stromregelventil (1V4) bestimmt.

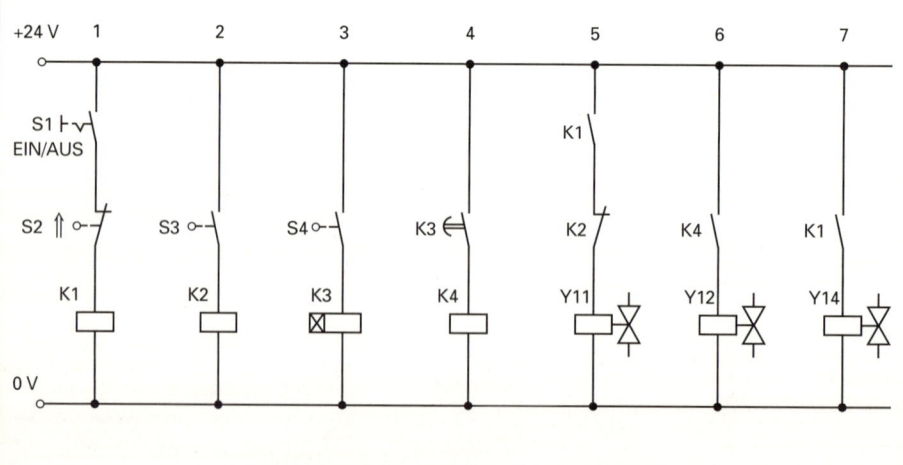

Lageplan	Hydraulik-Schaltplan

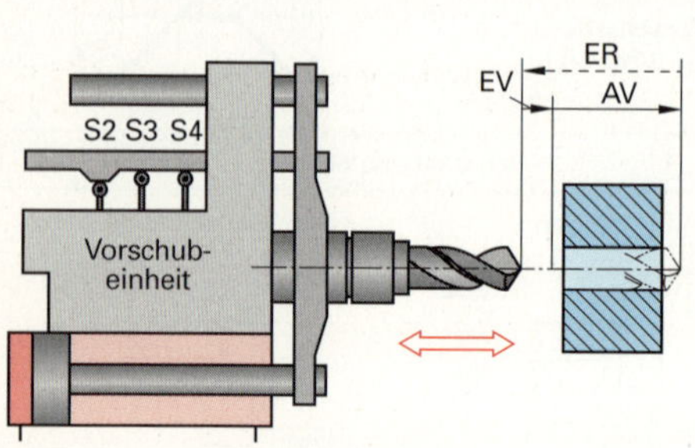

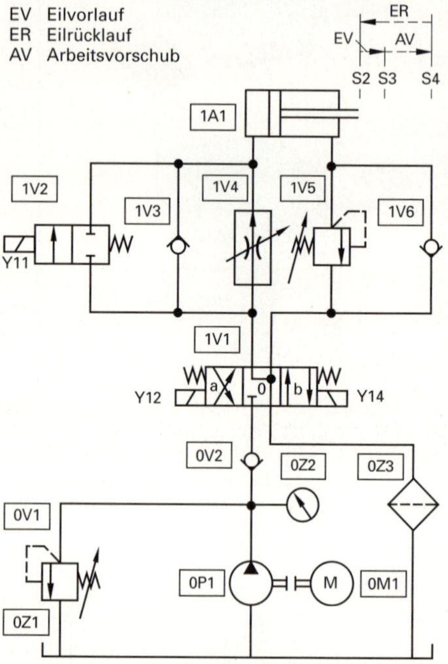

EV Eilvorlauf
ER Eilrücklauf
AV Arbeitsvorschub

Funktionsdiagramm

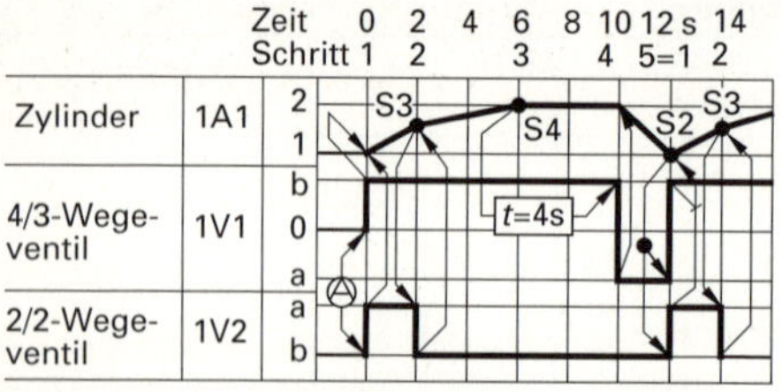

Automatikbetrieb

Stromlaufplan

+24 V

S1 EIN/AUS

Ansprechverzögertes Relais K3 auf t = 4 s eingestellt

A

Hydrauliköle
vgl. DIN 51 524 (1985-06)

Arten

Typ	Erläuterung
HL (DIN 51 524-1)	Druckflüssigkeiten mit Wirkstoffen zur Erhöhung des Korrosionsschutzes und der Alterungsbeständigkeit.
HLP (DIN 51 524-2)	Enthalten zusätzliche Wirkstoffe, die den Verschleiß im Mischreibungsbereich mindern. Sie werden in Hydraulikanlagen mit Hydropumpen und Hydromotoren verwendet, die mit mehr als 200 bar betrieben werden.

Eigenschaften

Eigenschaften		HL 10 HLP 10	HL 22 HLP 22	HL 32 HLP 32	HL 46 HLP 46	HL 68 HLP 68	HL 100 HLP 100
Kinematische Viskosität in mm²/s	bei –20 °C	600	–	–	–	–	–
	bei 0 °C	90	300	420	780	1400	2560
	bei 40 °C	10	22	32	46	68	100
	bei 100 °C	2,4	4,1	5,0	6,1	7,8	9,9
Pourpoint[1] gleich oder tiefer als		– 30 °C	– 21 °C	– 18 °C	– 15 °C	– 12 °C	– 12 °C
Flammpunkt höher als		125 °C	165 °C	175 °C	185 °C	195 °C	205 °C

[1] Der Pourpoint (engl.: Fließpunkt) ist ein international angewandtes Maß für das Kälteverhalten von Erdölprodukten. Nach DIN 51 597 ist der Pourpoint die Temperatur, bei der das Hydrauliköl unter Schwerkrafteinfluss gerade noch fließt.
Der Pourpoint ersetzt den früher in der deutschen Norm verwendeten um etwa 3 K niedrigeren Stockpunkt.

⇒ **Hydrauliköl DIN 51 524 – HLP 46**: Hydrauliköl vom Typ HLP, kinematische Viskosität = 46 mm²/s bei 40 °C

Viskositäts-Temperatur-Verhalten

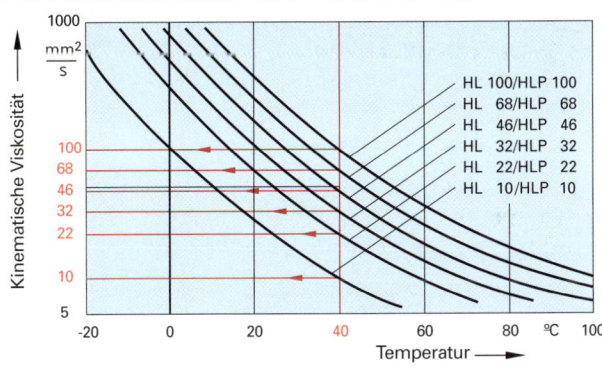

Schwerentflammbare Hydraulikflüssigkeiten

Bezeichnung	ISO-Viskositäts-klassen	Eignung für Temperaturen in °C	Eigenschaften	Verwendung
HFAE DIN 24 320 (1986-12)	(nicht festgelegt)	+5 ... +55	Öl-in-Wasser-Emulsionen, üblicher Ölanteil 2...3%, kleine Viskosität, geringe Schmierfähigkeit	Grubenausbau
HFAS	(nicht festgelegt)	+5 ... +55	Lösungen von Flüssigkeitskonzentraten in Wasser, Eigenschaften wie HFAE	Grubenausbau
HFC	15, 22, 32, 46, 68, 100	–20 ... +60	Wässerige Monomer- und/oder Polymerlösungen, Verschleißschutz besser als bei HFA	Bergbau, Druckgussmaschinen, Schweißautomaten, Stahlindustrie, Schmiedepressen
HFD	15, 22, 32, 46, 68, 100	–20 ... +150	Wasserfreie synthetische Flüssigkeiten. Gut alterungsbeständig, schmierfähig, großer Temperaturbereich	Hydraulische Anlagen mit hohen Betriebstemperaturen

A

Pneumatikzylinder

Abmessungen und Kolbenkräfte

Zylinderdurchmesser in mm		12	16	20	25	32	40	50	63	80	100	125	160	200
Kolbenstangendurchmesser (mm)		6	8	8	10	12	16	20	20	25	25	32	40	40
Anschlussgewinde		M5	M5	$G^1/_8$	$G^1/_8$	$G^1/_8$	$G^1/_4$	$G^1/_2$	$G^3/_8$	$G^3/_8$	$G^1/_2$	$G^1/_2$	$G^3/_4$	$G^3/_4$
Druckkraft[1] bei $p_e = 6$ bar in N	einfachwirk. Zyl.[2]	50	96	151	241	375	644	968	1560	2530	4010	–	–	–
	doppeltwirk. Zyl.	58	106	164	259	422	665	1040	1650	2660	4150	6480	10600	16600
Zugkraft[1] bei $p_e = 6$ bar in N	doppeltwirk. Zyl.	54	79	137	216	364	560	870	1480	2400	3890	6060	9960	15900
Hublängen in mm	einfachwirk. Zyl.	10, 25, 50					25, 50, 80, 100					–		
	doppeltwirk. Zyl.	bis 160	bis 200	bis 320	10, 25, 50, 80, 100, 160, 200, 250, 320, 400, 500									

[1] Bei einem Zylinderwirkungsgrad $\eta = 0,88$ [2] Dabei ist die Rückzugskraft der Feder berücksichtigt

Luftverbrauch durch Berechnung

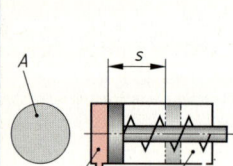

Q Luftverbrauch für einfachwirkenden Zylinder
p_e Überdruck im Zylinder
p_{amb} Luftdruck
s Kolbenhub
n Hubzahl
A Kolbenfläche
q spezifischer Luftverbrauch je cm Kolbenhub

Luftverbrauch einfachwirkender Zylinder

$$Q = A \cdot s \cdot n \cdot \frac{p_e + p_{amb}}{p_{amb}}$$

Beispiel:

Einfachwirkender Zylinder mit $d = 50$ mm, $s = 100$ mm, $p_e = 6$ bar, $n = 120$/min, $p_{amb} = 1$ bar

Luftverbrauch Q in l/min?

$$Q = A \cdot s \cdot n \cdot \frac{p_e + p_{amb}}{p_{amb}}$$

$$= \frac{\pi \cdot (5 \text{ cm})^2}{4} \cdot 10 \text{ cm} \cdot 120 \, \frac{1}{\text{min}} \cdot \frac{(6+1) \text{ bar}}{1 \text{ bar}}$$

$$= 164\,934 \, \frac{\text{cm}^3}{\text{min}} \approx \mathbf{165 \, \frac{l}{min}}$$

Luftverbrauch doppeltwirkender Zylinder

$$Q \approx 2 \cdot A \cdot s \cdot n \cdot \frac{p_e + p_{amb}}{p_{amb}}$$

Luftverbrauch durch Ermittlung aus Diagramm

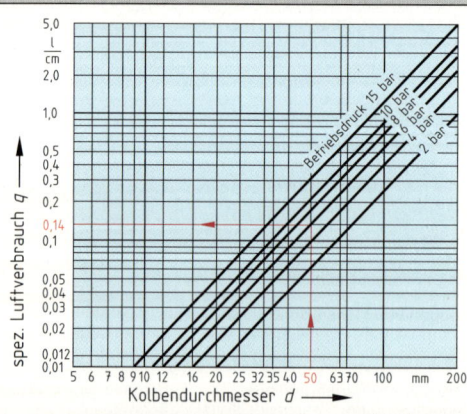

Luftverbrauch einfachwirkender Zylinder

$$Q = q \cdot s \cdot n$$

Luftverbrauch doppeltwirkender Zylinder

$$Q \approx 2 \cdot q \cdot s \cdot n$$

A

Beispiel: Der Luftverbrauch des oben genannten einfachwirkenden Zylinders mit $d = 50$ mm soll aus dem Diagramm ermittelt werden.

Nach Diagramm ist $q = 0,14$ l/cm Kolbenhub.
$Q = q \cdot s \cdot n = 0,14$ l/cm $\cdot 10$ cm $\cdot 120$/min $= \mathbf{168 \, l/min}$

Kolbenkräfte

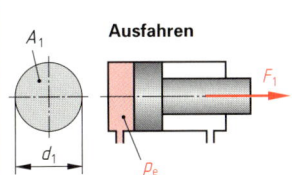

Ausfahren

Einfahren

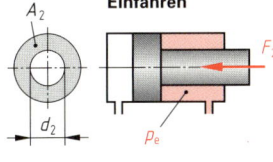

p_e — Überdruck
A_1, A_2 — Kolbenflächen
F_1 — Kolbenkraft beim Ausfahren
F_2 — Kolbenkraft beim Einfahren

d_1 — Kolbendurchmesser
d_2 — Kolbenstangendurchmesser
η — Wirkungsgrad

Beispiel:
Hydrozylinder mit d_1 = 100 mm, d_2 = 70 mm, η = 0,85 und p_e = 60 bar.
Wie groß sind die wirksamen Kolbenkräfte?

Ausfahren:
$$F_1 = p_e \cdot A_1 \cdot \eta = 600 \ \frac{N}{cm^2} \cdot \frac{\pi \cdot (10 \ cm)^2}{4} \cdot 0,85$$
$$= \ \mathbf{40\ 055 \ N}$$

Einfahren:
$$F_2 = p_e \cdot A_2 \cdot \eta$$
$$= 600 \ \frac{N}{cm^2} \cdot \frac{\pi \cdot [(10 \ cm)^2 - (7 \ cm)^2]}{4} \cdot 0,85$$
$$= \ \mathbf{20\ 428 \ N}$$

Wirksame Kolbenkraft

$$F = p_e \cdot A \cdot \eta$$

Hydraulische Presse

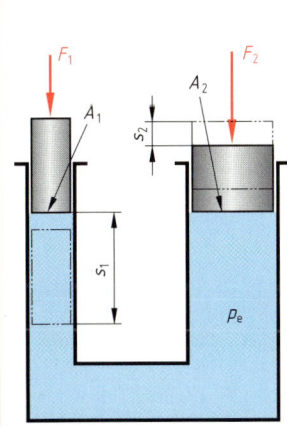

Druck breitet sich in abgeschlossenen Flüssigkeiten oder Gasen nach allen Richtungen gleichmäßig aus.

F_1 — Kraft am Druckkolben
F_2 — Kraft am Arbeitskolben
A_1 — Fläche des Druckkolbens
A_2 — Fläche des Arbeitskolbens
s_1 — Weg des Druckkolbens
s_2 — Weg des Arbeitskolbens
i — hydraulisches Übersetzungsverhältnis

Beispiel:
F_1 = 200 N; A_1 = 5 cm²; A_2 = 500 cm²;
s_2 = 30 mm; F_2 = ?; s_1 = ?; i = ?

$$F_2 = \frac{F_1 \cdot A_2}{A_1} = \frac{200 \ N \cdot 500 \ cm^2}{5 \ cm^2} = 20\ 000 \ N = \mathbf{20 \ kN}$$

$$s_1 = \frac{s_2 \cdot A_2}{A_1} = \frac{30 \ mm \cdot 500 \ cm^2}{5 \ cm^2} = \mathbf{3000 \ mm}$$

$$i \ = \frac{F_1}{F_2} = \frac{200 \ N}{20\ 000 \ N} = \mathbf{\frac{1}{100}}$$

Verhältnisse: Kräfte, Flächen, Wege

$$\frac{F_2}{F_1} = \frac{A_2}{A_1} = \frac{s_1}{s_2}$$

Übersetzungsverhältnis

$$i = \frac{F_1}{F_2}$$

$$i = \frac{s_2}{s_1}$$

$$i = \frac{A_1}{A_2}$$

Druckübersetzer

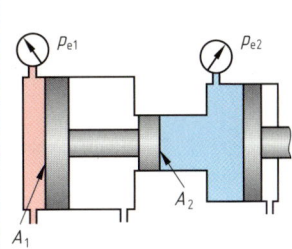

A_1, A_2 — Kolbenflächen
p_{e1} — Überdruck an der Kolbenfläche A_1
p_{e2} — Überdruck an der Kolbenfläche A_2
η — Wirkungsgrad des Druckübersetzers

Beispiel:
Druckübersetzer mit
A_1 = 200 cm²; A_2 = 5 cm²; η = 0,88;
p_{e1} = 7 bar = 70 N/cm²; p_{e2} = ?

$$p_{e2} = p_{e1} \cdot \frac{A_1}{A_2} \cdot \eta = 70 \ \frac{N}{cm^2} \cdot \frac{200 \ cm^2}{5 \ cm^2} \cdot 0,88$$
$$= 2\ 464 \ N/cm^2 = \mathbf{246,4 \ bar}$$

Überdruck

$$p_{e2} = p_{e1} \cdot \frac{A_1}{A_2} \cdot \eta$$

A

Berechnungen zur Hydraulik

Durchflussgeschwindigkeiten

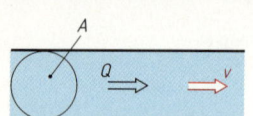

Q, Q_1, Q_2	Volumenströme
A, A_1, A_2	Querschnittsflächen
v, v_1, v_2	Durchflussgeschwindigkeiten

Kontinuitätsgleichung

In einer Rohrleitung mit wechselnden Querschnittsflächen fließt in der Zeit t durch jeden Querschnitt der gleiche Volumenstrom Q.

Beispiel:

Rohrleitung mit $A_1 = 19{,}6$ cm²; $A_2 = 8{,}04$ cm²
und $Q = 120$ l/min; $v_1 = ?$; $v_2 = ?$

$$v_1 = \frac{Q}{A_1} = \frac{120\,000 \text{ cm}^3/\text{min}}{19{,}6 \text{ cm}^2} = 6\,162\,\frac{\text{cm}}{\text{min}} = \mathbf{1{,}02\,\frac{m}{s}}$$

$$v_2 = \frac{v_1 \cdot A_1}{A_2} = \frac{1{,}02 \text{ m/s} \cdot 19{,}6 \text{ cm}^2}{8{,}04 \text{ cm}^2} = \mathbf{2{,}49\,\frac{m}{s}}$$

Volumenstrom

$$\boxed{Q = A \cdot v}$$

$$\boxed{Q_1 = Q_2}$$

Verhältnis der Durchflussgeschwindigkeiten

$$\boxed{\frac{v_1}{v_2} = \frac{A_2}{A_1}}$$

Kolbengeschwindigkeiten

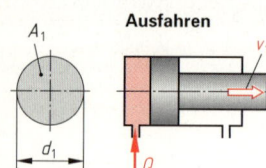

Ausfahren

Einfahren

Q	Volumenstrom
A_1, A_2	wirksame Kolbenflächen
v_1, v_2	Kolbengeschwindigkeiten

Beispiel:

Hydrozylinder mit Kolbendurchmesser
$d_1 = 50$ mm, Kolbenstangendurchmesser
$d_2 = 32$ mm und $Q = 12$ l/min.
Wie hoch sind die Kolbengeschwindigkeiten?

Ausfahren:

$$v = \frac{Q}{A} = \frac{12\,000 \text{ cm}^3/\text{min}}{\dfrac{\pi \cdot (5 \text{ cm})^2}{4}} = 611\,\frac{\text{cm}}{\text{min}} = \mathbf{6{,}11\,\frac{m}{min}}$$

Einfahren:

$$v = \frac{Q}{A} = \frac{12\,000 \text{ cm}^3/\text{min}}{\dfrac{\pi \cdot (5 \text{ cm})^2}{4} - \dfrac{\pi \cdot (3{,}2 \text{ cm})^2}{4}}$$

$$= 1035\,\frac{\text{cm}}{\text{min}} = \mathbf{10{,}35\,\frac{m}{min}}$$

Kolbengeschwindigkeit

$$\boxed{v = \frac{Q}{A}}$$

Leistung von Pumpen und Zylindern

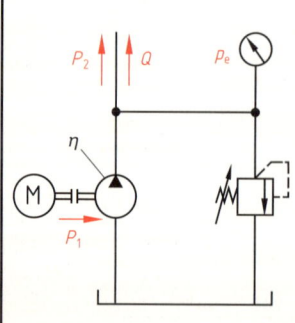

P_1	zugeführte Leistung
P_2	abgegebene Leistung
Q	Volumenstrom
p_e	Überdruck
η	Wirkungsgrad der Pumpe

Als Zahlenwertgleichung mit:
P in kW, Q in l/min, p_e in bar

Beispiel:

Pumpe mit $Q = 40$ l/min; $p_e = 125$ bar; $\eta = 0{,}84$;
$P_1 = ?$; $P_2 = ?$

$$P_2 = \frac{Q \cdot p_e}{600} = \frac{40 \cdot 125}{600} \text{ kW} = \mathbf{8{,}333 \text{ kW}}$$

$$P_1 = \frac{P_2}{\eta} = \frac{8{,}333}{0{,}84} \text{ kW} = \mathbf{9{,}920 \text{ kW}}$$

Abgegebene Leistung

$$\boxed{P_2 = \frac{Q \cdot p_e}{600}}$$

Zugeführte Leistung

$$\boxed{P_1 = \frac{P_2}{\eta}}$$

A

Speicherprogrammierbare Steuerungen

SPS-Programmiersprachen
vgl. DIN EN 61 131-3 (1994-08)

```
        ┌─────────────────┐                    ┌─────────────────┐
        │   Textsprachen  │                    │ Grafische Sprachen │
        └─────────────────┘                    └─────────────────┘
         ┌──────┴──────┐                         ┌──────┴──────┐
┌──────────────┐ ┌──────────────┐     ┌──────────────┐ ┌──────────────┐
│ Anweisungs-  │ │ Strukturierter│    │ Kontaktplan  │ │Funktionsbaustein-│
│ liste AWL    │ │ Text ST      │     │ KOP          │ │ Sprache FBS  │
└──────────────┘ └──────────────┘     └──────────────┘ └──────────────┘
```

Gemeinsame Elemente aller SPS-Sprachen (Auswahl)

Begrenzungszeichen (Auswahl)

Zeichen	Gebrauch	Zeichen	Gebrauch
(* *)	Kommentar-Anfang, Kommentar-Ende	:	Schrittnamen- und Variable/Typ-Trennzeichen; Anweisungsmarken-Trennzeichen (ST); Netzmarken-Trennzeichen (KOP und FBS)
+	Führendes Vorzeichen bei Dezimalzahlen; Additionsoperator (ST)	( )	Anweisungslisten-Modifizierer/Operator (ST); Funktionsargumente (ST); Begrenzungszeichen für FBS-Eingangsliste (ST)
−	Führendes Vorzeichen bei Dezimalzahlen; Jahr-Monat-Tag-Trennzeichen; Subtraktion, Negationsoperator (ST); Horizontale Linie (KOP und FBS)	;	Trennzeichen für Typdeklaration; Trennzeichen für Anweisungen (ST)
:=	Initialisierungsoperator; Zuweisungsoperator (ST)	"	Trennzeichen für Bereiche; Trennzeichen für CASE-Bereiche (ST)
#	Basiszahl- und Zeitliteral-Trennzeichen	,	Aufzählungslisten-, Anfangswert- und Feldindex-Trennzeichen, Operandenlisten-, Funktionsargumentationslisten- und CASE-Wertlisten-Trennzeichen (ST)
'	Anfang und Ende von Zeichenfolgen		
$	Anfang von Sonderzeichen in Folgen		
.	Ganze Zahl/Bruch-Trennzeichen; Trennzeichen für hierarchische Adressen und strukturierte Elemente	%	Direkt-Darstellungs-Präfix[1]
o oder E	Real-Exponent-Begrenzungszeichen	I oder !	Vertikale Linien (KOP)

Einzelelement-Variablen für Speicherorte

Variable	Bedeutung	Variable	Bedeutung	Beispiel (AWL)
I	Speicherort Eingang	B	Byte-Größe (8 bit)	ST %QB5[1]: Speichert (storage) aktuelles Ergebnis in Byte-Größe am Ausgangs-Speicherort 5
Q	Speicherort Ausgang	W	Wort-Größe (16 bit)	
M	Speicherort Merker	D	Doppelwort-Größe (32 bit)	[1] direkt dargestellten Einzelelement-Variablen wird ein %-Zeichen vorangestellt.
X	(Einzel-)Bit-Größe	L	Langwort-Größe (64 bit)	

Standardfunktionen und Operatoren

Name	Symbol	Bedeutung
ADD	+	Addition
SUB	−	Subtraktion
MUL	*	Multiplikation
DIV	/	Division
AND	&	Boolesches UND
OR	>=[2]	Boolesches ODER
XOR	----	Boolesches Exklusiv-ODER
NOT	----	Verneinung
S	----	Setzt booleschen Operator auf „1"
R	----	Setzt booleschen Operator auf „0"
GT	>	Vergleich: größer
GE	>=	Vergleich: größer gleich
EQ	=	Vergleich: gleich
NE	<>	Vergleich: ungleich
LE	<=	Vergleich: kleiner gleich
LT	<	Vergleich: kleiner

Elementare Datentypen

Schlüsselwort	Datentyp	Bits
BOOL	boolesche	1
SINT	kurze ganze Zahl	8
INT	ganze Zahl	16
DINT	doppelte ganze Zahl	32
LINT	lange ganze Zahl	64
REAL	reelle Zahl	32
LREAL	lange reelle Zahl	64
STRING	variabel lange Zeichenfolge	−
TIME	Zeitdauer	−
DATE	Datum	−
BYTE	Bit-Folge der Länge 8	8
WORD	Bit-Folge der Länge 16	16
DWORD	Bit-Folge der Länge 32	32
LWORD	Bit-Folge der Länge 64	64

[2] Dieses Symbol ist als Operator in Textsprachen nicht zulässig.

A

Speicherprogrammierbare Steuerungen

Kontaktplan KOP
vgl. DIN EN 61 131-3 (1994-08)

Symbol	Beschreibung	Symbol	Beschreibung	Symbol	Beschreibung
	Linien und Blöcke		Kontakte		Spulen
——	horizontale Linie	—| |— ***[1]	Schließer Abfrage auf logisch „1"	—( )— ***[1]	Spule, Zuweisung, Ausgabe
|	vertikale Linie			—(/)— ***[1]	negative Spule, negierte Zuweisung, Ausgabe
—+—	Linienverbindung	—|/|— ***[1]	Öffner Abfrage auf logisch „0"	—(S)— ***[1]	Setze Spule, Speicherung einer Verknüpfung
—|⋮|—	Kreuzung ohne Verbindung			—(R)— ***[1]	Rücksetze Spule
⊔ ***[1]	Blöcke mit Verbindungslinien	—|P|— ***[1]	Kontakt zur Erkennung von positiven Flanken, Signal von „0" auf „1"	—(P)— ***[1]	Spule zur Erkennung von positiven Flanken, Signal von „0" auf „1"
|—	linke Stromschiene	—|N|— ***[1]	Kontakt zur Erkennung von negativen Flanken, Signal von „1" auf „0"	—(N)— ***[1]	Spule zur Erkennung von negativen Flanken, Signal von „1" auf „0"
—|	rechte Stromschiene				[1] Element-Bezeichnung

Funktionsbaustein-Sprache FBS
vgl. DIN EN 61 131-3 (1994-08)

Symbol	Beschreibung	Symbol	Beschreibung
[Rechteckiger Block]	Die Elemente sind rechteckig oder quadratisch, Eingangsparameter sind auf der linken, Ausgangsparameter auf der rechten Seite anzubringen.	[AND/OR Blöcke verbunden]	Die Elemente müssen durch horizontale und vertikale Signalfluss-Linien verbunden werden.
FB 1.2 / ADD	Die Funktion des Bausteins wird als Name oder Symbol innerhalb des Bausteins angegeben. Die Bezeichnung des Bausteins steht über dem Element.	[Block mit Kreis am Ein-/Ausgang]	Die Negation von booleschen Signalen wird durch die Eingabe eines offenen Kreises am Eingang oder Ausgang angezeigt.

Strukturierter Text ST
vgl. DIN EN 61 131-3 (1994-08)

Aufbau einer Anweisung

A	:=	A + B * B – C
Variable	Zuweisungs-Operator	Operand

Anweisung	Typ
:=	Zuweisung
IF CASE	Auswahlanweisung
FOR WHILE REPEAT	Wiederholungsanweisung

Gegenüberstellung Funktionsbausteinsprache (FBS) – Strukturierter Text (ST)

FBS			ST
B, C, D → ADD → A	oder	B, C, D → + → A	A:= ADD (B,C,D) oder A:= B + C + D
F, G, H → AND → E	oder	F, G, H → & → E	E:= AND (F,G,H) oder E:= F & G & H

A

Speicherprogrammierbare Steuerungen

Anweisungsliste AWL

Aufbau einer Anweisung

Start:	AND	N	%MX51	(*gesperrt*)
Marke	**Operator**		**Operand**	**Kommentar**

Operator: **Standard-Operator** / **Modifi-kator**

Modifikatoren für den Operator

N	Boolesche Negierung des Operanden
C	Anweisung wird nur dann ausgeführt, wenn das ausgewertete Ergebnis eine boolesche 1 ist.
,	Trennt mehrere Operanden
(	Auswertung des Operators wird zurückgestellt, bis „)" erscheint

Standard-Operatoren der AWL nach DIN EN

Operator	Modifikator	Bedeutung	Operator	Modifikator	Bedeutung
LD	N	Setzen eines Operanden	DIV	(	Division
ST	N	Speicherung auf Operanden-Adresse	GT	(	Vergleich: >
S	–	Setzt booleschen Operator auf 1	GE	(	Vergleich: >=
R	–	Setzt booleschen Operator auf 0 zurück	EQ	(	Vergleich: =
AND	N,(	Boolesches UND	NE	(	Vergleich: <>
&	N,(	Boolesches UND	LE	(	Vergleich: <=
OR	N,(	Boolesches ODER	LT	(	Vergleich: <
XOR	N,(	Boolesches Exklusiv-ODER	JMP	C,N	Sprung zur Marke
ADD	(	Addition	CAL	C,N	Aufruf Funktionsbaustein
SUB	(	Subtraktion	RET	C,N	Rücksprung
MUL	(	Multiplikation	)	–	Bearbeitung zurückgestellter Operation

Operatoren und Operanden nach VDI (nicht genormt)[1]   vgl. VDI 2880-4 (1985-09)

Aufbau einer Anweisung

Marke1:	R	A1.2	„Setze Elektromagnet Y2 zurück"
Marke	**Operator**	**Operand**	**Kommentar**

Operatoren zur Programmorganisation		Operatoren zur Signalverarbeitung		Operanden	
L	Laden	U	UND-Verknüpfung	ZV	Vorwärtszählen
(	Klammer auf	O	ODER-Verknüpfung	ZR	Rückwärtszählen
)	Klammer zu	N	Negation	XO	Exklusiv-ODER
NOP	Nulloperation	UN	UND-NICHT-Verknüpfung	Operanden	
SP	unbedingter Sprung	ON	ODER-NICHT-Verknüpfung	E	Eingang
SPB	bedingter Sprung	=	Zuweisung	A	Ausgang
BA	Baustein-Aufruf	ADD	Addition	M	Merker
BAB	bedingter Baustein-Aufruf	SUB	Subtraktion	K	Konstante
BE	Baustein-Ende	MUL	Multiplikation	T	Zeitglied
"	Kommentar-Anfang	DIV	Division	Z	Zähler
"	Kommentar-Ende	S	Setzen	P	Programm-Baustein
PE	Programmende	R	Rücksetzen	F	Funktions-Baustein

[1] In der Praxis existieren noch sehr viele SPS-Steuerungen, die nach den VDI-Richtlinien programmiert werden.

A

Speicherprogrammierbare Steuerungen

Einfache Beispiele zur Programmierung

Funktion	Anweisungs-liste (AWL)[1]	Funktionsbaustein-sprache (FBS)	Kontaktplan (KOP)
UND mit 3 Eingängen	U E11 U E12 UN E13 =A10	E11 E12 E13 & A10	E11 E12 E13 A10
ODER mit 3 Eingängen	U E11 O E12 O E13 =A10	E11 E12 E13 ≥1 A10	E11 A10 E12 E13
UND vor **ODER**	U E11 U E12 O U E13 U E 14 =A 10	E11 E12 & E13 E14 & ≥1 A10	E11 E12 A10 E13 E14
ODER vor **UND** mit Zwischenmerker	U E11 O E12 = M1 U E13 O E14 U M1 = A10	E11 E12 ≥1 M1 E13 E14 ≥1 & A10	E11 M1 E12 E13 M1 A10 E14
RS-Speicher, dominierend setzend	U E11 S A10 U E12 R A10	E11 E12 S R A10	E11 A10 (S) E12 A10 (R)
Einschaltverzögerung	U E11 =T1 U T1 =A10	E11 T1 ⊢ 0 A10	E11 T1 T1 A10
Ausschaltverzögerung	U E11 =T1 U T1 =A10	E11 T1 0 ⊢ A10	E11 T1 T1 A10
Selbsthaltung, EIN (E12) dominierend	U E12 O A10 UN E11 =A10	E11 & E12 ≥1 A10	E11 A10 A10 E12

[1] Anweisungsliste nach VDI 2880

Beispiel: SPS-gesteuerte Hubeinrichtung

Lageplan	Funktionsdiagramm	Belegungsliste SPS		

Lageplan: S3, S4, 2A1, Verschiebezylinder, S2, S1, Hubzylinder 1A1

Funktionsdiagramm: 0 1 2 3 4 5=1, S0, S2, S1, S4, S3, Hubzylinder 1A1, Verschiebezylinder 2A1

Bezeichnung	Signalglieder Magnetventile	Eingänge Ausgänge
Starttaster S0	S0	E1.0
Grenztaster S1 Zyl. 1A1 eingefahren	S1	E1.1
Grenztaster S2 Zyl. 1A1 ausgefahren	S2	E1.2
Grenztaster S3 Zyl. 2A1 eingefahren	S3	E1.3
Grenztaster S4 Zyl. 2A1 ausgefahren	S4	E1.4
Magnetventil Y1 Zyl. 1A1: ausfahren	Y1	A1.1
Magnetventil Y2 Zyl. 1A1: einfahren	Y2	A1.2
Magnetventil Y3 Zyl. 2A1: ausfahren	Y3	A1.3
Magnetventil Y4 Zyl. 2A1: einfahren	Y4	A1.4

Schaltplan

Schaltplan: 1A1 Heben (S1 S2), 1V1, Y1 Y2; 2A1 Verschieben (S3 S4), 2V1, Y3 Y4; S0 S1 S2 S3 S4; E1.0 E1.1 E1.2 E1.3 E1.4 Eingänge; +24 V, 0 V, SPS; A1.1 A1.2 A1.3 A1.4 Ausgänge; Y1 Y2 Y3 Y4

Kontaktplan (KOP)

Anweisungsliste (AWL)

```
U   E1.0   „Starttaster S0 betätigt"
U   E1.1   „Grenztaster S1 betätigt"
U   E1.3   „Grenztaster S3 betätigt"
S   A1.1   „Setze Elektromagnet Y1"
U   A1.3   „Elektromagnet Y3 betätigt"
R   A1.1   „Setze Elektromagnet Y1 zurück"

U   E1.2   „Grenztaster S2 betätigt"
U   A1.1   „Elektromagnet Y1 betätigt"
S   A1.3   „Setze Elektromagnet Y3"
U   A1.2   „Elektromagnet Y2 betätigt"
R   A1.3   „Setze Elektromagnet Y3 zurück"

U   E1.4   „Grenztaster S4 betätigt"
U   A1.3   „Elektromagnet Y3 betätigt"
S   A1.2   „Setze Elektromagnet Y2"
U   A1.4   „Elektromagnet Y4 betätigt"
R   A1.2   „Setze Elektromagnet Y2 zurück"

U   E1.1   „Grenztaster S1 betätigt"
U   A1.2   „Elektromagnet Y2 betätigt"
S   A1.4   „Setze Elektromagnet Y4"
U   A1.1   „Elektromagnet Y1 betätigt"
R   A1.4   „Setze Elektromagnet Y4 zurück"
PE         „Programmende"
```

A

Koordinatenachsen

vgl. DIN 66 217 (1975-12)

Rechte-Hand-Regel

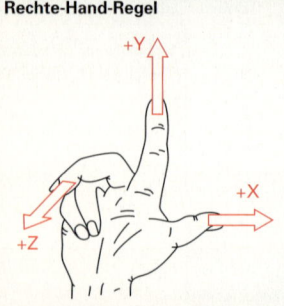

Kartesisches Koordinatensystem

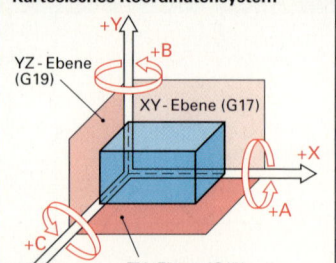

YZ-Ebene (G19)

XY-Ebene (G17)

ZX-Ebene (G18)

Die Koordinatenachsen X, Y und Z stehen senkrecht aufeinander.

Die Zuordnung kann durch Daumen, Zeigefinger und Mittelfinger der rechten Hand dargestellt werden.

Die Drehachsen A, B und C werden den Koordinatenachsen X, Y und Z zugewiesen.

Blickt man bei einer Achse in die positive Richtung, so ist die Drehung im Uhrzeigersinn die positive Drehrichtung.

Koordinatenachsen beim Programmieren

Senkrecht-Fräsmaschine

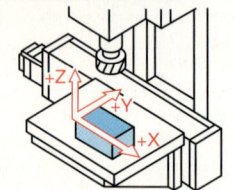

Waagrecht-Fräsmaschine

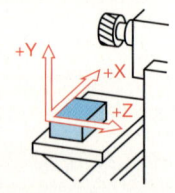

Drehmaschine

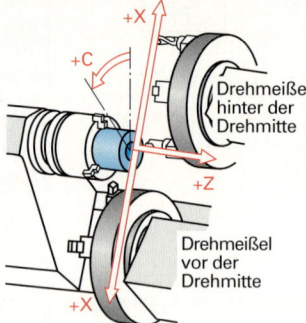

Drehmeißel hinter der Drehmitte

Drehmeißel vor der Drehmitte

Beispiel:
2-Schlitten-Drehmaschine mit programmierbarer Hauptspindel

Die Koordinatenachsen und die daraus resultierenden Bewegungsrichtungen sind auf die Hauptführungsbahnen der CNC-Maschine ausgerichtet und beziehen sich grundsätzlich auf das aufgespannte Werkstück mit dessen Werkstücknullpunkt.

Positive Bewegungsrichtungen ergeben immer eine Vergrößerung der Koordinatenwerte am Werkstück.

Die Z-Achse verläuft immer in Richtung der Hauptspindel.

Um das Programmieren zu vereinfachen, nimmt man an, dass das Werkstück still steht und sich nur das Werkzeug bewegt.

Bezugspunkte

Fräsmaschine

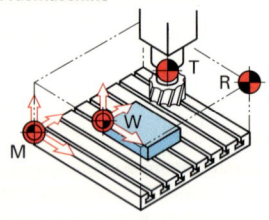

Drehmaschine

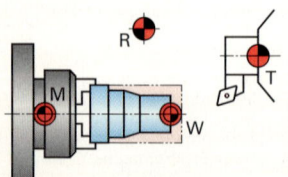

M

Maschinennullpunkt M

Es ist der Ursprung des Maschinen-Koordinatensystems und wird vom Maschinenhersteller festgelegt.

R

Referenzpunkt R

Es ist der Ursprung des inkrementalen Wegmesssystems mit einem vom Hersteller festgelegten Abstand zum Maschinennullpunkt. Zur Eichung des Wegmesssystems muss dieser Punkt in allen Maschinenachsen mit dem Werkzeugträger-Bezugspunkt T angefahren werden.

T[1]

Werkzeugträger-Bezugspunkt T

Er liegt mittig auf der Anschlagfläche der Werkzeugaufnahme. Bei Fräsmaschinen ist dies die Spindelnase, bei Drehmaschinen die Anschlagfläche des Werkzeughalters am Revolver.

[1] Buchstabe und Sinnbild sind nicht genormt.

W

Werkstücknullpunkt W

Er ist der Ursprung des Werkstück-Koordinatensystems und wird vom Programmierer nach fertigungstechnischen Gesichtspunkten festgelegt.

A

Adressbuchstaben und Sonderzeichen

vgl. DIN 66 025-1 (1983-01)

Adressbuchstaben

A	Drehbewegung um X-Achse	M	Zusatzfunktion	X	Bewegung in Richtung der X-Achse	
B	Drehbewegung um Y-Achse	N	Satznummer			
C	Drehbewegung um Z-Achse	O	Frei verfügbar	Y	Bewegung in Richtung der Y-Achse	
D[1]	Werkzeugkorrekturspeicher	P[1)2)]	dritte Bewegung parallel zur X-Achse			
E[1]	Zweiter Vorschub			Z	Bewegung in Richtung der Z-Achse	
F	Vorschub	Q[1)2)]	dritte Bewegung parallel zur Y-Achse	**Sonderzeichen**		
G	Wegbedingung			%	Programmanfang, unbedingter Stopp beim Programm-Rücksetzen	
H	Frei verfügbar	R[1)2)]	dritte Bewegung parallel zur Z-Achse			
I	Interpolationsparameter oder Gewindesteigung parallel zur X-Achse	S	Spindeldrehzahl, konstante Schnittgeschwindigkeit	(	Anmerkungsbeginn	
				)	Anmerkungsende	
		T	Werkzeug			
J	Interpolationsparameter oder Gewindesteigung parallel zur Y-Achse	U[1]	zweite Bewegung parallel zur X-Achse	+	plus	
				–	minus	
K	Interpolationsparameter oder Gewindesteigung parallel zur Z-Achse	V[1]	zweite Bewegung parallel zur Y-Achse	,	Komma	
				.	Dezimalpunkt	
		W[1]	zweite Bewegung parallel zur Z-Achse	/	Satzunterdrückung	
L	Frei verfügbar			:	Hauptsatz	

[1] Die Bedeutung dieser Adressbuchstaben kann für einen speziellen Anwendungsfall geändert werden.

[2] Diese Adressbuchstaben können als Parameter für spezielle Berechnungen verwendet werden, z.B. für den Radius bei der Programmierung mit konstanter Schnittgeschwindigkeit.

Aufbau des Steuerprogramms

Programmaufbau

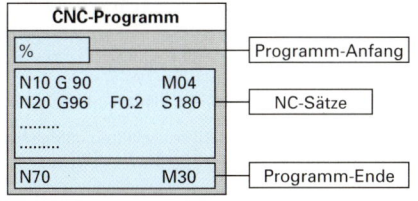

CNC-Programm		
%		→ Programm-Anfang
N10 G 90	M04	→ NC-Sätze
N20 G96	F0.2 S180	
....		
....		
N70	M30	→ Programm-Ende

Beispiel:

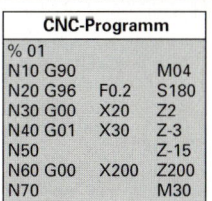

CNC-Programm		
% 01		
N10 G90		M04
N20 G96	F0.2	S180
N30 G00	X20	Z2
N40 G01	X30	Z-3
N50		Z-15
N60 G00	X200	Z200
N70		M30

Satzaufbau

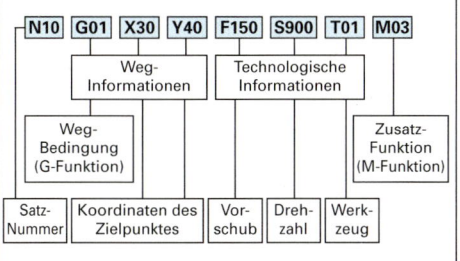

| N10 | G01 | X30 | Y40 | F150 | S900 | T01 | M03 |

Weg-Informationen — Technologische Informationen

Weg-Bedingung (G-Funktion) — Zusatz-Funktion (M-Funktion)

Satz-Nummer | Koordinaten des Zielpunktes | Vor-schub | Dreh-zahl | Werk-zeug

Erläuterung der Wörter:

N10	Satznummer 10
G01	Vorschub, Geradeninterpolation
X30	Koordinate des Zielpunktes in X-Richtung
Y40	Koordinate des Zielpunktes in Y-Richtung
F150	Vorschub 150 mm/min
S900	Drehzahl der Hauptspindel 900/min
T01	Werkzeug Nr. 1
M03	Spindel im Uhrzeigersinn

Wortaufbau

| X | – | 176.23 |

Adressbuchstabe | Vorzeichen | Ziffernfolge

Ziffernfolgen ohne Vorzeichen sind positive Zahlenwerte.

Erläuterung eines Wortes (Beispiele):

X-176.23	Koordinate des Zielpunktes in negativer X-Richtung mit 176,23 mm
T0207	Werkzeug Nr. 02, Korrekturspeicher Nr. 07
L3403	Aufruf des Unterprogramms mit der Programmnummer 34, 3 Durchläufe

A

Programmaufbau bei CNC-Maschinen nach DIN

Auswahl der Wegbedingungen

vgl. DIN 66 025-2 (1988-09)

Wegbe-dingung	wirksam gespei-chert[1]	wirksam satz-weise[2]	Bedeutung	Wegbe-dingung	wirksam gespei-chert[1]	wirksam satz-weise[2]	Bedeutung
G00	●		Positionieren im Eilgang	G53	●		Aufheben der Verschiebung
G01	●		Geraden-Interpolation	G54...	●		Verschiebung 1 ...
G02	●		Kreis-Interpolation ⤵	G59	●		... Verschiebung 6
G03	●		Kreis-Interpolation ⤶	G74		●	Referenzpunkt anfahren
G04		●	Verweilzeit, zeitl. vorbestimmt	G80	●		Arbeitszyklus aufheben
G09		●	Genauhalt	G81...	●		Arbeitszyklus 1 ...
G17	●		Ebenenauswahl XY	G89	●		... Arbeitszyklus 9
G18	●		Ebenenauswahl ZX	G90	●		absolute Maßangaben
G19	●		Ebenenauswahl YZ	G91	●		inkrementale Maßangaben
G33	●		Gewindeschneiden, Steig. konst.	G92		●	Speicher setzen
G40	●		Aufheben der Werkzeug-korrektur	G94	●		Vorschubgeschw. in mm/min
				G95	●		Vorschub in mm
G41	●		Werkzeugbahnkorrektur, links	G96	●		Konst. Schnittgeschwindigkeit
G42	●		Werkzeugbahnkorrektur, rechts	G97	●		Spindeldrehzahl in 1/min

[1] Wegbedingungen, die so lange wirksam bleiben, bis sie durch eine artgleiche Bedingung überschrieben werden.
[2] Wegbedingungen, die nur in dem Satz wirksam sind, in dem sie programmiert sind.

Klassifizierung der Zusatzfunktionen

vgl. DIN 66 025-2 (1988-09)

Klasse	Anwendungsbereich	Klasse	Anwendungsbereich
0	Universelle Zusatzfunktionen (für alle Klassen)	5[3]	Optimierung, Adaptive Steuerung (AC)
1	Fräsmaschinen, Bohrmaschinen, Lehrenbohrwerke, Bearbeitungszentren	6	Maschinen mit Mehrfachschlitten, mehreren Spindeln und zugeordneter Handhabungs-ausrüstung
2	Drehmaschinen und -bearbeitungszentren	7	Stanz- und Nibbelmaschinen
3	Schleifmaschinen, Messmaschinen	8[3]	Ständig frei verfügbar
4	Maschinen zum Brenn-, Laser-, Wasserstrahl-Schneiden, Drahterodieren	9[3]	Für Erweiterungen vorbehalten

[3] Eine Festlegung in dieser Klasse wurde zum Stand der Normung (1988-09) als nicht sinnvoll angesehen.

Zusatzfunktionen

vgl. DIN 66 025-2 (1988-09)

Zusatz-funktion	wirksam sofort[4]	wirksam später[5]	wirksam gespei-chert[6]	wirksam satz-weise[7]	Bedeutung	Zusatz-funktion	wirksam sofort[4]	wirksam später[5]	wirksam gespei-chert[6]	wirksam satz-weise[7]	Bedeutung
Universelle Zusatzfunktionen (Klasse 0)											
M00		●		●	Programmierter Halt	M30		●		●	Programmende mit Rücksetzen
M02		●		●	Programmende	M48		●	●		Überlagerungen wirksam
M06				●	Werkzeugwechsel	M49	●		●		Überlagerungen unwirksam
M10			●		Klemmen	M60		●		●	Werkstückwechsel
M11			●		Lösen						

[4] [5] [6] [7] Erläuterung: nachfolgende Seite

A

Zusatzfunktionen

vgl. DIN 66 025-2 (1988-09)

Zusatzfunktion	sofort[4]	später[5]	gespeichert[6]	satzweise[7]	Bedeutung	Zusatzfunktion	sofort[4]	später[5]	gespeichert[6]	satzweise[7]	Bedeutung
Zusatzfunktionen für Fräs- und Bohrmaschinen, Lehrenbohrwerke, Bearbeitungszentren (Klasse 1)											
M03	•		•		Spindel im Uhrzeigersinn	M34	•		•		Spanndruck normal
M04	•		•		Spindel im Gegenuhrzeigersinn	M35	•		•		Spanndruck red.
						M40	•		•		Automatische Getriebeschaltung
M05		•	•		Spindel Halt	M41... M45	•		•		Getriebestufe 1 ... ... Getriebestufe 5
M07	•		•		Kühlschmier. 2 Ein	M50	•		•		Kühlschmier. 3 Ein
M08	•		•		Kühlschmier. 1 Ein						
M09		•	•		Kühlschmier. Aus	M51	•		•		Kühlschmier. 4 Ein
M19		•	•		Definierter Spindelhalt	M71... M78	•		•		Indexpositionen des Drehtisches
Zusatzfunktionen für Drehmaschinen und Dreh-Bearbeitungszentren (Klasse 2)											
M03	•		•		Spindel im Uhrzeigersinn	M54	•		•		Reitstockpinole zurück
M04	•		•		Spindel im Gegenuhrzeigersinn	M55	•		•		Reitstockpinole vor
M05		•	•		Spindel Halt	M56	•		•		Reitstock mitschleppen Aus
M07	•		•		Kühlschmier. 2 Ein	M57	•		•		Reitstock mitschleppen Ein
M08	•		•		Kühlschmier. 1 Ein	M58	•		•		Konstante Spindeldrehzahl Aus
M09		•	•		Kühlschmier. Aus						
M19		•	•		Definierter Spindelhalt	M59	•		•		Konstante Spindeldrehzahl Ein
M34	•		•		Spanndruck normal	M80	•		•		Lünette 1 öffnen
M35	•		•		Spanndruck red.	M81	•		•		Lünette 1 schließen
M40	•		•		Automatische Getriebeschaltung	M82	•		•		Lünette 2 öffnen
						M83	•		•		Lünette 2 schließen
M41... M45	•		•		Getriebestufe 1 ... ... Getriebestufe 5	M84	•		•		Lünette mitschleppen Aus
M50	•		•		Kühlschmier. 3 Ein	M85	•		•		Lünette mitschleppen Ein
M51	•		•		Kühlschmier. 4 Ein						
Zusatzfunktionen für Maschinen mit Mehrfach-Schlitten, mehreren Spindeln und Handhabungsausrüstung (Klasse 6)											
M12		•		•	Synchronisation	M89		•		•	Statusanzeige „Ruhestellung" für alle Systeme
M70	•			•	Unbedingter Start aller Systeme						
M71... M79	•			•	Unbedingter Start des Systems 1 ... ... Unbedingter Start des Systems 9	M90		•		•	Bedingter Start, Abfrage aller Systeme
						M91...		•		•	Bedingter Start, Abfrage von System 1 ...
M87	•			•	Status-Anzeige „Bearbeitung"	M99		•		•	... Bedingter Start, Abfrage von System 9
M88		•		•	Status-Anzeige „Ruhestellung"						

[4] Die Zusatzfunktion wird zusammen mit den übrigen Angaben des Satzes wirksam.

[5] Die Zusatzfunktion wird nach der Ausführung der übrigen Angaben des Satzes wirksam.

[6] Zusatzfunktionen, die so lange wirksam bleiben, bis sie durch eine artgleiche Bedingung überschrieben werden.

[7] Zusatzfunktionen, die nur in dem Satz wirksam sind, in dem sie programmiert sind.

A

Programmaufbau bei CNC-Maschinen nach DIN

Arbeitsbewegungen bei Senkrecht-Fräsmaschinen   vgl. DIN 66 025-2 (1983-01)

| G01 | Linearbewegung |

Bezeichnungs- und Bearbeitungsbeispiel:

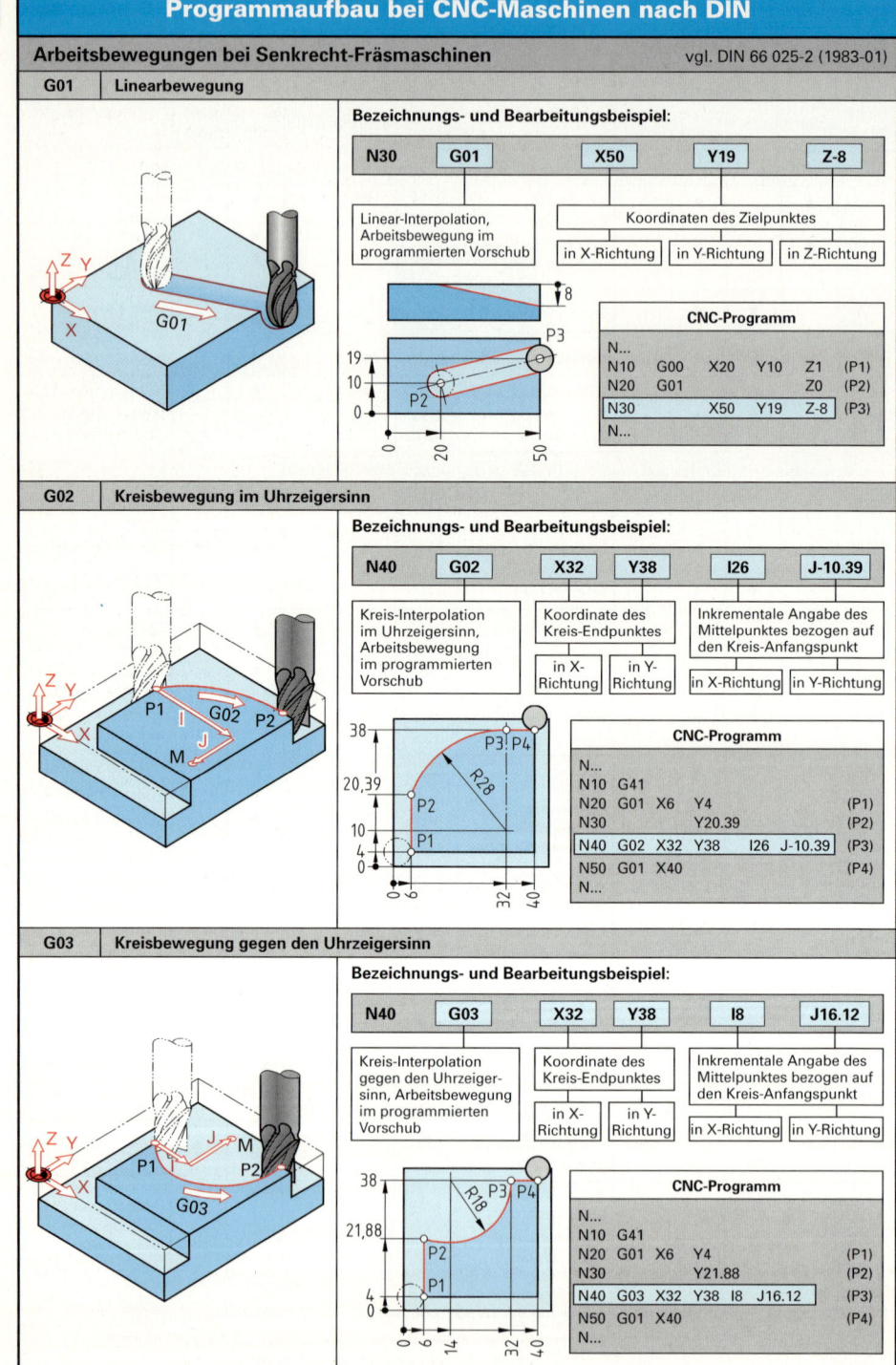

| N30 | G01 | X50 | Y19 | Z-8 |

Linear-Interpolation, Arbeitsbewegung im programmierten Vorschub

Koordinaten des Zielpunktes
- in X-Richtung
- in Y-Richtung
- in Z-Richtung

CNC-Programm

N...					
N10	G00	X20	Y10	Z1	(P1)
N20	G01			Z0	(P2)
N30		X50	Y19	Z-8	(P3)
N...					

| G02 | Kreisbewegung im Uhrzeigersinn |

Bezeichnungs- und Bearbeitungsbeispiel:

| N40 | G02 | X32 | Y38 | I26 | J-10.39 |

Kreis-Interpolation im Uhrzeigersinn, Arbeitsbewegung im programmierten Vorschub

Koordinate des Kreis-Endpunktes
- in X-Richtung
- in Y-Richtung

Inkrementale Angabe des Mittelpunktes bezogen auf den Kreis-Anfangspunkt
- in X-Richtung
- in Y-Richtung

CNC-Programm

N...					
N10	G41				
N20	G01	X6	Y4		(P1)
N30			Y20.39		(P2)
N40	G02	X32	Y38	I26 J-10.39	(P3)
N50	G01	X40			(P4)
N...					

| G03 | Kreisbewegung gegen den Uhrzeigersinn |

Bezeichnungs- und Bearbeitungsbeispiel:

| N40 | G03 | X32 | Y38 | I8 | J16.12 |

Kreis-Interpolation gegen den Uhrzeigersinn, Arbeitsbewegung im programmierten Vorschub

Koordinate des Kreis-Endpunktes
- in X-Richtung
- in Y-Richtung

Inkrementale Angabe des Mittelpunktes bezogen auf den Kreis-Anfangspunkt
- in X-Richtung
- in Y-Richtung

CNC-Programm

N...					
N10	G41				
N20	G01	X6	Y4		(P1)
N30			Y21.88		(P2)
N40	G03	X32	Y38	I8 J16.12	(P3)
N50	G01	X40			(P4)
N...					

A

Arbeitsbewegungen bei Drehmaschinen

vgl. DIN 66025-2 (1983-01)

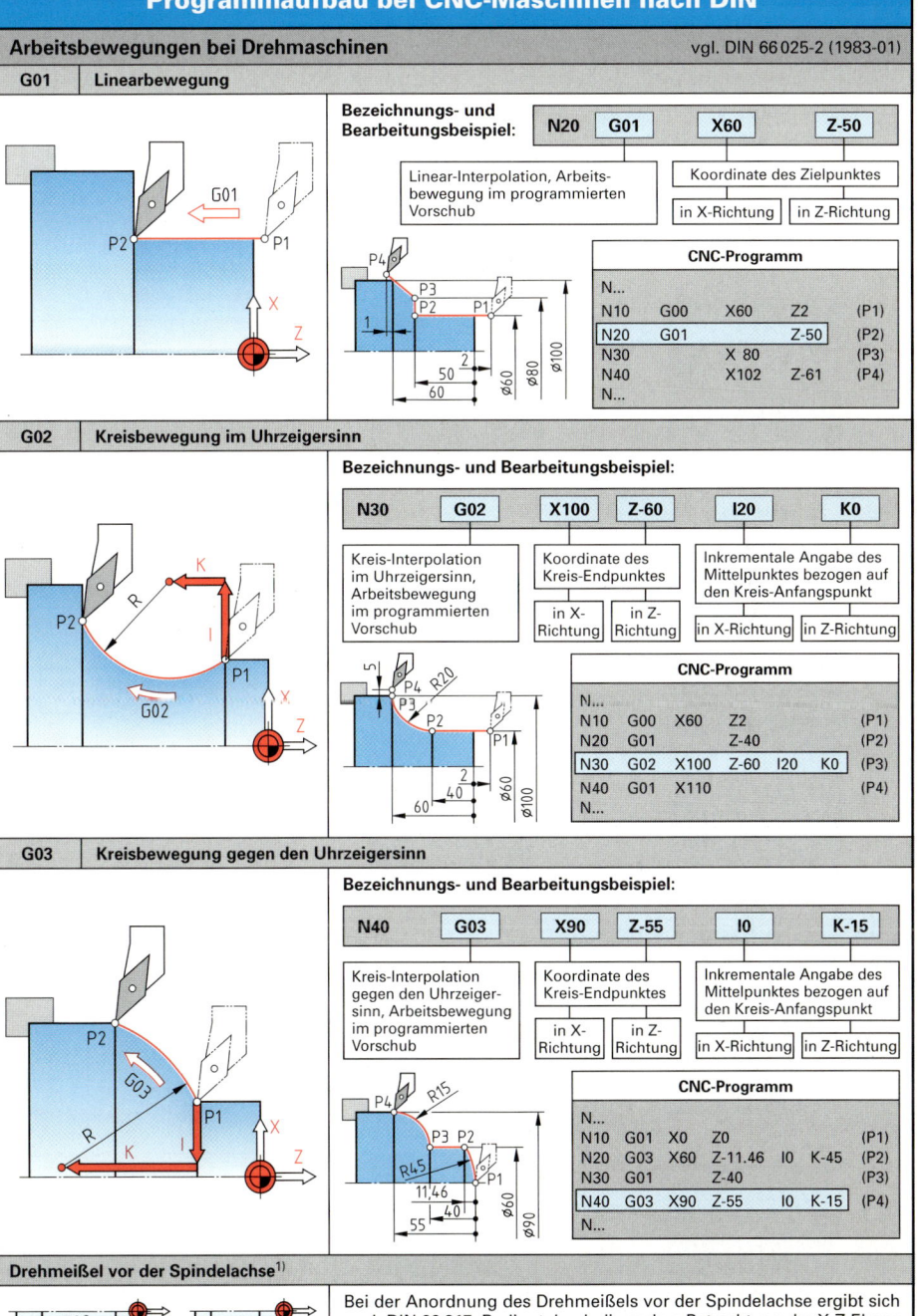

G01 Linearbewegung

Bezeichnungs- und Bearbeitungsbeispiel:

N20	G01	X60	Z-50

Linear-Interpolation, Arbeitsbewegung im programmierten Vorschub

Koordinate des Zielpunktes
in X-Richtung | in Z-Richtung

CNC-Programm

N...			
N10	G00	X60	Z2	(P1)
N20	G01		Z-50	(P2)
N30		X 80		(P3)
N40		X102	Z-61	(P4)
N...			

G02 Kreisbewegung im Uhrzeigersinn

Bezeichnungs- und Bearbeitungsbeispiel:

N30	G02	X100	Z-60	I20	K0

Kreis-Interpolation im Uhrzeigersinn, Arbeitsbewegung im programmierten Vorschub

Koordinate des Kreis-Endpunktes
in X-Richtung | in Z-Richtung

Inkrementale Angabe des Mittelpunktes bezogen auf den Kreis-Anfangspunkt
in X-Richtung | in Z-Richtung

CNC-Programm

N...					
N10	G00	X60	Z2			(P1)
N20	G01		Z-40			(P2)
N30	G02	X100	Z-60	I20	K0	(P3)
N40	G01	X110				(P4)
N...					

G03 Kreisbewegung gegen den Uhrzeigersinn

Bezeichnungs- und Bearbeitungsbeispiel:

N40	G03	X90	Z-55	I0	K-15

Kreis-Interpolation gegen den Uhrzeigersinn, Arbeitsbewegung im programmierten Vorschub

Koordinate des Kreis-Endpunktes
in X-Richtung | in Z-Richtung

Inkrementale Angabe des Mittelpunktes bezogen auf den Kreis-Anfangspunkt
in X-Richtung | in Z-Richtung

CNC-Programm

N...					
N10	G01	X0	Z0			(P1)
N20	G03	X60	Z-11.46	I0	K-45	(P2)
N30	G01		Z-40			(P3)
N40	G03	X90	Z-55	I0	K-15	(P4)
N...					

Drehmeißel vor der Spindelachse[1]

Bei der Anordnung des Drehmeißels vor der Spindelachse ergibt sich nach DIN 66 217: Bedingt durch die andere Betrachtung der X-Z-Ebene kehrt sich für den Anwender, der von oben auf das Werkstück schaut, für die Programmierung die Drehrichtung der Kreisbewegung um.

[1] Vorwiegend bei einfachen CNC-Drehmaschinen und Drehmaschinen mit mehreren numerisch gesteuerten Schlitten.

A

Programmaufbau bei CNC-Maschinen nach PAL

PAL-Zyklen bei Fräsmaschinen

G86 | Taschen-Fräszyklus

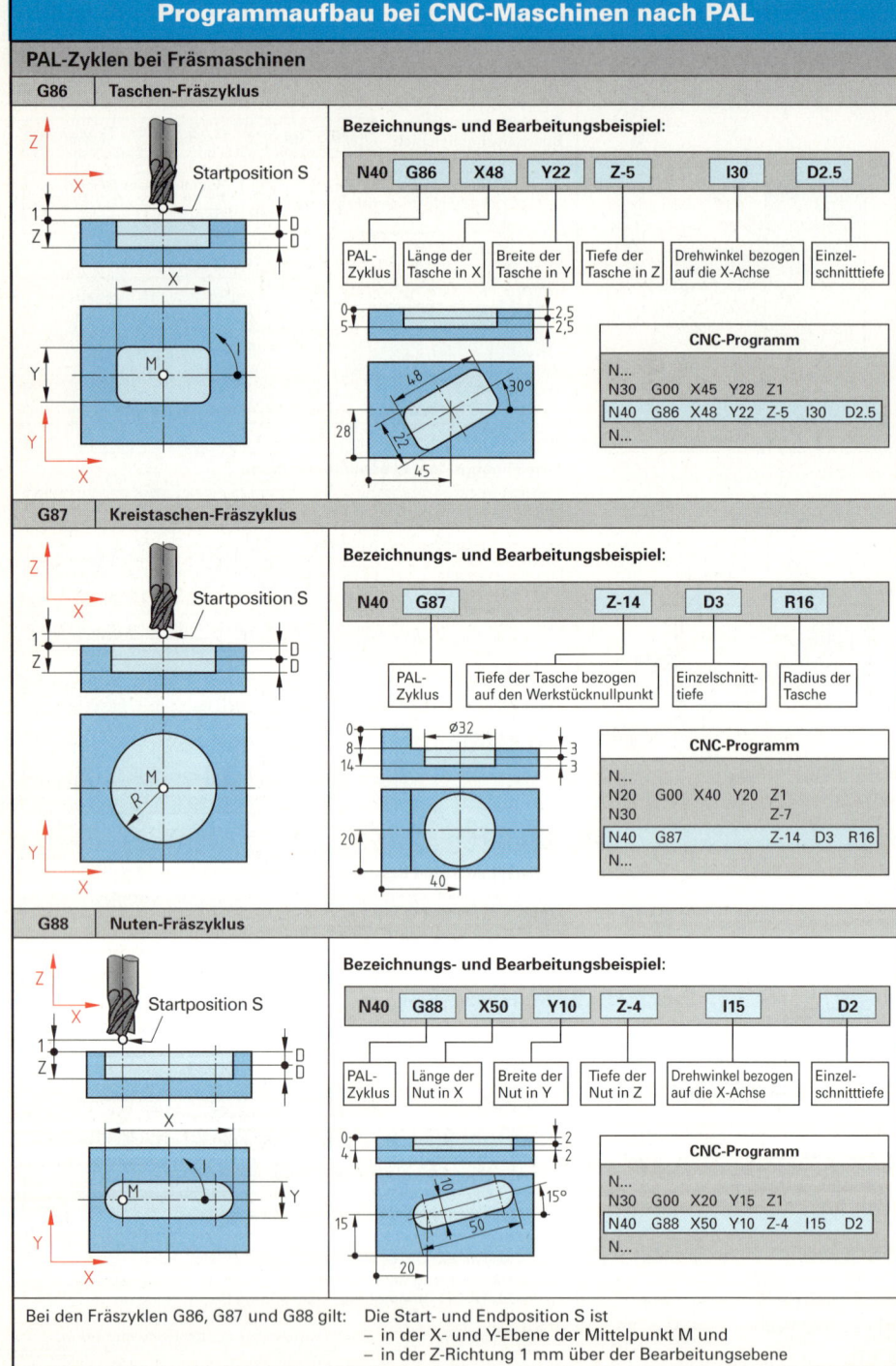

Bezeichnungs- und Bearbeitungsbeispiel:

N40	G86	X48	Y22	Z-5	I30	D2.5
PAL-Zyklus	Länge der Tasche in X	Breite der Tasche in Y	Tiefe der Tasche in Z	Drehwinkel bezogen auf die X-Achse	Einzel-schnitttiefe

CNC-Programm

```
N...
N30   G00  X45  Y28  Z1
N40   G86  X48  Y22  Z-5   I30   D2.5
N...
```

G87 | Kreistaschen-Fräszyklus

Bezeichnungs- und Bearbeitungsbeispiel:

N40	G87	Z-14	D3	R16
PAL-Zyklus		Tiefe der Tasche bezogen auf den Werkstücknullpunkt	Einzelschnitt-tiefe	Radius der Tasche

CNC-Programm

```
N...
N20   G00  X40  Y20  Z1
N30              Z-7
N40   G87        Z-14  D3   R16
N...
```

G88 | Nuten-Fräszyklus

Bezeichnungs- und Bearbeitungsbeispiel:

N40	G88	X50	Y10	Z-4	I15	D2
PAL-Zyklus	Länge der Nut in X	Breite der Nut in Y	Tiefe der Nut in Z	Drehwinkel bezogen auf die X-Achse	Einzel-schnitttiefe

CNC-Programm

```
N...
N30   G00  X20  Y15  Z1
N40   G88  X50  Y10  Z-4   I15   D2
N...
```

A

Bei den Fräszyklen G86, G87 und G88 gilt: Die Start- und Endposition S ist
– in der X- und Y-Ebene der Mittelpunkt M und
– in der Z-Richtung 1 mm über der Bearbeitungsebene

[1]) **P**rüfungs-**A**ufgaben- und **L**ehrmittelentwicklungsstelle

PAL-Zyklen bei Fräsmaschinen

G85 Teilkreis-Bohrzyklus

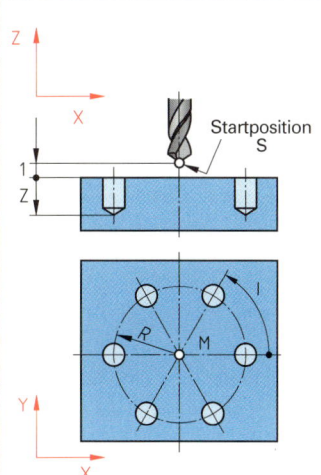

Bezeichnungs- und Bearbeitungsbeispiel: Zentrierungen setzen mit NC-Anbohrer:

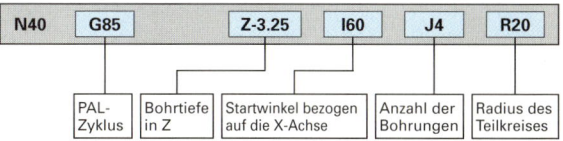

N40	G85	Z-3.25	I60	J4	R20
PAL-Zyklus	Bohrtiefe in Z	Startwinkel bezogen auf die X-Achse	Anzahl der Bohrungen		Radius des Teilkreises

Die Start- und Endposition S ist
– in der X- und Y-Ebene der Mittelpunkt M und
– in der Z-Richtung 1 mm über der Bearbeitungsebene

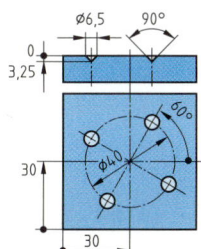

CNC-Programm					
N...					
N30	G00	X30 Y30 Z1 F100 S1450			M03
N40	G85	Z-3.25	I60	J4	R20
N...					

Der PAL-Zyklus G85 erlaubt nur Bohrungen, die gleichmäßig auf dem Teilkreis verteilt sind.

G89 Teilkreis-Gewindebohrzyklus

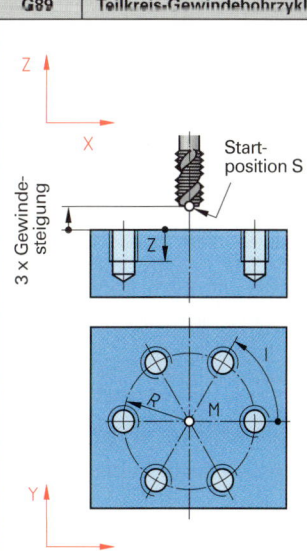

Bezeichnungs- und Bearbeitungsbeispiel: Zentrieren, Bohren, Gewindebohren M8:

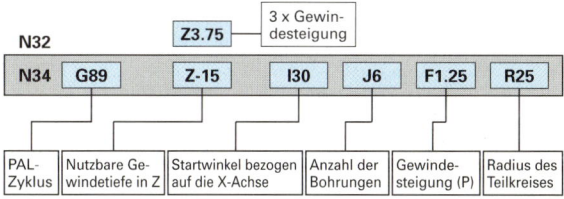

N32   Z3.75   3 x Gewindesteigung

N34	G89	Z-15	I30	J6	F1.25	R25
PAL-Zyklus	Nutzbare Gewindetiefe in Z	Startwinkel bezogen auf die X-Achse	Anzahl der Bohrungen		Gewindesteigung (P)	Radius des Teilkreises

Die Start- und Endposition S ist
– in der X- und Y-Ebene der Mittelpunkt M und
– in der Z-Richtung 3 x Gewindesteigung über der Bearbeitungsebene

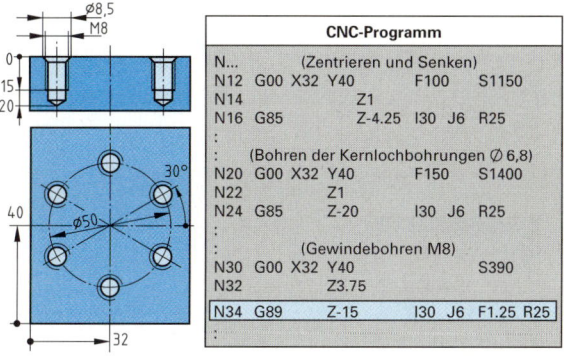

CNC-Programm					
N...	(Zentrieren und Senken)				
N12	G00 X32 Y40	F100			S1150
N14	Z1				
N16	G85	Z-4.25	I30	J6	R25
:					
	(Bohren der Kernlochbohrungen Ø 6,8)				
N20	G00 X32 Y40	F150			S1400
N22	Z1				
N24	G85	Z-20	I30	J6	R25
:					
	(Gewindebohren M8)				
N30	G00 X32 Y40				S390
N32	Z3.75				
N34	G89	Z-15	I30	J6	F1.25 R25
:					

Der PAL-Zyklus G89 erlaubt nur Bohrungen, die gleichmäßig auf dem Teilkreis verteilt sind.

Für Einzelgewinde sind R und I mit 0 und J mit 1 anzugeben.

A

Programmaufbau bei CNC-Maschinen nach PAL

PAL-Zyklen bei Drehmaschinen

G81	Abspanzyklus längs, Zustellung in X

Außenbearbeitung

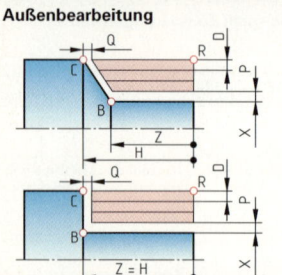

Bezeichnungs- und Bearbeitungsbeispiel: Außenbearbeitung

| N30 | G81 | X57 | Z-70 | D2.5 | H-70 | R80 | P0 | Q0.2 |

- **G81** → PAL-Zyklus
- **X57** → Nenndurchmesser des Punktes B
- **Z-70** → Koordinate des Zielpunktes B in Z-Richtung
- **D2.5** → Zustellung pro Schnitt
- **H-70** → Koordinate des Zielpunktes C in Z-Richtung
- **R80** → Start- und End-Durchmesser des Zyklus, Punkt R
- **P0** → Bearbeitungszugabe in X
- **Q0.2** → Bearbeitungszugabe in Z

CNC-Programm

N30	G81	X57	Z-70	D2.5	H-70	R80	P0	Q0.2
N40	G81	X45	Z-60	D2.5	H-70	R57	P0.5	Q0.2

Innenbearbeitung

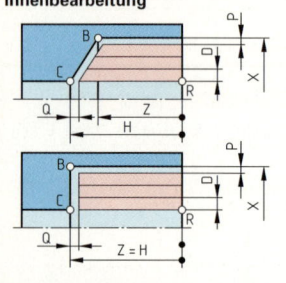

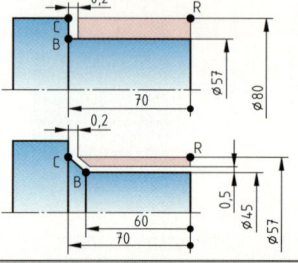

G82	Abspanzyklus längs, mit auslaufendem Radius und Zustellung in X

Außenbearbeitung

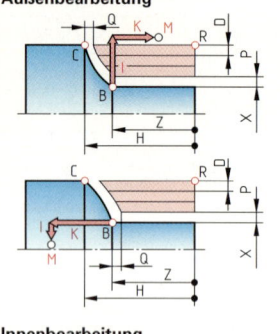

Bezeichnungs- und Bearbeitungsbeispiel: Außenbearbeitung

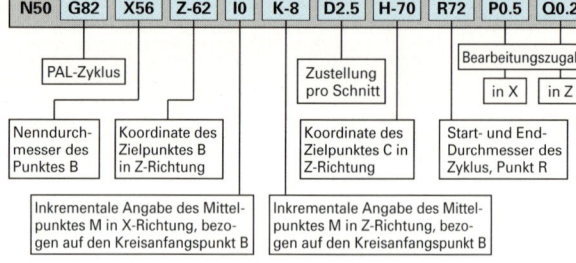

| N50 | G82 | X56 | Z-62 | I0 | K-8 | D2.5 | H-70 | R72 | P0.5 | Q0.2 |

- **G82** → PAL-Zyklus
- **X56** → Nenndurchmesser des Punktes B
- **Z-62** → Koordinate des Zielpunktes B in Z-Richtung
- **I0** → Inkrementale Angabe des Mittelpunktes M in X-Richtung, bezogen auf den Kreisanfangspunkt B
- **K-8** → Inkrementale Angabe des Mittelpunktes M in Z-Richtung, bezogen auf den Kreisanfangspunkt B
- **D2.5** → Zustellung pro Schnitt
- **H-70** → Koordinate des Zielpunktes C in Z-Richtung
- **R72** → Start- und End-Durchmesser des Zyklus, Punkt R
- **P0.5** → Bearbeitungszugabe in X
- **Q0.2** → Bearbeitungszugabe in Z

CNC-Programm

N50	G82	X56	Z-62	I0	K-8	D2.5	H-70	R72	P0.5	Q0.2
N60	G82	X48	Z-24.34	I6	K0	D2.5	H-30	R57	P0.5	Q0.2

Innenbearbeitung

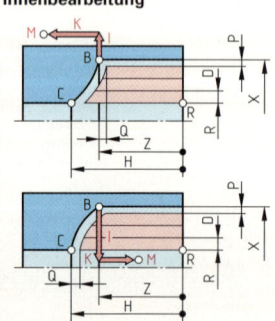

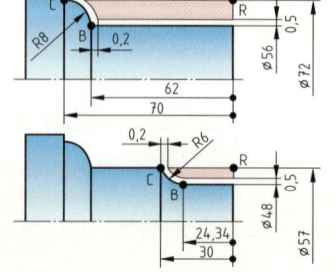

A

PAL-Zyklen bei Drehmaschinen

G83	Gewindezyklus längs, Zustellung in X

Außengewinde

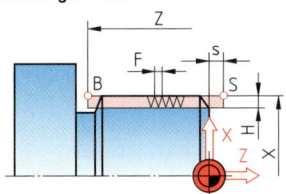

Bezeichnungsbeispiel:

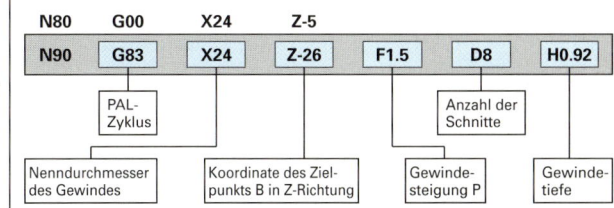

N80	G00	X24	Z-5

N90	G83	X24	Z-26	F1.5	D8	H0.92

- PAL-Zyklus
- Anzahl der Schnitte
- Nenndurchmesser des Gewindes
- Koordinate des Zielpunkts B in Z-Richtung
- Gewindesteigung P
- Gewindetiefe

Beim Gewindezyklus G83 nach PAL werden die Koordinaten des Start- und Endpunktes S im vorangegangenen Satz angegeben.

Innengewinde

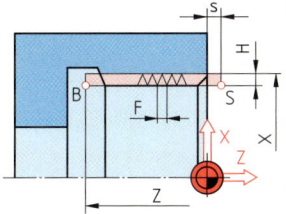

D	Kerndurchmesser beim Innengewinde
P	Steigung
H	Gewindetiefe
K	Maschinenkenngröße
a	Schnitttiefe
s	Anlaufweg
n	Drehzahl
d	Nenndurchmesser
i	Anzahl der Schnitte
s	Anlaufweg
n	Drehzahl

Gewindetiefe für Metrische ISO-Gewinde

Innengewinde | Außengewinde

$$H = 0,5413 \cdot P$$ | $$H = 0,6134 \cdot P$$

Kerndurchmesser beim Innengewinde

$$D = d - 1,0825 \cdot P$$ | $$D = d - 2 \cdot H$$

Anzahl der Schnitte i | **Anlaufweg s**

$$i = \frac{H}{a}$$ | $$s = \frac{P \cdot n}{K}$$

Diagramm zum Anlaufweg s

Zugrunde liegt die Maschinenkenngröße $K - 333$ min^{-1}

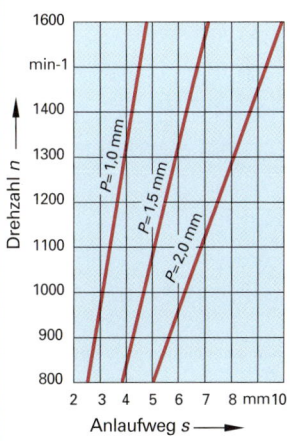

Drehzahl n / min-1

P=1,0 mm
P=1,5 mm
P=2,0 mm

Anlaufweg s ⟶

Der Anlaufweg s wird bestimmt von der:

- Steigung P
- Drehzahl n und
- Maschinenkenngröße K

Die Maschinenkenngröße K berücksichtigt die Masse des Revolverschlittens, der abgebremst und beschleunigt werden muss. Sie ist bei jeder Maschine verschieden und wird durch Versuche ermittelt.

Beispiel: Außengewinde M24 x 1,5, $K = 333$ min^{-1}

$H = 0,6134 \cdot 1,5$ mm $= 0,92$ mm   => CNC-Wort für den Satz N90: **H0.92**

$i = \dfrac{0,92 \text{ mm}}{0,12 \text{ mm}} = 7,66$ => gewählt: 8 Schnitte

=> CNC-Wort für den Satz N90: **D8**

$s = \dfrac{1,5 \text{ mm} \cdot 1500 \text{ min}^{-1}}{333 \text{ min}^{-1}} = 6,75$ mm   oder gewählt aus Diagramm: $s = 7$ mm

Z-Koordinate des Start- und Endpunktes S: Z-Koordinate des Gewindeanfangs + Anlaufweg s

$Z = -12$ mm $+ 7$ mm $= -5$ mm   => CNC-Wort für den Satz N80: **Z-5**

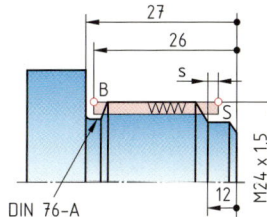

DIN 76-A

CNC-Programm			
N...			
N70	G97	S1500	M03
N80	G00	X24	Z-5
N90	G83	X24 Z-26 F1.5	D8 H0.92
N...			

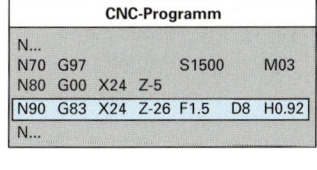

A

Programmaufbau bei CNC-Maschinen nach PAL

PAL-Zyklen bei Drehmaschinen

G84	Bohrzyklus mit Spanentleerung

Bezeichnungs- und Bearbeitungsbeispiel Bohrzyklus:

N30   G00   X0   Z12

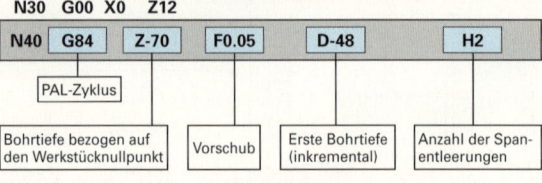

N40	**G84**	**Z-70**	**F0.05**	**D-48**	**H2**

PAL-Zyklus

Bohrtiefe bezogen auf den Werkstücknullpunkt	Vorschub	Erste Bohrtiefe (inkremental)	Anzahl der Spanentleerungen

Beim Bohrzyklus G84 nach PAL werden die Koordinaten des Start- und Endpunktes S im vorangegangenen Satz angegeben.

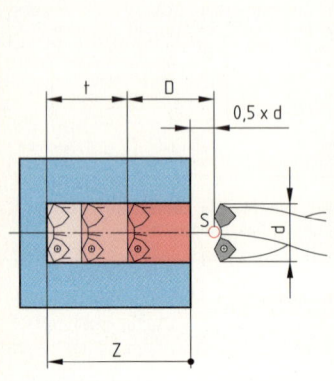

		Erste Bohrtiefe	Rest-Bohrtiefe
Z	Gesamt-Bohrtiefe		
D	Erste Bohrtiefe	$D = 2 \cdot d$	$t = Z + 0{,}5 \cdot d - D$
H	Anzahl der Spanentleerungen	**Anzahl der Spanentleerungen**	
d	Bohrerdurchmesser	$H = \dfrac{t}{d}$	
t	Rest-Bohrtiefe		

Beispiel:

$D = 2 \cdot 24\ \text{mm} = 48\ \text{mm}$ => CNC-Wort für den Satz N40: **D-48**

$t = 70\ \text{mm} + 0{,}5 \cdot 24\ \text{mm} - 48\ \text{mm} = 34\ \text{mm}$

$H = \dfrac{34\ \text{mm}}{24\ \text{mm}} = 1{,}4$; gewählt 2 => CNC-Wort für den Satz N40: **H2**

Die erste Bohrtiefe D beträgt 2 x Bohrerdurchmesser und wird, bezogen auf den Start- und Endpunkt, inkremental angegeben.

Alle weiteren Bohrtiefen, außer der letzten, entsprechen dem Bohrerdurchmesser d. Die letzte Bohrtiefe wird von der CNC-Steuerung berechnet.

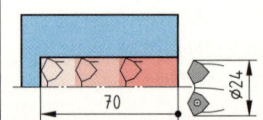

CNC-Programm		
N...		
N20	G97	S2500 M03
N30	G00 X0 Z12	
N40	G84	Z-70 F0.05 D-48 H2

Bearbeitungsbeispiel zum Drehen

Verwendete Drehwerkzeuge

Seitendrehmeißel $r_\varepsilon = 0{,}8$	T0707	
Seitendrehmeißel $r_\varepsilon = 0{,}4$	T0909	
Gewindedrehmeißel	T1111	

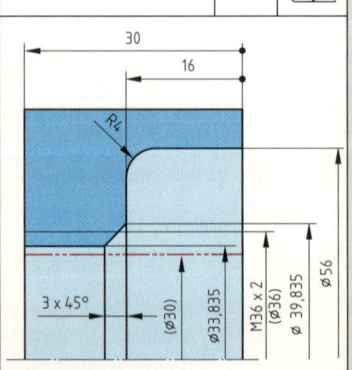

Vorgebohrt mit Wendeplattenbohrer $\varnothing$ 30

N...				(Vordrehen mit Seitendrehmeißel T0707)			
N20				T0707			
N30	G96	G41		F0.2 S180	M04		
N40	G00	X30	Z1				
N50	G81	X48	Z-16		D1.5	H-16 R30 P0.5 Q0.1	
N60	G82	X56	Z-12 I-4	K0	D1.5	H-16 R48 P0.5 Q0.1	
N...							

N...			(Fertigdrehen mit Seitendrehmeißel T0909)
N120			T0909
N130	G96	G41	F0.1 S240 M04
N140	G00	X56	Z1
N150	G01		Z-12
N160	G03	X48	Z-16 I-4 K0
N170	G01	X39.835	
N180		X33.835	Z-19
N190			Z-32
N...			

N...			(Gewindedrehen mit Gewindedrehmeißel T1111)
N220			T1111
N230	G97		S800 M03
N240	G00	X33.835	
N250			Z-11
N260	G83	X36	Z-36 F2 D9 H1.083
N...			
N...			M30

A

Werkzeugkorrekturen beim Drehen

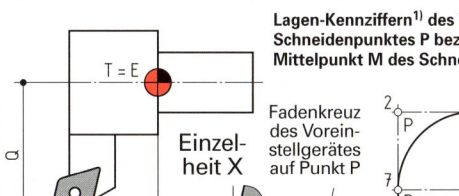

Lagen-Kennziffern[1] des Werkzeug-Schneidenpunktes P bezogen auf den Mittelpunkt M des Schneidenradius r_ϵ

Einzelheit X

Fadenkreuz des Voreinstellgerätes auf Punkt P

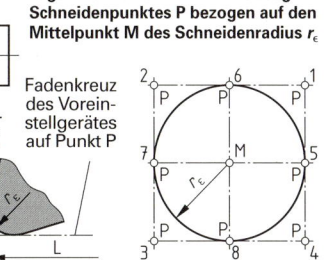

Q	Querablage der X-Achse	
L	Längenkorrektur der Z-Achse	
r_ϵ	Schneidenradius	
1…8	Lage-Kennziffern	
T	Werkzeugträger-Bezugspunkt	

E	Werkzeug-Bezugspunkt
M	Mittelpunkt des Schneidenradius r_ϵ
P	Werkzeug-Schneidenpunkt

[1] nicht genormt

Werkzeugkorrekturen beim Fräsen

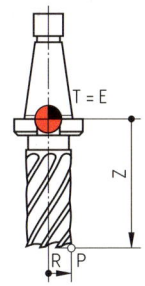

Z	Werkzeuglänge
R	Werkzeugradius
T	Werkzeugträger-Bezugspunkt
E	Werkzeug-Bezugspunkt
P	Werkzeug-Schneidenpunkt

Beispiele:

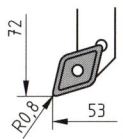

Korrekturspeicher	
Q	72
L	53
r_ϵ	0.8
Lage-Kennziffer	3

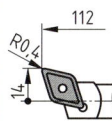

Korrekturspeicher	
Q	14
L	112
r_ϵ	0.4
Lage-Kennziffer	2

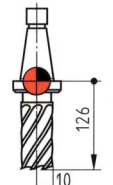

Korrekturspeicher	
Z	126
R	10

Bahnkorrekturen beim Drehen

G41	Drehwerkzeug links	G42	Drehwerkzeug rechts

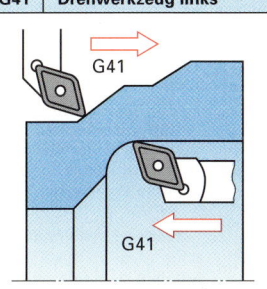

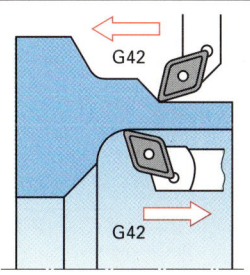

Bahnkorrekturen beim Fräsen

G41	Fräswerkzeug links

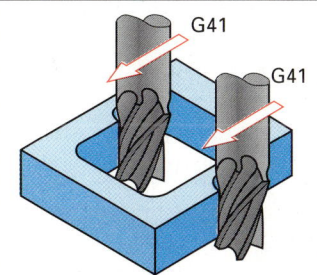

Drehmeißel vor der Spindelachse

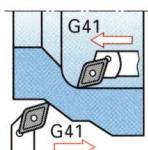

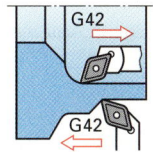

G42	Fräswerkzeug rechts

Bei der Anordnung des Drehmeißels vor der Mitte ergibt sich nach DIN 66 217:
Bedingt durch die andere Betrachtung der X-Z-Ebene kehrt sich für den Anwender, der von oben auf das Werkstück schaut, und für die Programmierung die Bahnkorrektur um.

A

Die Bahnkorrekturen G41 und G42 werden mit der Funktion G40 wieder abgewählt.

Bildzeichen für numerisch gesteuerte Werkzeugmaschinen

Grundbildzeichen

vgl. DIN 55 003-3 (1981-08)

Bildzeichen	Bezeichnung	Bildzeichen	Bezeichnung	Bildzeichen	Bezeichnung
	Richtungsweisender Pfeil		**Korrektur** (Verschiebung)		**Speicher** Bildzeichen für Daten, Komponenten oder Werkzeuge
	Programm mit Maschinenfunktionen Zur Anzeige der Funktionsweise des Systems		**Satz** Für Funktionen, die mit einem Programm-Satz in Zusammenhang stehen		**Wechsel** Zur Darstellung von Wechselfunktionen, z. B. Werkzeugwechsel
	Datenträger Z. B. zur Kennzeichnung von Lochstreifen, Magnetband, Magnetplatte		**Bezugspunkt** (Ursprung) Für Funktionen, die sich auf den Bezugspunkt beziehen		**Programm ohne Maschinenfunktionen** Zur Anzeige der Funktionsweise des Systems
	Funktionspfeil Es wird grundsätzlich bei Bildzeichen verwendet, die Maschinenfunktionen darstellen		**Ändern** Zur Darstellung von Änderungsfunktionen, z. B. Einfügen oder Ändern von Programmteilen		In der NC-Steuerungstechnik werden die Grundbildzeichen wiederholt und kombiniert angewendet. Sie bilden die Grundlage der angewandten Bildzeichen.

Angewandte Bildzeichen

vgl. DIN 55 003-3 (1981-08)

Bildzeichen	Bezeichnung	Bildzeichen	Bezeichnung	Bildzeichen	Bezeichnung
	Band-Vorlauf ohne Lesen der Daten; ohne Maschinenfunktionen		**Programm-Anfang**		**Daten im Speicher ändern**
	Band-Rücklauf ohne Lesen der Daten; ohne Maschinenfunktionen		**Programm ändern**		**Werkzeug-Korrektur** für nicht drehendes Werkzeug
	Vorwärts kontinuierlich alle Daten lesen; ohne Maschinenfunktionen		**Unterprogramm**		**Werkzeug-Längenkorrektur** für drehendes Werkzeug
	Vorwärts kontinuierlich alle Daten lesen; mit Maschinenfunktionen		**Programm-Ende**		**Kontur wieder anfahren** z. B. nach dem Auswechseln eines beschädigten Werkzeuges
	Vorwärts satzweise alle Daten lesen; mit Maschinenfunktionen		**Dateneingabe in einen Speicher**		**Absolute Maßangaben** Koordinaten-Maß-Befehl, z. B. Bezugsmaße
	Satznummern-Suche rückwärts; ohne Maschinenfunktionen		**Datenausgabe aus einem Speicher**		**Inkrementale Maßangaben**
	Handeingabe		**Programm-Speicher**		**Nullpunkt-Verschiebung**
	Referenzpunkt Schlittenposition bezogen auf einen bekannten Bezugspunkt		**Koordinaten-Nullpunkt** Ursprung des Maschinen-Koordinaten-Systems		**Werkstück-Nullpunkt**

A

Darstellung der Zahlensysteme

Dezimalsystem (Basis 10)
Ziffern: 0 1 2 3 4 5 6 7 8 9

Dualsystem (Basis 2)
Ziffern: 0 1

Dezimalzahl z_{10} — 205

Dualzahl z_2 — 1010

Stellenwert	$10^2 = 100$	$10^1 = 10$	$10^0 = 1$
Wert	$2 \cdot 100 = 200$	$0 \cdot 10 = 0$	$5 \cdot 1 = 5$
Gesamtwert z_{10} (dezimal)	200 +	0 +	5 = 205

Stellenwert	$2^3 = 8$	$2^2 = 4$	$2^1 = 2$	$2^0 = 1$
Wert	$1 \cdot 8 = 8$	$0 \cdot 4 = 0$	$1 \cdot 2 = 2$	$0 \cdot 1 = 0$
Gesamtwert z_{10} (dezimal)	8 +	0 +	2 +	0 = 10

Hexadezimalsystem (Sedezimalsystem, Basis 16)

Zeichen im Sedezimalsystem:	0	1	2	3	4	5	6	7	8	9	A	B	C	D	E	F
dezimaler Wert:	0	1	2	3	4	5	6	7	8	9	10	11	12	13	14	15

Umwandlung in Dezimalzahl: A2F

Stellenwert	$16^2 = 256$	$16^1 = 16$	$16^0 = 1$
Wert	$10 \cdot 256 = 2560$	$2 \cdot 16 = 32$	$15 \cdot 1 = 15$
Gesamtwert z_{10} (dezimal)	2560 +	32 +	15 = 2607

Umwandlung in Dualzahl:
Jede Ziffer stellt eine Gruppe von 4 Bit dar.   A2F

Ziffernwert	10	2	15
Bitgruppe (Tetrade)	1010	0010	1111

Dualzahl z_2 = 1010 0010 1111

Dualzahlen z_2, Dezimalzahlen z_{10} und Hexadezimalzahlen z_{16} bis $z_{10} = 255$

Bitmuster (Dualzahlen):

b_8	0	0	0	0	0	0	0	0	1	1	1	1	1	1	1	1
b_7	0	0	0	0	1	1	1	1	0	0	0	0	1	1	1	1
b_6	0	0	1	1	0	0	1	1	0	0	1	1	0	0	1	1
b_5	0	1	0	1	0	1	0	1	0	1	0	1	0	1	0	1

1. Tetrade → ($b_8 b_7 b_6 b_5$)

2. Tetrade $b_4 b_3 b_2 b_1$	Zahl	Dezimalzahlen und Hexadezimalzahlen															
0 0 0 0	z_{10}	0	16	32	48	64	80	96	112	128	144	160	176	192	208	224	240
	z_{16}	00	10	20	30	40	50	60	70	80	90	A0	B0	C0	D0	E0	F0
0 0 0 1	z_{10}	1	17	33	49	65	81	97	113	129	145	161	177	193	209	225	241
	z_{16}	01	11	21	31	41	51	61	71	81	91	A1	B1	C1	D1	E1	F1
0 0 1 0	z_{10}	2	18	34	50	66	82	98	114	130	146	162	178	194	210	226	242
	z_{16}	02	12	22	32	42	52	62	72	82	92	A2	B2	C2	D2	E2	F2
0 0 1 1	z_{10}	3	19	35	51	67	83	99	115	131	147	163	179	195	211	227	243
	z_{16}	03	13	23	33	43	53	63	73	83	93	A3	B3	C3	D3	E3	F3
0 1 0 0	z_{10}	4	20	36	52	68	84	100	116	132	148	164	180	196	212	228	244
	z_{16}	04	14	24	34	44	54	64	74	84	94	A4	B4	C4	D4	E4	F4
0 1 0 1	z_{10}	5	21	37	53	69	85	101	117	133	149	165	181	197	213	229	245
	z_{16}	05	15	25	35	45	55	65	75	85	95	A5	B5	C5	D5	E5	F5
0 1 1 0	z_{10}	6	22	38	54	70	86	102	118	134	150	166	182	198	214	230	246
	z_{16}	06	16	26	36	46	56	66	76	86	96	A6	B6	C6	D6	E6	F6
0 1 1 1	z_{10}	7	23	39	55	71	87	103	119	135	151	167	183	199	215	231	247
	z_{16}	07	17	27	37	47	57	67	77	87	97	A7	B7	C7	D7	E7	F7
1 0 0 0	z_{10}	8	24	40	56	72	88	104	120	136	152	168	184	200	216	232	248
	z_{16}	08	18	28	38	48	58	68	78	88	98	A8	B8	C8	D8	E8	F8
1 0 0 1	z_{10}	9	25	41	57	73	89	105	121	137	153	169	185	201	217	233	249
	z_{16}	09	19	29	39	49	59	69	79	89	99	A9	B9	C9	D9	E9	F9
1 0 1 0	z_{10}	10	26	42	58	74	90	106	122	138	154	170	186	202	218	234	250
	z_{16}	0A	1A	2A	3A	4A	5A	6A	7A	8A	9A	AA	BA	CA	DA	EA	FA
1 0 1 1	z_{10}	11	27	43	59	75	91	107	123	139	155	171	187	203	219	235	251
	z_{16}	0B	1B	2B	3B	4B	5B	6B	7B	8B	9B	AB	BB	CB	DB	EB	FB
1 1 0 0	z_{10}	12	28	44	60	76	92	108	124	140	156	172	188	204	220	236	252
	z_{16}	0C	1C	2C	3C	4C	5C	6C	7C	8C	9C	AC	BC	CC	DC	EC	FC
1 1 0 1	z_{10}	13	29	45	61	77	93	109	125	141	157	173	189	205	221	237	253
	z_{16}	0D	1D	2D	3D	4D	5D	6D	7D	8D	9D	AD	BD	CD	DD	ED	FD
1 1 1 0	z_{10}	14	30	46	62	78	94	110	126	142	158	174	190	206	222	238	254
	z_{16}	0E	1E	2E	3E	4E	5E	6E	7E	8E	9E	AE	BE	CE	DE	EE	FE
1 1 1 1	z_{10}	15	31	47	63	79	95	111	127	143	159	175	191	207	223	239	255
	z_{16}	0F	1F	2F	3F	4F	5F	6F	7F	8F	9F	AF	BF	CF	DF	EF	FF

Ablesebeispiel: Die Dualzahl z_2 = **10110010** entspricht der Dezimalzahl z_{10} = **178** oder der Hexadezimalzahl z_{16} = **B2**.

A

ASCII-Zeichensatz[1]

7-Bit-Code (deutsche Referenzversion mit Umlauten)

vgl. DIN 66 003 (1974-06)

Code z_{10}	z_{16}	Zeichen	Code z_{10}	z_{16}	Zeichen	Code z_{10}	z_{16}	Zeichen	Code z_{10}	z_{16}	Zeichen	Code z_{10}	z_{16}	Zeichen	Code z_{10}	z_{16}	Zeichen	Code z_{10}	z_{16}	Zeichen	Code z_{10}	z_{16}	Zeichen
0	0	NUL	16	10	DLE	32	20	SP	48	30	0	64	40	§	80	50	P	96	60	\	112	70	p
1	1	SOH	17	11	DC1	33	21	!	49	31	1	65	41	A	81	51	Q	97	61	a	113	71	q
2	2	STX	18	12	DC2	34	22	"	50	32	2	66	42	B	82	52	R	98	62	b	114	72	r
3	3	ETX	19	13	DC3	35	23	#	51	33	3	67	43	C	83	53	S	99	63	c	115	73	s
4	4	EOT	20	14	DC4	36	24	$	52	34	4	68	44	D	84	54	T	100	64	d	116	74	t
5	5	ENQ	21	15	NAK	37	25	%	53	35	5	69	45	E	85	55	U	101	65	e	117	75	u
6	6	ACK	22	16	SYN	38	26	&	54	36	6	70	46	F	86	56	V	102	66	f	118	76	v
7	7	BEL	23	17	ETB	39	27	´	55	37	7	71	47	G	87	57	W	103	67	g	119	77	w
8	8	BS	24	18	CAN	40	28	(	56	38	8	72	48	H	88	58	X	104	68	h	120	78	x
9	9	HT	25	19	EM	41	29	)	57	39	9	73	49	I	89	59	Y	105	69	i	121	79	y
10	A	LF	26	1A	SUB	42	2A	*	58	3A	:	74	4A	J	90	5A	Z	106	6A	j	122	7A	z
11	B	VT	27	1B	ESC	43	2B	+	59	3B	;	75	4B	K	91	5B	Ä	107	6B	k	123	7B	ä
12	C	FF	28	1X	FS	44	2C	,	60	3C	<	76	4C	L	92	5C	Ö	108	6C	l	124	7C	ö
13	D	CR	29	1D	QS	45	2D	–	61	3D	=	77	4D	M	93	5D	Ü	109	6D	m	125	7D	ü
14	E	SO	30	1E	RS	46	2E	.	62	3E	>	78	4E	N	94	5E	^	110	6E	n	126	7E	ß
15	F	SI	31	1F	US	47	2F	/	63	3F	?	79	4F	O	95	5F	–	111	6F	o	127	7F	DEL

Bedeutung der Steuerzeichen

Code z_{10}	Zeichen	Benennung	Code z_{10}	Zeichen	Benennung
0	NUL	Nil (NULL)	17	DC1	Gerätesteuerung 1 (DEVICE CONTROL 1)
1	SOH	Anfang des Kopfes (START OF HEADING)	18	DC2	Gerätesteuerung 2 (DEVICE CONTROL 2)
2	STX	Anfang des Textes (START OF TEXT)	19	DC3	Gerätesteuerung 3 (DEVICE CONTROL 3)
3	ETX	Ende des Textes (END OF TEXT)	20	DC4	Gerätesteuerung 4 (DEVICE CONTROL 4)
4	EOT	Ende der Übertragung (END OF TRANSMISSION)	21	NAK	Negative Rückmeldung (NEGATIVE ACKNOWLEDGE)
5	ENQ	Stationsaufforderung (ENQUIRY)	22	SYN	Synchronisierung (SYNCHRONOUS IDLE)
6	ACK	Positive Rückmeldung (ACKNOWLEDGE)	23	ETB	Ende der Übertragung (END OF TRANSMISSION BLOCK)
7	BEL	Klingel (BELL)	24	CAN	Ungültig (CANCEL)
8	BS	Rückwärtsschritt (BACKSPACE)	25	EM	Ende der Aufzeichnung (END OF MEDIUM)
9	HT	Horizontal-Tabulator (HORIZONTAL TABULATION)	26	SUB	Substitution (SUBSTITUTE CHARACTER)
10	LF	Zeilenvorschub (LINE FEED)	27	ESC	Code-Umschaltung (ESCAPE)
11	VT	Vertikal-Tabulator (VERTICAL TABULATION)	28	FS	Hauptgruppen-Trennung (FILE SEPERATOR)
12	FF	Formularvorschub (FORM FEED)	29	GS	Gruppen-Trennung (GROUP SEPERATOR)
13	CR	Wagenrücklauf (CARRIAGE RETURN)	30	RS	Untergruppen-Trennung (RECORD SEPERATOR)
14	SO	Dauerumschaltung (SHIFT-OUT)	31	US	Teilgruppen-Trennung (UNIT SEPERATOR)
15	SI	Rückschaltung (SHIFT-IN)	32	SP	Zwischenraum (SPACE)
16	DLE	Übertragungs-Umschaltung (DATA LINK ESCAPE)	127	DEL	Löschen (DELETE)

Bedeutung der Sonderzeichen (internationale Referenzversion)

Code z_{10}	Zeichen	Benennung	Code z_{10}	Zeichen	Benennung	Code z_{10}	Zeichen	Benennung
32		Zwischenraum	43	+	plus	64	@	kommerzielles à
33	!	Ausrufungszeichen	44	,	Komma	91	[	eckige Klammer auf
34	"	Anführungszeichen	45	–	minus, Bindestrich	92	\	inverser Schrägstrich
35	#	Nummernzeichen	46	.	Punkt	93	]	eckige Klammer zu
36	$	Währungszeichen	47	/	Schrägstrich	94	^	Aufwärtspfeil, Zirkumflex
37	%	Prozent	58	:	Doppelpunkt	95		Unterstreichung
38	&	kommerzielles Und	59	;	Semikolon (Strichpunkt)	96	`	Gravis
39	'	Apostroph	60	<	kleiner als	123	{	geschweifte Klammer auf
40	(	runde Klammer auf	61	=	gleich	124			senkrechter Strich
41	)	runde Klammer zu	62	>	größer als	125	}	geschweifte Klammer zu
42	*	Stern	63	?	Fragezeichen	126	—	Überstreichung, Tilde

A

Die Steuerzeichen (0...32 und 127 dezimal) sind am Bildschirm und Drucker nicht darstellbar; sie dienen zur Befehlsübermittlung des Systems.
Die Zeichen 128 bis 255 (dezimal) sind entweder ebenso codiert wie die Zeichen 0...127 oder sie werden für Sonderzeichen genutzt (Kursivzeichen, Grafik-Sinnbilder, selbstdefinierter Zeichensatz). Der eingeschränkte ASCII-Zeichensatz enthält nur die Zeichen 0...95 (dezimal); er erlaubt nur Großschreibung.

[1] AMERICAN STANDARD CODE FOR INFORMATION INTERCHANGE (Amerikanischer Standardcode für Informationsaustausch)

Sinnbilder für Informationsverarbeitung vgl. DIN 66 001 (1983-12)

Sinnbild	Benennung, Bemerkung	Sinnbild	Benennung, Bemerkung	Sinnbild	Benennung, Bemerkung
	Verarbeitung, z.B. Addition, Subtraktion Verarbeitungseinheit, z.B. Mensch, Rechner		Daten, allgemein / Datenträger, allgemein		Daten im Zentralspeicher / Zentralspeicher
	Manuelle Verarbeitung, z.B. Lesen, Schreiben Manuelle Verarbeitungsstelle		Maschinell zu verarbeitende Daten; Datenträger für maschinell zu verarbeitende Daten		Optische oder akustische Daten, z.B. Bild, Ton; Optische oder akustische Ausgabeeinheit, z.B. Bildschirm, Lautsprecher
	Verzweigung, z.B. bei Entscheidung Auswahleinheit, z.B. Schalter		Manuell zu verarbeitende Daten Manuelle Ablage, z.B. Kartei, Archiv		Manuelle optische oder akustische Daten Manuelle optische oder akustische Eingabeeinheit, z.B. Tastatur, Mikrofon
	Schleifenanfang, Beginn eines sich wiederholenden Programmteiles		Daten auf Schriftstück, z.B. Beleg; Ein-/Ausgabeeinheit für Schriftstück, z.B. Belegleser, Drucker		Verarbeitungsfolge Zugriffsweg / Datenübertragungsweg
	Schleifenende, Ende eines sich wiederholenden Programmteiles		Daten auf Karte, z.B. Lochkarte Lochkarteneinheit Leser, Stanzer		Grenzstelle zur Umwelt, z.B. Anfang / Verbindungsstelle, verbindet Darstellungsteile
||	Synchronisierung bei paralleler Verarbeitung; Synchronisiereinheit		Daten auf Lochstreifen Lochstreifeneinheit Leser, Stanzer		Verfeinerung, entspricht Ausschnittvergrößerung / Bemerkung zur Anfügung erläuternder Texte
▷	Sprung mit Rückkehr		Daten oder Gerät: Speicher mit **nur** sequentiellem Zugriff, z.B. Magnetband	**Darstellung von Verbindungslinien**	
▷	Sprung ohne Rückkehr				Wirkungsrichtung
▷	Unterbrechung von außen		Daten oder Gerät: Speicher auch mit direktem Zugriff, z.B. Diskette oder Festplatte		Anschluss an Sinnbild
▷	Steuerung von außen				Auffächerung

Sinnbilder für Struktogramme (nach Nassi-Shneiderman) vgl. DIN 66 261 (1985-11)

Folgeblock
Anweisung 1 / Anweisung 2 / Anweisung 3 / Anweisung 4

Wiederholungsblock mit Anfangsbedingung
Anfangsbedingung Wiederhole, solange ... / Anweisung 1 / Anweisung 2 / Anweisung 3

Wiederholungsblock mit Schlussbedingung
Anweisung 1 / Anweisung 2 / Anweisung 3 / Endbedingung Wenn ... dann wiederhole

Alternative Einfache Alternative
Bedingung / erfüllt / nicht erfüllt / Anweisung / keine Anweisung (leer)

Alternative Bedingte Alternative
Bedingung / erfüllt / nicht erfüllt / Anweisung / Anweisung

Alternative Mehrfache Alternative
Bedingung / Bedingung 1 Anweisung / Bedingung 2 Anweisung / Bedingung 3 Anweisung

A

Sinnbilder für Informationsverarbeitung

Programmablaufplan und Struktogramm

Programmablaufplan Beispiel: Kreisberechnung

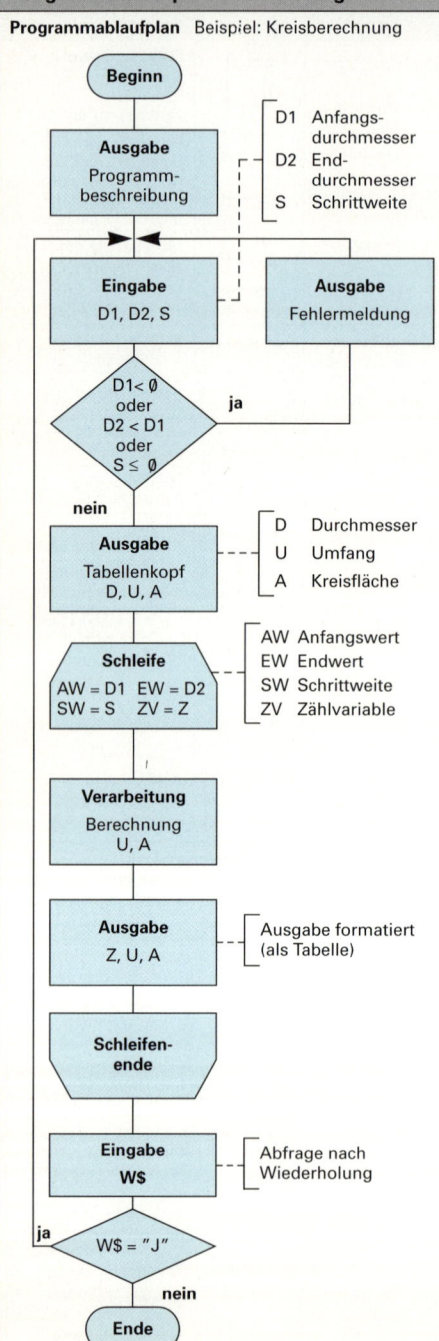

	D1	Anfangs-durchmesser
	D2	End-durchmesser
	S	Schrittweite

	D	Durchmesser
	U	Umfang
	A	Kreisfläche

	AW	Anfangswert
	EW	Endwert
	SW	Schrittweite
	ZV	Zählvariable

Ausgabe formatiert (als Tabelle)

Abfrage nach Wiederholung

A

Struktogramm Beispiel: Kreisberechnung

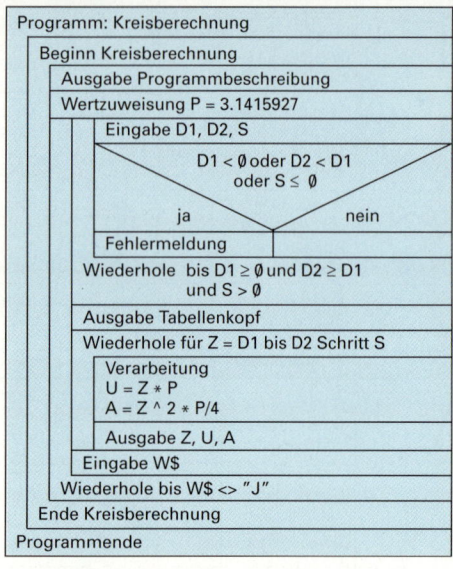

BASIC-Programm zum Beispiel Kreisberechnung

```
10    REM     PROGRAMM KREISBERECHNUNG ****
20    REM     PROGRAMMBESCHREIBUNG
30    PRINT   "DIESES PROGRAMM BERECHNET"
40    PRINT   "UMFANG UND FLAECHE VON KREISEN"
50    PRINT
60    LET     P = 3.1415927
100   REM     EINGABE VON WERTEN **********
110   PRINT   "DURCHMESSER-ANFANGSWERT:";
120   INPUT   D1
130   PRINT   "DURCHMESSER-ENDWERT:";
140   INPUT   D2
150   PRINT   "SCHRITTWEITE:";
160   INPUT   S
170   PRINT
200   REM     VERARBEITUNG UND AUSGABE *****
210   IF D1 < 0 THEN 1000
220   IF D2 < D1 THEN 1000
230   IF S < = 0 THEN 1000
240   PRINT   "D", "U", "A"
250   PRINT
260   FOR Z = D1 TO D2 STEP S
270           LET U = Z * P
280           LET A = Z^2*P/4
290           PRINT Z, U, A
300   NEXT Z
310   PRINT
400   REM     ABSCHLUSS*****************
410   PRINT   "WEITERE BERECHNUNG? (J/N)";
420   INPUT   W$
430   IF W$ <> "J" THEN END
440   GOTO 100
450   END
1000  REM     FEHLERMELDUNG***************
1010  PRINT "UNZULAESSIGE EINGABE"
1020  PRINT
1030  GOTO   100
```

Elementar-BASIC

vgl. DIN 66 284 (1988-05)

Sprachaufbau

- Ein BASIC-Programm besteht aus einzelnen Zeilen, die entweder in der Reihenfolge ihrer Zeilennummer oder fortlaufend abgearbeitet werden.
- Mit Steueranweisungen (GOSUB, GOTO) kann die Reihenfolge der Abarbeitung geändert werden.
- Das Programmende wird mit END gekennzeichnet.

BASIC-Schreibweise	Bezeichnung	Erläuterung, Beispiel
Variable und Konstante		
A A1 A2	Numerische Variable	Der Variablenname besteht aus einem Großbuchstaben (A...Z), wahlweise gefolgt von einer Zahl (0...9). A, A1, A2 sind unterschiedliche Variable.
A$ B$	Zeichenketten-Variable	Zeichenketten (Strings) bestehen aus 0 bis 18 Zeichen (A..Z, Leerzeichen und Sonderzeichen), begrenzt durch Anführungszeichen, z.B. "LAENGE".
3 +3 −3	Ganzzahl	Zahlenwerte ohne Dezimalpunkt werden als Ganzzahl (Integer) verwendet.
.3 −.3 3.	Realzahl	Dezimalzahlen werden mit Punkt und ohne führende Nullen dargestellt.
Operatoren		
+ −	Summen-Operator	Zeichen für Addition und Subtraktion. Beispiele: X = A + B; X$ = A$ + B$; Y = A − B
* /	Multiplikations-Operator	Zeichen für Multiplikation und Division. Beispiele: C = 10*(3+2); $3 \cdot 5/4 = \frac{3 \cdot 5}{4} = 3,75$
^ ↑	Potenz	Zeichen für Potenzieren. Beispiele: 2^3 = 8; $125^(1/3) = \sqrt[3]{125} = 5$
= <> ≤ ≥ <>	Relation	Vergleichsoperatoren, z.B. = (ist gleich); > (größer als); <> (ungleich)
Funktionen		

BASIC	Funktion	Bezeichnung	Erläuterung, Beispiel
INT(X)	[x]	Ganzzahl	Liefert nächstkleinere ganze Zahl. Beispiel: INT(3.2) = 3; INT(−3.2) = −4
SQR(X)	$\sqrt{x}$	Quadratwurzel	Beispiel: $SQR(12^2 − 5^2) = \sqrt{12^2 − 5^2} = 10,9087$
TAN(X)	tan x	Tangens	TAN(2) = tan (2 rad) = tan 114,59° = − 2,18504
LOG(x)	ln x	Logarithmus	Natürlicher Logarithmus mit der Basis e = 2,71828...
EXP(x)	e^x	Exponent	Exponentialfunktion mit der Basis e. Beispiel: $EXP(1.2) = e^{1,2} = 3,320117$

Einfache Anweisungen, Deklarationen

Anweisung	Erläuterung	Programmbeispiel	Ergebnis
REM	Ignoriert den folgenden Inhalt der Zeile	10 REM PROGRAMMANFANG 20 ...	Kommentar, ohne Einfluss auf den Programmablauf
LET	Wertzuweisung	10 LET A$ = "BASIC" 20 LET C = SQR(4^2 + 3^2)	Der String A erhält den Inhalt BASIC. Der Variablen C wird der Wert $\sqrt{4^2 + 3^2} = 5$ zugewiesen
INPUT	Eingabeaufforderung	10 INPUT A	Fordert die Werteingabe für A an
PRINT TAB(x) ; ,	Wertausgabe am Bildschirm oder Drucker Ausgabe in Spalte x keine Zeilenschaltung Trennzeichen für Werte	10 PRINT A 20 PRINT TAB(20); A 30 PRINT A; B 40 PRINT A,B 50 PRINT	Bildschirmausgabe des Wertes A Wertausgabe A in Spalte 20 Ausgabe A und B (ohne Zeilenschaltung) Ausgabe A und B (positioniert) Zeilenschaltung ohne Wertausgabe
DIM	Feldformatierung	10 DIM A(30,8)	Reserviert für die Variable A ein Feld von 30 Spalten und 8 Zeilen
READ DATA	Liest Daten aus einer Datenliste ein	READ A, B, C DATA 7,5,3,9,12,15	Weist den Variablen A, B und C die Werte 7; 5 und 3 aus der Liste zu

A

Programmiersprachen

Elementar-BASIC (Fortsetzung)

vgl. DIN 66 284 (1988-05)

Anwei-sung	Erläuterung	Programmbeispiel	Ergebnis
Steueranweisungen			
GOTO	Programmfortsetzung bei einer bestimmten Zeilennummer oder einer Sprungmarke	10 GOTO 100 20 ... 100 ...	Die Zeilen zwischen 10 und 100 werden übersprungen; Programmfortsetzung bei Zeile 100
ON X GOTO	Sprunganweisung, abhängig vom Wert der Variablen X	10 INPUT X 20 ON X GOTO 50,80,90	Eingabe X (1, 2 oder 3) Sprung zu Zeile 50, 80 oder 90
GOSUB RETURN	Sprung in ein Unterprogramm Rücksprung zu der auf GOSUB folgenden Anweisung	10 GOSUB 100 20 ... 100 REM UNTERP 1 200 RETURN	Sprung zu Zeile 100, Abarbeiten der Anweisungen bis 200 Rücksprung zur Zeile 20
IF.... THEN	Ist die IF-Bedingung erfüllt, so wird die Anweisung THEN... ausgeführt, andernfalls ignoriert	100 IF A\$ ="J" THEN 1 110 END	Wird für A\$ "J" eingegeben, dann erfolgt Rücksprung zu Zeile 1, andernfalls Programmende
FOR...TO... STEP... NEXT...	Die zwischen FOR und NEXT enthaltenen Anweisungen werden wiederholt, bis die Zählvariable größer ist als in TO angegeben	10 FOR Z = A TO B STEP .1 20 PRINT Z^2 30 NEXT Z 40 ...	Wertzuweisung Z von A bis B um jeweils 0,1 zunehmend Ausgabe A^2; $(A+0,1)^2...B^2$ Z = Z + 0,1; Sprung zu Zeile 10 Fortsetzung, sobald Z > B
STOP	Unterbricht Programmablauf	10 IF A<=0 THEN STOP	Wenn A ≤ 0: Programmhalt
END	Programmende	100 END	Programmende, Rücksprung zur 1. Zeile
Erweiterungen zu Elementar-BASIC: Steueranweisungen[1]			
LIST	Listet Programm am Bildschirm	LIST –200	Listet alle Zeilen bis 200
RUN	Kommando zum Programmstart	RUN "A:TABELLE"	Startet Programm TABELLE in A:
SAVE	Speichert ein BASIC-Programm	SAVE "A:Tabelle"	Speichert Programm TABELLE
LOAD	Lädt Programm aus Laufwerk	LOAD "A:TABELLE"	Lädt Programm TABELLE von A:
DELETE	Löscht Programmzeilen oder Programme im RAM-Speicher	DELETE 100-200 DELETE	Löscht Zeilen 100 bis 200 Löscht ganzes Programm
CLEAR	Setzt numerische Variable auf 0 und Zeichenketten auf ""(leer)	10 LET A = 25 20 CLEAR	Wertzuweisung: A = 25 Wert gelöscht: A = 0
CLS	Löscht den Bildschirm	20 CLS	Bildschirm wird gelöscht
ELSE	Wahlweise Erweiterung bei IF...THEN für Verzweigung	30 IF A = 0 THEN 50 ELSE 100	Ist A = 0 dann Sprung zu Zeile 50, andernfalls zu Zeile 100
Erweiterungen zu Elementar-BASIC: Anweisungen für Zeichenketten[1]			
CHR\$	Gibt ein ASCII-Zeichen aus	10 PRINT CHR\$(67)	Ausgabe von C am Bildschirm
LEN	Gibt Anzahl der Zeichen einer Zeichenkette aus	10 LET A\$ ="BASIC" 20 PRINT LEN(A\$)	Wertzuweisung Bildschirmausgabe: 5
LEFT\$ RIGHT\$ MID\$	Liefert den rechten, linken oder mittleren Teil einer Zeichenkette	10 LET A\$ ="BASIC" 20 PRINT LEFT\$(A\$,2) 30 PRINT MID\$(A\$,3,2)	Wertzuweisung Ausgabe: BA (2 Zeichen, links) Ausgabe: SI (2 Zeichen ab Nr. 3)
STR\$	Erzeugt eine Zeichenkette aus einer numerischen Variablen (1. Stelle reserviert für Vorzeichen)	10 LET A\$ = STR\$(4.5) 20 PRINT A\$ 30 PRINT LEFT(A\$,2)	Wertzuweisung A\$ = "4.5" Ausgabe: 4.5 Ausgabe: 4 (1. Stelle leer)
VAL	Wandelt eine Zeichenkette in eine numerische Variable um. Ist das 1. Zeichen der Kette keine Zahl, so liefert VAL den Wert 0.	10 LET A\$ = "5 ZE" 20 LET B\$ = "ZE 5" 30 PRINT VAL(A\$) 40 PRINT VAL(B\$)	Wertzuweisung A\$ Wertzuweisung B\$ Ausgabe: 5 Ausgabe: 0

[1] Aufgrund der vielfältigen Dialekte sind Unterschiede in den Anweisungen und ihrer Ausführung möglich.

A

PASCAL[1]

vgl. DIN EN 27185 (1994-03)

Programmstruktur

Teil	Beispiel	Erläuterung
Kopf	**program** Suche (input)	Bestandteile des Programmkopfes sind das Wort **program**, der Bezeichner für den Programmnamen und die Programmparameter.
Deklara-tion	**const** Zeichen = 'A'; **type** Name = string[20]; **var** P, Q, T: integer; Wert: real;	Im Deklarationsteil müssen die im Programm verwendeten Sprungmarken (**label**), Konstanten (**const**), Typen (**type**), Variablen (**var**), Prozeduren (**procedure**) und Funktionen (**function**) vereinbart werden. Jede Deklaration darf höchstens einmal in obiger Reihenfolge vorkommen.

Anwei-sung	**begin**
	T :=0;
	while.....do
	begin
	.....;
	end;
	end.
		Der Anweisungsteil steht zwischen den Sprachsymbolen **begin** und **end**. Er enthält die Anweisungen für den Programmablauf. Diese werden der Reihe nach abgearbeitet. Zur Verbesserung der Übersicht werden Anweisungen blockweise eingerückt.
		Eine Anweisung wird mit einem Strichpunkt (;) abgeschlossen, ein Anweisungsblock mit dem Wort end. Das Programmende wird mit einem Punkt (.) gekennzeichnet.

Standardfunktionen und Operatoren

PASCAL	math. Schreib-weise	Bezeichnung	Erläuterung, Beispiel	
sqr(x)	x^2	x hoch zwei	sqr(a + b) = (a + b)^2	
sqrt(x)	$\sqrt{x}$	Quadratwurzel	sqrt(sqr(a) + sqr(b)) = $\sqrt{a^2 + b^2}$	
sin(x)	sin x	Sinus	sin(2) = sin 2 = 0,9093	Winkelangaben erfolgen in Radiant (rad)
cos(x)	cos x	Cosinus	cos(2) = cos 2 = −0,4161	1 rad = $\frac{180°}{\pi}$ = 57,296°
arctan(x)	arctan x	Arcustangens	arctan(2) = arctan 2 = 1,1071	
abs(x)	|x|	Absolutwert	abs(−3.5) = |−3.5| = 3,5	
trunc(x)	[x]	Ganzzahl	Ganzzahliger Anteil eines Wertes: trunc(3.2) = 3; trunc(−3.2) = −3	
chr(x)	–	Decodierung	Umwandlung eines Wertes in sein ASCII-Zeichen; chr(65) = 'A'	
+ −	+ −	Summe	Addition oder Subtraktion von Zahlenwerten oder Mengen	
*	·	Multiplikation	Produkt von Zahlenwerten oder Schnitt von Mengen	
/	:	Division	Division von Zahlenwerten; das Ergebnis ist immer vom Typ Real	
div	–	Division	Division mit stets ganzzahligem Ergebnis: 123 div 4 = 30	
mod	–	Modulo	Division mit Ausgabe des ganzzahligen Restes: 17 mod 5 = 2	
= < >	= < >	Relation	= ist gleich; < kleiner als; > größer als; <> ungleich; >= größer od. gleich	

Sprachelemente

Bezeich-nung	Beispiel	Erläuterung
Reservier-te Wörter	and, array, begin, case, const, while, with	Reservierte Wörter sind Schlüsselwörter, die vom Benutzer nicht verändert werden können. PASCAL enthält über 30 reservierte Wörter.
Begrenzer	Leerzeichen (SPACE) Zeilenschaltung (LF)	Mehrere Sprachelemente innerhalb einer Anweisung müssen durch einen Begrenzer getrennt werden.
Bezeichner	A, Name, Pos_1, A1, Das_erste_Zeichen	Bezeichner dienen zur Benennung von Daten und Prozeduren. Das erste Zeichen ist ein Buchstabe. Art, art, ART sind identisch.
Zahl	12 +12 −12 1.2 1.2E-3	Zahlen in PASCAL sind ganzzahlig (Integer) oder gebrochen (Real).
String	'PASCAL' '1, 2, 3...'	Ein String ist eine Variable oder Konstante, die aus ASCII-Zeichen besteht. Zur Kennzeichnung wird er zwischen Apostrophen gesetzt.

[1] Neben der genormten Version von PASCAL gibt es noch weitere Dialekte mit ähnlichem Aufbau.

A

Programmiersprachen

PASCAL[1] (Fortsetzung)

vgl. DIN EN 27185 (1994-03)

Datentypen

Bezeich-nung	Beispiel	Erläuterung
Integer	30 100 –50	Werte des Typs Integer sind Ganzzahlen, meist von 2^{-31} bis 2^{31}.
Real	2.301 1.3E-12	Werte des Typs Real sind Gleitkommazahlen mit . als Dezimalzeichen.
Boolean	False (0) True (1)	Werte des Typs Boolean sind nur True (richtig) oder False (falsch).
Bereich	**type** Kleinbuchst = ('a'...'z');	Der Datentyp Bereich enthält eine Aufzählung (vorne, hinten, links, rechts) oder eine Reihe (1...500) von Werten.
Array	**type** A = array [1..10] of Real	A ist eine Variable für die Real-Zahlenreihe A[1], A[2] ...A[10]. A1 und A[1] sind verschiedene Variable.

Record	**type** Datum =
	record Name = string[20];
	        Jahr :1900...2000;
	        Monat : 1...12;
	        Tag : 1...31;
	end;
	var X, Y, Z: Datum;
		Der Datensatz (Record) Datum besteht aus den Feldern Name, Jahr, Monat und Tag. Die Variablen X, Y und Z werden dem Typ Datum zugeordnet. Damit lassen sich Datenbanken mit Personendaten aufbauen, z.B. Person X:
		X.Name = Maier; X.Jahr = 1961; X.Monat = 06; X.Tag = 15.
		Ebenso lassen sich Daten leicht auffinden, z.B. alle Personen, die im Jahr 1961 geboren sind.

File	**type** namenliste = file of Name;	Ein File enthält eine geordnete Folge von Datensätzen (Record) des gleichen Typs, entweder im RAM oder auf einem Datenträger.
Set	**type** gross = set of 'A'...'Z';	Mit dem Datentyp Set werden Mengen, z.B. Buchstaben von A bis Z, definiert, die entsprechend der Mengenlehre verglichen werden können.

Anweisungen

Anwei-sung	Programmbeispiel	Ergebnis	Erläuterung
: =	Preis := Ek + Sp;	Die Variable Preis erhält den Wert der Summe von Ek + Sp	Bei der Wertzuweisung wird der Variablen ein Wert zugewiesen.
goto..	goto Unterpr_1;	Sprung zum label Unterpr_1	Sprunganweisung zu einer Marke
read readln	read(x); readln(x);	Ordnet den Eingabewert der Variablen x zu	Eingabeaufforderung für Wert Eingabeaufforderung für 1 Zeichen
write writeln	write(x); writeln('Zeile 1');	Wert x wird ausgegeben 'Zeile 1' + LF wird ausgegeben	Wertausgabe am Bildschirm Wertausgabe + Zeilenschaltung
clrscr	readln (Eingabe); clrscr;	Nach dem Lesen wird der Bildschirm gelöscht	clrscr (clear screen) löscht den Bildschirm

begin...
end;
	begin
	z :=y; y := x; x:= z;
	end;
		Der Wertetausch von x und y wird mit der Hilfsvariablen z durchgeführt	Die zwischen begin und end stehenden Anweisungen werden zu einem Block zusammengefasst

if...then..
else
	if (Eingabe <= 0) then
	writeln('ungültig'); else
	x := Eingabe;
		Ist Eingabe kleiner gleich Null, so wird "ungültig" geschrieben, andernfalls der Wert an x übergeben	Nur wenn die nach if folgende Bedingung erfüllt ist, wird die folgende Anweisung ausgeführt

repeat...
until...
	repeat
	writeln('Beenden ? (J/N)');
	read(Zeichen); clrscr;
	until Zeichen in ('j,J');
		Am Bildschirm wird so lange 'Beenden ? (J/N)' ausgegeben, bis der folgende Eingabewert 'j' oder 'J' ist	Die Anweisungen nach repeat werden so lange wiederholt, bis die Bedingung nach until erfüllt ist (Kontrolle am Schleifenende)

while...
do...
	while Zahl > 0 do begin
	        readln(Zahl);
	        writeln sqrt(Zahl);
	end;
		Fordert die Eingabe einer Zahl und gibt den Wurzelwert der Zahl aus, solange der Wert der Zahl größer Null ist.	Die Anweisungen nach while werden so lange wiederholt, wie die Bedingung nach while erfüllt ist (Kontrolle am Schleifenanfang)

for...to...	for i := 1 to 100 do
	for k := 1 to 3 do
	readln(Aufgabe[i,k]);
		Für 100 verschiedene Aufgaben wird ein aus jeweils 3 Zeilen bestehender Text eingelesen.	Die nach for folgende Zählvariable wird nach jeder Wiederholung um 1 vergrößert, bis der nach to eingetragene Wert erreicht ist

[1] Neben der genormten Version von PASCAL gibt es noch weitere Dialekte mit ähnlichem Aufbau.

A

Verzeichnis der zitierten Normen und anderer Regelwerke

367

Nr.	Normart und Kurztitel	Seite	Nr.	Normart und Kurztitel	Seite
	AbfBestV			**DIN**	
§ 2/2	Abfallgesetz	183	221	Keilriemenscheiben	232
			228	Werkzeugkegel	223
			250	Rundungshalbmesser	61
			315	Flügelmuttern	225
			319	Kugelknöpfe	225
	DGQ				
11-19	Qualitätslehre	251	323	Normzahlen	61
16-31	Statistische Auswertung	248	332	Zentrierbohrungen	87
16-33	Qualitätsfähigkeit	251	406	Maßeintragung	71...77
			417[1]	Gewindestifte mit Schlitz	202
			433	Scheiben für Zylinderschrauben	213
	DIN				
1[1]	Kegelstifte, ungehärtet	218	434	Scheiben für U-Träger	214
6	Darstellung in Zeichnungen	66...70	435	Scheiben für I-Träger	214
7[1]	Zylinderstifte, ungehärtet	218	438[1]	Gewindestifte mit Schlitz	202
10	Vierkante von Zylinderschäften	216	439[1]	Sechskantmuttern, niedrig	210
13	Metrisches ISO-Gewinde	190	462	Sicherungsbleche	211
15	Linien	62	466	Rändelmuttern, hohe Form	212
30	Zeichnungsvereinfachung	79	467	Rändelmuttern, niedrige Form	212
66	Senkungen	205	471	Sicherungsringe für Wellen	240
74	Senkungen	205	472	Sicherungsringe für Bohrungen	240
76	Gewindeausläufe	85	475	Schlüsselweiten	216
82	Rändel	87	476	Papier-Endformate	80
84[1]	Zylinderschrauben mit Schlitz	200	508	Muttern für T-Nuten	227
85[1]	Flachkopfschrauben mit Schlitz	200	509	Freistiche	88
94[1]	Splinte	212	513	Sägengewinde	193
103	ISO-Trapezgewinde	193	551[1]	Gewindestifte mit Schlitz	202
125	Scheiben für Sechskantschrauben	213	553[1]	Gewindestifte mit Schlitz	202
126	Scheiben für Sechskantschrauben	214	580	Ringschrauben	211
128	Federringe	215	582	Ringmuttern	211
158	Kegeliges Außengewinde	191	609	Sechskant-Passschrauben	199
172	Bundbohrbuchsen	224	616	Maßreihen von Wälzlagern	235
173	Steckbohrbuchsen	224	623	Bezeichnung von Wälzlagern	235
174	Blanker Flachstahl	140	625	Rillenkugellager	236
175	Polierter Rundstahl	140	628	Schrägkugellager	236
176	Blanker Sechskantstahl	140	650	T-Nuten	227
177[1]	Stahldraht	135	668	Blanker Rundstahl	140
178	Blanker Quadratstahl	140	670	Blanker Rundstahl	140
179	Bohrbuchsen	224	671	Blanker Rundstahl	140
199	Begriffe im Zeichnungswesen	64	711	Axial-Rillenkugellager	237
201	Schraffuren	71	720	Kegelrollenlager	238
202	Gewindearten	188	748	Zylindrische Wellenenden	241

[1] Diese Normen wurden zurückgezogen. Die Ersatznormen sind auf der genannten Buchseite angegeben.

Verzeichnis der zitierten Normen und anderer Regelwerke

Nr.	Normart und Kurztitel	Seite	Nr.	Normart und Kurztitel	Seite
	DIN			**DIN**	
754	Profile aus Al-Legierungen	157	1028	L-Stahl, gleichschenklig	144
755	Profile aus Al-Legierungen	157	1029	L-Stahl, ungleichschenklig	143
780	Modulreihe für Zahnräder	257	1301	Einheiten im Messwesen	18
787	Schrauben für T-Nuten	227	1302	Mathematische Zeichen	17
804	Lastdrehzahlen	261	1304	Formelzeichen	17
824	Faltung von Zeichenblättern	80	1412	Spiralbohrer, Benennungen	277
835	Stiftschrauben	203	1414	Spiralbohrer, Typen	277
906	Verschlussschrauben	201	1445	Bolzen mit Gewindezapfen	219
908	Verschlussschrauben	201	1448	Kegelige Wellenenden	241
910	Verschlussschrauben	201	1511	Gießereitechnik	121
912[1]	Zylinderschrauben	199	1541[1]	Stahlblech, Stahlband	137
913	Gewindestifte	202	1587	Sechskant-Hutmuttern	211
914	Gewindestifte	202	1616[1]	Feinstblech, Weißblech	136
915	Gewindestifte	202	1623	Blech und Band, kaltgewalzt	136
916	Gewindestifte	202	1651[1]	Automatenstähle	130, 151
929	Sechskant-Schweißmuttern	212	1652	Blankstahl, Lieferbedingungen	140
931[1]	Sechskantschrauben	196	1681[1]	Stahlguss	125
933[1]	Sechskantschrauben	197	1686	Allgemeintoleranz. f. Gussstücke	121
934[1]	Sechskantmuttern	209	1691[1]	Gusseisen m. Lamellengraphit	123
935	Kronenmuttern	212	1692[1]	Temperguss	125
938	Stiftschrauben	203	1693[1]	Gusseisen mit Kugelgraphit	124
939	Stiftschrauben	203	1700	NE-Metalle, Bezeichnung	152
960[1]	Sechskantschrauben	197	1705	Kupfer-Gusslegierungen	161
961[1]	Sechskantschrauben	197	1707[1]	Weichlote	313
962	Schrauben, Muttern, Bezeichnung	194, 207	1709	Kupfer-Gusslegierungen	161
963[1]	Senkschrauben mit Schlitz	201	1714	Kupfer-Gusslegierungen	161
964[1]	Linsensenkschrauben mit Schlitz	201	1725	Al-Gusslegierungen	161
965[1]	Senkschrauben mit Kreuzschlitz	200	1729	Mg-Gusslegierungen	161
966[1]	Linsensenkschr. m. Kreuzschlitz	201	1732	Schweißzusatzwerkstoffe für Al	306
971[1]	Sechskantmuttern	210	1743	Feinzink-Gusslegierungen	160
974	Senkungen	206	1747[1]	Al-Knetlegierungen	155
979	Kronenmuttern	212	1751	Bleche aus NE-Metallen	137
981	Nutmuttern für Wälzlager	239	1771	L-Profile aus Al-Legierungen	157
988	Pass- und Stützscheiben	241	1783	Bleche aus NE-Metallen	137
1013	Rundstahl, warmgewalzt	139	1786	Installationsrohre aus Kupfer	147
1014	Vierkantstahl, warmgewalzt	139	1795	Rohre aus Al-Legierungen	157
1017	Flachstahl, warmgewalzt	139	1804	Nutmuttern	211
1022	L-Stahl, scharfkantig	142	1836	Werkzeug-Anwendungsgruppen	270
1025	Doppel-T-Träger	145	1850	Buchsen für Gleitlager	234
1026	U-Stahl, warmgewalzt	141	1913[1]	Umhüllte Stabelektroden	307

[1] Diese Normen wurden zurückgezogen. Die Ersatznormen sind auf der genannten Buchseite angegeben.

Nr.	Normart und Kurztitel	Seite	Nr.	Normart und Kurztitel	Seite
	DIN			DIN	
2076	Runder Federdraht	135	6785	Butzen an Drehteilen	84
2077	Runder Federdraht	135	6796	Spannscheiben	215
2080	Steilkegelschäfte	223	6797	Zahnscheiben	215
2093	Tellerfedern	231	6798	Fächerscheiben	215
2098	Schrauben-Druckfedern	230	6799	Sicherungsscheiben	240
2310	Therm. Schneiden, Toleranzen	306	6885	Passfedern	221
2391	Präzisionsstahlrohre	147	6886	Keile	220
2448	Stahlrohre, nahtlos	147	6887	Nasenkeile	220
2458	Stahlrohre, geschweißt	147	6888	Scheibenfedern	221
2999	Whitworth-Rohrgewinde	192	6914	Sechskantschrauben	198
3141[1]	Oberflächenangaben	97	6915	HV-Sechskantmuttern	210
3760	Radial-Wellendichtringe	242	6923[1]	Sechskantmuttern	210
3771	O-Ringe	242	6935	Biegeradien	294
4760	Gestaltabweichungen	94	7157	Passungsauswahl	106
4762	Oberflächenrauheit	94	7168	Allgemeintoleranzen	105
4766	Rautiefen, erreichbare	95	7337	Blindniete	222
4768	Rauheitskenngrößen, Ermittlung	94	7500	Gewindefurchende Schrauben	198
4771	Profiltiefenmessung	94	7504	Bohrschrauben	203
4844	Sicherheitsfarben	128B	7708	Formmassetypen	170
4983	Klemmhalter	273	7721	Synchronriemen	233
4987	Wendeschneidplatten	272	7726	Schaumstoffe	171
5406	Sicherungsbleche	239	7728[1]	Kurzzeichen für Polymere	166
5412	Zylinderrollenlager	237	7735	Schichtpressstoffe	170
5418	Einbaumaße für Wälzlager	236	7753	Schmalkeilriemen	232
5419	Filzringe	242	7981[1]	Linsen-Blechschrauben	203
5425	Toleranzen für Wälzlagereinbau	107	7982[1]	Senk-Blechschrauben	203
5517	Rohre u. Profile aus Al-Legierungen	157	7983[1]	Linsensenk-Blechschrauben	203
5520	Biegeradius bei NE-Metallen	294	7984	Zylinderschrauben	199
6311	Druckstücke	226	7985[1]	Flachkopfschrauben m. Kreuzschl.	200
6319	Kugelscheiben, Kegelpfannen	227	7989	Scheiben für Stahlkonstruktionen	214
6321	Aufnahme-Auflagebolzen	226	7991[1]	Senkschrauben, Innensechskant	200
6323	Lose Nutensteine	227	7999	Sechskantschrauben	198
6332	Gewindestifte mit Druckzapfen	225	8062	Rohre aus PVC	172
6335	Kreuzgriffe	226	8072	Rohre aus PE	172
6336	Sterngriffe	226	8074	Rohre aus PE-HD	172
6599[1]	Schneidstoffe, Bezeichnung	271	8511[1]	Flussmittel	313
6771	Schriftfelder mit Stücklisten	80	8513	Hartlote	312
6773	Härteangaben in Zeichnungen	93	8551[1]	Nahtvorbereitung b. Schweißen	300
6776	Beschriftung	60	8554	Gasschweißstäbe	302
6784	Werkstückkanten	84	8559[1]	Drahtelektroden	303

[1] Diese Normen wurden zurückgezogen. Die Ersatznormen sind auf der genannten Buchseite angegeben.

Verzeichnis der zitierten Normen und anderer Regelwerke

[1] Diese Normen wurden zurückgezogen. Die Ersatznormen sind auf der genannten Buchseite angegeben.

Nr.	Normart und Kurztitel	Seite	Nr.	Normart und Kurztitel	Seite
	DIN			**DIN EN**	
66284	Elementar-BASIC	363	10024	I-Träger, Grenzabmaße	146
69100	Schleifmittel	287	10025	Unlegierter Baustahl	128
			10027	Stähle, Nummernsystem	114, 116
			10028	Druckbehälterstähle	134
			10029	Stahlblech, Stahlband	137
			10031	Stahlblech, Stahlband	137
			10034	I-Träger, Grenzabmaße	145
			10045	Kerbschlagversuch	177
			10055	T-Stahl, gleichschenklig	142
			10056	L-Stahl, Grenzabmaße	143
			10083	Vergütungsstähle	129, 150
			10084	Einsatzstähle	130, 149
			10087	Automatenstähle	130, 151
			10088	Nichtrostende Stähle	133
			10109	Rockwell-Härteprüfung	179
	DIN EN				
178	Al-Gussstücke, Bezeichnung	154	10113	Schweißgeeign. Feinkornbaust.	131
439	Schutzgase	303	10130	Blech, Band, kaltgewalzt	136
440	Drahtelektroden	303	10142	Blech, Band, feuerverzinkt	137
499	Umhüllte Stabelektroden	307	10203	Weißblech	136
515	NE-Metalle, Werkstoffzustand	153	10205	Feinstblech	136
573	Al-Knetlegierungen, Bezeichnung	153	10213	Stahlguss für Druckbehälter	125
754	Al-Knetlegierungen	155	10218	Stahldraht, kaltgezogen	135
755	Al-Knetlegierungen	155	10270	Federdraht, patentiert gezogen	134
1045	Flussmittel zum Hartlöten	313	12163	Kupfer-Knetlegierungen	159
1089	Druckgasflaschen	301	12164	Kupfer-Knetlegierungen	159
1173	Cu-Legierung., Werkstoffzustände	152	20273	Durchgangslöcher f. Schraub.	194
1412	Kupfer, Kupferlegierungen	152	20898	Festigkeitsklassen v. Schraub.	194, 207
1560	Gusseisenwerkstoffe, Normung	122	22339	Kegelstifte, ungehärtet	218
1561	Gusseisen mit Lamellengraphit	123	22340	Bolzen ohne Kopf	219
1562	Temperguss	125	22341	Bolzen mit Kopf	219
1563	Gusseisen mit Kugelgraphit	124	22553	Schweißen, Sinnbilder	89...91
1564	Bainitisches Gusseisen	123	24014	Sechskantschrauben	196
1661	Sechskantmuttern mit Flansch	210	24015	Sechskantschrauben	198
1706	Aluminium-Gusslegierungen	161	24017	Sechskantschrauben	197
2054	Stabelektroden, Abmessungen	307	24032	Sechskantmuttern	209
2338	Zylinderstifte, ungehärtet	218	24033	Sechskantmuttern	209
10002	Zugversuch	175	24035	Sechskantmuttern	209
10003	Brinell-Härteprüfung	178	24063	Schweißverfahren, Kennzahlen	299
10016	Walzdraht	135	24766	Gewindestifte mit Schlitz	202
10020	Stähle, Einteilung	115	27185	PASCAL	365

[1] Diese Normen wurden zurückgezogen. Die Ersatznormen sind auf der genannten Buchseite angegeben.

Verzeichnis der zitierten Normen und anderer Regelwerke

[1] Diese Normen wurden zurückgezogen. Die Ersatznormen sind auf der genannten Buchseite angegeben.

Verzeichnis der zitierten Normen und anderer Regelwerke

Nr.	Normart und Kurztitel	Seite	Nr.	Normart und Kurztitel	Seite
	DIN ISO			**GefStoffV**	
4759	Schrauben, Produktklassen	194		R-Sätze	185
5419	Spiralbohrer, Benennungen	277		S-Sätze	186
5455	Maßstäbe	61			
5456	Projektionsmethoden	63			
5845	Metallbau, Zeichnungen	92		**TRGS**	
6410	Gewinde, Darstellung	75,79	900	MAK-Werte	184
6411	Zentrierbohrungen	86			
6413	Keilwellen und Verzahnungen	91			
6691	Kunststoffe für Gleitlager	165			
7049	Blechschrauben m. Linsenkopf	203		**VBG**	
7050	Senkblechschrauben	203	48	Höchstzul. Umfangsgeschwindigk.	286
7051	Linsensenk-Blechschrauben	203	121	UVV „Lärm"	314
8466	Schleifmittel, Körnung	287	125	Sicherheitskennzeichnung	128C
8826	Wälzlager, vereinf. Darstellung	82			
9222	Dichtungen, vereinf. Darstellg.	83		**VDI-Richtlinien**	
			2003	Kunststoffe, Spanen	290
			2229	Klebeteile, Vorbehandlung	311
			3367	Schneiden, Stegbreiten	292
			3368	Schneidstempel, Maße	292
			3389	Biegen, Rückfederung	295
	DIN VDE		3411	Schleifen mit CBN-Scheiben	286
0100-410	Schutzmaßnahmen	326			
0100-430	Sicherung., Leitungsquerschn.	324			

1) Diese Normen wurden zurückgezogen. Die Ersatznormen sind auf der genannten Buchseite angegeben.

Sachwortverzeichnis

C – D

E

F

Sachwortverzeichnis

H – I

K

L

Sachwortverzeichnis

L

M

N – O

Sachwortverzeichnis

P

S

Sachwortverzeichnis

W

Z